DÁN AGUS TALLANN 13

Leabhar Mhaidhc Dháith

Scéalta agus Seanchas ón Rinn

Maidhc Dháith, An Rinn, 1950

Grianghraf: Roinn Bhéaloideas Éireann

TREOIR DON LEABHAR

Leabhar Mhaidhc Dháith

Scéalta agus Seanchas ón Rinn

MÁIRTÍN VERLING

a chóirigh agus a chuir in eagar

Le

SEOSAMH Ó DÁLAIGH, NIOCLÁS BREATNACH,
ÚNA PARKS

agus daoine eile a bhailigh

An Sagart
An Díseart
An Daingean
2007

An Chéad Chló 2007

Do Emma

Dearadh an Chlúdaigh: Máirtín Verling

ISBN 1 903896 32 0
ISSN 0791 3583

Sa tsraith chéanna:

1. *Orthaí Cosanta sa Chráifeacht Cheilteach*
2. *Aisling agus Tóir*
3. *Ár Seanscéalaíocht*
4. *Scéalta agus Seanchas Phádraig Uí Ghrifín*
5. *Thiar sa Mhainistir atá an Ghaolainn Bhreá*
6. *Téamaí Taighde Nua-Ghaeilge*
7. *Éist leis an gCóta*
8. *An Cantaire Siúlach*
9. *Béalra*
10. *Canfar an Dán*
11. *Exempla Gaeilge*
12. *Torann a Dheireadh*

Foilsíodh an leabhar seo le cabhair ó Bhord na Leabhar Gaeilge.

AN CINNIRE LAIGHNEACH A CHLÓIGH

CLÁR AN ÁBHAIR

AN CÚLRA

SCÉALTA AGUS SEANCHAS MHICHÍL TURRAOIN

1. SAOL NA nDAOINE SA RINN FADÓ

A. TITHE NA nDAOINE

B. FEIRMEOIREACHT
(a) UIRLISÍ FEIRME

(b) OBAIR NA BLIANA AR AN bhFEIRM

(c) TALAMH AGUS CURADÓIREACHT

(d) SEANCHAS AR AINMHITHE FEIRME AGUS TÍS

(I) BA

(II) LAOI

(III) CAPAILL

(IV) GABHAIR

(V) CAOIRE

(VI) MUCA

(VII) AN CAT

(VIII) AN MADRA

(IX) CEARCA

(X) GÉANNA

(XI) LACHAIN

(b) ÉISC AGUS AINMHITHE EILE FARRAIGE

(c) CNUASACH TRÁ

E. CEARDANNA

2. CÚRSAÍ GNÓTHA AGUS TAISTIL

A. TAISTEAL AR TÍR

B. SAOL LUCHT TAISTIL

3. AN DUINE

A. BAILL AN CHOIRP AGUS A gCÚRAMAÍ

B. SAGHASANNA DAOINE

C. FIR AGUS MNÁ

D. BREITH AN LINBH

E. SAOL AN DUINE

F. AN GRÁ, AN PÓSADH AGUS AN SAOL PÓSTA

G. AN tSEANAOIS

H. AN BÁS

I. DEILEÁIL IDIR BHEOIBH AGUS MARAÍBH

J. FEALSÚNACHT AN DUINE

4. CÚRSAÍ CREIDIMH

A. TOIBREACHA BEANNAITHE

B. SAGAIRT AGUS CREIDEAMH

C. NAOMHSHEANCHAS

5. AN NÁDÚR

A. SEANCHAS AR NA hÉANLAITHE

B. FEITHIDÍ

C. PLANDAÍ

D. AN SPÉIR AGUS AN AIMSIR

6. GALAIR AGUS LEIGHISEANNA

7. RANNA NA hAIMSIRE

A. NA FÉILÍ COITIANTA

B. FÉILÍ ÁITIÚLA

8. PISEOGA AGUS DRAÍOCHT

A. DAOINE GO MBEADH COMHACHTAÍ SPEISIALTA ACU

B. RATH, MÍ-RATH AGUS MALLACHTÓIREACHT

C. RUDAÍ GO LEANANN DRAÍOCHT AGUS RATH IAD

D. PISEOGA ÉAGSÚLA

9. SAMHLAÍOCHT I dTAOBH NITHE AGUS DAOINE

A. ÁITEANNA SÍ

B. LUCHT SÍ

C. AINMHITHE NEAMHSHAOLTA

D. DAOINE NEAMHSHAOLTA

E. NITHE NEAMHSHAOLTA AR MHUIR

F. NITHE NEAMHSHAOLTA AR TÍR

10. SEANCHAS STAIRIÚIL

A. SEANIARSMAÍ

B. AIMSIR CHROMAIL

C. AN GORTA

D. SAOL NA SPAILPÍNÍ AGUS NA SCLÁBHAITHE

E. NA FÍNÍNÍ

F. TIARNAÍ TALÚN

G. AIMISIR NA nDEACHÚNA

H. BRUÍONTA

I. LOING BHÁITE

J. AIMSIR THOGHACHÁIN

11. EALAÍN BHÉIL

A. SEANASCÉALTA AGUS FINSCÉALTA AR AINMHITHE

B. SEANASCÉALTA IONTAIS

C. SEANASCÉALTA ROMÁNSÚLA

D. SEANASCÉALTA FÉ CHLEASAITHE

E. SEANASCÉALTA MAR GHEALL AR BHRÉAGA

F.SCÉALTA SLABHRA

G. SCÉALTA GEARRA ÁITIÚLA

H. DIAGASÚLACHT AGUS TEAGASC

I. FIANNAÍOCHT

J. DINNSEANCHAS

K. SEANFHOCAIL

L. TOMHAISEANNA

M. AMHRÁIN A CHUM FILÍ ÁITIÚLA

N. AMHRÁIN AGUS DÁNTA ÉAGSÚLA

O. AMHRÁIN A CHUM SÉ FÉIN

P. DÁNTA AGUS AMHRÁIN DIAGA

Q. CAOINTE

R. RANNSCÉALTA AGUS SEANCHAS FILÍOCHTA

S. GRINNSCÉALTA

T. PAIDREACHA

U. RANNA BEAGA AGUS VÉARSAÍ FÁIN

V. SCÉALTA ÉAGSÚLA

W. SLÁINTÍ, GUÍTE AGUS MALLACHTAÍ

X. RÁITISÍ, NATHANNA AGUS FOCAIL ÉAGSÚLA

12. CAITHEAMH AIMSIRE NA nDAOINE

A. AN SCÉALAÍOCHT

B. CLUICHÍ AGUS RANNA PÁISTÍ

13. SEANCHAS PEARSANTA

NA LÉARÁIDÍ

RÉAMHRÁ

Cnuasach is ea é seo de scéalta, seanchas agus amhráin a bhailigh daoine éagsúla ó Mhichéal Turraoin (Maidhc Dháith) (20.3.1878-13.10.1963), Baile Uí Churraoin, An Rinn, Co. Phort Láirge, idir 1929 agus deireadh na gcaogaidí.

Rugadh Maidhc i gCnocán a' Phaoraigh Íochtarach, i bparóiste na Rinne. Chuaigh sé in aimsir nuair a bhí sé dhá bhliain déag d'aois agus bhí sé i láthair ag an aonach haidhreála deireanach do chailíní agus do bhuachaillí a bhí i gCill 'ac Thomáis Fhinn.

Bhí cáil ar Mhaidhc ina áit dhúchais agus i measc scoláirí Gaelainne ó chian agus ó chóngar mar gheall ar shaibhreas agus líofacht a chuid Gaelainne. Idir 1928 agus 1932 dhein an teangeolaí Gearmánach Wilhelm Doegen – a bhí ag obair ar son Acadamh Ríoga na hÉireann – taifeadtaí de chanúintí na Gaelainne in áiteanna áirithe ar fuaid na tíre. Ar an 5 Aibreán 1928 bhí Maidhc ar dhuine de thriúr ó cheantar na Rinne gur dhein Doegen taifeadadh dá gcuid cainte.

Sa bhliain 1932 bhailigh Nioclás Breatnach roinnt béaloidis uaidh leis an Edifón ar son Choimisiún Béaloideasa Éireann. Ghlaoigh Séamus Ó Duilearga, stiúrthóir an Choimisiúin, isteach ar Mhaidhc sa bhliain 1933. Idir 1933 agus 1940 scrígh Micheál Ó hAodha, Ollamh le Gaelainn i gColáiste na hOllscoile Baile Átha Cliath, cuid mhaith ábhair ó bhéalaithris Mhaidhc. Foilsíodh an t-ábhar seo san iris *Béaloideas.*[1] Thug Risteard A. Breatnach turas air chomh maith sa bhliain 1933 agus scrígh sé síos roinnt amhrán uaidh a cuireadh i gcló in *Éigse.*[2] Ar a shon san, tá formhór an bhéaloidis a bailíodh ó Mhaidhc gan foilsiú fós. An chuid is mó den ábhar a bailíodh uaidh, ba é Seosamh Ó Dálaigh, bailitheoir lánaimseartha leis an gCoimisiún, a dhein an gaisce sna blianta 1945 agus 1947. I ndeireadh na gcaogaidí bhailigh Úna Parks, múinteoir bunscoile sa Rinn, cuid mhaith uaidh ar théip agus timpeall an ama chéanna dhein Risteard B. Breatnach ón Institiúid Ardléinn i mBaile Átha Cliath, roinnt téipthaifeadtaí de chomh maith. Dar ndóigh, bhí Risteard ag déanamh staidéir ar chanúint na Rinne ó 1939 amach agus bhí Maidhc ar dhuine de na faisnéiseoirí ba thábhachtaí a bhí aige.

Dhein Seán Ó Súilleabháin (1940), Caoimhín Ó Danachair (1948), an B.B.C. (1950) agus Leo Corduff (1954) taifeadtaí de Mhaidhc ar cheirníní. Bhí sé de nós ag Tomás Ó Faoláin agus Séamus Mac Shamhradháin, a bhí ar fhoireann teagaisc Choláiste na Rinne, blúirí a scríobh síos uaidh anois is arís. Ó am go ham bhíodh Michéal Ó Cionnfhaolaidh, múinteoir i gColáiste na Rinne chomh maith, ag scríobh scéal a bheatha síos ó Mhaidhc agus ba é toradh na hoibre sin ná an leabhar, *Beatha Mhichíl Turraoin* (Baile Átha Cliath: Oifig an tSoláthair,

1956). Bhí Maidhc ar dhuine de bheirt chainteoir[3] ón Rinn a d'úsáid an teangeolaí Wagner don *Linguistic Atlas* sa bhliain 1950.[4]

Tá sé in ard-am anois aitheantas agus ómós a thabhairt do Mhaidhc agus a bhfuil bailithe uaidh de bhéaloideas a chur ar fáil do mhuintir na Rinne agus do mhuintir na hÉireann i bhfoirm leabhair.

1. M.Ó hAo (gan Edifón) idir 1933 agus 44: M. Ó hAodha, "Seanchas ós na Déisibh", *Béaloideas* 14 (1944) 53-112.
2. R. A. Breatnach, "Roinnt Amhrán ón Rinn", *Éigse* II, 4 (1940) 236-47.
3. Ba é Pats Cuddihy, Heilbhic, an cainteoir eile (H. Wagner, *Linguistic Atlas and Survey of Irish Dialects, Vol. I, Introduction* (Baile Átha Cliath: Institiúid Ardléinn Bhaile Átha Cliath, 1958) l. X.
4. Idem, *Linguistic Atlas and Survey of Irish Dialects, Vol. II. The Dialects of Munster* (Baile Átha Cliath: Institiúid Ardléinn Bhaile Átha Cliath, 1964) l. 1-20.

BUÍOCHAS

Tá an obair seo ar siúl le tamall de bhlianta agus is mó duine a thug cabhair agus cúnamh dom i rith an ama sin. Ar an gcéad dul síos is le caoinchead Shéamuis Uí Chatháin, Ceann Roinn Bhéaloideas Éireann, An Coláiste Ollscoile, Baile Átha Cliath, atá an t-ábhar ós na láimhscríbhinní agus ón gCartlann Fuaime sa roinn chéanna á fhoilsiú. Dar ndóigh, tháinig Roinn Bhéaloideas Éireann mar chomharba ar Choimisiún Béaloideas Éireann 1935-1971. Fé mar a dhein sé go minic cheana, do thug Gearóid Ó Cruadhlaoich cead isteach dom go dtí Cartlann an Bhéaloidis, Coláiste na hOllscoile, Corcaigh, agus chabhraigh sé liom i mórán slite eile. Is mó turas go Baile Átha Cliath a spáráil Criostóir Mac Cárthaigh, Roinn Bhéaloideas Éireann, orm leis an gcúnamh a thug sé dom i rith na mblianta. Thar aon duine eile, ba í Aoibheann Nic Dhonnchadha ó Institiúid Ardléinn Bhaile Átha Cliath is mó a spreag mé chun an obair seo a chur i gcríoch aon uair go raibh mo mhisneach ag teip orm. Chomh maith le héisteacht leis an ábhar fuaime go léir, léigh sí an t-ábhar ar fad a chuireas i gcló agus chuir ana-chuid mionphointí a bhaineann le canúint na Rinne ar mo shúilibh dom. Ba í Anna Bale ó Chartlann na Fuaime, Roinn Bhéaloideas Éireann, a sholáthair an t-ábhar fuaime ó Mhaidhc a bhí sa chartlann san dom agus táim thar a bheith buíoch di. Sara gcailleadh í, thug Úna Parks cead dom an t-ábhar fuaime ar fad a bhailigh sí féin ó Mhaidhc a fhoilsiú. Aon eolas atá sa leabhar mar gheall ar ghinealach na ndaoine is ó Nioclás Mac Craith a fuaireadh le croí mór maith. Ba mhaith liom buíochas speisialta a ghábháil leis an Athair Pádraig Ó Fiannachta a ghlac mar chúram air féin an saothar mór seo a fhoilsiú.

AN
CÚLRA

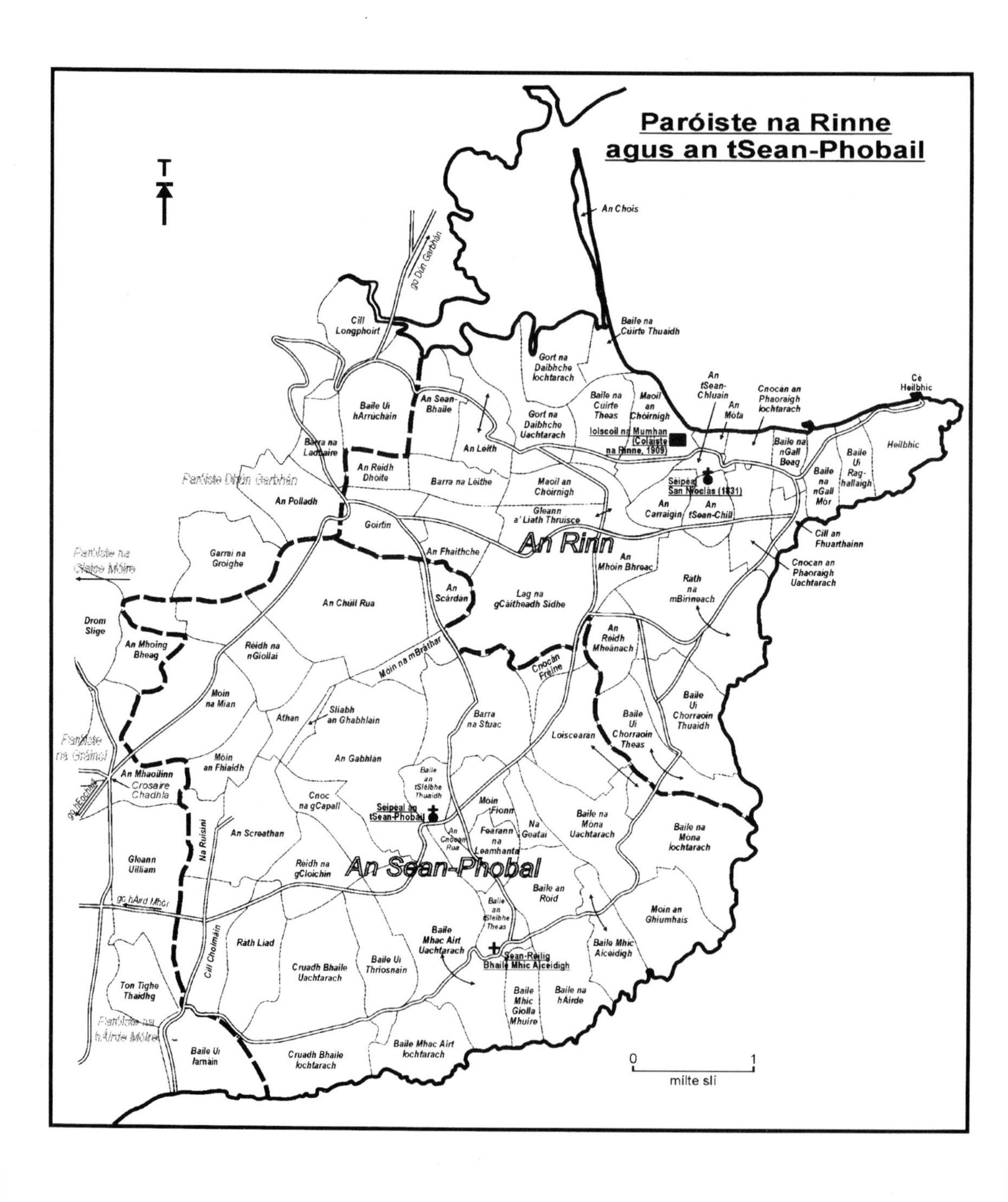
Paróiste na Rinne
agus an tSean-Phobail
T
An Chois
go Dún Garbhán
Cill Longphoirt
Baile na Cúirte Thuaidh
Gort na Daibhche Íochtarach
Baile Uí hArrúcháin
An Sean-Bhaile
Gort na Daibhche Uachtarach
Baile na Cúirte Theas
Maoil an Choirnigh
An tSean-Chluain
An Móta
Cnocán an Phaoraigh Íochtarach
Cé Heilbhic
Heilbhic
An Léith
Barra na Ladhaire
An Réidh Dhóite
Barra na Léithe
Maoil an Choirnigh
Baile na nGall Beag
Baile na nGall Mór
Baile Uí Rag-hallaigh
An Polladh
Gleann a' Liath Thruisce
An Carraigín
An tSean-Chill
Goirtín
An Rinn
Cill an Fhuarthainn
Garraí na Groighe
An Fhaithche
An Mhóin Bhreac
Cnocán an Phaoraigh Uachtarach
Ráth na mBirínneach
An Chúil Rua
An Scárdán
Lag na gCáitheadh Sidhe
Drom Slige
An Mhoing Bheag
Réidh na nGiollaí
An Réidh Mheánach
Móin na mBráthar
Cnocán Fréine
Móin na Mian
Athan
Sliabh an Ghabhláin
Barra na Stuac
Baile Uí Chorraoin Thuaidh
Baile Uí Chorraoin Theas
Loiscearán
An Gabhlán
Móin an Fhiaidh
An Mhaoilinn
Crosaire Chadhla
Cnoc na gCapall
Móin Fionn
Na Geataí
Baile na Móna Uachtarach
Baile na Móna Íochtarach
An Screathan
Na Ruisíní
Gleann Uilliam
Réidh na gCloichín
An Sean-Phobal
Baile an Róid
Móin an Ghiumhais
Ráth Liad
Cill Cholmáin
Baile Mhac Airt Uachtarach
Cruadh Bhaile Uachtarach
Baile Uí Thriosnáin
Baile Mhic Aiceidigh
Ton Tighe Thaidhg
Baile Mhic Giolla Mhuire
Baile na hAirde
Baile Uí Iarnáin
Cruadh Bhaile Íochtarach
Baile Mhac Airt Íochtarach
0
1
mílte slí

A. SAOL MHICHÍL TURRAOIN

Ba é Michéal Ó Cionnfhaolaidh – múinteoir i gColáiste na Rinne agus cainteoir dúchais ón Rinn é féin – a scríobh scéal a bheatha síos ó bhéalaithris Mhaidhc Dháith.[1] Is amhlaidh a théadh Maidhc go dtí tigh Mhichíl ó am go ham nuair a bhíodh sé ag dul ó Bhaile Uí Churraoin go dtí Oifig an Phoist ag triall ar an bpinsin. Lean an obair seo ar aghaidh ar feadh tamall de bhlianta – Michéal ag ceistiú Mhaidhc agus ag breacadh síos uaidh de réir mar a bhíodh Maidhc ag caint.[2] Ní mhaireann aon láimhscríbhinn de na hagallaimh sin sa Rinn sa lá inniu agus níl aon láimhscríbhinn ag na foilsitheoirí ach an oiread, ach is dóichí gur dhein na foilsitheoirí cuid mhaith cinsearachta uirthi sarar cuireadh i gcló an leabhar.[3] Ní fios ach an oiread cad é díreach an tionchar a bhí ag Michéal Ó Cionnfhaolaidh ar Mhaidhc nuair a bhí sé ag bailiú uaidh ach is dóichí gur threoraigh sé cuid mhaith é i dtreo gnéithe agus tréimhsí áirithe dá shaol. Caithfear a chur san áireamh ag léamh an téacsa, mar sin, ná fuiltear ag éisteacht díreach le guth Mhaidhc Dháith agus lena thuairimí mar gheall ar a shaol féin fé mar ba dhóigh le duine:

> In terms of research paradigms, the life history was an effective genre for realizing the mandate to study culture from the insider's perspective and to show how the larger social and cultural pattern was actually experienced in the life of the individual. Through the rhetoric of the first person, life history created the illusion that nothing stood between the reader and the subject, that one was in the presence of a culture authoring its own text.[4]

1. M. Ó Cionnfhaolaidh, *Beatha Mhichíl Turraoin maille le Scéalta agus Seanchas* (Baile Átha Cliath: Oifig an tSoláthair, 1956).
2. Agallamh pearsanta le Domhnall Ó Cionnfhaolaidh, mac Mhichíl Uí Chionnfhaolaidh, 10/3/01.
3. *Ibid.*

Tá stair na lámhscríbhinne seo pléite go maith ag Proinsias Ó Drisceoil [P. Ó Drisceoil, "Is fearr deireanach ná go brách," *An Linn Bhuí – Iris Ghaeltacht na nDéise* 5 (2001):53-7]. De réir dealraimh nach ró-mhaith a caitheadh le Michéal Ó Cionnfhaolaidh agus é a d'iarraidh an leabhar a chur chun cinn. Ba mhall, righin, leadránach a bhí an Gúm ón uair a chuir an Cionnfhaolach litir chuchu sa bhliain 1943 – ag míniú go raibh an obair geall le bheith críochnaithe – go dtí gur foilsíodh an leabhar ar deireadh i 1956 (*Ibid,* lch. 53). Ina theannta san, mara mbeadh comhairle leithéidí Sheáin Uí Churraoin agus Thorna (an tOllamh Ó Donnchadha) is dóichí gur mhó ar fad de chaighdeánú agus de chinsireacht a bheadh déanta ar an saothar (*Ibid,* lch. 53-6). Agus ní sásta ach an oiread a bhí an Curraoineach le cuid de na míreanna a bhí sa lámhscríbhinn (i. stair na bhFíníní agus seanchas ar an Dr. de Hindeberg) a dúirt sé ná féadfadh a bheith tagtha ó bhéal Mhaidhc Dháith riamh (*Ibid.,* lch. 55). Ar ndóin, ba ar an gCionnfhaolach féin an locht san ní foláir.

4. B. Kirshenblatt-Gimblett, "Authoring Lives," in eag. T. Hofer agus P. Niedermüller, *Life History as Cultural Construction/Performance – Proceedings of the IIIrd American-Hungarian Folklore Conference held in Budapest, 16-22 August, 1987* (Budapest: Ethnographic Institute of the HAS), l. 141.

Bhí Ristéard B. Breatnach – fear go raibh ana-thaithí aige ar Ghaelainn Mhaidhc – go láidir den tuairim gur saothar beirte atá in *Beatha Mhichíl Turraoin* sa tslí go bhfuil sé deacair a dhéanamh amach i gcuid mhaith den leabhar cad é díreach a tháinig díreach ó bhéal Mhaidhc:

> Ní foláir a thabhairt fé neara go bhfuil saothar na beirte imithe go muar in acharan ina chéile i gcuid mhaith den leabhar. Níor bhfuiris don léathóir coitianta a dhéanamh amach dé méid ar fad a chuir Michéal Ó Cinn Fhaoladh leis an méid a fuair sé ó Mhike Dhá, ach fiú amháin an té ná beadh aon aithine aige ar Mhike thuigfeadh sé go bhfuil rudaí áirithe sa leabhar a chaithfeadh teacht ó Mhichéal Ó Cinn Fhaoladh, d'aindeoin go bhfuil an cúntas ar fad sa chéad phearsa.
>
> Chuir Michéal Ó Cinn Fhaoladh cuid den sgéal síos díreach mar a tháinig sé ó Mhike; thá píosaí eile in a bhfuil saothar na beirte measgatha thrí n-a chéile; agus thá rudaí eile a chuir Michéal Ó Cinn Fhaoladh isteach uaidh féin ar fad, chun cur le pé tuairisg a bhí aige ó Mhike. Thuigfeadh éinne nách ó Mhike a fuaireadh an abhráin ar leathanach 40, mar thá sé ráite gur as leabhar a fuaireadh é. Agus thuigfeadh éinne leis gur as leabhar a fuaireadh na liostaí agus na figiúirí ar leathanaigh 136, 137, cé ná fuil san ráite (tóigeadh iad so as paimhhléid in a bhfuil tuairisg ar obair an Relief Committee of the Society of Friends dos na h-iasgairí sa Rinn le linn an dro-shaeil). Ach tá rudaí eile agus b'féidir ná tuigfí chomh maith sin gur ó Mhichéal Ó Cinn Fhaoladh a tháiníodar, cuir i gcás an tagairt do "l" leathan ar leathanach 157.[5]

Tugann Liam P. Ó Murchú agus Máire Ní Mhainín – agus iad ag tagairt do bheathaisnéis cháiliúil Pheig Sayers[6] – foláireamh dúinn chomh maith a bheith aireach mar gheall ar an an tuiscint a bhainfimís as téacs an leabhair sin:

> Níor mhór do léitheoirí, mar sin, a bheith ar aire agus iad ag gabháil trí insintí Pheig ar eachtraí áirithe sa leabhar agus a thuiscint go mb'fhéidir nach í a guth neamhspleách gan scáth na gcúntóirí a bhíonn le clos. Agus is gá an *caveat* seo a thabhairt amach chomh maith mar gheall ar Ghaeilge an leabhair, óir féadfar deimhin a dhéanamh de ná dúirt sí focail agus foirmeacha áirithe atá ann, in ainneoin a ndúirt Máire Ní Chinnéide i *Réamhrádh an eagarthóra* (1936) nuair a mhíníonn sí conas mar a 'cheartaigh' Peig 'a raibh le ceartú' agus 'ná fuil sa leabhar ach a Gaedhilg ghlan súd.'[7]

5. Breatnach, R.B. "Scéal Mhike Dhá," *Comhar,* Bealtaine 1957: 20.
6. Sayers, P, *Peig – A Scéal Féin,* (Baile Átha Cliath: Clólucht an Talbóidigh, 1936).
7. Ní Mhainín, M. agus Ó Murchú, L.P. eag., *Peig – A Scéal Féin* (An Daingean: An Sagart, 1998, l. x.

Ní mór ná gurb é an dála céanna ag *Beatha Mhichíl Turraoin* é, ach tá sé de áis againn go bhfuil píosaí breátha seanchais a bhailigh daoine éagsúla ó Mhaidhc Dháith a dheimhníonn 'fírinne' cuid de na heachtraí atá sa bheathaisnéis. Ina theannta san tá ana-chuid lámhscríbhinní agus ábhar téipe ar fáil a thabharfaidh éachtaint dúinn ar an saghas 'ceartaithe' a dhein Micheál Ó Cionnfhaolaidh nó na foilsitheoirí ar Ghaelainn Mhaidhc sa bheathaisnéis.

Tháinig muintir Mhaidhc Dháith Turraoin ón bhFrainc an chéad lá, dar leis féin:

> Dh'airigh mé gob ón bhFrainc a tháinig mo shíolrach fhéin, gur ar thráigh Bun Machan a thánadar. Thá sé thíos ar an dtaobh so Thrá Mhóir. Tháiníodar ar árthach. Chuireadar fúthu ansan d'réir dealradh. Beirt dritheár ba *dh'*ea iad. Phósadar ansan. Chuiredar fúthu ansan insa Rinn Bháin agus insa Rinn Ó gCuana. Shíolraíodar leothu ansan.[8]

Rugadh Maidhc féin sa bhliain 1878, sa Pháirc i gCnocán an Phaoraigh Íochtarach, i bparóiste na Rinne.[9] Ba chuimhin leis a sheanathair go maith, agus dúirt sé go raibh scríobh agus léamh na Gaelainne aige agus go raibh roinnt mhaith leabhar aige. Bhíodh sé ag obair i dtigh feirmeora le hais an tSráidbhaile. Bhí mac an fheirmeora ag dul ar scoil, agus chaitheadh seanathair Mhaidhc é a thiomáint ann gach lá, agus fanacht leis go dtí an tráthnóna. Théadh sé féin ar scoil idir an dá linn.[10]

Deineann Éva V. Huseby-Darvis idirdhealú idir 'dhírbheathaisnéis smaointeach' *(reflective autobiography)* agus saghasanna eile ar nós 'scéal beatha' *(life story)* agus 'stair chúise' *(case history)*:

> While prescribing to a deceptively simple, 'minimal definition' of autobiography – "reports by individuals about their own lives" – I prefer to use the term here precisely because, to me, it connotes one of the most complex, "maximal human acts': the social construction and the generative transmission of a credible image of self. Also, the term autobiography suggests the centrality of self-revelation, self-explication, and self-interpretation, whereas life story, case history, and so on do not. If – in V. Yans terms – "the self <u>in</u> history" and the "history <u>of</u> self" are both to emerge in the autobiography, it is crucial to generate a deep, reflective narrative.

8. C.B.E. 968:553, Meitheamh, 1945 – bailithe ag Seosamh Ó Dálaigh.
9. Ó Cionnfhaolaidh, *Beatha Mhichíl Turraoin,* l. 7
Chun eolas cruinn a fháil ar shuíomh an tí sin féach N. Breatnach, "Cnocán an Phaoraigh Íochtarach," *An Linn Bhuí 2* (1998): 33-43.
10. Ó Cionnfhaolaidh, *Beatha Mhichíl Turraoin*, l. 11.

> Reflection, by definition, has historical dimensions. To reflect about anything means recalling events about a specific historical situation and to relate these to other events and other situations. To reflect about one's own life, one's own actions, and one's own decisions at the major turning points of life also requires that the individual think about historically situated events. Thus, my emphasis on reflective autobiography.[11]

Ar a shon gur dhuine ana-phraicticiúil ciallmhar ab ea Maidhc tá sé 'smaointeach' go maith nuair atá sé ag cur síos ar a chlann féin agus go mórmhór nuair a luann sé a mháthair: is léir go dtuigeann sé gur 'idirthréimhse saoil' *(life-course transition)*[12] ana-thábhachtach, agus gur phúir uafásach, ab ea a bás. Smaoiníonn sé ná fuil aon chuimhneamh dar cheap Dia aige uirthi agus is léir go mbraitheann sé go smior an chailliúint sin. Is truamhéileach chomh maith an cuntas a thugann sé dúinn ar shaol a dhearthár Nioclás agus braithimid uaigneas agus aonarántaíocht a bháis laistiar de na focail:

> Chuaigh mo dhritheáir Nioclás ag obair nuair a bhí sé timpeall dhá bhliain déag d'aois. Thugadh sé tamall do fheirmeoirí, tamall ag baint phrátaí agus ag bualadh eorna, tamall eile ag obair ar na bóithribh – sea tamall ag déanamh gach rud. Fuair sé bás insan mbliain 1924 i dtigh feirmeora sa tSeana-Phobal. Fuacht trom a fuair sé, agus dála gach aoinne a bhíonn ar láimh na ndaoine eile, bhí leisce air géilleadh dhon tinneas go raibh sé ródhéanach aige. Bhí sé díreach chomh saibhir lá a bháis agus a bhí sé an chéad lá riamh.[13]

Cúigear leanbh a bhí ag Dáith Turraoin agus Siobhán Ní Mhuirithe, athair agus máthair Mhaidhc: Nioclás, Liam, Maidhc féin, Áine agus Seán. Mí d'aois a bhí Seán nuair a fuair a mháthair bás, agus níor chuimhin le Maidhc in aon chor í. Cuireadh Seán 'in oiliúint' go dtí bean a bhí sa tSeanachill agus is as san a chuaigh sé ar scoil.[14] Chuaigh Nioclás ag obair nuair a bhí sé timpeall dhá bhliain déag d'aois. Théadh sé ag obair d'fheirmeoirí thall agus abhus agus fuair sé bás sa bhliain 1924 i dtigh feirmeora sa tSeana-Phobal fé mar atá luaite cheana.[15]

Blúire eile seanchais a d'fhan i gcuimhne Mhaidhc ón dtréimhse sin ab ea eachtra a bhain le long Francach a tháinig i dtír sa cheantar. Is léir arís anseo go raibh mná an bhaile ina chúram agus ná raibh faillí á thabhairt ann, sa tslí dhuit

11. E. V. Huseby-Darvas, "Migrating Inward and Out: Validating Life Course Transitions through Oral Autobiography," in eag. T. Hofer agus P. Niedermüller, *Life History as Cultural Construction/ Performance*, l. 382.

12. *Ibid.*

13. Ó Cionnfhaolaidh, *Beatha Mhichíl Turraoin*, l. 20.

14. *Ibid.*, l. 14.

15. *Ibid.*, l. 20.

nár dhóichí go dtabharfadh an chlann seo na cosa leo in aon chor, gan críochnú i dTigh na mBocht, mara mbeadh na mná – go mórmhór Siobhán Ní Chorráin – a dhein fóirithint orthu in am an ghátair. Imíonn Maidhc ansan de gheit ó scriosadh na clainne go dtí cur síos ar na comharsain a bhí aige ina óige agus címid anseo fear go bhfuil greann agus tabhairt fé ndeara ag baint leis. Arís tá roinnt mhaoineachais ag baint leis mar gheall ar an saol san agus chomh maith dá chéile is a bhí na comharsain. Címid arís an fear praicticiúil nuair a thosnaíonn sé ag caint ar an gcóras a bhí acu chun an tine a shéideadh agus chun an doras a chur fé ghlas, ach an greann a bheith measctha tríd chomh maith.[16]

Ní raibh Maidhc ach timpeall ocht mbliana d'aois nuair a tháinig tinneas éigin san áit, agus cuireadh é féin agus a dhritheár Liam isteach go dtí óspaidéal Dhún Garbhán agus thugadar seacht seachtaine ar fad ann.[17]

Ag iascaireacht i húicéir a bhíodh a athair, agus an fhaid a bhíodh sé sin ar an bhfarraige ní bhíodh aoinne chun aire a thabhairt do na leanaí ach iad a bheith isteach agus amach go dtí Siobhán Ní Chorráin a bhí i mbéal an dorais acu.[18] Is dóichí gurbh é an cruatan agus an t-anró a d'fhulaing a athair, agus comhairle a athar chomh maith, a chas Maidhc go deo i gcoinne na hiascaireachta. Ar a shon gur chaith sé tréimhse bliana ag obair ar húicéir ina dhiaidh sin ní raibh ann ach gur dheimhnigh an taithí sin a chuid tuairimí i gcoinne na ceirde agus níor thaithigh sé ach iascaireacht ón gcloich ina dhiaidh sin.[19]

Is deacair a shamhlú sa lá inniu conas a bheadh sláinte aigne ag Maidhc t'réis na dtragóidí a bhain lena chlann agus é ag gabháilt trí thréimhse chomh leochaileach dá shaol, ach mar bharr ar gach donas, t'réis na cosa a bheith tugtha leo ag Maidhc agus ag Liam ón ospaidéal cuireadh an chlann as seilbh. Ní raibh de rogha acu ach dul isteach i dtigh Shiobhán Ní Chorráin arís. Tar éis tamaill do dhein athair Mhaidhc bráca i gcoinne pinniúrach an tseanathí ach níorbh fhada gur chuir 'sioc agus síon an gheimhridh' as san iad. Ní raibh an tara dul suas acu ansan ach dul isteach i dtigh Shiobhán Ní Chorráin aríst. Thugadar blianta éigin ansan go dtí go bhfuair an t-athair tigh nua i mBaile na nGall Beag.[20] Mara mbeadh an chomharsa mná ní fios cad a bheadh t'réis imeacht ar na leanaí seo.

Nuair a chuaigh Maidhc ar scoil ba é Michéal Ó Foghlú a bhí ina mhaighistir inti agus bhí sé ar na céad mhúinteoirí a chuir an Ghaelainn chun cinn. Ní raibh aon Bhéarla á labhairt ag aon leanbh nuair a bhí Maidhc ag dul ar scoil ar a shon gur trí mheán an Bhéarla a bhítí ag múineadh. Níorbh fhada a d'fhan Maidhc ar scoil áfach agus ní raibh léamh ná scríobh aige nuair a scar sé léi. Ón chuntas

16. *Ibid.*, l. 9-10.
17. *Ibid.*, l. 15-16.
18. *Ibid.*, l. 16.
19. *Ibid.*, l. 19.
20. *Ibid.*, l. 17.

gairid a thugann Maidhc dúinn ar a laethanta scoile is léir go raibh sé in aithreachas air blianta ina dhiaidh nár fhan sé níosa shia inti agus go mórmhór ná raibh léamh ná scríobh aige de bharr a chuid scoilíochta. Címid Maidhc arís anseo ag smaoineamh ar an dtionchar a d'fhéadfadh a bheith ag an scoil ar a shaol dá mbeadh sé ar a chumas seans a thabhairt di. Agus is dócha gurbh é an t-athrú a dhein bunú Choláiste na Rinne ar a shaol i bhfad ina dhiaidh sin a chuir ag smaoineamh é ar an iarracht a dhein an múinteoir Michéal Ó Foghlú ar an nGaelainn a chur chun cinn sa scoil.[21]

D'fhéadfaí a rá go raibh deireadh le hóige Mhichíl Turraoin nuair a chuaigh sé in aimsir don chéad uair agus is deimhnitheach gurbh iad na rudaí is mó a d'fhág lorg ar féin agus ar an gcuid eile den chlann ná 'easnamh soch-eacnamaíoch' *(socio-economic deprivation)* agus 'easnamh síceolaíoch' *(psychological deprivation).* Thit an lug ar an lag orthu nuair a cailleadh an mháthair agus thiteadar isteach sa bhfíor-bhochtaineacht nuair a cuireadh as seilbh iad. Ar an dtaobh eile den scéal ba gheall le haon mhuintir amháin *(extended family)* muintir na Páirce le linn óige Mhaidhc agus is cinnte gurbh í sin mar mhuintir a dhein fóirithint ar na Turraoinigh óga seo agus a shábháil iad ó thitim le fán an tsaoil ar fad.

In Aimsir

(i) Ceann a' Bhathla

Athrú mór i saol Mhaidhc ab ea é nuair a d'fhág sé An Pháirc don chéad uair chun dul "ar láimh na ndaoine eile" mar bhuachaill aimsire. Nuair a bhí sé timpeall dhá bhliain déag d'aois (c. 1890) chuaigh sé ag aodhaireacht bhó go dtí feirmeoir i gCeann an Bhathla. Punt sa bhliain agus a chothú a bhí aige. Obair eile a bhíodh le déanamh aige, agus é cosnochtaithe, ná ag tarraingt uisce ó thobar i mBaile na nGall le hasal agus trucail. Fuair sé luach na mbróg ón bhfeirmeoir sara raibh an bhliain caite, agus cheannaigh a aintín do iad i dtigh Sheáin Uí Scannláin i nDún Garbhán. Thug sé trí bliana ag obair sa tigh sin.[22]

Agus é ag caint ar an dtréimhse a chaith sé ag obair i gCeann a Bhathla faighmid éachtaint ó Mhaidhc ar ócáidí scéalaíochta agus seanchais a bhíodh ar siúl sa Rinn an uair sin agus ar an éifeacht a bhíodh acu ar na daoine óga. Bhíodh cártaí á n-imirt sa tigh agus thagadh mná isteach ag déanamh líonta colmóirí agus bhíodh comhrá agus seanchas ar siúl acu. Bhíodh eagla ar Mhaidhc ag dul abhaile istoíche. Címid é idir dhá aigne, leis, i dtaobh na sprideanna go mbítí ag seanchas orthu, mar caitheann sé amhras orthu i dtaobh gan iad a bheith le feiscint a thuilleadh sa lá inniu agus ag an am gcéanna guíonn sé orthu.[23]

21. *Ibid.*, l. 18-19.
22. *Ibid.*, l. 21.
23. *Ibid.*, l. 23.

(ii) Baile Uí Bhaoill

Cé gur chruaidh an tosnú amach i saol na hoibre do gharsún óg an tréimhse a chaith sé i gCeann an Bhathla bhí Maidhc fós gairid don mbaile agus seans aige dul ar thuairisc a mhuintire anois is arís agus fiú amháin fo-oíche a chaitheamh sa Pháirc ina dteannta. Ní foláir nó bhí aithne aige ar na daoine ar fad a bhí timpeall air, rud ná raibh i gceist sa chéad phost eile a bhí aige trasna Chuan Dhún Garbhán. Nuair a d'fhág Maidhc Ceann an Bhathla (c. 1893) dhein sé margadh le feirmeoir eile trasna an chuain i mBaile Uí Bhaoill.[24]

Bhí bád beag is líon muiléad ag an bhfeirmeoir agus nuair a bhíodh an lá oibre thart théidís ag iascaireacht.[25] Arán tíre, gruth is meadhg a bhíodh don bhroicfeast aige sa tigh sin, prátaí is iasc don dinnéar, agus píosa feola anois agus arís. Prátaí, bainne géar is salann a bhíodh aige don suipéar.[26]

Tugann Maidhc léargas dúinn ar na saghasanna dualgaisí a cuirtí ar bhuachaillí aimsire dá leithéid an uair sin nuair a chuireann sé síos ar chúram a cuireadh air dul i bhfad ó bhaile agus capall a ghabháil agus a thabhairt leis abhaile in am mhairbh na hoíche. Braithimid arís anseo an t-uaigneas agus an scanradh a d'fhéadfadh breith ar gharsún óg in am mhairbh na hoíche de bharr scéalta sprideanna a bheith á gcloisint go minic aige.[27]

(iii) Aonach Choill 'ac Thomáis Fhinn

Dh'fhan sé sa tigh sin gur tháinig an Bhealtaine ina dhiaidh sin (c. 1894) agus chuaigh sé go dtí aonach Choill 'ac Thomáis Fhinn (aonach haidhreála).[28] Fuair sé marcaíocht an mhaidean sin go dtí stáisiún na traenach i nDoire Mháigh. Chúig phingine a bhí ar an traen as san go dtí Coill 'ac Thomáis Fhinn. Ba é an chéad rud a dhein sé ansan ná gur cheannaigh sé peidhre de bhróga na Carraige. Naoi scillinge a bhí orthu.

Bhí slua mór buachaillí agus cailíní ann agus mairgínteacht ar siúl ag na feirmeoirí. Dhein Maidhc margadh le fear de na Ceonaigh ó Bhaile Uí Dhubhain agus chuaigh sé abhaile ina theannta ar chapall agus ar chearr na seacht míle bóthair ó Choill 'ac Thomáis Fhinn.[29]

24. *Ibid.*, l. 24.
25. *Ibid.*, l. 24.
26. *Ibid.*, l. 34.
27. *Ibid.*, l. 32-34.
28. Aonach na Bealtaine: Bhíodh an t-aonach seo ar siúl ar an 12ú Bealtaine in Coill 'ic Thomáis Fhinn, Co. Phort Láirge (C.B.É. Ls. S. Iml. 456:491; 650:273). Bhíodh saoire ag na seirbhísigh ón 1ú Bealtaine go dtí an 12ú Bealtaine agus bhíodh ana-chuid ragairne agus ólacháin ar siúl acu. Deir an faisnéiseoir seo gur chuir Easpag Phort Láirge deireadh ar fad leis an aonach haidhreála ach gur leanadh ar aghaidh leis an ngnáth-aonach (*Ibid.*, 274). Chun eolas cruinn, coimsitheach a fháil ar stair agus ar bhéaloideas na spailpíní agus na n-aontaí haidhreála feic O'Dowd, A., *Spalpeens and Tattie Hokers – History and Folklore of the Irish Migratory Agricultural Worker in Ireland and Britain,* (Baile Átha Cliath: Irish Academic Press, 1991).
29. Ó Cionnfhaolaidh, *Beatha Mhichíl Turraoin,* l. 35.

Oifig an Phoist, Coill Mhic Thomáis Fhinn, c. 1885

Grianghraf: Via D. Kelly

(iv) Baile Uí Dhubhain

Bhí buachaill eile sa tigh i mBaile Uí Dhubhain – buachaill de na Crathaigh – agus is amuigh sa scioból a bhídís ina gcodladh. Chaithidís éirí leis an lá san earrach, agus tamall maith roimh lá sa gheimhreadh. Bhíodh blúire feola uaireanta leis an dinnéar acu. Leathcheann muice ba mhinicí a bhíodh acu. Ní raibh sa tigh ach fear agus bean an tí agus leasdeirfiúr do bhean an tí nár phós riamh. Ag tarraingt aoiligh, ag crú bó agus ag baint aitinn a bhíodh Maidhc féin. Bliain a thug Maidhc san áit sin agus ansan thóg sé an traein ó Dhoire Mháigh go dtí Dún Garbhán.[30]

(v) Cill Mhuire

Bhuail Maidhc isteach i siopa tobac Uí Chorcoráin i nDún Garbhán, áit ar bhuail sé le Maitias Breathnach ó Chill Mhuire (c. 1895). Timpeall trí mhíle ó Dhún Garbhán a bhí feirm an Bhreathnaigh. É féin is a bhean is a bheirt iníon a bhí sa tigh. Chaitheadh Maidhc an bheirt iníon a thiomáint go Dún Garbhán go dtí an chéad Aifreann gach aon mhaidean Domhnaigh. Prátaí is leathcheann muice a bhíodh don dinnéar aige agus na prátaí a bhíodh spártha Dé Sathairn a bhíodh don bhroicfeast ar maidin Dé Domhnaigh aige. Bhítí á n-athéamh sa tine roimhe nuair a thagadh sé abhaile. Leite a bhíodh dá shuipéir aige.[31]

30. *Ibid.*, l. 35-6.
31. *Ibid.*, l. 36.

(vi) Cill Lasra

D'fhéadfaí a rá go raibh an baile fágtha ar fad ag Maidhc an uair sin mar ní abhaile a chuaigh sé nuair a bhain sé amach Dún Garbhán pé acu arbh é a bhí i gceist aige i dtosach nó nárbh é. Fostaíocht a bhí uaidh de réir dealraimh agus bhí sé ullamh chun glacadh go fonnmhar le haon tseans. D'fhan Maidhc i gCill Mhuire go dtí an bhfómhar. Chuaigh sé go Dún Garbhán ansan agus dhein sé margadh le fear de na Curraoinigh ó Chill Lasra chun dul ag ceangal choirce dó. D'fhan sé ann trí lá ar thrí raolacha sa ló.[32]

(vii) Baile Uí Gháigín

Thug sé an chuid eile den tseachtain ag spealadóireacht do Sheán Ó Slatara i mBaile Uí Gháigín. Ó leathchoróin go dtí trí scillinge an t-acra a bhíodh acu don spealadóireacht an uair sin.[33]

(viii) An Rinn – Bualadh na hEornan

Thug Maidhc aghaidh ar an Rinn aríst (c. 1895), chun a bheith ann do shéasúr buailte an arbhair.[34] Bhí ana-mholadh aige ar fhlaithiúlacht iascairí na Rinne, á rá go bhfaigheadh an té a bheadh ag bualadh arbhair dóibh peanta leanna leis an dinnéar uathu gach lá, agus leath-unsa tobac agus fuíollach bídh chomh maith.[35]

Baile na nGall ag deireadh na naoú haoise déag.
Grianghraf: Bailiúchán Lawrence, Leabharlann Náisiúnta na hÉireann

32. *Ibid.*, l. 36-37.
33. *Ibid.*, 136-7.
34. *Ibid.*, l. 39.
35. *Ibid.*, l. 41.

(ix) An Rinn – Ag Baint na bPrátaí

Nuair a bhí deireadh ag Maidhc le bualadh na heornan chuaigh sé go dtí feirmeoir sa Rinn ag baint phrátaí le rámhann Trí raolacha is dhá scilling sa ló a bhíodh mar thuarastal don saghas san oibre. Bhí seisear acu ag baint, agus bhídís amuigh ar an iomaire ag fuireach le solas an lae, agus a mbroicfeast leitean is bainne géir ite acu.[36] Trí seachtaine a thug sé ag baint na bprátaí san áit sin sa Rinn. Ba í an leaba a bhí aige ná sop tuí fé, bairlín anairte anuas uirthi, plaincéad mná tí anuas air agus aon seana-ghiobal eile a gheobhadh sé ag imeacht ar bóiléagar. Ar an lochta os cionn na gcapall a bhíodh sé ag codailt. Nuair a bhíodh a lá oibre críochnaithe aige chaitheadh sé aiteann a ghearradh do na capaill, agus an oiread de a ghearradh istoíche Dé Sathairn agus a dhéanfadh an oíche sin agus oíche Dé Domhnaigh iad.[37]

Nuair a thosnaíonn Maidhc ag cur síos ar an séasúr a chaith sé ag baint phrátaí ina dhiaidh sin braithimid an tsuim ar fad a bhí aige i gcúrsaí curadóireachta agus leasaithe sa tslí go dtéann sé isteach go smior sna cúrsaí seo agus é ag cur síos orthu.[38]

(x) Baile Uí Churraoin – Tigh Thomáis Mhic Gearailt

T'réis aimsir na bprátaí chuaigh Maidhc ag obair do Thomás Mac Gearailt i mBaile Uí Churraoin sa Seana-Phobal, gairid don áit inar chaith sé a shaol pósta ina dhiaidh sin. Is mór mar a chuaigh nósanna agus piseoga muintir an tí sin i bhfeidhm air. Tomás féin agus a bheirt deirféar a bhí sa tigh. Fuair sé cothú maith sa tigh sin agus leaba mhaith chodlata . Thug sé an geimhreadh ag baint aitinn agus á tharraingt, agus nuair a rug na ba sa Mhárta (c. 1896) bhíodh sé ag cur easrach fúthu agus ag soláthar bídh dóibh.[39]

Dhein Anna-Leena Siikala rangú ar na saghasanna éagsúla scéalaithe i bparóiste Kauhajoki in iarthar na Fionnlainne. Ar cheann amháin de na saghasanna sin bhí an scéalaí gníomhach (*active narrator*) a fhágadh faid áirithe idir é féin agus an traidisiún:[40]

> Belief and local lore acquires the nature of an anecdote and the performance is seasoned with phrases such as "so the story goes", or "people say". The narrative approach is often humorous or realistic ... Viewed against their backgrounds narrators may be described as socially active and as extrovert, independent and self-assured.[41]

36. *Ibid.*, l. 44.
37. *Ibid.*, l. 47.
38. *Ibid.*, l. 43-7.
39. *Ibid.*, l. 47-8.
40. A. Siikala, *Interpreting Oral Narrative* (Helsinki: Folk Fellows Communications Uimh. 245, 1990). l. 146.
41. *Ibid.*

Ón méid a bhí le rá ag Maidhc mar gheall ar na daoine a bhuail leis nuair a bhí sé sa tigh seo i mBaile Uí Churraoin d'fhéadfaí a rá go raibh sé dealraitheach go leor leis an saghas seo scéalaí: is mó atá sé ag cur síos ar chreidiúintí a bhain le daoine eile seachas leis féin. Ní mór ná go bhfuil sé ag féachaint isteach ar na himeachtaí seo ón dtaobh amuigh agus is deacair a rá cad iad a thuairimí féin nó cad é an géilleadh a thugann sé dóibh.[42]

Thug Maidhc trí bliana sa tigh sin agus chuaigh sé as san go dtí tigh Choistín ar an mbaile céanna (c. 1898).[43]

(xi) Baile Uí Churraoin – Tigh Choistín

Thug sé cheithre seachtaine ansan ag buaint agus ag ceangal choirce agus á chur isteach san iothlann. Deich scillinge sa tseachtain do bhí aige is a chothú. Beirt deirféar is beirt dritheár a bhí sa tigh agus gan aoinne acu pósta.[44] Chuaigh Maidhc ansan ag baint phrátaí do Choistín agus nuair a bhí na prátaí bainte thug sé tamall maith den gheimhreadh ag scrios seisce agus ag baint easrach, aitinn is luachra, ach ní raibh aige ach coróin sa tseachtain agus é ag gabháil don obair sin.[45]

Thug Maidhc breis agus cúpla bliain i dtigh Choistín agus daoine cneasta ab ea muintir an tí sin de bharr ar dhaoine eile go raibh sé ag obair acu.[46]

(xii) Tigh Fhoghlú – An Seana-Phobal

Timpeall 1900 chuaigh Maidhc ag obair go dtí tigh Fhoghlú sa Seana-Phobal. Fear an tí féin is a bhean is a bheirt chlainne a bhí sa tigh. Ag tarraingt thrioscair ó Bhaile Mhic Airt a chaith sé an chuid is mó de Dheireadh Fómhair na bliana sin agus obair chruaidh anróch ab ea í – gach aoinne agus raca aige, ag iarraidh an trioscar a tharraingt isteach as an taoide.[47]

(xiii) Cearnóg Dhún Garbhán

T'réis dó tigh Fhoghlú a fhágaint bhíodh sé tamallacha anso is ansúd – mí i dtigh amháin, agus trí mhí i dtigh eile, go dtí gur tháinig aimsir na bprátaí a bhaint. D'ardaigh sé leis a rámhann agus d'imigh sé leis go dtí Cearnóg Dhún Garbhán. Bhí triúr agus dachad roimhe ar an gcearnóig agus a rámhann ag gach duine acu.[48]

42. Ó Cionnfhaolaidh, *Beatha Mhichíl Turraoin,* l. 47-51.
43. *Ibid.*, l. 51.
44. *Ibid.*
45. *Ibid.*, l. 51-2.
46. *Ibid.*, l. 55.
47. *Ibid.*, l. 56.
48. *Ibid.*, l. 57

(xiv) An Rinn – Tigh Sheáin Uí Arta

Dhein sé margadh le feirmeoir ón Rinn agus thug sé trí seachtaine ag baint phrátaí aige. Chuaigh sé as san go dtí Seán Ó hArta, agus thug sé trí seachtaine eile ansan. Fear mór Gaelainne ab ea athair Sheáin Uí Arta: mhúineadh sé an Teagasc Críostaí sa séipéal gach aon Domhnach roimh an Aifreann. Bhí seana-leabhair aige, agus mhúineadh sé amhráin Thaidhg Ghaelaigh do aoinne go mbeadh aon spéis aige iontu.[49]

(xv) Tigh Phádraig Uí Churraoin

Chuaigh Maidhc as san go dtí Pádraig Ó Curraoin, agus thug sé seacht seachtaine aige.[50]

(xvi) Ag Obair ar Fheirm Nua

Nuair a d'fhág sé tigh Uí Churraoin, chuaigh Maidhc ag obair d'fhear a bhí tar éis feirm a cheannach san áit. Bhí triúr buachaillí aimsire aige agus beirt chailíní aimsire agus ní raibh sé pósta in aon chor.[51]

Tar éis tamaill cheannaigh an feirmeoir sin feirm eile tamall ón dtigh agus chaitheadh na buachaillí aimsire dul ag obair uirthi anois agus aríst. Thugaidís lón leo agus nuair a chasaidís tráthnóna bhíodh fuíollach bídh rompu.

Bhí sé de nós ag fear an tí, nuair a théadh sé go Dún Garbhán leis an im gach aon Mháirt, unsa tobac a thabhairt go dtí na buachaillí aimsire agus oráistí nó úlla go dtí na cailíní. Aon bhuachaill nó cailín a d'fhanfadh bliain sa tigh bheadh peidhre nua bróg le fáilt acu um Nollaig, agus dá mbéarfadh bó bheadh buidéal leanna le fáilt ag gach aoinne a bheadh ag tindeáil uirthi.[52]

(xvii) Ag Obair ar na Bóithre agus ag Briseadh Cloch

Nuair a d'fhág Maidhc an tigh sin chuaigh sé ag obair ar na bóithre don Chomhairle Contae ar ocht scillinge sa tseachtain. Chuaigh sé ag briseadh cloch ansan ar dheich bpingine an slat. Pé faid gairid ó bhaile a bhíodh sé ag obair chaitheadh sé siúl ann.[53]

Tráthnóna Sathairn agus é ag siúl abhaile bhí a bhróg ag luí air agus shuigh sé ar thaobh an bhóthair. Thit a chodladh air agus níor dhúisigh go dtí glao an choiligh. Ba é toradh na hoíche sin ná go bhfuair sé fuacht trom as a d'fhág trí mhí breoite é.[54]

49. *Ibid.*, l. 57-8.
50. *Ibid.*, l. 58.
51. *Ibid.*
52. *Ibid.*, 59.
53. *Ibid.*
54. *Ibid.*, l. 59-60.

(xviii) Ag Obair ar Thithe Lucht Oibre

Ag obair ar thithe lucht oibre a bhí á dtógaint sa tSeana-Phobal a chuaigh Maidhc ansan – ar ocht déag sa tseachtain. Ag suathadh mhoirtéil agus ag friotháilt ar na saoir a cuireadh é. Lá agus fiche a thógadh sé os na saoir na fallaí cloch a dhéanamh. Thagadh na siúinéirí ansan agus níorbh fhada a bhíodar ag cur cinn agus urláir ar na tithe. Tamall gairid ina dhiaidh sin bhí sé tithe eile le déanamh agus Cionnáth ab ainm don té go raibh an conradh aige. Thug Maidhc sé seachtaine déag ina fhochair siúd.[55]

Chuaigh Maidhc go dtí an nGabhlán ina theannta ansan agus thug sé lá is fiche ann, ach i dtaobh é a bheith chomh fada ó bhaile is i bhfochair na siúinéirí a cuireadh ag obair é. Bhí an obair sin i bhfad níba shaoráidí ná bheith ag freastal ar na saoir chloch.[56]

Go dtí an Charn a chuadar ansan, agus bhíodh chúig mhíle le siúl ag Maidhc ann gach maidean agus an turas céanna abhaile. Dúirt sé gur mhó droch-laethanta a chonaic sé ná de bhéilí maithe. Théadh sé go dtí an bhfaill ag ias-caireacht le cleith nuair a thagadh sé abhaile um thráthnóna agus théadh sé ag díol an éisc ansan ar fuaid an bhaile.[57]

(xix) Pósadh

Sa bhliain 1902 phós Maidhc Bríd Ní Bheaglaoich, iníon do Éamonn Ó Beaglaoich agus Siobhán Nic Airt, Baile na Móna. Rugadh Bríd ar an 31/7/1870. Chuaigh Maidhc mar chliamhain isteach go dtí Bríd i mBaile na Móna. Athair agus máthair Bhríd a bhí sa tigh, agus deirfiúr Bhríd, ach d'imigh sí sin go Sasana Nua tamall ina dhiaidh sin.[58] Ba iad na leanaí a bhí acu ná Áine (Uí Gabhann), Dáith (a chuaigh go Meirice), Éamonn (a chuaigh go Meirice), Seán, Pádraig, Séamas, Michéal, Liam (rugadh 1912), Nioclás, Tomás, Proinnséas, Máighréad, Cáit, Muiris agus Déaglán.[59]

Dúirt Maidhc gur chuala sé ana-chuid seanchais ó athair a chéile agus is léir go raibh ana-mheas aige air.[60]

(xx) Mar a Dóg a Thigh

Sa bhliain 1913 fuair Maidhc baraille *benzine* a tháinig leis an dtaoide. Thug sé an *benzine* do chúpla feirmeoir ón mbaile agus thug sé an baraille abhaile.

55. *Ibid.*, l. 60-1.
56. *Ibid.*, l. 61.
57. *Ibid.*
58. *Ibid.*, l. 64.
59. N. Breatnach, *Ar Bóthar Dom* (Rinn Ó gCuanach: Coláiste na Rinne, 1999), l. 225, 235 – **nóta:** ba é Nioclás Mac Craith a dhein an taighde ginealaigh don leabhar sin.
60. Ó Cionnfhaolaidh, *Beatha Mhichíl Turraoin,* l. 64-71.

Tháinig buachaill de na comharsain isteach chuige an oíche sin agus las sé coinneal chun féachaint ar an mbaraille. Phléasc an baraille ar an bpointe boise agus thóg an tigh tine. D'éirigh leo na leanaí ar fad a thabhairt amach slán ach amháin Liam. Chuaigh Maidhc isteach arís chun é a fháil agus dódh agus loisceadh é. Thug sé an leanbh go dtí an bhfuinneog agus bhris Pádraig Ó Gríofa an fhuinneog le clár na cairte. Shín Maidhc an leanbh chuige tríd an bhfuinneog. Shín sé ar an leaba ansan le barr traochta agus múchta agus caitheadh é féin a stracadh amach tríd an bhfuinneog ar deireadh. Thug Maidhc tamall maith san ospaidéal an uair sin agus tamall maith ag teacht chuige féin ag baile.[61]

(xxi) Ag Obair ar Ché Heilbhic

Tosnaíodh ar ché nua a thógaint ag Ceann Heilbhic sa bhliain 1912 agus fuair Maidhc obair ann. Cheithre scillinge déag sa tseachtain an tuarastal a bhí aige i dtosach. Bhíodh chúig mhíle de shiúlóid le déanamh aige gach aon mhaidean, agus an turas céanna thar n-ais. D'éiríodh sé ar a ceathair a chlog, agus chaitheadh sé a bheith ag an obair ar a sé. Stadaidís chun broicfeast ar a hocht agus leathuair a chloig a bhíodh acu chun é a ithe. Stadaidís chun dinnéir ar cheathrú chun a' dó dhéag. Trí ceathrúna uaire a bhíodh acu chuige sin. Scartaí de obair an lae ar a sé. Bhí a mhac Dáith ag obair ina fhochair. D'ardaíodh an pá go dtí ceathair fichead, agus sé déag a bhí ag Dáith.

Chaith Maidhc lóistín a fháil i mBaile na nGall ar deireadh, mar bhí an turas ró-fhada air, agus ní théadh sé abhaile ansan go dtí oíche Dé Sathairn. Tar éis tamaill tógadh tithe do na ceardaithe agus fuair sé féin ionad leapan i gceann acu, agus ní raibh le díol aige ach pingin sa tseachtain.[62]

(xxii) Ag Obair ar na Bóithre aríst

Ní ag dul i mboigeacht a bhí an saol do Mhaidhc tar éis dhá bhliain a chaitheamh ag obair ar Ché Heilbhic, mar chaith sé dul ag obair ar na bóithre aríst agus dul tamall maith ó bhaile de shiúl na gcos chun é sin a dhéanamh. Bhíodh air siúl ó Bhaile Uí Churraoin go dtí Carn an Bhaile Nua gach aon mhaidean agus an turas céanna abhaile istoíche. Nuair a shroicheadh sé Cloch Átháin deireadh sé leis féin go mbíodh breacadh an lae ann. Dheineadh sé cóngar trí Mhóin na mBráthar, agus trí Mhóin an Fhia agus tríd an gCarn uaireanta istoíche.[63]

(xxiii) Ag Obair i gColáiste na Rinne

Bunaíodh Coláiste na Rinne i mBóthar na Sop sa bhliain 1905 agus ó 1907

61. *Ibid.*, l. 108-10.
62. *Ibid.*, l. 139-43.
63. *Ibid.*, l. 143.

amach bhí sé de nós ag lucht an Choláiste cainteoir dúchais ón áit a thabhairt isteach sna ranganna chun cabhrú leis na múinteoirí chun fuaimeanna na teangan a léiriú do na scoláirí. Ba é Micil Ó Muiríosa an chéad duine a fhostaíodh ar an gcuma san.[64] Tá fhios againn go bhfuair Maidhc Dháith obair mar sin ann chomh maith ach níl sé soiléir cad iad na blianta go raibh post lánaimsireach aige ann. Cailleadh Micil sa bhliain 1932 agus b'fhéidir gur ina dhiaidh sin a thosnaigh Maidhc ach níl aon deimhniú ar sin.[65]

Ba é an cúram a bhí ar Mhaidhc ná bheith ina scéalaí ar feadh dhá mhí an tsamhraidh. Timpeall a deich a chlog ar maidin a thosnaíodh sé, agus thugadh Pádraig Ó Cadhla isteach i gcuid de na ranganna é, chun scéal a insint do na scoláirí. Scrítí an scéal ar an gclár dubh, agus léadh an múinteoir ansan dóibh é.

Thagadh cuid de na scoláirí go dtí Maidhc nuair a bhíodh deireadh leis an rang, agus bhreacaidís síos an chaint a dheineadh sé leo.

Dhá shamhradh a thug sé mar sin sa Choláiste. Loirg sé gnáth-obair ar lucht ceannais an Choláiste ansan, agus fuair sé í. Ní théadh sé abhaile ansan go dtí oíche Dé Sathairn.[66]

Ba é an t-am a d'éiríodh sé sa Choláiste, ná ar a hocht a chlog agus ní bhíodh an obair róchruaidh. Cuireadh mar chúram air staonadh den obair anois is arís agus bheith ag caint leis na scoláiri.[67]

(xxiv) Talamh Nua agus Bás Bhríd

Nuair a bhí trí bliana caite aige sa Choláiste tháinig sé abhaile. Uaireanta níorbh fhéidir lena chlann teacht abhaile istoíche agus bhíodh uaigneas ar a máthair. Bhíodh sí ag tathant ar Mhaidhc éiriú as an obair agus ghéill sé dhi ar deireadh. Ar a shon san théadh sé ag scéalaíocht ann i rith an tsamhraidh ina dhiaidh sin.[68]

Nuair a roinn Coimisiún na Talún feirm i mBaile Uí Churraoin fuair Maidhc seacht n-acra agus fiche ar chúl a thí féin, ach faraoir níor lean an rath é mar cailleadh a bhean Bríd go gairid ina dhiaidh sin (2/11/38).[69] Ach toisc, is dócha, an cruatan agus an t-anró a bhí feicithe aige cheana ina shaol ní ag gearán a bhí Maidhc mar gheall ar an drochsheans a bhí leis ach é sásta go leor leis an gcompord agus leis an neamhspleáchas a bhí bainte amach aige ar deireadh.

64. Ó Dómhnaill, M, *Iolscoil na Mumhan,ris a ráidhtear an tan seo Coláiste na Rinne: gearr-stair* (Rinn Ó gCuanach), l. 32.
65. *Ibid.*
66. Ó Cionnfhaolaidh, *Beatha Mhichíl Turraoin,* l. 157.
67. *Ibid.*, l. 159-60.
68. *Ibid.*, l. 161.
69. Breatnach, *Ar Bóthar Dom,* l. 235.

B. MICHÉAL TURRAOIN, LUCHT LÉINN AGUS BAILITHEOIRÍ

Nuair a bunaíodh Conradh na Gaeilge sa bhliain 1893 bhí Michéal Turraoin (Maidhc Dháith) cúig bliana déag d'aois agus é tar éis tamall de bhlianta a chaitheamh ina bhuachaill aimsire, agus sa bhliain 1894, bhí sé ag aonach haidhreála do bhuachaillí agus do chailíní i gCoill 'ac Thomáis Fhinn.[70] Bhí blianta fada ar an gcuma san roimhe, ag sclábhaíocht d'fheirmeoirí agus do shaoistí éagsúla, agus is beag a shílfeadh aoinne – ní dh'áirím é féin – go mbeadh aon tionchar ag cuspóirí idéalacha Dhúghlais de hÍde agus Eoin Mhic Néill ar a shaol. Ach bhí suim mhór ag de hÍde i gcúrsaí béaloidis agus theastaigh uaidh go mbeadh sé mar chuid thábhachtach de chúramaí an Chonartha.[71]

> Those who idealized the Gaeltacht, the locus of Irish folklore *par excellence,* were aware that it was among the poorest parts of rural Ireland. Moreover, the best storytellers and the best speakers of Irish were among the poorest of its inhabitants.[72]

I bhfómhar na bliana 1902 chuir Conradh na Gaelainne Pádraig Ó Cadhla, ó cheantar Shliabh gCua, go dtí na Déise mar thimire. Sa bhliain 1903 bhain sé amach an Rinn agus ba ghairid go raibh sé ag múineadh scríobh agus léamh na Gaelainne do mhuintir na háite.[73] Níorbh é Pádraig an chéad duine a thug fén gcúram seo áfach, mar, fé mar d'inis Maidhc féin do Mhichéal Ó Cionnfhaolaidh, bhí tosach beag déanta ar mhúineadh na Gaelainne sa Rinn blianta fada roimhe sin:

> Michéal Ó Foghlú, go ndeinidh Dia trócaire air, a bhí ina mhúinteoir sa Rinn an uair sin, agus go deimhin bhíodh obair aige ag rialú cuid den dream a bhíodh ag teacht chuige, mar bhíodh cuid acu ina bhfámairí móra garbha sara dtagaidís ar scoil ar aon chor, agus is minic a chaith sé an bata a chur abhaile ar na heasnaíocha acu. Bhí sé ar dhuine des na chéad mhúinteoirí a ghlac le hobair na Gaelainne nuair a tháinig an Conradh, agus éinne a d'fhan[74] ag dul chuige go raibh sé insan séú leabhar mhúin sé léamh na Gaelainne do. Ní raibh focal Béarla ag éinne a bhí ag dul ar scoil liomsa, agus ní raibh aon chleasa ag na múinteoirí chun teanga do mhúineadh mar

70. *Ibid.*, l. 35.
71. D. Ó Giolláin, *Locating Irish Folklore – Tradition, Modernity, Identity* (Corcaigh: Cork University Press, 2000), l. 119.
72. *Ibid.*, l. 142.
73. M. Ó Dómhnaill, *Iolscoil na Mumhan,* l. 9-11.
74. Tcs. *aoinne d'fhain.*

> athá anois acu. Ní raibh an uair sin ach foghlaim agus tuig é más féidir leat nó neachtar acu bíodh an bata agat, agus ar mo leabhar duit gur mhinic a bhíodh an bata céanna ag obair is ag gnó.[75]

Ach níor mhór an dul chun cinn a fhéadfadh Michéal Ó Foghlú a dhéanamh i múineadh na Gaelainne mar bhí an iomarca sceach sa bhearna roimhe:

> Sé an Béarla amháin a bhí ceaduighthe i scoil náisiúnta na Rinne ón mbliadhain 1839 anuas chun gach adhbhar sgoile do mhúineadh tríd. Ón mbliadhain 1878 bhí cead sórt Gaedhilge ársa do mhúineadh isna buidheannta arda leath'smuigh d'am na sgoile, agus bhí buidhean mar sin ar siubhal ag Michéal Ó Foghludha, príomhoide na sgoile, ón mbliain 1885 go dtí an bhliadhain 1905. Ba bheag an tairbhe na buidheannta san dóibhsan a raibh sé uatha léigheamh na Gaedhilge d'fhoghluim. Bhí Gaedhealg mhaith ag an múinteoir, agus meas mór aige uirri, acht ní leigfeadh an Clár dó oibriú mar ba mhaith leis, agus ní raibh riamh ach fíor-bheagán de sna páisdí i sna buidheanta san.[76]

Pé ar domhan de, ní dócha go raibh aon tsuim fén spéir ag Maidhc i gcúrsaí léinn ná i gcúrsaí Gaelainne ag an am, mar níorbh fhada gur thug sé na cosa leis amach as an scoil chéanna gan léamh ná scríobh aige in aon cheann den dá theanga:

> Bhíodh mac siopadóra ó Bhaile na nGall mar chompánach agam féin, agus de bhrí go mbíodh an tobac á dhíol ag a mhuintir siúd ní bhíodh sé aon am gan píopa cailce agus ruainne maith tobac. Bhí tor mór sceach tamall ón scoil, agus bhíodh sé de bhéas ag an mbeirt againn nuair a ligtí amach ag súgradh sinn dul ar a scáth agus ár bpíopa a tharraingt chughainn. Théadh an maighistir abhaile fé dhéin a lóin gach aon lá, ach an lá so ar a chasadh dho tháinig sé i ganfhios orainn. Ní dúirt sé "is olc é," ná "is maith é," ach nuair a ghlaodh isteach chun scoile orainn bhagair sé chuige sinn, agus deirimse leat gur chuir sé an bata abhaile orainn. Thug sé a leithéid sin de ghreadadh dhomsa gur chlog sé go croí mé, agus chomh luath agus a fuaireas mo chosa glan amach aisti an tráthnóna san d'fhág mé slán go héag

75. Ó Cionnfhaolaidh, *Beatha Mhichíl Turraoin,* l. 17-18.
Rugadh Michéal Ó Foghlú (1846-1905) i mBaile an Róid in aice le Dún Garbhán agus bhí sé ina mháistir scoile sa Rinn ó 1868 go dtí 1905. Sara dtosnaíodh sé ar obair rialta na scoile bhíodh rang neamhoifigiúil aige i léamh agus scríobh na Gaelainne leis na ranganna ón 5ú rang suas (Ó Dómhnaill, *Iolscoil na Mumhan,* l. 13-14).
76. Mac Greagóir, A., "Gearr-Stair Choláiste na Rinne," *Waterford News,* 19ú Nol. 1941, l. 8.

aici agus ní fhaca fia ná fiolar istigh inti ó shoin mé. Is minic ina dhiaidh san a bhíos in aithreachas, mar an té ná fuil scríobh ná léamh aige, is é an daoi is dona ar domhan é, ach ní bhíonn ciall ag an óige, agus ní bheidh go deo.[77]

Ar a shon san is uile, b'fhéidir gur cuireadh síol éigin ina aigne i ngan fhios do féin nuair a bhí sé ina gharsún óg, mar blianta fada ina dhiaidh sin, nuair a bhí sé ag insint scéal a bheatha do Mhichéal Ó Cionnfhaolaidh, chuimhnigh sé ar an bhfoghlaim a bhí ar a sheanathair:

> Is cuimhin liom mo sheanathair go maith, ach bhí sé lag tréith i ndeireadh a aoise agus bhíodh dhá bhata aige. Bhí scríobh agus léamh na Gaelainne aige, agus bhí roinnt mhaith leabhar aige. Ní fheadar mise cár ghaibh na leabhra san. Is é slí a bhfuair sé léamh agus scríobh ná é a bheith ag obair i dtigh feirmeora le hais an tSráidbhaile ar an taobh eile den chuan. Bhí mac an fheirmeora ag dul ar scoil, agus chaitheadh mo sheanathair é a thiomáint ann gach lá, agus ní bhíodh a chasadh abhaile go tráthnóna agus théadh sé féin ar scoil. Tháinig an buachaill sin go dtí an Rinn ina shagart blianta ina dhiaidh san, agus ba é an duine é ná an tAthair Ó Cathasaigh. Fear iontach ba ea é chun seanmóin Gaelainne a thabhairt uaidh, agus thagadh sé go minic ag féachaint mo sheanathar, agus is mó cruacheist Gaelainne a chuireadh an bheirt acu trína chéile. Ní raibh léamh na Gaelainne ach ag an bhfíor-bheagán le linn m'óigese. Ní cuimhin liom níos mó ná ceathrar a raibh sé acu, agus is minic a chuir sé iontas orm dé chúis ná raibh sé ag m'athair, ach is dócha dála a lán eile nár chuir sé aon suim ann.[78]

Pé ar domhain de, thosnaigh daoine ag teacht go dtí an Rinn sa samhradh ar thóir na Gaelainne c. 1904. Shocraigh Pádraig Ó Cadhla agus an Dr. Michéal Ó Síocháin, Ollamh sa Léann Clasaiceach i gColáiste Phádraig Maigh Nuad, go dtosnófaí i gceart ar chúrsaí Gaelainne a chur ar bun i mBaile na nGall. Ní raibh aon tigh acu ina chomhair agus is amuigh fén aer i mbun an bhaile, i gcoinne Tí an Bhácaera a cuireadh na ranganna ar siúl.[79] Ní foláir nó gurbh ait le muintir na háite a leithéid a bheith ar siúl i dtosach báire fé mar a chuireann Maidhc féin in iúl:

> Is dócha go bhfuil a trí nó a ceathair de bhliantaibh is dachad anois ann ó tháinig dream beag daoine ó Bhaile Átha Cliath go dtí an Rinn ar thóir na Gaelainne. Bhí triúr driothár orthu san, agus bhí píb ag duine acu, agus

77. Ó Cionnfhaolaidh, *Beatha MhichIl Turraoin,* l. 18.
78. *Ibid.*, l. 18.
79. Ó Dómhnaill, *Iolscoil na Mumhan,* l. 16-17.

bheidhlín ag duine eile, agus comh maith leis sin rinceoir maith ba ea fear na bheidhlíne. Bhíodh ana-rincí i dtigh i mBaile na nGall, agus bhíodh an baile go léir bailithe isteach ann. Iontas mór le muintir na háite ba dh'ea daoine uaisle, mar a deiridís, a bheith ag lorg Gaelainne, mar aon dream riamh roimhe sin a raibh aon dealramh acfuinneach orthu, is é an Béarla a bhíodh acu, sa tslí go raibh sé ina luí go lom daingean ar mhuintir na cheantair seo ná raibh slánú ná saibhreas le fáil acu ach tríd an mBéarla. Na daoine bochta, bhíodar ar bhealach a n-aimhleasa, agus go deimhin ba dheacair aon stiúradh ná treorú a dhéanamh orthu i dtreo an tsolais. Na daoine seo ó Bhaile Átha Cliath a bhfuil mé ag trácht orthu, ní fheadar aoinne dén mhaitheas a dheineadar, agus cúpla bliain tar éis dóibh teacht thosnaigh Pádraig Ó Cadhla ar a bheith ag múineadh léitheoireachta do iascairí na Rinne. Ní raibh tigh ná scoil aige chuige sin. Is amhlaidh bhíodh clár dubh crochta ar fhalla an tí ba ghiorra do thráigh na Rinne aige, scata iascairí bailithe timpeall air, agus é ar a dhícheall d'iarraidh an léamh do mhúineadh dóibh. Ba dheacair é sin a dhéanamh, go mórmhór nuair a bhíonn daoine fásta ann, agus gan iad taitheach ar a leithéid de ghnó.[80]

Cé go raibh Gaelainn ag muintir na Rinne ar fad bhí fórsaí láidre i gcoinne na teangan ag an am: bhí sagart an pharóiste, An tAthair McCann, dubh glan i gcoinne na Gaelainne cé gur chainteoir dúchais ab ea é féin. Nuair a chuaigh Pádraig Ó Cadhla chuige chun a chúram a chur in iúl dó níorbh é 'fáilte Uí Cheallaigh' a bhí roimhe:

An bhliain a bhí im cheann thug mé m'aghaidh anonn ar an Rinn – an áit ba Ghaedhealaighe i nDéisibh, nó béidir i gCúige Mumhan ar fad. Bhí a fhios agam go maith an sagart paróiste ann a bheith go láidir i gcoinne na Gaedhilge. Is minic a bhí sé tar éis í chraobhscaoileadh ón altóir; ní leomhfadh sé focal dí a mhúineadh is na scoileanna; bhí sé tar éis a rádh go puiblidhe gurb' í ba bhun le gach aon aingcise agus bochtanas a bhí ag cur ar mhuintir a pharóiste. Chomharligh sé dhóibh í chaitheamh uatha chomh luath in Éirinn agus d'fheudfaidís é agus an Beurla d'fhoghluim, agus ná beadh an rath ná an seun orra go ndeunfaidís é. Bhí fírinne na neithe sin buailte glan daingean isteach in a aigne agus ní raibh aon cheilt aige ar an

80. Ó Cionnfhaolaidh, *Beatha Mhichíl Turraoin,* l. 150. Ní foláir a bheith amhrasach ar chuid de na tuairimí atá nochtaithe sa sliocht seo. An iad tuairimí macánta Mhichíl Turraoin iad nó ar chuir Micheál Ó Cionnfhaolaidh a chuid tuairimí féin i bhfeidhm ar an téacs? Daoine ana-dhíograiseacha ab ea lucht an Choláiste agus ní foláir nó bhí ana-thionchar acu ar leithéidí Mhichíl. Is baolach ná fuil aon lámhscríbhinn ar fáil ó na foilsitheoirí ná in aon áit sa Rinn sa lá inniu a thabharfadh éachtaint dúinn ar an bhfadhb seo.

> sceul. "Aon áit," ar sé sin agus é ag labhairt go puiblidhe aon uair amháin, "aon áit a bhfeiceo' tú fraoch agus aiteann agus gall-luachair ag fás isteach go beul an doiris ag daoine gheobha tú a bheith deimhinightheach de go bhfuil an Ghaedhealg ag muintir an tighe sin; aon áit a bhfuil salachar agus aingcise agus bochtanas tá an Ghaedhealg annsin." Chreid go leor de mhuintir a pharóiste go raibh an ceart aige, nídh nach iongnadh. Na haingciseoirí bochta, bhí go leor acu bocht an uair sin agus gan aon súil aca le maireachtaint a dheunamh in a dtír féin; ní raibh dada in a gceann aca acht Sasana Nua, agus bhí a fhios aca ná beadh aon mheas ar aoinne a raghadh annsin ná beadh Beurla aige. Bhí a dtuigsint féin aca ar an sceul, agus bhí an tuigsint a bhí ag an sagart paróiste ar an sceul ag cuidiughadh leo. Ní raibh leigheas aca san air, acht badh cheart go mbeadh tuigsint níos fearr aige sin ar an sceul.[81]

Ach nuair a bhuail Pádraig Ó Cadhla leis an sagart paróiste céanna, chun úsáid na scoile i gcomhair cúrsaí Gaelainne a phlé leis, is ansan a fuair sé amach go pearsanta cad é an fuath agus an naimhdeas a bhí aige don teanga:

> Chuaidh mé chuige lá breágh samhraidh i lár an Mheithimh, agus rángaidh dó a bheith istigh. Fear breágh dathamhail b'eadh é ar dhóigh leat go mbeadh meabhair aige agus go mbeadh éifeacht ann. Níor bhraith me go raibh aon stollaireacht ná boirbeacht ag baint leis; aghaidh chlárach aige agus chuireadh an-chuid daoine i ndeallramh le Napóileon Bónapárt é. Caithfe mé a rádh go deimhin go raibh sé an-dheas, an-mhacánta liom, níor tháinig olc ná ulathainn air chugam. Nuair a nocht mé mo theachtaireacht dó, "díth-céille, a dhuine," ar sé sin, "ní fhuil aon deallramh ar a leithéid de ghnó, is ar éigin a gheobhaidh na daoine annso maireachtain ní áirighim go raghaidís in iomaidh le haon rud chomh leanabamhail. Tá a fhios aca go maith ná fuil aon ní eile dá gcoimeád siar 'sa saoghal so acht an Ghaedhealg chéadna; tá an ghráin acu uirre, agus tá súil le Dia agam go bhfuighidh siad í a chaitheamh uatha go luath; tabharfaidh mise gach aon chongnamh dhóibh chuige sin, pé sceul é. Ní fhuil leabhar ná léigheann ag baint léi; feuch an páipeur sin," ar sé sin, agus tharraing sé chuige páipeur an lae sin, "feuch ar sin," ar sé sin, ag leagaint a mhéire ar an leathanach i raibh cúntas ar Strus agus Scarthacha lucht airgidí an domhain – "feuch an gcuirfeá Gaedhealg ar sin dom," ar sé sin, "sin comhartha dhuit ná fuil aon mhaith innte. Cá bhfuil na focail atá agat do Telegram, Marconigram, Gramaphone, Arithmetic, Grammar, Geometry,

81. Ó Cadhla, P., "Iolscoil na Mhumhan i Rinn Ó gCuanach," *An Scuab,* Deireadh Fóghmhair 1922, l. 4.

agus mar sin? Ní fhuil a leithéid aca 'sa Gaedhilg agus ní raibh riamh. Ní bhfuighfidhe caint a dheunamh as Gaedhilg ar aon ealadhain. Ní fhuil aon oideachas ag baint léi ná meudughadh meabhrach ná galántacht," ar sé sin; "ní fhuil innte acht rud suarach." Bhí caint na Gaedhilge aige chomh maith agus a bhí agam féin, nó béidir ní ab' fhearr. "Dá bhfuighfidhe aon rud a chur ar bun a thabharfadh slighe mhaireachtain do na daoine thabharfainn gach aon chungnamh dhó sin," ar sé sin, "acht, maidir le hiad a chur ag foghluim na Gaedhilge ní bhfuighfinn aon chongnamh a a thabhairt dó."[82]

Ba mhór an misneach a bhí ag Pádraig Ó Cadhla nuair a labhair sé amach sa bhliain 1923 i gcoinne dearcadh na hEaglaise ar an nGaelainn:

> Is mó sagart ar m'eolas a thug an Ghaedhealg leis ó ucht a mháthar agus nár leig an leisce (nó béidir an droch-mheas dí a chuaidh in achrann in a chuid fola agus in a chraitheacha le linn is é ag fagháil a bheusa agus a theagosca i gColáiste na Sagart), nár leig sé dhó an léigheamh agus an scríobhadh d'fhoghlaim riamh. Tá seandhríodar an deallradhamhalachta agus na galántachta san fós in an-chuid aca. Bhítí ag magadh fútha is na Coláistí i dtaobh an blas a bhí ar a gcuid Beurla agus chuirtí an milleán ar chaint na Gaedhilge bhí acu agus bhíodh na hoidí agus na sagairt ag gabháil dóibh chomh mór sin gur tháinig fuath agus gráin aca dhí. Ba é an scéal ceudna ag scoileanna na mban-riaghalta é. Creid uam-sa é gur mó a mhill an dá nídh seo an Ghaedhealg ná aon ní eile i gcurtar marbhughadh na Gaedhilge in a leith. Tá ceannta mór, mór ag an Eaglais sa méid so, agus ní fheadar an bhfuighfear é mhaitheamh go deo dhóibh. Feuch an méid sagart i nDúthaigh Déiseach a thug an Ghaedhealg leo ó bhroinn a máthar agus ná fuigheadh seanmóin i nGaedhilg a thabhairt uatha anois. Deireann cuid aca na "Gnímh," agus gheobhaidís iad a rádh chomh maith leis an leabhar iompuighthe síos suas. Ní chuirfidís de dhuadh orra fein an léigheamh a fhoghluim in a cheart. B'fhearr leo a bheith ag bóiceáil as an mBeurla bhíonn aca – ní miste dhóibh, mhuise.[83]

Caithfear cuimhneamh go raibh an tuairim seo i leith na teangan go forleathan i dtosach na hathbheochana fé mar a mhíníonn Maolmhaodhóg Ó Ruairc go beacht:

82. *Ibid.*, l. 5.
83. Ó Cadhla, P., "Iolscoil na Mhumhan i Rinn Ó gCuanach," *An Scuab,* Márta 1923: 105.

> Céad bliain ó shin bhí an Ghaeilge mar a bheadh bád ann. Ba oiriúnach mar íomhá é mar bhí sí ina chuid dhílis de shaol an phobail a bhí ina chónaí ar imeall iartharach na tíre. Bád briste a bhí inti a bhí tréigthe ag an bpobal agus í ina luí ar a eochair ar an gcladach. Ach ní thiocfadh léi bogadh. Ní raibh lúth ná fuinneamh fágtha inti.[84]

In ainneoin an tsagairt, agus an drochmhisnigh – agus ba mhó seanmóin maslach, nimhneach a thug sé uaidh i gcoinne lucht bunaithe an Choláiste de réir dealraimh[85] – tháinig blás agus forbairt ar Choláiste na Rinne ó bunaíodh é i mBóthar na Sop sa bhliain 1905, agus tá sé ann go lán láidir go dtí an lá atá inniu ann. Níl aon dabht ná go raibh ana-éifeacht ag an gColáiste ar mheon daoine áirithe i leith na Gaelainne, go mórmhór sna blianta tosaigh cé nár fhéad sé cosc ar fad a chuir ar rabharta an Bhéarla. Fuair muintir na háite postanna ann, istigh agus amuigh, agus bhain ladhar díobh clú agus cáil amach dóibh féin ar fuaid na tíre mar mhúinteoirí agus mar scoláirí. Ar dhuine acu san a fuair post bhí Micil Ó Muirgheasa a bhí ina 'sheanchaí' ar fhoireann an Choláiste ó 1907 go dtí go bhfuair sé bás sa bhliain 1932.[86] Bhíodh fear eile ón áit, Tomás Ó Muirithe ón Seanachluain ag cabhrú leis an bhfoireann sa tslí chéanna. Bhí sé de nós ag na múinteoirí an 'seanchaí' a thabhairt isteach sa rang chun na focail a bhíodh scríte ar an gclár dubh a rá do na scoláirí d'fhonn is go gcloisfidís na fuaimeanna cearta.[87]

Tá fhios againn gur chaith Michéal Turraoin féin cúpla bliain ag obair sa Choláiste chomh maith:

> Nuair a stad mé do bheith ag obair ar na bóithribh, is é an áit ar chuas ná go dtí Coláiste na Rinne. Is amhlaidh a dh'iarr lucht ceannais an Choláiste orm dul ann im scéalaí ar feadh dhá mhí an tsamhraidh. Timpeall a deich a chlog ar maidin a bhuailinn port ann, agus thugadh Pádraig Ó Cadhla isteach i gcuid des na ranganna mé, chun scéal a dh'insint dos na scoláirí. Scríodh sé an scéal ar an gclár dubh, agus léadh sé ansan dóibh é, chun go bhfaighidís teacht mar ba cheart ar na fuaimeanna.
>
> Thagadh cuid des na scoláirí im thimpeall nuair a thagaidís amach as an rang, agus scrídís pé caint a dhéininn leo, agus go deimhin duit gur thuirsiúil an obair í, mar bhíodh mórán acu ar an gcaolchuid, agus ní fios dé mhéid uair a threasóidís an focal ort.

84. M. Ó Ruairc, *I dTreo Teanga Nua* (Baile Átha Cliath: Cois Life Teoranta, 1999), l. 35.
85. Ó Cadhla, P., "Iolscoil na Mhumhan i Rinn Ó gCuanach," *An Scuab,* Feabhra 1923: 86.
86. Ó Dómhnaill, *Iolscoil na Mumhan,* l. 32.
87. Ó hEochadha, S., (An Fear Mór), N. Mac Craith eag. *Scéalta Mhicil Uí Mhuirgheasa ón Rinn* (Rinn Ó gCuanach: Coláiste na Rinne, 1997 – 3ú eag), l. 8-9.

Dhá shamhradh a thugas ar an ngnoithe sin ag dul go dtí an Choláiste. Dh'iarr mé obair choitianta ar lucht an Choláiste ansan, agus fuaireas í. Ní théinn abhaile ansan go dtagadh istoíche Dé Sathairn i gcónaí orm, agus ní chasainn go dtí maidean Dé Luain.[88]

Is é an t-am a n-éirínn féin agus mo chomh-bhuachaill sa Choláiste, ná ag a hocht a chlog. Ní miste dhuit a rá ná go raibh saol breá againn agus bia folláin agus ár ndóthain mór de. Bhínn ag obair is ag gnó ar feadh na seachtaine, ach ar mo leabhar duit ná brisfeadh an obair a bhí ann croí aon duine. Ar aon chuma bhí ordú agamsa go bhfaighinn stad, agus caint a thabhairt don slua nuair a thiocfaidís im thimpeall, agus aon chruacheist do bheadh acu a réiteach dá mba fhéidir liom. Is mó mac seoidh a bhuail liom ann. Tháinig fear ann uair, agus bhí scrúdú le déanadh aige. Fear a bhíodh ag tabhairt airgead cabhrach do bhoicht ba dh'ea é seo, agus aon am a dtagadh sé amach as an rang, pé áit a bhfeiceadh sé mé féin, dhéineadh sé caol díreach orm, agus ní fada a théadh sé ar an nGaelainn nuair a bhíodh míniú agus léiriú i mBéarla uaidh.

"Ní bheidh aon Ghaelainn go deo agatsa," arsa mé féin leis lá. "Thá an iomarca sainnte ort chun a bheith ag labhairt an Bhéarla."

"Moladh go deo le Dia," arsa sé, "dar ndóigh mara bhfuil cead agam nó mara bhfaighidh mé labhairt as Béarla scoiltfidh orm."

Dh'imigh sé pé scéal é, agus ar an gcaolchuid. Ní fheadar mise conas a dh'éirigh leis. Ní bhfuair mé a thásc ná a thuairisc ó shoin.

Bhuail fear eile liom ann a raibh scrúdú le déanadh aige, agus bhí roinnt mhaith abairtí ina cheist agus ina fhreagra de ghlanmheabhair aige, ach dá rángódh duit trácht ar aon rud leasmuigh den méid a bhí de mheabhair mar sin aige ní fheadair sé nach "gabhaim siar" a bheadh agat.

"Nuair a raghadsa isteach go dtí an scrúdú," arsa sé liom lá, "déarfaidh an dream a bheidh istigh 'bail ó Dhia ort,' agus déarfadsa, 'Dia is Muire dhuit.' Déarfaidh siad, 'suigh síos,' agus déarfadsa, 'go raibh maith agaibh.' Déarfaidh siad, 'lá breá,' agus déarfadsa, 'lá breá, buíochas le Dia.'"

"Go réidh, a fhir mhaith," arsa mé féin leis. "Conas a bheidh an scéal agat má deireann siad, 'lá fliuch,'?"

Dh'fhéach sé orm go truamhéileach, bhain tochas as a cheann.

"Ó! Ó!" arsa sé, "níor chuimhnigh mé riamh air."

Ní dúirt sé chomh gonta san é go deimhin, mar nárbh fhéidir leis. Dh'airigh mé ina dhiaidh san gur éirigh leis, ach má dh'éirigh, is dearbh ná raibh lucht a cheistithe ró-chruaidh air.

88. Ó Cionnfhaolaidh, *Beatha Mhichíl Turraoin*, l. 157.

Ní bhíodh sa dream san a bhíodh ar an gcaolchuid Gaelainne ach an fíor-bheagán. Bhíodh a thuilleadh ann, dar ndóigh, a bhíodh acfainneach go maith, agus ana-sprid iontu. Is leis an dream san ab fhearr liomsa a bheith ag caint, mar níl aon rud is túisce a chuirfeadh tinneas cinn ort ná bheith ag tabhairt chainte don dream ná tuigfeadh tú, agus go gcaithfeá bheith ag dul ar chomharthaí agus ar gheáitsí eile leo. Ach cá bhfuilim ag caint, is dócha gur mó de thinneas cinn a bhíodh orthu féin ná orainn-ne.

Ní fheaca mé féin aon dream ná cailleadh nóimeant ach na mná rialta. Nuair a bhíodh a ndinnéar ite acu bhogaidís leo i measc na ndaoine, agus bhíodh lán an leabhair scríte acu ar a gcasadh dhóibh. Is dócha gur cheart dóibh bheith buíoch den nGaelainn, mar mhná rialta. Is í a thug an chéad saoire ceart samhraidh dhóibh, mar bhí cuid acu ná feicfeadh aon Ghaeltacht go brách meireach í.[89]

Is mó áit ar fuaid na nDéise a bhí siúlta ag Maidhc agus is mó oíche cois tine a bhí caite aige i dtithe difriúla i rith a shaoil oibre, sa tslí dhuit go raibh a chuid traidisiún agus a chuid eolais á mbailiú de shíor aige de réir mar a bhí na blianta ag imeacht. Címid fé mar a thógadh sé ceann de na daoine a bhuaileadh leis sa sliocht seo as a bheathaisnéis:

Nuair a bhí mo thrí seachtaine caite ar na prátaí agam chuas ag obair go Baile Uí Churraoin, go dtí Tomás Mac Gearailt. É féin agus a bheirt deirféar a bhí sa tigh, agus tonn mhaith dá n-aois tabhartha acu. Bhíodar rud beag ait mar is amhlaidh a bhí a leithéidí riamh a dh'fhan[90] ró-fhada i bhfochair a chéile. Fuaireas mo dhóthaint le n-ithe is le n-ól uathu is árus maith codlata. Thugas an geimhreadh ag baint aitinn agus á tharraingt. Is amhlaidh a cuirtí an t-aiteann sa macha fé chosa na ndaoine agus na mbeithíoch chun go ndéanfaí aoileach de. Ní raibh aon trácht an uair sin ar leasú mála. Bhíodh carn mór aoiligh i macha gach feirmeora, ach ní bhíodh cuid des na feirmeoirí i dtaobh leis an aoileach féin, tharraingídís gainimh ón tráigh chun í a mheascadh leis.[91]

Thugas an geimhreadh ag giúrnáil liom mar sin agus nuair a rug na ba sa Márta, bhínn cuid mhaith den tráthnóna ag cur easrach fúthu agus ag soláthar bídh dhóibh. Nuair a a tháinig Lá Bealthaine dúirt an deirfiúr ba shine liom uisce a dh'fháil[92] agus salann do chur ann, agus é do chimilt des na buaibh, go gcimeádfadh sé ó chontúirt na bliana iad. Bhíodh ana-chuid

89. *Ibid.*, l. 157-61.
90. Tsc. *riamh d'fhain.*
91. *Ibid.*, l. 47-8.
92. Tcs. *uisce d'fhagháil.*

piseog ag baint le daoine an uair sin, agus bhíodh sé ag rith leo go mbíodh droch-chomharsain ag sciobadh an ime agus an bhainne uathu.[93]

Ag cur aoiligh amach as an macha a bhí mé an chéad lá a chuir an deirfiúr so atá i gceist agam an chuigeann sa mbaraille. Maidean Luain ba dh'ea í, agus maidean Luain a dheintí gach aon chuigeann timpeall na háite, mar is ar an Máirt a bhíodh margadh an ime i nDún Garbhán. Nuair a bhí an chuigeann sa mbaraille aice dh'imigh sí siar sa seomra, a d'iarraidh rud éigin agus tharla gur chuas-sa isteach sa chistin ag deargadh mo phíopa idir a dul agus a teacht. Do bhí an píopa dearg agam nuair a tháinig sí as an seomra. Rug sí ar chathaoir agus dúirt sí liom suí agus mo ghal do chaitheamh agus gan síol na tine do bhreith amach liom, ná raibh sé rathúil a leithéid do dhéanamh ar maidin Dé Luain.[94]

Tháinig beirt dritheár ag iompó aoiligh agus á chur amach ar talamh turnaipí le linn na haimsire. Bhí an bheirt acu t'réis bheith in Aimeirice agus bhí cealmán maith airgid acu agus fios acu conas greim an fhir bháite do chimeád air. Dh'airínn, má b'fhíor é, gur a chodladh féna ndoirnibh a théidís gach aon oíche den mbliain – gurbh amhlaidh a bhíodh córda ó dhoras na cistine go dtí an leaba acu agus gurbh é an córda san a stiúradh chun suain agus sámh-chodlata iad.[95]

Thosnaigh an bhean so a bhfuilim ag tagairt di ar an gCoróin Mhuire an chéad oíche dár fhan an bheirt acu sa tigh. Bhí an scéal go breá nó gur thosnaigh sí ar ana-chuid eirball is banríon do chur leis. Bhí duine acu, Séamas, ag teacht ana-chorashuantach ar fad ach do bhris ar an bhfoighne sa deireadh aige.

"Sea, a bhean," arsa sé, "tá go leor den domhan siúlta agam, agus níor airíos trácht ar aon bhanríon riamh ach an méirleach san thall i Sasana agus go deimhin duit gur olc an earra í."[96]

Chaitheamair mí na Bealthaine agus tháinig Oíche Fhéil' Seáin. Bhíodh gach aon fheirmeoir ag cur i gcóir don tine chnámh, agus thabharfaí tamall den tráthnóna ag bailiú craobhacha aitinn chun go mbeadh tine mhaith mhór agat, mar bhíodh an taobh so den ngleann ag cur ar an taobh eile agus lucht an ardáin ag cur ar lucht an ísleáin féachaint ciacu ba mhó tine is lasrach. Nuair a bhí an tine ag teacht chun deiridh ligeadh na ba tríd an deatach. Tugadh buidéal d'uisce na Cásca dhom ansan agus dúradh liom dul agus braon de do dhortadh i gcúinne gach aon pháirc a bhí saothraithe.[97]

93. Ó Cionnfhadaidh, *Beatha Mhichíl Turraoin*, l. 48.
94. *Ibid.*, l. 48-9.
95. *Ibid.*, l. 49.
96. *Ibid.*
97. *Ibid.*, l. 49-50.

Chuas amach ar an gcnoc lá sa Mheitheamh ag baint ruainne aitinn. Lá ana-chiúin ana-bhrothallach ba dh'ea é, agus shuigh mé síos ag tarraingt na speile agus thit mo chodladh orm. Ní fheadar mé dé'n fhaid a bhíos ann, ach do dhúisigh an fhuaim mé, agus cad a chífinn ná a raibh de aiteann bainte ar an gcnoc roimhe sin ag seoladh leis an sí gaoithe amhail agus dhá mba charn cleití a bheadh ann. D'inis mé mo chúrsaí nuair a shroiseas an tigh an tráthnóna san.

"Lá ded shaol aríst," arsa sí liom, "ná tit ded chodladh amuigh sa Mheitheamh agus ná cuir leanbh i gcliabhán amach fén ngréin gan gráinne salainn a bheith ceangailte ina chuid éadaigh, agus dá mbeadh sé id chuid éadaighse inniu ní bhainfí an gheit sin asat."[98]

Thugas trí bliana sa tigh sin agus ní mórán caitheamh aimsire a bhíodh in aon áit i rith an gheimhridh damait do chártaí. Théinn amach go dtí tithe na gcomharsan oícheanta á n-imirt, agus thagadh na comharsain isteach chughainn-ne. Thabharthá an oíche go léir ag imirt ar leathphinge, agus bhíodh an oiread san saothair is duaidh leis an leathphinge sin nár dhóigh leat nach míle púnt a bhíodh ar bord.[99]

Bhí Gearmánach dárbh ainm Wilhelm Doegen as Roinn na bhFuaimeanna *(Luatabteilung)* an *Staatsbibliothek*, Berlin ag obair ar son Acadamh Ríoga na hÉireann idir 1928 agus 1932 ag déanamh ceirníní de chanúintí na Gaelainne. Sa bhliain 1928 a deineadh an obair seo i gCúige Mumhan, agus tá liosta de na cainteoirí a taifeadadh an bhliain sin le fáil i miontuairiscí Acadamh Ríoga na hÉireann don seisiún 1928-29 (Appendix, l. 19-29). Bhí Michéal Turraoin ar dhuine de thriúr ón Rinn a taifeadadh ar an 5/4/28 – ba iad Michéal Ó Cionnaola agus Seán Ó Droma an bheirt eile.[100]

Bhailigh Nioclás Breathnach roinnt bhéaloidis ó Mhaidhc sa bhliain 1932.[101]

98. *Ibid.*, l. 50.
99. *Ibid.*, l. 51.
100. Níl aon dabht ná gurbh iad lucht an Choláiste a mhol Maidhc do Doegen. Roghnaíodh an fabhalscéal 'An Mac Scaipitheach' *(The Prodigal Son)* fé mar a hinsíodh in Luke xv, 11-32 mar scéal do na cainteoirí. Chun go mbeadh téacs bunúsach ag na cainteoirí go léir roghnaíodh leagan an Athar Peadar Ó Laoghaire den scéal. Dúradh le lucht traenála na gcainteoirí gan cloí ró-mhór le téacs an Athar Peadar agus moladh go n-úsáidfeadh na cainteoirí a gcanúintí féin in ionad aon fhocail nó nathanna a thaibhseodh deoranta dóibh sa bhun-téacs. Ba iad Art Mac Gréagóir agus An Fear Mór ó Choláiste na Rinne a d'ullmhaigh na cainteoirí ó Cho. Phort Láirge. Is léir gur mar seo a fuair Maidhc Dháith an scéal seo agus, tá a rian air, tá an dá insint atá againn ó Mhaidhc ana-dhealraitheach lena chéile – ceann seo Doegen, agus insint eile a thóg Nioclás Breathnach uaidh sa bhliain 1932 (CBÉ Iml. 86:1-4). Ba iad na míreanna de bhailiúchán Acadamh Ríoga na hÉireann atá luaite le Maidhc ná '*Numerals*', 'An Garsún Bán', 'Bean an Chárthaigh' 'An Bhean Phósta' agus 'Bean an Dohil' [Miontuairiscí Acadamh Ríoga na hÉireann don seisiún 1928-29 (Appendix, l. 19-29)]. Feic, leis, *Leabhar Sheáin Uí Chonaill,* l. 459-62 agus l. 255-56, 401-402.
101. CBÉ Iml. 86:1-11, 21-4, 78-9, 361-65.

Fear de bhunadh an tSeana-Phobail ab ea Nioclás – ó Chnocán Fréiní ab ea a athair, Nioclás, agus ó Bharra na Stuac ab ea a mháthair, Cáit de Paor.[102] I Lios na Fionghaile, Dún Garbhán a rugadh Nioclás. Bhí sé ag obair mar bhailitheoir lánaimseartha do Choimisiún Béaloideasa Éireann ó 1935-37, ach bhí buailte aige le Maidhc i bhfad roimhe sin. Is léir ón gcéad chaidreamh a bhí aige leis gur thóg Nioclás – dá óige a bhí sé féin – ana-cheann den líofacht agus den deismireacht chainte a bhí aige Maidhc:

> Sé bliana déag a bhí slánaithe agam nuair a thug mé aghaidh ar thigh Mhaidhc Dháith i mBaile Uí Chuirín. Ba é Tomás Ó Cathail[103] a réitigh an ród dom i dtosach.
>
> Bhí aistear cuibheasach anróiteach le cur díom agam breis is míle anuas ó Chnocán Fréiní, trí chuid Mhuiris de Paor, trasna an bhóthair, trí chuid Mhicíl Uí Ghadhra síos an gleann gairid do Pholl Bhroin (seanduine den Chinsealacht a théadh ag snámh ann le linn a réime ba ea an Broineach), siúl trí gharbhlach is scotharnach an ghleanna láimh leis an abhainn a bhí ag sní léi chun na farraige, an t-ard suas a chur díom ansan gur bhain mé amach tigh an tseanchaí.
>
> Bhíodh sé ag coinne liom gach aon Domhnach tar éis dinnéir mar dhéanadh sé manaois oibre i rith na seachtaine. Bhí sé sna mionseascaidí adéarfainn an t-am san agus gan aige sa tigh ach mac dó, mar bhí a bhean curtha.
>
> Cuimhním go glé ar an gcéad Domhnach a bhuail mé isteach chuige. Bhí sé ina shuí go compordach cois na tine agus é ag caitheamh a phíopa ar a shástacht. Chuir sé fáilte is fiche romham.
>
> "An gcaitheann tú aon ghal?" adúirt sé liom.
>
> "Ní chaithim," arsa mise.
>
> Ní fearra dhuit," arsa sé agus thosnaigh sé lom díreach. Bhí beirt fhear ina suí cois na spóirsí oíche fhuar gheimhridh agus bhí duine acu chun gal a chaitheamh. Bhí dúil na n-ae sa ghal agus san ól ag an bhfear eile agus d'iarr sé tamall den phíopa ar fhear na gaile:
>
> A fharaire ghroí de shíol na bhfear ab fhearr,
> A roinnfeadh an fíon go fial is go fairsing ar chlár,
> Nár bhaine duit aon díth is nár luí ort galar an bháis,
> 'S ó ráinig tú im líon cuir an píopa bog dearg im láimh.

102. N. Breatnach, *Ar Bóthar Dom* (Rinn Ó gCuanach: Coláiste na Rinne, 1998), l. 211-15.
103. Tomás Ó Cathail (3/3/1863-28/3/1936), Loiscreán, an Seana-Phobal. Rugadh Tomás I mBaile Mhac Airt. Pós sé Máire Ní Bheaglaoich (27/7/1868-24/12/1933), deirfiúr de Bhríd Ní Bheaglaoich, bean Mhaidhc Dháith. Fear mór seanchais ab ea Tomás (*Ibid*., l. 224-25).

Ach sid é an freagra a fuair sé:

> Is duine bocht mise gan pingin, scilling ná réal,
> A bhfuil mo bhríste ceangailte orm go lom is go docht le téip,
> Ní ólaimse puins is is leatsa nach iontas é,
> Is leis sin de, cuireadh gach duine againn tine ar a phíopa féin.[104]

Dar le Nioclás nárbh iad na scéalta ba mhó a thaithin le Maidhc ach gurbh iad na hamhráin agus na rabháin ba mhó a thugadh taitneamh dó. Agus cheistigh sé é mar gheall ar na hamhráin:

> "Cén t-amhrán is fearr leat?" arsa mise leis lá.
> "'Máire Ní Eidhin' nó 'Máirín de Barra'. Ba é Mártan Draopar, fear tábhairne a bhí i mBaile na nGall, sa Rinn, a mhúin 'Máire Ní Eidhin' dom agus amhránaí maith is ea Labhrás, a mhac. Deireann Labhrás 'An Goirtín Eornan' as meán."[105]

Ach ar a shon san bhí meas mór ag Nioclás ar an réimse béaloidis a bhí aige Maidhc:

> Bhí stór maith béaloidis ag Maidhc idir fhilíocht is scéalta agus ba bhreá liom bheith ag éisteacht leis ag cur 'Eachtra an Aodhaire' agus 'Eachtra Éamainn de bhFál' de. Níor lú mo thaitneamh dá *märchen* – "Aodh Mhic an Bhurdáin" agus "Rí na mBréag"; dá *sagen* agus é ag trácht ar na longa a bádh feadh an chósta, ar na Fíníní, ar Alcock agus ar bhunú na nÓglach.
> "Ní raibh mé riamh róthugtha do na scéalta fada," adúirt sé liom an chéad Domhnach a bhuail mé isteach chuige. "B'fhearr liom na scéalta gairide, na hamhráin, na píosaí filíochta, na rabháin agus an mionseanchas a d'airínn ag an seandream a bhí sa Rinn le linn m'óige."[106]

Bhí meas ar Mhaidhc ar chúiseanna eile chomh maith, fé mar a insíonn Nioclás dúinn:

> Do réir dealraimh ógánach dathúil ba ea é ina dhéagóir dó. Sid é an tuairisc a thug Tomás Ó Muirí dom air: "Níor chóirigh naoi mbliana déag ógánach ba ghile ná ba ghealgháirí fé mhaise is chantacht. Ina shiúl is ina sheasamh bhí lúth is fuinneamh. Ba dhual dó bheith fáilteach deaghchroíoch

104. *Ibid.*, l. 16-18.
105. *Ibid.*, l. 18.
106. *Ibid.*, l. 19-20.

modhúil." Agus lean na tréithe sin de agus é ar an leaba, amach ó bhláth na hóige is snua na sláinte a ghabh leis tráth dá raibh.[107]

Thug Séamus Ó Duilearga, Stiúrthóir, Choimisiún Béaloideasa Éireann cuairt ar Mhaidhc sa bhliain 1933:

> Mon. 10 April, 1933.
>
> Micheál Ó hAodha and I called on Seán Dreochán of Leog na Gaisí [Lag na gCáitheadh Sí] whom we found ploughing. He had a number of *rabháin*. Also called on an old man named Tom Cole at Na Geataí, An Seana-Phobal who knew a good deal about local history, and finally we met Mike Dhá Turraoin of Bail' Í Churraoin, who is a mine of information and one of the most delightful Irish speakers I have ever known. He is a labourer, has now been unemployed for four months. Had 17 children. I made a list of 33 *sagen* and *märchen* from him.[108]

Dhein Séamus deimhin de go mbaileofaí an t-ábhar seo ar fad ó Mhaidhc ina dhiaidh sin:

> Rí na mBréag I recorded on 24/8/34. No. 20 I recorded on 26/8/34 and also "Lord Mount Eagle" story and a number of *rabháin* and other material not in above list. Most of these items are *rabháin* i.e. prose introducing explanation and extempore verse. On 12 and 13 April, 1948 Caoimhín Ó Danachair and I recorded the majority of those listed above on Presto Gramaphone records.
>
> Other material was written from Mike Dhá by Micheál Ó hAodha (See *Béaloideas*) and a great quantity of material was also taken down years afterwards by Seosamh Ó Dála of Dunquin whom I sent to Rinn with instructions to get all he could from Mike Dhá and others. Unfortunately, Seán Fitzgerald on occasion of Ó Dála's visit, was in the Co. Asylum and

107. *Ibid.*, l. 20.

108. Is é seo an liosta úd ó cheann de leabhair nótaí Shéamuis Uí Dhuilearga ó Chartlann Roinn Bhéaloideas Éireann:

> I transcribe these here from Ms.A p. 404. Many of these tales he got from Seán Ó Muiríosa (dead in 1933 16 years, at the age of 79/80) a native of Roilig a' Laoi, par. an tSeana-Phobail.
>
> **<u>Déise 2</u>**
> **<u>From Ms A (a notebook)</u>**
> **<u>10 April 1933</u>**
> At the house of Mike Dhá Turraoin, c. 55, Bail' Uí Churraoin. A native of Ring.

> there he died. May God rest his soul! He was one of the finest of the old time storytellers I have ever met.[109]

Pén tuairim a bhí ag Séamus Ó Duilearga mar gheall ar Sheán Mac Gearailt mar scéalaí ní mór an meas a bhí ag Maidhc ar Ghaelainn Sheáin. Agus tugann sé sin éachtaint dúinn ar an tuairim a bhí aige dó féin – go raibh fhios aige bua cainte a bheith aige féin:

> Compared to Mike Dhá Turraoin whom I was to meet later Seán's style was very poor, but he knew far more about tradition than Mike. Mike however,

1. Eamonn do Wál agus a Chompánach.
2. An Brúnach agus Bean Uí Dhobhair.
3. A tEasbog agus garsún a' ghabhair.
4. Eachtra an Aoghaire.
5. Rí na mBréag.
6. Caointeachán a' Gabha.
7. An bhean dosna Cárthaigh nár thug aon ní riamh d'éinne. "Mór is Muire dhuit etc."
8. Cad as don Stampa?
9. Ar maidin sa Dúnainn etc.
10. A Rí na nGrást agus nách cráite a bhí tu.
11. An óinseach agus an caointeachán a dhein sí. Ag a' gcrosaire ar a' mbóthar go Helvic a ví sí ina cónaí.
12. Radal Ó Dála.
13. Cúntas ar Aonach a' Bhealtaine i gCill 'ac Thomáisín.
14. Has a number of tales about "na daoine maithe."
15. Seán 'ac Séamais – 700 baraille d'airgead raolach.
16. Seán a' Bhríste Leathair.
17. An Ciarraíoch a bhíodh a' marú na róinte.
18. An Mhurúch a chnocathas ag Helvic.
19. Seán de Hór. "Paidir gan chóir gan cheart."
20. Caointeachán an fhir a bhí i dTalamh an Éisc.
21. An Sagart a' mola na mbocht agus aitheanta an duine bhoicht.
22. Artha na bhFranncach.
23. Baiste an amadáin ar a' leanabh.
24. Baisteann an sagart a leanbh héin ar dtúis.
25. An captaen árthaigh nár stríoc do Naomh Mártain.
26. Diarmaid Ó Seanacháin.
27. Baiste agus pósa agus tórramh gan díobháil.
28. Mac Shiobhán Mhaol.
29. Tadhg Gaelach agus an ghloine fuiscí.
30. Tadhg Gaelach nuair ná raibh an 1/2d aige chun an tsagairt.
31. Sagart éifeacht (?) na n-iomad gall (?).
32. Stories of Kerry Spailpíní.
33. An Ciarraíoch a robálag.

109. Scríte ag Séamus Ó Duilearga ar an 26/9/58 i leabhar nótaí: Cnuasach Shéamuis Uí Dhuilearga, Roinn Bhéaloideas Éireann.

was a master of Irish, a witty and pungent speaker. Of Fitzgerald he said once to Micheál Ó hAodha: *"Dhéarfadh sé siúd ao' rud!"* meaning that his Irish was most inaccurate. Fitzgerald is long since dead, and poor Mike, bed ridden, is longing today for Death to call for him.[110]

Arís, nuair a thug sé Léacht Cuimhneacháin Sir John Rhÿs don *British Academy* ar an 26 Samhain, 1945 dhein Ó Duilearga tagairt don mbeirt Dhéiseach seo ar leithligh agus é ag déanamh cur síos ar scéalaíocht bhéil na hÉireann:

> Two of the best exponents of oral traditions of the Decies (Co. Waterford) whom I have met were Mícheál Turraoin of Rinn on the sea-coast, and Seán Fitzgerald from the inland parish of Modeligo, near Cappoquin. Both of these men had an immense – I use the word advisedly – an immense body of tradition of all kinds, *märchen, seanchas,* songs, rimes, proverbs, quatrains and couplets, prayers, & c. But each of them was quite different. Fitzgerald, like most Irish story-tellers of the present day, was a passive tradition-bearer. He had heard a great many tales in his youth from his grandfather, and from his neighbours, but, owing to lack of opportunity of speaking Irish as he grew older, he had lost command of his store of traditions, and of fluency and accuracy in ordinary conversational Irish. One had to question him closely at times before he could recall to memory tales which he had heard or even had himself told at one time. He knew a large number of *märchen*; but except for a few which he had obviously been in the habit of telling occasionally, and for which he had a preference, his tales exhibit a rather poor narrative style. He is the best example I have ever met of a passive bearer of tradition.
>
> Mícheál Turraoin, on the other hand, knew no *märchen*,[111] while his brother Liam, a fisherman at Baile na nGall, was a first-rate story-teller.

110. *Ibid.*

111. Níl sé seo fíor ar fad fé mar a fheicfear ó chuid de na scéalta a bailíodh ó Maidhc (feic l. 273-305 ar leithligh) ar a shon go bhfuil sé soiléir nárbh iad na seanascéalta fada ab ansa leis. Tá leagan den scéal *Eachtra Chormaic Mhic an Bhradáin* [Aa-Th. 300, *The Dragon Slayer* + Aa-Th. 303, *The Twins or Blood Brothers* + Aa-Th. 302, *The Ogre's (Devil's) Heart in an Egg*] luaite le Maidhc in Ó Cionnfhaolaidh, *Beatha Mhichíl Turraoin*, l. 75-101. Sa leabhar deir Maidhc gur lena dheartháir Liam an scéal seo agus nár thug sé féin leis aon scéal fada mar sin. Ní fios cad a bhí i gceist aige leis an méid sin a rá ach tá an leagan den scéal atá sa leabhar seo ana-dhealraitheach ar fad le leagan a bailíodh óna dheartháir Liam Turraoin ('Dixon') (CBÉ Iml. 977:75-126). Is mar a chéile, focal ar fhocal, an dá leagan sa chuid is mó ach tá difríochtaí eatarthu in áiteanna. Cuir i gcás, aon gháirsiúlacht atá i leagan na lámhscríbhinne tá sé ar lár i leagan an leabhair. Ní haon ionadh é sin agus cúrsaí cinsireachta a bheith fé mar a bhíodar sa bhliain 1956. D'fhéadfadh cinsireacht den tsaghas seo a bheith déanta ag Michéal Ó Cionnfhaolaidh nó ag na foilsitheoirí nó fiú amháin ag an scéalaí féin. Ach tá difríochtaí beaga eile idir an dá leagan chomh maith Bhí

Mícheál was in many ways the direct opposite of Fitzgerald. His father and grandfather were fishermen, and their traditions, inherited by Mícheál, were coloured by their calling. Fitzgerald and all his people lived in a different milieu, the arable and pasture land in the valley of the Blackwater, and Fitzgerald's traditions are clearly influenced by their rural environment. But the difference between him and Turraoin in style, language, and general attitude towards tradition is very marked. Turraoin is a very witty speaker, he is a master of idiom, phrase, and linguistic nuance; in his ordinary conversation the commonplace attains an unwonted dignity, proverbs and wit and drolleries trip over themselves from off his sharp and sometimes caustic tongue. He is a cultured man in oral letters, unspoiled by books – which he cannot read – and by the laboured commentaries of the learned. For the latter a laboured paragraph – for Mícheál a witty, well-turned phrase! 'A man without learning is like a ship without a rudder' he remarks in his autobiography, and as I read I can see the ironic glint in his eye, for Mícheál has often met learned men who could give but a poor account of themselves![112]

I Mí Lúnasa, 1940 thug Risteard A. Breatnach cuairt ar Mhaidhc agus bhailigh sé roinnt amhrán uaidh agus is léir go raibh sé ana-thógtha leis:

Amhráin iad so a scríos síos mí Lúnasa so chathamair ó Mhaidhc Traoin,

lámhscríbhinn den scéal seo i gColáiste na Rinne sa bhliain 1945 nuair a bhí an bailitheoir Seosamh Ó Dálaigh ag fanacht ann. Fuair Seosamh ó Phádraig Ó Cadhla í. Pádraig Ó Maoláin a scríobh síos ó bhéalaithris Liam Turraoin í c. 1925 (*Ibid.*, l. 75). D'athscríobh Seosamh an scéal díreach mar a bhí sé sa lámhscríbhinn agus is é leagan Sheosaimh atá in CBÉ Iml. 977. Níor inis Maidhc an scéal seo ar aon ócáid eile go bhfios dúinn ach ránódh go mbeadh sé de ghlanmheabhair aige ó bheith ag éisteacht le Liam á aithris agus go mbíodh leisce ar féin é a aithris toisc gur bhain sé le Liam. B'fhéidir gur chuir Michéal Ó Cionnfhaolaidh ina luí air é a aithris i gcóir an leabhair. Címid ó scéalta ar nós *Rí na mBréag* agus *Rí Sacsan* go raibh sé ar chumas Mhaidhc scéal casta a fhoghlaim chomh cruinn sin. Ar an taobh eile den scéal caithfear a chur san áireamh go mb'fhéidir go raibh teacht ag Michéal Ó Cionnfhaolaidh ar an lámhscríbhinn seo i gColáiste na Rinne agus gur úsáid sé í chun an scéal seo a chur isteach in *Beatha Mhichíl Turraoin* agus é a lua le Maidhc Dháith nó gur ó Liam Turraoin a fuair Michéal an scéal an chéad uair agus gur luaigh sé le Maidhc é ar mhaithe leis an leabhar. Tá rudaí eile, cé gur beag iad, in *Beatha Mhichíl Turraoin* go gcaithfí a bheith amhrasach gur thánadar ó bhéal Mhaidhc riamh.

112. Delargy J. H., *The Gaelic Story-Teller with some notes on Gaelic folk-tales* (Chicago: American *Committee for Irish Studies*, 1969) l. 13-14 – athfhoilsiú ar alt a foilsíodh an chéad uair in *Proceedings of the British Academy,* Volume XXXI, 1945: 5-47.

Caitheann Diarmaid Ó Giolláin ana-amhras ar an dtuairim seo a bhí ag Duilearga go raibh droch-mheas ag Maidhc Turraoin ar chúrsaí léinn [D. Ó Giolláin, "An Léann Dúchais, an tOideachas agus an Imirce," in *Ceiliúradh an Bhlascaoid 6,* eag. Máire Ní Chéilleachair (Baile Átha Cliath: Coiscéim, 2000), lch. 23]. Luann sé an méid a bhí le rá ag Maidhc féin nuair a léirigh sé go raibh sé in aithreachas air ná raibh léamh ná scríobh aige (*Ibid.*).

Baile 'n Chuirrínigh, an Rinn, Co. Phortláirge. Thá mé baoch ó chroí dhe Mhaidhc (agus dem chara Míchéul Ó Cionnfhaolaidh, an Rinn, a chuir 'na threo me) ní hamháin i dtaobh na filíochta héin ach i dtaobh an aoibhnis a bhí agam i n'fhochair ag eisteacht leis á rá. Cárbh iúna dhom a shamhlú le linn an cheóil gur ar an saol eile úd a bhíos, ar an saol a bhí ann "an tan do bhío-dar Gaoidhil i n-Éirinn beó." Más mian leis an léthóir cuid den aoibhneas san a bheith aige cathfidh sé an seana-shaol san a shamhlú dho héin agus duine desna Gaoidhil úd a dhéanamh de héin in' aigne.[113]

Idir 1933 agus 1940 bhí Micheál Ó hAodha – a bhí ina ollamh le Gaelainn i gColáiste na hOllscoile, Baile Átha Cliath – ag bailiú béaloidis ó Mhaidhc agus ó Sheán Mac Gearailt. Mar seo a dhein sé cur síos ar Mhaidhc, agus ar nós Shéamuis Uí Dhuilearga dhein sé comparáid idir é féin agus an Gearaltach:

Is treise agus is cruinne atá an Ghaedhilg ag Míchéal Traoin ná ag an bhfear eile. Tá Míchéal riamh 'na chomhnuí sa Rinn, agus is í an Ghaedhilg is buige a thagann chuige. Chuireadh sé ana-shuim i gcaint agus i gcomhlu-adar seandaoine, agus thug sé saidhbhreas mór leis uatha. Tá ana-mheabhair chinn aige féin, ana-thuiscint do dheiseacht urlabhra, agus é lán toiltheanach aon ní atá aige do thabhairt uaidh go fial fairsing.[114]

Tar éis carn mór béaloidis a bheith bailithe aige ina cheantar dúchais féin i nGaeltacht Chorca Dhuibhne cuireadh mar chúram ar Sheosamh Ó Dálaigh, Bailitheoir Lánaimseartha le Coimisiún Béaloideasa Éireann, tabhairt fén Rinn i mbun an chúraim chéanna sa bhliain 1945. Cé gur thuig Seosamh go maith tábh-acht na hoibre a bhí roimhe bhí leisce air a mhuintir féin a fhágaint ina dhiaidh agus é ag tabhairt fé na dúthaí thoir, fé mar a chuireann sé in iúl ina chuntas cinn lae don 2/6/45:

Beidh uaigneas orm ag fágaint na ndaoine ar fad anois ach tá fómhair maith le déanamh in áit eile fós agus ní am suain domhsa anois é. Cairde buana is ea na daoine go léir go rabhas ag bailiú uathu. Guím faid saoil dóibh ar fad agus go dtuga Dia an bheatha síorraí dhóibh nuair a raghaidh siad ag triall Air.[115]

Ar an 4ú lá de Mhí an Mheithimh, 1945 d'fhág Seosamh Dún Chaoin agus chaith sé an oíche i dTráilí. Lá fleathach, gránna ab ea an lá arna mháireach nuair

113. R.A. Breatnach: "Roinnt Amhrán ón Rinn," *Éigse* II (4), 1940:236.
114. M. Ó hAodha, "Seanchas ós na Déisibh," *Béaloideas* 14 (1944):53.
115. CBÉ Iml. 1045:164.

a bhain sé amach Dún Garbhán tar éis turas fada traenach ó Thráilí. Thug sé aghaidh amach ar an Rinn ansan, áit go raibh súil leis i gColáiste na Rinne:

> Bhí béile bídh i nDún Garbhán agam agus bhí an tráthnóna chomh fliuch san gurbh éigint dom gluaisteán a ghnóthú chun mé a thabhairt amach go dtí an Coláiste anso. Bhuail Michéal Ó Cionnfhaolaidh agus Conchubhar Ó Séitheacháin isteach agus fuair bean an tí seomra dhom. Bhuail Tomás Ó Faoláin isteach t'réis tamaill agus bhí cluiche cártaí ag ceathrar againn. Céad is a deich a bhí á imirt againn go dtí go raibh sé an dá uair 'éag. Bhí rud éigin le n-ithe ansan againn agus chuamair a chodladh.[116]

Maidean lá arna mháireach (6/6/45) thóg sé tamaillín ó Sheosamh teacht chuige féin ón uaigneas a bhí air sara bhféadfadh sé díriú isteach ar an obair a bhí roimhe:

> Ní mór an obair a bhí á dhéanamh agam anso i dtosach an lae inniu. Bhí deorantacht orm agus ní bhfaighinn luí le aon obair a dhéanamh, ach bhí rudaí á phriocadh amach anso agus ansúd agam a bheadh ag teastáil láithreach uaim. Bhíos ag caint leis na múinteoirí anso. Bíonn an dinnéar anso ar a leathuair t'réis a dó. Bhuail clog mór atá i mbéal an doiris amuigh. N'fheadar cé bhuaileann é ná cé chroitheann é ach do chuala an clog á bhualadh. Do chuamair go léir go dtí an dinnéar. Bhí ceathrar againn ann agus cómhrá go leor againn.[117]

Tar éis dinnéir áfach bhí a mhisneach tagaithe chuige agus é ullamh anois chun tabhairt fé chúram na bailitheoireachta. Is léir gur ar thóir Maidhc Dháith ar leithligh a bhí sé tagaithe chun na Rinne agus ba é seo an lá gur bhuail an bheirt acu lena chéile don chéad uair:

> Nuair a bhí an dinnéar caite fuaireas féin leabhar nótaí. Thug Conchubhar Ó Seitheacháin breac léirscáil dom ar an mbóthar as so go dtí tigh Mhaidhc Dháith an seanchaí go bhfuilim ar a thuairisc. D'imíos ansan agus mo bhlúire páipéir agam, ach níor dhein sé an gnó dhom mar do chuas breis agus míle as an tslí. B'éigeant dom dul isteach go tigh feirmeora agus stiúrú a dh'iarraidh. Stiúraíodh mé agus sin é an uair a thugas fé ndeara an botún a dheineas. Bhaineas amach an tigh. D'aithníos láithreach gurbh é tigh Mhaidhc Dháith é. Bhí fear aosta amuigh. Ní raibh a chasóg air. Bhí

116. *Ibid.*, l. 167-68.
117. *Ibid.*, l. 168-69.

treabhsar gorm air agus bheost ghorm agus léine bhán. Fear aosta ab ea é ach ní raibh sé titithe.

"Deinim amach gur tusa atá uaim," arsa mise leis, t'réis an chéad bheannachadh. "Nách tusa Maidhc Dháith?"

"An fear céanna," ar seisean.[118]

Bhí deacrachtaí ag Seosamh le canúint na Rinne ar dtúis ach bhí fáilte mhór ag Maidhc roimhe agus ní fada a bhíodar ag cuir aithne ar a chéile:

> Bhí cluas orm ag éisteacht leis mar bhí an chanúin seo na nDéise ag teacht crosta orm. Thug sé leis isteach mé, é romham amach. Chomh luath agus a chuir sé tairsin na cistean do d'iompaigh sé:
>
> "Céad fáilte go Baile Uí Churraoin," ar seisean.
>
> "Bail ó Dhia oraibh," arsa mé féin.
>
> "Suigh ar an gcathaoir is sia aníos," arsa bean a bhí istigh.
>
> Bhí páistí ann, ach bhíodar ciúin nuair a chonaiceadar an stróinséar. Bhíos ag caint le Maidhc agus ba bhreá liom bheith ag caint leis. D'inseas do cad a bhí ar siúl agam.
>
> "Tá mo mhac tinn," ar seisean, "agus raghaidh mé ag triall ar an gcapall chun é a bhreith go dtí an abha agus téanam lem chois."
>
> D'imíomair, sinn ag seanchas linn. Bhíodh sé ag cur ceisteanna orm:
>
> "Ar airigh tú riamh bruacháin?" ar seisean. "Tá gleann ansan," ar seisean, "gleann is ea ar gach taobh é. Cad a thugann tú ar a lár istigh?"
>
> Bhíos ag smaoineamh …
>
> "Gleann," arsa mise.
>
> "Ní hea," ar seisean.
>
> "Cumar," arsa mise.
>
> "Sea," ar seisean, "cumar is ea é."
>
> Bhí luibheanna ag fás ann, agus bhíos á cheistiú agus bhí ainm aige ar chuid mhaith acu. Bhíomair breis agus uair a chloig ag tabhairt deoch don chapall agus bhí sé san am agam a bheith thar n-ais sa Choláiste mar is ar leathuair t'réis a sé, am nua, a bhíonn béile an tráthnóna ann. Dúrt le Maidhc é sin agus shocraíomair eadrainn go dtiocfainn chuige tráthnóna amáireach timpeall leathuair t'réis a sé.
>
> D'fhágas slán aige.
>
> "Go n-éirí ádh leat," ar seisean – beannacht choitianta anso.
>
> Thána thar n-ais 'dtí an Choláiste. Ní raibh ann ach turas fiche neoimint nó mar sin.[120]

118. *Ibid.*, l. 169-70.
119. *Ibid.*, l. 170-72.

An tráthnóna ina dhiaidh sin thug Seosamh fé bheith ag bailiú ó Mhaidhc i ndáiríribh tar éis an lá a chaitheamh ag scríobh sa Choláiste. Ba dheacair dó Maidhc a choimeád ar an mbóthar díreach agus bhí deacrachtaí fós aige leis an gcanúint:

> Ar a leathuair t'réis a seacht tráthnóna bhíos istigh age Maidhc Dháith. Cuireadh 'dtí an tine mé agus tugadh boirdín aníos as an seomra chun go bhfaighinn scríobh air cois na tine. Bhí Maidhc á cheistiú agam. Thosnaíos leis an chéad chaibideal do *Lámhleabhar* Sheáin Uí Shúilleabháin, ceist ar cheist. Ach ní ar an ábhar san amháin a bhí Maidhc ag seanchas mar do ritheadh rócán nó tomhas nó seanfhocal chuige ina lár istigh agus do scríos síos uaidh iad fé mar a thánadar uaidh. Bhí an chanúint ana-chrosta orm agus n'fhéadfainn na mionrudaí ba mhaith liom a bheith san abairt a thuiscint ar mo thoil, chomh maith agus go bhféadfainn a dhearbhú ina dhiaidh san gurbh shin a dúirt sé agus nách aon ní eile. D'fhanas ansan go dtí leathuair t'réis a deich. Deineadh té dhom. Níorbh aon chabhair dom diúltamh do. D'ólas cupa agus nuair a bhí san ólta agam tháinig bean óg an tí chugham aríst leis an dté. Bhíos ag cuir suas de.
>
> "Dóigh leis é mara dtógfaidh sé é," arsa Maidhc.
>
> Nuair a bhí an té ólta agam, ar nós aon bhacaigh d'imíos.[120]

Istoíche lá arna mháireach nuair a thug sé turas eile ar Mhaidhc fuair Seosamh amach nach i gcónaí a bheadh an oíche ar a dtoil ag an mbeirt acu gan duine éigin eile a bheith ag bualadh isteach sa tigh i mBaile Uí Churraoin:

> Chuas go dtí Maidhc Dháith agus chaitheas an oíche go dtí leathuair t'réis a deich (sean-am) ina fhochair. Tháinig seanduine ó Bhaile na Móna isteach. Machain[121] ba dh'ea é – fear aosta agus cainteoir géar, láidir, stóinsithe. Thug sé le tuiscint dom go raibh sé i Seana-Shasana. Dúirt sé gurbh ana-rud go bhfanann airgead na hÉireann mar a chéile i gcónaí ach nár mar sin dos na hIniacha ná tíortha eile. Bhí seanchas aige ar an áit seo timpeall leis agus d'fhág Maidhc Dháith an chaint fé ach aon uair amháin a dúirt sé leis go raibh an chairt ragha (roimhis) an chapall aige. D'fhág Machain

120. *Ibid.*, l. 174-75.

121. Seán Machain: Cailleadh an fear seo ar an 1/6/1957 (78). Rugadh Seán i gceantar Chrosaire Chadhla sa nGráinsigh. Bhí a mhuintir ag maireachtaint in Baile na Móna ar feadh tamaill. Thug Seán tamall in Arm Shasana. Thug sé tamall eile ag obair do Mháiréad (Ní Chrotaigh) de Londra i mBaile na Cúirte. Chaith sé deireadh a shaoil i mBaile na Móna le Muintir Tóibín agus is dóichí gur ansan a bhí sé nuair a bhí Seosamh Ó Dálaigh i dtigh Mhaidhc sa bhliain 1945 (Breatnach, *Ar Bóthar Dom,* l. 223).

luath agus ansan do luíos le Maidhc féin ag seanchas leis ar na tithe a bhí san áit lena chuimhne agus mar sin.[122]

Nuair a bhí taithí aige uirthi bhí ana-dhúil ag teacht i Maidhc Dháith san obair a bhí ar siúl aige féin agus ag Seosamh. Ar an 21/6/45 chuaigh Seosamh agus an Dochtúir Mac Cosgair – a bhí ag foghlaim na Gaelainne sa Rinn – go dtí tigh Mhaidhc. Ar a shon go raibh Maidhc breoite sa leaba ní raibh aon tseans go ligfí Seosamh abhaile ceal seanchais ná ní raibh aon chúthaileacht air Mhaidhc roimh an stróinséar:

> Bhíomair ann ar ceathrú t'réis a seacht. Cuireadh fáilte romham ach ní raibh Maidhc le feiscint agam. Dúirt bean an tí go raibh sé ina luí le slaghdán. Bhíos chun moill bheag a dhéanamh agus dul abhaile nuair a chuala an guth:
> "Ab é sin Seosamh?"
> "Sé," arsa an tseanabhean.
> "Abair leis teacht anuas."
> Chuas síos agus dúrt leis go raibh fear eile im fhochair.
> "Abair leis teacht anuas." arsa Maidhc.
> Tháinig an dochtúir anuas agus do bhí dhá chathaoir againn taobh na leapan agus Maidhc suite aniar sa leabaidh agus brat caite aniar air.
> Bhíomair ag seanchas agus mise ag scríobh. Bhí Maidhc tamall ag caint leis an ndochtúir. Tugadh lampa chughainn nuair a tháinig an doircheacht. Nuair a bhí sé a deich bhíomair chun imeacht.
> "An gcodlaíonn tú go maith?" arsa an dochtúir.
> "Ní chodlaím," arsa Maidhc.
> Thug sé *pill* do le caitheamh agus bhí Maidhc ana-bhuíoch. Thánamair abhaile.[123]

Chuaigh Seosamh abhaile go dtí Dún Chaoin ar a laethanta saoire ar an 3/7/45. Bhí trí sheisiún déag caite aige ag bailiú seanchais ó Mhaidhc Dháith fén am san.[124]

Sa bhFómhar bhí Seosamh thar n-ais sa Rinn ar an 5/9/45 agus lá arna mháireach fuair sé Maidhc in ana-ghiúmar tar éis a chúrsa mar sheanchaí i gColáiste na Rinne an samhradh san:

122. CBÉ Iml. 1045:175-76.

123. *Ibid.*, l. 189-90.

124. 6/6/45 (*Ibid.*, l. 169-72), 7/6/45 (*Ibid.*, l. 174-5), 8/6/45 (*Ibid.*, l. 175-6), 10/6/45 (*Ibid.*, l. 179), 12/6/45 (*Ibid.*, l. 181-2), 13/6/45 (*Ibid.*, l. 183), 15/6/45 (*Ibid.*, l. 184), 21/6/45 (*Ibid.*, l. 189-90), 22/6/45 (*Ibid.*, l. 191), 24/6/45 (*Ibid.*, l. 194-5), 26/6/45 (*Ibid.*, l. 196), 27/6/45 (*Ibid.*, l. 196-7), 28/6/45 (*Ibid.*, l. 197).

> Bhí fáiltí geala ag Maidhc romham. D'fhéach sé i bhfad níos fearr dom ná mar a bhí nuair a d'imíos. Ní mór an obair a dheineas leis mar bhíomair ag caint mar gheall ar an samhradh agus Maidhc ag cur síos domhsa ar an dá mhí a chaith sé sa Choláiste mar sheanchaí. Níor chaitheas ach cúpla uair a chloig ina fhochair nuair a thána thar n-ais go dtí an Coláiste aríst.[125]

Ar an 9/9/45 bhí Maidhc sa Choláiste tar éis an Aifrinn: bhí sé ag fanacht le sochraid. Ba léir do Sheosamh go raibh sé ana-mhór age baile ann agus níor lig sé tharais an seans gan roinnt seanchais a bhailiú uaidh:

> Bhí Maidhc chomh mór ar a shuaimhneas is a bheadh sé age baile. T'réis dinnéir thugas síos an meaisín chuige. Ní raibh aon rud ullamh aige le cur ar an meaisín agus bhí triúr nó ceathrar timpeall air. Ní bhfaigheadh sé cuimhneamh ar aon rud. Dhein sé beagán seanchais ar sclábhaithe fadó agus chan sé blúire d'amhrán. "Na hIontaisí" a ghlaoigh sé air. Dhá fhiteán ar fad a líon sé. Níor chuas níba dhéine air ansan.[126]

Nuair a thug Seosamh chuige an tEdifón ar an 13/9/45 bhí ard-spéis ag Maidhc agus ag muintir an tí ar fad sa chúram:

> Ní fada a bhíos istigh nuair a chuireas an meaisín ag obair agus chuaigh Maidhc ar an stiúir. Eachtraithe gearra a bhí ar siúl aige agus sásamh an domhain air nuair a aireodh sé an meaisín ag caint aríst agus sásamh ar mhuintir an tí ar fad. Ní raibh aon léan orthu ach go raibh na páistí imithe a chodladh.[127]

Ach fuair na páistí a seans chun an meaisín iontach seo a fheiscint ag obair tráthnóna lá arna mháireach. Béarla a bhí á labhairt leis na leanaí seo de réir dealraimh agus éachtaint is ea é seo ar stádas na Gaelainne sa cheantar ag an am: ar a shon go raibh cáil bainte amach ag Maidhc as ucht a chuid Gaelainne, agus scoláirí ag glaoch air go minic, bhí Béarla á labhairt le clann a mhic. Comhartha ab ea é seo den tubaist a bhí le himeacht ar an teanga i gceantar na Rinne in ainneoin Choláiste na Rinne agus uile:

> Chuas lem chuid fiteán ansan 'dtí Maidhc Dháith agus mara raibh na páistí aréir ann bhíodar anocht ann. Tugadh cead speisialta dóibh fuireach ina suí

125. *Ibid.*, l. 230.
126. *Ibid.*, l. 232-33.
127. *Ibid.*, l. 237.

anocht. Scéalta beaga gairid a bhí aige agus ruáin bheaga. Bhí na páistí go haireach ag éisteacht leis an meaisín. N'fheadar ar thuigeadar é nó nár thuigeadar mar Béarla atá acu.[128]

D'imigh Seosamh abhaile go Dún Chaoin ar an 27/9/45 áit inar pósadh é féin agus Peig Ní Chonchubhair ón áit chéanna. Bhí sé tar éis aon bhabhta déag a chaitheamh ag bailiú ó Mhaidhc ó d'fhill sé ar an Rinn tar éis an tsamhraidh.[129] Tháinig sé féin agus Peig 'on Rinn ar an 9/10/45 mar bhíodar chun maireachtaint ann go dtí go mbeadh a chuid oibre san áit críochnaithe ag Seosamh. Nuair a chuaigh Seosamh go dtí Maidhc an 14/10/45 bhí na 'tuartha fáilte' ag Maidhc roimhe agus chum sé dán beag in onóir dá phósta. Ní haon fhonn seanchais a bhí ar Mhaidhc áfach ach pósadh Sheosaimh imithe sa cheann aige:

> Chuas féin 'dtí Maidhc Dháith anocht. D'airigh sé go rabhas pósta. Bhain gach éinne crothadh as mo láimh agus "go n-éirí do phósadh leat," acu liom. Bhí rann filíochta age Maidhc dom:
>
> "Anois a Sheosaimh crochadsa lámh leat,
> Agus deirim go deimhin 'go n-éirí an t-ádh leat,'
> Agus thá agam romhat na tuartha fáilte,
> Go n-éirí do phósadh go lá do bháis leat;
> Trioblóid ná buaireamh ná raibh ar do shláinte,
> Agus nuair a raghair 'on chill
> Go bhfaighir na grásta."
>
> Ag caint ar mo phósadh a bhíodar tamall maith agus ní mór an seanchas a bhailíos ar ao'chor. Pé uair a chasainn i dtreo an tseanchais thagadh rud éigin eile trasna a chuireadh ar neamhní an iarracht a dheininn agus bhí an oíche caite gan mórán déanta.[130]

Nuair a chuaigh Seosamh go dtí tigh Mhaidhc ar an 21/10/45 ghlac sé lena sheans chun roinnt seanchais a bhailiú ó Bhean Uí Shíocháin, máthair chéile mhic Mhaidhc, nuair a bhí Maidhc as baile:

> Nuair a chuas ann bhí Maidhc imithe díreach 'dtí tigh ag imirt chártaí. Níor mhaith liom é a leanúint. Bhíos chun filleadh ach do shuíos síos cois na tine chun mo phíp a dheargadh. Bhí bean mhic Mhaidhc istigh agus a máthair, Bean Uí Shíocháin. Bhíos féin agus Bean Uí Shíocháin ag caint agus is

128. *Ibid.*, l. 238.
129. 6/9/45 (*Ibid.*, l. 230), 7/9/45 (*Ibid.*, l. 231), 9/9/45 (*Ibid.*, l. 232-3), 10/9/45 (*Ibid.*, l. 235), 13/9/45 (*Ibid.*, l. 237), 14/9/45 (*Ibid.*, l. 238), 16/9/45 (*Ibid.*, l. 239), 18/9/45 (*Ibid.*, l. 240), 20/9/45 (*Ibid.*, l. 240-1), 23/9/45 (*Ibid.*, l. 243), 25/9/45 (*Ibid.*).
130. *Ibid.*, l. 246-47

gearr gur thosnaíos féin ag seanchas léi mar gheall ar chearca. Bhí an *Handbook* agam mar threoir agus bhí mo pheann luaidhe láithreach im dhorn agus mo leabhar nótaí agus mé ag scríobh gan stad ar feadh uair go leith nó mar sin. D'fhágas í timpeall leathuair t'réis a hocht.[131]

Lean Seosamh air ag tabhairt turasanna ar Mhaidhc agus ag bailiú uaidh ar dalladh, ach ceann de na cuairteanna a thug sé air (8/11/45) bhí bualadh ar siúl agus mar seo a leanas a chuir Seosamh síos ar a bhfeaca sé an lá úd:

> Chuas ansan 'dtí Maidhc Dháith agus nuair a shroiseas tigh Mhaidhc bhí inneall buailte díreach á chur i gcóir san iothala agus fear ag teacht anoir agus aniar chun cabhraithe agus chun an comhardú a dhíol. Bhí Maidhc ina sheasamh amuigh san iothala lena bhata. Bhíos tamall ag caint leis ach bhí sé pas beag fuar agus chuamair araon isteach. Bhí buidéil phórtair istigh flúirseach agus bord ligithe amach sa chistin féna áraistí agus fé arán, im, subh agus bainne go fairsing agus bord eile ar an ndul céanna sa tseomra thíos. Thug Maidhc buidéal chugham agus nuair a tháinig an mac isteach thug sé ceann eile chugham. Bhí té ag roinnt des na fir ansan. Ní bheadh Maidhc sásta muna mbeadh té agamsa. Bhí beirt bhan des na comharsain istigh chun cabhrú le mná an tí chun fritheála agus duine acu á rá gur dheas é 'á mbeadh rince anocht acu nó 'á n-imreoidís peidhre coileach ar chártaí. Bhí gach éinne sásta leis ach dúirt mac Mhaidhc go mbeadh sé t'réis a hocht sara mbeadh deireadh buailte acu.
>
> Ní raibh aon tseans agam aon tseanchas a bhailiú ó Mhaidhc.
>
> "Ba mhaith an saol é," ar seisean, "nuair a gheobhthá tiumpléir fuiscí chomh luath is a raghthá 'dtí béal an doiris lá buailte."
>
> D'fhanas ag féachaint orthu 'dtína ceathair a chlog. Dar liom ná raibh aon órdú á chur ar éinne – má bhí is ós íseal é. Chomh luath is a thagadh fear breise ar an meithil chuireadh sé chun oibre in áit éigin gan éinne á stiúriú.
>
> D'fhágas iad agus thána abhaile.[132]

Bhí ana-thuiscint ag Maidhc ar thábhacht na hoibre a bhí ar siúl ag Seosamh agus ana-thoilteanach aon chabhair a bhí ar a chumas a thabhairt dó. Lá amháin (28/11/45) nuair a bhí ag teip ar an ngnáth-mhodh mínithe chuimhnigh Maidhc ar sheift chun an fhadhb a réiteach:

131. *Ibid.*, l. 249-50.
132. *Ibid.*, l. 263-65.

Bhíos á cheistiú inniu mar gheall ar dhíonadóireacht. Ní rabhas á thuiscint fé mar ba mhaith liom ná fé mar ba mhaith leis sin agus sheol sé leis amach san iothala go dtí cruach tuí a bhí ann mé, agus theaspáin sé dhom le cabhair na tuí agus na cruaiche conas a curtaí an díon tuí ar thigh.[133]

Nuair a chuaigh Seosamh go dtí tigh Mhaidhc ar an 14/12/45 ba é an scéal a bhí roimhe ná go raibh Maidhc imithe ag obair le comharsa. Bhí ionadh an domhain ar Sheosamh mar an fhaid a bhí aithne aige ar Mhaidhc ní raibh an fear bocht ábalta ar aon obair a dhéanamh age pianta …

Dúirt bean a mhic liom go raibh sé ag scriosadh *mangels* i bhfochair Seán Paor anso thiar. B'ait liom é mar ní raibh Maidhc i ndán cromadh 'á bhfaigheadh sé sabharn le tógaint. Dúirt sí liom go raibh na pianta imithe de; gur chuaigh sé 'dtí Dochtúir Ó Riain i nDún Garbhán Lá an Phátrúin agus gur thug san buidéal do a leighis é. Bhí sé leighiste fé cheann trí lá. Bhí an bata a bhíodh mar theannta aige fágtha istigh aige agus é imithe ag obair. Bhíodar 'ár radharc agus chuas chuchu agus cé lúcháir a bhí ar Mhaidhc.

"Ní leigheas a dhein sé in ao'chor," arsa Maidhc, "ach míorúilt. Is mó leigheas a dhein Naomh Déaglán ach is mó a dhein an Dochtúir Ó Riain ormsa, go bhfágaidh Dia a shláinte aige."[134]

Sé sheisiún déag ar fad a bhí ag Seosamh ag bailiú ó Mhaidhc Dháith ón uair a tháinig sé thar n-ais 'on Rinn tar éis a phósta go dtí gur fhág sé an áit ar an 19ú Nollaig, 1945.[135] Bhí Seosamh sa Rinn arís sa bhliain 1948 agus bhailigh sé a thuilleadh seanchais ó Mhaidhc. Tugann cuntas cinn lae Sheosaimh don 13ú Márta, 1948 éachtaint dúinn ar an gcúlra a bhain le ceann de na hamhráin a chum Maidhc agus ina theannta san címid fé mar a fhéachtaí ar Mhaidhc mar údar Gaelainne agus seanchais ina cheantar fhéin fén am san:

Bhí beagán socrú agam inniu agus níor dheaghas amach go dtí t'réis dinnéir. 'Dtí Maidhc Dháith a chuas ar dtúis. Ní raibh sé istigh. Bhí sé imithe go dtí siopa sa Seana-Phobal. Chuas ann. Bhí Maidhc ann. Ní raibh aon tsiopa le feiscint agam ach cúpla buidéal bog-dheoch a bhí in airde ar chlár in íochtar na cistean. Bhí Maidhc agus beirt fhear eile aosta istigh,

133. *Ibid.*, l. 288-89.

134. *Ibid.*, l. 300-1.

135. 14/10/45 (*Ibid.*, l. 246-7), 17/10/45 (*Ibid.*, l. 248-9), 23/10/45 (*Ibid.*, l. 253-4), 25/10/45 (*Ibid.*, l. 254), 26/10/45 (*Ibid.*, l. 255); 1/11/45 (*Ibid.*, l. 260), 4/11/45 (*Ibid.*, l. 260-1), 5/11/45 (*Ibid.*, l. 261), 6/11/45 (*Ibid.*), 7/11/45 (*Ibid.*, l. 262), 9/11/45 (*Ibid.*, l. 265-7), 19/11/45 (*Ibid.*, l. 280-1), 27/11/45 (*Ibid.*, l. 288), 28/11/45 (*Ibid.*, l. 288-9); 4/12/45 (*Ibid.*, l. 293), 14/12/45 (*Ibid.*, l. 300-2).

bean an tí agus cailín óg deich mbliana nó mar sin. D'aithnigh Maidhc láithreach mé agus chuir sé fáilte romham. An fear eile a bhí istigh agus caipín gan bas air, air sin a bhíodar dírithe. Á luadh le bean óg a bhíodar agus fonn fírinneach air an bhean óg a dh'fháil. Bhí amhrán cumtha ag Maidhc do. B'éigint do Mhaidhc é a rá, agus amhrán eile ar an Rialtas agus ar sean-táille *(pension)* Mhaidhc, agus ceann eile a bhí cumtha aige ar an uair a sciob an feothan an hata dhe, agus mionrudaí eile. Ghluaiseas féin agus Maidhc go dtí Barra na Stuac mar a bhfuil Seán Ó Cléirigh.[136] Chuamair go dtí an tigh agus aithníodh Maidhc. Ní aithníodh mise gan amhras. Tháinig bean an tí amach agus chaitheamair dul isteach agus chaitheamair té a bheith againn agus chaitheamair tamall den oíche a chaitheamh leo. Bean fháilteach.

Ní fear aosta Seán Ó Cléirigh. Ní fear seanchais é. Tá amhráin aige agus d'réir mo thuairime fhéin – agus is lag í mo thuairim ar an ealaí seo – amhránaí ana-bhreá is ea é. D'réir mar a thuigeas uaidh bhí na hamhráin ar fad scríte síos ag Nioclás Breathnach fadó uaidh. Bhíos á bhraith timpeall seanchais ach ní raibh aon tseanchas aige. Maidhc a dhein an chaint ar fad agus níor bhréagnaigh sé ar ao'chor é, ach teacht leis agus a bheith ag déanamh iontais de chaint Mhaidhc. Bhí sé a naoi a chlog nuair a fhágmair é. Do ligeas Maidhc amach agena thigh féin agus thána féin anso go dtí an gColáiste.[137]

Bhí Maidhc ana-fhoighneach mar fhaisnéiseoir fén am seo de réir dealraimh fé mar a insíonn Seosamh ina chuntas cinn lae don 1/4/48:

Chuas 'dtí Maidhc Dháith t'réis an té agus d'fhanas aige go dtí timpeall a deich a chlog. Um an dtaca so bhí Maidhc ag mianfaigh …

"Dar fia," ar seisean, "tá mé tuirseach agat."

Agus níorbh aon ionadh é. Bhí sé á cheistiú agam óna sé a chlog ar abhar ná raibh suim aige ann."[138]

Bhí sé de nós ag Seosamh fén am seo Maidhc a bhreith leis nuair a bhíodh sé ag dul go dtí faisnéiseoirí eile sa cheantar. Nuair a chuadar go dtí Dónall Ó

136. Seán Ó Cléirigh (15/10/1890-24/9/1983): Ó Bharra na Stuac ab ea Seán, mac le Michéal Ó Cléirigh agus Bríd Breatnach (Cnocán Fréiní, 6/3/1864-1/6/1896). Phós Seán Máiréad Ní Ghadhra (10/6/1894-12/9/1977), Loiscreán. Bhí léamh agus scríobh ag Seán agus amhránaí mór le rá ab ea é (Breatnach, *Ar Bóthar Dom,* l. 226).

137. CBÉ Iml. 1291:149-51.

138. *Ibid.*, l. 165.

Laochdha[139] i mBaile Mhac Airt ar an 25/3/48 ní fé scáth sceiche a d'fhan Maidhc nuair a bhí an ceistiú ar siúl ag Seosamh:

> Tathantaíodh té orainn-ne ach dhiúltaíomair de agus t'réis an té shuíomair timpeall na tine, triúr againn. Bhí an cailín ag obair ar fuaid an tí. D'oscalaíos caibideal den *Lámhleabhar* agus thosnaíos ar cheisteanna a chur ar na méireanna agus ar an lámh agus ar na géaga. Maidhc a thugadh freagra i gcónaí orm agus ní deireadh Danny ach, "dh'airigh mé é," nó "ní dh'airigh mé é."[140]

Ar an 31/3/48 rug Seosamh leis Maidhc sa ghluaisteán arís go dtí tigh Liam Uí Loinsigh i mBaile Mhac Airt agus is léir go raibh Maidhc páirteach go láidir sa seisiún seo chomh maith, sa tslí gur air a bhíodh an faisnéiseoir ag díriú na bhfreagraí i gcónaí:

> Chuir sé fáilte romhainn agus d'éirigh sé óna chathaoir taobh leis an aorta agus do shuigh ar an mbord a bhí ann agus chuir sinn-ne 'ár suí. Bhí aithne aige orainn ón lá déanach. Bhí brosna i lár an tí agus roinnt curtha 'on tine 'riúnach le séideadh. Bhí an cat laistiar den roinnt seo agus bhí ionadh orm féin cad a dhéanfadh an cat nuair a lasfadh an brosna so.
>
> "Shíleas ná tiocfadh sibh in ao'chor inniu," ar seisean, "bhí an lá chomh holc san."
>
> "Ní raibh baol orainn," arsa Maidhc, á dhruideam féin isteach agus ag breith ar roth na mbolg agus ag casadh agus ag séideadh na tine. Níor bhog an cat agus níor chorraigh nó go raibh an brosna a bhí lena chliathán in imeall a bheith dóite. Mhúscail sé ansan agus d'aistrigh beagáinín ón lasair. Bhíomair ag seanchas um an dtaca so ar an dtigh ina rabhmair istigh agus cé thóg é – b'iad san na Barúnaigh – agus as san go dtí an séipéal. Bhí buidéal á ól acu agus an chaint ar siúl: an Loinseach ag eachtraí dho Mhaidhc agus Maidhc go haireach ag éisteacht agus mise ag scríobh. D'eachtraigh sé scéilín ansan. 'Poill an Fhalla' a thug sé air agus seo é ag aisteoireacht le linn do a bheith á rá agus a bhata aige á chur isteach sa bhfalla. Scríobhas roinnt dheas seanchais uaidh nó gur chuir an doircheacht

139. Dónall Ó Laochdha (28/12/1871-8/1/1965): Ón Lána i mBaile Mhac Airt agus ó Bhóthar na Beairice, An Seana-Phobal ab ea Dónall. Mac ab ea é do Liam Ó Laochdha († 28/3/1908) agus Ellen Ketch (Cill Rosanta) († 21/11/1905). Phós Dónall Ellen Paor sa bhliain 1910 (Breatnach, *Ar Bóthar Dom,* l. 231). Ní raibh aon mheas ag Dónall ar sheanchas ná ar Ghaelainn – dar leis go raibh feabhas mór ag teacht ar an áit ó thosnaigh meath na Gaelainne – agus ní raibh Seosamh Ó Dálaigh ró-shásta lena thuras chuige (CBÉ Iml. 1291:155)
140. *Ibid.*, l. 154.

'ár stad sinn agus ansan bhogamair agus dúrt féin leis go ngeobhainn chuige aríst.[141]

Bhí aon seisiún déag ag Seosamh Ó Dálaigh ag bailiú ó Mhaidhc sa bhliain 1948.[142] Ina theannta san bhí trí sheisiún ag Seosamh Ó Dálaigh, Caoimhín Ó Danachair agus Séamus Ó Duilearga ag déanamh 'plátaí' de sheanchas Mhaidhc sa bhliain chéanna.[143]

I ndeireadh na gcaogaidí thug Úna Parks, a bhí ina múinteoir bunscoile sa Rinn, cuid mhaith turasanna ar Mhaidhc agus thóg sí bailiúchán breá amhrán agus seanchais uaidh ar théip, agus timpeall an ama chéanna bhailigh Risteard B. Breatnach roinnt seanchais uaidh ar théip chomh maith. Dar ndóigh, bhí Risteard ag déanamh taighde ar chanúint na Rinne ó 1939 agus bhí Maidhc ar na príomhfhaisnéiseoirí a bhí aige don leabhar teangeolaíochta *The Irish of Ring, Co. Waterford: A Phonetic Study* (Baile Átha Cliath: Institiúid Ardléinn Bhaile Átha Cliath, 1947) agus don leabhar eile cáiliúil a scríobh sé, *Seana-Chaint na nDéise II: Studies in the Vocabulary and Idiom of Déise Irish based mainly on material collected by Archbishop Michael Sheehan (1870-1945) (*Baile Átha Cliath: Institiúid Ardléinn Bhaile Átha Cliath, 1984).

Bhailigh Tomás Ó Faoláin agus Séamus Mac Shamhradháin, a bhí ar fhoireann teagaisc Choláiste na Rinne, blúirí béaloidis ó Mhaidhc ó am go chéile chomh maith.

Sa bhliain 1955 címid Maidhc i mbarr réime mar fhaisnéiseoir, gan aon leisce air labhairt amach go misniúil agus go húdarásach os comhair scoláirí agus stróinséirí, teann as a chuid Gaelainne agus as a chuid tuairimí. Mar seo a leanas a fháiltigh sé roimh Shéamus Ó Duilearga agus roimh scoláire mór le rá ón tSualainn:

> B'fhearr liom ná rud maith go mbeadh an duine uasal a tháinig anso am dh'fhéachaint i bhfochair Shéamus Delargy, ó *Sweden*, go mbeadh sé anso anocht ná rud maith. An oíche is campord – an tráthnóna is campordúla a chaith mé dhem shaol riamh thá mé á chaitheamh anocht i bhfochair cuileachta bhreá agus amhráin bhreátha ón tseanaimsir anuas a bhfuil fuinneamh agus pléisiúr agus campord éisteacht leothu in éamais a bheith ag éisteacht le neaigléirí ag liúirigh agus ag scréachaigh mar athá mé gach aon lá ar an radio. B'fhearr liom go dtiocfá, agus an fear athá im fhochair anso a dh'aireachtain, ar feadh ceathrú huaire, ná rud maith. Ní hí an aigne

141. *Ibid*., l. 163-4.
142. 24/3/48 (*Ibid*. l. 151-20), 28/3/48 (*Ibid*., l. 158), 30/3/48 (*Ibid*., l. 161); 1/4/48 (*Ibid*., l. 165), 20/4/48 (*Ibid*., l. 201), 22/4/48 (*Ibid*., l. 202), 24/4/48 (*Ibid*., l. 209), 26/4/48 (*Ibid*., l. 213-14), 27/4/48 (*Ibid*., l. 214-15); 1/5/48 (*Ibid*., l. 220), 29/5/48 (*Ibid*., l. 232).
143. 12/4/48 (*Ibid*., l. 169-73), 13/4/48 (*Ibid*., l. 174), 15/4/48 (*Ibid*., l. 185-7).

a bheadh ag teacht agat a bheadh agat ag imeacht, creidse mise. Dh'aireofá Gaelainn agus dh'aireofá amhráin a mbeadh fúinniméad agus réasún leothu, agus iad againn ón tseanaimsir 'dtí an lá athá inniu ann, gan leabhar, gan pionna, gan pheann, nach ó theanga go teanga ó ár sinsear anuas 'dtí an uair a chloig a bhfuil mé ag caint. Thá sé againn ó ár sin-seanathracha agus ón seana-dhream go léir, 'ndéana Dia trócaire orthu, athá curtha. Agus má thá Gaelainn uait agus campord tair anso ar feadh uair a' chloig agus creidse mise má bhíonn brón ar do chroí ag teacht go mbeidh campord agus aoi[bh]neas air ag imeacht.

An fear athá anso im fhochair anocht ag amhrán, is ainm do Seán Ó Cléire ó Bharra na Stuac. Agus ní – sé bronntas a chuirfinn chughat nach teacht anso agus éisteacht lena aigne sin agus lena ghuth agus lena chuid Gaelainn', agus aireoidh tú rud nár dh'airigh tú riamh in *Sweeden* ná in aon áit eile – aireoidh tú é agus beidh tú sásta ag imeacht le cúna' Dé. Agus mo shlán leat anois agus slán Sheáin Uí Chléire.[144]

Tá cuid mhaith samplaí ó Éirinn againn de fé mar a d'athraíodh saol an fhaisnéiseora le teacht an scoláire nó an mhúinteora nó an bhailitheora béaloidis. Tá tionchar na 'stróinséirí' ar Thomás Ó Criomhthain, ar Pheig Sayers agus ar Mhuiris Ó Súilleabháin ón mBlascaod Mór pléite go mion ag roinnt scoláirí.[145]

144. LC (ar chéirnín) 1955: Uimh. Thag. CBÉ 1644.

145. Ó Lúing, S., "Lucht Léinn ón Iasacht," in Ó Muircheartaigh, A., eag., *Oidhreacht an Bhlascaoid* (Baile Átha Cliath: Coiscéim, 1989), l. 143-54.

Almqvist, B., "Bláithín agus an Béaloideas," in de Mórdha, M., eag., *Ceiliúradh an Bhlascaoid 1 – An Bláithín: Flower* (An Daingean: An Sagart), l. 97-116.

Feirtéar, B., "Seoirse agus an tOileán," in Ní Chéilleachair, M., eag., *Ceiliúradh an Bhlascaoid 4 – Seoirse Mac Tomáis 1903-1987* (Baile Átha Cliath: Coiscéim, 2000), l. 31-46.

Mac Conghail, M., "Brian Ó Ceallaigh: Páirtí Mhuiris Uí Shúilleabháin," in Ó Muircheartaigh, A., eag., *Oidhreacht an Bhlascaoid* (Baile Átha Cliath: Coiscéim, 1989), l. 155-69.

Idem, "Flower, Myles na gCopaleen, Séamus Bán agus Tomás," in de Mórdha, M., eag., *Ceiliúradh an Bhlascaoid 1 – An Bláithín: Flower* (An Daingean: An Sagart), l. 97-116.

Newman, S., "Seoirse Mac Tomáis agus Muiris Ó Súilleabháin," in Ní Chéilleachair, M., eag., *Ceiliúradh an Bhlascaoid 4 – Seoirse Mac Tomáis 1903-1987* (Baile Átha Cliath: Coiscéim, 2000), l. 75-104.

Ní Mhurchú, E., "Peig Sayers," in Ó Muircheartaigh, A., eag., *Oidhreacht an Bhlascaoid* (Baile Átha Cliath: Coiscéim, 1989), l. 238-52.

Ó Coileáin, S., "Tomás Ó Criomhthain, Brian Ó Ceallaigh agus an Seabhac," in Ó Conaire, B., eag., *Tomás an Bhlascaoid* (Indreabhán: Cló Iar-Chonnachta, 1992), l. 233-65.

Ó Conaire, B., "Tomás agus Brian," in Ó Conaire, B., eag., *Tomás an Bhlascaoid* (Indreabhán: Cló Iar-Chonnachta, 1992), l. 229-30.

Ó Fiannachta, P., "An Spreagadh chun Pinn," in Ní Chéilleachair, M., eag., *Ceiliúradh an Bhlascaoid 2 – Tomás Ó Criomhthain 1855-1937* (An Daingean: An Sagart, 1998), l. 82-90.

Sa bhliain 1907 chuaigh Carl Marstrander, Ioruach, ansan Carl Wilhelm von Sydow, Sualannach agus ansan R.A.S. MacAlister, Éireannach isteach 'on oileán. Ansan i 1910 chuaigh Robin Flower, Sasanach isteach. Ina dhiaidh sin chuaigh Marie Sjoestedt-Jonval, Francach agus Kenneth Jackson, Sasanach ann.[146] Sa bhliain 1917 thug Brian Ó Ceallaigh, Éireannach, a chéad chúirt ar an oileán agus chuir sé aithne ar Thomás Ó Criomhthain.[147] I 1923 bhain George Thompson, Sasanach, amach an t-oileán agus d'fhás buancharadas idir é féin agus Muiris Ó Súilleabháin. Ba iad Máire Ní Chinnéide agus Léan Ní Chonalláin ba mhó a spreag Peig Sayers chun scéal a beatha a aithris dá mac Micheál agus foilsíodh toradh na hoibre seo sa bhliain 1936.[148] Bhí baint ana-mhór ag cuid de na daoine seo le scríobh na mbeathaisnéisí agus le bailiú an bhéaloidis sa Bhlascaod agus tarraingíodh aird an domhain ar an áit dá mbarr.

Ina leabhar ar Mhicí Sheáin Néill, scéalaí ó Rinn na Feirste i dTír Chonaill, míníonn Cathal Póirtéir fé mar a bhí tionchar mór ag bunú Choláiste Bhríde san áit sin ar shaol an cheantair agus fé mar a bhí seanchas mar gheall ar an gcoláiste mar chuid de *repertoire* an fhaisnéiseora seo.[149] Díreach ar nós Mhaidhc Dháith bhí an coláiste mar chuid lárnach de shaol Mhicí Sheáin ar deireadh:

> Bhí an bhaint a bhí ag Micí le Coláiste Bhríde iontach tábhachtach dó. Chaith sé na blianta fada ag cuidiú le lucht scoile máistreacht a fháil ar an Ghaeilge.[150]

Ar a shon go raibh tionchar mór ag na bailitheoirí béaloidis, agus ag na scoláirí agus na múinteoirí éagsúla a bhí ag siúl air, ar shaol Mhaidhc Dháith caithfear féachaint air go príomha mar sclábhaí, mar fheirmeoir beag agus mar athair clainne. Bhí saol fada oibre gafa tríd aige sara dtáinig aon duine ar a thóir. Címid óna chuid seanchais go raibh ana-chuid eolais praicticiúil aige – ar ain-mhithe feirme agus tís, ar thalamh agus ar churadóireacht, ar chnuasach trá, ar chomharthaí aimsire, ar iascaireacht, ar chorp an duine, ar leigheasanna, ar shaol an duine agus rl. Nuair a d'inis sé scéal a bheatha bhí ana-chuid le rá aige mar

---

Ó Glaisne, R., "Allúraigh san Oileán," in Ó Muircheartaigh, A., eag., *Oidhreacht an Bhlascaoid* (Baile Átha Cliath: Coiscéim, 1989), l. 305-20.

Ó Háinle, C., "Peig, Aonghus Ó Dálaigh agus Macbeth," in Ó Muircheartaigh, A., eag., *Oidhreacht an Bhlascaoid* (Baile Átha Cliath: Coiscéim, 1989), l. 253.

146. *Ibid.*, l. 311.
147. Mac Conghail, "Brian Ó Ceallaigh: Páirtí Thomáis Chriomhthain," l. 155.
148. Ó Háinle, "Peig, Aonghus Ó Dálaigh agus Macbeth," l. 253.
149. Póirtéir, C. *Micí Sheáin Néill – Scéalaí agus Scéalta,* (Baile Átha Cliath: Coiscéim, 1993), l. 11-14.
150. *Ibid.*, l. 64.

gheall ar chúrsaí oibre: na daoine go raibh sé ag obair acu, an saghas oibre a bhíodh le déanamh aige, an saghas bídh a fhaigheadh sé agus cúrsaí lóistín. Is beag ar fad a thagraíonn sé don scéalaíocht ar a shon go bhfuil scéalta agus seanchas scaipithe tríd an téacs. Níl aon dabht ná gur labhair sé chuid mhaith ar a chuid oibre ar son na Gaelainne a thug aitheantas agus ómos dó i ndeireadh a shaoil, ach caithfear cuimhneamh gur mhúinteoir ó Choláiste na Rinne a bhí á chur fé agallamh agus gur dócha go raibh éifeacht mhór aige sin ar na hábhair gur labhair Maidhc orthu. Caithfidh go raibh meas air ina cheantar féin mar chainteoir cliste; go raibh cáil air mar údar ar chanúint na Rinne agus gurbh fhear géar, meabhrach, ciallmhar é; go raibh tuairimí láidre aige agus gur bheag air a bheith ag éisteacht le raiméis ná le droch-Ghaelainn. Bhí sé ana-thoilteanach a chuid eolais a roinnt le héinne a tháinig chuige. Thar aon rud eile thug sé na cosa leis go maith ó chruatan, ó bhriseadh croí – bás a mháthar mar shampla – agus ó ainnise a óige chun saol socair a chaitheamh agus clann mhór a thógaint, agus go mórmhór chun urraim agus onóir a thuilleamh do féin thiar i ndeireadh a shaoil. Is léir go raibh féintábhacht pearsanta bainte amach aige ar deireadh. Ar a shon san is uile níl a fhios againn cad é an tionchar a bhí ag teacht na 'stróinséirí' seo ar fad ar shaol príobháideach clainne Mhaidhc. An raibh searbhas ag a chlann agus a chairde ar na daoine seo toisc leabhair a bheith foilsithe acu bunaithe ar eolas Mhaidhc?:

> Yet it seems more often than not it is the informant's family and friends who do the fretting over what has been given away without recompense. The informant is giving by nature; if he weren't he wouldn't be an informant. At the same time it is this genuine altruism, often naive and unassuming, that the folklorist must heed with sensitivity.[151]

Níl aon fhianaise go raibh aon rud ach bród ar mhuintir Mhaidhc mar gheall ar an urraim a thuill sé do féin i measc lucht léinn, ach ar an dtaobh eile den scéal dá mhéid onóir a fuair sé de bharr a chuid Gaelainne agus a chuid seanchais níor leor é chun taoide an Bhéarla a shárú, fiú amháin ina thigh féin ina raibh Béarla á labhairt le clann a mhic nuair is mó go raibh éileamh ag scoláirí agus rl. ar a chuid eolais.

151. Carey, G., "The Storyteller's Art and the Collector's Intrusion," l. 89., in Dègh, L., Glassie, H. agus Oinas, F.J., eag., *Folklore Today* (Bloomington: Indiana University, 1976).

SCÉALTA AGUS SEANCHAS MHICHÍL TURRAOIN

1. SAOL NA nDAOINE SA RINN FADÓ

A. TITHE NA nDAOINE

1. Díonadóireacht

[**SÓD:** An raibh tithe díontuí fairsing anso?]

Tithe ceann-tuí gach aon tigh a bhí anso go dtí le gairid.

[**SÓD:** An raibh gabhal éadain[1] ar na tithe?]

Ní gabhal-éadain a bhí chuigin ar aon tigh acu ach piniúirí agus an simné i lár an tí. "Thá an simné," a dheiridís,[2] "i gcabhail an tí." Is beag den ghabhail éadain a bhí ar na tithe ar ao'chor gur tháinig na tithe slinne.

Bíonn cúplaí ar na tithe agus taobháin leagaithe anuas orthu. Ní bhíodh aon bhata mulla' i gcuid acu ach píosa i mbarra gach aon dá chúpla. Trí troithe is mó a bhíodh 'dir dhá chúpla. Agus bhíodh súgán téagartha – rolla sé órla déanta de thuí – agus é ag rioth[3] ó phinniúir go pinniúir agus an dá thaobhán a bheadh thuas i mbarr, bheadh an súgán fáiscithe eatarthu istigh.

Bíonn an chéad stráice dín curtha le mairtéal cré anuas ar an bpinniúir. Bhíodh an mairtéal féig agus mairtéal anuas ar chuid den tuí – an méis a bheadh fén tuí a bheadh as a cheann. Bheadh sé n-órla de *lap* aige nó hocht n-órla agus bheadh mairtéal cré ar na sé n-órla nó na hocht n-órla san – mairtéal déanta le cré bhuí agus í fliuch suaite. Ní bheadh aon ghreamú eile ar an gcúrsa san ach an mairtéal.

Ansan le taobh an chúrsa san cheangalóthá[4] téad caol *manilla* ar gach taobhán. Chuirtheá an chéad chúrsa thíos age'n gcleitín agus chuirtheá do théad *manilla* as a cheann agus ghreamóthá thíos fén taobhán aríst é agus dh'fhágfá[5] ansan é. Dhéanthá é sin le gach taobhán leat suas go dtí go mbeadh an stráice críochnaithe agat. Thosnóthá thíos age'n gcleitín aríst ansan, agus nuair a bheadh an chéad chúrsa curtha agat aríst, é a ghreamú leis an téad *manilla* agus é a ghreamú leat suas ar gach cúpla go raghthá go buaic an tí.

1. *hip-roof.*
2. /jer´ɪd´i:ʃ/ – séimhítear an chéad chonsan den bhriathar sa ghnáthchaite i gcónaí sa chanúint seo.
3. /rux/ a deirtear.
4. /x´aŋ´əlo:hɑ:/ – bíonn *-há* /hɑ:/, *-óhá* /o:hɑ:/, *-fá* /fɑ:/ agus *-ófá* /o:fɑ:/ sa 2 u. modh coinníollach sa chanúint seo.
5. /ɣɑ:gfɑ:/ .i. *d'fhágfá* – sa chanúint seo séimhítear *d'* i dtosach briathair fé mar a bheadh sé ar an gcéad chonsan den bhriathar (Feic S Ua Súilleabháin, "Gaeilge na Mumhan," in K. McCone, D. McManus, C. Ó Háinle, N. Williams agus L. Breatnach eag., *Stair na Gaeilge – in ómós do Phádraig Ó Fiannachta* (Maigh Nuad: Roinn na Sean-Ghaeilge, Coláiste Phádraig, Maigh Nuad, 1994, 525).

Chun[6] buaic an tí a dhéanadh, bíodh bata mulla' ann nó ná bíodh, cuirtear súgán téagartha ó phinniúir go pinniúir agus greamaítear go daingean den taobhán i mbuaic an tí é le *manilla*. Ní gá é an téad so go léir a dhéanadh in aonacht ach smut a chur as i gcónaí[7] nuair a bheadh an stráice curtha go barr agat. Sé an súgán téagartha so a ghéaraíonn an buaic. Nuair a raghair go barr leis an stráice lúbfair anuas ar an taobh eile é agus déanfaidh tú é a fhuáil den súgán ramhar so.[8] Nuair a bheidh an taobh eile den tigh á dhéanadh ansan agat lúbfaidh tú anuas an tuí ar an taobh eile agus fuáilfidh tú é nó cuirfaidh tú scoilb ann. An dara cóta dín ansan ní bheidh aon *manilla* agat ach scoilb. Níl aon scolb sa chéad chóta dín in aon tigh.

[**SÓD:** Dén díon ab fhearr leo?]

An *reed* 'á mbeadh sí acu – sé sin tuí chruithneachta[9] – agus daoine eile cuireann [siad] miríneach a gheibheann siad sa meaiseanna ar an tigh. Tuí eorna nó tuí choirce ansan. Chonaic mé fraoch á dh'fhuáil ar an gcéad chúrsa.

An scolb is an lúbán ansan sa tara cúrsa. Scolb eile is ea an lúbán ach bíonn sé fé thrí scolb agus a dhá cheann lúbtha.

Reed an maighistir.[10] Tuí eorna ab fhearr ansan – tuí slaiseáltha. Ní bhíodh aon mheaisín ag bualadh an uair sin. 'Á mbeadh *reed* agat agus díonadóir maith agus aer maith age'n tigh, tigh gan sileadh crann nó úrú a bheith air sheasódh sé fiche bliain ar an taobh thuaidh agus an taobh theas. Chaithfeadh an taobh theas níos mó ná an taobh thuaidh. Chaitheá tuí eorna a chur in airde gach aon trí bliana agus ní sheasódh an tuí choirce ach bliain nó dhá bhliain. Sa ngeimhreadh[11] as so amach a bheifí[12] ag díonú. Bhíodar, formhór gach einne[13] a raibh tigh aige fhéin, inniúil ar é a dhéanadh iad fhéineach, ach bhíodh díonadóirí, leis, 'imeacht. Bhídís ag obair ar trí raolacha sa ló agus deoch go leor.

6. Ó fhianaise an ábhair fhuaime a bailíodh uaidh, /xu:n/ a deireadh Maidhc Dháith i gcónaí – is fé anáil an ghuta fhada sna foirmeacha pearsanta (*chugham* /xu:m/, *chughat* /xu:t/ etc.) a fhorbair an fhoirm seo de réir dealraimh (feic Ua Súilleabháin "Gaeilge na Mumhan," in *Stair na Gaeilge,* lch. 505)

7. Ls. *gcúnaí* /gu:ni:/ – nuair a bhíonn *ó* gairid do chonsan srónach (*n, m,* nó *mh*) deintear /u:/ de /o:/ (Ua Súilleabháin "Gaeilge na Mumhan," in *Stair na Gaeilge,* lch. 485)

8. Dheineas dearmhad anso. Téann an stráice chomh fada leis an súgán a bhíonn i mulla' an tí. Bíonn barr an tuí lúbtha ina choinne. Cuirtear an buaic anuas ar an súgán mulla' ansan, buaic *reed* más féidir é, agus deintear é a lúbadh ar an taobh eile mar atá ráite – SÓD.

9. Ls. *chuirneachta* /xir´n´axdə/

10. Ls. *maghaistir* /maiʃd´ır´/ – deintear /ai/ de *ai* roimh *gh* a théann ar lár (Breatnach, *The Irish of Ring,* lch. 131)

11. Ls. *san ngeidhre* /səˈŋ´əir´ı/

12. /v´efi:/ – ní chloistear ach *f* leathan sa saorbhriathar modh choinníollach sa chanúint seo (feic Sheehan, *Sean-Chaint na nDéise,* lch. 138)

13. Ls. *go h-eidhne*/gəˈhəiŋ´ı/

Sheasaíodh an tuí chruithneachta i bhfad an uair sin, agus b'fhearr an tuí chruithneachta an uair sin mar dé chúis? An tuí anois, tátar á cur fiche cloch inniu in áit dhá chloch déag fadó, agus dá dheasca sin thá an tuí ina féagaire – bíonn gach aon bhrobh caol. 'Á mbeadh deisiú le déanadh[14] b'fhearr stráice ar fad a chur. Má thosnaíonn tú ar ao'chor téire go barra.

Má ba dhóigh leat go raibh an fhuáil tabhartha bhí snáthad déanta ón ngabha, snáthad díonadóra. Bhí sí thimpeall[15] dhá throigh ar faid agus bhí lúib ar a barra agus poll sa cheann eile di. Shádh an díonadóir isteach tríd an díon í agus bhíodh fear istigh a chuireadh an *manilla* sa pholl a bhí inti agus tharraingeadh sé amach ansan é agus isteach aríst, agus cheanglaíodh an fear istigh den taobhán é.

Bhearraidís go deas an cleitín ansan le scian agus chuireadh cuid acu scolb sa díon, sa chleitín, chun ná tóigfeadh an ghaoth in airde é.

Loca nó duarnán a tugtar ar an méid dín a bhíonn i ndorn an díonadóra le cur. Bhíodh an loca leagaithe ar an mbogha aige ar thaobh an tí. Bhí cois fhada as an mbogha mar a bheadh cois raca, agus crúca as. Bíonn bata beag trasna ansan agus dhá pholl ann agus bogha tuigithe insa dá pholl san agus chumhadfadh[16] san an tuí ar an díon go dtí a gcuirfeadh an díonadóir a lámh go dtí é. Bheadh na scoilb sáite in pancás[17] aige – tón punainne a bheadh bearrtha agus é fáiscithe go maith. Bhíodh raca ansan aige agus fiacla *wire* ann agus bhuaileadh sé an díon lena chúl agus chíoradh sé leis na fiacla é, agus bhíodh sé ag caitheamh uisce ar an díon chun é a fhliuchadh. Aon áit a chífeadh sé clais chuirfeadh sé cuaichín ann chun é a thabhairt ar leibhéal – duarnán tuí agus a cheann lúbtha agus casta ar an gcuid eile chun go bhfaigheadh sé é a shá suas fén díon.

Bíonn trí *row* scolb le feiscint agat ar gach taobh i mbuaic gach tí, agus bíonn na lúbáin ina gcrosanna agus iad socair go deas.

Scian an díonadóra, bhíodh sí déanta le píosa de speil. Sé barr na speile a bheadh acu agus an lámh ar an gceann caol den bpíosa in slí is go ngearrfadh sí an cleitín féig isteach. Sé an gabha a shocraíodh mar sin é.

14. /d´e:nə/ – deir R.B. Breatnach (*The Irish of Ring,* 1, 134) gur dócha gur shíolraigh na foirmeacha *déana* agus *cúna* do *déanamh* agus *cúnamh* as malartú analógach de *-dh* in ionad *-mh.* Ar a shon gur *déana* a bhíodh ag Maidhc Dháith de ghnáth cloistí *déanamh* /de:nəv/ uaidh chomh maith.

15. Ls. *theighmpul* /h´aim´pəl/ – i gcásanna mar seo ina ndeintear guta fada de ghuta gearr aiceantach in áiteanna eile sa Mhumhain (e.g. *timpeall* > /t´i:m´pəl/ i gCorca Dhuibhne agus i Múscraí) deintear défhoghair de sa chanúint seo (e.g. sa chás áirithe seo *i* > /ai/ – feic Breatnach, *The Irish of Ring,* lch. 142-3.

16. /xu:təx/

17. Ls. *panncás* /pauŋkɑ:s/.i. puncás, pioncás

Díonadóireacht

1. Súgán téagartha, 2. Pinniúir, 3. An chéad stráice dín, 4. Cúpla, 5. Taobhán, 6. Téad chaol Manilla, 7. An cleitín, 8. Buaic an Tí, 9. An Bata Mulla.

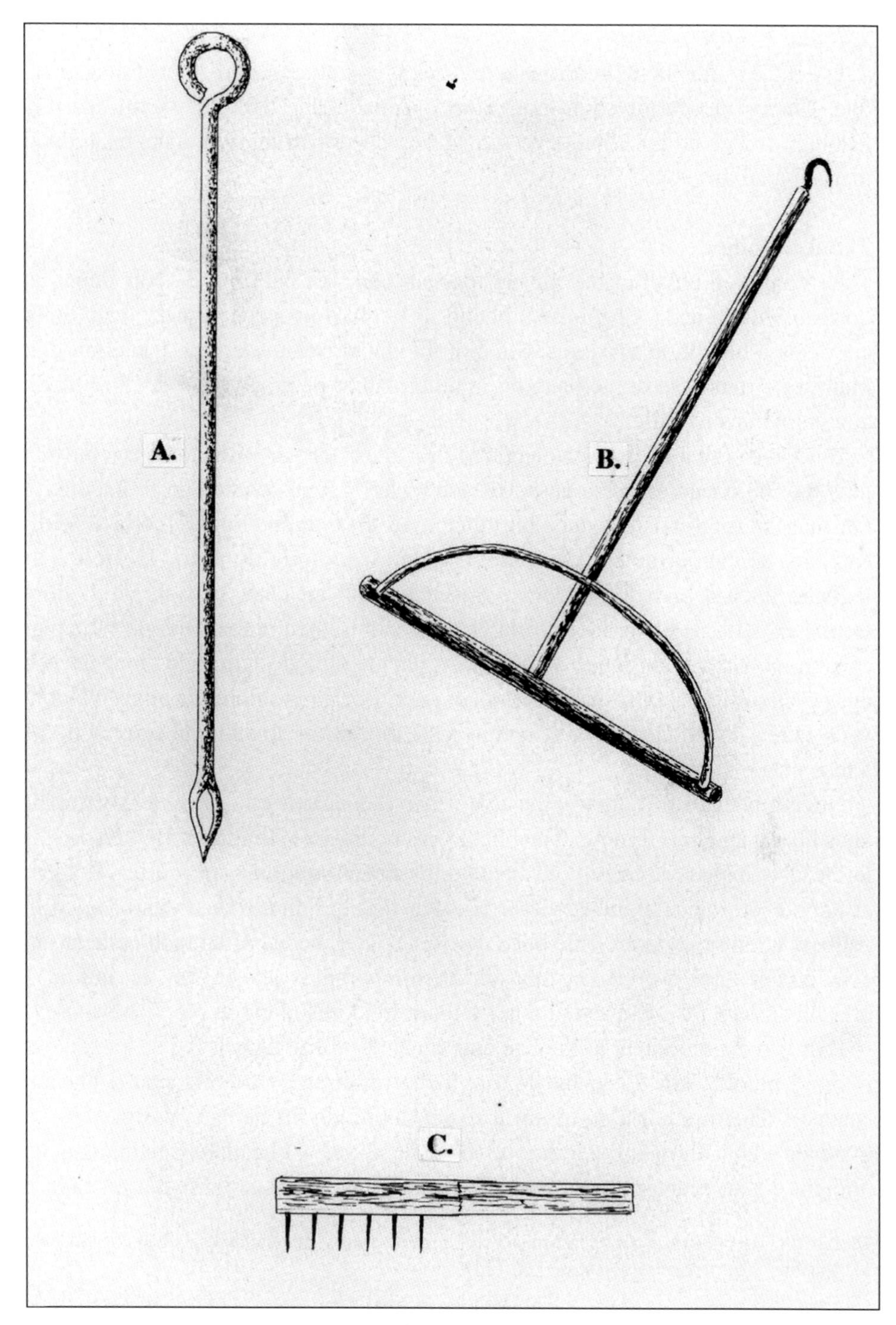

Uirlisí an Díonadóra

A. Snáthad Díonadóra, B. Bogha, C. Raca Díonadóra.

2. Fallaí Feidín

Is é rud é feidín ná tuí gearrtha le maisín, agus suaite trí chré, agus falla déanta dhe. Chuirtí[18] uisce air chun mairtéal a dhéanadh dhe. Bhíodh an tuí gearrtha leabhair, fraoch nó tuí nó *reed* nó seagal mar cheann ar an tigh, agus bataí daraí mar adhmad air.

3. Bataí Boilg

Ní raibh aon chlaibín ná glas an uair sin ann. An bata boilg[19] cóir dúnta an doiris a bhíodh acu. 'Cheann é a bheith ar lár an doiris is ea thugag bata boilg air. Aspa a bhíodh ar an doras. Sin é a bhíodh sa tseanashaol ag gach aon tigh muintire – maidir le duine beag nó le duine bocht pé ar domhan de. Ní bhíodh aon chloch ins na fallaí.

Bhíodh na fallaí an uair sin cheithre hórla agus fiche ar leithead, agus cuid acu níos mó. Ní bheadh in ursa an doiris ach trí hórla, agus chuirfí an fráma ansan. Dh'fhágfaí troigh laistigh dhen bhfráma, agus dh'fhágfaí cheithre hórla ar leithead agus sé cinn ar aoirde dhe pholl chun an bata boilg do rioth. Trí troithe ar leithead is ea a bheadh an doras. Ansan bheadh an bata, bheadh sé cheithre troithe go leith, is é sin naoi n-órla ar gach taobh dhen doras. Bhíodh fáinne ar cheann an bhata boilg istigh sa bhfalla, agus gheothá do láimh do chuir isteach agus é a tharraint[20] leat. Ansan bheadh sé naoi n-órla ins an bhfalla ar gach taobh, agus an té a bheadh a d'iarra' teacht isteach, níor mhór do na fallaí agus an doras a leagaint.

Nuair a bheadh an falla tóigthe agat trí troithe, chaithfeá an bata a leagaint air agus bheith ag obair thimpeall an bhata. Ansan dhéanfaí linntéir nó *drain*, do réir leithead an bhata as ceann[21] an bhata agus dhéanfadh an bata murtéis do féin ansan do réir mar a bheitheá á tharraint leis an bhfáinne. Bheadh an bata istigh ceilte mar sin ar an taobh chlé dhen doras, agus ní bheadh ar an taobh eile ansan ach linntéir naoi n-órla. Dá mbeadh an linntéir níos sia ná san, is amhla' a bheadh an bata as ionad ar fad nuair a tharraingeothá chun cinn é.

Dair is mó a bhíodh ar an saol an uair sin á dh'oibriú, agus is iad na bataí daraí is mó a bhíodh ann. Leag mé féin tigh ina raibh an bata boilg mar a bheadh snaoisín. Cheithre hórla nó trí hórla *square* a bhíodh ins na bataí boilg.

Nuair a bheadh bata daraí dreoite, bheadh sé mar a bheadh snaoisín, agus ba dhóigh leis an seana-dhream go mbíodh leigheas ann. Leanaí óga a mbeadh a

18. /xir´ti:/ – ní chloistear ach *t* leathan sa saorbhriathar aimsir ghnáthchaite sa chanúint seo (feic M. Sheehan, *Sean-Chaint na nDéise,* lch. 138)
19. Ls. *boluig.*
20. Ls. *tharraing* – *tharraint* /harən´t´/ a déarfaí.
21. .i. os cionn – ní deintear aon idirdhealú idir *cionn* agus *ceann* sa chanúint seo mar deirtear *ceann* /k´aun/ i gcónaí.

mbleántracha stropáltha, dhéanfaidís an púdar so do spreagadh orthu. Shíleadar gur ins an dair ab fhearr a bhí an leigheas.

4. Bráca

Bráca tugaid siad ar thigh beag gan chrí'.[22]

Nuair a curtaí duine amach as thigh dhéanfadh sé bráca taobh claí. Thógfadh sé falla beag le clocha agus le cré agus chuirfeadh sé cúpla smut adhmaid ón gclaí go dtí an falla agus bheadh sé sin díonaithe le fraoch aige.

5. Tine sa Phinniúir

Chífeá tithe go raibh an tine sa phinniúir. Bhí cuid acu i mBaile na nGall. I lár an tí a bhíonn an simné ina bhformhór.

6. Aol agus Gainimh

Insa gheimhreadh[23] nuair a bhíodh an t-urlár úr do chuiridís aol air agus chuiridís gainimh bhuí sa samhradh air.

Bhíodh na seana-thithe go léir geal le haol istigh agus amuigh.

7. Cliath as Ceann Doiris

Bhíodh cliath[24] as cheann[25] an doiris agus bhíodh na cearca agus an coileach in airde air. Dh'airigh mé, "Is beannaithe an té go gcacann an t-éan air."

8. Poll chun Uisce a Ligint Amach

Bhíodh poll thíos age'n doras chun uisce a bhailiú agus poll thíos fén tairsin chun go bhfaigheadh an t-uisce góil[26] amach ann.

9. Falla an Tí

Chonaic mé luig[27] as cheann an doiris i dtigh – í rabhnáltha.[28] Ní bhfaighinn a rá[29] dén gnó[30] a bhí dhi. Bhí sí sa chleitín. Bhíodh an cleitín amuigh, bun an dín

22. *dhá bhata i gcoine claidhe, tigh a dhéanfaí cois a' chlaidhe le bataí agus aiteann, agus sgraitheacha chur mar dhíon air, nó é chlúdach le h-aiteann; tigh gan pinniúr.* [Breatnach, *Seana-Chaint II*, lch. 54.]

23. Ls. *gheighre* /jair´ɪ/ – sa chás go gcailltear an cuimilteach *mh* deintear /ai/ de *ei* (feic Breatnach, *The Irish of Ring*, lch. 135)

24. Ls. *cliach* /kl´iəx/ – sa chanúint seo deintear *ch* /x/ de *th* leathan deiridh.

25. Ls. *as ceann* agus *as cheann* .i. os cionn.

26. /go:l´/ – sampla is ea é seo de tháthú idir dhá ghuta shéanais i.e. *a + ái > ói* /o:/ in *gabháil* (feic Breatnach, *The Irish of Ring*, lch. 128). Deir Breathnach (*Seana-Chaint II*, lch. 224) go measctar an briathar seo leis an mbriathar *faigh* i nGaeilge na nDéise.

27. .i. luibh.

28. Ls. *roun-áltha* /rauˈna:lhə/ feic Breatnach, *The Irish of Ring – A Phonetic Study* (Baile Átha Cliath: Institiúid Ardléinn Bhaile Átha Cliath, 1947) lch. 129.

29. Ls. *reá* /r´ɑ:/

30. Ls. *gnú* /g(ə)nu:/

agus an trús istigh as cheann an phortfhalla. Bhíodh portfhalla ar na seana-thithe. Leagfá rud anuas air. Ní bhíodh sé lán isteach mar a bhíonn sé anois. Ní dh'airigh mé riamh dén ainm a bhíodh ar an luig.

10. Troscán an Tí

Troscán an tí a thugaimid ar na cathaoireacha agus na rudaí a bhíonn ar fuaid an tí. Bhíodh cúpla cathaoir chun suí orthu ann agus cloch uaireanna agus sol raithní leogaithe anuas uirthi. Bhíodh suístí ann chun suí orthu agus stól.

Ní cuimhin liom aon bhord crochta. Bhíodh clár istigh sa hiarta agus nuair a bhíodh bean ag cnotáil san oíche gheobhadh sí an clár a tharraint amach agus an lampa a leagaint air. *Slide* a thugaidís air. Béarla is ea *slide.*

Cliabhán slat a bhíodh ann agus an croiceann bainte dhíobh agus ceann (*hood)* air.

Chítheá croiceann gabhair ar an urlár sa seomra. Seacht is raol a bhí tamall ar na cliabháin cláir. Cheannaídís cliabhán nua don chéad leanbh mara bhfaighidís cliabhán ó dhuine eile.

Is beag díobh (pictiúirí) a bhíodh ann. 'Á dtiocfadh sampla ó fhear té nó siopa, bheadh a mbeadh sa tigh ag féachaint air. Bhíodh scáthán beag crochta sa chistin.

Bhí go leor tithe acu ná raibh a thuilleadh ach an chistin. Ach bhí seamra síos ón gcistin i cuid acu. Bhíodh seitil sa chistin agus asal ceangailthe ar thaobh an tí, na cearca ar an gcliath, mála an aráin[31] crochta as an téadán. Bhíodh téadán ó thaobh taobh chun éadach a thiormú. Bhíodh leaba eile sa chistin go dtugaidís an *crandy* uirthi. Bhíodh cheithre clocha ann agus bataí anuas orthu, agus tocht clúimh nó tocht lócháin leagaithe anuas ar na bataí.

Bheadh triúrar,[32] b'fhéidir, i seitil, beirt agus duine aged' chosa. Bhíodh leaba – an cheann – rabhnáltha sa seomra. Bhíodh sí sin clúdaithe as a ceann. Bhíodh peiliúr agus plaincéad agus barlín[33] agus cuilt i gach aon leabaidh. Nuair a bhainfeá an t-éadach díot ag dul a chodladh, é a chaitheamh ar stól nó ar faor an tseitil.

11. Tigh gan Tine

Sí an tine an ball troscáin is fearr sa mbothán. Is mí-ámharach an rud féachaint ar thigh gan tine nó bean gan leanbh.

31. Ls. *reáin* /r´ɑːn´/

32. /t´r´uːrər/ – is dóichí gur trí analach leis na huimreacha pearsanta ar nós *ceathrar, cúigear* etc. a fhorbair an fhoirm seo (feic Ua Súilleabháin "Gaeilge na Mumhan," in *Stair na Gaeilge,* lch. 513)

33. /barəˈl´iːn´/ feic Breatnach, *The Irish of Ring* lch. 147

12. Seoraí chun an Tine a Shéideadh

(i)

Insa seana-thithe nuair ná raibh aon rud chun an tine a shéideadh bhíodh cheithre seora ag teacht go dtí an tine – *gullet* is ea seora – ó cheithre ardaibh an tí, agus dá mbeadh an ghaoth aneas ann dh'osclófaí an ceann theas agus nuair a bheadh an ghaoth aduaidh ann dh'osclófaí an ceann thuaidh.

(ii)

Nuair a bhí na bataí boilg ann ní bhíodh aon bhoilg acu chun na tine do shéideadh. Ní raibh na boilg déanta an uair sin. Is é rud a bhíodh acu ná seoraí ag teacht go dtí an tine as gach aon taobh dhen tigh, ceann theas, ceann thuaidh, ceann thiar, agus ceann thoir, sa tslí is pé taobh a mbeadh an ghaoth go bhfaighfí an tine a shéideadh. Bhí bloic adhmaid nó cloch acu chun a leagaint isteach in gach aon linntéir i dtreo is ná raghadh franncaigh ná aon rud eile isteach iontu. Is amhla' a dhéantaí trí cinn acu do dhúnadh, agus ceann eile oscailte, pé taobh a mbeadh an ghaoth ann. Nuair a theastódh uait an tine a chur as, ní bheadh agat ach an bloc a chur i mbéal an linntéir. Nuair a bítear ag cur síos úrláir *cement* anois, agus nuair a gheibhtear iad san, is dóigh le daoine gur *drains* a bhí iontu, go mbíodh uisce ag teacht fés na tighe sa tseanaimsir, ach ní hea; is chun na tine a shéideadh a bhídís ann. Nuair a bhíonn ionad[34] linntéir sa bhfalla is chun na tine a dheargadh é.

Bhíodh poll taobh amuigh sa bhfalla fé bhun leibhéala an úrláir, agus an linntéir ansan ag teacht isteach fén úrlár chun an tinteáin.

Na fearaibh bhochta a bhí ag plé leo súd, bhíodar chomh sásta agus atháimidne, nó níos sásta, mar nílimidne sásta le dada! Nuair athá bia agus beatha againn nílimid sásta, agus sult agus greann againn – dá mbeimís ag eitealadh in airde san aer inniu ní bheimís sásta mara bhfaighimís dul ag eitealadh thíos fén bhfarraige.

Nuair a tháinig maisíní tine, dhúnag suas na linntéirí ón taobh amuigh. Táid ann le dhá chéad bliain, agus iad fós folláin; úrláir chré a bhíodh acu.

13. Cá Raibh na Tithe Tógtha?

Tóigeadh[35] go leor díobh i ngleannta fadó. Amaiste, thíos age clocha na trá a bhí cuid acu. Bhíodh agha' an tí ó dheas. Is maith leothu fós é sin, agha' an tí ar an ngrian. Ba ghnáthach le crann troim a bheith ag fás i gach aon áit a raibh seana-thigh fadó. Bhí sé crosta crann troim a dhó. Deirtaí leis na páistí ná raibh sé ceart é a dhó insa tslí ná bainfidís leis na crainn agus sin é a spáráil na crainn. Tá go leor díobh le feiscint anso agus bhí seana-thigh i gach aon áit a bhfuil

34. Ls. *inead* /inəd/
35. Ls. *Tóigeag* /toːg´əg/

crann troim. Níl aon adhmad is sleamhnaí ná é. Dheinidís mogal[36] de agus dheinidís saghas éigin *cutch* den chroiceann a bhíodh air.

Láthair tí nó ionad tí a thugaimid ar an talamh a bhíonn fé thigh. Ar an leibhéal ab fhearr leo an tigh a thóigint.[37] Bheidís a d'iarra' é a bheith in aice le sruth.[38] Ní maith leo é a thóigint ar chosán. Bhí sé crosta acu. Ní mhaith leothu tigh a thóigint ar chrosaire cheithre rian.

An Doras

1. Bharrdoras, 2. An Chomhla, 3. Ursa, 4. Tairsin, 5. Bacáin.

An Fhuinneog

1. Bharrleac, 2. Íocain na fuinneoige.

36. Saghas múnla chun mogal líon iascaireachta a cheapadh air.
37. Lsí. *tógaint* agus *tóigint*.
38. Ls. *sruch* /srux/

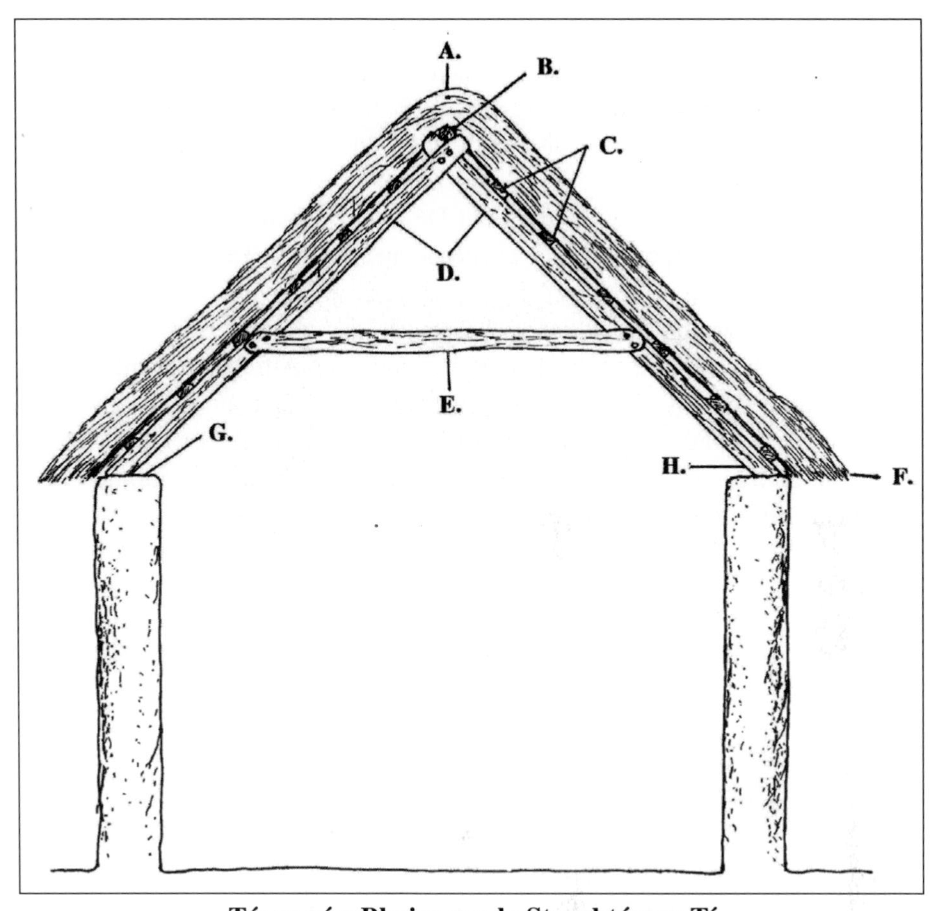

Téarmaí a Bhaineann le Struchtúr an Tí

A. Buaic an Tí, B. An Bata mulla', C. Na Taobháin, D. Cúpla, E. An Boimbéal[39] *F. An Cleitín, G. Portfhalla, H. Trús.*

14. Na Túir

Bíonn túir anso, leis, iad tógtha le clocha agus iad rabhnáilte[40] agus leac amháin ar a mbarra. Tá na túir anso fós. An Barúnach a dhein iad san, maighistir na háite sin. Dhein sé ti' móir – ti' samhra' – agus bhí coill ina *property*. Nuair a bhí sé sin déanta dhein sé na túir. Dh'fhág sé an talamh age'n sagart, ach chuir sé síos air. Níor thug sé an choill do. Ghearraigh sé é agus dhíol sé an choill.

Dhein sé séipéal i bh*Ferrybank* in aice Phort Láirge ina dhia' san. Gineadh[41] leún[42] airgid don easpag chun an chéad chloch a bheannú.

39. Ls. *Baighmbéal* /baim´b´ial/
40. Ls. *raonáilte*
41. Ls. *Gineag*
42. *loan* ?

15. Imirí[43]

Imirí na hAoine ó thuaidh,
Imirí an Luain ó dheas
Agus mara mbeadh agat ach cuíora agus uan
Ná dein imirí an Luain.

Ní bhfaigheadh einne dul i dtigh nua Dé Luain. Nuair a bheadh tigh nua á thógaint ba mhaith leo é a thógaint as cheann an seana-thí. Tá sé crosta aistriú le fána.

Agus sin rud, an chéad ní a thabharthá isteach 'on tigh (nua), salann agus gual.

Deir siad nách maith é an cat a aistriú. Is maith leo Aifreann a bheith sa tigh sara raghaidís isteach ann. Tá fhios agam daoine a fuair an sagart chun é a bheannú nuair a bhí an *foundation* gearrtha agus tá sé ag éirí go maith leothu, leis. Tigh go mbíonn criocaird ann, deir siad go mbíonn siad san rathúil[44] agus go mbíonn airgead sa tigh.

16. Tithe agus Botháin Feirme

Ag gach aon fheirmeoir anso bíonn an tigh cónaithe; bíonn ti' ba acu, stábla, ti' muc, ti' laoi, ti' cearc, scioból. Bíonn cartacha istigh sa scioból. Bhíodh *dairy* acu fadó ar thaobh éigint den tigh.

17. Bothán

Bothán a thugaid siad ar thi' muc.

18. Solas sna Tithe Fadó

(i) Lampaí Treidhn A

Treidhn a bhíodh mar sholas anso fadó againn agus lampa gabha. Dhéineadh an gabha i gcomparáid slioga an lampa mar is é an slioga a bhíodh acu ag leagha[45] na hola chun an tsolais, a dtugaidís an treidhn air. Agus ba dh'é[46] rud an slioga nách corcán a bheadh briste agus bheadh sé sin ar a chliathán ar an tine, trí nó ceathair 'o chlocha fé agus é ag leagha na haenna, agus d'réir mar a bheadh na haenna ag leagha bheifí ag tógaint na hola isteach in crócaí agus á cuir i gcumhaid.[47] Dhéanfadh an gabha lampa ansan agus raghadh na mná 'dtís[48] na corraithe fé dhéin luachair. Trí chúinne a bhíodh ar an lampa agus láimh thiar ina

43. ag imirí, .i. ag aistriú tí
44. Ls. *rachúil* /raˈxu:l´/
45. *leigheadh* /l´ai/ a déarfaí (feic Breatnach, *Seana-Chaint II,* lch. 269 s.v. *leaghadh*)
46. /bə je:/ – bíonn *dh* caol /j/ le clos tar éis *ba* roimh fhorainm pearsanta atá ina ghuta sa chanúint seo (Ua Súilleabháin "Gaeilge na Mumhan," in *Stair na Gaeilge,* lch. 535) – bhí *ní dh'é* /n´i: je:/ agus *níor dh'é* /n´i:r je:/, leis, ag Maidhc Dháith.
47. Ls. *gcûid*
48. Is minic a báitear *go* roimh *dtí* sa chanúint seo.

dheireadh. Ní bhíodh aon chois fé. Théidís 'dtís na corraithe fé dhéin luachair agus dhéintí an luachair a scamhadh,[49] an croí a bhaint amach aisti agus trí nó ceathair 'e bhrobhanna dhe sin. D'réir mar a bheadh uait an solas a láidriú gheofá brobh a chuir isteach agus bhíodh an treidhn leagaithe in seana-cháirt ar an hiarta i bhfochair an lampa chun d'ré' mar a bheadh braon de uait ná beadh agat nach breith ar an gcáirt agus é a chuir insa lampa.

(ii) Lampaí Treidhn B

Tá an luachair inniúil ó shoin ar bhrobh lampa a dhéanadh. Bhíodh na gaibhne fadó ag déanadh lampaí nuair a bhíodh an t-iasc á marú. Thugaidís lampaí treidhn orthu. Bhaintí na haenna amach as na scailpíní (iasc a dtugtar an bits air); agus bheadh seana-chorcán sa tigh. Chuirfí na haenna isteach sa seana-chorcán – an slioga. Dh'fhanfaí á shuathadh istigh sa chorcán go mbeadh an méid ola a bhí iontu súite leighte amach astu. Chuirfí an ola isteach i mbuidéal mar seo. Bheadh éadach anairte ansan, agus tunadaer déanta de stáin. Bheadh gob caol thíos air, agus a bhéal in airde leathan. Nuair a bheadh an tunna thíos ansan san mbuidéal, agus an t-éadach anairte ar bhéal leathan an tunadaer, dhéanfaí an ola a scagadh síos tríd go mbeadh an buidéal lán d'ola agus go bhfanfadh pé salachar a bheadh ann ar an éadach anairte. Nuair a bheadh na buidéil lán, chuirfí garsún go dtí an corrach fé dhéin cúig nó sé bhrobhanna luachra. Nuair a thiocfadh an luachair, bhainfeadh bean an tí an tslis do bhun an bhrobh luachra sa tslí go bhfaigheadh sí í a scamhadh; a hiongain chlé a chur ar an mbrobh, agus leis an iongain deas dh'fháscfadh sí an croí amach as. Bhí daoine níos oilte ná a chéile – cuid acu thabharfaidís an croí slán amach gan briseadh. Sin é an bhuaiceas a bheadh acu.

Ceapadh an trompa a bhíodh ar an lampa ach an lámh a bheith thiar air chun é a dh'aistriú thall is abhus. Thimpeall cheithre hórla de ghob caol óna chabhail amach. Gheobhthá ansan pé méid brobhanna ba mhaith leat do chur isteach san ola. Do réir mar a bheadh an ola ag tabhairt ort, chuirfeá ardach beag thiar fé chun an ola a ligint amach ar an mbuaiceas. Dá mbeadh an ola agat, dhoirtfeá isteach sa lampa í mar a bhí sé. Mara mbeadh an ola ag tabhairt ort, gheobhthá an ola a chuir isteach ann mar a bhí sé, gan aon ardach. Sin í an ola agus smearadh *axtree* a bhí age muintir na Rinne lem linnse. Is beag an deifir ná fuil solas ón aer inniu acu.

Ní bhíodh an solas so ag einne ach ages na hiascairí. Ní bhíodh an ola ag einne[50] eile. Is cuimhin liom iad so a bheith acu suas go dtí deich mbliana fichead ó shoin.

Ages na feirmeoirí a bhíodh lampaí ola mar athá againne anois – paraifín – agus coinnle a dhéanaidís féin.

49. /sgau/ a déarfaí (feic Breatnach, *Seana-Chaint II,* lch. 345 s.v. *scamhadh*)
50. ls. *eighne* < /aiŋ´ɪ/

(iii) Coinnle

Ansan dhéineadh cuid acu a gcuid fhéin coinnle, dabhach uisce agus an gheir a chaitheamh isteach ins an uisce te agus bhíodh an gheir ar bharra an uisce leighte[51] agus sé cinn nó seacht cinn ansan de bhuaicisí ar gach aon chipín acu, órlach nó beagáinín ina fhochair óna chéile. Dh'fhanfaí á dtumadh san síos agus suas an dabhach ansan go mbeadh sé ina choinneal, go mbeadh gach ceann acu ina gcoinneal. Agus bhí na cipíní leagaithe lena n-ais insa tslí ná beadh acu ach iad a leagaint uathu agus iad a thógaint chúchu; an ceann a bheadh déanta a leagaint uathu agus breith ar cheann eile agus thabharfaí go dtína deich a chlog san oíche á ndéanadh san. Dhéanfaidís cúig nó sé dosaení gach aon oíche ó stadfaidís go raghaidís a chodladh. Bhídís sin acu arís le hagha' solas – coinnle geire.

Einne a mbeidís fairsing aige, a mbeadh bullán marbh aige féin nó a mbeadh an gheir fairsing aige, dhíoladh sé cuid acu. N'fheaca mé aon mhú[n]la riamh acu ach iad a thumadh.

B. FEIRMEOIREACHT

(a) UIRLISÍ FEIRME

1. An Rámhann

(i)

Dheineadh an gabha na rámhainne fadó agus chuireadh sé isteach iad. An siúinéir a dheineadh an bata. Chuireadh go leor daoine isteach iad fhéin iad agus cuireann gach einne isteach anois iad. Bata *larch* é a bhíodh iontu nó bata ceart fuinseoige – sé sin fuinseog ná beadh aon ghéag air. Dannc fuinseoige – sé sin ná beadh an bata bainte as an gcrann gairid don chroiceann.

[**SÓD:** Dén fhaid a bheadh i rámhann?]

Troigh rámhann[52] bainte agus troigh go leith rámhann earraigh. Agus bheadh an rámhann agus an feac chun í a bheith ceart ó bhun do choise dtí barr do chluaise pé aoirde a bheadh ionnat. 'Á mbeadh sí níos leabhaire bheitheá cráite aici agus 'á mbeadh sí níos giorra bheitheá níos cráite mar chuirfeadh sí cruit as ceann cruite ort.

[**SÓD:** Dén meáchain a bheadh i rámhann?]

Rámhann bainte, bheadh sí thimpeall dhá phúnt. Bheadh dhá órlach de *steel* ar a barra agus d'réir mar a bheadh sí sin ag caitheamh, ag géarú a bheadh sí.

51. Ls. *leite* /l´eit´ɪ/ .i. leáite
52. ls. *rán* < /rɑːn/ (feic Breatnach, *Seana-Chaint II,* lch. 329 s.v. *rán*)

Agus nuair a thiocthá dtí an iarann ansan bheadh sí tur: bhí an mhilseacht imithe. Tuille fuinseoige a bhíonn acu ach bhíodh an seana-dhream ana-thaitneamhach do tuille troime.

Bun-rámhainne a thabharfaidís ar rámhann a bheadh ana-chaite. Rámhann ghlan ghéar ceann nua, nó bun-rámhainne ceann caite.

An seana-dhream, is minic a chaitheadar an tara rámhann a cheannach (in aon earrach amháin) agus bhíodh oiread san trinseála le déanadh acu go mbíodh an chéad cheann caite agus cheithre tistiúin an ceann a bhíodh ar rámhann trinseála an uair sin – rámhann ón ngabha. Deich bpinge a bhíodh ar an bata, agus naoi bpinge ón siúinéir, agus pingin ar an tuille agus trí leathphinge. B'éadtroma agus ba mhilse agus ba dheise rámhann an ghabha. Dhéanfadh sé an *steel* chomh[53] tanaí le bileog crainn ar an inneoin agus bhuailfeadh sé an rámhann nuair a bheadh sí dearg anuas ar an *steel* sin, agus dhéanfadh sé béal na rámhainne a dh'fhaghairt leis an *steel*.

Bhí gabha thiar anso – Seán Paor, maireann sé fós – agus bhí dritheáir do pósta i mBastún, agus bhí gáirdín aige agus scrígh sé go dtí an dritheáir an rámhann a dhéanadh agus a chur chuige, agus chuir. Agus bhí a raibh ann ag teacht ag féachaint uirthi. *Well*, a Sheosaib, an rámhann a dheineadh sé sin, 'dhóigh leat gur gearrtha amach as phíosa adhmaid a bhíodh sí. Ní raibh aon rian casúir inti agus chún sleamhain le píosa dhá scillin.

Chonaic mé mórán den rámhann. Ní raibh aon ní sa Rinn tamall ach an rámhann. Dheinidís branar a spalladh le rámhann agus iomairí. Dheinidís iomairí sé fóid le rámhann. Treabhadh beag a thugaidís air agus i ndeireadh ansan dheinidís an bán go léir a rómhar amach leis an rámhann – gach aon fhód agus a bhéal fé anuas ar a chéile.

(ii)

Bhí mise agus mé óg ag baint phrátaí i bhfochair Ciarraíoch – Frank Russell ba dh'ea[54] é. Bhí sé aosta. Bhí rámhann leabhair aige a bhí caol ina cabhail. Bíonn cabhail leathan ar an rámhann a bhíonn againne. Bhí cabhail na rámhainne ró-chaol chun an iomaire a bhriseadh in trí fód. Bhíodh cheithre fóid

53. Ls. *chún* /xu:n/ – deir Ua Súilleabháin gur 'le neart srónaíola' a tháinig an fuaimniú seo chun cinn (feic Ua Súilleabháin "Gaeilge na Mumhan," in *Stair na Gaeilge,* lch. 500). Deir R.B. Breatnach go n-usáidtear an fhoirm *chomh* /xu:n/ nuair is focal neamhspleách é agus an fhoirm *comh* /ku:/ nuair a bhíonn sé ar an gcéad eilimint de chomhfhocal ar nós *comhfhaid* /ku:ad´/ agus *comhbhaochas* /ku:ve:xəs/ (feic Breatnach, *Seana-Chaint II,* lch. 89 s.v. *chún*, lch. 108 s.v. *chomh-*). Ach feic *tá sé chû maith dhû-sa* /tɑ: ʃe: xu: ma ɣu:sə/, luaite le M.Dh. (CBÉ 978:217).

54. /bə ja/ – bíonn *dh* caol /j/ le clos tar éis *ba* roimh *ea* sa chanúint seo (Ua Súilleabháin "Gaeilge na Mumhan," in *Stair na Gaeilge,* lch. 535).

age'n gCiarraíoch le baint agus ní bhíodh nach[55] trí fóid againne. Tá dhá bhliain is dachad ó bhí sé anso. Bhí sé thimpeall trí fichid bliain an uair sin. Thall ar an tsráid i nDonn Garbhán[56] a haidhreálag é, ach blianta roimhe sin Ciarraígh ar fad a bhíodh ag teacht anso ag baint na bprátaí agus an rámhann leabhair acu go léir.

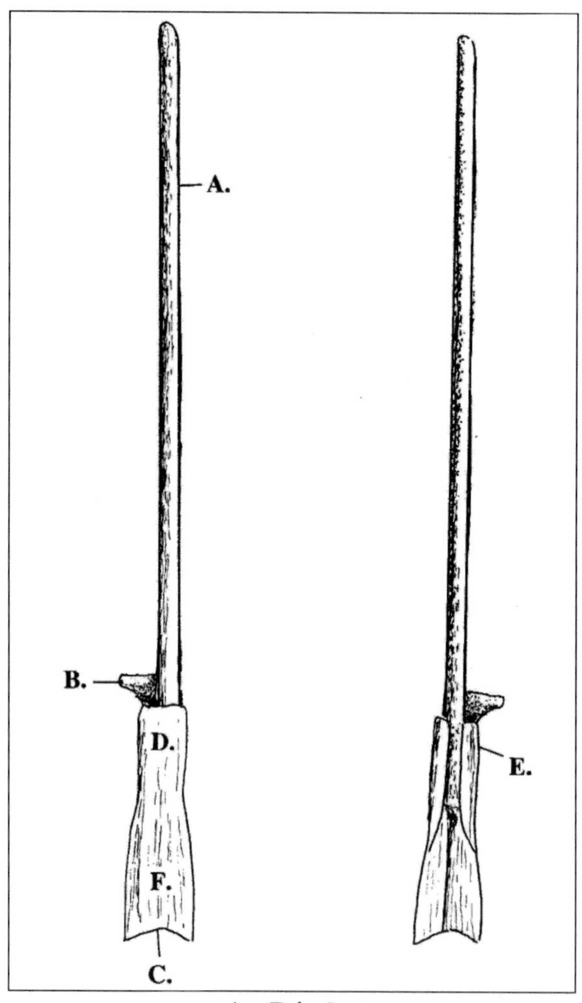

An Rámhann

A. Bara na Rámhainne, B. An Tuille, C. Béal na Rámhainne, D. Cabhail na Rámhainne, E. Guaile na Rámhainne, F. Bais nó Bráid na Rámhainne.

55. .i. ach – /nax/ a deirtear de gnáth.
56. .i. i nDún Garbhán – ar a shon go ndeintear /au/ de *ú* sa logainm *Donn Garbhán* /daun garəvɑːn/ ní tharlaíonn sé seo i gcás *Dún na Mainistreach* /duː nə man´ɪʃd´r´əx/ (feic Breatnach, *The Irish of Ring*, lch. 118)

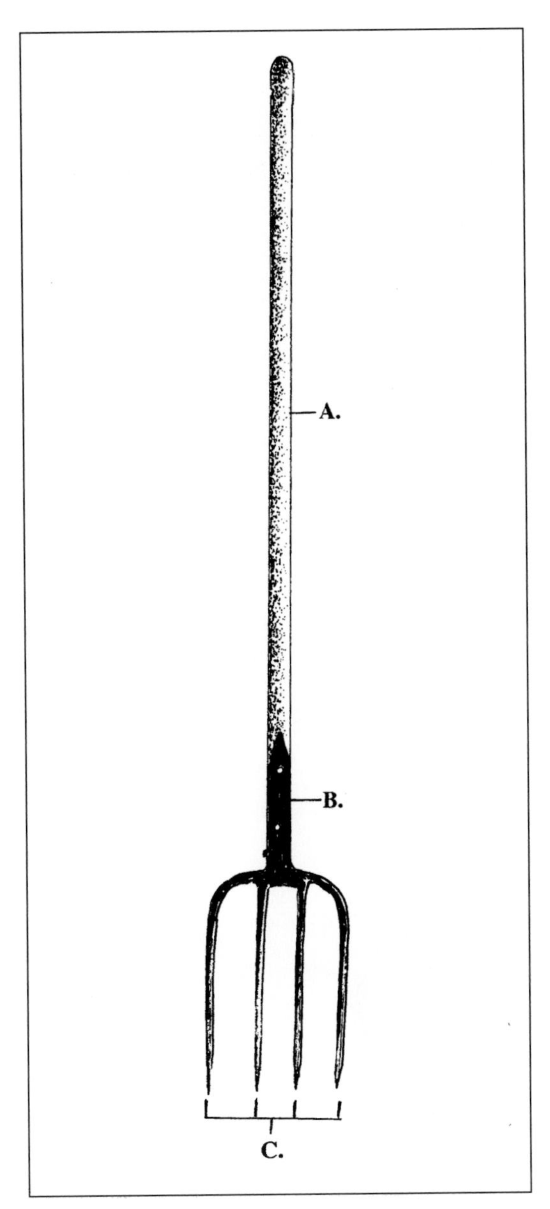

2. An Sprang

A. Cois na Sprainge, B. Luiseag[57] *na Sprainge, C. Péice na Sprainge.*

N'fheaca mé sprang riamh á dhéanadh age gabha ach í a cheannach sa siopa. Bíonn sí acu le hagha' aoiligh is trioscair.

57. /liʃəg/ – an chuid den sprang, nó de phíce nó de scian go dtéann an chois isteach ann. Tugtar *luiseag* leis ar an gcuid den duán go gceanglaítear an dorú de agus ar an gcuid den duán a bheireann ar an iasc (feic Breatnach, *Seana-Chaint II,* lch. 284 s.v. *luiseag*)

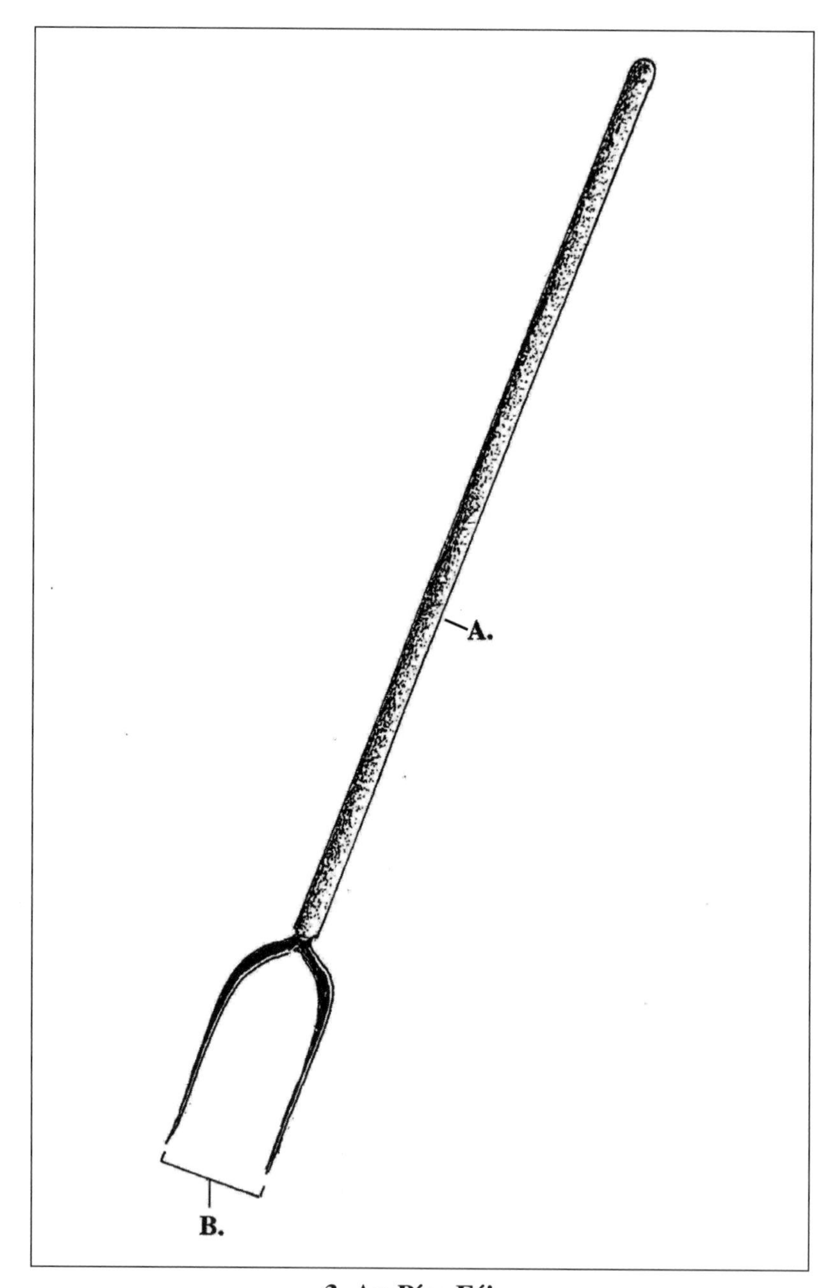

3. An Píce Féir

A. Cois an Phíce, B. Péice an Phíce.

Dhá phéac a bhíonn ar an bpíce. N'fheaca mé ceann riamh a raibh trí cinn air. N'fheaca mé ceann riamh á dhéanadh age gabha. *Larch* nó fuinseog a bhíonn insa chois. Bíonn an píce acu le hagha' féir agus tuí.

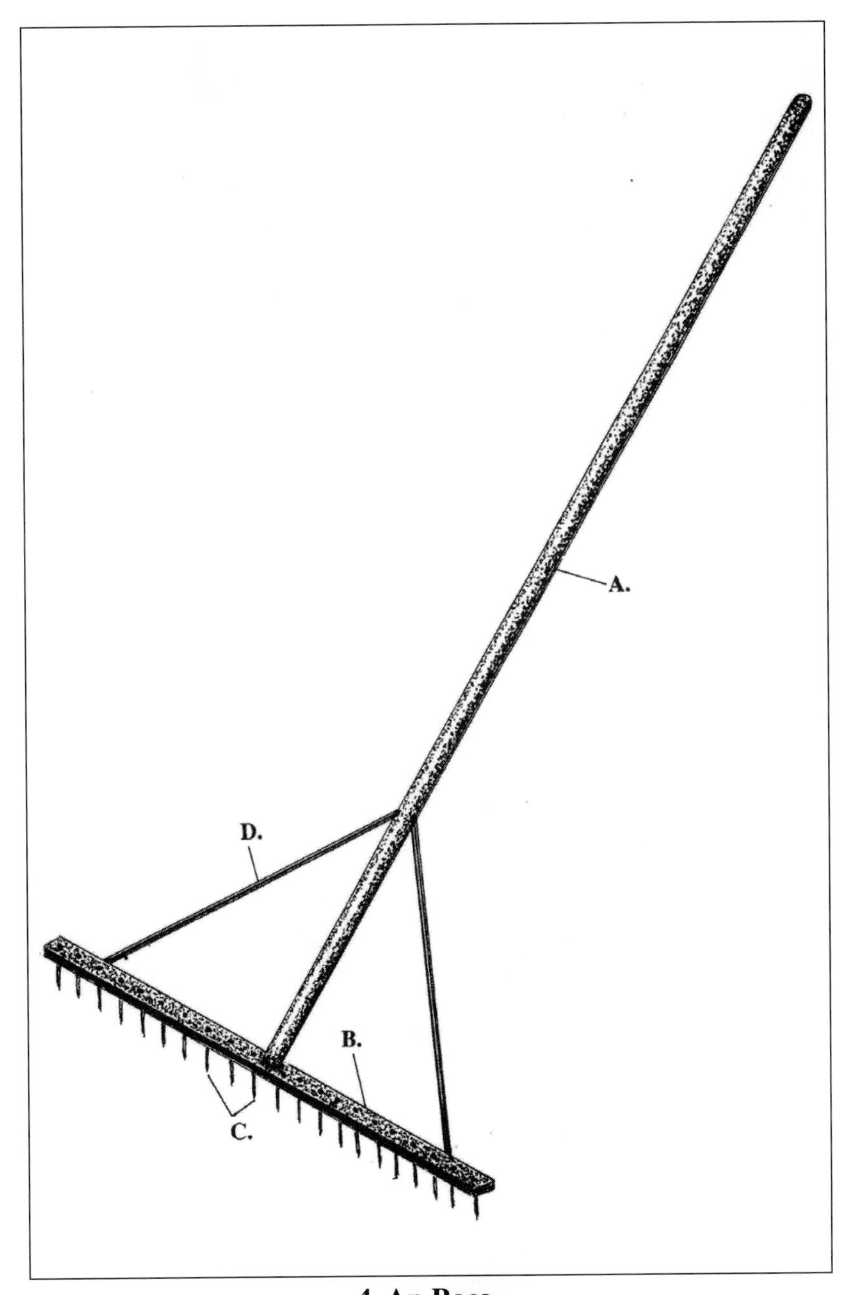

4. An Raca

A. Cois an Raca, B. Abhar an Raca, C. Fiacla an Raca, D. Prios.

Cuirtear prios air chun ná beadh an t-abhar ag luascadh. Tugann daoine culán air – ar an prios. Cois fuinseoige a bhíonn ann agus abhar fuinseoige agus fiacla daraí nó iarainn. Bíonn cois mhaith fada i raca a bhíonn acu – raca cruaiche.

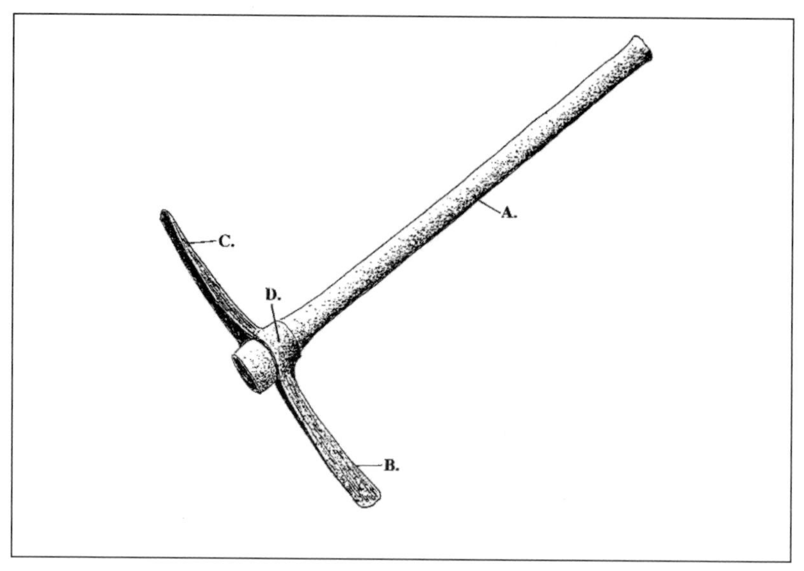

5. An Piocóid

A. Cois an Phiocóid, B. Bais an Phiocóid, C. Culán an Phiocóid, D. An tSúil.

Bíonn an piocóid acu le hagha' cré agus clocha a bhaint i dtalamh ana-chruaidh.

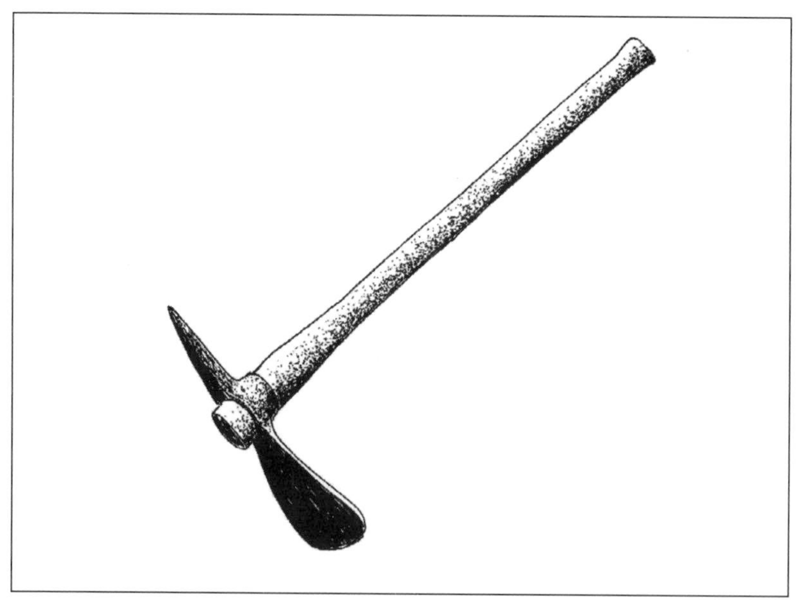

6. Grafán Réitigh

Bíonn sé acu ag réiteach agus ag briseadh talamh garbh. Bíonn dealradh aige le piocóid ach bíonn béal leathan ann. Gheobhthá le ceannach sa siopa é.

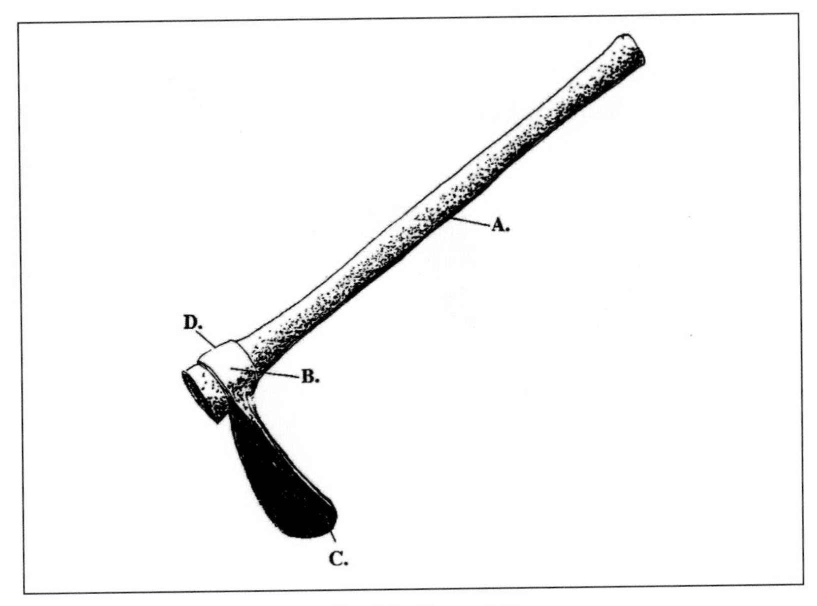

7. Grafán Socraithe

A. Cois an Ghrafáin, B. An tSúil, C. An Béal, D. Cúl an Ghrafáin.

Bhíodh sé acu le hagha' iomairí prátaí a shocrú t'réis an chéachta san earrach. Chuirfeadh an gabha píosa *steel* ina bhéal nuair a bheadh sé ag lomadh orthu.

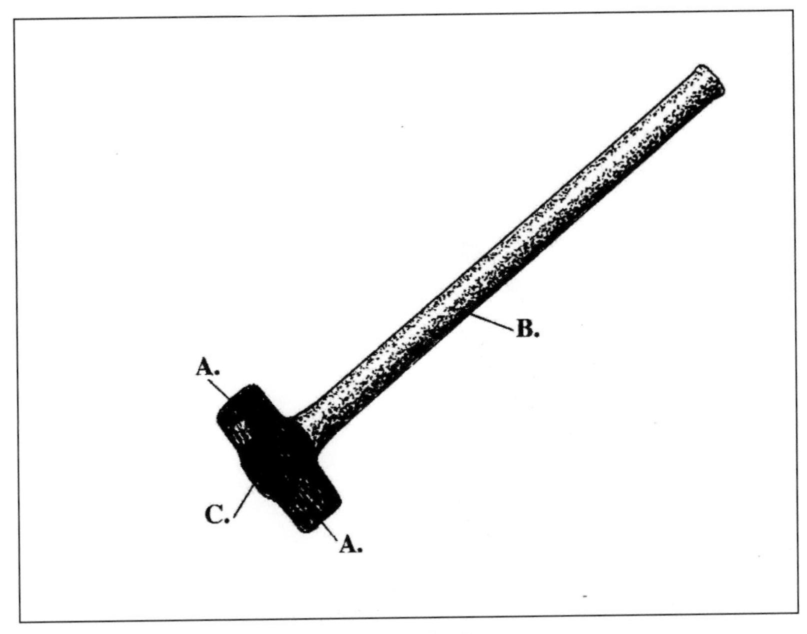

8. An tOrd

A. Dhá Mhulla an Oird, B. Cois an Oird, C. Ceann an Oird.

Bhíodh ord in gach aon tigh le hagha' clocha móra a bhriseadh agus le hagha' bataí a chur i gclathacha chun an *wire* a chur orthu. Bíonn ord mór agus láimh-ord sa tigh. Bíonn an láimh-ord ann chun obair éadrom a dhéanadh. Láimh-*hammer* a bhíonn age'n saor. Níl á dh'oibriú san ach aon láimh amháin.

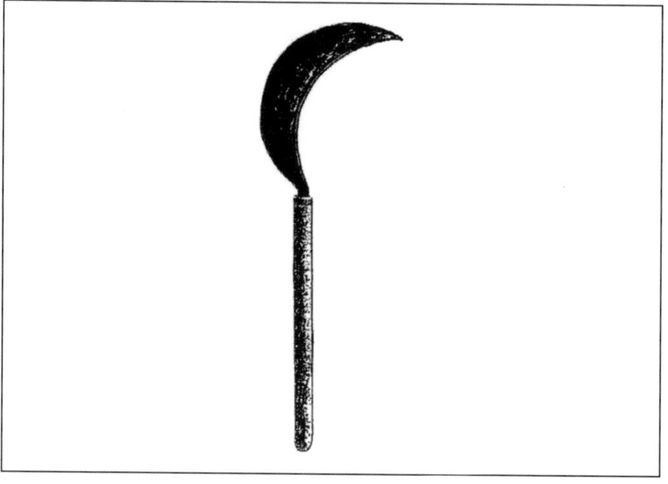

9. An Mhileog

Bíonn mileog in gach aon tigh. Ní cuimhin liomsa aon ghabha a dhéanadh aon cheann acu. Bíonn sí acu ag baint aitinn is ag scriostachán clathacha. Bíonn faor maith orthu.

"Téirse sa bhaile a chnocadóir,

Is nár chailli' do mhileog a faor," a dúirt an tseana-chailleach leis an bhfear a bhí ag baint an chnoic aici.

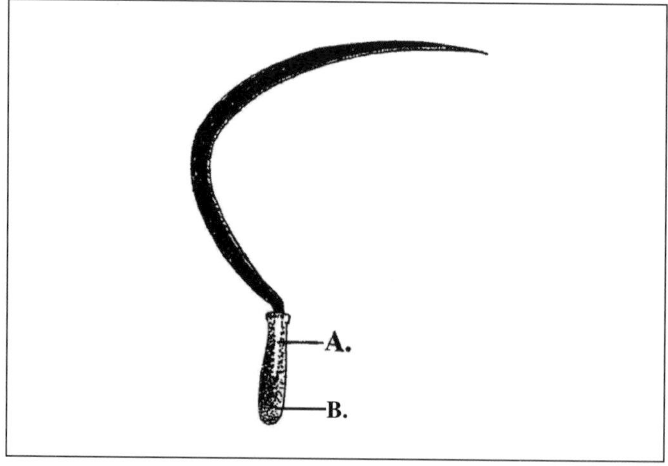

10. An Corrán

A. An Luiseag, B. An Chois.

Bhíodh corrán in gach aon tigh fadó – corrán buana. Cois corráin a déarthá. An luiseag a théann isteach sa chois. Ní bhíonn faor géar ar chorrán, fiacla beaga a bhíonn ann. Is leis an gcorrán buana a deintí an t-arbhair a bhaint fadó. Sé an gabha a dheineadh é fadó, ach bíonn siad á dhíol in siopa anois.

Agus an chéad fhear riamh a chuaigh ag baint leis sé rud a dúirt sé a bhain sé ná loca, agus an tara fear a chuaigh ag baint leis ghearraigh sé a mhéir agus sin é a bhain sé, duarnán.

Saghas guí a thug mar a dhéarfadh[58] duine, "díth uait."

Cheithre pinge déag a bhí ar chorrán fadó. Bhíodh corrán fairsing agus corrán cúng ann. Bhíodh corrán scoite ann leis. Ní bheadh aon fhiacail ansan áfach. Bhíodh sé acu ag scoitheadh aitinn, ag baint an aitinn des na stampaí le hagha' easair. B'éadtroma agus ba dheise é ná mileog chun na hoibre sin.

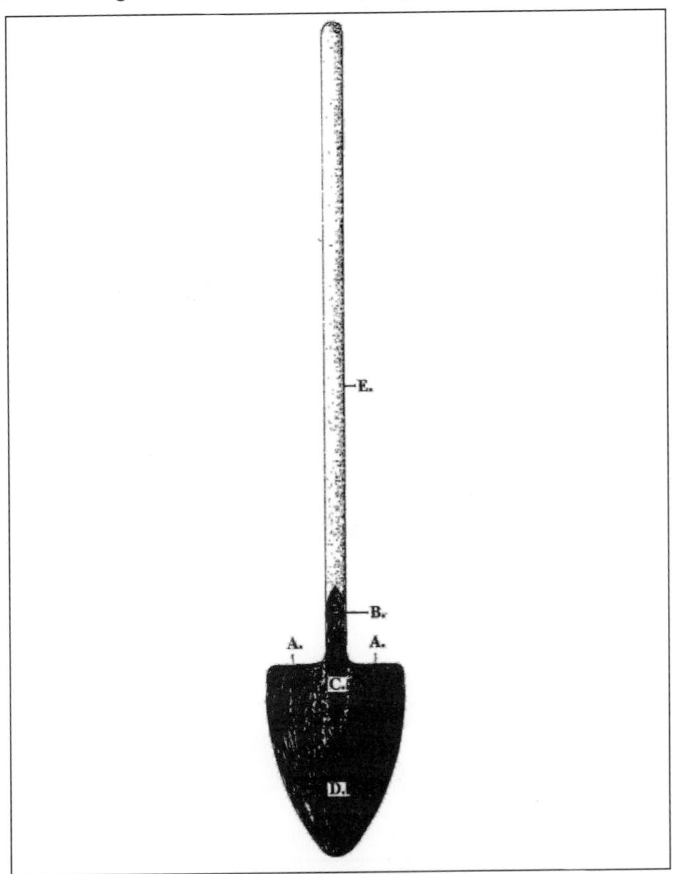

11. An tSluasaid

A. Cluasa na Sluaiste, B. Cró na Sluaiste, C. Drochad na Sluaiste,
D. Bais na Sluaiste, E. Bata na Sluaiste.

58. /jiarhəx/ – séimhítear an chéad chonsan den bhriathar sa mhodh coinníollach sa chanúint seo.

N'fheaca mé aon tsluasaid riamh á dhéanadh age gabha ach í a cheannach sa siopa. Bíonn sí acu le hagha' cré agus athchré a chur ar na prátaí agus thimpeall aoiligh agus ag obair ar na bóithre. Geobhthá an tsluasad a thóigint as a barra agus cúpla buille a bhualadh ar an drochad.

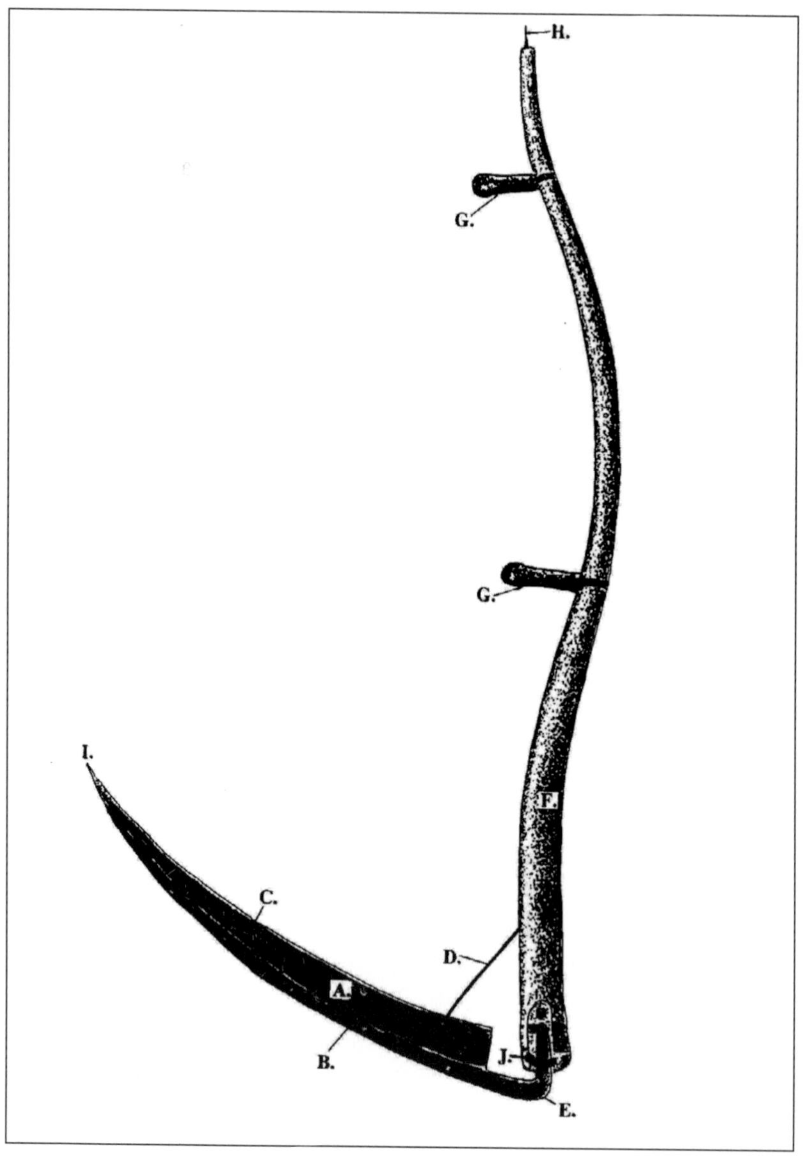

12. An Speal

A. An Speal, B. Slait na Speile, C. Faor na Speile, D. An Stopadh Béil, E. Sáil na Speile, F. Crann na Speile, G. Dúirníní na Speile, H. An Spiara, I. Barr na Speile, J. Fáinne na Speile.

13. Cúram na nUirlisí Feirme

Bíonn tú ag sluaistreáil le sluasaid.
Bíonn tú ag cartadh le sprang.
Bíonn tú ag rómhar le rámhann.
Bíonn tú ag buaint arbhair nó ag scoitheadh[59] aitinn le corrán.
Bíonn tú ag briseadh le hord.
Bíonn tú ag scoitheadh le mileog.
Bíonn tú ag grafadh le piocóid.
Bíonn tú ag grafadh le grafán agus ag socrú le grafán socraithe.
Bíonn tú ag spealadóireacht le speal.
Bíonn clár faoir agus cloch faoir agat in fhochair speile le hagha' faoir a chur uirthi.

(b) OBAIR NA BLIANA AR AN bhFEIRM

1. Th'réis na Nollag

Bíonn an feirmeoir[60] ag treabhadh an uair sin agus ag góilt d'aoileach. Coinleach[61] a bhíonn á threabhadh aige agus beidh sé ag cur an aoiligh amach ar an gcoinleach chun leasú fé chois.[62]

Bíonn na beithígh istigh gach aon oíche an uair sin agus caitheann an feirmeoir glanadh amach uathu gach aon lá agus a bheith isteach is amach chuchu[63] ag tabhairt bídh chuchu ón eathla.

[**SÓD:** Dén ainm athá agat ar an mbia a bhíonn i gcomhair na mbeithíoch sa gheimhreadh?"]

Lón geimhridh. Sé lón a bhíodh acu dos na beithígh, tuí eorna agus tuí choirce agus punann choirce, teornaip is meaingil. Bheadh tuí acu i gcomhair na hoíche thimpeall a ceathair a chlog um thráthnóna.[64] Cuirfí an lón san méil rompu, an méid a dh'íosfaidís do. Dhéanfadh an méid sin go maidean iad. Raghadh daoine ag féachaint orthu am suipéir is má bheidís gann thabharfaidís sop eile dhóibh. Tugann cuid acu punann i dtosach na bliana dhóibh agus bhíodh daoine agus dheiridís go gcaillfidís maralaoi de dheasca iad a théigh an iomarca leis an gcoirce i dtosach na bliana agus an lao ró-lag ar iompar acu – punann amháin

59. Ls. *scoithe*
60. Lsí. *feirmúir* agus *feirmiúir* < /f´er´ɪˈmu:r´/.
61. Ls. *caidhnleach* < /kainl´əx/.
62. *leasú fé chois* = aoileach nó trioscar a bheith leata ar an dtalamh sara dtreabhfaí í (feic Breatnach, *Seana-Chaint II,* lch. 113 s.v. *cos*)
63. /xu:hə/
64. Ls. *thráchnúna* < /hrɑ:xnu:nə/.

nuair a thiocfaidís isteach um thráthnóna agus punann eile fé a raghaidís amach ar maidin.

I dtosach nuair a chuirfí isteach iad [i. na ba] gheobhaidís tuí is teornaip, bucaod teornaip is iad gearrtha agus punann choirce leagaithe in airde ar an tuí. Daoine ná beadh an coirce acu chuirfidís cárt min eorna ar na teornaip dóibh. Gheobhadh na ba féar tirim san Márta nuair a bheidís ag tosnú ag breith. An bhó is túisce breith sí is fearr a dh'fhriothálfar. Níor mhór 'uit iad a neartú suas mí fé a mbéarfaidís. Píce féir 'dir gach aon dá bhó. Bheadh deireadh leis an bpunainn nuair a gheobhaidís an féar.

[**SÓD:** Dén bia a thugann siad dos na laoi?]

Teornaip briste suas agus praiseach min eorna nó min bhuí nuair a bhí sí ann a thabhairt dóibh roimhe seo um thráthnóna agus ar maidin – lán umair dóibh agus féar tirim in raca istoíche.

Thá pulpéir anois acu dos na *mangels* agus dos na teornaip agus chaithidís iad a ghearradh le scian fadó. Thugaidís criocháin[65] bheirithe dos na laoi th'réis na bprátaí a bhaint roimh[66] an Nollaig, ach ní fada a sheasaídís sin. Chuiridís min eorna tríthi i dteannta a chéile anuas ar an bhféar tirim.

[**SÓD:** Cad a bheadh á dhéanamh ag an bhfeirmeoir lá fliuch an t-am san?]

Thá na clathacha go léir tóigthe anois ach ní bhíodh fadó. Bhídís ag tógaint clathacha lá fliuch. Bíonn siad ag scriostachán chlathacha ar mhaithe leis na clathacha a ghlanadh – ná beadh síolta an tslachair á shéideadh tríd an talamh. Bheadh speal is mileog acu á scriosadh.

[**SÓD:** An mbeadh ba ag breith an t-am san?]

Bheadh ba ag breith, leis, th'réis na Nollag. Bheidís suas istoíche 'á mbeadh seafaid óg ann ná beadh aon lao roimhe[67] sin aici: bheidís á faire. Nuair a thiteadh an oíche fadó insa gheimhreadh bhí aiteann le gearradh do chapaill agus tuí na maidine le bualadh do bha – í a bhualadh le suíst agus an gráinne a bhailiú le hagha' síl nó le hagha' eallaigh nó capaill. Bheadh bodhrán is criathar in gach aon tigh an uair sin – an gráinne a chréithirt ar dtúis is é a cháitheadh as an mbodhrán ansan chun an cháith a bhaint de.

Bhíodh na mná ag cnotáil is ag fuáil is ag bácáil is ag níochán an tí, agus cuid acu ag friotháladh na mbeithíoch nuair a bheadh práinn leis. Agus 'á mbeadh bó beirthe[68] siad a chrúfadh í.

Muintir na Rinne bheidís ag tarraint trioscair ar an talamh 'á mbeadh sé ann gach aon lá isteach go Bealthaine.

65. /k´r´əˈxɑːn´/ – feic Breatnach, *Seana-Chaint II,* lch. 118, s.v. *creachán.*
66. Ls. *ragha* < /rai/
67. Ls. *ragha* < /rai/
68. Ls. *bearrtha*

Threabhfadh na feirmeoirí an coinleach go léir an mí sin ach anois thá go leor de treite[69] cheana. Th'réis na Nollag a treabhfaí an bán. Fágfaí ag na beithígh é i bhfad isteach th'réis na Nollag chun é a lomadh. Treabhfaí 'an coinleach roimhe an bán chun go mbeadh an bán lom chun go mbeadh sé ina cheilp a dheiridís – sé sin gan é a bheith ag tarraint na gaoithe th'réis é a threabhadh. Threabhfaí roimhe an choinleach é ach ligfí dos na beithígh iad a lomadh ar dtúis fé a dtreabhfaí é. Ní cuirfí aon aoileach ar an mbán ach an méid aoiligh a bheadh déanta leathfaí fé chois[70] ar an gcoinleach é le hagha' na bprátaí a chur ann.

2. Mí na Féil Bríde

Mí na Féil Bríde ansan bheitheá réidh. Ón Nollaig amach bheitheá ag treabh-adh is ag ath-threabhadh. Ní bheadh aon síol agat á chur go dtí i dteannta na Féil' Pádraig. Bheadh cruithneacht is eorna is prátaí á chur sa Márta. Cuirfí na prátaí ar dtúis. An saghas cruithneachta athá anois acu, cruithneacht gheimhri', tá sí curtha le mí anois.[71] Ní raibh aon chruithneacht gheimhri' fadó ann agus um Shamhain a chuiridís an chruithneacht le linn duibhe-ré[72] na Samhna. Ní bheadh aon mheas uirthi mara mbeadh sí curtha an uair sin.

Díolann go leor acu na gamhna i M' Fhéil' Bríd agus cuid eile acu a chumhadann iad go dtí an Abrán.

3. Mí na Márta

San Márta a bheifí ag cur na bprátaí. Bheadh na hiomairí á dhéanadh agus na prátaí á sá leis an rámhann. Bheadh urthlach age gach einne a bheadh á gcur. Bheadh mála ar do dhrom agus a bhéal ag teacht ar do ghualainn anuas go dtína bhéal. Ní bheadh agat ach do láimh dheas a chuir i mbéal an mhála ansan nuair a bheifí ag cur. Chuirfí na prátaí ó thosach an Mhárta dtí Féil Pádraig. Ní bhíodh aon mheas ar einne ná beidís curtha fé dheireadh an Mhárta, ach ó tháinig na *drills* – mar bíonn an cré bog, briste – fanann siad dtí Aonach an Abráin gan cur.

Deir siad 'á bhfanfadh fás ceart trí oíche as dia' a chéile gan stad go mbeadh a ndaothain[73] crann ar gharraí prátaí ach b'fhéidir ná faightheá trí nóimeataí fáis in mí. Sé sin an aimsir teas ceart agus an aimsir nádúrtha le drúcht agus bograch breá. Bíonn prátaí, eorna agus coirce curtha fé a dtagann Aonach an Abráin.

69. /t´r´et´ɪ/ .i. treabhaite – foirm analógach is ea an aid. bhriath. *(treite)* den bhriathar *treabhaim* (feic Breatnach, *The Irish of Ring,* lch. 120)
70. Sé sin é a leathadh i gcroiceann na talún.
71. Mí na Samhna.
72. Ls. *dagha-ré* /daiˈre:/
73. < ndóthain.

Lá Fhéil' Bríde[74] báine,
Bíonn athrú ar gach síne,
Bíonn an teas ag dul san ngréin,
Agus an tsíon fuar ag dul i bhfaid,
Na caoire ag breith na n-uan,
Agus na héin ag déanadh nead,
Agus na cearca ag breith go mear,
Agus samhradh gach síon go Nollaig,
Agus fásach go doirse,
Agus ná háirigh fuacht go Féil Bríde.

Fásach go dóirse – bíonn an féar fairsing ar an talamh go Nollaig.

Isteach san Márta agus san Abrán bíonn mná tí ana-ghnóthach thimpeall sicíní agus turcaithe.

"Bean tí nó cearc ghoir."

Tá bean tí i gcónaí gnóthach agus tá cearc ghoir i gcónaí glágarach.

4. Mí Abráin

Bheadh roinnt arbhair le cur acu isteach go dtí Aonach an Abráin, an seachtú lá déag d'Abrán nó an hochtú lá déag. 'Á mbeadh an chuach tagaithe fé a mbeadh an coirce nó na prátaí curtha acu bheidís ina bprátaí cuaiche, nó bheadh an coirce ina choirce cuaiche agus ní bheadh aon mheas ar a leithéid.

I ndeireadh an Abráin bheidís ag críochnú an fhuirseadh agus bheidís ag róláil, agus bheadh síolta le leathadh, síol féir agus clóbhar agus bheadh bearnacha le dúnadh agus bheidís ag ullú na talún le hagha' teornaip.

Bheadh cuid acu anois, ó stad an gual, ag baint na móna chomh luath is bheadh na prátaí thíos acu – aon lá a bheadh uain acu air – aon chuid acu a mbeadh aon mhóin le baint acu, scrathacha.

Bheadh na ba ag dul amach i ndeireadh an Abráin 'á mbeadh sé breá agus ní bheadh leath an chúraim ansan orthu. Ní bhíonn an obair chún[75] cruaidh nuair a bhíonn na ba amuigh.

Cuirfí na laoi óga amach 'á mbeidís láidir seosúnta nuair a chuirfí amach na ba. Bheidís i bpáirc leo fhéin age rainséirí móra.

5. Mí na Bealthaine

Um Bealtaine bheidís ag cuir i gcomhair go láidir do theornaip agus fé a mbeadh an teornaip thíos ansan acu bheidís ag ullú le hagha' féir a bhaint.

74. Ls. *Lá 'il Bríde* – deintear *feil* /f´el´/ nó *fheil* /el´/ nó *'l* /l´/ de *féile* i suíomh lagaiceanta roimh ainm na féile (feic Breatnach, *Seana-Chaint II,* lch. 186 s.v. *féile*)
75. < chomh.

Chuirfidís an chéad chré ar na hiomairí prátaí i dtosach na Bealthaine agus an athchré fé dheireadh na Bealthaine. Fágann san fén bhfás a bhíonn ann. 'Á bhfaighidís trioscar briste, é a chur fén athchré agus mara bhfaighidís déanadh gan é, go dtí ar tháinig an 'stuif'. *Guano* dearg a bhíodh roimhe[76] seo acu agus *potash*, agus tá 'stuif' eile acu anois ó tháinig an cogadh.

Um Bealthaine bheidís ag tanúchaint teornaip agus *mangels* agus ag glanadh phrátaí.

6. Mí an Mheithimh

Bíonn an stuif le cur ar na prátaí leis insan Meitheamh agus na prátaí a ghlanadh fé a gcuireann siad an stuif orthu. Agus bíonn siad ag tanúchaint teornaip agus á nglanadh agus ag tanúchaint *mangels* agus á nglanadh.

I ndeireadh an Mheithimh a bhíonn siad ag baint an fhéir. Bhainidís leis an speal fadó é agus baineann siad leis an meaisín anois é. Caitheann siad é a shábháilt ansan – é a chocáil is é a ath-chocáil.

7. Mí na Féil Déagláin [Mí Iúil]

Einne a bhfuil móin aige bíonn sé a d'iarraidh í a shábháilt an mí sin, Mí na Féil Déagláin. Tagann Lá Déagláin ar an ceathrú lá fichead [d'Iúil]. Bíonn an féar fós ar siúl. Bheadh méile prátaí á bhaint: bheadh gach einne ag coinne le prátaí Lá Déagláin.

Bíonn na ba á chrú sa samhradh. Dheineadh na mná fadó an crú ach ní dheinid anois. Ní raịbh aon *chreamery* fadó ann. Thá mórán daoine thimpeall anso fós ná téann ann mar thá sé ró-fhada uathu. Siad na mná a mbíonn cúram an bhainne orthu, ach thá *separators* anois acu. Ní bhíodh fadó ach chuiridís an bainne ar tobán ag géarú agus ansan é a scimeáil d'réir mar a thiocfadh. Is minic a caithfí é a bhearradh age'n a dá bhuille dhéag san oíche. Dhéanfaidís cuigeann gach aon Luan le hagha' an mhargaidh Dé Máirt. Tabharfaí an bainne géar dos na laoi agus dos na fearaibh[77] (oibre). Bheadh scalladh gach aon lá mar chúram ar na mná.

Siad na mná a thabharfadh an t-uisce leo go dtí an tigh, leis, 'á mbeadh sé gairid don tigh, agus cuid dos na mná á tharraint ar a gceann. Agus mara mbeadh sé gairid don tigh siad na fearaibh a raghadh á dh'iarra' le baraille.

8. An Fómhar [Lúnasa]

'Á mbeadh aibiú san aimsir bheadh an t-arbhair aibidh i dtosach an Fhómhair. Bheidís á bhaint is á cheangal is ag déanadh studaí is stácaí de mar a bhí san amhrán:

76. Ls. *ragha* /rai/

77. Ls. *feairibh* /f΄ar΄ıv/ .i. an tabharthach iolra

"Ag cur is ag baint na bprátaí,
Ag ceangal is ag tárló,[78]
Ag tabhairt na mbó gach lá liom,
Im sclábhaí age'n saol."

Bhíodh na feirmeoirí ag cuir dín ar stácaí th'réis an fhómhair a chur isteach fadó, ach thá an obair sin go léir imithe anois, ach díonaíonn daoine fós na cruacha féir. Nuair a bhíonn an t-arbhair istigh ansan bíonn siad ag faire le buailteoir le hagha' é a bhualadh.

Bíonn eathla acu agus bíonn an chruach féir agus an chruach tuí ann. Stáil na heathla a tugtar ar an leaba chloch a bhíonn fé chruach féir nó tuí chun í a choinneáilt crochta ón uisce.

Bíonn na feirmeoirí ag sábháilt na móna sa bhFómhar mar bheadh uain acu agus aimsir. Chaithfidís na fóid a bhaint ar dtúis agus ansan th'réis cúpla seachtain í a sheasamh agus ansan cocaí a dhéanadh di. Nuair a bhíonn sí á cur ina seasamh cuireann siad fód ar an talamh i dtaobh an fhraoigh i gcónaí féig, agus fód eile anuas air, agus fód eile anuas air sin. Cuireann siad deich gcinn acu so i bhfochair a chéile chun coca a dhéanadh. Nuair a bhíonn na cocaí sin tirim, í a tharraint abhaile agus cruach a dhéanadh di sa mbaile.

9. M' Fhéil' Michíl [Meán Fómhair]

Ó Lá Fhéil' Michíl amach bíonn na prátaí á bhaint agus na *mangels* á chur isteach. Baineann siad an deiliúr des na *mangels* agus cuireann siad i 'bpoll' taobh an chlaí iad, agus deineann siad iad a chlúdach le trocáil – sé sin scriostachán na gclathacha.

I M' Fhéil' Michíl a baintear na prátaí agus deintear iad a phiocadh agus a thogha. Siad na mná is mó a phiocadh iad. Fágann siad na criocháin agus na cinn dubha ar an ithir agus piocann siad na prátaí maithe ar dtúis. Ansan piocann siad na criocháin agus na prátaí dúbha agus cuireann siad in áit leo fhéin iad le hagha' na mbeithíoch. Deineann siad clais des na prátaí agus deineann siad iad a chlúdach le luachair agus le cré – cuaichín luachra a chur istigh leo agus í a chlúdach le cré amuigh mar mhillfeadh na franncaigh iad 'á mbeadh tuí orthu. Tugtar isteach ansan iad roimh an Nollaig agus níor mhór 'uit iad a chuir tharat in *January* mar bheidís ag cailliúint a scamhárd[79] agus gan an phéac a bhaint chuigin ach í a bhriseadh: nuair a ghlanfaidh tú an tsúil is ea is mire a chuirfidh sé amach.

78. .i. ag tarraingt an arbhair etc. isteach ón bpáirc (feic Breatnach, *Seana-Chaint II,* lch. 389 s.v. *tárló*)
79. Ls. *scúárd* /sg(ə)ˈɑːrd/ nó /sg(ə)ˈvɑːrd/ (feic Breatnach, *Seana-Chaint II,* lch. 346 s.v. *sgamhárd*)

10. *October* agus *November*

Feirmeoir a mbeadh caoire aige, in *October*[80] a bheadh sé a d'iarra' reithe a thabhairt dóibh agus cuid acu a dh'fhanfadh go dtí *November*, sé sin 'á mbeadh orthu reithe a cheannach. Mar dheiridís go mbeadh an t-uan ró-óg i M' Fhéil' Bríd, ná beadh an paistiúir ceart aici. Bheadh eagla sneachtaidh agus sioc orthu mar "nuair a chruann an t-uan is deocair é a bhogadh." Sé sin 'á mbeadh sé lom ina óige is deocair feoil a chur air. Mara mbeadh paistiúr maith acu ansan chruafadh an t-uan. 'Á dtiocfadh sioc agus sneachta an t-am san ar na caoire chaitheá teornaip pulpáltha agus min bhuí a thabhairt dóibh nó teornaip agus gráinne coirce.

11. Mí na Nollag

'Á mbaintheá an deiliúr de teornaip i gceann coicís[81] anois bheadh sé ag ramhrú ansan go Nollaig, agus iad a bhaint ansan th'réis na Nollag agus iad a chur i bpoll taobh an chlaí agus iad a chlúdach ón sioc.

(c) TALAMH AGUS CURADÓIREACHT

1. Corrach

Corrach garbh a mbeadh saileach is garaluachair agus seasc ag fás air, gach aon ghairthean ann.

2. Móinteán

Ní bhíonn aon rud sa mhóinteán ach luachair agus uisce.

3. Slogaire

[**SÓD:** Dén ainm a ghlaothá ar phaiste bog fliuch a bheadh i bpáirc?]
Slogaire é sin, áit a raghadh bó nó aon bheithíoch síos ann agus báfaí ann í.

4. Gairthean[82] Géar

Talamh a mbeadh mórán mion-chlocha ann, gairthean géar é sin.

5. Bleaicíní

Ansan thá talamh gainní ann agus talamh cré dhearg agus talamh bleaic[83] – sé

80. Ls. *Octover*
81. Samhain, 1945.
82. /gar´ɪhən/ .i. gairfean
83. Ls. *black*

sin é a bheith buailte as an sliabh agus gan aon ní a bheith roimhe[84] ann ach móin. Dh'iompódh sé chomh dubh le gual agus bheadh ana-phrátaí ina leithéid d'áit.

6. Screig

An screig, talamh ná faightheá aon rámhann a chuir i dtalamh ann le clocha, nó screallam chloch.

7. Angaréis

Thá angaréis ann, áit a mbeadh clocha agus sceacha agus ainnise, ach bheadh sé tirim.

8. Scrubarnach

Áit a mbeadh druíneach[85] agus sceach gheal agus saileach, thabharthá scrubarnach air.

9. Leaca

Talamh ard ar thaobh cnoic, thabharthá leaca air. Thá Leaca an Ocrais sa Seana-Phobal. Sa seanashaol chuireadh prátaí inti is ní raibh dada inti. Agus áit eile athá ann a dtugann siad Leaca an Áir air. Thá san in áit a dtugann siad Drochad Phádraig Dháith air. Crochúrach ba dh'ea Pádraig Dháith i mBaile Mhac Airt sa Seana-Phobal.

10. Inse

Thabharfainn inse[86] ar pháirc a bheadh íseal taobh le abhainn.

11. Caoráin agus Bróinte

Caoráin agus bróinte, cnapáin mhóra cré a chaitheá a bhriseadh le raca. Is mó na bróinte ná na caoráin.

12. Meais

Meais[87] a thabharthá ar thalamh a bheadh fliuch agus a mbeadh miríneach ag fás ann.

13. Móinéar

Bíonn an féar a bhíonn le baint insa mhóinéar.

84. Ls. *ragha* /rai/
85. /dri:n´əx/ .i. draighneach
86. Ls. *eidhnse*
87. Ls. *mash* /m´aʃ/ .i. *marsh*

14. Gort

Nuair athá an fómhar bainte thá an talamh ina ghort. Agus nuair athá na stácaí déanta: "Thá na stácaí ar an ngort," a déarthá. Gort an Chnocáin – sin í amuigh í.

15. Talamh Dearg

Bíonn talamh dearg agat t'réis prátaí nó *turnips* nó *mangels* a bhaint as.

16. Ithir

"Thá na prátaí ar an ithir," a déarthá nuair a bheadh na prátaí gan piocadh t'réis iad a bhaint.

'Á mbeitheá ag dul ag cur arbhair agus é a bheith fliuch an oíche roimhe[88] sin ní chuirtheá ar ao'chor é. Déarthá: "Thá ithir bhreá anois air." Sé sin cré mhín thirim.

17. Garraí

Garraí is ea píosa de pháirc a thabharfadh feirmeoir duit le hagha' prátaí a chur ann. Garraí reachtais – *conacre.*

18. Gairdín

Bíonn gairdíní thimpeall an tí chun a bheith ag saotharú chun ná beitheá ag dul isteach in páirc mhór.

19. Páirceanna

Bíonn na páirceanna ceathairchúinneach agus cuid acu tríchúinneach agus cuid acu ina n-inseacha.

20. Clathacha

Dheinidís fadó na clathacha cam ar aghaidh foscadh a dhéanamh dos na beithígh, agus deineann siad na clathacha díreach anois. Clathacha cloch agus trancáil cré a bhíonn acu.

'An chloch ar a faor sa chlaí agus an taobh fada fúithi,
Agus an chloch ar a leibhéal sa bhfalla agus an taobh gairid fúithi.'
Curfaí scoth ar chlaí le druíneach.

Díg a bhíonn i mbun an chlaí, agus díg ar an mbóthar, agus sinéal ar an tsráid. Maolchlaí nó claíochán a tugtar ar chlaí beag íseal.

'Agha' an chlaí', a deirtear, nó 'cliathán an chlaí', agus 'taobh an fhalla', a deirtear.

88. Ls. *ragha.*

[**SÓD:** Dén ainm a thugann tú ar an gclais a bhíonn taobh an chlaí?]

Clais an chlaí a thugaimid uirthi. Bíonn fód iompaithe ar an iomaire agus baintear an fód eile leis an rámhann agus cuirtear ar bharr an chlaí é.

"Fód as an díg, dhá fhód ar an gclaí."

21. Talamh Reachtais

Bhíodh talamh reachtais ós na comharsain ag na daoine bocht le hagha' prátaí a chur. Leath-acra is mó a bhíodh acu. Bíonn cheithre rámhainne agus trí fichid ar leithead in acra anso. Acra beag is ea é. Ní bhíonn aon acra mór anso.

Talamh báin a bhíonn ina thalamh reachtais. Ní bheadh sé age'n nduine bocht ach ar feadh a bharr prátaí a bhaint.

I ndeireadh an Abráin a thosnaíodh an reachtas. Bhí reachtas thíos ansan age'n gceárta. Cheannaídís na ba ar oiread san. Thugaidís hocht nó naoi phúint ar na ba agus oiread san ar an talamh. Thosnódh sé i dtosach an Abráin agus um Shamhain a chuiridís deireadh leis. Díolthaí síos leath an chéad lá agus díolthaí an leath eile nuair a bhíodh deireadh leis. Caití na ba a thabhairt thar n-ais slán folláin.

22. Ceathrú

Ceathrú, sin leath-acra. Thá sí anso thiar, Páirc na Ceathrún. Dhá leath a dhéanadh d'acra, thá dhá 'cheathrú' agat.

23. Trinseáil

[**SÓD:** Dén rud an trinseáil?]

An cré a rómhar agus a chuir in airde as an gclais ar an iomaire leis an rámhann. Bheadh an athchré bog ina diaidh ansan.

Chonaic mé iomairí á dhéanadh ag na baidhtéirí.[89] Ní bhíodh ach dhá dhá fhód iompaithe[90] acu san iomaire agus bhíodh an bán glas istigh i lár an iomaire nó go gcuiridís an cré air. Ní raibh an cur san ag einne anso ach ag na baidhtéirí. Ó Shasana a tháinig sé sin.

"Trinseáil[91] éadtrom agus athchré throm." Seanfhocal é sin. Nuair a bhíodh iomairí anso, iomairí sé fóid ba dh'ea iad fadó agus ansan bhí iomairí chúig fóid acu. An chéad chré ba dh'in í an trinseáil agus leis an rámhann a cuirtí suas í agus an athchré leis an sluasaid. Nuair a bhíodh an athchré á chuir suas 'á mbeadh seisear fear i ngort agus go bhfágfadh fear acu pins cré sa chlais cuirfí abhaile é, nó 'á dtiocfadh siobháinín agus an cré a leagaint de mhala an iomaire

89. *Voy-téirí*, an ainm anso ar *coastguards* nó *waterguards* b'fhéidir – [SÓD].

90. Ls. *ampuithe*

91. Ls. *treidhnseáil* /t´r´ain´ʃɑːl´/

chuireadh Micil Coistín a bhí i mBaile Uí Churraoin garsún á tiomáint. Agus is mó go mór a bheadh leagaithe age'n ngarsún ná céad siobháinín.

24. Athrómhar

Ó, dheinidís athrómhar anso leis an rámhainn. Dheinidís an coinleach a thrinseáil i dtosach na bliana. Bhíodh an t-aoileach leata agus an áit a bheadh le hagha' an iomaire, bhainidís fóid as an áit a bheadh le hagha' na claise acu, agus chaithfidís anuas ar an aoileach ar an iomaire é. Bheadh an iomaire ansan ag tiormú mar bheadh sí ard agus an chlais ag tabhairt an uisce léi. Isteach san earrach ansan romharfaidís[92] an iomaire agus ba dh'in é an t-athrómhar. Leathfaidís na sciolth※áin – an mala a scriosadh ansan ar gach taobh leis an rámhainn agus an chré a chur in airde ar an iomaire agus na sciolth※áin a chlúdach. Ba dh'in trinseáil. Chuireadh muintir na Rinne go léir prátaí sa choinleach fadó. I gcoinleach a bhíonn na prátaí curtha ag na daoine go léir anois – má tá is *drills* athá acu. Clúdach a thugaidís ar an bhfód a chaithidís as an gclais anuas ar an iomaire. Nuair a bhíodh na péacáin ag teacht ar barra ansan, trioscar agus athchré a chuir orthu.

25. Briseadh agus Draeineáil na Talún

É a bhualadh amach le cróití is le piocóidí ar dtúis. Ní chuirfidís aon rud an chéad bhliain ann go mbeadh sé dreoite. Dhéanfaidís é a threabhadh ansan an tara bliain, einne a mbeadh cóir treithe aige. Dhéanfaidís é a bhualadh amach ar dtúis sa samhradh. Bheadh branar samhra' acu agus é a threabhadh amach an tara bliain – é a spalladh. Nuair athá tú ag treabhadh talamh prátaí nó talamh *mangels* thá tú ag spalladh. Arúr a chur ann ansan, ach 'á mba mhaith leat gheobhthá prátaí a chur ann.

'Á mbeadh sé fliuch, 'á mbeadh sé ina mhóinteán déanfaí seoraí ann chun é a thiormú. Agus mara bhfaightheá na seoraí a dhéanadh déanthá leaindeanna dhe, hocht fóid is gach aon leaind agus arbhair a chur sa leaindeanna ansan.

Rómharfaidís trinse agus sé an saghas seora a dhéanfaidís ann, dhá chloch ar a faor agus cloch ar gach taobh age'n a gcúl.

'Á mbeadh móinteán mór ann bheadh seora mór agat agus bheadh na seoraí beaga ag teacht isteach inti ina ngiorracha; ag tosnú leabhair agus ag teacht isteach gairid, an seora mór ag tarraint an uisce dtí an sruth nó dtí an gclaí. Nár airigh tú riamh: "Is díreach an pháirc ná fuil giorrach[93] inti."

'Á mbeadh clocha móra inti caithfidh tú góil leo mara bhfaighidh tú iad a bhaint nó iad a chur in aer le tine – ó, iad a pholladh is iad a shéideadh le

92. Ls. *rúrfaidís* /ru:rh´ɪd´i:ʃ/ – nuair a bhíonn *o* gairid a fhadaítar toisc *mh* a bheith ina dhiaidh deintear /u:/ de (Ua Súilleabháin "Gaeilge na Mumhan," in *Stair na Gaeilge,* lch. 485)
93. Sé sin scríob nó iomaire gearr i dtaobh di.

dynamite. Is mó cleas athá sa saol ach gheothá iad a bhriseadh le ord is le ding.[94] Agus tá *feather wedge* ann. Is minic a bhí ceann agamsa sa choiréal ag baint chloch. Bíonn ding iarainn agat agus píosa fannsa barraille agus lúbann tú an fannsa ar bhéal an ding agus tiomáineann síos i bpoll an *drill* é. Ó, a dhritheáir, scoiltfeadh sé sin aon rud. Chumhadfadh an fannsa gan casadh an béal – ding cleite.

Nuair a gheobhaidh tú súite é treabhfaidh tú ansan é t'réis na Nollag, agus mara bhfuil do chuid seoraí doimhin go leor ansan brisfidh tú iad á dtreabhadh. Níor mhór 'uit iad a bheith dhá throigh fé thalamh agus chun an seora a bheith déanta i gceart níor mhór 'uit iad a bheith suas le hocht n-órla níos leithe sa teacht amach ná sa dul isteach – sé sin an áit a thosnóidh an seora chun an uisce a tharraint, an béal. Seora a mbeadh aon fhaid ann níor mhór 'uit é a bheith deich n-órla ar leithead ina bhéal agus sé n-órla déag sa teacht amach. Chuirtheá dhá chórda leis fé a ngearrthá an trinse. Mara bhfuil an slogadh aige tachtfaidh rud éigin é. Bheadh dhá chloch ar a bhfaor agus leac trasna i mbéala an seora.

Deintear é treabhadh san earrach ansan agus é a dh'fhuirseadh le cliath. Coirce is gnáthaí a curtar ina leithéid sin go dtí a mbíonn an chéad bhliain astu.

Casfaidh a leithéid sin de thalamh ar a mháthair aríst muna leanfaidh tú air i gcónaí agus é a leasú agus neart salainn agus aoil a chuir air – leath-thona salainn agus cúig baraille aoil suaite suas agus é a leathadh amach air t'réis é treabhadh. Dhófadh san roimh sioráin[95] is piastaí agus luachair agus gach aon fhiaile.

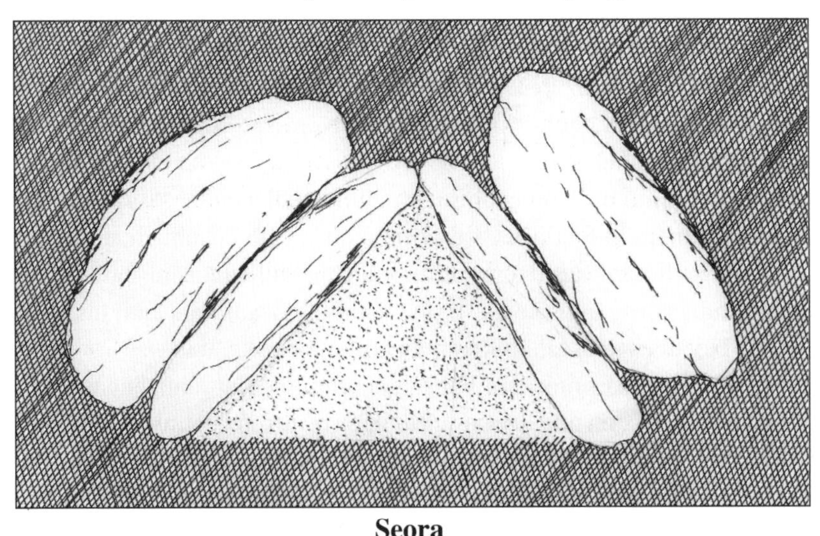

Seora

Conas na Clocha a Chur i gCeart.

94. Ls. *deighng* /d´aiŋ´/ .i. dinc (feic Breatnach, *Seana-Chaint II,* lch. 149 s.v. *ding*)

95. /ʃəˈrɑːn´/ piast de shaghas éigin a itheann prátaí (feic Breatnach, *Seana-Chaint II,* lch. 192 s.v. *fiorán*)

26. Béiteáil (i)

Dheinidís béiteáil an uair sin. Bhíodh grafán réitigh agus grafán socraithe i gach aon tigh. Bhainidís an croiceann don mbán leis an ngrafán réitigh agus bhí an aimsir comh tirim agus comh te an uair sin agus go ndódh an scraith. Chuiridís aol tríd an luath ansan agus leathaidís é sin ar an iomaire nó i gcroiceann an bháin sara ndéanfaidís na hiomairí, agus seacht seachtaine ón lá a cuirthí iad go dtí an lá a bainthí na prátaí sin sa béiteáil.

Éiríog as san mar bhí sé ró-righin d'obair agus dhein sé díobháil (sa talamh).

27. Béiteáil (ii)

Bhainidís an croiceann dos na bánta fadó le grafán. Bhíodh gráfán réitigh agus grafán socraithe acu, agus nuair a bhíodh an croiceann tirim thugaidís tine do. Thugaidís béiteáil air. Agus chuiridís na prátaí agus bhainidís in seacht seachtaine iad, in iomairí. Sin é méid athá le rá agamsa mar gheall air.

28. Céachtaí agus Treabhadh

[**SÓD:** An bhfeaca tú céachta adhmaid riamh?]

N'fheaca mé ceann acu riamh ach dh'airigh mé go leor trácht air. Bhíodh dhá chapall á tharraint agus fear is gabhlóg adhmaid aige agus é leagaithe anuas ar an mbéim agus é á chimeád sa talamh. Bhíodh fear eile as cheann na gcapall agus fear eile agus píce aige ag cimeád an calltar glan. Míoladóir a thugaidís ar an bhfear san.

[**SÓD:** Dé chúis míoladóir a thabhairt air?]

Bhíodh a mhéaracha ag obair i gcónaí.

Bhíodh treabhadh cheithre scillinge agus treabhadh ceathair is raol ann. Bhíodh fear anso, é fhéin agus a mhac ag imeacht ag treabhadh ar a bpá ...

"Cé acu treabhadh cheithre scillinge nó treabhadh ceathair is raol athá uait?" a dheireadh an fear aosta leis an bhfeirmeoir.

"Dhé mhuise, déanfaidh treabhadh cheithre scillinge mé," a dheireadh an feirmeoir.

"Éadromaigh a gharsúin," a dheireadh an t-athair leis an mac. "Éadromaigh a gharsúin."

Dheineadh sé an treabhadh níos doimhne ar an gceathair is raol ná ar na cheithre scillinge.

Céachta iarainn a bhí an uair sin age seo. Mic Giliúic a thugaidís air.

Chonaic mé míoladóir ag obair go minic. Dhein mé fhéin míoladóireacht.

Bíonn súgán agus dromach ar chapall a bhíonn ag treabhadh agus coiléar ar a gceann. Agus bíonn béalach[96] ina mbéal. Ansan bíonn na *reins* ón mbéalaigh

96. .i. béalbhach.

siar. Bíonn coistéad idir an dá chapall. Úmacha tairringe a bhíonn ón súgán siar go dtí an gcuing bheag.

Bíonn dhá chuing[97] bheaga ann agus cuing mhór, agus má bhíonn capall lag is capall láidir ann gheobhthá leath-tharraint a chuir ar an gcuing mhór. Bheadh ceann cuinge ar an gcapall láidir – bheadh a thaobh san den gcuing mhór gairid. Bíonn trí fiacla ar an gcuing mhór chun leath-tharraint a chur uirthi. Bíonn sí ansan ar lár na cuinge móire chun í a dh'aistriú ar na fiacla so, an bhróig – an fáinne a thugann daoine eile uirthi. Bíonn coistéad agus cab idir an chuing mhór agus an raca. Bíonn an choistéad goite[98] ar an raca leis an gcab agus pionna á cheangal … "Cuir pionna insa raca." An bhéim ansan ag dul siar ón raca 'dtís na hannlaithe.[99]

Bíonn an calltar ag dul síos tríd an mbéim nó bíonn bróig á dhaingniú ar an mbéim sa céachtaí nua athá anois ann. Bíonn barr an challtair ag dul síos ar an soc. Bíonn an clár siar ón soc. Bíonn píosa iarainn ar eireaball an chláir – píosa eireabaill é sin. Deineann sé leibhéala ar an bhfód. Tá píosa eile amuigh chun cinn, cláirín beag agus soc air, idir an raca agus an calltar ag baint an chroicinn den mbán roimh an challtar – an scimín a thugann siad air. Tá an iairlis fé thalamh siar ón soc – an *soleplate* a thugann daoine air. Thá an soc istigh ar an más ach nín aon mhás insa céachtaí athá anois ann ach insa seana-chéachtaí Gaelach bhí an soc ag dul isteach ar an más. Ar an gcros athá cabhail an chéachta. Thá an chabhail ag dul síos ón chros dtí an más. Thá an dá annla[100] ansan goite ar an gcabhail. Tá rungaí idir an dá annla. Thá dhá eite goite ar an annla ag greamú an chláir. Bíonn bolltaí agus nutaí ann. Thabharfadh daoine eile con ar nuta.

"Tharraing sé cuaird leis an gcéachta." Sé sin, bhain sé fód thimpeall leis. Caithfidh tú drom[101] a tharraint amach. Beidh tú ag treabhadh leat ansan go dtiocfaidh tú dtí an scoltadh. An áit a bheadh na capaill ag casadh, sin í an cinnfhéarainn.[102] "Thá na capaill ag dul amach ar an gcinnfhéarainn," [a deirtear].

Iompaíonn an céachta an fód aníos as an clais. Beidh an capall lag sa chlais agus an capall láidir in airde. Troigh go leith ceart an deighilt 'dir dhá chapaill ag treabhadh agus dhá throigh an fuirseadh. Dheinidís ó hocht n-órla agus trí cheathrúna go dtí naoi n-órla an fód leis an gcéachta Gaelach chun *rim* a chuir ar an bhfód chun go mbeadh sé fuirist a dh'fhuirseadh. Bíonn ceithre n-órla déag anois. Is cuma leo anois ach an talamh a dheargadh – thá rian air, níl aon toradh

97. Ls. *chaidhng* /xaiŋ´g´/
98. /get´ɪ/ nó /got´ɪ/ .i. gaibhte
99. Ls. *hamhalaithe*
100. Ls. *amhala* /aulə/
101. .i. pléata
102. Ls. *cinn-éurainn* /k´i:ŋ´iariŋ/ .i. cinnfhearainn (feic Breatnach, *Seana-Chaint II,* lch. 93 s.v. *cinn-fhearainn*)

insan obair. Bheadh cromán deis an *ploughman* i gcoinne an annla deas ó bhun go barra ag fáscadh an fhóid abhaile. Chuiridís *notch* ar an gcalltar an uair sin sa cheártain t'réis é a bheith faoraithe ina cheart chun *rim* a chur ar an bhfód chun go mbeireadh fiacla na cléithe air. An capall a bheadh in airde, 'á mbeadh sé isteach is amach ba dh'in capall bréagach. Déanfaí an talamh a threabhadh ar dtúis agus gheobhfaí céachta beag ansan, céachta síl, agus déanfaí an treabhadh sin a ribeáil agus ansan é a dh'fhuirseadh. An síoladóir ansan ag crothadh[103] an tsíl agus fear agus céachta síl ansan aríst. Ní bhíodh aon chlár ar an gcéachta beag ag ribeáil ach bhíodh clár air ag clúdach an tsíl. Aon chapall amháin a bhíodh á tharraint.

[**SÓD:** Dén ainm a thugann tú ar dhuine a bhíonn ag treabhadh?]

Fear treithe nó treabhadóir.

Ní raibh aon ribeáil ó choinleach ach é a chur i gcomhair leis an gcliath agus é a chur leis an gcéachta síl.

Aon fhear a stiúrfadh bád threabhfadh sé, mar is é rud athá ann cimeád ar siúl agus fuireach chuige, fáscadh agus bogadh.

Cuid des na céachtaí síl bhíodh dhá chlár orthu. Muintir Mhathúna i gCeapach C*h*oinn a dhein céachtaí dhá chlár an chéad uair riamh. Ní cuimhin liomsa iad. Ní dheinidís aon treabhadh trasna an uair sin. Is fada a bhí an áit seo fé a raibh aon *drill* ann ach iomairí báin, iomairí sé fóid agus iomairí chúig fóid agus góilt i gcoinne na claise – sé sin góilt tríd an gclais suas agus gan aon fhód agat ach an chré. Le grafán socraithe ansan is ea a deintí iad a shocrú. Chaitheá gach aon fhód a ghearradh leis an rámhainn ag cur an sciolthláin, gan é a chur idir dhá fhód ar ao'chor.

[**SÓD:** An bhfeaca tú riamh céachta arbh fhéidir leat an clár a chur ar aon taobh a mhaith leat?]

Chonaic mé ceann ar an mbaile is giorra dhom anso. Céachta guagach é sin. Bhí slabhra ar an gclár ag dul siar dtí an bhfear treithe – ní raibh aige ach an slabhra a tharraint agus an clár a chaitheamh ar an taobh eile. Bhí sé acarach chun talamh ard a treabhadh. Ní bhfaighinn a rá leat anois ab iad muintir Mhathúna i gCeapach C*h*oinn a dheineadh iad.

Bhíodh treabhadh páirteach agus céachtaí páirteach anso fadó agus ba dh'in an treabhadh coiripe. An lá a theastódh uaitse treabhadh a dhéanadh theastódh treabhadh uamsa an lá céanna, agus nuair a bhíodh céachta páirteach ann, nuair a dhéarfainnse gur ceart é a dheisiú déarthása nár ghá é – go raibh sé maith go leor.

[**SÓD:** An raibh treabhadh coiscithe aon lá?

Níor airigh mé é ach Dé hAoine a dh'osclófaí an chéad fhód agus thá cuid mhaith daoine amhla' fós. Bhí brí éigint leis. N'fheadair mé dén brí é.

103. Ls. *crochadh* /kroxə/ .i. croitheadh

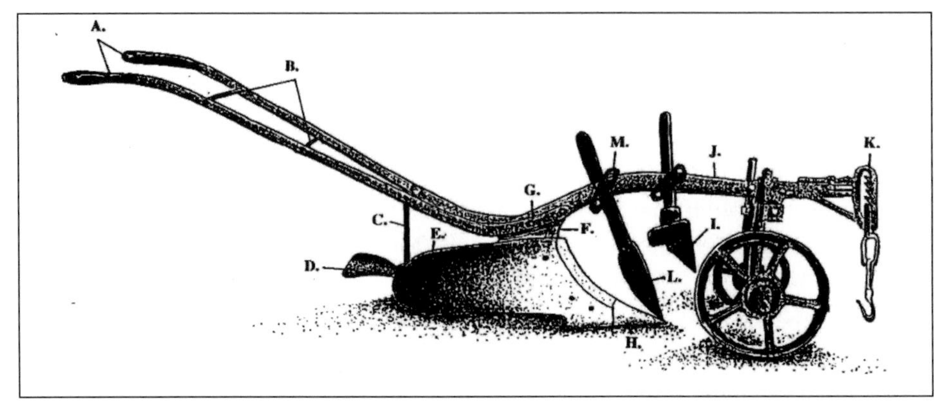

An Céachta

A. Na Hannlaí, B. Na Rungaí, C. Eite, D. Píosa an Eireabaill, E. An Clár, F. An Chabhail, G. An Chros, H. An Soc, I. An Scimín, J. An Bhéim, K. An Raca, L. An Calltar, M. Bróg.

29. An Chliath

Cliath[104] adhmaid agus pionnaí iarainn inti a bhíodh acu, an cliath chéanna is tá anois, ach má tá ní raibh aon chliath seacht mbalc ná hocht mbalc ann (fé mar athá anois) ach cliath sé bhalc. An t-adhmad ina mbíonn na pionnaí an balc.

30. Trioscar agus Roinnt na Trá

An Chois a thugaimid ar an áit sin go bhfaigheadh duine dul trasna go Donn Garbhán ar bhád an chala'. Bhí cúig nó sé fheirmeoirí ansan agus bhí a phíosa féin ag gach feirmeoir den tráigh. Ní bhfaightheása ná é seo baint leis na scaracha[105] san. Bhí cuid acu agus níorbh é an scarúch[106] a bhí fé bhun a gcuid talún a bhí acu ar ao'chor. Bhí trioscar báite agus trioscar dubh ansan agus trioscar na gclog agus lofán agus liobán uaithne agus féar dubh. Bhíodh an féar dubh ag fás ar an scarúch. Bíonn feann téagartha ar an trioscar báite.

31. Ag Baint Trioscair

Bhíodh spealacha[107] fadó acu ag baint trioscair agus cois naoi dtroithe, seacht troithe ar faid ag góil leis an speal agus slat iarainn riota[108] lena cúl[109] a thabharfadh

104. Ls *cliach* /kl´iəx/

105. Ls. *sguracha* /sg(ə)ˈraxə/ (feic Breatnach, *Seana-Chaint II,* lch. 345 s.v. *sgair*)

106. /sgaˈru:x/ < scairbheach .i. tráigh

107. Ls. *spiolacha* /sb´əˈlaxə/ – dar le R.B. Breatnach go gcloistí /sb´əlˈtaxə/, /sb´əlˈhaxə/ agus /sblaxə/ mar iolraí den bhfocal *speal* sa chanúint seo (feic Breatnach, *The Irish of Ring,* lch. 129)

108. Ls. *ruchta* /ruxtə/

109. *Bíonn fáinne ar chois (crann) gach speile. Bhíodh sé ar speal na feamnaí leis. Is fén bhfáinne isteach a cuirtar slat na speile. Bíonn an tslat ar thaobh den chrann agus i speal an trioscair bhíodh slat eile iarainn ar an dtaobh eile den chrann fén bhfáinne céanna* (Seo mar a mhínigh Maidhc Dháith dhom é – SÓD)

an trioscar go barr uisce ar chóngar na mná chun é a thógaint isteach insa báid le gabhlóg agus corrán. Ceathrar a bhíodh in gach bád – báid iomra' – agus nuair a gheibhdís tirim é théidís isteach ar an tráigh go Baile an Chlampair agus líonaidís na báid den tráigh de. Thugaidís go dtí an mbaile mór (é), cuid acu, agus abhaile go dtína ngarraithe féin cuid acu, d'réir mar a bheadh bád uait, bád agatsa inniu agus bád agamsa amáireach. Sé trioscar a bhíodh á bhaint mar sin, trioscar dearg. Nuair a gheobhaidís ar an scarúch é líonaidís na báid de. Thagaidís aníos go Baile Mhac Airt féna dhéin agus go Gleann Mhugún nuair a gheibhdís tirim caite isteach age'n ngála é, trioscar báite. Ach is amhla' a bhainidís trioscar na gclog des na clocha – é a stracadh. Agus cuid acu nuair a bheadh an taoide ag teacht féig dhéinidís é a spealadóireacht agus fear ina ndiaidh le raca á thabhairt i dtír, agus á thabhairt isteach leis an raca, agus d'réir mar a bheadh an taoide ag teacht a bheith ag imeacht leis an taoide i gcónaí go mbeadh sé ar lán mara acu.

Sa mBealthaine agus sa Meitheamh (a bhailídís an trioscar). Sa mBealthaine a bhainidís an fhuip agus san Abrán. Chuiridís fén trinseáil an fhuip agus an trioscar báite fén athchré.

Deireadh an seanduine:

"'Á bhfaighinn rinseáil bheag den trioscar báite,
Fén athchré ab fhearr é mar neart sa síol."

Sin é a bhíodh uathu. Bhainidís trioscar dubh ansan le hagha' *turnips* agus *mangolds* i ndeireadh an tseosúin – é a stracadh dhes na clocha lena lámha.[110]

Chuiridís gach aon tsaghas trioscair le gabáiste 'á mbeadh sé acu. Thá sé ar an trioscar is fearr le gabáiste, an trioscar dubh, mar bíonn sé lán d'ola.

32. Tarraint agus Leathadh an Trioscair

Leathaidís an fhuip ansan lena lámha. Leathaidís cuid dhen trioscair le sprang. Más ea ní hí an fhuip a leathá le sprang. Leathá trioscar báite le sprang. Leagfaidís cnapáinín beag cré anuas air ansan thall is abhus a chumhadfadh ansan é go ngealfadh sé – fuip. Ní ghliodhaidís aon ainm ar an gcré ach cnapán cré mar 'á dtiocfadh iomarc fearthainne air thiormódh sé suas ar fad. Thrinseálfaí ansan é. Dheiridís go raibh sé ana-mhaith. Ní bhíodh aon phrátaí fliuch i ndia' na fuipe ach bhídís ag gearán go mbíodh sé i ndia' an trioscair báite.

Bhíodh lofán leis ar an tráigh. Bhídís ana-thaitneamhach do san le hagha' gabáiste. Is dócha gob é sin a dtugann siad an *labby* air. M'Féil' Seáin agus M'Fhéil' Déagláin a thagadh sé sin. Gheibhtí sa ghaibhlíní é is isna cuaiseanna cois na trá isna bóithríní. Chuiridís i dtír é is ligidís den uisce imeacht as sara dtabharfaidís abhaile é. Líonaidís clasa móra gabáiste leis is chaithidís i gclasa *mangolds* is teornaip é. Dhéinidís carn aoiligh ansan sa macha dhe, é fhéin is gainimh chun é a bheith acu san earrach le cur amach.

110. /lɑː/

Leasaídís píosa coinligh ansan sa ngeimhreadh le trioscar báite nuair a gheobhaidís ar an tráigh é. Sé rud a dheiridís ná, "Tá sé leasaithe fé chois agam."

33. Bád a Bág ag Baint Trioscair

Bhí bád anso fadó ag baint trioscair agus bág í. Bhí An Fíodóir inti agus Kit Mhór go ndeine Dia trócaire orthu, agus m'onncailse[111] a shábháil iad - bág beirt. Tháinig beirt saor agus tamall t'réis iad a bheith báite chuaigh an sagart go Poll a' Phúca agus chuir sé coinneal (bheannaithe) i bpunann *reed* agus scaoil sé amach í agus chas an phunann thar n-ais aríst agus dúirt sé go bhfaighfí é sin agus an fear eile. Chuir sé punann féna dhéin is n'fheacaíog an phunann ó shoin.[112] Is chuaigh sé dtína mháthair. Dh'fhiarthaigh sé den máthair an raibh aon bhall air a níog Dé Domhnaigh is dúirt sí go raibh bheost coirp.

"N'fheiceoidh tú go brách é," arsa sé.

Ní bhfuaireadh ó shoin é.

34. Aoileach

Dhéantaí carn aoiligh[113] fadó dhe gach aoileach 'á gcuirfí amach ó bha agus ó chapaill, dhéantaí carn aoiligh dhe. Curtaí i dteannta a chéile in aon charn aoiligh amháin é agus i ndeireadh na bliana ansan an t-aoileach barra, ualaí a thógthá dhá bharra agus an méid a thógthá dhá bhun, dh'aithneothá gach aon áit a leagthá ualach de. B'fhearr ualach dhen mbun ná trí hualaí dhen mbarra agus bhíodh poill déanta acu chun a bheith ag cimeád múirleach[114] agus sa Mheitheamh chaithidís isteach trocáil[115] a scriosaidís do chlathacha is gach aon rud, chaithfí isteach ann é. Ligfí dho bheith ag dreochaint istigh ann chun an t-uisce a shúchaint agus é a cheilt ar na daoine a bheadh ag góil an bóthar; ná feiceofaí an barra buí a bheadh ar an múirleach, mar *summons*álfaí iad mar gheall ar é a bheith ina loch bhuí ar thaobh an bhóthair. Agus b'fhearr ualach de sin ná deich n-ualaí dhen charn aoiligh, mar bhí scamhárd agus substaint ann – súlach na mbeithíoch go léir imithe isteach ann. Scríobadh an mhacha ansan, nuair a bheadh an carn aoiligh amuigh, scríobfaí an macha le sluasad is bhaileofaí é go léir i dteannta a chéile: thugtaí troc air sin.

111. Ls. *m-anncail-se* /mauŋkɪl´ʃɪ/ – i gcásanna mar seo ina ndeintear guta fada de ghuta gearr aiceantach in áiteanna eile sa Mhumhain (e.g. *onncail* > /u:ŋkɪl´/ i gCorca Dhuibhne agus i Múscraí) deintear défhoghar de sa chanúint seo (e.g. sa chás áirithe seo *u* > /au/) – feic Breatnach, *The Irish of Ring,* lch. 142-3.

112. Ls. *ó choin* /o: xin´/ – cloistear /o: h´in´/, leis, sa chanúint seo dar le R.B. Breatnach (feic *Seana-Chaint II,* lch. 311, s.v. *ó.*)

113. Ls. *aoili'* /i:l´ɪ/ – is é seo ceann de na cásanna ina chailltear *gh* deireanach carballach sa chanúint seo (feic Breatnach, *The Irish of Ring,* lch. 133)

114. .i. múnlach

115. "Scriostachán" a baintí des na clathacha, sceacha agus féar agus rl.

Um Shamhain i gcónaí nuair a cuirfí isteach iad [na ba] glanfaí amach na' haon lá, agus ós na capaill gach aon lá leis. *Well*, ní ghlanfaí amach ós na cearca chomh minic leo san. Ó, chartfaí na muca gach aon tara lá is gach aon trígiú[116] lá 'á mbeadh easair uathu. 'Á mbeadh ti' tirim acu ní ghá dhuit: gheofá é a dh'fhágaint go ceann seachtaine, luachair is aiteann Gaelach is Gall'a, sop tuí. Chimeádadh cuid acu an lóchán a bhíodh ar an gcoirce, chimeádfaidís in málaí é le hagha' easrach chun é a chuir fé laoi óga nuair a bheadh na ba ag breith.

35. Leasú na nGarraithe

Sé an tslí a leasaítí na garraithe anso fadó nach le ciseán droma. Bhíodh na mná á chuir amach ar trí raolacha sa ló óna hocht ar maidin go dtína hocht um thráthnóna, agus líonaidís fhéin an t-aoileach ina seasamh agus an ciseán ar a ndrom. Líonaidís an ciseán thiar ar a ndrom leis an tsluasad agus cuid acu go mbíodh baraille acu.

[**SÓD:** "Dé chúis ná deineadh na fir é?"]

Bhídís sin ag iascach. Ní raibh aon chosán ná aon bhóthar ag dul 'dtís na garraithe ach teoraíontaí – gach einne is a phíosa fhéin aige – anso agus ansúd. Shocraíodar fhéin eatarthu ansan cosáin a thabhairt dona chéile go dtís na garraithe. Thá san anois acu. Thá na hasail ag leasú acu.

Bhíodh gad insa chiseán agus an ciseán ar a ndrom agus gad ar a n-ucht agus cuid acu a chuireadh an gad ar a n-éadan agus chaitheadh cuid acu an ciseán amach dona ndrom thar a gceann ar an iomaire chun é a leagaint díobh, agus a thuilleadh acu ná cuireadh an gad ar a slinneáin chuigin ach ar a leath-ghualainn – chaitheadh sí sin dona leath-ghualainn é. Agus an bhean go mbíodh sé ar a héadan chaitheadh sí amach dá ceann é: bhíodh pilín ar a héadan agus an gad ar an bpilín.

36. Lóchán, Colg agus Bunach

Bíonn lóchán ar an gcoirce agus colg ar an eorna, agus bunach fuíollach na ráibe.

"Nuair a bheidh tú réidh leis an scoth,[117]
Bíodh fáilte roimh an ráib."

37. Siúnán chun Síl a Leathadh

Dheinidís mórán rudaí le tuí. Dheinidís siúnán[118] chun síl a leathadh. Théadh cloch síl ann agus as a cheann. Bhíodh sé dhá throig ar leabhaire agus troigh ar

116. /t´r´i:g´u:/ – is de bharr analaí leis an orduimhir *cúigiú* a fhorbair foirmeacha mar seo i gcanúint na nDéise dar le Ua Súilleabháin. Tá foirmeacha eile de seo le clos, leis e.g. /ʃe:g´u:/, /ne:g´u:/ (feic Ua Súilleabháin "Gaeilge na Mumhan," in *Stair na Gaeilge*, lch. 514)

117. Ls. *scoch* /sgox/

118. .i. síonán, seamhnán

doimhneacht. Bhíodh súgán ann fuailte le sceach agus cuid acu le sceach agus cuid acu le tuí agus cuid acu le dró.[119]

38. Ciseán Droma

Bhíodh ciseáin droma ann agus barrathéad ceangailte ar an mbuinge. Bhíodh guaileáin uirthi chun greim a bheith agat uirthi agus í ar do dhrom. Bhíodh trí bhuinge uirthi – buinge tóna, buinge láir agus buinge béil. Chun trioscair agus gabáiste agus chun dul go dtí an mbaile mór ba dh'ea í. Chonaic mé muc ag teacht i gciseán ón aonach age bean go dtí an Rinn. Ní théadh aon bhean go Donn Garbhán gan ciseán droma.

(d) SEANCHAS AR AINMHITHE FEIRME AGUS TÍS

(I) BA

1. Na Ba Beannaithe

Tá na ba beannaithe mar is i bhfochair na bó a rugag[120] an Tiarna – an bhó is an t-asal.

2. Airgead fé Chloch Chúinne Thi' na mBa

Dh'airigh mé ach n'fheaca mé fhéin é, go gcuirtí píosa airgid fé chloch chúinne thi' na mba.

3. Crú Chapaill ar Dhoras Ti' na mBa

Agus crú chapaill, spíceáltaí ar na dóirse í, – doras ti' na mba agus ar dhoras an stábla. Agus 'á mbeadh duine ag góilt an bóthar maidean Dé Luain agus go bhfaigheadh sé crú chapaill déarfadh sé go raibh a sheans foite[121] aige, go raibh an t-ádh leis an chuid eile dhen seachtain.

4. Dathanna na mBó

Dath liath ab fhearr ar bhó. Ní bhíodh aon tsaint ag einne chun bó bhán ach ba mhaith le daoine a mbeadh mórán stoic acu bó bhán a bheith ina measc.

5. Dath an Úigh

Deir siad, na Ciarraígh sin, gur fearr an crúiteoir an ceann a mbeidh an t-úch[122] bán ná an ceann a mbeidh an t-úch dubh uirthi.

119. /dro:/ .i. dorú
120. Ls. *riugag* /r´ugəg/
121. /fet´ɪ/ .i. faighte.
122. /ə tu:x/ .i. an t-úth.

6. Bó Mhaith a Thogha

D'réir toirt an úigh[123] is na siní. Deir siad ná raibh adharc ramhar riamh go maith chun crúite. Bíonn adharca saghas bán go maith le hagha' bainne. Ba mhaith an rud an t-úch a bheith mór. Bó thiubh, gairid don talamh, crúiteoir maith, gan í a bheith gágach, fuarchosach.

7. Coinneal Bheannaithe á Lasadh fé Úch na Bó

Dheinidís úch na bó a dhó le coinneal bheannaithe, fíor na croise a bhaint leis an gcoinneal bheannaithe féna húch fé a raghfaí á crú t'réis breith dhi.

Lasann daoine an choinneal bheannaithe féna húch 'á mbeadh aon rud bunosceann leis an úch. Bheadh cuid acu agus bheadh cárnúch acu – úch fíor-cruaidh – agus bheadh cuid eile acu agus bheadh leac ina n-úch. Dheinidís an choinneal bheannaithe a lasadh fén úch agus fíor na croise a dhéanadh fén úch léi.

8. Uisce na Cásca á Chroitheadh ar Dhrom na Bó

Croitheann daoine eile braon de uisce na Cásca ar dhrom na bó, in ainm an Athar is an Mhic is an Sprid Naomh, t'réis breith dhi.

9. An tSáile nó Picil chun Bó a Thiormú[124]

'Á mbeadh uait bó a thiormú, í a chuir sa sáile nó a húch a ní le sáile nó le picil.

10. Gabhar á Chuir i Measc na mBó

Deir siad go n-itheann an gabhar an luig[125] a chuireann an cheathrú dhubh ar na ba agus bhíodh gabhar fadó ag na feirmeoirí go léir ach dh'imigh na daoine astu san agus tá siad ag casadh aríst orthu. Is beag an stoc ba a chífeá anois ná feiceofá gabhar ina measc.

11. Súil Mhothaithe

Bhíodh daoine ann a mbíodh droch-shúil acu fadó nárbh fhearrde dhuit iad a dh'fhéachaint ar do chuid beithíoch – bhíodh súil mhothaithe acu.

12. Soithí an Bhainne

Soithí an bhainne a dh'airigh mé ar na hárthaí a bhíonn thimpeall bainne. Istigh a nítheá iad. Bhíodh daoine ann nár mhaith leo rinseáil an bhainne a ligint amú. Chaithfidís i ndabhach na muc nó i rud éigint é. Caitheann siad amach an doras anois é.

123. Ls. *úig*.
124. Lsí. *tiormú* agus *tirimú*
125. /lig´/.i. luibh

13. Bainne á Chrú ar an Talamh

Nuair a théann duine ag crú bó an chéad uair t'réis breith di, crúnn sé an chéad cúpla sram ar an talamh mar bheadh an bainne treannaithe[126] ina sine. Bheadh sé ina ghruth.

14. Conas Bó a Chrú i gCeart

Deiridís nár cheart duit staid den mbó nuair a thosnóthá go mbeadh deireadh crúite agat, agus na cheithre shine a tharraint comh-chothram. 'Á dtarraingeothá na siní deire níos mó ná na siní tosa thabharthá an t-úch níosa leabhaire thiar ná amuigh. Is minic a bheadh dhá shine briosc ag bó agus dhá shine righin.

Í a chrú: an sine tosa is giorra dhuit agus an sine deire is sia uait agus ansan an sine tosa is sia uait agus an sine deire is giorra dhuit. Suí ar an taobh deas den bhó.

Bhídís ag amhrán is ag portaireacht dóibh agus is breá leo é. Is minic a dh'airigh mé seanabhean ag rá:

> Grá beag í an bhó,
> Is im í 's is feoil,
> Is adharc í chun ceoil
> Is leathar í le hagha' bróg,
> Is cnaipí í do chasóig,
> Is bainne í le n-ól,
> Is solas ard í ar bord.

15. An Fearas Crúite

Bhíodh buarach, stól agus canna ag gach bean ag crú, buarach ruainn[127] capaill, stól trí gcos agus cuid acu ceithre cosa, nó bloc. An canna, bhíodh comh-leithead ina bhun is ina bharra agus an t-adhmad comh geal le scillin. Buí a bhíodh na fannsaí.

16. Na Lámha a Ní tar éis Crúite

Do nigh mise mo lámha riamh t'réis na mba a chrú.

17. Na Mná ag Crú

Siad na mná a chrúdh na ba. Ba chuimhin liom nuair ná raibh aon fhear ag crú bó ach dul amach sa pháirc comh luath is a dh'éireodh sé agus na ba ag na mná á chrú.

126. Ls. *treannuithe* /t´r´aunəhə/- tá an míniú *bainne treannaithe*, *sour milk* ag R.B. Breatnach [*Seana-Chaint II*, lch. 405] ar an bhfocal seo ach tá an míniú *téuchtaithe (< téachtaithe, coagulated)* tugtha ag SÓD i bhfonóta sa ls.

127. Ls. *rúinn* .i. ruainneach – tugann R.B. Breatnach an fuaimniú /ru:n/ don bhfocal seo (*Ibid.*, lch. 338 s.v. *rún*)

18. Bia na mBa

Tugann siad teorniopaí agus *mangolds* dos na ba sa gheimhreadh, agus tuí eornan agus tuí choirce. Nuair a bhíonn siad ag teacht ar bhruach beirthe tugtar féar tirim dóibh. Tugann cuid acu punann coirce dos na ba. Féar nua is fearr don mboin agus brocamais chun sochair a chuir ar an mbainne.

19. Bleaist (i)

'Á bhfaigheadh bó bleaist bheadh bainne treannaithe ina sine.

20. Bleaist (ii)

Tagann bleaist in úch bó. Bheadh leac san úch. Ní raibh aon leigheas air ach iad a ní le uisce bog.

21. Fiabhras Bainne

Tagann fiabhras[128] bainne ar bhó t'réis breith. Raghfaí fé dhéin an *vet.* Thitfeadh an bhó láithreach nuair a thiocfadh sé uirthi. Ní bhainfeadh sé sin ar ao'chor di 'á gcrúfaí í cúpla uair fé a mbéarfadh sí. Aon bhó mhaith bainne, 'á raghadh sí mí na Bealthaine fé a mbéarfadh sí ní mhór í a chrú mar sin chun ná tiocfadh fiabhras bainne uirthi.

22. Ath-Dáir

Bíonn ba ag teacht fé ath-dáir.[129] Mí-ádh is dócha fé ndear é. Deir siad go galar tógálach é sin anois. Ní raibh aon leigheas air. Deineann siad iad a *syrnge*áil anois le púmpaí. Ní raibh aon phioc den ngalar san ann fadó agus uair fánach. Déarfaidís gur mothú fé ndear é. Is dócha gur air an saghas beithígh athá anois ann athá an locht.

23. An Cheathrú Dhubh

An cheathrú[130] dhubh, ní dh'aithneofá ag teacht orthu é sin chuigint. Bheadh an beithíoch marbh romhat agus bheadh sé go léir ataithe nuair a caillfí é. Bheadh an croiceann éirithe den bhfeoil sa cheathrúin.

Ní raibh aon leigheas air ach dheinidís téip a tharraint trasna tríd an mbrollach[131] nó píosa *wire copper* chun ná tiocfadh an galar san orthu. Ní dh'airigh mé go mbíodh aon rud curtha ar an téip acu.

128. Ls. *fiaras* /f´iərəs/
129. Ls. *at-dáir*
130. Ls. *cheáthrú* /k´ɑ:rhu:/
131. Ls. *mburlach* /mərˈlɑx/

24. Boilig

Bualadh teangan a deir tú. Is dócha gob é sin go dtugaimid boilig air, an giall istigh a dh'at fén teanga. Chuirfeadh sé beithíoch chun báis mara mbeadh fuil in am as. Sé an leigheas a bhí air, fuil a bhaint as dtaobh ismu', dtaobh thíos den ghiall, féith a ghearradh – ní raghthá doimhin air – agus salann a chuir ina bhéal ansan, salann garbh, slí is go gcaithfeadh sé an teanga a dh'oibriú. Bíonn uisce ag teacht lena shúile agus roinnt cúmhair ag teacht lena bhéal. Bheidís ataithe agus iad imeacht breallsúntacht.

25. Dailleacht

Tagann dailleacht ar bheithígh. Siúicre a leighiseann é sin – siúicre, é a dhéanadh roinnt mín agus do bhéal a líonadh de agus é a shéideadh amach as do bhéal agus é a shéideadh isteach ina shúile agus d'réir mar a bheadh sé ag leagha bheadh sé ag gearradh pé scuma a bheadh ar a radharc.

26. An Craosghalar

Tagann craosghalar[132] ar na beithígh. Tagann cloig istigh ar an gcarball. Salann garbh is mil an leigheas athá air sin. An salann garbh a shuathadh sa mhil agus é a chaitheamh siar ina mbéal. Bheadh an bhó ag lí na meala agus chimeádfadh sí ina béal é mar ní mhaith léi é a shlogadh de dheasca an tsalainn.

27. Gearradh (i)

'Á mbeadh gearradh in úch bó nó sa sine deineann daoine an bhó a shniogadh isteach ina ndorn agus an sniogadh a chimilt don gearradh. Tá deireadh bainne agus uachtar ana-mhaith chun gearradh a bheadh in úch. An sniogadh a tugtar ar an chuid deireanach den bhainne a crútar ón mbó agus tá an sniogadh ana-mhaith le cuir ar thé.

28. Gearradh (ii)

'Á mbeadh gearradh in beithíoch, salann garbh agus picil a dhéanadh dhe agus an gearradh a ní léithe.

29. Beithíoch Goirtithe

Is minic a bheadh beithíoch goirtithe. Cuirtí plástra leis. Gheofá ón bpuitigéir *Burgany* agus fuil dragúin, agus dhéanthá plástra do agus láidreodh sé pé áit a bheadh goirtithe. Cuirfí le duine leis é.

30. Práta i mBeithíoch

Stadann práta nó píosa teornap san úll go minic ag bó nó gamhain. Iarann

132. Ls. *craos galar*

cairte a dh'oscailt agus é a chur i mbéal na bó nó tlú maith láidir agus do láimh a chur siar agus an práta a tharraint aniar. Chuirfeadh duine eile aniar le bata é. Bheadh fhios aige lena láimh ón dtaobh is 'muigh cá mbeadh sé. Gheobhadh sé bata agus chuirfeadh sé a dhá láimh ar an bata (lámh ar gach ceann de) agus an bhó a bhualadh tao' thiar den úll in airde leis an bata (le lár an bhata) agus chuirfeadh an buille aniar de léim é. Ní maith é aon rud a thabhairt le n-ithe dhi nuair a bhíonn práta inti. Ní ana-fhada a bheadh sé aici nuair a dh'atfadh sí.

31. Casachtach ar Bhó

Sóide an leigheas a bhí air sin. An sóide a chaitheamh siar ina béal. Chuireadh daoine in adharc fadó é, trí nó ceathair de spiúna sóide. Bheadh poll i mbarra na hadhairce agus bheitheá ag ligint uisce isteach san adhairc ansan agus bheadh an sóid ag dul ina béal. Dheiridís go raibh sé sin go maith. Chuireadh daoine eile le buidéal orthu é ach b'fhearr an adharc mar bheadh contúirt an buidéal a bhriseadh.

32. *Castor Oil* – Leigheas ar Fháithníní ar Bha agus ar Chapaill

Agus *castor oil* an leigheas is fearr le hagha' fáithníní 'á mbeidís ar bhó nó ar chapaill.

33. Cosc ar Shlat Troime

Bhí sé crosta bó ná beithíoch a bhualadh le slat troime.

34. Gráinneog ag Crú Bó

Droch-chomhartha ba dh'ea rian fola a bheith ar bhainne bó. Thabharfadh cuid acu dó nó trí mhéiltíocha agus bheadh rian fola ar a gcuid bainne. Deir daoine gob í an ghráinneog fé ndear é, Téann sí á n-ól nuair a dh'fhaigheann sí ina luí iad. Is minic a chonaic mé féin siní bó gearrtha ar maidin nuair a thiocfaidís isteach.

35. Bulláin á nGearradh

Sa mBealthaine ab fhearr bullán a ghearradh. Ní ghearrfadh einne sa Meitheamh iad. Níor airigh mé go dtógaidís aon cheann den ré nuair a bhídís á ngearradh. Bheidís trí mhí is cheithre mhí nuair a bheidís á ngearradh. Bhíodh duine ag imeacht thimpeall a ghearradh iad, coillteoir. Deineann gach einne anois a chuid fhéin a ghearradh.

36. An Ghlas Ghaibhneach

Dh'airigh mé trácht ar an nglas ghaibhneach. Pé saghas bó a thabharfaí an ghlas ghaibhneach uirthi bheadh sí go maith …

"'Ábur bhfearr tú ná an ghlas ghaibhneach." Dhéarfaí le duine é.

Bhíodh sí sin ag imeacht thimpeall agus níorbh fhéidir í a ghlan-chrú. Bhíodh sí ag stad sa talamh maith. Deineadh éagóir uirthi. In criathar a crúdh ar deireadh í, áit ná cumhadfadh é.

37. Lao

Bíonn an beithíoch ina lao go dtí go mbíonn sé bliain.

38. Gamhain nó Bullán

Ó bhliain go dtí dhá bhliain, gamhain nó bullán is ea é.

39. Seafaid

Seafaid an ceann baineann ó dhá bhliain amach – seafaid dhá bhliain agus seafaid trí mbliana.

40. Bullán

Bullán dhá bhlian agus bullán trí mblian nó bullán cheithre mblian.

41. Stoc Seasc

Cimeádann na feirmeoirí móra a mbíonn slí acu dhóibh an stoc seasc trí mbliana is cheithre mbliana, is an té ná bíonn slí aige dhóibh caithfidh sé scarúint i gceann na bliana leo. Stoc ná beadh á chrú is ea stoc seasc, bulláin agus eile agus fiú amháin bó a bheadh i ndísc.[133]

42. Tairbhí

Bíonn tarbh age'n a bhformhór anois. Ní bhíodh fadó. Bhíodh ceann age feirmeoir mór agus tusa is mise ag dul go dtí é agus thabharfaimíst laethanta oibre ansan ina choinne sin don bhfeirmeoir.

Bhíodh cuid acu mallaithe. Níor airigh mé riamh cad a dheineann mallaithe iad. Bhíodh *block* age cuid acu air, slabhra thimpeall a mhuinéil agus *block* ar an slabhra agus an *block* á bhualadh ar a loirgní. Bhíodh fáinne age cuid acu iontu.

43. Bulláin ag Treabhadh

Bhíodh na bulláin ag treabhadh anso fadó. Dh'airigh mé go raibh siad ag treabhadh age Tóibín ansan ag meais taobh le Donn Garbhán. Ar a n-éadan a dh'airínn a bhíodh an tarraint, clár fé bhun na hadhairce ar a n-éadan. Ní dh'airigh mé go mbídís ag déanadh aon obair eile. Ní bhíodh aon chruite fúthu.

133. Ls. *i nduísc* /ə ˈniːʃgˊ/

(II) LAOI

1. Breith Laoi

Nuair a thagadh lao[134] óg ar an saol sin rud a deiridís:

"Dé do bheathasa chun an tsaoil agus tá rud ann duit."

Lao a tugtar ar an ainmhí nuair a beirtear é, maralao nuair a thiocfaidh sé ar an saol marbh.

Bhídís a dh'iarraidh tuairim a chaitheamh an lao baineann nó lao fireann a bheadh aici. Deiridís go mbeadh an bhó níos cabhalmhaire[135] leis an lao fireann ná a bheadh sí leis an lao baineann, go mbeadh tabhairt níos mó inti ag iompar lao fireann ná lao baineann.

Chuiridís méir ina mbéal t'réis teacht ar an saol dóibh, an t-aer a thabhairt do, chun a bhéal a dh'oscailt.

Nuair a bheadh sé cúig nó sé laethanta ansan, manta a bhaint as a chluais go gcumhadfadh sé ón gceathrú dhubh é agus bhíodh saghas peansúir acu arís go nglaoidís *punch* air chun poll a chur ina gcluasa.

M'Fhéil' Bríde is fearr lao a theacht ar an saol. Ní bhíodh aon mheas[136] ag einne ar lao Meithimh.

T'réis an gamhain a theacht, bainne a mháthar a thabhairt do, leath san agus leath uisce bog agus gráinne salainn. Cárt go leithe[137] a thabhairt do an chéad mhéile – a thabhairt do nuair a crúfaí an mháthair. Tabharfaí dho fé dhó é. Cuirfí an lao óg i pé tigh a bheadh leagaithe amach de. Isteach i cliathán an tí a cuirtí fadó é. Cuirfí ar an chéad iarracht dtína mháthair é chun é a lí. Chuiridís pusachán déanta 'leathar nó *wire* orthu 'á mbeidís ag súpadh. N'fheaca mé pusachán déanta le slata riamh.

Ní bhíodh aon mheas ar an lao fireann fadó ná nín inniu mar níl aon ghlaoch ar an mbullán. Dheinidís an lao fireann a mharú. D'fhaigheadh sé bainne le n-ól. Cuid acu a chumhadfadh mí é. Laoigfheoil[138] a thugaidís ar an bhfeoil. Dhéarfaidís go raibh sí ana-chontúrach – chun treighid a chuir ar dhuine.

2. Treighid

Is minic a thagann treighid ar lao. Tugann siad *castor oil* do.

3. An Scuaird

Thagadh an scuaird ar lao, *scour*. Plúr beirithe in uisce an leigheas a bhíodh air.

134. /le:/ – gin. uath. *laoi* /li:/, ain. iol. *laoi* /li:/ (feic Breatnach, *Seana-Chaint II,* lch. 250 s.v. *lae*)
135. Ls. *callmhuire* /kaulvɪr´ɪ/
136. Ls. *mhess*
137. Ls. *goilithe* /gəl´ɪh´ɪ/
138. /li:g´o:l´/ .i. laofheoil (feic Breatnach, *Seana-Chaint II,* lch. 254 s.v. *laoigh-fheoil*)

4. Bainneach

Bainneach, thiocfadh sé ar lao. Chonaic mé leamhnacht beirithe, é a bheiriú amach, é a dh'fhiuchadh, á thabhairt do lao a mbeadh oibriú air, nó siúicre bull-óige agus é a mheilt ar ghloine *brandy*, nó tréicil a chur ar ghloine *brandy* agus é a chuir air.

5. An Phiast agus Artha na Péiste

Tagann piast in eireaball cuid acu. Bíonn siad ag crothadh a n-eireaball agus á gcaitheamh féin ar an talamh. Tá artha[139] ag baint leis:

> Artha í seo a chuir Séamus chun tairfe na gCríost, agus cuirimse í in ainm an Athar is an Mhic agus an Sprid Naomh. Ar an intinn sin maraím piast in ainm an Athar is an Mhic is an Sprid Naomh.

Gearradh a chuir san eireaball ansan nó barra an eireabaill a bhaint de 'á ba mhaith leat é agus an artha a chur ansan.

6. An Bhroinne Dhearg

Agus an bhroinne dhearg, bheadh a chuid uisce dearg. An chrobh dhearg a bhíodh mar leigheas air – í go léir a tharraint as an talamh agus an cré a bhaint di agus í a chuir dhá uair a chloig ag beiriú in uisce. An méid a thabharfá leat id ladhar di a chuir ar chárt uisce agus nuair a bheadh sé beirithe, gloine dhe a chuir ar an mbainne dtí an lao maidean is tráthnóna.

7. *Hoose*

Bíonn *hoose* ar na gamhna. Raghfaí fé dhéin an phuitigéir agus thabharfadh sé buidéal duit.

8. Lao Biata

Dh'airigh mé lao biata. Lao is ea é go bhfuil rud éigint bunosceann leo. Níl a ndeireadh ceapaithe i gceart nó rud éigint. Ní bhfaighinn a rá cad a bhíonn bunosceann leo. Bheadh sé ana-ramhar.

9. Lao Caillte

'Á gcaillfí gamhain nó lao is ceart é a chur sa talamh. Daoine eile a dhéarfadh 'á mbeadh aon droch-ghalar air gur cheart é a dhó. Más ea n'fheacaíos-sa einne riamh á dhó. An croiceann a bhíodh ar lao a dh'fhaigheadh bás, chuid acu a bhaineadh díobh é agus dhíolaidís é.

139. /arhə/ nó /arə/ .i. ortha (feic Breatnach, *Seana-Caint* II, lch. 31)

10. Bó Tinn ar Lao – Fear go Raibh Bua aige

(i)

Bhí fear ar an áit seo a dtugaidís Ned Mhéirnín air, go ndeine Dia trócaire air, agus thit bó tinn ar lao ar an dá bhuille dhéag san oíche air, agus chuaigh sé go Donn Garbhán fé dhéin *vet* ab ainm do Broin. Agus bhí feirmeoir den áit ana-dheaslámhach thimpeall beithíoch agus bhí sé fhéin agus an *vet* insa tigh i bhfochair na bó agus nuair a bhí an *vet* cortha age'n mbó agus í tabhartha suas aige – ná raibh aon mhaith le déanadh dhi – dh'imigh sé leis abhaile. Agus chuaigh an feirmeoir isteach go dtí an tine i bhfochair Mhéirnín agus dheineadar cupán té agus nuair a bhí an té óltha acu …

"Sea. Siúl leat anois," arsa sé le Méirnín.

Dh'fiarthaigh an feirmeoir den *vet* nuair a bhí sé ag imeacht an raibh sé á tabhairt suas, is dúirt sé go raibh.

Chuaigh sé amach agus láimhseáil sé an bhó agus thóg sé scian phóca agus ghearra' sé suas gach aon phioc den lao i gcabhail na bó, agus thug sé leis ó phíosa go píosa é go raibh an lao go léir tabhartha chun an tsaoil aige. Dúirt sé le Méirnín *mess* bhrain te a dh'fháilt don mbó ansan. Agus fuair. Chuaigh sé fhéin agus Méirnín isteach go dtí an tine agus i gceann leathuair a chloig tháiníodar amach agus bhí an bhó ina seasamh agus í ag cogaint na cíorach. Agus bhí sí ar an mbó bhainne ab fhearr a bhí age Méirnín i rioth an tsamhra'.

(ii)

Bhí fear anso le n-ár n-ais ina chónaí arís a dtugaidís Liam Ó Muiríosa air, agus bhí bó aige agus tháinig sé féna déin ar an dá bhuile dhéag san oíche, agus ní bhfaighfí an lao a bhaint den mbó. Agus chuir sé cró ina seasamh ar an dtaobh ismu' dhen doras agus dhein sé téad ar an lao, agus chuaigh triúr acu ag obair leis an gcró agus é féin age deireadh na bó, ag déanadh comharthaí dhóibh cad ba cheart dóibh a dhéanadh. I gceann dhá uair a' chloig bhain sé an lao dhen mbó agus an lao beo agus an bhó chomh maith agus a bhí sí riamh, agus í tabhartha suas age Broin aríst.

Bhí sé tóigthe leis an obair. Chomh mear agus a bhíodh bullán ite acu, dul amach ar an bpáirc fé dhéin bullán eile. Agus de dheasca a bheith ag marú na mbeithíoch bhí fhios acu gach aon fhéith a bhí istigh in cabhail beithígh. Shin é a mhúin é.

(III) CAPAILL

1. Cúram an Chapaill

Bheadh an capall istigh istoíche ó dheireadh an Fhómhair. 'Á mbeadh lá breá ann bheadh sé ligithe amach. Bearrfaí é th'réis na Nollag 'á mbeadh obair chrua roimhe[140] agus mara mbeadh obair chrua roimhe[141] ní bearrfaí é go dtí an Márta. Bíonn fear ag imeacht thimpeall ar a phá á dhéanadh agus bíonn cuid acu agus bíonn meaisín dá gcuid fhéin acu.

Tuí eornan is *mangolds* a tugtar do chapall agus gráinne coirce ar maidin. Ní thugann siad aon aiteann anois dóibh. Thugaidís aiteann fadó dhóibh mar dhíolaidís an féar fadó. Aiteann Gall'a, é sin a ghearradh agus bhíodh scian acu chun é a bhrú. Ghearrfaidís roinnt féir nó b'fhéidir punann choirce tríd. Thá sé ana-fholláin do chapall. Tugann siad féar tirim don gcapall nuair a bheadh sé ag obair. Itheann an capall tuí eorna agus ramharódh sé ar tuí eorna agus ar *mangolds*. Bíonn tuí choirce agus *mangolds* ana-scaoilthe – imíonn sé tríd ach ní imeodh an tuí eorna. Thabharthá deoch don gcapall ar maidin agus thiománthá na ba dtí an sruth 'á mbeadh droch-lá ann ná faightheá iad a ligint amach.

2. Leigheas ar Fearsaí in Capaill

Bhí fear eile ar an áit seo againn, Pádraig Flaitheabháin, agus bhíodh sé ag leigheas capall – fearsaí. Bhíodh gairleog agus eidheann úr agus artha curtha iontu agus chuireadh sé isteach i gcluais an chapaill í, agus cheanglaíodh sé le corda cluais an chapaill ar feadh oiread san uaireanta agus leighiseadh sé go leor acu. Leighis sé gach aon cheann acu a raibh aithne agamsa orthu.

3. Leigheas ar Phiastaí in Capaill

Bhí láir anso agam fhéin agus bhí sí ite age piastaí. Agus bhí garda sa Rinn a dtugaidís Moriarty air agus bhí sé ag góil anuas an bóthar lá agus í istigh sa macha agam. Is chuaigh sé isteach ag féachaint uirthi is dúirt sé go raibh piastaí ag góilt di. Agus dúirt sé liom deoch bhrain agus púnt siúicre a mheilt ar chárt uisce bog agus an t-uisce bog agus an siúicre a chaitheamh ar an mbran, agus ligint don mbran é a shú agus é a thabhairt le n-ithe dhi, agus nuair a bheadh sé fiche nóimeat tóigthe aici peanta[142] *linseed oil* agus leathghloine *spirits* a chaitheamh siar ina dhiaidh uirthi. Dúirt sé go mbeadh na piasta go léir bailithe istigh insa mbran ag súpadh an tsiúicre as an mbran – ná fanfadh aon cheann acu insa pócaí laistigh nuair a gheobdaidís an siúicre – agus thiocfadh an ola anuas orthu go léir ansan is bhíodar go léir caillthe. Agus b'fhíor do é.

Bhí sí lán d'fháithníní is dúirt sé liom buidéal *castor oil* a dh'fháil agus braon den *castor oil* a dhortadh ar gach aon fháithnín gach aon mhaidean, agus i gceann hocht lá bhí gach aon cheann acu chomh bog is go bhfaighinn iad a tharraint amach aisti.

140. Ls. *ragha.*
141. Ls. *ragha.*
142. /p´auntə/ .i. pionta

4. Salachar an Duine – Leigheas ar Chladha in Capaill

Tá leigheas in salachar an duine. An rud a thagann thiar ar speir chapaill, ní bhfaighinn cuimhneamh ar an ainm athá air. *Greaze* a thugann siad san mBéarla air. Ó sea, cladha is dóigh liom a thugann siad air – salachar duine a chimilt do san le cipín. *Begor,* leighis mé féin póiní a bhí anso agam leis, ach dhéarfaidís leat go dtiocfadh sé aríst as a dhia' ach ní tháinig sé air seo, más ea.

(IV) GABHAIR

1. Gabhair, Pocáin, Minsigh agus Moiltheacháin

Gabhar an ceann baineann agus pocán an ceann fireann. Bheadh gabhar suas le dhá bhliain nuair a thabharfaidís pocán di. Bheidís ina minseach[143] nuair a bheadh mionán acu. Tabharfaí um Shamhain go dtí an pocán iad. Raghadh an gabhar féin go dtí an pocán – gheobhadh sí amach é pé áit a mbeadh sé.

Moiltheachán[144] gabhair a tugtar ar an ngabhar fireann a bhíonn gearrtha.

2. Aghaidh agus Adharca na nGabhar

Bíonn aghaidh dubh ar chuid des na gabhair anso agus aghaidh feann[145] ar chuid eile. Bíonn adharca ar chuid acu agus cuid eile gan aon adharc.

3. Ag Glaoch ar Ghabhair

"Siugaí, siugaí," a déarthá ag glaoch ar na gabhair.

4. Buanna an Ghabhair

Deir siad go gcíonn an gabhar an ghaoth, agus aon rud go gcuirfidh gabhar fiacail ann, deir siad go bhfuil nimh go deo aríst ann.

5. Peodal Gabhar

Peodal gabhar is ea scata gabhar.

6. Gabhair Fhiaine

Bíonn gabhair fiaine leis anso. Imíonn siad ó dhaoine is téann siad sna faill-treacha agus ní thagann siad abhaile.

143. Ls. *meighnseach* /m´ain´ʃəx/

144. Ls. *muiliochán* /mil´əxɑ:n/.i. moltachán

145. /f´aun/ .i. *fionn* – i gcásanna mar seo ina ndeintear guta fada de ghuta gearr aiceantach in áiteanna eile sa Mhumhain (e.g. *fionn* /f´u:n/ i gCorca Dhuibhne agus i Múscraí) deintear défhoghair de sa chanúint seo (e.g. sa chás áirithe seo *io* > /au/ – feic Breatnach, *The Irish of Ring,* lch. 142-3.)

7. Gabhar i bhFaill

Scanradh[146] is ea gabhar i bhfaill. Níl aon rud chun é a leanúint i bhfaill nach an seabhac. Tá cuíora adharcach chún[147] dona leis.

8. Gabhair ag Bradaíocht

Cheangalóthá cheithre gabhair dhá chéile. Dhéanthá peodal díobh – cheangalóthá le slabhra iad chun ná raghaidís ag bradaíocht.

9. Gabhar age Stáisiún Phort Láirge

Dh'airigh mé trácht ar ghabhar a bhí ag ithe age Stáisiún Phort Láirge agus shéid an traen fead air agus bhog sé bóthar, agus gach aon fhead, ag breith uaithi a bhí sé gur léim sé in airde age Stáisiún Dhonn Garbhán, agus dh'airigh mé go raibh an gabhar san age fear sa Rinn.

10. Gabhair á gCuir i dTeannta na mBeithíoch

Deir siad go bhfuil sé ceart gabhair a bheith in gach aon stoc beithíoch.

11. Langaidí Bata ar Ghabhair

Chonaic mé langaidí[148] bata orthu. Bata beag agus poll ina dhá cheann agus corda ag ceangal an bhata dá gcosa.

12. Ag Crú na nGabhar

Deinimid iad a chrú gach aon mhaidean is gach aon oíche. Laistiar a thiocfá chun iad a chrú. Bhíodh gabhair istigh istoíche age daoine.

13. Im Gabhar

Chonaic mé im gabhar ach n'fheaca mé á dhéanadh é. Bíonn sé chomh geal le léine agus bíonn blas leamh air.

14. Bainne Gabhar

Deinimid an bainne a chur ar an té agus tugaimid do leanaí le n-ól é. Deir siad go bhfuil sé go maith do leanaí. Bhí gabhair fairsing anso tamall ó shoin, dhá ghabhar ins gach aon tigh.[149]

146. Ls. *scamhara* /sgaurə/ – fágtar *n* nó *nn* ar lár roimh *r* i bhfocail áirithe (feic Breatnach, *The Irish of Ring,* lch. 141). Feic, leis, *banríon,* lch. 159.
147. .i. chomh.
148. .i. laincis – feic D. Ó hAirt, *Díolaim Dhéiseach* (Baile Átha Cliath: Acadamh Ríoga na hÉireann, 1988), lch. 86 s.v. *laingide*
149. Ls. *sach aon tigh*

15. Gabhair á Marú

Aon uair amháin a chonaic mé gabhar á mharú le haghaidh feola.

16. Na Mionnáin

Thóigeadh gach aon duine a chuid gabhar fhéin. Dhíolaidís na mionnáin nuair a bhídís mí nó chúig seachtaine. Gheibhtí dhá scillin is leathchoróin ar cheann acu agus bheadh corcán feola agat ar mhionnán. Thógthá, b'fhéidir, mionnán is thabharthá mar bhronntachas do dhuine muinteartha é

"Bronntachaisí Bhriain agus a dhá shúil ina ndiaidh."

N'fheaca mé aon ghalar ar aon cheann acu.

Cuireann na gabhair na mionnáin i bhfolach t'réis iad a bhreith agus níor mhór 'uit iad a dh'fhaire ansan go mbeidís ag tabhairt bainne dhóibh. Raghadh an gabhar ana-mhinic chuige agus ní raghadh sí as radharc na háite a mbeadh sé.

Throidfeadh gabhar madra.

17. Croiceann Gabhair

Croiceann gabhair a bheadh i seamra[150] leapan acu.

Dheinidís bodhráin de chroiceann gabhair is de chroiceann caerach.

(V) CAOIRE

1. Caoire, Reithí, Uain agus Moiltheacháin

Tá caoire anso. Thá cuid acu adharcach agus cuid acu maol agus bíonn cuid acu crosta ansan – reithe maol a ligint dtí cuíora[151] adharcach.

Uan is ea an ceann óg agus nuair a bhíonn an t-uan bliain bíonn sé ina mhoiltheachán bliana nó ina fhóisc bliana. Cuíora dhá bhlian ansan nó moiltheachán dhá bhlian. Bíonn reithe ansan ann, sin é an ceann fireann.

Bíonn go leor acu ar an talamh anso ag daoine. Thá fear anso agus thá cheithre fichid acu aige.

2. Bearradh na gCaerach

Bearrtar iad sa Meitheamh. Obair ana-chruaidh is ea an bearradh. Bíonn an chuíora ina suí ar a tóin agus a ceann istigh féd oscail agat. 'Á mbeadh deimheas maith agat ní bheitheá i bhfad léi. Nuair a bheadh sí bearrtha agat déarthá: "Tá an lomra bainte di agam."

150. Ls. *seabhamara* /ʃaumərə/

151. /ki:rə/ .i. caora – ain. iol. *caoire* /ki:r´ɪ/, gin. iol. *caerach* /ke:r´əx/ – feic Breatnach, *The Irish of Ring,* lch. 116, 117.

Bheadh trí púint déag olainne ar chuid acu. Ní bheadh oiread olainne ar chuíora nuair a bheadh sí t'réis uain is a bheadh ar chuíora thirim. An t-am céanna a bearrfaí na caoire a bearrfaí na huain. Dh'fhanfaidís (na huain) fés na caoire isteach go Féil' Déagláin. Ní tógfaí ós na caoire ar ao'chor iad 'á mbeitheá chun iad a chumhad.

Díolann siad an olann go léir in málaí, í a thabhairt go hEochaill nó go Donn Garbhán.

3. Tumadh na gCaerach

Déinid siad na caoire a thumadh anso fé dhó sa mbliain. Ní rabhadar á dhéanadh riamh ach caithid siad é a dhéanadh anois.

4. Cró na mBánta

'Cró na mbánta,' sé sin salachar na gcaerach. Dh'airigh mé go raibh sé go maith do pháistí, go gcuirfeadh sé an bruitíneach amach tríthi, é a chur in máilín beaifidí, leath-chupán de ar chárt bainne agus é a bheiriú agus é a thabhairt dóibh le n-ól.

5. Cuíora Thirim

Cuíora thirim a thabharfainn ar chuíora ná beadh uan aici. N'fheaca mé einne riamh ag marú aon chuíora.

6. Croiceann Caerach

Dheinidís croiceann na caerach a dhíol.

7. An Aimsir is Fearr do Chaoire

Aimsir thirim [is fearr do chaoire]. Maraíonn an t-uisce iad mar bíonn iomarca meáchain san olann. Cuireann aimsir fhliuch screig ina gcroiceann.

8. Leigheas don Screig

Thá *sulphur* beirithe a chur air (screig). Tochas a bhíonn iontu.

9. Gága

Tagann gága ina gcroiceann leis. Bheadh an screig ina scraith, bheadh an gága mar a scoiltfeadh do lámha san earrach. 'Á dtiocfadh cnathacha ansan iontu bhíodar marbh láithreach. Raghaidís insa bhfuil acu.

10. Leigheas ar na Cnathacha

Cré tirim claí, sin é a bhíodh acu fé ar tháinig an *Jeyes Fluid*, an cré a chimilt don bpaiste a mbeadh na cnathacha ann. Tuilleadh acu, uisce bog a bhíodh acu. Chaillfeadh an t-uisce bog na cnathacha. Phiocaidís amach, leis, iad.

11. Brait ar na Súile

Tagann brait[152] ar na súile. Leighisfeadh an siúicre iad ar nós na mba.

12. Crúibíneach

Tagann crúibíneach orthu. Bíonn na rútáin ag dreo acu. Sé an leigheas a bhíodh air, na crúba a thumadh in teara glan.

13. Bainneach

Tagann bainneach orthu, leis, agus sé an leigheas a bhí uirthi salann garbh a chaitheá siar orthu.

14. Gob Lachan ar Uain

Bíonn gob lachan ar uain ag teacht ar an saol. Bíonn an corrán íochtarach gairid agus ní bhfaigheann siad féar a dh'ithe.

15. Eagla an Uain

Deir siad ná béarfadh aon rud ar uan caerach, ach an fothram a bhaineann sé amach as an talamh is dóigh leis go scoiltfeadh sé an talamh agus go dtitfeadh sé tríd.

(VI) MUCA

1. Banc an Duine Bhoicht

Dh'airigh mé 'banc an duine bhoicht' á thabhairt ar mhuic.

2. Banbh, Céis, Cráin agus Collach

Banbh is ea muc óg. Bíonn an banbh ina chéis nuair a bhíonn sé trí mhí agus as san go dtí a mbíonn sé sé mhí. Bhíodh cráin ag mórán daoine anso. Chimeádaidís cráin sé nó seacht de bhliana 'á mbeadh sí go maith. Bhíodh collach anso is ansúd.

3. Bia na Muc

Bhíodh mórán muc anso blianta ó shoin nuair a bhí an mhin bhuí ann. Min bhuí fliuch le bainne géar – leite a dhéanadh dhi. Agus thugaidís prátaí beirithe is bainne géar dóibh, leis.

152. Ls. *bruit* /brit´/

Thugaidís caisreabháin brúite do mhuca le n-ithe. Gearrtaí le sceana dhóibh iad agus le meaisín, agus neanntóga, agus thá siad go hana-mhaith do chéise, dhéanfadh sé a gcroiceann chomh dearg. Agus gabáiste, bheadh sé go maith dóibh é a ghearradh fuar chúchu.

4. Ag Glaoch ar na Muca

"Deoch, deoch, deoch," a déarthá ag glaoch ar na muca.

5. Fáinne ar Mhuc

Deineann muca ana-dhíobháil ag tóch.[153] Curtar fáinne iontu chun ná beidís ag tóch. Fáinne ón ngabha a curtaí fadó iontu. Bhí eochair acu chun an fáinne a chasadh. Aon cheann amháin ón ngabha nó trí cinn ón siopa a cuirfí i muc. Níl aon mhaitheas sa rudaí siopa: dhéanfaidís céise ach ní bheadh aon mhaith iontu le hagha' cránach.

6. Muc ag Snámh

Bheadh muc ag snámh, a deirtear, go bpollann sí an scornach lena cosa tosa.

7. Muca a Thabhairt go dtí an Aonach nó an Margadh

Is amhlaidh a dhéinidís na muca a thiomáint dtí an aonach fadó. Ar an margadh chuiridís téadán ar chois deire na muice. Níl aon slí is fearr chun muc a chumhad ná breith ar eireaball uirthi is a deireadh a thógaint den talamh. Níl aon rud agat le déanadh le banbh ach breith air is é a bhualadh féd oscail. Curtar na muca anois isteach i gcruib á mbreith ar an margadh. *Wine* a thugann daoine eile ar an gcruib.

8. Cráin fé Lóch

Tagann an chráin fé lóch. Tugtar go dtí an collach í agus bíonn sé seachtaine déag ann fé a mbíonn banaí aici.

9. Galair a Thagadh ar Mhuca

Thagadh galar orthu a dhúbhadh iad. Ní raibh aon leigheas air. Thagadh campaí iontu leis – bhídís gan aon mhaith.

10. An *Luck* a Gheothá as Mhuc

Scillin *luck* as chuíora agus as mhuc. Bhéarfaidís abhaile an *luck* agus chuirfidís i leataoibh é pé rud a dhéanfaidís ina dhiaidh san leis.

153. /to:x/ feic Breatnach, *Seana-Chaint II,* lch. 400 s.v. *tóch*

11. Aonach na Muc

Uair sa mhí a bhíonn aonach na muc i nDonn Garbhán, an trígiú Céadaoin den mí a bhíonn an t-aonach ann agus an Mháirt roimh an aonach a bhíonn aonach na muc ann. Dé Máirt aonach na muca ramhra agus Dé Céadaoin lá aonaigh na gcéise agus na mbeithíoch agus na gcapall. Ar an sráid a bhíonn an t-aonach i nDonn Garbhán. Thátar á gcuir go Ceapach Choinn anois go dtí an *slaughter.*

12. Ag Marú Muc

Maraítar muc aon am a bheadh sí inniúil. Sa gheimhreadh ab fhearr í a mharú. Bíonn sé ana-dheocair iad a shailleadh nuair a bhíonn an teas mór ann. Sa duibhe-ré[154] is fearr í a mharú mar bíonn an aimsir níos fuaire mar tugann an ré teas uaithi dála na gréine.

Curtar fuil na muc ag líonadh na bputóg. Baintear an ceann di. Bíonn blonag inti. Píosaí truai' a baintear laistigh di ina grísciní. Bíonn na scamhóga inti agus na screadramáin agus na haenna – *lights and livers* a tugtar i mBéarla orthu.

Chimeádfadh na garsúin an lamhnán chun báire caide a bheith acu.

(VII) AN CAT

1. Buanna agus Tréithe an Chait

Dh'airigh mé go raibh an cat i dtaobh le trí leathphinge fadó agus thug sé leathphinge ar dhearúd bhean an tí, agus leathphinge eile ar radharc san oíche, agus leathphinge eile ar gan é a dh'aireachain ag siúl. Agus n'fheadair mé cad a thug sé ar an ngalúnach a bhíonn ar a chois a níonn a aghaidh dho.

Deir siad go dtagann trí néal sa chat san oíche chun do chuid fola a tharraint. Níl fhios agam cad a stadann é.

Maraíonn sé francaigh, lucha agus éanlaithe agus deir siad go bhfuil dhá anam sa chat. Deir siad ná fuil aon bheithíoch ar an saol is deocra a mharú ná é. Deir siad ná fuil aon fháil ar é a mharú mara mbuailfidh tú i leaba an duáin é.

Dh'airigh mé 'á raghadh ribe de chlúmh an chait i mbraon bainne ná in aon áit go bhfuil sé go holc a dh'ól.

2. Glór an Chait

Bíonn sé ag crónán cois na tine. Bíonn sé ag meamhaireacht – meamhaireac an chait.

154. Ls. *duíré* /diːˈreː/ – bhí *dagha-ré* /dai-ˈreː/ sa ls. ag SÓD in áit eile (CBÉ 978:40). Bh'féidir gurbh í Gaelainn an bhailitheora a shleamhnaigh isteach sa ls. sa chás seo. /dəi-ˈreː/, dar le RBB, a bhí ag Maidhc Dháith (Breatnach, *Seana-Chaint II,* lch. 162).

3. Puisín

Puisín is ea é go mbíonn sé ina chat.

4. Cat Fireann

[**SÓD:** Dén ainm a bhíonn ar chat fireann?]

Tomás Cat. Sin é an ainm a dh'airigh mé ages na seanamhná air …
"Bí amuigh a Thomáis," a deiridís.

5. Ainmneacha na gCat

Baisteann na daoine féin iad. Pinkie, Blackie, Darkie. Rúta a bhí age Nóra Ní Chinnéide a bhí ar an gCarn ar an gcat a bhí aici.

6. Cliobarnaorach nó Rábaire Cait

[**SÓD:** Dén ainm a thabharthá ar chat mór?]

Cliobarnaorach cait. Thabharfadh daoine eile rábaire air.

7. Iongainí an Chait

[**SÓD:** Cad iad na rudaí géar a bhíonn ar chosa an chait?]

Iongainí, iongainí an chait. Deir siad go mbíonn nimh i ngreim an chait.

8. An Cat fé Íl

[**SÓD:** Cad déarthá nuair a bhíonn an cat sa tsiúl]

Thá an cat fé íl. Agus nuair a bheidís ag béiceadh. san oíche, 'ráig na gcat san earrach.'

'Á n-aireodh seanabhean cailíní óga ag liúirigh is ag scréachadh dhéarfadh sí: "Sé ráig na gcat san earrach athá orthu."

Ó bhíonn siad fé íl go mbíonn na puisíní acu, hocht seachtaine. Chonaic mé cat ag ithe a cuid féin puisíní – í fhéin a dh'itheann iad.

9. Cosc ar Chat a Aistriú

Ní maith leo an cat a aistriú go dtí tigh nua.

(VIII) AN MADRA

1. Madra, Gadhar agus Bits

Gadhar is ea an ceann fireann agus gadhar is ea an madra, leis, ach thá an madra gearrtha. Gearrtar cuid mhór acu ansan. Bits an ceann baineann.

2. Cliobarnaorach, Maistín agus Coileán

Cliobarnaorach madra [is ea ceann mór]. Thabharthá maistín leis air. Coileán an ceann óg – ál coileán.

3. Paca agus Conairt

Paca gadhar. Conairt madraí fiaigh a déarthá.

4. Sceamhaíl, Glámaireacht, Uathairt, Amhastraigh agus Caointeachán

Gadhar fiaigh,
'Agha' siar
Agus é ag glámaireacht.

Ag sceamhaíl a bhíonn an madra agus ag glámaireacht a bhíonn an gadhar fiaigh. Ar airigh tú riamh an uathairt a chuireann an gadhar fiaigh as. Bíonn na gadhair fiaigh ag uathartaíl.

Tá an madra rua ag amhastraigh nuair a bhíonn sé ag lorg a chomarádaí san oíche.

Bíonn an madra ag caointeachán istoíche. N'fheadair mé dé chúis. Deir siad go dtagann uaigneas air. Deir siad go mbíonn sé ag fógairt báiseanna. Bíonn an madra ag sceamhaíl ar a chac san oíche!

5. Bits fé Íl

Bíonn an bits fé íl. Bíonn ál coileán age bits trí mhí t'réis a bheith fé íl.

6. Coileáin

Ní chineothá aon choileán ar an gcéad líne a bhíonn age bits. Deir siad go mbíonn nimh iontu agus aon rud a bhéarfaidís air ná leighisfeadh dada é, ach an tara líne a chumhad, an méid is maith leat díobh agus an chuid eile a bhá – iad a chaitheamh isteach sa sruth.

7. Madraí ag Marú Caerach

Maraíonn cuid acu caoire, an chuid acu athá crosta – *Kerryblue* agus cú b'fhéidir. Bastairt a thabharthá ar mhadra a bheadh crosta.

Dh'airigh mé trácht ar fheirmeoir a raibh na caoire á marú aige. Bhí milleán aige ar mhadraí na gcomharsan agus thástáladh sé fiacla a mhadra fhéin gach aon mhaidean féach an bhfaigheadh sé rian na holainne orthu agus ní bhíodh aon rian orthu.

Chuaigh sé fhéin agus a mhadra fhéin oíche ag faire (na gcaerach), agus chuir sé a dhrom sa chlaí agus a ghunna féna oscail aige. Agus nuair a shíl an madra é a bheith ina chodladh do chuaigh sé agus do mharaigh[155] sé an chuíora. Tháinig

155. Ls. *mharuig*.

sé amach ón gclaí agus lean sé an madra agus chonaic sé an chuíora marbh aige. Ghlanadh an madra a bhéal sa sruth nuair a bhíodh sé ag teacht abhaile.

8. Conas Deireadh a Chuir le Madra

[**SÓD:** Conas a chuirtheá deireadh le madra ná taithneodh leat?]

É a chrochadh – córda a chuir ar a mhuinéal is é a chrochadh in airde ar bhoimbéal nó as chrann. Caitheann daoine le faill iad.

9. Leigheas i dTeanga an Mhadra

Deir siad 'á mbeadh aon lóc ort agus blonag a chimilt de agus ligint don madra é a lí go lífeadh sé an nimh as an gcneath.

10. Conach ar Mhadra

'Á mbéarfadh madra a mbeadh conach air ar dhuine nó ar bheithíoch deir siad ná faighfí tú a leigheas. Duine a mbéarfadh madra mar sin air, dh'airínn go múchtaí idir dhá thocht iad. 'Á mbéarfadh aon mhadra ort ba cheart an madra a mharú. Dheiridís ná raghthá i bhfeabhas go marófaí an madra.

11. An Fáth go mBíonn an Madra Amuigh agus an Cat Istigh

Sé an cat a bhíodh amuigh fadó agus an madra istigh. Agus bhíodar ag plé lena chéile istigh i dti' feirmeora lá – an cat á rá go chirte an madra a bheith amuigh ná é fhéin, agus an madra á rá go cirte don chat a bheith amuigh ná é fhéin. Agus dúirt an feirmeoir leothu, iad a dhul oiread san páirceanna agus rás a rioth, agus pé ceann a bheadh istigh chéad uair, é a bheith istigh go deo.

Thosnaíodar ar an rás agus nuair a bhíodar ag teacht fé dhéin an tí bhí *tramp* ag teacht dtí an tigh ag lorg déirce agus bhí an madra roimh[156] an chat.

"Buail é sin," arsaigh an cat, "nó íosfaidh sé thú."

Bhuail an *tramp* an madra le buille bhata is leag sé é, agus an fhaid is bhí an madra sínte bhí an cat istigh. Agus shin é an chúis go bhfuil na madraí anuas ar na *tramp*anna ó shoin.

(IX) CEARCA

1. Cearca sa Tigh Fadó

Bhídís in airde as cheann an doiris fadó ar chliath agus coileach Márta ina bhfochair, agus sin é an clog a bhíodh acu nuair a ghlaodh sé sin. Ní bhíodh acu ach cúig nó sé 'cheannaibh.

156. Ls. *ragha.*

Bhíodh cúib acu istigh sa tigh. Istigh sa chúib a bhídís ar gor agus ag breith agus bhodharfaidís sa doras thú a d'iarra' teacht isteach. Sop tuí a bhíodh mar nead sa chúib – tuí coirce nó tuí eorna. Bhíodh an drusúr leagaithe anuas ar an gcúib. Mara nglanthá amach fé dhó nó trí sa tseachtain an chúib bheadh an tigh dreoite acu, go mórmhór 'á mbeadh bia bog acu á chaitheamh.

T'réis tamaill ansan deineag tithe beaga amuigh dhóibh.

Bíonn siad ag teitheadh ón bhfearthain. Raghaidís isteach insa tithe lasmuigh ón bhfearthain. Níorbh fhiú leat féachaint orthu lá fliuch.

2. Uibhe Cearc

Ar ndóigh, más fíor, deir siad go bhfuil dhá ubh[157] circe níos fearr ná leathphúnt mairteola.

Bhí sé sa Seana-Phobal, gabha, agus ghaibh fear isteach chuige lá agus bhíodar ag caint mar sin ...

"Ná fuil sé ráite," arsaigh an fear, "gur fearr dhá ubh circe ná leathphúnt mairteola."

"É," arsaigh an gabha, "ab amhla' a deireann tú liom gur fearr dhá uibhín a thagann amach as thóin circe ná leathphunt de cheathrú bulláin?"

3. Na hUibhe Fadó

Ní raibh cearca fairsing ar ao'chor fadó ag bocht ná ag saibhir ná ní raibh aon phraghas ar na huibhe.[158] Chonaic mé thíos age Peig Ní Ghearailt á cheannach ar thistiún iad – tistiún an dosaen. Ní cuirfí dhá ubh ar an mbord dtí aon fhear an uair sin nach trí cinn is cheithre cinn. Ní bhídís acu ar ao'chor ar maidin leis na prátaí nach bhídís acu le hagha' an dinnéir. Ní feoil ná iasc a bhíodh acu uaireanta.

4. Fornéal, Ubh Feireoige agus Bogán

N'fheaca mé riamh fornéal in aon tigh. Ubh is ea an fornéal a bhéarfaidh cearc nuair nách ceart di breith agus ubh feireoige[159] an chéad ubh a bhéarfaidh sí. Bíonn an fornéal ana-bheag. Bogán is ea ubh ná bíonn plaosc air.

5. Sicíní agus Fioróga

Sicín a thagann as an ubh. Fioróg is ea an chearc óg nuair a bhí sí san méad is go n-aithneothá ón gcoileach óg í. Bíonn sí ina fioróg go dtí a mbíonn sí ag breith.

157. Is dóichí gur /ov/ a bhí mar fhuaimniú ag M.Dh. (feic Breatnach, *Seana-Chaint II,* lch. 313 s.v. *feireoga,* fonóta 2) ar a shon go dtugann Breatnach /uv/ mar fhuaimniú don bhfocal seo chomh maith (*Idem, The Irish of Ring,* lch. 133)

158. Ls. *na h-uí* /nə hi:/ (feic Breatnach, *Seana-Chaint II,* lch. 313 s.v. *obh*)

159. Ls. *ubh fioróige*, ach feic R.B. Breatnach a chuireann an fuaimniú /ov f´eˈr´o:g´ɪ/ i leith M.Dh. (Breatnach, *Seana-Chaint II,* lch. 186 s.v. *feireóga,* fonóta 2)

6. Síolrach Cearc

Bhí na seana-chearca Gaelach ann. Cearca beaga ba dh'ea iad. Thá *Wynnedottes, Rhode Islands* – le hagha' boird iad san. Agus tá *Leghorns* ann.

7. An Coileach

Sé an coileach maighistir na gcearc. Sáineann[160] sé an t-údarás pé ar domhan é.

Sé an clog a bhí acu fadó é. Más ea, coileach Márta a bhí an uair sin ann agus bhí sé chomh siúireáilte le haon chlog agus thá an ghé chomh siúireáilte leis.

Chun coileach Márta a bheith agat níor mhór an t-ubh a bhreith san Márta agus é a theacht amach san Márta.

Bhí sé áirithe go gcosnaíodh coileach an tigh ar dhroch-sprideanna. Ghlaodh sé nuair a thagadh aon droch-sprid. Dheiridís ná bíodh aon sprid amuigh go dtí[161] glao an choiligh agus níor mhaith le heinne dul amach go dtí san. Agus ní bhíodh aon eagla ar einne ansan – an chéad ghlao choileach. Ar a dó a ghlaodh an coileach. Bíonn an tara glao choileach ann – níl mé siúireáilte an uair a chloig nó uair go leith as diaidh an chéad ghlao ach bheadh an dónaing ann nuair a ghlaofadh sé an trígiú babhta.

Is minic a ghlaodh coileach i dtosach na hoíche ach más ea ní coileach Márta é. Ba dh'in *breed* chrosta. Thá siad ag glaoch anois gach aon am.

'Á nglaofadh coileach Márta an t-am mícheart choisriceodh gach einne é fhéin. Dhéarfaidís go raibh an t-ansprid amuigh.

8. Coileach Maith

Coileach maith é sin. Coiliúfaidh[162] sé na cearca ag eitealadh.[163]

9. Coileach a Bháigh é féin

Coileach a bhí i nDún na Mainistreach[164] babhta agus bhí árthach age Bean Uí Mhulanna. I nDún na Mainistreach a thosnaigh sí sin go luath ina saol ag díol guail is í bocht.

Agus bhí árthach ann a dtugaidís an Harvey uirthi – bhí aithne mhaith agamsa uirthi – agus chuaigh sí go Saint John's, pé Gaelainn a chuirtheá air (Baile Sheáin), fé dhéin *cargo* agus Captaen McHugh an captaen a bhí uirthi agus bhí a fear fhéin ina fhochair. Agus dh'fhág sí Saint John's ar an cúigiú lá déag

160. /sɑ:n´ən/.i. taispeánann

161. tar éis?

162. Ls. *cliúfa'* /k´lu:hə/ – feic Breatnach, *Seana-Chaint II,* lch. 104 s.v. *coiliú*

163. Ls. *ag eitiola'* /g´ et´ələ/.i. ag eiteallaigh – cé go n-áiríonn R.B. Breatnach an *t* mar chonsain neamhghlórach leathan /t/ i.e. /g´ etələ/ – feic Breatnach, *The Irish of Ring,* lch. 10-11.

164. Ar a shon go ndeintear /au/ de *ú* sa logainm *Donn Garbhán* /daun garəvɑ:n/ ní thárlaíonn sé seo i gcás *Dún na Mainistreach* /du: nə manıʃd´r´əx/ (feic Breatnach, *The Irish of Ring,* lch. 118)

d'*October* agus trí seachtaine a bhí sí chun farraige nuair a dh'éirigh gála millteach. Agus bhíodh go leor adhmaid ar deic an uair sin acu chomh maith leis an last a bheadh ina cabhail. Ach an méid a bhí in airde as a ceann den adhmad chaitheadar iad go léir a chaitheamh amach, plainc bhreátha déil.

Thug sí trí lá agus trí oíche idir dhá uisce agus í tabhartha suas caillthe. Agus an áit a raibh Missus Mulowney ina cónaí ar an tsráid i nDún na Mainistreach bhí loch mhór uisce trasna na sráide uaithi. B'ait léithe cad a tháinig ar an gcoileach nuair a rioth sé trasna na sráide is chuaigh sé isteach sa loch is bháigh sé é fhéin. B'ait léithe dé chúis a dhein an coileach é. Thóg sí dáta agus am. Ar an am chéanna a bháigh an coileach é fhéin is ea a dh'éirigh sí, an t-árthach, i lár na farraige móire, is ea a dhein sí í fhéin a dh'fhuascailt.

Nuair a tháinig an captaen abhaile bhí sé á nisint di, dona bhean, cad a bhain dóibh, agus dh'aithris sí sin do ar cad a chonaic sí fhéin agus cad a dhein an coileach agus dén dáta agus am a dhein sé é. Ar an am céanna a bháigh sé é fhéin is ea a dh'fhuascail an t-árthach í fhéin agus tháinig sí – seacht seachtaine ag teacht.

Níor chuaigh aon árthach go Baile Sheáin ó shoin.

10. Coileach gur Thit an tAnam as

Chonaic mé coileach thíos ti' Chionaola – bhí trí cinn d'fhioróga in airde ar an gcliath ina fhochair. Bhí ceathrar fear, go ndeine Dia trócaire orthu, ina suí age'n tine chun dul fé dhéin spiléar mar athá Neid Donnabháin i mBaile na nGall á dhéanamh anois,[165] sin iad na spiléir a bhí acu. Nuair a dh'imíodar fé dhéin na spiléar idir an dá bhuille dhéag is buille a chlog, is gairid a bhíodar imithe nuair a ghlaoigh an coileach. Nuair a bhí an trígiú glao déanta aige thit sé anuas den gcliath is cailleag ar an áit sin é. Bhí na' haon phioc de chomh dubh le sú.

[**SÓD:** Dé chúis ar ghlaogh sé?]

B'fhé' gur chosain sé an dream a bhí imithe.

11. Coileach ag Tarraint Plainc

Dh'airigh mé go raibh coileach ar shráid Dhonn Garbhán ag tarraint plainc. Bhí an dútha ag imeacht i ndiaidh an choiligh. Tháinig firín beag agus beart clóbhair ar a dhrom aige.

"Cad athá mar seo oraibh?" arsa sé.

"Ná feicíonn tú an míorúiltí chuige?" a dúraíodar.

"Cím," arsa sé, "cím brobh ina dhiaidh."

An fear a leis an coileach cheannaigh sé an beart uaidh is bhíodar chomh dall is bhíodar riamh ansan. Bhí an seamróg insan mbeart, seamróg na cheithre gcluas.

165. Bhí spiléar curtha ag Neid Donnabháin ar an tráigh an oíche sin.

12. Comhartha Sochraide – Brobh as an gCirc

'Á bhfeiceóthá cearc ag imeacht agus brobh ina hiaidh,[166] comhartha[167] sochraide is ea é.

13. Cearca ag Bruíon – Strainséar ag Teacht

Na cearca a bheith ag bruíon – comhartha is ea é go mbeidh strainséar ag teacht chun an tí.

(X) GÉANNA

1. "Nuair a Chacann an Ghé."

"Nuair a chacann an ghé," a deir siad, "cacann siad go léir."

Salachann siad an talamh. Níl sé ceart iad a bheith i measc beithíoch ar ao'chor. Sé cinn de ghéanna, dh'íosfaidís oiread le cuíora.

2. Uibhe na nGéanna

San earrach a bheireann na géanna. Tagann na goislíní amach i gceann cheithre seachtaine. Féna máthair a cuirfí ar gor iad, fé ghé.

3. Scuaine Géanna

[**SÓD:** Dén ainm a thabharthá ar roinnt géanna a bheadh i bhfochair a chéile?]

Scuaine géanna.

4. Géanna ag Bradaíocht

Bíonn siad ana-bhradach agus bíonn siad ag faire dhá chéile nuair a théann siad ag bithiúntaíocht.

[**SÓD:** Ar airigh tú riamh cad deir gé bhacach nuair a bhíonn sí ag screadaigh agus na géanna eile ag bithiúntaíocht?]

"Cífear sibh. Cífear sibh."

5. Ag Glaoch ar na Géanna

Beainaisín, beainisín [a déarfá ag glaoch ar na géanna].

6. Na Géanna Istoíche

Ar an gcarn aoiligh a bhíonn siad san oíche. Daoine a chuireann isteach iad.

166. Deir R.B. Breatnach go síolraíonn an fhoirm seo ó analach de *i ndiaidh* /ə n´iə(g´)/ fé mar a bheadh *i n-iaidh* i gceist go stairiúil (feic Breatnach, *Seana-Chaint II,* lch. 148 s.v. *diaidh*)

167. Ls. *cûra* /ku:rhə/ – nuair a chailltear *omh* sa bhfocal *comhartha* tagann /u:/ isteach ina ionad (feic Breatnach, *The Irish of Ring,* lch. 136)

7. Bia na nGéanna

Ní thugtar aon bhia dóibh. Tugtar dos na cinn óga é nuair a bhíonn siad amuigh go dtí a mbíonn siad inniúil ar féar a dh'ithe, prátaí is leite is gráinníocha coirce.

"Thá borradh an éan ghé fé," a deir siad, le aon rud a bhíonn ag fás go mear.

Éanlaithe is ea iad athá ana-fhuiris a thógaint 'á mbeadh uisce agat ar an talamh.

8. Feoil na nGéanna

Maraítar na géanna le hagha' feola aon am.

9. Blonag na nGéanna

Tá leigheas i mblonag na gé, leighisfeadh sé oidhear. Dh'airigh mé go gcuirtí blonag gé fé bhróga, bhí sé go maith chun uisce a chumhad amach.

10. Géanna ag Tuar na hAimsire

Chuirfeadh na géanna gála in úil duit. Nuair a bheidís ar an bpáirc agus iad ag eitealadh i bhfochair a chéile agus iad ag imeacht faid páirce ag eitealadh ba dh'in gála.

(XI) LACHAIN

1. Lachain, Lachain Fhiaine, Gearra-Lachain agus Buidiúin

Bíonn lachain anso leis ag daoine, agus bíonn lachain fhiaine ann-lachain fhiaine agus gearra-lachain agus buidiúin.

2. Ag Glaoch ar na Lachain

Fínicín, fínicín, fínícín.

3. Lachain Óga agus Laparacháin

Lachain óga a thabharthá orthu [na rudaí óga] is dócha. 'Á mbeadh ceann lag ina measc thabharthá laparachán uirthi.

4. Na Lachain agus an tUisce

Is maith leis na lachain an t-uisce. Ní gá aon bhadaráil leothu ach an t-uisce a thabhairt dóibh. Is maith leo i gcónaí a bheith sáite in slab.

Ana-shnámhaí is ea an lacha. Gheobhaidh sí dul fé uisce is gach aon rud.

5. Bia na Lachan

Prátaí beirithe is min [a tugtar dóibh]. Is beag bia a tugtar chuigint dóibh nuair a bhíonn siad tóigithe in aon áit a mbeadh aon raimidí acu.

6. Uibhe Lachan

Beirid siad mórán ubh nach ní bhéarfaidís oiread ubh le cearc. Deir siad gur fearr an t-ubh circe ná an t-ubh lachan. B'fhearr liom fhéin ubh lachan.

[**SÓD:** Dén rud an raimidí?]

Góilt amach.

Bíonn na lachain istigh i mbothán istoíche. Is ansan a bheireann siad.

7. Feoil na Lachan

Domhsa, b'fhearr liom lacha ná aon éan eile. Bíonn an turcaí ró-thirim ach bíonn an lacha chomh bog le *tomato*.

8. Glór na Lachan

Galar na lachan bainneach is béiceach
Agus suaimhneas ar an mbaile a mbíonn siad
Ní thagann ar ao'chor.

'Á mbeadh scuaine lachan ar loch ansan amuigh agus beirt againn 'ár suí taobh leo ní bhfaighmís focal a rá le chéile age screadaigh.

9. "Fuair Tú É"

Bhí fear anso amuigh lenár n-ais. Ní raibh aon diabhal ach é. Bhíomair ag crú na mba ti' Shúilleabháin lá agus bhí loch mhór os choinne ti' na mba amach agus bhíodh na lachain go léir ar an loch. Bhí Bean Uí Shúilleabháin ann agus triúr cailíní. Bhí an fear so, Mathúna, bhí sé t'réis teacht ó Shasana Nua, agus ghaibh sé chughainn agus shuigh sé ar stól tamall isteach ón ndoras. Bhíomair go léir ag crú. Bhí Liam Treo, leis, ann. Bhí Mártan Ó Mathúna ag féachaint amach agus bhí na lachain go léir amuigh sa loch. Phreab an bardal in airde ar an lacha agus sinn ag féachaint air, agus t'réis teacht anuas bhí sé ag screadaigh agus bhí a cheann á chuir thall is abhus aige agus bhí an lacha ag screadaigh leis.

"Cad athá age'n mbardal á rá anois?" arsa Mathúna le Treo.

"N'fheadar mé," arsa Treo.

"'Fuair tú é. Fuair tú é. Fuair tú é,'" arsa Mathúna. "Agus cad athá age'n lacha á rá?"

"N'fheadar mé," arsa Treo.

"'Dén díobháil! Dén díobháil! Dén díobháil!'"

10. An Rud a Dúirt an Bardal

Bhí fear eile ag obair ann a dtugaidís Seán Chraith air agus dh'imigh sé ó ti' Shúilleabháin, agus bhíomair ag dul go dtí an Aifreann maidean Domhnaigh agus casadh Mathúna orainn agus buachaill eile athá i Sasana Nua anois.

"A Mhaidhc," arsa Mathúna liomsa, "an fíor go bhfuil Seán Chraith imithe ó ti' Shúilleabháin."

"Thá," arsa mise.

"*Well*," arsa sé, "nuair a dh'éirigh mé ar maidin inniu dh'aithin mé go raibh sé imithe."

"Conas a dh'aithin tú é sin?" arsa mise.

"Nuair a dh'oscail mé an doras," arsa sé, "bhí an bardal amuigh san macha agus gach aon "*'Be Cripes! Be Cripes! Be Cripes!*'" aige – le neart iontas Seán Chraith a bheith imithe.

(XII) BEACHA

1. Beacha Anois agus Fadó

Thá beacha fairsing anois ann ach is fánach a bhí beacha fadó agus tháinig eagla age daoine rompu fadó mar gheall ar chapaill is rudaí – iad a bheith gairid don tigh.

2. Beacha agus Crucóga

Bhíodh saithe beach anso. Bhídís i gcrucóga – crucóga tuí.

Bhíodh 'máthair áil' na mbeach i ngach crucóg agus an Mháthair Ab a thugann na mná rialta ar an mbanríon[168] a bhíonn orthu fhéin.

[**SÓD:** Dén beacha eile a bhíonn sa chrucóg?]

Na drónanna agus beacha na hoibre.

3. Éirí na Saithe

[**SÓD:** Éiríonn siad uaireanta]

Éiríd. 'Éirí na saithe' a ghlaothá air sin.

Deir siad gur rathúil an rud saithe a bheith a ghóil chughat.

Agus siad an seana-mhuintir a chaithfidh an chrucóg a fhágaint agus trí oíche fé a n-imíonn siad bíonn fios ag na daoine é. Bhíodh an seana-dhream ag dul go dtí an chrucóg san oíche agus dh'airídís an fhuaim a bhíodh acu i ndealradh leis sin.

4. Job agus na Beacha

Nár airigh tú riamh trácht ar fhoighne Job?

Ní raibh einne clainne air fhéin ná ar a bhean agus bhí sé ag fáil bháis agus ba dh'é fear foighne ba mhó a bhí beo é. Ní raibh aon lánú ar an saol ba chneasta

168. Ls. *ar a' mbamhríon* /er´ ə mauˈri:n´/ – ligtear ar lár *n* nó *nn* roimh *r* in *scanradh* /sgaurə/, *annró* /auˈro:/ agus *banríon* /bauˈri:n´/ (feic Breatnach, *The Irish of Ring*, lch. 141)

agus ba ghleoite lena chéile ná é fhéin is a bhean. An fhaid a mhair sé ní raibh focal feargach riamh eatarthu.

Bhí a bhean lá amuigh ag bailiú déirce agus do tháinig an diabhal dtí an leaba dtí é.

"Thá do bhean ag ligint uirthi," a dúirt sé, "go bhfuil sí ag bailiú déirce duitse," – féachaint an bhfaigheadh sé trína chéile a dhéanadh eatarthu. "Bhíos-sa ag caint anois léi," arsa sé, "is féach an méid óir a thug sí dhom," – ag sáin an óir do.

Ní chuir sé aon phioc aistriú ar aigne Job. Nuair a tháinig sí go dtí é níor 'nis sé dada dhi ar eagla go ndéanfadh sé aon aistriú uirthi.

Fuair sé bás ansan is é lán de chneathanna agus chomh luath agus a scar anam le colann, beach a tháinig amach as gach aon chneath agus sin é an chúis a bhfuil an chéir bheach dealrach leis an ngearb ó shoin.

Agus bhí go-chraobh age'n seana-dhream nuair a dh'éiríodh an saithe. Níl agamsa ach cuid di. Nuair a dh'éireodh an saithe bheidís éirithe in airde as cheann na crucóige chun bheith ag imeacht. B'fhéidir go bhfuil an go-chraobh ar fad age Mártan Draper i mBaile na nGall mar is óna sheanamháthair a dh'airigh mé í. Bhí sé ann:

Bíodh fhios agaibh go deo
Gur dheineag sibh
De chneathacha Naomh Job.[169]

Deireadh seanamháthair Mhártan é agus dhá cheaintín aici á mbualadh agus sin é mar a bheadh sí ag go-chraobh.[170] Agus bheadh crucóg leasaithe aici le huachtar agus le siúicre agus pé tor a luífidís ansan air bheadh an chrucóg aici agus bhainfeadh sí crothadh as chraobh den tor agus thitfeadh cúpla ceann isteach sa chrucóg agus bheidís ó cheann go ceann ansan go mbeidís go léir istigh agus leagfadh sí an chrucóg anuas ar leac. Bhíodh leac fé gach crucóg.

5. Beach gan Chealg

Agus an ceann a chaillfidh an cealg, a chuirfidh ionatsa nó ionamsa é, maróidh na beacha an oíche sin í mar níl aon mhaith inti. Cuirfidh na beacha eile amach ar an lic í agus beidh sí ansúd ar an lic ar maidin.

6. An Mhil

I dtosach an mhí seo [i. Deireadh Fómhair] an mhil a thógaint. Sin é nuair a thógtaí as na seana-chrucóga í ach n'fheadair mé dén t-am a tógtar anois í. Thá boscaí anois acu. Ní raibh aon ní fadó nach an chéir a thógaint amach agus í a chuir ar sileadh.

169. Seo an córus a bhíodh aici ar gach rann den go-chraobh a bhí aici – SÓD
170. Ls. *mar a bheach sí go-chraobh*

7. Bia na mBeach

Siúicre rua in ionad na meala, ach nuair a bhíonn siad ag leasú na crucóige cuireann siad uachtar ina fhochair chun an saithe a thógaint.

Caithfidh na beacha tír agus sliabh a bheith acu agus teara. Téann siad 'dtís na báid agus 'dtís na tithe a d'iarraidh an teara. Ní bhfaighidís an chéir a cheangal gan an teara. Ar a gcosa a thugann siad an teara agus agus an mhil leo. Tá lucht oibre istigh ná téann amach ar ao'chor, i bhfochair na drónanna agus an mháthair áil.

Níl aon obair ar an mbeach a bhíonn amuigh nach an mhil a thabhairt léi agus ní hiad a bhaineann an mhil díobh ar ao'chor nach an lucht oibre istigh.

8. Púicín Nid na mBeach[171]

An 'púicín nid na mbeach' so a bhíonn amuigh sa bhfiantas, bíonn cnuasnóg bheacha, nead mhór acu, agus tagann an púicín anuas agus ardaíonn sé leis nead is eile ina chrúcaí. Ní chuimhníonn sé ar an dainséar go mbíonn sé in airde. Bíonn siad ag teacht amach ceann ar cheann in airde agus iad ag ropadh agus bíonn sé sin ag béiceadh. N'fheaca mé á scaoileadh uaidh riamh é.

(XIII) SEANCHAS ÉAGSÚIL AR AINMHITHE TÍS AGUS FEIRME

1. Ag Glaoch ar na hAinmhithe

(Ag glaoch ar na gabhair):	Siugaí, siugaí siugaí.
(Ag glaoch ar cearca):	Diuch, diuch, diuch.
(Ag glaoch ar muca):	Deoch, deoch, deoch.
(Ag glaoch ar lachain):	Fínic, fínic, fínic.
(Ag glaoch ar caoire):	Meá beag, meá beag.
(Ag glaoch ar an gcapall):	Preabaí, preabaí.
(Ag glaoch ar an mboin):	Grá beag í, grá beag í,
nó	Pú beag, pú beag
(Ag glaoch ar na gamhna):	Suc, suc.
(Ag glaoch ar ghéanna):	Beainisín, beainisín.
(Ag glaoch ar an gcat):	Pusaí, pusaí.
(Ag glaoch ar na turcaithe):	Bia, bia, bia.
(Ag glaoch ar shicíní):	Chick, chick, chick.

2. Tréimhsí Iompair in Ainmhithe

Seacht seachtaine déag, an gabhar,
Seachtain is fiche, an chuíora,
Trí rátha, an bhó,

171. Cineál seabhaic – SÓD

Agus trí rátha, bean,
Lá agus bliain, an láir mhaith,
Agus gach aon láir mhaith siorraigh tabharfaidh sí lá is bliain léi.

C. FIACH AGUS FOGHLAERACHT

1. Géim

Bhíodh foghlaeracht ar siúl anso – coiníní, giorraithe is naoscaigh, siad is minicí a bhíonn ag réabadh an gheamhair.

Le Steward ba dh'ea an géim anso. Ní raibh aon *claim* acu féin air. Ní raibh móin ná géim acu. Bhídís ag póitseáil.

Bhí cearca fraoi' agus piotraisce agus cleabhair[172] agus paghsúin anso.

Sa dónaing ar maidin a maraítar an géim.

2. Ag Fiach le hInneall

Bhíodh coin againn i ndia' giorraithe. Bheadh innill[173] is truip againn in áitibh uaigneacha. Is minic a bheireas-sa ar phaghsún le hinneall. Deinimid an t-inneal le *wire* práis.

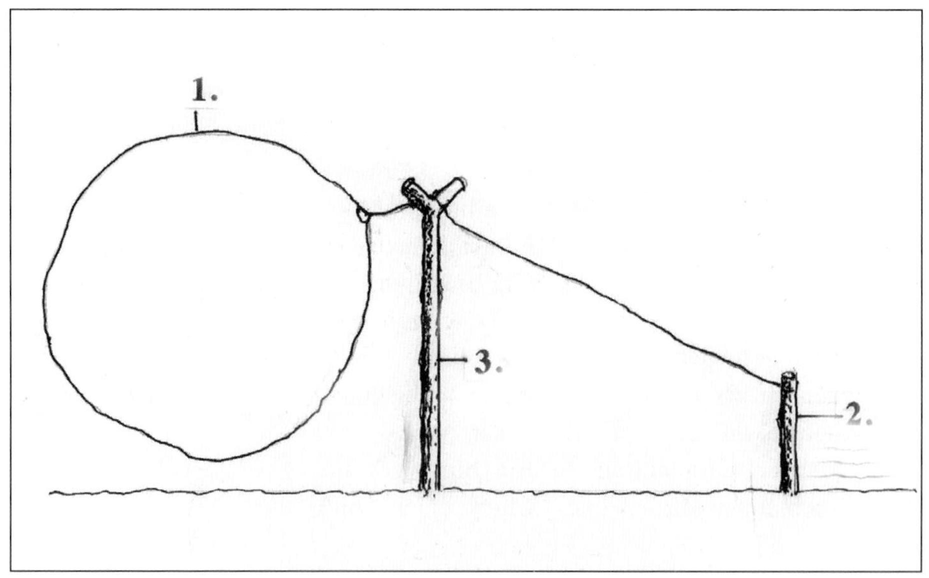

1. An tInneall, 2. An Staic, 3. An Cruinnitheoir.

172. /k´l´aur´/.i. creabhair – níl aon tagairt in R.B. Breatnach *(The Irish of Ring)* don díshamhlú seo *r>l*, ach feic B. Ó Cuív, *The Irish of West Muskerry, Co. Cork* (Baile Áth Cliath: Institiúid Ardléinn Bhaile Átha Cliath, 1975) lch. 122.
173. Ls. *ingil* /iŋ´ıl´/

Bíonn an t-inneall ceangailte de staic sa talamh. Bíonn an lúb dtaobh ismu' dhen chruinnitheoir. Slat bheag is ea an cruinnitheoir go mbíonn gág ina barra. Bíonn an t-inneall chomh hoscailte is go raghadh do dhorn isteach is amach ann. Sé an leithead a bhíonn ann, ó chlais do chaincín go dtí bun do smeigín chun coinín a mharú. Maraíothar giorraithe leis. Coir maraithe an giorré do thachtadh. Bheadh an t-inneall níos oscailte don ghiorré.

Bíonn cosáin ag teacht amach as na sceacha i ngort coinligh ag na paghsúin agus an áit a chuirfeadh sé a cheann amach an t-inneall a bheith réidh agat.

Ar an gcosán a chuirimid an t-inneall roimhis[174] an gcoinín. Bíonn na léimeacha ann agus cuirfidh tú an t-inneall i lár na léime.

San oíche a théann na coiníní sa hinnill. *September* an mí is fearr. Ó *September* amach bíonn siad ag teacht aireach mar bíonn roinnt acu marbh ansan.

Bíonn an t-inneall aoirde do lámha ón dtalamh.

3. Gunnaí agus Póitseáil

Bhídís ag fiach anso Dé Domhnaigh leis na coin agus ana-lá fiaigh ba dh'ea Lá Fhéil' Pádraig. Bhíodh Lá San Stiofán, leis, ag fiach acu. Ó Shamhain go Féil Pádraig am an ghéim. Stadadh an ceannach ansan. Bhíodh gunnaí ag cuid acu ag póitseáil, grán is púdar. Agus bhíodh an chruithneacht acu: dheineadh sí ruchar dóibh in áit an ghrán. Róstaidís an chruithneacht ar ghreideal.

4. Ag Fiach le Portán

Mharaigh mé coiníní le solas. Chaochadh sé na coiníní. Dheineadh sé iad a dhalladh agus dh'fhanfaidís leat agus iad a bhualadh leis an mbata ansan.

Dhein mé féin iad a mharú le portán, snab coinnle a chuir ar a dhrom. An portán a bheith agat agus sileadh dhen gcoinnil[175] a ligint ar a dhrom agus an choinneal a ghreamú ansan air agus é a ligint isteach sa pholl. Dh'iompríodh cuid acu agus mhúchadh an choinneal. Comh luath is a chífeadh an coinín [an solas] ag dul gairid de bhí sé teite. Bheadh líonta ar na poill ansan agat agus raghadh na coiníní ceangailte sa líonta.

5. Cosc ar Choiníní a Mharú

Ní raibh coiníní anso chuigint go dtí roinnt blianta ó shoin. Ní raibh cead iad a mharú nuair a bhí an tiarna talún ann ...

"Cíos do thiarna nó bia dho leanbh."

174. Ls. *raghais* /raiʃ/
175. Ls. *leis a' gcuingil* /l´eʃ ə giŋ´ıl´/

6. Ag Leasú Croicinn

Bhainidís an croiceann den choinín agus an croiceann d'oscailt agus cheithre thairne a chuir ann ar lár doiris in agha' gréine agus aimsire agus ladhar[176] aoil a chaitheamh ina choinne ansan. Agus 'á mbeadh ailím briste agat tríd an aol ní dh'imeodh aon chuid den chlúmh go brách de.

7. Coiníní ar Crochadh

[**SÓD:** An fada a sheasódh coinín istigh agat nuair a bheadh sé marbh?]

Sheasódh sé istigh hocht lá crochta i ndia' a chinn agus hocht lá i ndia' a thóna sa ngeimhreadh.

Nuair a bheadh an méid a bheadh ann imithe amach ina cheann é a chrochadh ansan as a cheann agus mhairfeadh sé go raghadh sé thar n-ais aríst slán folláin.

8. Ag Marú Madraí Rua

Mharaítí an madra rua le truip. Bhainidís an croiceann díobh san. Níor mharaigh mise ceann riamh acu.

D. FARRAIGE AGUS TRÁIGH

(a) CÚRSAÍ IASCAIREACHTA AGUS FARRAIGE

1. Iascaireacht sa Rinn Fadó

Ba chuimhin lem athair a bheith ag éirí is ag teacht amach ó Bhaile na nGall age'na dá bhuille dhéag san oíche agus go raghadh sé isteach dtí an cé go dtí dul fé na gréine istoíche Dé Sathairn ag dul míle agus fiche ó Mhionn Ard fé dhéin langaí.[177]

Ar langaí is colmóirí is mó a bhíodar ag brath anso fadó. Bhíodar fairsin. Le duáin a mharaídís na colmóirí ach le spiléir a mharaídís na langaí. Thimpeall míle is fiche ó Mhionn Ard a mharaídís na langaí. Gheobhthá na colmóirí ansan amuigh i bPoll a' Tamhais, an uair sin go háirithe.

Ag ródaíocht a bhídís ar na colmóirí agus ag ródaíocht ar na deargáin agus ag ródaíocht ar na faoitíní, ag flótáil ag marú phológ.

Ceathrar a bhíodh sa bhád agus prátaí agus bainne géar a bhíodh le n-ithe acu, agus bhíodh bean ag teacht ón Seana-Phobal ag díol bainne géir ar an mbóthar leo. Agus bhíodar thall sa doimhin, míle agus fiche ó mhulla an Mhionn Ard agus ghaibh captaen árthaigh thórstu agus dh'iarr sé langa orthu. Dúirt sé gob é iontas is mó a chonaic sé inniu ná bád béaloscailte ag fearaibh ó thalamh.

176. Ls. *luíor*

177. Ls. *laungaí* /lauŋˈgi:/ – feic Breatnach, *The Irish of Ring*, lch. 48

2. An Bád Iascaigh

An stuimire deire a thugaimid ar dheireadh an bháid anso, agus an stuimire tosa ar thosach an bháid.

Bíonn téad ón chrann go dtí barra an tseoil mhóir go dtugann siad an phíc air agus bíonn téad le bun an tseoil go dtugann siad an trót air ...

"Bog an phíc agus teann an trót."

Insa bháid a bhí sa Rinn bhíodh spiléir, duáin agus póilíní – clocha iad san a bhíodh ag cimeád an spiléir ar an talamh. Bhíodh bucaod taosca, caga le hagha' uisce, tinteán agus tine agus corcán chun beirithe agus cúpla cárt chun *coffee* a dhéanadh, cábla ancaire, gaithe agus téad tarraingthe spártha, an balasc, trí cinn de leapacha chun codlata, trí cinn de sceana, mála straíocála, doirithe, stiúir agus *helm*, smaichtín – bata deas trom é sin chun eascún nó aon rud a mharú – téad na píce, téad an trót, téad an tseol tosa, an siota – siota an tseoil mhóir agus siota an tseoil tosa.

An chéad chlár as cheann na cille sa mbád, an clár géarbair, agus pionnaí adhmaid ar fad athá ansan.

Dheinidís iad a ghlanadh babhta sa saosún, iad a lanseáil is iad a ghlanadh is iad a ghrábháil 'á mbeadh aon líc iontu, cóta teara[178] agus paraifín[179] ansan a chuir fúthu.

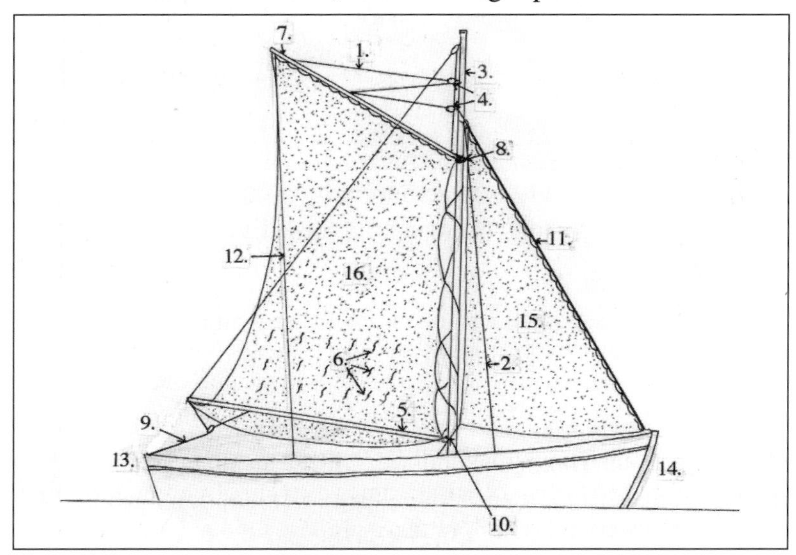

Húicéir na Rinne

1. Téad na Píce, 2. Téad an Trót, 3. An Crann, 4. Poilíní, 5. An Bum, 6. Rifeanna – trí shraith, 7. An Deaigeard, 8, Clab an Deaigeard, 9. Siota an tSeoil Mhóir, 10. Siota an tSeoil Tosa, 11. An Stát, 12. An Lits, 13. An Deireadh, 14. An Stuimire, 15. An Seol Tosa, 16. An Seol Deire.

178. /t´arə/ .i. tarra.
179. Ls. *pearaifín*

Húicéirí, Baile na nGall ag deireadh na naoú haoise déag
Grianghraf: Roinn Bhéaloideas Éireann

3. A Bhirt Féin ag gach Bád

Bheadh a bhirt féin age gach aon bhád. Pé áit a raghthá ag ródaíocht sin birt agus 'á mbeitheá thíos ar an gcé dh'iarrthá birt i mbád.

4. An Bád Iomra

Bíonn bád iomra ann. Bíonn dhá dhola ag cimeád an bhata rá[mha] agus bíonn an t-ábhar thíos fén mbata. Tugtar faor an bhata rá[mha] don ngaoth .

5. Ordaithe na mBádóirí

"*Up helm. Down helm*," a deirtear anso.
"*Helm* síos léi," nó "*Helm* suas léi," a deirtí fadó.

6. Ainmneacha na mBád

Bhí húcéirí anso sa Rinn fadó. Is cuimhin liom húcéir a bhí sa Rinn a thug *cargo* guail ó Shasana. Sé an ainm a bhí uirthi an Haugee-kane. Bhí ainm ar gach aon cheann acu. Bhí an Morris ann an Mary, an Victory, an Cashman, an Wild. Bhíodh seol mór is seol tosa orthu. Tá innill sa báid anois acu. Ag áimhéireacht athá siad ag dul anois, lucht na mbád – sé sin ag dul ar pléisiúr.

7. Beannú na mBád

Bheannaídís na báid go léir anso. Thiocfadh an sagart go dtí an cé agus bheannódh sé iad. Ní bheadh aon Aifreann ann.

8. Saoirseacht Bhád

Fear an ósta thíos i mBaile na nGall, a athair sin, saor loinge ba dh'ea é, Labhrás Draper. Chuireadh einne amháin an bád á dhéanadh chuige nó b'fhéidir go raghadh beirt i bpáirtíocht chuige.

Thagadh beirt ó Bhaile Choitín, Jimmy Lee agus Cróinín ag obair go dtí an Rinn.

Chaitheá fhéin an t-adhmad a sholáthar. Déil a bhíodh iontu agus dair sa heasnaíocha, ócamas, is pic is tara – grábháil a thugaidís ar sin … "Tá an saor á grábháil."

Bíonn dhá shórt bád ann, bád clinseáltha agus bád grábháltha, ach báid grábháltha ar fad a bhí anso.

Dhéanfaí bád breá fadó ar cheithre fichid púnt. An saor a thabhairt leat agus bia agus deoch a thabhairt do …

"Agus leaba agus cumhdadh,
Agus cead a bheith súgach,
Agus codladh go sámh."

Bheadh tál aige, máiléad, suiséal grábhála, tráchar órlaigh agus tráchar leathórlaigh agus sá[bh] ribeála, sá[bh] a scoiltfeadh clár ar a fhaid, tua bheag agus tua mhór. Bhíodh prios aige.

Chuiridís ar an bhfarraige í fé a mbeadh crann ná seol uirthi agus bhaistfí í. An fear gur leis í nó a bhean a bhaistfeadh í. Ólfaí deoch ansan t'réis í a lanseáil. Fear an bháid a ghlaofadh na deocha.

9. Doirithe agus Spiléir

Doirithe is spiléir a bhíodh acu lem linnse. Chaithidís an trál a bheith acu chun an bhaighte don spiléar. Bhíodh dabaí agus leathóga[180] breaca agus leathóg Muire sa trál. Mála straíocála a thugaidís air. Ag ródaíocht a mharaítí an leathóg Muire. Tugann daoine anois an *halibird*[181] ar an mbreac san. Béarla é sin.

180. Ls. *liothóga*
181. .i. *halibut* – '*halibird*' an ainm áitiúil anso – [SÓD]

10. Sciath Spiléir

Bíonn an spiléar baighteáilte ar sciath,[182] sciath spiléir. Bíonn sí déanta le slata agus dhá chluais uirthi.

11. Cló

Bhíodh cló anso chun spiléar a chrochadh air. Bata ba dh'ea é go raibh dhá scoilt ann. Bhíodh a ceann sáite isteach sa bhfalla. Bhíodh na duáin crochta ar thaobh de agus an dró ar an dtaobh eile. Ní raghadh an dró in achrann ar ao'chor.

12. Gleacaí, Losna agus Luiseag

Bhíodh duán acu a mharaíodh langaí. Thugaidís an gleacaí air. N'fheaca mé aon ghleacaí le fada anois. Bhíodh sé níos mó ná duán pollóige. Losna[183] a thugaimid ar an ndró caol a bhíonn idir an dró agus an duán. Bíonn dhá luiseag ar gach aon duán, luiseag chun na snáth a chimeád air agus luiseag eile chun greim a chimeád ar an mbreac.

13. An Dró agus an Ríl

Bhíodh an dró casta ar ríl againn. Bhíodh cheithre chúinne ar an ríl. Bíonn deich feá is dachad insa dró agus leath-feá sa losna, sé sin ó bhun do chluaise dtí barra do mhéire. Bhíodh luadh ag bun an dró. Bhíodh breis is púnt meáchain ann. Bhíodh sé déanta mar bheadh bád beag, ceann de ramhar agus ceann de caol. Nuair a bhíonn an ceann caol de chughat is fusa é a tharraint.

14. Gaithe

Bíonn gaithe acu chun iasc trom a thóigint isteach insa mbád, gaithe gan luiseag.

15. Ag Iascach Ghliomach

Bíonn siad ag iascach ghliomach anso sa samhradh. Bíonn téad as gach pota agus baoi ar gach téad agus bata in airde as an mbaoi. Bíonn an baighte greamaithe sa phota le scibhéir.

16. Straíocáil

Ag straíocáil a bhídís fadó agus ag trálaeireacht a bhíonn siad inniu. Agus an obair chéanna is í í agus dé chúis í a bheith ina straíocáil fadó agus ina trálaeireacht inniu? Mar seolta a bhíodh acu fadó agus tá na hinnill inniu acu. Caithfidh an áirithe siúil a bheith fén mbád agus chaithfeá a bheith ag scaoileadh leis an seol agus á tarraint chughat chun an siúl céanna a chimeád fúithi.

182. Ls. *sciach* /ʃgʹiəx/

183. /lusnə/ (feic Breatnach, *Seana-Chaint II,* lch. 284 s.v. *lusna*)

Bíonn béal mór ar an mála straíocála. Bíonn téad na luaithe thíos agus téad na gcorc ar barra agus dhá chláirín ar gach taobh. Bíonn téad ó gach cláirín ag teacht insa mbád – an choistéad.

Bhí an t-iascach go maith le linn m'athar ach ní raibh aon airgead air. Bhí langa ar trí pingine go leith agus trosc ar thistiún agus d'airigh mé m'athair á rá gur chaith sé amach ar thráigh Bun Machain iad ar trí pingine an ceann. Bhí na langaí agus na colmóirí fairsing.

Mogal ceithre orla a bhíonn i mbéal an mhála agus mogal trí hórla thiar ann. Bíonn cnáib acu chun é a chur ar a téad, trí orla cnáibe ar dhá órlach téide ar an mála (straíocála) agus chúig órla lín ar thrí órla téide ar thraimil chun colmóirí.

Bíonn téad an choirc agus téad na luadh ar gach líon. Bíonn téad an tslinn[184] le bonn an lín leis chun é a tharraint. Curtar téad an tslinn ar an *winch* anois chun é a tharraint.

Insa mála straíocála gheothá leathóga breaca, leathóga Muire, sóil, ceidht, *haly-bird*, rothaí, langaí, eascúin, colmóirí, gliomach b'fhéidir, cráifis, dabaí, cnúdáin donn, cnúdáin dearg, bráithre, jack-a-dory, cadóg, crosóg, blumaeirí – deineann siad san leis an teas den bhfarraige, bheidís fé mar a bheadh lampa mór *jelly*.

17. An Traimil

Bhíodh a thraimil fhéin ages gach einne agus a chuid féin éisc ach an deichiú breac age fear an bháid. Mogal ceithre n-orla a bhíodh i dtraimil na gcolmóirí.

18. Scainseáil

Dhá líon a cheangal dá chéile, scainseáil é sin.

19. An Breac i Mangalam

"Bhí an breac i mangalam," a déarthá 'á mbeadh sé goite idir an dá líon: ní liomsa é is ní leatsa é ach nuair a dhíolfaí é dhéanfadh sé deoch.

20. An Talamh Ceart

"Thá an talamh ceart age'n bhfear san," a déarthá nuair a bheadh sé sa doimhneacht cheart ag iascach le dró.

21. Ag Sáil

"Bhí sé ag sáil," a déarthá nuair a bheadh fear ag iascach le dró, ag iascach phollóg agus é ag tarraint[185] chuige agus ag scaoileadh uaidh an dró chun an baighte a chumhad beo.

184. Ls. *tsleighn*

185. Ls. *tarrac*. Seans gur shleamhnaigh Gaelainn Dhún Chaoin an bhailitheora isteach anseo.

22. Reaigidí

Reaigidí – colmóirí nó aon iasc a bheadh leath-ite ag scailpíní.

23. Deisiú na Líonta

Bhíodh snáthad lín acu ag deisiú na líonta. Bhíodh sí déanta dhe thraidhn.

24. An tIasc á Chuir i dTír

Nuair a thagadh an bád isteach leis an gcé cuirfí an t-iasc isteach sa chiseáin agus cuirfí amach ar an gcé é. Bhíodh cúigear húcéirí ag góilt dos na macraelí agus seisear ag góilt dos na scadáin. Is le ciseáin droma a thugadh na mná abhaile an t-iasc. Siad na mná a thugadh abhaile é.

25. Roinnt an Éisc

Bheadh a chriú féin beartaithe age fear an bháid a chuirfeadh líonta inti.

Bheadh ceathrar ag ródaíocht inti. Bheadh an t-iasc a mharódh sé féin ag gach duine. D'réir mar a thabharthá breac isteach, scor[186] a chuir sa bhreac: bhí a mharc féin ag gach duine. Bheadh smuit, bráid, cúl agus eireaball. Smuit, scor a bheadh i gcaincín an bhric.

Ag iascach le líonta má tá seisear sa mbád thá naoi scair déanta dhen iasc – scair don mbád, scair dos na líonta agus scair don scipéir agus scair ag gach duine sa mbád.

Nuair athá báid innill anois ann, caithfidh tú anois dhá phúnt déag deich a leagaint ar an gcé chun púnt an duine a bheith acu. An ola a bhaint as an airgead ar dtúis agus an *allowance*: sé sin an deoch agus cuid den *accommodation*. Ceathrar a bhíonn iontu. Bíonn trí scair age'n scipéir. Ní bhíonn ag fear na scaire ach púnt.

Thagadh na hiascairí isteach dtí Faill a' Stáicín ag seanseáil a gcuid líonta, ag cur a gcuid éisc i dtír t'réis a bheith amuigh á dtarraint. Agus thugadh na mná na colmóirí abhaile, agus a gcuid bídh go dtí Faill an Stáicín chúchu agus uisce nuair a dh'imídís chun farraige arís ag cuir a gcuid líonta amach. Chaitheadh na mná dul dtí an mbaile mór lena gcuid colmóirí agus ciseáin droma orthu, agus nuair a bheadh an taoide istigh orthu ná faighidís teacht 'on tráigh chaithfidís gual agus bia agus gach aon saghas lóin a dh'oirfeadh don tigh a thabhairt abhaile thimpeall an bhóthair ó Dhonn Garbhán dtí Baile an nGall le ciseáin droma. Ní raibh aon asal acu: ba iad na mná na hasail an uair sin. Agus nuair a chaithidís a gcuid éisc isteach ar an tráigh bhíodh a mharc féin age gach einne ar na colmóirí – pluic, cluais agus eireaball. Bhailíodh gach einne a chuid fhéin ansan. Bhí fhios age'n mbean ansan dén marc a bhí age'n bhfear agus bhí sí

186. Ba í an tuiscint a bhí ag M.Dh. ar *scor* /sgor/ ná gurb ionann é agus an focal Béarla *gash* (Breatnach, *Seana-Chaint II*, lch. 352 s.v. *sgor*)

ábaltha ar breith ar gach aon cholmóir a bhain lena fear agus a chur sa chiseán is a thabhairt dtí an margadh. Agus le linn na ródaíochta ní thagadh na báid, ní chodlaíodh aon fhear aon oíche ar a leaba nach gach aon oíche ar an bhfarraige – go dtí 'tháinig na líonta agus nuair a tháinig na líonta bhí codladh na hoíche ar fad age fear na líonta.

Bhí dhá iascaireacht ar an gcolmóir, ródaíocht agus líonta, agus gheobhaidís rud beag éigint airgid níos mó ar cholmóirí i dró ná mar a gheobhaidís ar cholmóirí i líon.

Fadó nuair a bheadh an bád ag an gcé déantaí scaracha dhen iasc. Bheadh colmóirí beaga agus colmóirí móra ann, agus an fear a bheadh á roinnt, bheadh sé a d'iarra' iad a roinnt cothrom. Nuair a bheadh na scaracha déanta aige raghadh fear amach ar an gcé, agus dh'iontódh sé a dhrom leis an bhfear a bheadh t'réis na scaracha a dhéanadh. Dh'fhiarthóthaí dhe cé aige a bheidh sí seo:

"Bíodh sí agam féin," a dhéarfadh sé seo, "nó agatsa," nó "age Seán," nó mar sin.

26. Iascaireacht Cholmóirí

Bhíodh dhá iascaireacht ar cholmóirí – iascaireacht dró,[187] agus iascaireacht líonta. Bád mór a bhíodh leis na doirithe, agus bád beag leis na líonta. Húicéirí a thugtaí orthu san (na báid mhóra). Bhídís ag ródaíocht. Raghaidís a chúig déag nó a sé déag dhe mhílte amach. Chaithfí síos an t-ancaire, agus bheadh gach aon fhear ag obair lena pheidhre[188] doirithe. Ceathrar is minicí a bhíodh sa mbád. Bheadh dró ag gach taobh den mbád age gach aon fhear. Chomh mear agus a thiocfadh na colmóirí isteach bhí a mharc féin age gach aon fhear – smuit, bráid cúl agus eireaball – sin iad na marcanna a bhí acu ar a gcuid éisc. Nuair a bhaineadh an fear an duán amach as an iasc chuireadh sé a mharc féin air le scian – sliogóg a bhaint dá chaincín nó dá bhráid nó dá chúl nó dá eireaball.

Bheadh an t-iasc go léir caite i bhfochair a chéile sa mbád ansan. Nuair a thiocfadh an bád isteach go dtí an cé, bhí fear ann chun iad a roinnt, nó b'fhéidir go raghadh ceathrar á roinnt chun iad féin a luathú abhaile. Iad a dhíol ansan. Dhá phingin agus dhá phingin go leith, agus trí pinge, agus trí pinge go leith an ceann a bhíodh orthu. Thagadh mangairí ó Dhonn Garbhán. Is minic a chomhairíos fhéin sé chapall déag, sin sé dhuine dhéag mangairí.

An méid ná díolfaí mar sin chuirfí sa salann iad i mbarraillí agus i ndabhacha. Nuair a bheidís saillte ansan, thógfaí amach iad agus nífí sa sruth iad – sa bhfíoruisce. Bhí ardáin mhóra déanta amuigh ar na garraithe acu, sceacha caite

187. Tcs. *dorugha*
188. /f´air´ı/ .i. *phéire* – tá **/ai/** déanta de *é* sa chanúint seo i gcásanna áirithe (feic Breatnach, *The Irish of Ring*, lch. 117)

in airde ar na hardáin, agus na colmóirí leagaithe anuas ar na sceacha. Bheidís san chomh buí le hór ag an ngrian. Thiocfadh ceannaitheoirí ó Chorca, ó Luimne,[189] agus ó Chiarraí, agus cheannóidís do réir an chéad iad tirim mar sin. Trí púint agus chúig scillinge déag is dachad a bhíodh orthu. Cheannaíodh gach aon fheirmeoir an uair sin anlann an gheimhri' mar sin.

Ní bhíodh aon fheoil acu ach amháin Dé Domhnaigh. An té a mbeadh a chapall aige fhéin, agus ná faigheadh a shásamh ón cheannaitheoir, théadh sé féin ansan leis, chomh fada le Corca nó le Cluain Meala nó le hAonamh (sic) Urmhumhan. Ní bheadh aon áras eile acu chun dul a chodladh ach in airde ar an ualach.

Bhíodh a chuid féin líonta age gach aon fhear ins na báid bheaga – *trammels.* Bhíodh an seachtú breac age fear an bháid. Is é rud athá anois ann ná a leath ag an mbád agus ages na líonta, agus an leath eile do roinnt ar na fearaibh. Mar sin bíonn a scar féin age gach einne. Is cuimhin liom go gcaithfeadh an Choróin Mhuire a bheith istigh i ngach aon bhád ar an dá bhuille dhéag, pé áit ar thalamh an domhain a mbeidís ag marú éisc. Dá mbeadh colmóirí dhá dtarraint acu chomh mear agus a bheadh fearthainn ag titim ón aer, chaithfeadh an obair stad ar an dá bhuille dhéag.

27. Sailleadh an Éisc

Bhídís ag sailleadh[190] an éisc an uair sin. Bhídís ag dul go Corca' agus go Ciarraí, colmóirí tiorma agus langaí tirime.

Ní buítí an langa chuigin ach í a thiormú leis an ngréin, sé sin í a thógaint as an bpicil agus í a ní sa sruth chun an phicil a bhaint aisti agus í a fhágaint amuigh fén ngréin ar fheadh í a thiormú. Bheadh an colmóir amuigh i rith an lae agus tabharfaí isteach tráthnóna é agus cuirfí amach arís ar maidin dar ná mháireach é. Bheadh sé isteach is amach go mbeadh sé buí. *Well,* nuair a bheadh san beirithe agus blúire ime agus braon leamhnachta níor dh'ith tú aon bhia riamh b'fholláine ná b'fhearr ná é. Agus cárt bainne géir ó bhean an *dairy* nuair a bheadh san ite agat bheitheá ag scaoileadh na beilte.

Na hiascairí féin a dheineadh é a shailleadh. An méid ná faighfeá a dhíol san mbaile mór le daoine agus le joltaeirí tabharfaí abhaile iad is déanfaí iad a shailleadh.

28. Ag Ródaíocht Colmóirí agus á Leasú

Agus lena linn[191] bhítí ag ródaíocht colmóirí, ceathrar fear in gach aon bhád agus dhá dhró ag gach … cheithre dhró ar gach taobh don mbád ag sáil. Tugann

189. /oː xorkə, oː limən´ɪ/ .i. *ó Chorcaigh, ó Luimneach* – téann *gh* carballach /ig´/ agus *ch* coguasach cúil /x/ ar lár i gcás roinnt logainmneacha eile chomh maith e.g. *Cill Chainnigh* /k´əil´ xiŋ´ɪ/ nó /k´ail´ xiŋ´ɪ/ (Breatnach, *The Irish of Ring,* lch. 133)
190. Ls. *suile* /sil´ɪ/
191. .i. le linn a sheanathar.

siad sáil ar a bheith ag bogadh agus ag tarraint – iascaireacht na gcolmóirí. Agus nuair a thabharthása do cholmóir isteach bhí marc agat – smuit; agus nuair a thabharfainnse mo cholmóir isteach bhí marc agam – bráid; nuair a thabharfadh fear eile a cholmóir isteach bheadh marc aige – eireaball; nuair a thabharfadh fear eile a cholmóir isteach bhí marc aige – imleacán.[192] Agus shin é mar a mharcálaidís iad go n-aithneodh gach einne a chuid fhéin éisc nuair a chaithfí amach ar an gcé é.

An té a mbeadh acainn[193] aige ansan chuireadh sé sa salann iad – shailleadh sé iad in baraillí agus salann garbh, hocht lá agus naoi lá insa mbaraille; iad a ní ansan as an bpicil insa sruth agus iad a ghlanadh agus a chuir amach ar soithí[194] á dtiormú. Thagadh ceannaitheoirí ansan ó Chlanna Coillte agus ó Chorca agus ó Bhleá Cliath féna ndéin go dtí an Rinn ar trí púint an céad. Thugadh na capaill ansan go dtí an stáisiún é ('dtíosna ...) dtí an traen, agus shin é an t-airgead a gheibhidís orthu saillte, agus trí pingin a gheibhidís orthu úr. Agus an fear bocht nárbh acainn do iad a chur insa salann chaithfeadh sé iad a dhíol úr, a' d'iarra' a mhaireachtain a dhéanadh.

Agus sin a bhfuil de chur síos agam ar sin.

29. Comhaireamh an Éisc

Sa seanashaol ina gceann agus ina gceann a dheintí iad a chomhaireamh. Ina dhia' san gach aon chúpla a chomhairíog, agus thabharfaidís haon ar gach cúpla go raghaidís go dtí scór. Bheadh dachad comhairithe ansan acu. Haon is dachad ansan go dtí trí fichid, agus mar a chéile suas. Tógtar trí chinn des na scadáin agus des na macraelí agus des na leathóga anois – de ghach saghas iasc beag. An fhaid is a bhíodh na colmóirí ag teacht, ina gceann agus ina gceann a dheinidís iad a chomhaireamh.

30. Ag Comhaireamh Macraelí

Bíonn trí cinn i gach aon láimh. Ba dh'in haon. Bíonn dachad láimh i gcéad agus ceaist isteach. Bíonn láimh sa cheaist. Chuiridís marc ar chloich ansan in agha' gach céad.

31. Leandar

Tugaimid leandar anso ar chadóg saillte.

32. Ag Gearradh an Éisc

An pointe is fearr ar an iasc ná an fhuil a bhaint as, gan aon fhuil a dh'fhágaint

192. /im´ıl´kɑ:n/
193. /akiŋ´/ .i. gustal (feic Ó hAirt, *Díolaim Dhéiseach*, lch. 1 s.v. *acainn*)
194. /sıˈhi:/

ina chnámh. Ar an mbolg a gearrtar an colmóir agus an langa. Scoiltheann[195] siad an macrael ar a ndrom agus ní dh'oscalófar an scadán chuigint agus nách diail an teideal athá age'n *sprat* go dtabharfaidh sé a cheann ar an mbord dtí an Rí leis beirithe: ní baintear an ceann den *sprat* chuigint.

33. Seosún na hIascaireachta

Bhíodh a sheosún féin do gach aon iasc. Bhíodh ó Mhí na Féile Bríde go dtí deireadh an Mhárta leis an langa. An colmóir ón Márta amach go dtí go dteipfeadh an seosún orthu. Dh'fhanfadh an colmóir go dtí go dteipfeadh sé. B'fhéidir go dtabharfadh sé an bhliain ar fad ann. Le doirithe a maraítí an langa agus an colmóir.

Bhíodar gan aon líonta anso chun macraelí. Is cuimhin liomsa[196] iad a theacht. Bhí mé ag éirí suas im gharsún nuair a tháiníodar. Thagadh an mhacrael sa Mhárta i gCiarraí. Théadh na báid siar as so agus ó Arklow. Bhídís ag iascach macraeil isteach go dtí *October*, Deireadh Fómhair.

Thagadh scadáin shamhra' agus scadáin gheimhri' anso. Bhíodh scadáin shamhra' ann as so amach go dtí tosach an fhómhair agus na scadáin gheimhri' ó Shamhain go Féil Bríde.

34. Na Taoidí

Bíonn an taoide sé huaire ag trá agus cheithre huaire ag líonadh agus dé chúis é sin? Tá an mhuir mhór ag cuir léithe ag teacht agus níl dada ag cuir léithe ag imeacht. Bíonn taoide thuile ann nuair a bhíonn sé ag líonadh agus taoide atha[197] ag trá.

35. Lán Mara Atha agus Éirí Ré

Lán mara atha agus éirí ré – deireadh an seana-dhream gur mhaith an t-am colmóra a mharú é.

36. Rabhartaí

"Tosach ré rabharta agus lár ré rabharta agus deireadh ré rabharta."

Rabharta na Féil Pádraig, dh'áirídís é sin ar an rabharta is mó a bhíodh le teacht. Bhídís ag baint an trioscair.

Rabharta na Bealtaine, Rabharta Béal na hÉireann, is dóigh liom gob é sin é. Aoirde ré an rabharta is mó a thagann.

37. Barra Taoide

Bíonn barra taoide ar an uisce uaireanta – trioscar lofa agus gach aon rud ag snámh ar bharr an uisce.

195. Ls. *scoileann* .i. scoilteann
196. Ls. *liú-sa*
197. .i. taoide aife

38. Comharthaí Éisc

(i) Bheidís ag féachaint amach don mbaighte. Na cánóga is na gainéin, an áit is mó a fheicidís iad is ea is mó a bheadh an baighte. An áit a bheadh na préacháin go léir, sin é an biota. Chaithfidís na líonta san mbró, sé sin mórchuid éisc is baighte. Nuair a thiocfadh fear abhaile is mórchuid éisc aige déarfaidís: "Thit sé isteach sa mbró."

(ii) Bheadh an slaoiste as cheann an éisc – bró macraelí, bheadh an slaoiste ar an uisce. Bheadh sé fé mar a bheadh ola ar barra an uisce.

(iii) Ní bhriseann an scadán chuige. Bíonn an scadán ag pileáil. Bíonn an macrael agus an sceaid ag briseadh.

(iv) Bheidís ag faire ar na préacháin bhána, na seagaide, na cánóga agus na gainéin.

(v) Bheidís ag féachaint amach don ngaoth aniar agus don ngaoth aniar aneas. Ní bheadh mórán muinín acu aisti as aon áit eile …

"An ghaoth aniar bíonn sí fíor
Agus cuireann sí iasc in líonta.
An ghaoth aneas bíonn sí deas
Agus cuireann sí rath ar shíolta.
An ghaoth anoir bíonn sí dubh
Agus cuireann sí rioth sa taoide.
An ghaoth aduaidh bíonn sí fuar
Agus cuireann sí fuacht ar dhaoine."

(vi) Ciúnas agus teas na comharaithe is fearr agus mór-bhaighte, sé sin *sprats* agus rudaí eile.

(vii) Théidís amach gach aon oíche den seachtain. Ní théidís oíche Shathairn mar ní bheadh aon mhargadh don iasc acu Dé Domhnaigh mar bhí an Domhnach roimh an mangaire agus ní bhfaigheadh sé siúl leis. Théidís amach fadó istoíche Dé Domhnaigh ach ní théid anois.

(viii) Ó ceathrú líonta go ceathrú tráite ár gcuidse iascaireacht ón gcloich le cleath.

(ix) Is olc í an ré mar cíonn siad (na macraelí) na líonta le aoirde ré. Duibhré is fearr dos na líonta.

(x) "Lán mara atha agus éirí ré,
Ba mhaith an t-am colmóirí do mharú é."

39. Comharthaí Talún

Bhíodh comharthaí talún acu. Chuirfidís dhá phointe ar aghaidh a chéile.

Bheadh an Coilceach[198] oscailte siar ar Cheann Eochaill acu chun colmóirí. Na soilse a bhíonn sa tithe solais a bhíodh acu istoíche ach bheadh an bhirt tóigthe acu fé a dtitfeadh an oíche.

40. Creidiúintí agus Piseoga Iascaireachta

(i) Deir siad nár mhaith dhuit bean rua a bhualadh leat agus tú ag dul ag iascach. Bhí aithne agam ar dhaoine agus chasfaidís ar an mbaile 'á mbuailfeadh bean rua leo agus iad ag dul ag iascach nó 'á mbeitheá ag feadaíol istigh san mbád thiocfadh seanduine amach aisti.

(ii) Níor mhaith leo a dh'fhiarthaí[199] dhóibh ar maidin Dé Luain cá rabhadar ag dul. 'Á bhfiarthófaí d'iascaire ar maidin Dé Luain cá raibh sé ag dul bhí tú marbh aige.

(iii) Níor mhaith leo a bheith ag feadaíl sa mbád ná bheith ag lorg meaitse ar maidin Dé Luain.

(iv) Ní mhaith leo trácht ar an madra rua.

(v) Níor mhaith leo bheith ag lorg na gaoithe.

(vi) Ní dóigh liom gur mhaith leo an bád a thaoscadh Dé Luain.

(vii) A. Bhíodh arán[200] Naomh San Nioclás[201] fuaite i gceirt ag gach einne acu. Gheobhfá ós na bráithre i nDonn Garbhán é.

Dh'airigh mé m'athair ag cur síos air. Tháinig gála air agus fuair sé an t-arán agus cheangail sé d'iarann na stiúrach é agus chiúnaigh an fharraige thimpeall uirthi chomh [ciúin] le log agus an fharraige go léir ina gála thimpeall orthu. Bhí an bád fé mar a bheadh in tobán bainne. Thug sí lá agus oíche ann nó gur chiúnaigh sé.

Bhíodh sé (arán Naomh San Nioclás) thuas chun cinn crochta ar an stuimire istigh agus máilín thimpeall ar an arán. Bhíodh sé sa tithe leis mar bhíodh muinín as go sábhálfadh sé é ar thoirneacha nó ó aon rud an tigh.

(vii) B. Lá S' Nioclás ba dh'é lá pátrúin na Rinne sa seanaimsir é, agus fós. Agus bhí arán á dhéanadh ages na bráithre agus sampla Naomh S' Nioclás tarrainthe amach air. Agus bhíodh sé ina cheirt age gach aon iascaire ag dul dtí an bhfarraige nuair a bhí mise óg. Agus bhíodh ceann acu in gach aon bhád ar an bhfarraige, agus nuair a dh'éiríodh gála nó drochaimsir ar an bhfarraige orthu bhíodh sé istigh in sparáinín acu agus corda as, agus chaithidís i gcoinne na farraige é, agus dheinidís amach go maraíodh sé an fharraige thimpeall ar an mbád. Mar iascaire ba dh'ea Naomh S' Nioclás agus le onór do Naomh S' Nioclás bhí sé sin in gach aon bhád iascaireacht a bhí ag seoladh ón Rinn lem linnse.

198. /kil´ˈk´ax/ .i. cloig-theach – sampla de mheititéis é seo (feic R.B. Breatnach, *The Irish of Ring, I* lch. 147)

199. Ls. *dh'fhiafhruí* /jiarˈh´i:/

200. Ls. *'reán* /r´ɑ:n/ .i. arán

201. Déantús pí beag a bhíonn air agus stampa air, ceann an naoimh dar liom. Taos is ea é. Bhí sé sa tigh ag Maidhc Dháith chun é a chosaint ar stoirmeacha – SÓD

(viii) Bhíodh uisce coisreac sa mbád agus paidrín ag gach duine agus ní raghadh aon fhear chun farraige gan scaball na Maighdine Muire a bheith ar a mhuinéal, agus ar an dá bhuille dhéag pé marú a bheadh ar iasc dhéarfaidís an *rosary*. Chroithidís an t-uisce coisreac gach aon oíche.

Bíonn an rath ar dhaoine 'bhreis ar a chéile chun éisc.

(ix) *Jacky-a-Dory* agus an chadóg agus an deargán, sin iad na trí bric a bhí age'n suipéar déanach agus thá rian A mhéire agus 'ordóige iontu.

(x) Cros do chnámh cadóige a bhíodh ar na paidríní fadó acu. Chonaic mé á dhéanadh iad. Losna a bhíodh ag cuid acu in áit slabhra mar dhreodh an sáile an slabhra. Bheadh na paidríní beannaithe agus ansan braon uisce coisreac á chaitheamh ar chros na cadóige.

(xi) Dh'airigh mé trácht ar na hárthaí fallsa. Chíodh na seaniascairí iad, b'fhéidir gairid do ghála nó stoirm a bheadh chun éirí. Chídís iad d'réir mar a bheidís ar an saol. Shílidís go mbeidís báite acu ag teacht anuas orthu. Theithidís ón bhfarraige ansan. Dh'airigh mise mo dhritheáir á rá go bhfeaca sé ceann acu age Berehaven.

Iascairí agus húicéirí, Baile na nGall, 1931

Grianghraf: Cnuasach Poole, An Leabharlann Náisiúnta

(b) ÉISC AGUS AINMHITHE EILE FARRAIGE

1. An Speidhlséir

Bíonn speidhlséir anso. Tá sé cosúil leis an scadán ach bíonn an tsúil níos deirge aige agus an scionach[202] níos gairí air agus bíonn an sceolúch[203] níos lú aige.

2. Mairteoil na Farraige agus Sicín na Farraige

Deir siad gob í an langa mairteoil na farraige agus an faoitín sicín na farraige. An scadán an breac is glaine sa bhfarraige. Ní bhfuair einne riamh aon rud i mbolg an scadáin. Ar súiteán[204] na farraige a mhaireann sé. Tá brobh féir i mbéal an scadáin i gcónaí agus bíonn sé á shúpadh – féar scadán is ea é. Is minic a bhí mise ag bailiú féar scadán. Tagann sé isteach ar an dtráigh.

3. An tAnglá

Sin breac a bhíodh ann, anglá. Bhaintí ola aisti le hagha' pianta. Thá dhá shaghas acu ann agus nuair a sheasóidís anuas air dh'aithneóidís an ceann ceart – seasamh uirthi, chuirfeadh sí do spridí ag fiuchadh suas tríd chabhail; dh'imeodh diúrachas tríd spridí; chuirfeadh sí fairithis ort.

4. An Seoltóir

Iasc ana-mhór is ea an seoltóir. Bíonn sé ar bharr na farraige uaireanta. Bíonn seol in airde as.

5. Eascúin

Má chuireann tú ribe gruaige capaill nó bó nó duine fé chloch i sruth déanfaidh eascú dhíobh. Agus sé ribe an chapaill a dheineann an eascú dhubh, agus dhe ribe na bó an eascú bhán, agus dhe ribe an duine an eascú channgair.

Thá an eascú channgair ar dhath an langa; agus thá an eascú dhubh, thá gach aon phioc di dubh ach a bolg; agus an eascú bhán, bán ar fad.

Itear gach aon cheann acu. Ó eascú bhán [is fearr le n-ithe].

6. An Mhuc Mhara

Deir siad ná fuil aon stropa rásúrach fén domhan chomh maith le croiceann muc mhara. Tháiníodar fadó ar Thráigh na Rinne isteach.

202. Ls. *sgionach* /ʃɡ´əˈnax/ .i. gainne
203. Ls. sgeolúch /ʃɡ´oːˈluːx/ .i. sceolbhach
204. tugann R.B. Breatnach *juice, sap* mar mhíniú ar an bhfocal *súiteán* (Breatnach, *Seana-Chaint II,* lch. 383 s.v. *súiteán*)

7. Na Tuiníní

Tagann na tuiníní isteach cois na gcloch le haimsir bhriste. Ní bhíonn siad comh mór leis an muc mhara ach ar aon déanamh amháin.

Ní dh'itheadh na daoine iad.

8. Ag Marú Róinte

Bhí fear i gContae Chiarraí – dh'airínn trácht air – agus ní bhíodh aon obair aige ach amháin imeacht ar fuaid na faille ó mhaidin dtí an oíche agus bhíodh sé ag robáil na coileáin ós na róinte. Agus an áit a mbíodh an chuais ages na róinte ag tógaint na gcoileán bhí áirse leasmuigh den chuais, agus chaithfeá léimeadh de chlocha taobh ismu' dhen áirse agus dul fén bhfarraige ansan chun éirí laistigh chun teacht ar na coileáin nuair a bheadh an taoide romhat. Agus bhí sé tar éis na róin a robáil roimhe sin agus chuaigh sé féna ndéin – na coileáin – an lá san an tara huair. Agus nuair a bhí sé ag snámh thíos fén áirse ag dul isteach dtí an áit a raibh na coileáin bhí an rón ag teacht amach ina choinne agus sciob sé an lámh ón ngualainn de, agus meireach[205] an bád a bhí ag faire air bhí sé caillte.

(c) CNUASACH TRÁ

1. Gaibhlíní[206]

Sa gaibhlíní sa tráigh bíonn *shrims*, breac an dá shúil déag, cealacán, sleamhnóg, ceann cruaidh, pis a' ribe. Bhíodh cuid des na garsúin á marú san sa gaibhlíní agus *net* beag a bheadh ar cheann mná acu agus cochal déanta dhe.

2. An Tráigh

Insa tráigh bíonn gruamháin, circíní trá, colláin, píotháin dhubha, píotháin bhána, gúgáin. Píothán mór is ea an gúgán agus nuair a chuirtheá led chluais é bíonn glór na farraige istigh ann. Bíonn sceanna murú ann – sceanna dubha agus sceanna bána. Bainfí an scian dhubh le gráinne salainn a chaitheamh ar an áit go mbeadh sí fén ngainimh.

3. An Gibín

Iasc beag go mbíonn gob air, an gibín. Bíonn siad sa ghainimh in imeall an uisce, iad a bhaint le rámhann nó le sluasad.

205. /m´əˈr´ax/ nó /m´r´ax/ (feic Breatnach, *Seana-Chaint II*, lch. 298 s.v. *meireach*)
206. .i. góilíní

4. Logaí

Bíonn logaí leis insa tráigh. Tá an loga dubh is an loga dearg is an loga liath ann. Iad a bhaint le rámhann le hagha' baighte.

5. Ubh Mharaigh

Bíonn ubh mharaigh leis insa tráigh. Bíonn sé sin ina liathróid agus clipí air.

6. An Chailleach Chiarraí

Bíonn cailleacha Chiarraí ann leis, portáin bheaga: bíonn siad acu le hagha' baighte.

7. Sceana Murú

Tá an scian bhán ann agus an scian dhubh. Bhídís sin acu le hagha' baighte, an scian dhubh. Bíonn poll le feiscint sa ghainimh mar a mbíonn an scian dhubh – gráinne salainn a leagaint ar an bpoll agus comh luath agus raghadh sú an tsalainn go dtí an scian dhubh bhí sí do léim aníos ar an eitir. Tiormaíonn an eitir níos túisce ná an tráigh, thá an eitir níos crochta.

Na sceanna bána, dh'éireoidís in airde leis an teas agus rithfeá do dhá mhéir lena n-ais agus iad a dh'fhháscadh uirthi agus í a tharraint aníos, Ní bhfaightheá iad ar ao'chor sa gheimhreadh – bíonn siad i bhfad síos.

8. Colláin

Bíonn colláin leis insa tráigh. Bhainidís na colláin leis na rámhainne ach chaitheadh an gála isteach ar an tráigh, leis, iad.

9. Gruamháin

Bíonn gruamháin sa tráigh, *cockles*. Bhídís á ndíol ar sráid Donn Garbhán fadó, le tiumpléir acu ar dhá phingin.

10. Píotháin

Thá seosún na bpíothán tosnaithe anois an mí seo[207] agus as so go dtí an Márta. Bheidís ann anois 'á dtiocfadh an ghaoth anoir a shéidfeadh isteach iad. Snáid siad ar barra an uisce agus tagann siad isteach. 'Á gcaiththeá ceann acu síos i ngaibhlín chítheá ar snámh é. Nuair a thagann an ghaoth anoir glanann sí an trioscar den tráigh agus bíonn siad le feiscint ansan.

Bhaileothá cúpla galún píothán 'á mbeadh tráigh rabharta ann. Bheitheá ag bailiú ansan go ceann seachtaine agus chuirtheá síos in mála iad. Mhairidís go ceann coicís istigh. D'réir an céad (meáchain) a dhíolthá iad, hocht scillinge an céad athá orthu. Ceannaíonn ceannaitheoir an éisc iad in Heilbhic. Tagann

207. Meán Fómhair

muintir an bhaile mhóir anso chughamsa féna ndéin. Bíonn mórán daoine anso á mbailiú. 'Á dtiocfadh aimsir fiain nuair ná faighidís dul ag iascaireacht raghaidís á bpiocadh. Píotháin dubha iad so.

Bheirímíst cuid acu, leis, iad a chuir síos insa sáspan agus uisce a chuir orthu is iad a chuir ag fiuchadh. Ní iarrfaidís mórán beiriú ar ao'chor. Iad a phiocadh amach leis an mbiorán ansan agus iad a dh'ithe aon am ba mhaith leat.

11. Bairnigh

Baintear go leor bairneach anso. Ní dhíoltar ar ao'chor iad. Is breá le daoine anso bairnigh. B'fhearr leo iad ná feoil agus ní bhíonn siad i seosún ceart go dtí an Márta. Caitheann siad trí deocha dhen sáile a dh'fháil san Márta, trí thaoide.

Bíonn siad mar a bheadh mairteoil úr-shaillte ansan. Sé an ainm a tugtar orthu ná 'mairteoil na farraige'.

Baintear iad le píosa staic iarainn, bior.

Iad a chuir síos in corcán agus iad a bheiriú mar a bheireothá prátaí. Braon fíoruisce agus gráinne salainn a chuir ag beiriú leo. Na sliogáin a bhaint díobh ansan agus iad a ní agus do ghlanadh agus iad a bheiriú thar n-ais in leamhnacht agus im agus piobar agus inniúin. Gheobhthá iad a dh'fhágaint ag beiriú faid is ba mhaith leat ansan d'réir mar a bheadh fiacla agat. Iad a dh'ithe le prátaí nó le té nó le haon rud.

12. Sleabhcán, Bairnigh, Duileasc agus Cosáinín

Bhíodh sleabhcán agus bairnigh agus duileasc agus cosáinín á mbaint fadó. Bhíodh na mná ag teacht ón Sliabh gach aon Déardaoin agus gach aon Mháirt go dtí an tráigh fé dhéin sleabhcán agus bairnigh agus duileasc agus cosáinín agus bheirídís é agus dhéinidís méilíocha deasa de mar bhí fhios conas. N'fheaca mé beirithe riamh é (an sleabhcán) ach dh'ith mé duileasc beirithe. Bhí sé go deas. Agus dh'ith mé cosáinín beirithe – leathaidís amach ar bhrait é nó ar thalamh tirm. D'fhágfaidís ansan é go mbeadh sé chomh geal le liatais, tirim. Chuiridís isteach in boscaí ansan é. Bheirídís gach aon lá é.

13. Sleabhcán

Bhínn ag baint agus á chuir go dtí bean a bhí á dhíol amuigh, ó tháinig mé anso. Aimsir an Choga' cheana bhí cúig déag agus fiche an céad air. Bheadh céad bainte i leathuair agat. Is mó seachtain a bhaininnse seacht céad de theas i bhFaill a' Stáicín agus thugainn aníos cosán Faill a' Staicín é agus abhaile anso, lán mála deich gclocha ar mo dhrom. Chaithinn ansan ar an úrlár é go dtí dar ná mháireach agus bhínn á bhailiú go dtí go mbeadh cheithre chéad agam agus á chuir go dtí bean i Sasana. Sa gheimreadh a bhínn á bhaint.

Ní bheirigh mé féin riamh é.

E. CEARDANNA

1. Gréasaíocht

Ar airigh tú riamh taoinne[208] snáth?

Fé mar a dúirt an file leis an ngréasaí nuair a chuir sé na bróga á dhéanadh:

> "Bíodh do thaoinne buí le céir,
> Agus an ranna láidir díreach léi,
> Chun í bheith nea'spleách,
> Le ráite gránna dhaoine an tsaoil."

Ar an ranna athá an bonn leagaithe nuair a bhíonn an gréasaí ag déanadh na bróige.

2. Obair Shiúnéara

Bhí siúnéir anso, agus bhí cois bhata aige. Asal agus cairt a bhíodh aige. Is mó lá dian a dh'oibrigh an fear bocht ar trí raolacha nó ar dhá scilling. Bhíodh sé ag obair ó dhubh go dubh, óna seacht a chlog maidean shamhraidh go dtí a hocht um thráthnóna, go mbeadh na ba crúite; ins an ngeimhreadh ó dhubh go dubh, ó sholas go solas. Ní bhfaigheadh sé codladh in aon tigh. Mar sin dá mbeadh an obair tamall uaidh, chaitheadh sé éirí doth[209] ar maidin agus bheith ansúd in am na hoibre, pé áit a mbeadh sé ag dul. Is minic a bheadh uair a chloig nó dhá uair a choig air ar maidin, agus an méid céanna agus a gheobhadh na sclábhaithe, ach bheadh rud éigin sa deifir ar maidin aige, b'fhéidir. *Cottage* a bhí aige – ní raibh aon talamh aige.

3. An Dá Roth

Beirt cheardaithe, Seán Paor agus Tomás Paor, agus ní raibh gaol ná cóngas acu lena chéile. Chuadar ag déanadh dhá roth – péire roth – ar son gill. Bhí duine acu ag obair i dtigh Phaid Móinbhéalaigh, agus an duine eile i dtigh Chonchubhair Uí Odharagáin. Dhá bhliain déag agus dachad ó shoin a thit sé sin amach. Bhí leath-bharaille pórtair le fáil ag an té is fearr a dhéanfadh an roth. An roth is sia a sheasódh a bhuafadh an geall. Tátar ag fuireach leis an lá fós. Tá an dá roth ag obair ag tarraint trioscair ó Bhaile Mhac Airt fós. Is mó droch-úsáid a fuaireadar ó shoin. Tá an bheirt sin curtha anois.

4. Seán Paor – Gabha

Seán Paor ab ainm do ghabha a bhíodh i mBaile na Móna. Maireann sé i

208. /tiːŋ´ɪ/ .i. tointe, taoinnte (feic Breatnach, *Seana-Chaint II*, lch. 410 s.v. *tuínne*)
209. /do/ .i. moch – tugann R.B. Breatnach an fuaimniú /de/ .i. *doich* chomh maith (feic Breatnach, *Seana-Chaint II*, lch. 155 s.v. *doich*)

gcónaí. Bheadh sé timpeall a sé nó a seacht is trí fichid anois, agus é ag obair i gcónaí sa cheárta chéanna.

Stadadh sé agen a dó a chlog Dé Sathairn. Chuireadh sé an glas ar dhoras na ceártan, agus ní dh'oibreodh sé a thuilleadh. Bhí sé sin mar nós aige. Ach bhí an fear so, Wáitéar Móinbhéal, ag dul go hEochaill an lá ina dhia' san. Duine mór muinteartha don ghabha ba dh'ea é. Tháinig sé go dtí doras na ceártan díreach agus an glas á chur ar an doras age Seán. Chuaigh Móinbhéal i hachainní air cruite a dhéanadh dho, agus iad a chur fén gcapall. Dh'oscail Seán an cheárta, agus ní raibh sé ana-shásta ar é a dhéanadh. Mé féin a bhíodh ag réiteadh na tine dho. Bhí *watch* im phóca agam, agus thóig mé an t-am ón uair a tháinig Móinbhéal anuas den diallait gur chuaigh sé in airde arís.

Bhíodh na cheithre cruite in aonacht aige sa tine. Bhí gach aon chrú iompaithe aige in aon deargadh amháin. Bhí an *set* déanta aige, agus iad curtha in airde, agus an bonn glan (bonn an chapaill), agus an marcach ag dul sa diallait nuair a thóig mise an t-am arís. Chúig nóimintí is fiche a bhí caite.

Dh'inis mé do cad é an fhaid a bhí sé leo.

"Dá mbeadh fhios agam," arsa sé, "go raibh am tóigthe agat orm, bhainfinn chúig nóimintí eile dhíot!"

Ba dh'é siúd an ceárdaí ba bhríomhaire a sheasaigh os cionn inneonach riamh.

2. CÚRSAÍ GNÓTHA AGUS TAISTIL

A. TAISTEAL AR TÍR

1. An Drochad

Slait an drochaid a bhíonn mar ainm ar an bhfalla a bhíonn as cheann súil an drochaid. Bíonn falla eile ansan ar gach taobh don slait agus cúpáil mar bharra air sin.

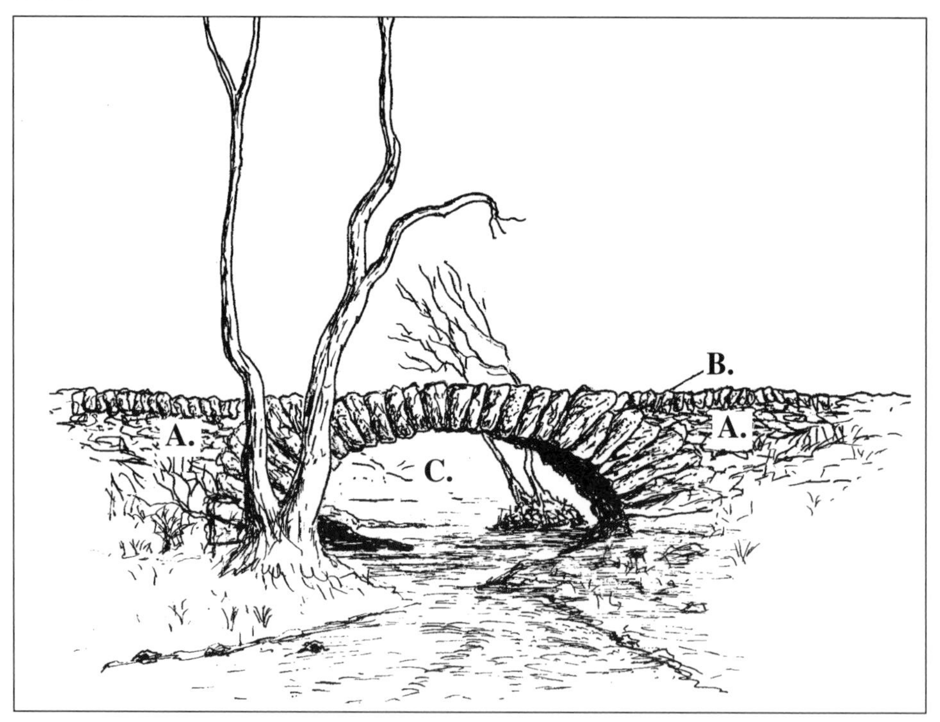

A. Sciathán an Drochaid. B. Cúpáil. C. Súil an Drochaid.

B. SAOL LUCHT TAISTIL

1. Muintir Thiobrad Árann

Nuair a thagadh muintir Thiobrad Árann[1] go Donn Garbhán ní bhfaightheá einne acu in aon áit ach age'n bhfarraige.

1. Ls. *Thiobrad Ára* – Is dóichí gurb í Gaeilge Dhún Chaoin an bhailitheora atá sa ls. anseo.

3. AN DUINE

A. BAILL AN CHOIRP AGUS A gCÚRAMAÍ

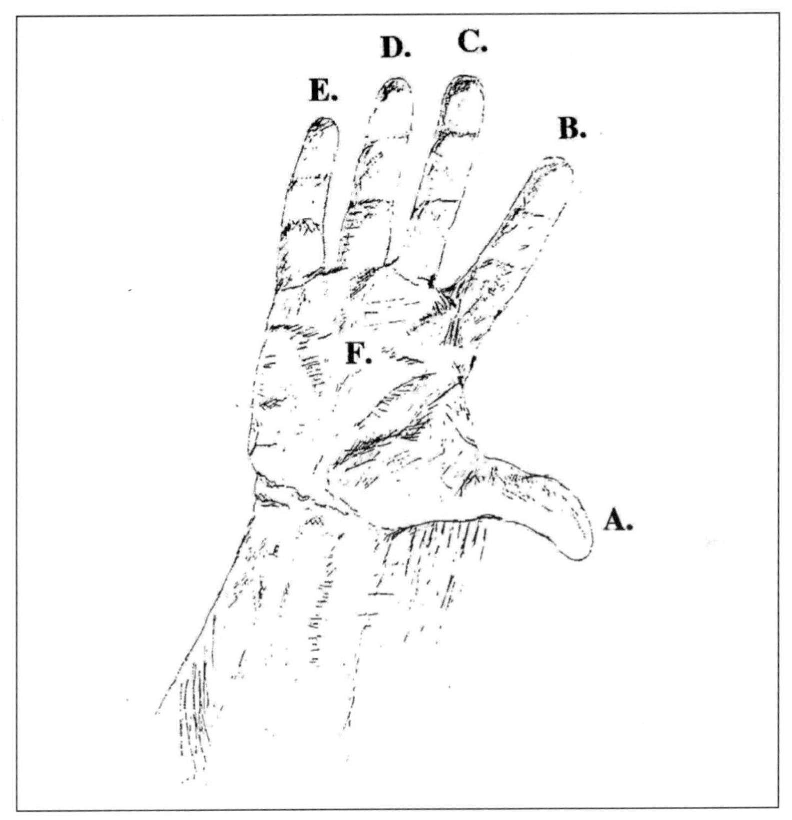

1. Na Méaracha[1]

A. An Ordóg,[2] *B. An Marcaeir nó An Pointeán, C. An Mhéar Mheán, D. Méar na Cuisle nó Méar na Cuisleann, E. An Lúidín, F. Croí mo Dhearnan.*

Tugaimíd an marcaeir uirthi sin mar sí a sáineann na rudaí. Chonaic mé mac tincéara go raibh sé cinn de mhéaracha air.

Dheineadh mná fadó éadach a thomhas leis an méir meán, a faid sin cromadh.

1. Lsí. *méaracha* agus *méireanna* mar ain. iol. ar 'méar'
2. Lsí. *amhardóg, órdóg* agus *úrdóg*

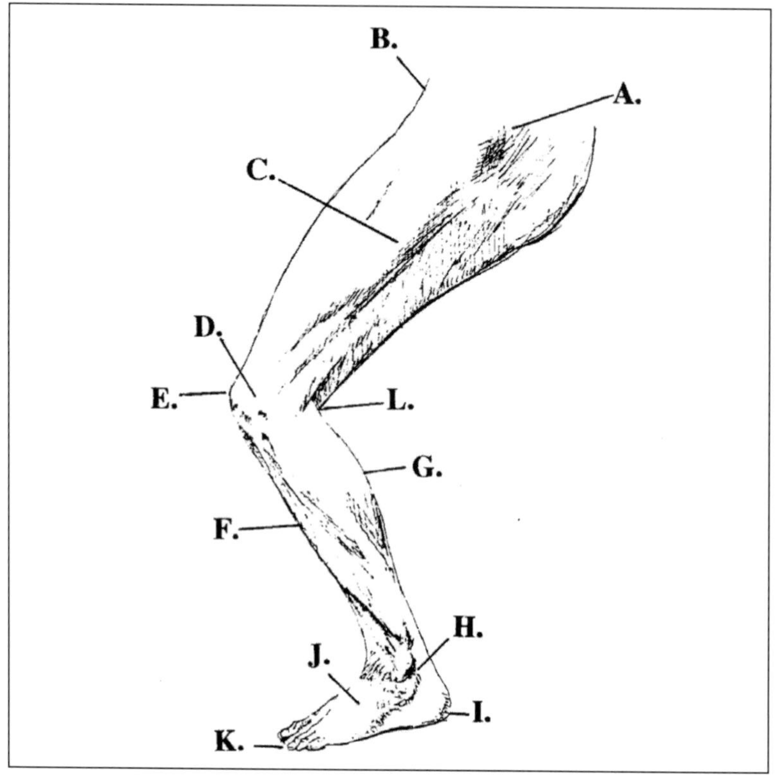

2. An Chos

A. An Cromán, B. An Bhléan, C. An Cheathrú, D. An Ghlúin, E. Pláitín na Glún, F. An Lorga, G. Pluc na Coise, H. An tAlt, I. An tSál, J. An Troigh, K. Méaracha na Coise, L. An Ioscaid.

An t-ardú a bhíonn fén troigh, 'An Drochad' a thugaimis air.

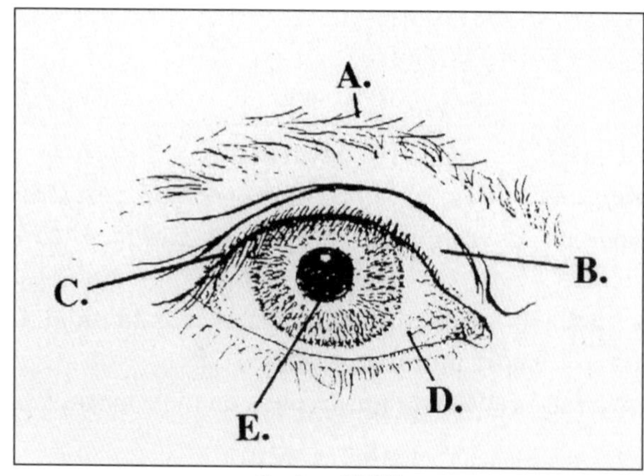

3. An tSúil

A. An Mhala, B. Plapa na Súl, C. An Fabhra, D. An tSúil, E. Péarla na Súl

4. Na Súile

(i) Saghasanna Súl

Tá sé géar-radharcach. Tá súile cait aige. Tá bolgshúilí aige – sé sin súile móra. Casfaí le duine súile móra a bheith aige: "'On diabhal a shúile móra," a déarfadh duine.

(ii) Péarla na Súl

Péarla na súl a thugaimid ar an áit a mbíonn an radharc sa tsúil. Sin a choinníonn an capall macánta. Thá péarla na súl aige in slí agus nuair a dh'fhéachfaidh an capall ar an bhfear bíonn sé trí huaire níos mó ná é féin.

(iii) Leathshúil a Luí

Nuair a luíonn duine leathshúil leis deineann sé bagairt ort.

A bhean úd thíos ar an mbóthar,
Go bhfuil ort an cóitín gioblach,
Aithním ar bhagairt do shúl,
Go gairid go mbeidh do chúram ar dhuine éigint.

(iv) Ag Briollacadh

Bheitheá ag féachaint nó ag briollacadh,[3] sé sin ag féachaint go géar led dhá shúil.

"Dh'airigh sé an ghiniúladh[4] agus bhí sé ag briolacadh."

[**SÓD:** Dén rud an ghiniúladh?]

Éagaoine beag a dhéanfadh duine lena bhéal – ceol beag.

(v) Sclim

Duine a mbeadh súil leis casta déarthá: "Tá sclim air."

(vi) Dath na Súl

Bíonn súile gorma ann, agus súile dubha, súile ria[bha]cha, agus súile breaca, agus súile glasa.

(vii) Radharc Lag

Tá radharc lag aige. Tá sé caoch. Tá sé sciollachaoch.

Bíonn duine dall nuair ná bíonn aon radharc aige. Dall is ea é.

3. Ls. *briolaca* /b´r´ulәkә/ – feic Breatnach, *Seana-Chaint II,* lch. 60 s.v. *briollacadh*
4. Ls. *ghiniúla* /jɪ'n´u:lә/ – feic Breatnach, *Seana-Chaint II,* lch. 216 s.v. *giniúladh*

(viii) Srams

Is minic a thagann sé ar pháistí agus ar dhaoine aosta, leis, tagann srams ar na súile acu ná faighidís iad a dh'oscailt ar maidin gan iad a tharraint.

(ix) Cáithnín id Shúil

Raghadh cáithnín isteach féd shúil uaireanta, cáithnín. Bhaineadh daoine amach ó shúil cáithnín lena dteangain.

"Tá cáithnín im shúil,
Tá Dia as mo cheann."
"Cé chuir ann é?"
"Chuir Críost."
"Más é gob é Críost a bhainfidh as é."
[**SÓD:** An artha é sin?]
Ní hea ach dh'airigh mé go minic é.

5. Na Cluasa

(i) Cluasa Capaill

Cluasa capaill a thabharfaidís ar dhuine a mbeadh cluasa móra air.

(ii) Cluasaí

Cluasaí a thabharfaidís ar dhuine a bheadh ag éisteacht sa doirse.

(iii) Poll na Cluaise

Poll na cluaise, an poll a bhíonn isteach in cluais duine.

(iv) Céir Chluas

Céir a bheadh istigh in do chluasa – céir chluas. Nín aon rud le déanadh leis ach é a phiocadh amach.

6. An tSrón

(i) An tSrón nó an Caincín

An caincín.[5] Thabharfainn srón leis uirthi. Thá caincín mór air. Fear an chaincín mhóir.

(ii) Geancachán

Tá caincín geancach air. Geancachán is ea duine a mbeadh caincín beag air.

Aon pháiste a bhíodh geancach agus sinn ag dul ar scoil dheirimís leis:

"Manncaí, Manncaí is gearb ar a phus,
Mac don dá shíobhra aníos as an lios."

5. Ls. *caidhncín* /kaiŋ´k´i:n´/

(iii) Caincín Dearg

Deir siad gurb é an croí a bheidh ag teip ar dhuine a mbeidh caincín dearg air.

(iv) Breall

Ar airigh tú riamh, "Chuirfinn breall dod ainneoin ort?" An Ghaelainn cheart ar smuga, breall, agus 'á mbéarthá ar do chaincín agus do smuga a shéideadh agus é a chaitheamh ar duine eile chuirtheá breall dá ainneoin air.

(v) Caincín Cam

Deir siad, an té a mbíonn caincín cam air go mbíonn a chroí cam chomh maith, sé sin a chaincín a bheith casta ar thaobh éigint.

(vi) Srón-Mhúchadh

Cuireann fuacht (slaghdán) srón-mhúchadh ar dhuine.

7. An Béal, na Fiacla, an Teanga agus an Scórnach

(i) An Béal

An béal: do phus íochtarach is do phus uachtarach.

(ii) Cab

Cab is ea béal beag. Cabaire, duine a mbíonn mórán cainte gan chéill aige.

Dheirimíst fadó: "Cab, cab gan do dhá chab a bhualadh ar a chéile." Rud ná faightheá a dhéanadh.

(iii) Preiceall

Thá preiceall[6] mór de phus air.

"Pus is breill is peidhre preiceall." N'fheadair mé conas a dh'airigh mé é.

(iv) Na Fiacla

Is breá an chír fhiacal athá aige.

Tá carball mhaith aige – fiacla maithe láidir.

Staraí fiacal, sin fiacla móra.

Stola fiacaile, sin fiacal fada a bheadh ina haonar.

Bíonn fiacla tosa age duine, fiacla súl agus cúilfhiacla.

Bíonn dhá fhiacal súl thíos agus dhá fhiacal súl thuas.

(v) Fiacla an Linbh

Bíonn páistí sa bhfiabhras[7] nuair a bhíonn na fiacla chúchu. Na cúilfhiacla is measa do leanbh. Cuireann siad níos mó rútaí tríd an ngiall ná aon fhiacal eile.

6. Ls. *preiciol* /p´r´ek´əl/ – .i. aghaidh crosta, rolla mór feola fén smig – feic Breatnach, *Seana-Chaint II,* lch. 324 s.v. *preiceall*

7. Ls. *sa bhfiarus* /sə viərəs/

Chaitheadh páistí na fiacla de dhroim chúl a gcinn nuair a thitidís uathu ach n'fheadair mé dé chúis.

(vi) Meabhaint[8]

An áit a bhíonn fiacal tarrainte bíonn meabhaint ann – "Thá sé meabhainteach."

(viii) Tarraint na bhFiacal Fadó

Tharraingidís fiacla sa mbaile le snátha taoinne a bheadh ag an saidléar.

(ix) Glanadh na bhFiacal Fadó

Ní chuiridís aon ní ag glanadh na bhfiacal fadó ach iad a ní le pins sóid istigh ina mbéal.

(x) Fiacla níos Fearr Fadó

Is fearr na fiacla a bhí fadó acu go fada ná thá anois, pé acu an bia nó an bheatha nó neart na ndaoine is ceanntach[9] leis. Thugadh daoine aosta síos sa chré cír fhiacal.

(xi) Leadhb dá Theanga

Ní mar a chéile an teanga agus an leadhb. Sí an chaint a chuirfeadh an teanga uaithi an leadhb.

"Ghoirtigh sé mé le leadhb dá theanga."

(xii) "Cuir amach do Theanga"

"Cuir amach do theanga," a dhéarthá le páiste nuair a neosfadh sé rud éigint duit, i dtómas go ndéanfaí amach ar an teanga an raibh bréag á dh'insint aige. Shíleadh sé sin go mbíodh comhartha éigin ar an teanga agus thagadh eagla air agus niseadh sé an fhírinne.

(xiii) Sal ar an Teanga

Tagann sal ar an teanga díreach mar a thiocfadh sal liath ar bhia. Bheadh dath dearg nó dath liath nó dath buí air. Níl fhios agam gadé an comhartha é ach bheadh sé ar an teanga nuair a bheadh duine tinn.

(xiv) Cáithnín a Bhaint leis an Teanga

Bhainidís amach cáithnín leis an teanga fadó, cáithnín a bheadh id shúil – teanga mná. Ní dh'airigh mé teanga fir riamh á bhaint amach.

8. .i. mant
9. /k´auntəx/ .i. ciontach.

(xv) An Carball

An carball a bhíonn as ceann na teangan.

(xvi) An Drandal

An drandal thíos agus thuas thimpeall na teangan.

(xvii) An Craos

An béal ar fad istigh, an craos.

(xviii) An Scornach

Do scornach mar a ngabhann an bia siar is aniar. 'Á dtéadh cnámh ná práta ceangailte in scornach duine, é a bhrú as leis na méireanna dtaobh ismu' nó é a bhogadh le deoch.

(xix) An Píopán

Bíonn an píopán istigh sa scornach chun an anáil a tharraint.

(xx) Na Sliseáin

Na sliseáin a bhíonn thíos agus thuas thimpeall na bhfiacal. Nuair a bhíodh na sliseáin ataithe ag daoine fadó le fuacht leagtaí salann garbh rósta agus é in máilín anuas ar choróin a gcinn. Nuair a bhíonn scórnach tinn ag duine deir siad gob iad na sliseáin a bhíonn ataithe.

(xxi) Úll na Scornaí

Úll na scornaí dtaobh ismu'. Nín aon úll scornaí sa mbean mar dh'ith sí an t-úll san ngairdín fadó agus níor lig an fear siar chuigint é – dh'fhan sé ina scórnach.

8. Gruaig an Duine

(i) Folt nó Glib

Bíonn folt gruaige ar dhuine, agus bíonn glib ar dhuine: sin gruaig ná beadh cíortha.

(ii) Ceann Bachlach

Bheadh ceann bachlach gruaige ar dhuine:

"Do cheann bachlach gruaige led guaille gan cíoradh."

(iii) Gruaig na mBan

Chíoradh na mná a gceann le cíor. Is mó fear ná cíoradh í. Bhíodh coc déanta thiar ar chúl a gcinn ag cuid de na mná agus ar mhulla a gcinn ag cuid eile acu, agus ar a dhá gcluais. Na cailíní, bhíodh cuid acu a mbíodh fuip déanta dhe agus cuid eile acu agus an ghruaig ar sileadh síos leo. Bhídís ag bóigeáil an uair sin as faid na gruaige. Bhí aithne agamsa ar chailín a bhí ag dul ar scoil lem linn féin agus gheobhadh sí a gruaig a dh'iompó fé sháil a coise, gruaig uirthi comh buí le hór. Iníon baidhtéara ba dh'ea í sin, Pilcher. Níl aon ghruaig fhada ar leanaí anois. Nín iontu ach maolacháin. 'Dhóigh leat go cruit a bheadh orthu.

(iv) Dathú na Gruaige

Ó, chuiridís dath ar ghruaig dhuine leis, bean a bheadh ag liachaint chuirfeadh sí dath air nó bean a dteastódh sé uaithi ceann rua a bheith uirthi. N'fheadair mé conas a chuiridís an dath air.

(v) Ag Ní na Gruaige

Do níodh na mná a gceann go minic. Uisce agus galúnach agus í a dh'fhásc-adh agus í a thiormú le peidhre tuailí, agus teacht as coinne na tine ansan agus í a chíoradh. Chuireadh cuid acu braon beag fuiscí ar a gceann t'réis í a ní fé a dtéidís cois na tine á tiormú.

(vi) Gruaig Liath

[**SÓD:** Cad a dhéanfaidís le ribe liath a chífidís in ceann duine?]

An ribe a stoitheadh. Is minic a thug iníon leathuair a chloig á stoitheadh as cheann a máthar chun ná beadh sé le rá léi go raibh a máthair liath.

(vii) Gruaig ar Chabhail Fir – Comhartha Nirt

Fear a mbeadh gruaig ar a chabhail, comhartha nirt is ea é.

(viii) Gráinneog

Agus gráinneog a thabharfaimíst ar fear a mbeadh gruaig ina seasamh air, comhartha mallaithe is ea é.

(ix) Féasóg nó Meigeall

Fadó, na daoine meánaoise, nuair a thagaidís aosta dh'fhágaidís féasóg anuas ar a bpluic – daoine a dh'fhágadh meigeall orthu féin.

(x) Lomadh an Luain

Ní bhearradh einne a cheann Dé Luain – "Lomadh an Luain," a deiridís. N'fheadair mé dé chúis. Chuiridís an ghruaig.

(xi) Bearradh na Gruaige

Le siosúr a bhearraidís an ghruaig – mise id bhearradhsa agus tusa im bhearradhsa.

(xii) Cosc ar Bhearradh Gruaige sa Charghas

Bhí cuid acu ná bearradh a ngruaig i rith an Charghais agus ná caitheadh tobac, agus cuid acu a bhíodh ag teitheadh uait: ní labharfaidís ach an méid is lú a dh'fhéadfaidís, ach bhíodar craiceáltha.

(xiii) An Ghruaig sa Síoraíocht

Chuiridís an ghruaig i bpoll sa chlaí agus gan é a chaitheamh in tine, mar caithfidh gach einne dul a d'iarra' gach rud a bhain leis Lá an Bhreithiúntais. Beidh gach duine in aos a thrí bliana déag is fiche an lá san. Sin é an t-aos a bheidh gach einne Lá an Bhreithiúntais, an t-aos a bhí Ár dTiarna nuair a fuair Sé bás.

9. An Ceann, an Aghaidh agus an Muinéal

(i) An Muinéal agus Maic an Mhuiníl

An muinéal a bhíonn idir an chabhail agus an ceann. Maic an mhuiníl a bhíonn thiar:

"Rugas ar mhaic an mhuiníl air."
"Rugas ar phíop mhuiníl air."
"Tá crampa im mhuinéal."

(ii) An Aghaidh

Thá do phluc anso, ansan do leath-agha', do ghrua as ceann do phluc, do shmeigín, agus do ghiall ód shmeigín go dtí do chluais.

(iii) An Corrán Géill

Thá corrán do ghéill ar gach taobh den smeigín.
"Fear láidir, giall láidir."

(iv) Feagaí

"Tá feag ina éadan," a déarthá le duine. *Wrinkles* in éadan, feagaí iad san. Ní haon chomhartha ar aon rud iad. Bíonn siad in gach einne.

(v) Gág

Tagann gág i bpluc an pháiste nuair a bhíonn sé ag gáire agus chítheá gág in adhmaid nuair a bheadh siúinéir á phlánáil agus thiocfadh gág in do lámha: scoiltfidís le fuacht. Sé an rud a leigheasadh fadó iad ná blonag gé.

(vi) Éadan Ard

Éadan ard, ceann intinniúil.

10. An Mheabhair agus an Inchinn

Insan inithinn[10] a bhíonn an mheabhair. 'Oileann an ré ar an inithinn. Bhí sé mar chomhartha ages na seanamhná fadó ar na daoine, dheiridís gob í an ré a dh'imreodh orthu.

'Á mbeadh éid[11] ar dhuine is rudaí mar sin, dhéarfaidís: "Thá uisce ar a inithinn."

Duine ná beadh mórán meabhrach aige, "níl inchinn circe aige," "níl inithinn gealbhain[12] aige."

"Thá a chiall ar a mhuin aige," a déarthá le duine neamheabhrach.

Bhí fear thíos insa Rinn fadó agus dheireadh sé ná raibh nach trí ceathrúna[13] ansa[14] meabhrach ar fuaid an domhain, agus bhí leath-ansa aige fhéin, agus an cheathrú eile roinnte ar an gcuid eile go léir.

11. Cnánna an Duine

(i) Baill na Gualainne

Sin é pointe na gualann.

Sin é branra[15] do bhrád (*collar-bone*).

"Thit sé is chuir sé amach úll na gualainne."

(ii) Conas Guala a Chuir isteach

Balca cléithe a chuir isteach in d'oscail is léimeadh anuas ar do ghualainn. Chonaic mise seandaoine á dhéanadh agus chuireadh daoine amach le sáil a gcoise é – sé sin 'á dtiocfadh an t-úll anuas.

(iii) Comhartha Tréan ar Fhear

Comhartha tréan ar fear is ea é: "Nách breá an peidhre guaille athá aige." Sin fear athá go maith fite ar a chéile.

(iv) Duine Cromslinneánach

'Á mbeadh na guaille ag imeacht chun tosa: "Tá sé cromslinneánach."[16] Comhartha láidir is ea é sin leis.

10. Ls. *inithin* /in´ɪh´in´/
11. .i. éad
12. Ls. *gealúin* /g´alu:n´/
13. Ls. *ceáthrúna*
14. Ls. *annsa*
15. Ls. *brabhra* /braurə/ – feic Breatnach, *Seana-Chaint II,* lch. 56 s.v. *brannra*
16. Ls. *crom sliongánach* /kraumʃl´iˈŋ´ɑ:nəx/

"Thá guaille cromtha aige."

Is minic a dh'airigh mé: "An té a bhíonn díreach bíonn sé bríomhar."

(v) Súil Ghlúin nó Uilinn

Súil ghlúin nó uilinn, tá siad tindireálta.[17]

(vi) An Chuisle

An chuisle athá idir an ghualainn agus an uilinn. Neartaíonn obair na cuisleanna, agus bia maith.

(vii) Pluc na Láimhe agus an Chrobh

Pluc mo lámha a thabharfainn ar an gcuid sin idir an uilinn agus caol mo lámha agus an chrobh as san amach.

(viii) Usáid na nGéaga – Gabháil, Bacla, Oscail

Thá do ghéaga ó do ghuaille amach dtí do mhéireanna. Ní bheidh do lámha ag teacht chun a chéile chuigint nuair a bheidh gabháil agat ach má thugann tú bacla leat beidh. Thabharthá leanbh leat id bhaclainn – beidh do mhéireanna crosta ar a chéile agat.

Tabharthá leat féar féd oscail:[18] "Tabhair leat poll oscal féir."

(ix) Cnáimhín Bhéal an Ghoile

Bíonn cnámh beag anso i mbéal do ghoile, a dtugann siad cnáimhín bhéal an ghoile air. 'Á raghadh sé sin isteach chailltheá do ghoile. Ní bhfaightheá dada a dh'ithe. Gheobhthá é sin a chuir amach arís led mhéireanna.

(x) Cnámh an Droma

Cnámh do dhroma a bhíonn in do dhrom. Níor airigh mé aon ainm riamh ar an *spine.*

(xi) Úll an Chromáin

Úll an chromáin – cuireadh amach úll an chromáin. N'fheadair mé conas a chuiridís isteach é nuair a bhíodh sé amuigh.

12. Na Baotháin agus Caol an Droma

Na cromáin agus na baotháin[19] as cheann an chromáin agus caol do dhroma idir an dá bhaothán.

17. Ls. *teidhndireálta*
18. /osgıl´/ .i. ascail
19. Ls. *baghtháin* /bəiˈhɑːn´/ .i. maotháin (feic Breatnach, *Seana-Chaint II,* lch. 290 s.v. *maothán*)

13. An Leisce sa Drom

Sa drom a deir siad a thagann an leisce. Tá a chnámha leisciúil. Tá learaí sa drom age'n bhfear san (i.e. fear leisciúil).

14. An Bolg, an tImleacán agus an Bhléan[20]

Bíonn an bolg chun tosa agus an t-imleacán agus an dá bhléan ar gach taobh ag bun an bhoilg.

15. Baill Inmheánacha an Choirp

(i) Na Baill ar an dTaobh Istigh den Chabhail

Tá an croí agus an goile agus na scamhóga[21] agus na haenna agus na duáin agus na putóga san chabhail.

(ii) Cúram an Ghoile agus na bPutóg

Deir siad gur cheart duit an bia a chogaint go maith. Leigheann[22] an bia síos ins an ghoile agus baintear as pé méid maith a bhíonn ann ansan agus téann an chuid gan maith sa putóga.

(iii) Brúchtaíl agus Aiseag

Bíonn daoine ag brúchtaíl uaireanna. Comhartha folláin is ea é, a deir siad. Agus bíonn daoine, nuair a bhíonn rud éigint bunosceann leo, ag caitheadh an bhídh amach. Bíonn siad á dh'aiseag.

(iv) Uirleacan agus Tonn Taoscach

Tagann uirleacan ar dhaoine. Níl tú ag cuir aon rud amach leis an uirleacan ach bíonn tú a d'iarra' é a chuir amach. Agus an tonn taoscach, ní bheitheá ag cuir aon ní amach nach uisce aníos ón chroí.

(v) "Gnó an Rí"

Cuireann siad cúram an tsalachair díobh, an salachar nó an cac. Téann duine ag suí leis féin nuair a bhíonn sé á dhéanadh san. "Bhí sé ag déanadh gnó an Rí," a dhéarfadh duine nuair a bheadh duine t'réis suí leis féin.

(vi) Slogadh na Lachan

An bia a chogaint agus é a shlogadh – slogadh na lachan a thabhairt do. Slogadh na lachan, é a shlogadh gan brú.

20. .i. an bhléin
21. Ls. *scumhóga* /sgə'vo:gə/
22. .i. leánn

(vii) Duine le Dhá Ghoile

Tá daoine ann, t'réis é a shlogadh agus cuireann siad aniar aríst é agus deineann siad an chíor a chogaint agus ligeann siad siar aríst é. Bíonn dhá ghoile iontu san. Bhí aithne agamsa ar dhuine, bhíodh sé ag cogaint i gcónaí mar bhí dhá ghoile ann agus mhair an fear céanna go raibh sé ana-aosta.

(viii) Sceadall ar an gCroí

Tagann sceadall ar an gcroí le áthas nó le preab.

(ix) Na Féitheacha

Bíonn an fhuil ag rioth trís na féitheacha.

(x) Fuil Chapaill agus Fuil Dhuine

Fuil capaill agus fuil duine is cosúla lena chéile mar tá báigh mhór age'n gcapall leis an duine.

(xi) Bualadh na Cuisle

Bíonn an chuisle ag bualadh i gcaol do lámha.

(xi) Na Duáin

Má thugann na duáin[23] ort thá tú réidh: uathu san a thagann an t-uisce agus 'á mbeadh aon ní orthu bheadh tinneas uisce ort.

(xii) Na Scamhóga, an Anáil agus Srannttarnaigh

Bíonn duine ag tarraint a anáile[24] faid a bhíonn sé beo. Deir siad gur fearr é a tharraint tríd an sróin mar tiormaíonn an anáil á tharraint tríd an mbéal, tiormaíonn sé na scamhóga agus is gnáthach go mbíonn an duine a bhíonn ag tarraint a anáile trína bhéal ag srannttarnaigh nuair a bhíonn sé ina chodladh.

(xiii) Baill Ghnéis an Duine

Bod, plibín, Gearóid (*penis*).
Magarlaí, clocha (*testicles*).
Pis, púits (*vagina*).

(xiv) Seanseálacha nó Múirling ar Chailíní

Tagann seanseálacha[25] ar chailíní uair sa mí:

23. Deir R.B. Breatnach nár chuala sé riamh ach an Uimh. Iol. *na dubháin* /nə 'du:ɑ:n΄/ (feic Breatnach, *Seana-Chaint II,* lch. 161 s.v. *dubhán,* fonóta 4)
24. Ls. *ineáile*
25. Ls. *seannseálacha* /ʃaunʃɑ:ləxə/

"Thá an mhúirling inniu léi," a dhéarfadh an seanduine. Dh'aithníodh na seandaoine ar fabhraíocha a súl é.

16. An Croiceann

(i) Bláthach chun Aghaidh a Ní

[**SÓD:** An gcuireadh mná aon ní ar a n-agha' fadó chun snó maith a chuir orthu féin?]

Níodh cuid acu, nídís iad fhéin in bláthach.

(ii) Breicneach

[**SÓD:** Ar airigh tú go mbainfeadh bláthach breicneach as agha' dhuine?]

Ní dh'airigh mé ach dé chúis go mbainfidís breicneach as a n-agha'? B'fhearr leo an bhreicneach ann. Comhartha fuil glan breicneach. "Bhí sé breicneach," a déarfadh duine.

(iii) Snó an Bháis

Nuair a bhíonn droch-dhath ar chroiceann a bhíonn ar agha' dhuine, dhéarthá: "Thá snó[26] an bháis air."

(iv) Idir Fheoil is Leathar

'Á mbeadh dealg idir an croiceann agus an fheoil dhéarfaidís:
"Thá sé – an dealg – idir fheoil is leathar."

(v) Allas agus Fuarallas

Tagann allas ar dhuine nuair a bhíonn sé ag obair ana-chruaidh nó nuair a bhíonn an corp ana-the. Thiocfadh fuarallas ar dhuine le laige nó le tinneas.

B. SAGHASANNA DAOINE

1. Cuirliún nó Spágaire

[**SÓD:** Dén ainm a bhí agaibhse ar dhuine go mbeadh cosa fada aige?]

Cuirliún. "Is diail an cuirliún duine é," a dheiridís. Thugaidís spágaire air.

2. Colpa Buachalla nó Colpa Cailín

Buachaill beag tiubh, thabharfainn colpa air – colpa buachalla nó colpa cailín.

3. Gabhlánaí

Duine a mbeadh an dá ghlúin amach óna chéile aige, thabharfainn gabhlánaí air.

26. Ls. *snú* /snu:/

4. Giofaire

Bíonn giofaire ann – fear gan mórán toirt le mórán cainte.

5. Cabaire

Bíonn cabaire ann – fear a mbíonn cab chun cainte air.

6. Bragaidéir

Agus bragaidéir – sin fear a bhíonn ag síor-chabaireacht.

7. Plubóg

Bíonn plubóg mhná ann. Is diail an phlubóg í siúd. Bean íseal ramhar.

8. Ótais

Agus bíonn ótais[27] ann – bean mhór throm a bheadh sa tslí uirthi fhéineach.

9. Fathaíoch

Fathaíoch – fear mór láidir.

10. Rábaire

Rábaire – fear mór ard – 'rábaire an ghrinn'.

11. Fear Fáigiúil

Fear fáigiúil, go mbeadh sé ábaltha ar gháire a bhaint asat ar gach aon rud a bheadh sé ag rá agus thá daoine mar sin ann.

12. Truis-Traisc

Truis-traisc – fear ainnis.

13. Fear Croíléiseach

Fear croíléiseach – sin fear fial.

14. Leath-Leidhce

[**SÓD:** Dén ainm a thabharthá ar dhuine ná beadh deamheabhrach?]
Leath-leidhce[28] a thabharfainn air.

15. Ceann Máilléid

Dh'airigh mé cur-síos ar fhear a raibh Ceann Máilléid mar ainm air. Bhíodh máill-éad fadó ag tiomáint stearagán sa talamh age feirmeoirí – bhíodh ceann mór air.

27. /o:təʃ/ (feic Breatnach, *Seana-Chaint II,* lch. 316 s.v. *ótais*)
28. /l´a-ˈl´əik´ɪ/ .i. leath-phleidhce (feic Breatnach, *Seana-Chaint II,* lch. 269 s.v. *leidhce*)

16. Broc na gCeann

Bhí sé amuigh anso age Crosaire Bhaile Uí Churraoin pósta, a dtugaidís Broc na gCeann air. Cadhlaíoch ba dh'ea é. Ón dtao' thiar de Chorca ba dh'ea é.

17. Maig ina Ceann

Cailín a mbeadh iomarca meas aici uirthi féin bheadh a ceann in airde aici; "Thá maig ina ceann," a dhéarthá.

18. Plucaire

Plucaire is ea fear a mbeadh aghaidh ramhar aige.

19. Plubaire

Plubaire, fear bog, trom ná beadh brí ná tapa ann.

20. Smulcaire

Smulcaire is ea fear ná déanfadh gáire.

21. Tirimeachán

Tirimeachán,[29] duine ná beadh aon fhonn gáire air.

22. Labaiste Fir

Labaiste[30] fir is ea fear trom nea-anamúil.

23. Coilichín Coc

Coilichín coc is ea duine a mbaileoidís go léir thimpeall air chun fearg a chuir air agus b'fhuiris fearg a chuir air.

24. Ceann Bó

Casfaí pus mór le duine. Bhí aithne agamsa ar fhear, sé an ainm a bhí air, Ceann Bó. 'Á dtabharfaí air istigh in tigh ósta é bheadh sé i gcontúirt an tigh a leagaint.

C. FIR AGUS MNÁ

1. Meas nó Drochmheas ar Mhná

[**SÓD:** An mbíodh meas mór acu ar na mná?]

Ó do bhíodh a dhritheáir. Ní thabharfadh aon fhear agha' ar bhean ach fear gan mheas air féin, agus ní bhuailfidís í. An fear a bhuailfeadh bean ní bheadh aon mheas ag einne air agus thabharfaidís aireachas maith do bhean in aon áit.

29. Ls. *teirmiochán* /t´er´ɪm´əxɑ:n/
30. /l´abəʃd´ɪ/ (feic Breatnach, *Seana-Chaint II*, lch. 249 s.v. *labaisteálaí*)

2. Moladh na Mná agus Moladh an Fhir

"Moladh na mná bheith trom fúithi,
Agus moladh an fhir a bheith éadtrom féig."

3. Éadach na mBan Fadó

Gheobhadh na mná a lán rudaí a cheilt fadó nuair a bhíodh gúna go talamh orthu, cosa cama is gach aon rud, ná faighidís a cheilt anois. Chínn féin mná ag dul go dtí an Aifreann agus ní bhíodh dada le feiscint ach a dhá súil.

4. Síle na gCearc

Aon rud amháin a castaí leis an bhfear ach 'á mbeadh aon chúram leis na cearca aige thabharfadh a bhean 'Síle na gCearc' air. Na mná a mbíodh cúram leis na cearca acu.

5. An Cleapéir

Bhí aithne agamsa ar fhear, sé an ainm a thugadh sé ar theanga mná, 'an cleapéir', mar na seana-mheaisíní a dheineadh an siúinéir fadó chun na tine a shéideadh bhí ceithre chleapéir iontu agus cuireadh sé i gcomórtas teanga na mná leo san mar bhídís ag síor-chasadh istigh sa mheaisín.

6. Ag Ithe is ag Ól is ag Clabaireacht

"Ag ithe is ag ól is ag clabaireacht," arsaigh an bhean. Bheadh mná ag ithe is ag ól is ag clabaireacht mar ní bhfaighidís stad de bheith ag caint nuair a bheidís ag ithe.

7. Foighne na mBan

Deir siad go mó dh'fhoighne sa mbean agus n'fheadair mé an bhfuil sé fíor.

8. Imreas idir Fear agus Bean

Deir siad go mó rud a dhéarfadh fear tí nár cheart do bhean tí suim a chuir ann, mar gan í 'chuir aon tsuim in céad rud a dhéarfadh sé ní dhéanfadh sé aon imreas eatarthu, agus ar suim a chuir ann is minic a dhéanfadh bean luathintinniúil[31] imreas di féin.

9. Obair na mBan

Fén mbean a dh'fhágfaí éadach a thogha. Is minic a dh'fhágfaí an togha fén bhfear is thóigfeadh sé dí.[32]

31. Ls. *luath aidhntiniúil*
32. /d´i:/ .i. díogha (feic Breatnach, *Seana-Chaint II,* lch. 147 s.v. *dí*)

Bhíodh gnó an tí istigh á dhéanadh ag na mná agus na cailíní. Siad a chrúdh na ba agus siad a thugadh[33] sop don mbó. Sé an fear a bhíodh i ndia' an chapaill. Siad na mná a ghlanadh amach ti' na mba agus glanaid fós, cuid acu. Deir siad go deacair a daothaint[34] oibre a thabhairt d'óinseach. Bhíodh na mná fadó ag cur is ag baint na bprátaí. Ní chroithidís síol ar ao'chor. Siad na mná a shádh na prátaí uaireanta.

Dhíolfadh na mná eallaigh ar an margadh agus dhíolfaidís muca agus cheannóidís muca leis 'á mbeadh an fear t'réis bháis. Cheannóidís bó leis. Is minic a chaith bean an obair sin a dhéanadh mara mbeadh fear aici.

Siad na mná a bhíodh ag déanadh fritheálamh ar na daoine a bhíodh tinn agus ag tabhairt aireachas dos na páistí.

Siad a chóiríodh amach na mairbh agus siad a chaoineadh na mairbh.

Bhíodh na mná go léir ag cnotáil gach aon oíche. Ní bhíonn siad ag cnotáil ar ao'chor anois, mara ndéanfadh duine acu *jersey*. Bhí aithne agamsa ar bhean agus ó shuíodh sí isteach sa chairt ag dul go Donn Garbhán go dtí go dtéadh sí isteach go dtí an baile mór agus ó dh'fhágadh sí an baile mór go dtagadh sí abhaile aríst [ní stadadh sí ach ag cnotáil].

Thugadh mná na cannaí uisce ós na tobaracha lán d'uisce ar a gcinn agus cannaí bainne agus pilín (idir a gceann agus an canna) agus bhíodh bainne (géar) ag dul ón Seana-Phobal fadó go dtí an Rinn ar leathphinge an cháirt, na feirmeoirí á tharraint dtí an Rinn. Do bhíodh bean ag díol an bhainne dhóibh i mBaile na nGall a dtugaidís Bríd an Bhainne uirthi, ar leathphinge an cháirt. Bhíodh Peaid Móinbhéal á chuir ann agus Jer Dhiarmaid, agus áthas an domhain ar na hiascairí é a dh'fháil, is thugaidís crócaí dhe dtí an bhfarraige leothu, lucht potaí. Dream a bhíodh ag trálaeireacht, crúscaí bainne a bhíodh ag imeacht go dtí an bhfarraige acu. Meadaracha adhmaid a bhíodh á thabhairt ann (go Baile na nGall) acu agus má riothaidís amach gan aon bhainne ar an bhfarraige ansan ná gan uisce, go mbeadh an aimsir bhreá, thiocfaidís isteach go dtís na failltreacha 'dtís na feirmeoirí fé dhéin cróca uisce (bainne). Thagaidís aníos go dtí Peaid ---------- nó go dtí Con Dháith a bhí i mBaile na hArda agus dtí Séimín Mhailí, na feirmeoirí a bhíodh cóngarach don bhfarraige. Thagaidís fé dhéin crócaí bainne go dtí iad.

10. Mná Láidre

Is cuimhin liom bean ag tabhairt céise mhuice ó aonach Donn Garbhán go dtí Baile na nGall ar a drom istigh in ciseán.

Bhí bean anso – Caitlín Mhór a thugtaí uirthi – agus chuireag mála mine ar bhéal ciseáin i maic a muiníl, agus thug sí léithe ar an tráigh ó Dhonn Garbhán

33. Ls. *thugach*
34. Ls. *déithint* – bíonn an *d* leathan de ghnáth sa bhfocal seo i. /de:h´ɪn´t´/

go dtí Baile na nGall é. Tá cheithre mhíle ar a laighead ansan, agus níor dada leat cheithre mhíle dá bhfaigheadh sí reasta a dhéanadh, ach ní bhfaigheadh, mar dá leagfadh sí uaithi é ní bhfaigheadh sí é a chur uirthi arís.

Ar an dtráigh a thagaidís an uair sin ón mbaile mór gan bacaint leis an gCois. Fiche cloch – dhá chéad go leith a bheadh in mála mine. Chuirfeadh mála mar sin fear maith ar a dhícheall inniu é a chuir amach as an gcairt isteach sa chistin.

Dhéanadh na mná na colmóirí do thabhairt anonn agus céad guail a thabhairt abhaile. Ní raibh aon suim ansan a chuigint. Dhéanfadh aon bhean agus gach aon bhean é sin.

Dhéanadh na mná carn oibre anso fadó, agus anois fhéin, ach nuair a théann an scéal ar an misneach ceart sé an fear an maighistir.

11. Éigean á Dhéanadh ar Chailín

Bhí lánú phósta babhta, lánú óg. Tháiníodar isteach go dtí athair na céile agus máthair na céile agus ní raibh athair na céile ná máthair na céile ábalta ar Ghaelainn a scríobh ná a léamh. Bhí buachaill óg ar an áit is bhí sé seirbheálta age'n chailín dtí an chúirt lena creidiúint aici. Dh'admháil an cailín óg don chúirt gur dhein sé a chuid fhéin di an oiread san babhtaí. Chromadar ag seanchas don seanduine agus don tseanabhean age'n mbord conas a dh'imigh an chúis.

"*Well*," arsaigh an iníon lena máthair, "dh'admháil sé i dti' na cúirte gur dhein sé an oiread san uaireanta léithe é."

"Mhuise, a corp 'on diabhal," arsa sí, "seacht n-uaire a deineag linn-ne é sin is níor niseamair dh'éinne riamh é."

"Ó, dar fia," arsaigh an seanabhuachaill," "oscail an doras."

N'fheadar an imigh sé.

12. Píosa Croicinn nó Píosa Leathair

Fear a raghadh tamall i bhfochair mná, déarfadh duine:

"Fuair sé píosa croicinn" nó "Fuair sé píosa leathair."

13. Fear ag Déanadh Gnó ar Bhean

Is minic a dh'airigh mé go ndéanfadh fear gnó ar bhean – sé sin go ndéanfadh sé páiste léi – faid a gheobhadh sé criathar lócháin a thógaint den talamh.

14. Bean ag Cuir suas d'Fhear

Bhí seanduine á rá liomsa gur chuaigh sé dtí bean a bhí dhá bhliain déag is trí fichid agus dh'fhiarthaigh sé cathain a chuirfeadh bean suas d'fhear.

"Ó, caithfidh tú dul dtí bean is aosta ná mise," arsa sí.

15. Cac an Ghandail Bháin

Ar airigh tú riamh 'cac an ghandail bháin'? Thugadh cailíní cac an ghandail bháin d'fhearaibh óga agus chaillfeadh na fearaibh a gciall a d'iarra' an cailín sin a bheith acu.

16. Fir á Mealladh le Braon de Sheanseáil an Chailín

Ar airigh tú go bhfaigheann cailín óg a seanseáil uair sa mí? Braon de sin a chuir ar bhraon fuiscí nó ar aon deoch, agus 'á dtabharfadh sí dhuit é sin agus go n-ólthá é leanthá tríd an tine í. Ar bhraon fuiscí is mó a chuiridís é. Thá sé sin fíor. Is minic a thit sé sin amach.

17. An Bhean Rua Naonúr Naoi nUaire

"An bhean rua naonúr naoi n-uaire,
Agus an bhean dhubh agha' ar an bpobal."

Gheobhadh an bhean rua le naonúr fear naoi n-uaire – sé sin striapach – ach ní dhéanfadh pobal an bhean dhubh.

18. Rachtaíocht

"Chuaigh sé ag rachtaíocht," a deir siad nuair a théann fear ag rioth ar mhná.

19. Tón Mná á dh'Iompó lena Fear

Deir siad 'á n-iompódh bean a tón leat gach oíche go gcuirfeadh sí deireadh leat. Thá sé ráite ná fuil sé ceart do bhean go dtí a mbeidh sí trí ceathrúna sa leabaidh, ní ceart di a tón a dh'iompó leis an bhfear go dtí a mbeidh an trígiú ceathrú caite. Thá deireadh leis má dheineann.

20. Mná Breátha

Bean bhreá rathúil, bruinneall, spéirbhean, stuaire na gcuacha caola.

Dh'airigh mé trácht ar chailín a phós a hathair an tara huair agus tháinig iníon a mhic go dtí é.

"A dhaidí críonna," ar sise, "díth agus léan ort,
Mar a phós tú stuaire na gcuacha caola,
Agus cuirfidh sí luí na bhfód ar do phíopán gléigeal."

D. BREITH AN LINBH

1. Leanbh Mic nó Leanbh Iníne

[**SÓD:** Arbh fhearr leo leanaí mac a shaolú dhóibh ná leanaí iníne?]

Is mó caitheamh a bhíodh i ndia' leanaí mac acu agus inniu is mó fáilte a bheadh roimhig.[35] Agus an mháthair, bhíodh caitheamh i ndia' an mhic aici sin féin ach ba mhaith léi iníon a theacht, leis.

[**SÓD:** An raibh na seanamhná i ndán a dh'insint roimh ré an mac nó iníon a bheadh ann?]

Do bhíodar agus táid fós. Bheadh an iníon roimpi[36] amach agus an mac ina hiaidh[37] aniar. Nuair a bheadh an toirt ag teacht thiar aici ba dh'in mac, agus an toirt roimpi amach ba dh'in iníon. Tá san fós ann.

"Mac a bheidh agat," a dhéarfadh seanabhean le cailín óg. "Tá do chomhartha ar siúl leat."

2. Cam Roilige

Bheadh sé coiscithe ar bhean phósta dul isteach in roilig nuair a bheadh sí ag iompar clainne. Sin é a thugann cam roilige[38] ar an leanbh. 'Á nglanfadh bean a bheadh ag iompar linbh a bróg in ua' duine mhairbh bheadh cam roilige ar an leanbh a bheadh aici.

E. SAOL AN DUINE

1. An Óige

Bunóc[39] is ea leanbh t'réis teacht ar an saol, siotalach ansan t'réis tamaill, agus ó leath-bhliain amach ghlaodhthá leanbh air dtí a mbeadh sé ag cuimhneamh ar dhul ar scoil, páiste. Thabharfaí páiste, leis, ar leanbh a bheadh age cailín gan pósadh:

"Bhí páiste aige leis an gcailín," a dhéarfadh duine. Tabharfaí diogánach ar leanbh, leis, suas dtí a mbeadh sé ag dul ar scoil agus é ag ceaifiléireacht le sean-duine:

"Diogánach é siúd agus bioránach giorré óg."

Futhalach a thabharthá ar leanbh a bheadh ag tosnú ar shiúl.

Garsún ba dh'ea é ó raghadh sé ar scoil agus thabharfadh a mhuintir garsún air go dtí go bpósfadh sé agus tabharfaí cailín ar chailín go dtí go bpósfadh sí má phósfadh sí insan am ceart.

"Abhar maith fir," a dhéarfaidís le garsún maith láidir.

35. Ls. *raghaig* /raig´/ .i. roimhe
36. Ls. *raidhmpe* /raim´p´ɪ/ – deir R.B. Breatnach gurb é an fuaimniú /ru:m´p´ə/ is mó a chloistear sa chanúint seo ach go gcloistear /raim´p´ə/ chomh maith (R.B. Breatnach, *The Irish of Ring,* lch. 143)
37. /ɪnə h´iəg´/ – deir R.B. Breatnach gur dócha gur shíolraigh an fhoirm seo ó thaifeach /i n´iəg´/ *i ndiaidh* mar *i n-iaidh* (feic R.B. Breatnach, *The Irish of Ring,* lch. 66 n. 2)
38. Ls. *cam roilig*
39. Ls. *Bunúc* /bə'nu:k/

Nuair a bhíodh na páistí in aos scoile bhídís ag aodhaireacht[40] bha agus ag tindeáil mhuc agus ag déanadh teachtaireacht, ag piocadh phrátaí agus ag tabhairt sciolthráin amach agus acaraí mar sin faid a bheadh na fearaibh san páirc.

Bhíodh píopa ag dul ar scoil age garsúin lem linnse. B'fhuirist dóibh é a chaitheamh an uair sin: bhí a fhaid sin le fáil ar phingin. Thosnaíodh cuid acu ag suirí ag dul ar scoil. Ní bhíodh treabhsar ar chuid dos na garsúin go mbídís deich mbliana. Bhíodh cótaí orthu d'réir mar a bheadh acainn agen a muintir. Bhídís ag dul fé láimh easpaig is gan aon bhróig orthu ach gheibhidís tamall de bhróga i gcomhair an lae sin. Ach an té a mbíodh an cruinniú aige gheobhadh sé gach aon rud a dhéanadh:

"Gheobhadh fear na hacainne ba a chrú sa macha," mar b'acainn do iad a dh'fhritheáilt ann:

"Gach einne d'réir acainn,

Agus an t-asal ar a dhícheall."

Comhairíonn gach einne a pháistí mar is acainn do. Amaite, is dócha go bhfeaca mé cuid acu ag dul ar scoil agus iad dhá bhliain déag, garsúin.

An mháthair is mó a chumhadadh smacht orthu. Is cuimhin liom go mbíodh slait in airde mar sin age'n máthair agus bhíodh sí ag agairt na slaite ar na páistí agus ní bhuaileadh sí iad agus deireadh seanduine:

"Dhé mhuise," a deireadh sé, "nuair a chruann an tslait is deocair í a shnaíomh."

Bhíodh ana-onóir[41] age'n óige ar an té a bhíodh aosta – age roinnt – ach mar sin féin an domhan imirt agus péadóireacht orthu.

Tá na haosóga ag éirí suas anois, thá siad ina seandaoine fé ar cheart dóibh a bheith ina mbuachaillí óga. Ní chítheá aon duine an uair úd a sheasódh suas agus píopa ina bhéal as comhair sagairt. Bhí ana-onóir don sagart an uair úd agus don maighistir scoile. Níl aon onóir don maighistir scoile inniu.

"Ní bheidh tú óg nach aon uair amháin," a déarfadh seanduine, "agus má bhíonn tú ag dul fé dhéin deoch toigh do chuileachta fé a raghaidh tú ag ól agus tiocfaidh tú amach fé shlán."

2. Pláinéid

Duine a dh'imeodh ina dhruncaeir nó aon tslí mar sin deiridís gur pláinéid a bhí leagaithe amach do é.

"Einne a thiocfaidh ar an saol fé phláinéid an tistiúin," a deireadh Síle Bheití a bhí anso, "ní bhfaighidh sé choíche dul isteach insa chúig phinge." Sé sin an rud a bheadh ceapaithe dho ag teacht ar an saol ná faigheadh sé a mhalairt choíche.

40. /ə ge:r´əxt/

41. Ls. *an-unúir* – deir R.B. Breatnach nár chuala sé riamh ach /nu:r´/ mar fhuaimniú don bhfocal seo (Breatnach, *Seana-Chaint II*, lch. 316 s.v. *onóir*, fonóta 1)

3. An Saol ag Dul chun Donais

Bhí na daoine níba láidre agus níba bhábharúla[42] le chéile fadó. Tá an bháigh agus an grá imithe. Bhíodar níba shláintiúla agus níba láidre. Ná ní stracag aon fhiacal as cheann einne fadó agus níl aon fhiacail i gceann einne anois a bhfaigheadh sé a rá gob í a chuid fhéin í. Níl einne ar an saol anois ná fuil píosa éigint de blianta imithe roimhe fhéin, gearrtha amach ag dochtúir éigint.

Bhí níos mó géilleadh don chreideamh acu fadó, agus bhí na sagairt níba fhearr chun teagaisc a thabhairt uathu ar an am san ná tá siad inniu.

Ba chuimhin liomsa an séipéal go rabhamair ag dul isteach ann ná feiceofá aon phioc de bhean ach a dhá súil agus barraíocha bróg agus anois tá a gceirt in airde dtína dtóin. Bhí na mná níos banúla fadó.

Bhí goin iontu fadó, sé sin bhí cuir suas acu le céad rud ná faigheadh na daoine cur suas anois leis. Bhí cuir suas le obair acu agus suas le uireasa agus le ocras agus le fuacht acu.

Bhí níos mó rinceoirí fadó ann. Sé an saghas rince thá anois acu fé mar bhuailtheá sa cheann cearc chromfadh sí ag casadh thimpeall. Ní mar sin dóibh fadó. Ríl is *hornpipe* a bhíodh acu.

Bhí guth níba fhearr acu leis. Ag liúirigh athá siad anois. Bhíodar níba mhílse an uair sin. Ná cuiridís a chodladh an uair úd thú le amhrán! Is minic a dh'airigh mé bean ag bréagadh linbh le amhrán agus bhíodh sé ina chodladh aici fé cheann deich nóimití. Ní bhfaigheadh aon mháthair é sin a dhéanadh anois.

4. Saol an Fhir

Bunóc[43] is ea é go siúlóidh sé.
Leanbh go raghaidh sé ar scoil.
Páiste faid a bheidh sé ar scoil.
Garsún nuair a fhágfaidh sé scoil.
Fear nuair a phósfaidh sé.
Seanduine nuair athá clann tóigthe aige.
Scológ is ea seanduine ná beadh aon chlann aige …
"Bhí sé ina scológ cham gan chlann."

5. Saol na Mná

Bunóc is ea í go siúlóidh sí.
Leanbh go raghaidh sí ar scoil.
Páiste go bhfágfaidh sí scoil.
Gearrachaile t'réis scoile.

42. Ls. *bháighbharúla*
43. Lsí. *bunúc* agus *bunúch*

Cailín óg nuair a bheidh sí oiriúnach chun pósadh.
Bean nuair a bheidh sí pósta.
Seanabhean nuair a bheidh a clann tóigthe aici.
Seana-rabhrach, bean nár phós riamh.

6. Fiche Bliain ag Fás

Fiche bliain ag fás,
Fiche bliain fé bhláth,
Fiche bliain id lán-neart,
Agus fiche bliain gan mhaith

Dhéarfadh daoine eile:

Fiche bliain ag fás,
Fiche bliain fé bhláth,
Fiche bliain id lán-neart,
Agus fiche bliain is cuma thú ann nó as.

7. Scampla

Scampla is ea seanduine ná pósfadh nó seana-baitsiléir.

8. Fear gan Mháthair

Fear gan máthair is ea fear gan pósadh, toisc ná beadh sé pósta agus iníon aige agus leanbh a bheith aige.

F. AN GRÁ, AN PÓSADH AGUS AN SAOL PÓSTA

1. Litir Scrite le Fuil

Cailín óg is buachaill óg. Chuaigh an buachaill óg go Sasana Nua agus bhí sé ag teacht abhaile agus bhí an cailín óg ar an gcé. Bhág an t-árthach is í ag teacht isteach. Tháinig sé isteach ar an tráigh báite, is nuair a bhí sé ag teacht isteach chuaigh sí féna dhéin is bhág í féin. Bhí an leitir a scrígh sé chuichi ina brollach agus í scrite le fuil. Bhí amhrán air sin má dh'airigh tú é, "Willy Reilly."

2. Buachaill nó Cailín a Thogha le hAgha' Pósta

[**SÓD:** An raibh cailín óg nó buachaill óg á thogha le hagha' pósta fé mar a bheadh capall á thoghadh ar aonach?]

Ó bhí a dhritheáir:

"Féach romhat amach í," a dheireadh an t-athair leis an mac, "agus ná fág id dhiaidh aniar í."

3. Saintiúil chun an Togha

Bhí fear fadó ann agus ní raibh aon tseo ach é chun tine a shocrú. Sé an socrú a dhein sé lena mhac ach pé bean a bhí le fáil aige í a dh'fhágaint uair a chloig ina fhochair fhéin age'n tine fé a bpósfadh sé í, agus má chuirfeadh sí isteach ná amach ar an tine ní dhéanfadh sí an gnó. Ach d'réir mar a thagadh ceann shuíodh sí age'n tine agus shocraíodh sé an tine fé mar a dh'oireadh do fhéin. Agus ní bhíodh sí ach socair aige nuair a bheireadh duine acu ar an *poker* nó an chois a thabhairt don tine agus amach leo – ní dhéanfaidís an ghnó.

Ach bhí seisear nó seachtar acu tagaithe agus iad curtha uaidh aige agus bhí an mac cráite. Ach tháinig cailín agus shuigh sí age'n tine agus do shuigh an seanduine sa chúinne agus shocraigh sé an tine agus níor chuir sí isteach ná amach uirthi.

"Dé chúis ná fuil tú ag piocadh na tine?" arsa sé.

"Ó, ní bhfaighinn í a dhéanadh aon phioc níos fearr ná mar thá sí."

"Déanfairse an gnó," arsa sé.

Phós an mac í agus fuair sé an leadhb ba mhó acu go léir.

"An té a bhíonn saintiúil chun an togha, sé is minicí a gheibheann an dí."[44]

4. Hata nó Caipín

"Hata nó caipín a dhéanfaidh é,"

Cailín a dh'fhiarthódh dona buachaill é sin 'á mbeidís i bhfad ag siúl le chéile. Sin mar dhéarfadh sí go raibh sé in am acu pósadh.

5. Ní Mise a Bhí Caoch

Bhí fear babhta eile ann is phós sé bean a bhí caoch. Ní raibh fhios aige go raibh sí caoch go raibh sí pósta aige. Nuair a chonaic sé go raibh sí caoch:

"Do chorp 'on diabhal a chaochóig," arsa sé.

"Ní mise a bhí caoch," arsa sí, "ach tusa a bhí caoch 'cheann mise a bhí caoch a phósadh.

6. Ag Teacht Abhaile chun í a Leagaint

Dé'n deifir athá 'dir leanbh ag teacht abhaile ón séipéal baistithe agus cailín óg ag teacht abhaile ón séipéal pósta?

Thá an leanbh ag teacht abhaile chun é a thógaint agus thá an cailín óg ag teacht abhaile chun í a leagaint!

7. Thá Eagla mo Chroí orm

"Tá tochas im chíní," arsa sí,
"Agus pian i mo dhrom,

44. .i. díogha

Agus thá eagla mo chroí orm,
Go bhfuil mé trom."[45]

8. Seana-Miúil

[**SÓD:** Cad é an ainm a thugadh sibh ar bhean a dh'fhanadh gan pósadh?]

Seana-miúil – ní bhíonn aon mheas orthu.

G. AN tSEANAOIS

1. Daoine ag Dul san Aos

"Tá cnagaois aige," a dhéarfaidís le fear thimpeall dachad.

Bean a bhí ag pósadh ar an mbaile bhí sí as cheann dachad:

"Geallaimse dhuit," arsa seanduine, "an mhuc a bheadh chomh haosta léi ba dheocair í a dh'ithe!"

"Tá sé ag titim den chrín."

"Tá a chois istigh is amuigh."

"Tá a chois ar bhruach na hua'."

"Féachann sé go maith dona aos."

2. Saol Fada

[**SÓD:** Cad é an slí is fearr do shaol a chaitheamh chun mairiúint aosta?]

Dul a chodladh in am agus éirí luath, gan an iomarc' ualaigh a chuir ar do ghoile go brách agus an chois a chumhad cluthair agus an ceann a chumhad fuar.

Fear aosta a bhí thoir anso mhair sé ana-aosta, fear a dtugaidís Haraine air. Bhí trácht ar fuaid an domhain ar a aos:

"Mairfidh sé siúd chomh fada le Haraine," a dhéarfadh duine. Bhí tigh ósta ansan mar a bhfuil an coiréal i Ráth na Mingíneach aige.

[**SÓD:** D'réir do thuairime an mbíodh saol níos sia ag na daoine fadó ná anois?]

Is sia a mhairidís fadó.

[**SÓD:** Dé chúis?]

Ó mhuise, is dócha an tslí a chaitheann daoine a saol agus deifir sa mbia. Ach níor mhair na hiascairí ana-aosta a bhí i mBaile na nGall. Ní mhaireann iascairí ana-aosta ar ao'chor. Bíonn siad tabhartha age'n bhfarraige. Is dóigh liom go gcaitheann an fharraige iad.

3. Comharthaí Aoise

Bheadh an ghruaig ag liachaint agus an croiceann ag seargadh.

"Tá sé chomh haosta leis an gceo," a dhéarfaí le duine ana-aosta.

45. .i. ag iompar linbh

4. An Seanduine ag Obair

Bheadh an seanduine ag obair faid a bheadh ann é. Sé a thug cion ar an seanduine, an pinsean. Ní raibh ann roimhe[46] sin ach dáltha seana-chapall an tincéara a bheadh á thiomáint go dtitfeadh sé agus é a dh'fhuireach titithe ansan. Bheadh an tseanabhean ag obair istigh an fhaid is bheadh inti. Bhíodh cuid dos na mná pósta agus dheiridís go mb'fhearr an tseanabhean age'n tine ná an plúr san mála: sé sin go mbeadh sí siúráilte dhon tigh faid is bheadh sí amuigh mar ní ligfeadh an tseanabhean na leanaí go dtí an tine.

H. AN BÁS

1. Ag Dul chun Báis

Bhí fear thíos insa Rinn fadó agus dh'fhéachadh sé ar a láimh mar seo agus é ag dul chún báis:

"A chuisle a bhí láidir cár ghaibh do neart," a dheireadh sé.

2. An tAnam ag Fágaint na Colainne

Dh'airigh mé trácht ag na seandaoine ar an anam, go bhfágfadh sé an cholann mar a fhágfadh colúr fiain a nead, le gráin ar an gcolann; agus ná raibh fhios ag aon cholann cad ba chor do as san amach. Fágann sé an cholann trí mhulla an chinn. Ní gheobhadh sé tríd an mbéal le gráin ar an teanga, ná trí na súile le gráin ar na súile. Bhí marc acu ar an osna dhéanach nuair a fhágfadh an t-anam an cholann. Chriothadh[47] an cholann agus tharraingíodh[48] an béal osna le linn an anam fhágaint.

Deir siad go ngabhann an t-anam trí gairthean agus gleannta agus cnoic fé a dtéann sé i láthair Dé. Deir siad gur fada é an ród agus gur cúng é an bóthar. Deir siad gur imigh anam Naomh Seán, gur imigh sé ina cholúr ghléigeal go Flaithis Dé.

3. Doirse an Bháis

Duine a bheadh tinn agus a raghadh gairid do bhás ... "Chuaigh sé go dtí doirse an bháis."

4. Prugadóireacht

Ar an saol so thá a bprugadóireacht[49] agus thá daoine ar an saol so thá ag cúiteamh a bpeacaí beo. Deireadh na seandaoine go gcuirfear na hanamacha pé

46. ls., *ragha.*
47. Ls. *chriochach* /ˈx´r´uxəx/
48. Ls. *thairringíoch* /hariŋ´iəx/
49. /brugəˈdo:r´əxd/ .i. bpurgadóireacht – meititéis fé ndeara an fhoirm seo.

áit a ndéanfaidís a gcuid peacaí. Is minic a dh'airigh mé go gcuirfí ar thaobh an chlaí iad. Bhíodh sé ages na seandaoine nuair a labharaidís ar na mairbh:

"Is mairg ná tuilleann a bheith ar an taobh cluthair den tor."

Deirtear go bhfeictear duine a bhíonn ag prugadóireacht. Deir daoine ná feictear chuigint thú t'réis do bháis – gob é do scáil é – agus deir daoine eile go mbeidh tú ann idir anam is cholann.

Dh'airigh mé aon am a dh'aireofá liú id chluais go raibh sé ceart agat guíochtaint ar na mairbh. Déarfaidís gur fuaim éigint[50] ós na mairbh é chun guíochtaint orthu, agus deiridís, na seandaoine, go mbíodh a dhá láimh oscailte amach mar sin acu agus a mbéal oscailthe acu mar a bheadh ag éan óg insa nead ag trúthán[51] le guí mhaith na ndaoine, féachaint cé gheobhadh an ghuí mhaith a dh'fhuasclódh ó phrugadóireacht iad. Sin é an chúis go ndeiridís, 'á ndéarfadh duine, "Go ndeine Dia trócaire air," deiridís ná raibh sé sin ceart gan, "Go ndeine Dia trócaire air agus ar anam mhairbh phrugadóireachta an domhain, ar tír, agus ar farraige," – gan an ghuí dh'iarra' gann ar ao'chor.

5. An Bhadhb

Deir siad gur bean an bhadhb. Deir siad an fhaid a bhí sí ar an saol ná raibh guth ná gáire aici agus nuair a fuair sí bás go ba dh'in é an uair a fuair sí an ceol. Airítear í nuair a dh'fhaigheann daoine bás. Bíonn sí i ndiaidh cine. Bíonn sí i ndiaidh na gCurraoinigh, na Paoraigh, Barraigh agus Barróidigh. Píosa maith ón tigh a dh'aireofaí an lóg.

6. An Corp a Shá

An corp a chur, an bhfuil sé sin ceart? Sé rud a bhí againn-ne sa seanashaol, an corp a shá agus an bheatha a chur. Dúirt seanduine liomsa é sin:

"Níl cur ar aon rud ná casfaidh," a dúirt sé.

Bhí sé san amhrán:

"Mara mbeidh do mhuintir sásta
Leis an ráiteachas a bhí eadrainn araon,
Deintear comhra chláir dúinn,
Agus sáitear sinn go doimhin i gcré."

Michéal Ó Coistín a bhí ar an mbaile so a deireadh é sin.

7. Laiste Gruaige ón Duine Marbh a Chumhad

Chumhadadh daoine laiste gruaige duine a bheadh t'réis bháis. Bhí aithne agam ar bhuachaill óg agus chumhad sé laiste de ghruaig chailín istigh in sparán

50. Ls. *igint* /ɪˈg´ɪn´t´/ nó /ɪˈg´in´t´/ – is minic a iartháitear *t* mar iarchlaonach tar éis *n* dheireanaigh sa chanúint seo (feic R.B. Breatnach, *The Irish of Ring,* lch. 130)
51. .i. ag tnúth

go dtí go bhfuair sé bás. Sparán *bassel* ba dh'ea é – an leathar bog san a bhíonn in bolg ceártan.

8. Mná Caointe

Bhíodh bean chaointe i ndia' gach aon chumann.[52] Bhíodh a bhean chaointe fhéin age gach aon chumann agus thiocfadh sí sin agus mholfadh sí an cumann go maith má bheadh sí leis, agus mara mbeadh ba bheag an mhaith ina hiaidh é – ghearrfadh sí suas go breá é. Agus théití fé dhéin bean chaointe agus dhíoltaí a pá léithe teacht chun píosa chaointeacháin a dhéanadh ar go leor coirp.

I. DEILEÁIL IDIR BHEOIBH AGUS MARAÍBH

1. Michéal Ó Muirithe agus Máiréad de Brún

Bhí buachaill ar an mbaile seo fadó gurbh ainm do Michéal Ó Muirithe. Bliain an Smeara Buí bhí sé muinteartha le cailín óg gurbh ainm di Máiréad de Brún agus bhíodh úlla á n-ithe i dtigh áirithe in Heilbhic le linn na huaire, agus bhí sé fhéin agus buachaill eile ag dul go Heilbhic agus bhí an cailín óg ag teacht ina choinne an bóthar agus ceosúir póca ina dorn agus an sparán istigh ann. Agus nuair a bhí sé ag góil thóirsti[53] thug sé snab ar an sparán agus thug sé leis an ceosúir agus an sparán uaithi agus nuair a tháinig sé abhaile i gceann na hoíche thug sé dhon leaba agus bhí sé á thórramh Dé Domhna' a bhí ina cheann. Istoíche Dé Máirt t'réis é a chur bhí an cailín óg ag slaiseáil éadaigh insa sruth agus nuair a thóg sí in airde a ceann bhí sé sin ina sheasamh ar an taobh eile dhen sruth ag féachaint uirthi.

"A Mhicil Murray a chroí," arsa sí, "cad a thug ansan tú?"

"Maith an mhaise sin uait," arsa sé. "Fuaiscleoidh tusa anois mé. Téire go dtím' mháthair ar maidin agus abair léithe do cheosúir agus an sparán athá fén chlár síleála as cheann mo leapan a thabhairt duitse agus an tranc a dh'oscailt agus tá abhar bheost agus treabhsar *pilot* istigh insa mbosca, agus é a chuir á dhéanadh agus é a thabhairt d'einne a' mhaith léithe é a chaitheamh," arsa sé léi, "agus dul go dtí bean Ágaí[54] agus trí raolacha athá i dtaobh óil aici orm a thabhairt di agus níl orm de thrioblóid ach ó mhaidean Dé Luain go dtí istoíche Dé Sathairn ar thaobh na síne ó dhoras na cistean go dtí doras an bhotháin mhóir – 'á mbeadh san déanta dhom."

52. I leabhar nótaí a bhaineann leis tugann Nioclás Breathnach, bailitheoir na míre seo, an focal *scata* mar mhíniú ar *cumann* sa chás seo (CBÉ Iml. 206:196). Is dóichí gurb é atá i gceist ná *cine* nó *dream áirithe daoine.*

53. /hoːrʃd´ɪ/ (feic Breatnach, *Seana-Chaint II,* lch. 395 s.v. *thar*)

54. Ágaí Draper – Aguistín Draper.

Chuaigh sí go dtína mháthair ar maidin agus is amhla' a tháinig fearg ar an máthair. Ní thabharfadh sí aon ghéilleadh dhi agus chuaigh sí fé dhéin sagart an pharóiste agus tháinig sé agus dúirt sé leo an clár síleála a chuardach agus do chuardaíodar agus fuaireag an sparán agus an ceosúir fén clár síleála. Dúirt sé leo an trannc a dh'oscailt, agus dh'oscail agus bhí abhar an treabhsair agus an bheost *pilot* gorm istigh ann. Chuaigh sé fhéin go dtí ti' an tábhairne agus bhí na trí raolacha i dtaobh óil air agus tháinig sé thar n-ais go dtí an mháthair agus dúirt sé leis an máthair nách fios a bhí age'n chailín sin. Agus deineag gach aon rud mar a dúirt sí agus léigh an sagart Aifreann ar a shon agus n'fheacaíog ó shoin é ná a thuairisc.

J. FEALSÚNACHT AN DUINE

1. Cóiriú

Bhí mé ina fhochair [Michéal Ó Coistín] t'réis teacht ón Aifreann agus bhíomair ag dul go dtí an bhfaill ag féachaint amach ar an bhfarraige, agus bhíomair ag góilt síos trí ghairdín an ghabáiste agus bhí trí crainn sceiche gile ag fás ar an gclaí agus Mí na Bealthaine ba dh'ea é agus bhí ceann dos na crainn cóirithe suas féna chóta bláigh.

"Anois, a Mhaidhc," ar seisean liomsa, "an bhfeicíonn tú anois an rud athá beo? Thá sé ábaltha ar é fhéin a chóiriú go maith lena chóta bláth agus an bhfeicíonn tú an dá chrann athá lena ais athá caillthe ná cóireoidh siad iad féin go deo. Nín aon lámh duine ar an saol so anois a gheobhadh é sin a chóiriú mar thá sé cóirithe aige fhéin. 'Á bhfaightheá cuireadh dtí rince anois," arsa sé, "nó dtí pósadh, ar an am a bhí beartaithe dhuit chun dul ann ná cóireothá tú fhéin chun dul ann."

"Dhéanfainn," arsa mise.

"*Well*, an bhfeicíonn tú mar a chóirigh an crann san é fhéin ar an am a bhí beartaithe dho chomh maith leat."

Chuamair amach i bpáirc síol féir a bhí ansan aige gairid don bhfaill.

"*Well*, an bhfeicíonn tú an pháirc sin anois," arsa sé. "Thá sé ite ages na ba. *Well*, aistrigh amach ón bpáirc sin iad agus ná lig isteach iad ar feadh coicís agus beidh an féar anso aríst fé a gcasfaidh siad. Mar sin tá sé beo agus meireach go bhfuil ní chasfadh sé agus ar airigh tú riamh," arsa sé, "beatha na bó beo féna cosa?"

4. CÚRSAÍ CREIDIMH

A. *TOIBREACHA BEANNAITHE*

1. Tobar C*h*ruabhaile

Tá tobar anso agus tá ti' feirmeora ann agus maraíog muc ann agus thóig an cailín bricín as an tobar. Thóg sí insa mbucaod é agus chuir sí an t-uisce insa chorcán, agus nuair a shíleadar an corcán a bheith ag fiuchadh chun mhuc a scalladh bhí an t-uisce comh fuar is a bhí sé ins an tobar. Cuireag an bricín thar n-ais dtí an tobar ins an mbucaod agus bhí an t-uisce te ansan. Tobar C*h*ruabhaile a tugtar air. Tobar beannaithe ba dh'ea é. Ní raibh aon turas ann.

"Cruabhaile na gcrua-bhodach."

2. Tobar *Father Twomey*

Tá Tobar *Father Twomey* buailthe suas le falla an óspaidéil i nDonn Garbhán. Tobar beannaithe is ea é. Sin é (*Father Twomey*) a bheannaigh é. N'fheadaraíomair cé héig é. Théadh daoine le cosa tinne agus le súile tinne ann – giobal a dh'fhágaint ar an gcrann a bhí ann agus biorán a dh'fhágaint sa tobar nó pingin.

'Á bhfeiceofaí na crainn[1] ag titim anuas – bheidís gearrtha ages na sioráin – thugaidís leo an t-uisce as Thobar *Father Twomey* agus leathaidís é sin i gcúinne an gharraí. Níor ghá dhuit é a leathadh ar gach aon chrann ar ao'chor. Thabharfaidís peannta dho leothu.

3. Tobar Bhuile Chlaidhmh

Tá tobar thíos idir an tSráidbhhaile agus Baile Uí Bhaoill, Tobar Bhuile Chlaidhmh. Dúrag gur gaiscíoch a bhuail buille chlaidhmh ar an bhfaill agus dh'oscail sé an fhaill agus bhris an tobar amach ansan.

Nigh iascaire ón Rinn a agha' ann lá a bhí sé ag iascach photaí. Dh'ól sé deoch agus nigh sé a agha' sa tobar agus thosnaigh ag tabhairt fola agus bhí sé ag tabhairt fola gur tháinig sé abhaile agus fuair sé bás. Ón Rinn ba dh'ea é.

[**SÓD**: An bhfuil turas á thabhairt ann?]

Níl aon turas á thabhairt ag aon tobar anois, a dhritheáir.

1. .i. gais na bprátaí

B. SAGAIRT AGUS CREIDEAMH

1. Cosc ar Dhul chun Sagartóireachta

Fadó ní bhfaigheadh do mhac dul sa choláiste chun bheith ina shagart 'á mbeadh stail agat ná collach muice ná, seacht nglúine amach uait, bastairt a bheith ag einne don bhfeamilí.

2. Peacaí Seacht mBliana

Deir siad go n-imíonn peacaí seacht mbliana dhíot nuair a chailleann tú do phaidrín.

3. Ifreann

Ifreann, tá tine is teas ann. Deir siad nách aon diabhal amháin athá ann ar aon chor ach go bhfuil na déaga acu ann. Thíos athá Ifreann agus bóithrín mí-ámharach ag dul dtís na Flaithis.

"Thá sé chomh te le tinteán Ifrinn," a deir duine.

Sé an diabhal an t-ardmháistir athá in Ifreann.

4. Údás Mallaithe

Bhí sé ages na seandaoine:

"Údás mallaithe na póige gráinne,
A mharaigh a athair agus a phós a mháthair,
San Aililiúíá."

Thá sé sin i bpáirt éigin den Aifreann.

C. NAOMHSHEANCHAS

1. Eachtraithe mar gheall ar Naomh Déaglán

(i) Naomh Déaglán agus na Préacháin

An chéad mhíorúil' a bhí age Naomh Déaglán nach an préachán a cheangal. Bhí sé ina leanbh scoile agus bhí páirc chruithneacht age'n maighistir leathais na scoile agus chuireadh sé leanbh amach anois agus leanbh amach aríst ag díbirt na bpréachán as an gcruithneacht. Agus chuaigh Déaglán amach agus nuair a tháinig sé isteach, an leanbh a chuir sé amach as a dhiaidh, nuair a chuaigh an leanbh amach bhí na préacháin sa chruithneacht agus ní bhfaigheadh sé iad a chorraí.

Dúirt sé leis an maighistir ná himeoidís do, agus dh'fhiarthaigh an maighistir den ngarsún:

"Cé bhí amuigh romhat?" arsa sé.

"Bhí Déaglán," arsaigh an garsún.

Chuir sé amach Déaglán aríst chun na préacháin a scaoileadh, agus chuaigh Déaglán amach agus scaoil sé na préacháin. Agus shin é an uair a chonaic an maighistir go raibh rud éigint age Naomh Déaglán, go raibh sé naofa.

(ii) Cloch Dhéagláin

Nach ní féidir liom cur síos conas a chuaigh sé thar farraige ansan nach 'air[2] a chas sé thar n-ais tháinig sé isteach go hAird Mhóir agus an clog ina dhiaidh ar an gcloch. Agus nuair a tháinig an chloch isteach thúirlingigh sí anuas ar dhá spiorada cloiche agus thá sí ansan ó shoin. Agus ba dhóigh leat go gcuirtheá as le buille dhorn í. Agus aon ghála a tháinig riamh ag raobadh cé is ag raobadh an fhaill ní chorraigh aon ghála ón lá san dtí an lá so í.

Agus bhí Sasanach in Aird Mhóir agus chuaigh sé fé dhéin a chuid fear Lá Fhéil' Déagláin chun páirc féir a bhí aige a shábháil – an oíche roimhe sin. Agus dúirt sé leothu má raghaidís go dtí an phátrún amáireach ná tiocfadh einne acu ag obair chuige fhéin níos mó.

Ar maidin Lae Fhéil' Déagláin nuair a bhí sé chun dul ag obair ar an bhféar shéid sé gála gaoithe agus fearthainne ba mhilltí a shéid riamh. Agus nuair a bhí na daoine ag dul isteach dtí an phátrún chuir sé a cheann amach insa bhfuinneog agus dúirt sé:

"Sea anois a Dhéagláinín," arsa sé, "ó dhein tú do mhún air déan do shalachar air – ar an bhféar."

Nuair a tháinig an dá bhuille dhéag gheal sé suas go breá agus bhí gach einne ag dul fén chloch istigh agus chuaigh sé isteach go hAird Mhóir é fhéin – Bagge – agus bhí madra aige, spáinnéar. Bhí sé soir agus anoir an cé ag féachaint orthu ag dul fén chloch agus nuair a bhí 'am fhéin aige chuaigh sé síos:

> "Thá pian in drom mo mhaidrín," arsa sé, "caithfidh mé é a chuir fén chloch."

Chuir sé an madra isteach fén chloch agus an méid a bhí in Aird Mhóir ní thabharfaidís an madra amach ón chloch gur bág é. Agus ón lá san dtí an lá so ní chuir Bagge isteach ná amach ar an gcloch.

Tháinig sagart ina dhiaidh ansan ann agus bhí an sagart a dhéanadh amach gob é an rud a bhí age muintir Airde Móire ná piseoga. Thug sé beirt fhear a bhí aige síos agus ord chun an chloch a bhriseadh, agus nuair a chuadar dtí an chloch dúirt an bheirt fhear leis an chéad bhuille a bhualadh é fhéin anois agus go mbrisfidís ansan í. Dúirt sé leothu an t-ord a thabhairt abhaile is níor leagag ord ná *hammer* ar an gcloch ó shoin.

2. .i. nuair

5. AN NÁDÚR

A. SEANCHAS AR NA hÉANLAITHE

1. Nead an Dreoilín

"Fé leac chloiche," arsaigh an dreoilín, "má dh'fhéadaim, is ea a dhéanfad mo nead."

Agus is fíor é.

2. An Fhuiseog

Tá an captaen árthaigh ar an bhfear is léannta fén domhan dtaobh ismu' den Phápa. Tá sé ábalta ar na' haon réilthín[1] a bheidh ar an aer a léamh agus buann an fhuiseog air. Éireoidh sí sin amach as a nead i ngort arbhair agus raghaidh sí in airde as do radharc sa spéir agus tiocfaidh sí anuas agus gheobhaidh sí amach an nead san arbhair arís.

3. An Bod Buí

"Bod buí ag rinnce ar chlaí na teorann
Agus bod buí eile agus a eireaball dóite."

Éan beag is ea an bod buí. An spág bhuí, sin í an chearc. Bíonn an nead i sceacha aici. Bíonn a brollach ana-bhuí agus cúl a cinn. Bíonn ubh liath-bhán aici agus paistí beaga breaca ann.

B. FEITHIDÍ

1. Ciaróga

Tá dhá shaghas ciaróg ann – dhá cheann dubha ach ní eitealaíonn an ceann eile a chuigint. Proimpeallán[2] a thugtar ar an gceann a bhfuil eitealadh aici. Dá aoirde a dh'éiríonn an proimpeallán is é a dheireadh titim sa salachar.

C. PLANDAÍ

1. Teanga Naoscaí

An bhfeaca tú riamh an féar a dtugann siad teanga naoscaí air? Fásann sé i

1. /r´e:l´ʰh´i:n´/
2. /p´r´aim´pəlɑ:n/ (feic Breatnach, *Seana-Chaint II*, lch. 325 s.v. *primpallán*)

ndroch-thalamh. Tá an diabhal de thíos i dtalamh an Choláiste. Tá ana dhealradh[3] aige le féar scadán.

D. AN SPÉIR AGUS AN AIMSIR

1. An Aimsir ag Dul chun Donais

"Gach samhradh 'á dtiocfaidh ag dul i bhflicheacht agus i ndéanaíocht,
Agus gach síol 'á gcuirfear ag dul i mine agus i mbréagaíocht."

Sin é mar airigh mise é.

2. Gálaí

'Gála na Marbh', thagadh sé um Shamhain agus 'Gála na Féil Pádraig', thagadh sé agus ba ghnáthach leo bheith ag fanacht le 'Gála na Féil Michíl'. Thagadh gála eile, 'Gála na Cincíse'. Bhídís ag faire air sin chun trioscar chun é a chur fén trinseáil ar phrátaí.

3. Cosaint ar Thoirneach

N'fheaca mé dada riamh á chaitheamh amach as an tigh nuair a bheadh toirneacha ann, ach an t-uisce coisreacan a chaitheamh thimpeall an tí. Ba mhaith leo fuineoig is gach aon rud a dhúnadh. Chonaic mise madra á chuir amach lá toirní – dh'imigh sé is n'fheacaigh einne beo ná marbh ó shoin é – ach ní cuirtear amach anois é. Dh'iompóidís an scáthán mar deir siad go dtarraingíonn sé an splanc.

4. Dé Chúis go mBíonn Toirneacha ann?

Na scamaill ag bualadh i gcoinne a chéile agus an t-aer a dhéanadh an fhothram nuair a bhrisidís.

5. Bladhm, Splanc agus Caor

Thiocfadh an caor ina bhladhm. Bíonn an splanc fada, caol. Deir siad ná fuil aon díobháil insa bhladhm. Comhartha aimsir bhreá a deir siad is ea an bhladhm.

6. Toirneach Lá na Cúirte

An lá a bhíodh an Chúirt Cheathrún ann bhídís ag coinne le aimsir bhriste an uair sin, agus le toirneacha, mar deiridís go mbeidís ag tabhairt leabhartha éithigh.

3. Ls. *ana-dheabhra*

7. Toirneach Anoir – Comhartha Aimsir Bhriste

Is olc an toirneach í a theacht anoir, agus is olc an éadáil an ghaoth anoir. Deir siad ná tagann aon rud ar fónamh anoir. Toirneacha aniar, ní bhíonn leath-díobháil iontu.

8. Toirneach agus an Iascaireacht

Ní bhfaighidís aon iasc nuair a bheadh an toirneach ann. Iompaíonn siad ar a ndrom ar an eitir agus téann siad fén ngainnimh.

9. An Ré

Ar theacht an ré dheineadh sí simplí daoine. Deiridís go raibh ceannta[4] mór aige le fear a bheith in éad lena bhean …

"Tá an ré ag cuir air siúd," a deiridís – agus nuair a bheadh sí lán, leis. Ghéillidís do.

"Tá sé suarach age'n ré," mar dhea go mbíodh an ré ró-láidir dá cheann.

Cuireann an ghealach ar na mná. Ardaíonn sí an meon acu, ach nín gach aon ré chuige sin. N'fheadar mé an ré is déine a théann ar na daoine. B'fhéidir gur ré Shathairn í.

"Ré Shathairn is í a theacht san Márta,
Nárbh fhearrde dhon leanbh é a bheadh i mbroinn a mháthar."

10. Ré Sathairn

"Ré Sathairn agus í a theacht sa Márta,
Chuimhneodh an leanbh air a bheadh i mbroinn a mháthar."

"Ré Sathairn agus í a theacht sa Márta,
Ní fearrde an tsaol a chífeadh í."

Ní bhfaighinn a rá dé chúis.

11. Comharthaí Aimsire

(i) Bíonn siad ag faire ar na cnoic anso, Cruachán, Cnoc an Chomórtais agus Com Siongán. Comhartha fearthaine is ea:

"Caipín ar Chruachán agus Com Siongán ag caitheamh tobac."

Caipín ceoigh a bheith ar Chruachán agus deatach a bheith ag éirí as Chom Siongán.

Agus tá Cnoc an Chomórtais i gcomórtas le Cruachán 'cheann Cruachán a bheith as a cheann. Is dóigh leis go n-éireoidh sé lá éigint chún hard leis.

4. .i. cionta

(ii) “Ceo brothaill ón bhfarraige
Is ceo fearthainne ón sliabh.”

(iii) Trí fead ó chúirliún, comhartha fearthainne.

(iv) Nuair a chífidh tú an fharraige ag at thá chughat – má bhíonn dromanna inti agus í ag rioth[5] láidir.

(v) Má bhíonn an cúr leis an gcloich agus go dtriallfaidh sé chun farraige, comhartha eile fearthainne.

(vi) An corriasc ar bhruach an tsrutha [comhartha fearthainne].

(vii) Linn an oidhin [?] sin abhainn nuair a chromfaidh sí sin ag déanadh fuaim san oíche – comhartha eile fearthainne.

(viii) An áiltheog a bheith ag eiteal[adh] íseal [comhartha fearthainne].

(ix) ’Á mbeadh fearthain le teacht dh’aithneodh daoine orthu fhéin é, bheadh pianta ina gcná[mha] agus codladh orthu ach ní dh’aithneodh daoine eile ar ao’chor orthu féin é.

(x) ’Á mbeadh salann ag crochadh amuigh agat chromfadh sé ag úrú nuair a bheadh fearthainn chughat.

(xi) ’Á mbeadh fuachtáin id chosa bheadh tochas iontu [comhartha fearthainne].

(xii) Nuair a chítheá na scamaill ag cruinniú i dteannta a chéilig agus iad ag ruagairt go mear, bheadh fearthainn agus gaoth chughat.

(xiii) “Scamaill dhubha,” a deir siad, “a dheineann oíche dhorcha.”

(xiv) Scamaill mhóra bhána, caisleáin bhána – sin comhartha fearthainne.

(xv) Spéir macréal – comhartha fearthainne aríst.

(xvi) Agus droch-chomhartha eile nuair a chífidh tú an spéir agus a hagha’ nite, gan aon scamall uirthi.

5. Ls. *rúch*

(xvii) ’Á mbeadh an spéir ina fuil ar maidin, comhartha fearthainne:
“Dearg siar beidh grian amáireach,
Dearg soir beidh ina bháisteach.”

(xviii) Cordaí an damhán alla ar an talamh, nuair a bheidís sin tiubh ar an talamh ar maidin nó um thráthnóna, deir siad gur comhartha mór fearthainne é.

(xix) Tá fhios agat dérd iad na míola críonna, nuair a bheidís sin id dh’ithe comhartha mór fearthainne iad. *Mosquitoes* a thugaidís orthu i mBéarla anso.

(xx) Tochas ag teacht id mhéaracha istigh in do bhróga [comhartha seaca].

(xxi) An pilibín míog ag teacht isteach ar an talamh agus na feadóga agus an liathraisc nuair a thiocfaidís sin isteach bheadh an scéal ina shioc.

(xxii) Bheadh an spéir cruaidh fuar agus gaoth aduaidh [comhartha seaca].

(xxiii) Chonaic mise sioc ar ghaoth aneas, sioc millteach. Chaill sé *mangels*.

(xxiv) Lasair ghorm age’n tine, comhartha eile fearthainne.

(xxv) An t-adhmad a chuirtheá sa tine chun é a dhó, nuair a chromfadh sé ag séideadh gaoithe, comhartha siúráilte fearthainne agus gaoth.

(xxvi) An sú ag titim ón simné go dtí an tine [comhartha fearthainne].

(xxvii) Nuair a thabharfadh an cat a thón don tine deiridís gur comhartha fearthainne é.

(xxviii) Na cearca á bpiocadh féin, comhartha eile [fearthainne].

(xxix) ’Á mbeadh an aimsir ag briseadh as sioc, ghormódh an talamh ansan.

(xxx) Comhartha tiormaigh, toibreacha a dh’éirí tríd an mbóthar.

(xxxi) An damhán[6] alla ag teacht anuas ó mhulla an tí ar a chórda – comhartha eile fearthainne.

6. Ls. *duán*

(xxxii) "Bealthaine mhéith-fhliuch a mhéadaíonn an eathla." Déarfadh daoine 'Bealthaine mhéirleach' ach ní hé sin an ceart mar fadó bhíodh an drúcht ar nós na meala ina bhraonaíocha. Chítheá ar bharra an fhéir é fé mar a bheadh súil ar anairthe.

(xxxiii) Deiridís go mb'fhearr cioth fearthainne sa Bhealthaine ná lán árthach d'ór.

(xxxiv) "Eitir an Ghabhair.
Agus Eitir an Mhangaire,
Agus Róidín na gCapall
A d'iarra' fearthainne."

Nuair a dh'aireothá an Róidín ag búirthi', comhartha fearthaine is ea é. Agus nuair a dh'aireothá Eitir an Ghabhair agus Eitir an Mhangaire ag búirthi' comhartha tiormaigh is ea é. N'fheadar mé ná gur bád a bhí sa Rinn fadó a raibh an gabhar mar ainm uirthi a bhuail an eitir sin. Agus Eitir an Mhangaire, bhíodh an mangaire amuigh ar an eitir sin fadó ag ceannach éisc.

12. Réilthíní

Bíonn an tSeisreach Cham sa spéir. Bíonn seacht nó hocht réilthín ann agus an bóthar trí lár na spéarach – Bóithrín na Bó Finne. Agus bíonn an Treighdín sa spéir agus Réilthín an Lae.

An Treighdín, beidh sí ina haoirde ar an dhá bhuille dhéag, ach níl aon mheabhair le baint aisti ó Shamhain amach. Ón bhFómhar go Samhain, aithneoidh na hiascairí an t-am ar an dTreighdín. Is dócha ná haithneodh mórán acu anois é.

6. GALAIR AGUS LEIGHISEANNA

1. Leigheas ar Thinneas na Bliana

Trí méile neanntóg san mBealtaine, chuirfeadh sé ó thinneas na bliana tú agus gan aon fheoil a dh'ithe Lá Fhéil Stiofán chuirfeadh sé sin ó thinneas na bliana an tigh.

2. Luig na Seacht nGá

Tá Luig na Seacht nGá ann. Leighiseann sí na seacht galair: an galar buí, treighid, tinneas cinn, fáithníní, tinneas coirp, uiliocan[1] agus déistin.

3. Leigheas ar Nioscóid (nár oibrigh)

Bhí nioscóid ar chúl cinn athair mo chéile babhta agus bhí an nioscóid comh mór le tón buidéil agus bhí sé age'n tine i bpian agus i dtinneas age'n nioscóid agus é ag guídeoireacht agus ag mallachtú – mallachtóireacht le pian. Agus bhuail *tramp* isteach chuige lá, fear mór liath agus mála ar a mhuin, agus dh'fhiarthaigh sé dhe cad a bhí ag caitheamh air. 'Nis sé dho go raibh sé cráite age'n nioscóid mhór a bhí ar chúl a chinn.

"*Well*, is maith mar a thárlaigh," arsaigh an *tramp*. "Tá ordóig agamsa," arsa sé, "agus níl aon rud riamh ar leag mé air í nár leighis mé."

"Ó Dia le m'anam, corraigh ort go mear is leag ormsa í," arsa sé.

Chuaigh an *tramp* go dtí é agus thug sé anuas é fhéin agus a chathaoir go dtí an doras agus leag sé an ordóig[2] anuas ar an nioscóid agus neart an fháscaidh a thug sé dhi nuair a thóg sé a órdóig di shíl sé go raibh an pian imithe nuair a chuir an *tramp* an pian mór air. Ach is gairid a bhí an *tramp* imithe nuair a bhí an pian níba mhó ná mar a bhí sé riamh.

"Á mhuise go n-ardaí an diabhal leis tusa pé áit a bhfuil tú mar *tramp*," arsa sé, "th'réis mo thrí raolacha a chailliúint leat."

Sin í an oíche is measa a chodail sé riamh – a chodail sé th'réis an ordóig a thóigint den nioscóid.

4. Dearna Mhuire – Leigheas ar Phianta

Ar airigh tú riamh trácht ar luig a dtugann siad Dearna Mhuire uirthi? Níl sí ag fás anso ach thá sí ag fás in aice leis an scoil. Í sin a bheiriú agus í a thabhairt

1. .i. *urleacan*
2. Ls. *úrdóig*

le n-ól do dhuine naoi maidineacha agus ansan nuair a bheadh na naoi maidineacha caite, í a chaitheamh laistiar den tine. Agus nuair a bheitheá á chuir ag beiriú, na rútaí a bhaint di agus iad a chaitheamh age cúl na tine. Ní bheadh aon ghnó agat an luig a leagaint ar an talamh chuigint.

Tá sí go maith 'á mbeadh pianta id chnánna nó 'á mbuailfeadh aon tinneas amuigh tú, thá sí go hiontach air sin.

5. Leigheas ar Lagachar

'Á dtiocfadh aon lagachar ar dhuine anso agus go dtitfeadh sé, dul agus é a chuir ar chathaoir agus deoch uisce a thabhairt do agus é a chroitheadh suas. Éadach fliuch a chuir in airde ar a loigín agus glaoch air as a ainm agus as a shloinne agus a dhearna a bhualadh.

6. Leigheas ar an Triuch

Ar airigh tú riamh?

"A fhir an chapaill bháin cad a leighisfeadh an triuch?"
"Gruth beirithe ar mheadhg agus meadhg beirithe ar ghruth,
Agus treighid ort i bhfochair an triuch."

7. Leigheas ar Chnapáin

Ceirí de shalachar na muc, chuiridís le cnapáin é.

8. Leigheas Magúil ar Shúile Tinne

Bainne cí[che] circe crúite in adharc mhuice agus cleite cait á shuaitheadh.

9. Fuilig Fíoruisce – Leigheas ar At

Tá dhá shaghas fuilig[3] ann, fuilig fíoruisce a bhíonn ag fás in tobar agus fuilig tirim – sé an scanradh[4] é sin a bhaint as an talamh. Tá fuilig an fíoruisce go maith chun at a bhaint amach – é a thabhairt leat agus é a leathadh ina bhrat ar an tine go dtí go mbeadh sé te go maith agus é a chasadh ar an áit a mbeadh an t-at ansan.

10. Leigheas ar Thinneas Cluaise

Tagann tinneas cluaise ar dhaoine. Tá *olive oil* go maith chuige – é a chuir ar chadás is é a chuir isteach inti. Dh'airigh mé olann glas chaerach a bhualadh isteach léi.

11. Léine Fleainí Dearg – Leigheas ar *Pluerisy*

Is minic a chuir duine léine fleainí dearg air féin 'á mbeadh *pluerisy* aige. N'fheadair mé dé chúis an dearg.

3. Ls. *filig*
4. Ls. *scamhra*

12. Ciach Slaghdáin

Tagann ciach slaghdáin in scornach duine. Nín aon leigheas air ach fuireach sa leaba.

13. Eitinn nó Dicé

[**SÓD:** Déard é an galar a thagann ar scamhóga an duine?]

An eitinn. Tugann daoine an dicé air, leis. Dar fia, n'fheadair einne cad as a thagann sé. Is dócha go ndeineann dúchas cuid mhaith dhe. Le linn cuir amach an deiliúir agus briseadh an deiliúir a cailltear lucht an dicé, agus sáineann an dá am san do shláinte a bheith lag nó láidir. Nín aon leigheas air.

Is minic a dh'airigh mé, aon fhear a bhfuil dicé ann ná faightheá é a chuir ar meisce. Bheadh sé ag ól leis i gcónaí.

14. Leigheas ar Loscadh Daighe

Tagann loscadh daighe[5] ar dhuine age tobac nó age bia éigint ná réann leis. Bhíodh go leor daoine fadó a bheadh ag baint prátaí agus chuireadh an cré, boladh na cré, loscadh daighe orthu, agus sé an leigheas a bhíodh acu air, gráinne *bread soda* a chuir ar bhraon uisce agus é a dh'ól.

15. Leigheas ar Shaltadh Croí

Tagann saltadh croí ar dhuine, leis: sin uisce teacht ón chroí agus bíonn pian ag góil leis. Sé an leigheas a bhí acu fadó air, barra na sceiche a dh'ithe agus an t-uisce a shlogadh.

16. Artha na Fola

Chuirfí an artha. Raghfaí dtí an té a mbeadh an artha aige. Chuirtí an artha dod láimh nó dod chois. Eochair doiris a bhíodh acu le hagha' fuil-shrón. Eochair an doiris a chuir síos ar do dhrom.

17. Artha na bhFiacal (Artha na Péiste)

Tagann tinneas fiacaile ar dhaoine. Bíonn piast bheag istigh sa bhfiacail agus bhíodh artha acu ag marú na péiste sin, agus nuair a bheadh an phiast marbh dh'imeodh an tinneas:

> "Artha í seo a chuir Séamus,
> Chun tairfe na gCríost,
> Agus cuirimse í ar an intinn sin,
> Maraím piast in ainm an Athar is an Mhic is an Sprid Naomh."

5. Ls. *losgadaí* /losgə di:/

18. Nead Damháin Alla – Leigheas ar Ghearradh

Chun an gearradh a leigheas a bhíodh an nead damháin alla acu.

19. Leigheas ar Thine Dhia

Chun tine Dhia a leigheas, fuil duine a mbeadh a athair is a mháthair ar an ainm chéanna, baintí fuil as agus an fhuil a chimilt thimpeall roimhe – fáinne a dhéanadh.

20. Siúicre Rua agus *Sulphur* chun Fuil a Ghlanadh

[**SÓD:** An raibh aon chleas acu chun an fhuil a ghlanadh?]

Bhíodh siúicre rua agus *sulphur*. Bhíodh sé ina bpóca acu suaite agus a bheith á dh'ithe leat – siúicre rua na mbeach agus *sulphur.* Bhíodh an siúicre rua san acu le hagha' na mbeach.

21. Leigheas ar Thinneas Uisce

[**SÓD:** Bhfuil aon leigheas ar thinneas uisce?]

Thá luig ag fás thíos ansan, giolcach, deintí scuab de. Tagann an fraochán air, creidim – é sin a bheiriú agus a chuid súlaigh go léir a tharraint agus é a dh'ól. Agus deireadh daoine go raibh an lus mór go maith, é sin go dtagann an pabhsa dearg air mar a bheadh méaracán – é sin a thógaint as an talamh agus na rútaí a ní agus é a bheiriú idir bhilleog is eile agus an t-uisce a dh'ól.

22. Seán Towler – Fear Cnámh

[**SÓD:** An raibh aon dochtúir cnámh anso?]

Bhí, agus fear maith, Seán Towler a bhí amuigh sa Sliabh. Bhíodh sé 'chuir chnánna lena chéile is ba mhaith chuige é. Dh'airigh mé gur leighis sé cnámh briste a bhí tagaithe tríd an gcroiceann. Chuireadh sé uíbhe cearc, gealán an uibh agus bunach agus chuireadh sé an t-ubh (gealán) ar an mbunach agus leagadh sé é sin anuas ar an áit a mbeadh an cnámh briste. Agus ansan dh'fháisceadh sé suas le *bandage* é. Tá iníon do Toweller – Bean Uí Mhurchú – ag leigheas chnánna fós. N'fheadair mé dén ainm é siúd ar an mbaile a bhfuil sí. Is dóigh liom go bhfuil sé i bParóiste Dhonn Garbhán.

23. Lus na Pinge – Leigheas ar an Scuirbhí

Thagadh scuirbhí ar lucht farraige fadó. Bhídís ag ithe iomarca feoil ghoirt agus an iomarca den sáile i gcónaí ina gcroiceann. Lus na Pinge an leigheas a bhí acu ar an scuirbhí, é a chimilt tirim agus an súlach a chuir isteach tríd. Súnn sé sin an t-anraith as an bhfeoil. Tá dhá shaghas scuirbhí ann, scuirbhí fliuch agus scruirbhí tirim – an scuirbhí fireann agus an scuirbhí baineann. Scuirbhí tirim an ceann fireann agus scuirbhí fliuch an ceann baineann. Deir siad gur fusa an ceann tirim a leigheas ná an ceann fliuch.

24. Leigheas ar an nGríos

Sulphur is siúicre rua an leigheas a bhí acu don ngríos – leath má leath[6] siúicre agus *sulphur* – pócaí an treabhsair a ghlanadh amach agus é sin a bheith ina bpócaí acu agus a bheith á dh'ithe. Deir siad go bhfuil sé sin ina sheo chun an fhuil a ghlanadh.

25. Bean a Raibh Artha an *Evil* aici

Tagann *evil* ar an croiceann leis. Artha a bhíodh air sin. Ní dh'airigh mé riamh artha an *evil*. Bhí bean éigin thuas i mBoth a' Dúin a raibh sí aici. N'fheadair mé ná gur dos na Glaisínigh í. Is amhlaidh a théití go dtí í. N'fheadair mé cad a dheineadh sí.

26. Leigheas ar *Ringworm*

Thagadh *ringworm*, leis, ar an croiceann. Ola as aenna na mbitsíní a dtugaidís treidhn air. Bhíodh sí mar sholas acu leis. Leighidís í ar shlioga – sin leath-sheana-chorcáin agus tine a dhéanadh amuigh. Agus bhainidís an treidhn as na haenna agus chuiridís in buidéil agus in *jar*anna í. Chimilidís an treidhn sin don *ringworm*.

27. Abhar

Thagadh saghas eile cnapáin ar chroiceann duine a dtugaidís abhar air. N'fheadair mé dén leigheas a bhíodh acu air.

28. Cos Leointe

[**SÓD:** Is minic t'réis titim a bheadh pian i gcois nó i láimh duine ach ná beadh dada ar aon chnámh.]

Bheadh a chos leointe[7] b'fhéidir. Is measa an leonadh[8] ná an briseadh. Is deocra é a chuir sa cheart.

29. Leigheas ar Mhaoile

Titeann an ghruaig de dhuine. Bhíodh leigheas éigint acu ar sin – leathar dóite agus saghas éigin ola nó smearadh le suathadh tríd, chun gruaige a chur ort. Is dóigh liom gurb é rud a dhéinidís ná croiceann na daraí a bheiriú agus an t-uisce a bheadh air sin a shuathadh tríd an leathar dóite.

6. Ls. *leach-má-leach*
7. Ls. *liúinte* /l´u:n´t´ɪ/
8. Ls. *liúna* /l´u:nə/

30. Salann á Chuir ar an gCeann – Cosaint ar Fhuacht

Nuair a bhearrfaidh tú do cheann, i gcónaí pinsín salainn a leagaint ar chroí do dhearnan agus é a chimilt isteach tríd' cheann agus ní bhfaighidh tú aon fhuacht go deo as.

31. Pearaifín – Leigheas ar Mhúchadh

[**SÓD:** 'Bhfuil aon leigheas ar mhúchadh?]

Thá, pearaifín a dh'ól ar mhúchadh, n'fheiceoidh tú a thuilleadh de choíche aríst.

Bíonn daoine ann a dtagann giorra anáile orthu nuair a bhíonn siad ag siúl nó ag obair. Tagann stad ina n-anáil. Ní bhfaighidís aon obair a dhéanadh. Ní dh'airigh mé aon leigheas riamh air.

32. Spridí agus Pianta Falsaera

Spridí, sin iad na *nerves*. Ach falsaeir, bíonn pianta falsaera ort agus gan dada ar na cnánna ach na pianta ag rioth sa bhfuil.

7. RANNA NA hAIMSIRE

A. NA FÉILÍ COITIANTA

1. Lá Fhéil' Cros

An cúigiú lá fichead den mí seo, Lá Fhéil' Cros, an lá is sia sa mbliain. Mheathá[1] Lá Fhéil' Cros,' a déarthá le duine go mbeadh capall righin aige a chaithfeadh an lá ar an mbóthar.

Lá Fhéil' Cros, sin é an lá a chuaigh Naomh Seán fé dhéin na croise. Ba dh'é Naomh Seán a dhein an chéad bhaiste agus pé rud a bhí sé 'dhéanadh an ceathrú lá fichead, chuaigh sé fé dhéin na croise, an chros na baistí, an chros a bhain le tobar na baistí a dh'fhág sé ina dhiaidh an ceathrú lá fichead. Chuiridís cros le cipín dóite ar mhuirilte an pháiste, gach páiste sa tigh,[2] an lá san, aon am den lá, ar a lámh chlé. Agus de dheasca Lá Fhéil' Cros a deineag é sin ach ní mar gheall air sin a baisteag Lá Fhéil' Cros air. Is cuimhin liomsa é sin a bheith á dhéanadh.

2. Féile Bhríde

(i) Brat Bhríde

Beilt nó ceosúir a chuir amach ag crochadh ar an gclaibín[3] Oíche Féil' Bríde agus é a fhágaint ansan go maidean, gach einne a chuir amach a bhrat fhéin agus iad a thabhairt isteach ar maidin agus iad a chuir i gcumhaid nó 'á mba í do bheilt í, í a chuir thimpeall arīst ort. Is minic a chonaic mé fear go mbeadh *tie* aige á chuir amach. Sé brí a bhí leis chun tinneas cinn. Agus dé chúis é?

Nuair a bhí Naomh Bríde agus Máire Mhaidiléan ag dul isteach 'on tséipéal – peacach mór ba dh'ea Máire Maidiléan agus bhí sí in amhras go mbeadh an pobal ag féachaint uirthi fhéin:

"Ní bheidh," arsaigh Naomh Bríde, "mar cuirfeadsa an cliath ar mo cheann."

Bhí an brat thar an gcliath aici ag cimeád na cliath ar a ceann agus dh'uacht-aigh sí an brat. Tá an brat ag dul amach gach aon Oíche Bríde ó shoin.

Chonaic mé fear á chuir ar shiorrach[4] ná raghadh i ngoire a mháthar agus do chuaigh ansan.

1. Ls. *Mheactha* (= Mheathfá) – féach M. Sheehan, *Sean-Chaint na nDéise – The Idiom of Living Irish* (Baile Átha Cliath: Institiúid Ardléinn Bhaile Átha Cliath, 1944) lch. 158 s.v. Meach
2. Ls. *gan páiste sa tigh*
3. .i. ar an laiste (gan a bheith fé ghlas) – feic Ó hAirt, *Díolaim Dhéiseach* , lch. 33 s.v. *claibín*
4. .i. shearrach.

(ii) Crúiscín Uisce á Chuir amach Oíche Bríde

Cuireann siad uisce i gcrúiscín i Heilbhic agus cuireann siad amach é Oíche Bríde ar bhonn na fuinneoige. Bíonn sé mar leigheas acu ar shúile tinne. Fanann sé folláin ar feadh bliana.

(iii) Cros Bríde

Deineann bean an tí Cros Bríde nó Bogha Bríde le tuí eorna agus cuireann sí thíos fés na taobháin as cheann an doiris é.

3. Céadaoin na Luaithre

Cuirtear cros ar éadan dhuine Céadaoin na Luaithre. Ba dh'in guí a thugadh an seana-dhream fadó:

"Cros salach le cipín ort." N'fheadair mé dén brí a bhí leis.

4. Lá 'le Muire na hImirí

Lá 'le Muire na hImirí (an cúigiú lá fichead de Mhárta) a bhíodh deireadh leis an mbliain acu ar an talamh. Bhíodh an bhliain istigh ag an tionóntaí an lá san agus bhídís, cuid acu, ag fágaint. Is minic a dh'airigh mise athair mo chéile á rá gur amuigh ar an gcarn aoiligh a chuir sé fhéin a cheirte air – ní bhfaigheadh sé uain í a chuir air istigh chun ná raibh an cíos aige. Bhídís á chaitheamh amach an uair sin a dhritheáir.

5. Déardaoin na Luachra agus Déardaoin Deascabhála

Déardaoin na Luachra agus Déardaoin Deascabhála, dhá Dhéardaoin saoire a thagann.

An oíche roimh Déardaoin na Luachra chuiridís luachair ar bhun na bhfuinneoig, agus feileastram, agus i mbéal an doiris. Um thráthnóna a bhíonn sé ann. Deir siad go ngabhann an Mhaighdean Mhuire thimpeall go dtí gach aon doras an oíche sin agus an onóir sin a thabhairt di. Dhéanfadh daoine fós é.

6. Oíche Bhealthaine – Uisce Beannaithe agus an Maighistir

Croithfí an t-uisce beannaithe ar na ba Oíche Bhealthaine agus croithfí an maighistir orthu.

Oíche Bhealthaine théidís amach leis an uisce coisreac is é a chroitheadh ar na beithígh, agus Oíche Fhéil' Seáin ar an talamh – é a chroitheadh i gcúinne na páirce a mbeadh an barra ann 'á mbeadh sé gairid don tigh – mara mbeadh, é a chroitheadh ar an bpáirc a bheadh gairid don tigh.

7. Oíche Fhéil' Seáin – Ba á dTiomáint Tríd an Deatach

Tiomántaí na ba tríd an tine Oíche Fhéil' Seáin chun go mbeadh an t-ádh leo an chuid eile dhen mbliain. Bhí sé déanta amach go gcumhdadh deatach na tine ó ghalar iad – iad a chimeád ar thaobh na gaoithe agus iad a thiomáint tríd an deatach ansan. Bhíodh tine i gcónaí i seana-mhacha ansan thuas againn-ne, Oíche Fhéil' Seáin. Bhí tine cnámh poiblí ar na crosairí ach bhíodh a thine bheag fhéin ag gach duine thimpeall a thí fhéin.

8. Oíche Shamhna – Oíche na Marbh

An chéad lá Shamhain, sin é Oíche na Marbh. Níor mhaith liom a bheith amuigh an oíche sin. Lastar coinnle. Lasann daoine coinneal dos gach aon mharbh a dh'fhág an tigh. Lasann siad anois dhá choinneal do gach taobh, taobh an fhir agus taobh na mná.

Fágann siad ar lasadh iad go maidean. Bíonn siad caite amach ar maidin. Deir siad nár dhóigh aon cheann acu riamh aon tigh. An tinteán a scuabadh agus socraítear na cathaoireacha agus na stúil thimpeall an tinteáin. Bíonn sé déanta amach acu go dtagann siad thimpeall an oíche sin.

Deir siad go dtugann ceann urra an tí bliain insa tigh t'réis bháis.

9. Rann Oíche Shamhna

Bhí nós fadó age muintir na hÉireann Oíche Shamhna imeacht thimpeall ó dhoras go doras leis an adharc. Agus má gheobhaidís aon rud dhéarfaidís paidir mhaith dhuit agus mara bhfaighidís thabharfaidís roinnt guíonna dhuit nár bh'fhearrde thú. Agus shidí an rann a bhíodh acu:

Anocht Oíche Shamhna, a mhungó mhannga
Sop i's na fuinneoga agus ag dúnadh na ndoirse –
Eiri' id shuí[5] a bhean an tí –
Téire suas go fearúil, tair anuas go flaithiúil –
Tabhair leat cúl na b'lóige ar dhath na lice
A mbeidh faid léim giorré ar faid inti –
Agus gearra scine ar aoirde –
Ba mhaith liomsa deoch bhainne bhog, mhilis,
Gan cáithnín gan ribe,
A mbeadh uachtar ina bholg
Is leamhnacht ina chiosa –
Agus í a dh'fháil ó bhruinneall a 'níon ó.
Ní hé an bainne ó inniu ná an bainne ó inné –

5. /əir´ ı ti:/

Ná an bainne ó aréir ba mhaith liomsa a iníon ó –
Nach leamhnacht bog milis gan cáithnín gan ribe –
A mbeadh uachtar ina bholg is leamhnacht ina chiosa,
Is ba dhó' leatsa go dtachtfadh sé mise,
Ach mo chreach ghéar fhada níor bhaol dom.
Ní mise Piaras Ó Priosa ná Diarmaid Ó Duinne
Ná Diarmuid Ó Dúnaí ná raibh riamh ina chónaí
Nach ag obair i gcónaí,
Nach garsúinín bocht gan garraí gan gort –
Ar chailleag 'athair lá cruaidh earraigh –
Agus bhág a mháthair i gcioth mór sneachta,
Bú! bú! bú! Sín amach do chabhair a bhean an tí –
Agus gur seacht bhfearr a bheidh tú ar theacht na Samhna aríst.

Na Guíonna

Mara bhfaighidís dada ansan:

Ar do dhul síos strapa an ghairdín,
Go mbristear do phláitín –
Sceach dhearg id scornach,
Gan aon tobar níos giorra dhuit ná Eochaill,
[Gob coiligh id thóin ag dul go hIfreann,
Bainneach dhearg leat agus ciosa gorma léithe].
Nár chacaidh an préachán ar do stáca –
Agus nára mó ná raibh an stáca agat.

10. Lá Fhéil' Mártan

Naoi n-oíche agus oíche gan áireamh ó Oíche Shamhna go dtí Oíche Fhéil' Mártan.

Maraítar éan éigin sa tigh an oíche sin. Bean an tí is minicí a mharaíonn é istigh nó amuigh. An fhuil a chimeád i cupán agus bheadh leigheas inti, méir tinn nó súil tinn nó aon rud mar sin. Dh'íosfaí an oíche sin í.

Bhí sé déanta amach acu go gcaillfí na beithéigh orthu mara ndoirtfí fuil Oíche Fhéil' Mártan.

Gach aon árthach ag seoladh na farraige straíocfaidh sí a seolta Oíche Fhéil' Mártan mar níl aon chúntas ag einne cad a dhéanfaidh Oíche Fhéil' Mártan. Téid siad ag iascach an oíche sin.

Bhí scúnaeir i nDonn Garbhán fadó agus ní straíoc sí a seolta ar aon chor an oíche sin agus n'fheacaigh einne riamh ó shoin í ná einne a bhí uirthi.

"Mise Naomh Mártan athá in airde ar an tigh,
Agus mar maróidh tusa muc an drom duibh
Beidh tú id thórramh seachtain ó inniu."

Théadh buachaillí amach san oíche agus théidís in airde ar na tithe agus deiridís é sin. Dheinidís mar imirt ar sheandaoine.

11. Oíche Nollag

"Oíche Nollag ní hobair dom b[m]uintir
Dul a chodladh gan bogadh beag rince ."

B. FÉILÍ ÁITIÚLA

1. Lá San Nioclás

[**SÓD:** Is dócha go mbíodh ana-lá sa Rinn fadó Lá San Nioclás, Lá an Phátrúin].

Bhíodh ana-lá fadó. Bhíodh Aifreann ann ar maidin agus é ina lá saoire ag gach einne. Bhíodh páistí ag imeacht an oíche roimhe[6] sin a d'iarra' 'féirín an phátrúin' ar na daoine muintire, athair baistí nó máthair bhaistí.

"Tabhair dom féirín an phátrúin," a dheiridís, agus thugadh daoine pinginí dhóibh. Bhíodh gach einne 'déanadh banc i gcóir an lae sin, na buachaillí agus na cailíní óga.

Is cuimhin liom fhéin sé *standing* déag a bheith ag geata an tséipéil an mhaidean san agus na daoine ag dul dtí an Aifreann agus mná ó Dhonn Garbhán ag díol *sugarsticks*, cácaí is brioscaí is úlla agus 'ráistithe is *lemonade* an uair sin, buidéil mhóra ar dhá phingin. Bhrúfaidís anuas ansan nuair a bheadh an tAifreann léite dtí an drochad, agus as san síos amach go dtí an roilig agus iad ag díol ar thaobh an bhóthair. Bhíodh bean thíos ag an drochad a dtugaidís 'Slótar' uirthi. Bhíodh "Slótar *for Johnny,* Slótar *for* Máirín," aici. *Sugarsticks* ba dh'ea na slótars. Bhídís déanta speisialta acu le hagha' an phátrúin. Ní dóigh liom gob iad fhéin a dheineadh iad. Bhíodh bean eile a dtugaidís 'M'anam 'on Diabhal' uirthi mar bhíodh an focal san aici.

Agus dh'airigh mé go raibh cheithre bharaille is fiche pórtair agus iad folamh babhta ar an drochad caite amach as Ti' Chóda aon mhaidean amháin t'réis an lae sin. Ní bhíodh aon ní ag imeacht an uair sin ach leath-ghalúin (pórtair) – raol an leath-ghalún. Leath-ghalún mór, tháinig sé amach ansan ar dhá thistiún. Ní bhíodh aon mheas ag aon fhear óg air fhéin ná beadh in ti' an ósta an oíche sin.

6. Ls. *ragha.*

Ní bhíodh rince in aon áit ach bhíodh páistí ag eisteacht le hamhráin in doras ti' an ósta. Ní bhíodh aon léim ná tóigint ualaigh ann ná dada ach cuid acu a cuirtí amach as ti' an ósta raghaidís isteach in tigh eile agus bheidís ag rince agus ag amhrán. Cuid mhór acu ná tagadh abhaile chun a ndinnéir chuigin an lá san ach isteach go ti' an ósta leo t'réis an Aifrinn.

Bhíodh na báid á bheannú ag an sagart t'réis an Aifrinn. Bíonn fós, leis, agus bíonn na húinéirí agus an chriú ann. Tugann gach úinéir siúntiús don sagart: ní bhfaighinn a rá an púnt nó deich scillinge.

2. Domhnach na bhFear

An cúigiú lá déag dh'Fhómhar bhíodh an fómhar aibidh i gcónaí i bParóiste Dhonn Garbhán agus ansan an Domhnach ina dhiaidh bheadh feirmeoirithe an tSeana-Phobail agus na Rinne ag féachaint amach. Bhíodh gach einne acu ag lorg na bhfear chun dul ag buaint agus thugaidís Domhnach na bhFear ar an Domhnach san. Bhíodh gach einne ag lorg fear an Domhnach san chún[7] maith le muintir Dhonn Garbhán.

3. Domhnach na *Rascals*

Agus Domhnach na *Rascals*, bhí sé ann – iad so ná bíodh faoistín[8] na Cásca déanta acu dh'fhanaidís go dtí an Domhnach déanach agus thugadh an sagart saoiscéal orthu – *rascals* a dheireadh sé.

7. < chomh

8. Ls. *faoísdin* ach *faoisidín* /fi:ʃɪd´i:n´/ a deirtear – deintear /i:/ den *i* sa siolla deireanach de *faoisidin* de bharr analaí le hainmfhocail eile a chríochnaíonn le *í* (feic R.B. Breatnach, *The Irish of Ring*, lch. 120)

8. PISEOGA AGUS DRAÍOCHT

A. DAOINE GO mBEADH COMHACHTAÍ SPEISIALTA ACU

1. Mary M*h*ór – Bean Luíonna

Rabharach mná ba dh'ea Mary M*h*ór a bhíodh ag imeacht ansan – seana-rabharach. Bhíodh mála mór *rags* uirthi. Bhíodh sí ag tabhairt luíonna uaithi.

2. *Old Moore's Almanac* – Mar a Fuair Iníon an Mhúraigh Fios na hAimsire

Don iníon a thug an Múrach fios na haimsire a dh'airigh mise. Nuair a bhí sé chun é a thabhairt di chuir sé an iníon i teachtaireacht agus nuair a tháinig sí isteach chuir sé in airde ar an mbord í. Dh'fhiarthaigh sé dhi cad é an faid ón ré a bhí sí anois agus 'nis sí dho é.

Istoíche amáireach chuir sé i teachtaireacht aríst í agus chuir sé píosa trí pinge fé gach aon chois leis an mbord. Nuair a tháinig sí chuir sé in airde ar an mbord í agus dh'fhiarthaigh sé di ciacu is giorra dhon ré a bhí sí, anocht ná aréir?

"Is giorra dhi anocht mé," arsa sí.

Chuir sé i teachtaireacht an trígiú oíche ansan í. Chuir sé raol fé gach aon chois leis an mbord ansan agus nuair a tháinig sí chuir sé in airde ar an mbord aríst í ...

"Cé acu is giorra dhon ré, anocht thú," arsa sé, "ná aréir?"

"Is giorra di anocht mé," arsa sí, "de thuíodas[1] raolaí."

"Cuir gach aon rud is maith leat anois inti," arsa sé, "ach sioc sa Mheitheamh."

3. Sagart a Mhothaigh Cat

Bhí mé age tórramh i mBaile na nGall oíche, go ndeine Dia trócaire ar na mairbh. Agus bhí thimpeall dhá dhuine dhéag againn thimpeall na tine san oíche agus gaoth anoir a bhí á shéideadh, agus dh'oscail an doras isteach agus thógag an aibíd agus an chuilt den chorp agus dh'iompaíog anuas insa cheann orainn thuas age'n tine í le neart gála gaoithe a tháinig isteach an doras. Agus bhí cat ti'Ágaí agus bhíodh sagart ag teacht ann agus ag fuireach seachtainí ann agus gach aon lá a chíodh an sagart an cat deireadh sé gur bhreá an cat é. Agus le Tomás Breathnach ba dh'ea an cat. Ach nuair a theitheamair amach as ti' an

1. .i. tiús – tugann R.B. Breatnach /t´u:dəs/ mar fhuaimniú don bhfocal *tiúdas* (*Seana-Chaint II*, lch. 399 s.v. *tiúdas*)

tórraimh chuaigh triúr nó ceathrar againn amach isna báid fé dhéin portáin chun iad a róstadh ar an tine. Agus cad a bheadh ag teacht amach as an mbád inár gcoinne ná an cat breá so, agus ní dhein ceann dos na buachaillí ach thabhairt fé le buille chic ar ghunail an bháid agus chuir sé amach sa bhfarraige an cat is bág é.

Ach i gceann dó nó trí laethanta, an fear a' leis an cat bhí sé ag ól peannta pórtair istigh ti' Ágaí agus bhí sé ag trácht ar an gcat, ná feaca sé an cat ar ao'chor ón uair a bhí an sagart á mholadh gur bhreá an cat é …

"Nó n'fheadar ab amhla' a mhothaigh an sagart an cat. *Well*, dúirt sé seacht n-uaire as mo choinne," a deireadh sé, "gur bhreá an cat é, ach n'fheaca mise an cat ó shoin pé áit a ghaibh sé – marab amhla' a dhein an sagart an cat a mhothú."

4. Mar a Chaill Jimmy Landers a Ghruaig

Bhí aithne agamsa ar fhear is dh'fhág sé ina dhiaidh ar an bpeiliúr ar maidin a raibh de ghruaig ar a cheann.

An tigh ósta a bhí ag Haraine in Ráth na Mingíneach, thóg French é ina dhia' – bácaeraí a bhí thíos sa Rinn. Bhíodh ól is gach aon rud ar siúl ann agus drochiompar agus do labhair an tAthair Ó Cathasaigh ina choinne. Dh'éirigh sé sin i gcoinne an Athair Ó Cathasaigh ansan agus dúirt an tAthair Ó Cathasaigh *boycotting* a dhéanadh air. Ní raghadh [einne] ag obair chuige. Dúirt an sagart, einne a raghadh ag obair chuige go n-aithneodh an saol é. Bhí rud éigint le déanadh leis an tigh ansan agus chuaigh siúinéir ag obair chuige agus chuaigh sé a chodladh an oíche sin, agus nuair 'éirigh sé ar maidin ní raibh ribe gruaige ar a cheann: dh'fhág sé a raibh de ghruaig air ar an bpeiliúr. Ba dh'in é Jimmy Landers. Chonaic an saol é.

5. Éalaithe a Raibh Fios aige

Bhí Éalaithe ina chónaí thiar san nGráinsigh agus bhí beirt siúinéirí ag obair ann. Dheiridís go raibh fios age Éalaithe. Bhí buachaill ann ab ainm do Seán Paor. Bhí sé 'thabhairt a théarma dh'Annagán agus nuair a bhíodar réidh tigh Éalaithe, tháiníodar go Baile Mhic Airt, tigh an Bhrianaigh. Bhí ball uirlise dearúdaithe acu tigh Éalaithe agus bhí Annagán ag cuir a phrintíseach fé dhéin an bhall uirlise. Dúirt an Brianach leis, nuair a bheadh sé ag fágaint é a dh'fhiarthaí dh'Éalaithe conas a bheadh an bheatha ar an mbliain seo chughainn. Nuair a bhí an buachaill thíos ag an doras dúirt sé le Éalaithe go ndúirt an Brianach leis a dh'fhiarthaí dhe conas a bheadh an bheatha ar an mbliain seo chughainn.

"Abair leis an rud salach gur cuma dho," arsa sé, "mar ní bheidh aon Bhrianach i mBaile Mhic Airt ná aon Treasaíoch i mBaile an Phoill." Agus nín.

[**SÓD:** Dé chúis é sin?]

Deir siad go rabhadar go holc agus go rabhadar le imeacht. Bhíodar go holc do na daoine bochta, go dian ar lucht oibre agus go holc dóibh.

Deir siad go raibh fios age Éalaithe. Ní raibh aon aithne agamsa ar Éalaithe ach bhí aithne mhaith agam ar an ngarsún a chuir an cheist , Seán Paor, go ndeine Dia trócaire air.

6. Tairngreachtaí Nioclá is Chundúin

Fear é seo a bhí sa tSeana-Phobal. Bhí aithne agam féin air ó bhíos im pháiste. Bhíodh sé ina chónaí i mBarra na Stuac, taobh thuas de thigh an tsagairt sa tSeana-Phobal. Ag baint croiceann de sheana-chapaill a bhíodh sé. "Rí na Maoilinn" nó "Rí Barra na Stuac" a bhí mar leasainm air. Timpeall chúig bliana déag tá sé curtha. Bhí sé 90 bliana nuair a fuair sé bás.

Bhí an domhan mór taraingireachtaí agen a athair, leabhracha an Dochtúir Céitinn, agus leabhra Cholm Cille, agus gach aon rud eile aige. Gach aon rud a bhí agen a athair bhí sé age Nioclás, ach ní raibh léamh ná scríobh na Gaelainne aige ná labhairt an Bhéarla. Seo cuid desna ráite a bhíodh aige:

(i) "Go séanfadh an iníon an mháthair – ná ligfeadh sí uirthi gob í a máthair a chuigint í."

(ii) "Go gcaillfeadh na cailíní óga a náire."

(iii) "Go dtiocfadh an lá go ndéarfadh an iníon lena máthair: 'Féach an fear!'"

(iv) "Gur thairbhí an mála ná an lán a bheadh ann."[2]

(v) "Go séanfadh an feirmeoir an talamh, go gcráfaí chomh mór san é le daoine ag conlach sreatha, agus ag éileamh cíosa."

(vi) "Go mbeadh prátaí cois na gcladhacha, agus gan einne chun iad a bhaint ná a dh'ithe."

(vii) "Go mbeadh an t-iasc ag góilt dá cheann ar na clocha, agus gan einne chun é a mharú."

(viii) "Mangairí éisc atá inniu againn," a dúirt sé, "ach mangairí bainne a bheidh fós againn," – sin iad na *creameries*.

(ix) "Go mbeadh féar ag fás ar shráid Donn Garbhán."

(x) "Go mbeadh bearraic saighdiúirí san áit a bhfuil Coláiste na Rinne."

(xi) "Go mbeadh bia beirithe ag teacht go dtís na doirse" – sin é an t-arán.

(xii) "Ná beadh aon deifir idir samhradh agus geimhreadh ach an lá a bheith go leabhair."

(xiii) "Go mbeadh an talamh ó shéipéal na Rinne go dtí Heilvic ag einne amháin."

2. Tháinig an lá san ar na feirmeoirí, a dúirt Maidhc – gan aon díol ar choirce, agus scilling le fáilt ar an mála – ocht scilling ar chroiceann an lao, agus gan aon phingin ar an gcorp – **SÓD**

(xiv) "Gur dhá fheirmeoir a bheadh ó shéipéal an tSeana-Phobal go dtí Heilbhic."

(xv) "Gur brácaí a bhí ages na daoine bochta le linn na haimsire sin, ach go mbeadh tithe compordúla fós acu" – sin é an chéad scéim *cottages* a tháinig amach.

(xvi) "An rud a bhíodar a thuilleachtain inniu go mbeadh sé fós ina shuí ar an gclaí acu" – sin é an seana-phinsean. Coróin a tháinig amach air sin an chéad uair, agus bhí fearaibh maithe ag obair ar choróin sa tseachtain an uair úd, agus gan é ag cuid acu.

(xvii) "Go mbeadh an feirmeoir mór ag croitheadh an sparáin, agus gan aon fhear le fáilt acu."

(xviii) "Go mbeadh na ba ag búithrigh, agus gan einne chun iad a chrú."

(xix) "Gob é an feirmeoir beag is compordúla a bheadh."

(xx) "Go dtiocfadh cogadh an dá Ghall, agus go ndéanfaí an seanduine a dh'iompó trí huaire sa leaba féachaint an mbeadh sé inniúil ar dhul amach dtí páirc an bhuailte!"

(xxi) An lá a bhí an cruinniú mór age William O'Brien in Donn Garbhán, bhí fearaibh óga Paróiste an tSeana-Phobail agus *band* acu ag dul anonn. Bhíodar isteach is amach tigh an Bhreathnaigh. Bhí Nioclás Cundún ina shuí ar cheann leath-bharaille taobh amuigh dhen doras, peanta ina láimh aige, agus a cheann fé, agus gan é ag cur suim in aon rud, ba dhóigh leat. Bhí mé féin ann an lá céanna. Na buachaillí a bhí isteach is amach san ósta, bhíodar ag liúraigh agus ag scréachaigh ar *Home Rule* – sin é an ainm a bhíodh ansan air – *"Up O'Brien,"* ag gach einne. "Fóil, a bhuachaillí," arsa Nioclás, "doirtfidh sibh fuil go leor fé a bhfaighidh sibh é. Gheobhaidh sibh ansan é, agus ní chumhadfaidh sibh é. Chífear an lá fós go mbeidh an Caitliceach ag gol ar uaigh an tSasanaigh, ná faighidh sé aon dlí chomh maith léi!"

7. An tAthair Murphy agus na Colmóirí

Dh'airínn m'athair á rá go raibh sagart insa Rinn a mb'ainm dó an tAthair Murphy agus dh'imigh sé ón Rinn go Cluain Meala. T'réis do imeacht ní raibh muintir na Rinne ag fáil aon cholmóirí agus dheineadar suas luach diallaite agus srian agus chuadar ó thuaidh go Cluain Meala chuige. Agus nuair a chonaic sé ag teacht iad bhí a cheann amuigh sa bhfuinneoig aige ag cur fáilthe rompu. Agus bhí domlas agus deoch acu ina fhochair, agus nuair[3] a bhíodar á dh'fhágaint, dúraíodar, dúirt sé leothu go raibh an t-iasc ag teacht ina gcoinne anois. Thugadar lua' na diallaite do agus nuair a bhíodar ag fágaint dúirt sé leothu go

3. Ls. *ner* /nər´/

raibh an t-iasc ag teacht ina gcoinne anois, agus nuair a tháiníodar isteach go Baile Mhic Chairbre bhí na mangairí ag góil ó thuaidh ina gcoinne agus iad lán d'iasc – na draetaí acu.

B. RATH, MÍ-RATH AGUS MALLACHTÓIREACHT

1. Airgead Sagairt

Dh'airínn riamh 'á bhfaightheá aon phioc d'airgead sagairt gur ag díol an chíosa ba cheart duit é a chur mar ná bíonn aon rath air.

2. Céachta Treithe

Einne riamh a dhein aon loitiméireacht ar chéachta treithe ní raibh aon lá rath riamh air.

3. Mallacht Bhaintrí

Einne a dhéanfadh díobháil do bhaintrigh – mallacht baintrí, a deir siad, an mallacht is míámharaí a thit riamh. Leanann sé seacht nglúine.

4. Guí Baintrí

Bíonn bua fé leith ag baintreach. Bíonn gach einne a d'iarra' guí baintrí a shéanadh. Níor mhaith dhuit a guí a dh'fháil. Fiú amháin fós bíonn gach einne ag séanadh guí baintrí.

5. An Mhallacht a Chuireadh ar na Dúsméaraigh

Bhí leaba falsa ag na Beresfords. Agus an mac is sine, sé a théadh ag díol an chíosa leo i gcónaí. Agus thógtaí an cíos uaidh agus tugtaí leaba chun codlata do agus as ceann na habhann a bhí an leaba. Agus dh'iompaíodh an leaba agus caithtí an buachaill isteach san abhainn agus ní bhíodh aon tuairisc air. Chuiridís bille ansan ag lorg an chíosa aríst.

Ach mac baintrí a chuaigh ann níor tháinig sé agus chuaigh sí ar a dhá glúin agus dh'iarr sí an bás céanna dona gcine go ceann seacht céad blian. Agus ní bhfuair aon Dúsméarach bás ar a leaba ó shoin, mara ndéanfadh sé é féin a bhá dhéanfadh sé é fhéin a lámhach.

Is olc iad na droch-ghnío[mha]rtha. Mara ndéanfaidh tú an mhaith ná dein aon díobháil.

Sa Chorrach Mhór a bhíodar san agus ní raibh aon tsagart riamh ar a n-ainm.

6. Droch-Ghalar a Chuir Uait

Bhíodh sé ráite 'á mbeadh droch-ghalar agatsa ar na beithígh, an t-ainmhí marbh a chuir sa teora agus an droch-ghalar a chuir ar an bhfear eile d'fhonn is an galar a chuir uait féin.

C. RUDAÍ GO LEANANN DRAÍOCHT AGUS RATH IAD

1. Póire á Thabhairt go dtí an Aifreann

Dh'airigh mé trácht ar sheanabhean agus chuireadh sí póire isteach in bosca gach Domhnach a théadh sí dtí an Aifreann. Dh'oscail sí an boiscín i gceann roinnt blianta agus ní raibh ann ach aon ghráinne amháin póire.

2. Gabhraisc

Deiridís fadó 'á gcuirfí gabhraisc[4] ionat go ngeobhthá aon rud ba mhaith leat, má bhí aon bhrí leis. N'fheadair mé an raibh nó ná raibh. Agus sé rud é gabhraisc ná snáthad mhór gan cró, í a chuir i ganfhios ionat.

3. Dul fé Sceach nó Sop a Bhaint as an gCleitín

Agus bhíodh sé áirithe aríst go mbeadh bua agat 'á raghfá fé sceach nó sop a bhaint as an gcleitín, 'á raghfá amach agus an sop a chuir id phóca.

4. Cosaint ar Dhó san Airc Luachra

Dá gcimileothá do theanga d'airc luachra deir siad ná dófadh aon rud do theanga. Gheobhthá *poker* dearg a leagaint anuas ar do theanga is ní dhófadh sé thú.

5. Uisce na gCos agus Uisce an Choirp

'Á mbeitheá ag cuir leanaí a chodladh san oíche t'réis a gcosa a ní ní raibh sé ceart an t-uisce sin a chaitheamh amach. Agus uisce coirp, t'réis an corp a ní dh'airigh mé ná raibh sé ceart é a chaitheamh amach as a dhia' chuigint, ach é a chaitheamh amach fé a n-imeoidh sé as an tigh.

6. An Maighistir

Uisce an duine. Deineann duine a chuid uisce – mún nó fual a tugtar air. 'Á mbeadh fiabhras in aon áit dheir siad nár bhaol 'uit go deo ach é a chimilt féd shróin ar maidin – an maighistir a thugann siad air.

4. Ls. *gabharuisc* /gouriʃg´/ (feic Breatnach, *Seana-Chaint II,* lch. 207 s.v. *gabhruisg*

Bhainidís usáid as le hagha' sprideanna. Mara mbeadh an t-uisce coisreacan acu, an maighistir a chaitheamh amach an doras fé a raghaidís a chodladh in agha' sprideanna. Agus dheinidís iad fhéin a choisreacan ar maidin leis, mara mbeadh an t-uisce coisreacan acu.

Agus leanbh óg, 'á mhinicíocht a nítheá san mhaighistir sé a bheitheá á neartú gach aon uair – é a ní gach aon mhaidean ann, ba dh'in é ab fhearr. Agus sin scéal fíor, agus 'á mbeadh leanbh ann a bheadh chomh buí le hór chuirfeadh sé croiceann air a bheadh chomh geal le líotais, agus chosnódh sé é ar go leor galair. An rud is fearr a deineag le leanbh óg riamh is é é. Ní chuiridís aon uisce tríd an uisce a níodh an leanbh, ach é a ní ins an méid a bheadh acu t'réis na hoíche. 'Á nífidís an corp ar fad ann b'é ab fhearr. Ní bhíodh sé te ar ao'chor ach fé mar a bhíodh sé sa phota t'réis na hoíche.

Agus 'á mbeadh do lámh gearrtha, do chuid uisce a chuir air agus chneasódh sí go mear. Agus aon chneath a bheadh deocair a leigheas, min bhuí mhín a bheiriú ar an maighistir agus é a bhualadh isteach leis, agus aon chneath ná leighisfeadh san is deocair é a leigheas.

Bhíodh seanduine ag obair im fhochairse agus bhímís ag caint ar an maighistir is rudaí:

"Mún maighdean," a dheireadh sé, "an maighistir is fearr, nach cá bhfaighidh tú é?"

D. PISEOGA ÉAGSÚLA

1. Aistriú Suíochán

Thá an nós fós againn-ne nuair a bheadh beirt chomrádaithe ag imirt [chártaí] agus gan iad ag góilt, dh'aistreoidís ó shuíochán go suíochán eile. Agus nuair a bheidís ag aistriú níor mhaith leothu go mbainfidís lena chéile ar eagla go mbainfeadh sé an t-ádh dhíobh agus dhéarfadh an chuid eile dhes na cearrúigh, "Méir i dtóin cearrúigh."

2. Feadaíol san Oíche agus Fiannaíocht sa Lá

"Ag feadaíl san oíche,
Agus ag fiannaíocht sa lá,
Is dá mairtheá choíche
Bheadh síobhra led sháil."

'Á mbeitheá ag feadaíl san oíche ní bheadh aon rath ort, ná ag fiannaíocht sa lá.

3. Seanseáil Éadaigh

Is minic a dh'airigh mé má bhíonn tú chun do cheirte a sheanseáil san Abrán – sé sin cuid d'éadach an gheimhridh a bhaint díot – seanseáil Dé Domhna iad agus ní bhfaighidh tú fuacht, agus mara ndéanfaidh tú san Abrán é ná seanseáil ar ao'chor san mBealtaine.

4. Piseog a Bhaineann le Baiste an Linbh

Leanbh a bheadh ag dul á bhaisteadh in Mí na Bealthaine cuirfí gráinne salainn ina cheirte.

5. Piseoga a Bhaineann leis an gCaincín agus leis an Súil

'Á mbeadh tochas id chaincín, comhartha is ea é go bhfuil daoine ag trácht ort agus tochas id shúil chlé, comhartha is ea é go mbeidh tú ag gáire.

6. Cosc ar Rámhainn sa Tigh

Nín sé ceart rámhann a bheith ar do ghualainn ag teacht isteach sa tigh.

7. Fuil Timpeall an tSéipéil

Dh'airigh mé 'á mbeadh bruíon thimpeall an tséipéil go gcaithfí an áit a choisreacan arís 'cheann gur doirteag le paisiún ann.

8. Tochas i gCroí na Dearnan

'Á mbeadh tochas i gcroí do dhearnan comhartha is ea é go mbeitheá ag glacadh airgid.

9. SAMHLAÍOCHT I dTAOBH NITHE AGUS DAOINE

A. ÁITEANNA SÍ

1. Liosanna

Tá lios ansan thiar i bpáirc liúsa.[1] Tá dhá cheann acu agus trí cinn[2] acu ins 'ach aon[3] pharóiste anso.

Tá fáinne thimpeall leis an lios anso.

B. LUCHT SÍ

1. An Bhean Rua

An bhean rua an bhean is measa ar an slua. Sí an bhean rua a bhíonn ar an slua sí an bhean is cantabharaí.[4]

2. Seán 'ac Séamuis

Bhí lánú fadó ann agus bhí aon leanbh amháin acu agus bhí sé insa chliabhán agus thug banríon an leasa chun siúil an leanbh uathu. Agus bhí deirfiúr do bhean an tí pósta a raibh mórsheisear iníon aici agus bhí óinseach ar cheann 'es na hiníonacha. Agus ní raibh einne chun an leanbh a dh'fháil thar n-ais nach pé duine a dh'iarrfadh rud éigint ar bhanríon an leasa ná faigheadh sí a thabhairt uaithi. Bhí gach einne ag dul fé dhéin an linbh agus ní raibh einne ag tabhairt an linbh leis. Chuaigh an seisear iníon a bhí age'n a deirfiúr fé dhéin an linbh agus ní bhfuaireadar é. Dúirt an óinseach an lá so lena máthair age'n tine go raghadh sí fhéin fé dhéin an linbh amáireach, agus chuaigh. Agus shuigh sí in airde ar an lios.

Agus dh'iarr sí:

"Seacht gcéad each ar dhath a chéile,"

Dh'iarr sí:

"Seacht gcéad baraille dh'airgead raolaí,"

1. .i. liomsa
2. Ls. ceighn /k´aiŋ´/
3. Ls *insa chaon*
4. Ls. *canntabharaí* /kauntauri:/ .i. *contúrt[h]í*

Dh'iarr sí:

"Seacht gcéad baraille dh'ór buí Dhéamair,
Agus seacht gcéad caisleán agus a n-agha' ar a chéile,
Seacht gcéad ganndal agus a n-anlann géanna,
Agus seacht gcéad asal gan aon chros céasta."

Fuair sí an leanbh mar ní bhfaigheadh sí an chros ... an chros chéasta a bhaint den asal. Thug sí an leanbh abhaile go dtína mháthair agus dtí an athair.

C. AINMHITHE NEAMHSHAOLTA

1. Tom Tug

Tom Tug, an capall ab fhearr a bhí in Éire riamh. Rugag i mBaile na Trá é in aice Eochaill.

Bhí Tom Tug age Paorach Bhaile na Trá. Tá sé idir Eochaill is Chorca is dóigh liom. Láirín a bhí age fear bocht is bhí inse[5] age'n tráigh aige, inse thalún, agus bhí an láir ann. Nuair a chuaigh sé fé dhéin na lárach maidean Bhealtaine bhí siorrach age'n láir ar an inse roimhe agus ní raibh aon dul ar aon stail aici.

Thóg sé ansan é nuair a sháin[6] sé a bhrí. Bhí ráiseanna an domhain tóigthe ansan aige go raibh ráiseanna Shasana ar fad buaite aige. Agus bhí ráiseanna i Sasana age Paorach an Ghoirtín – bhíodar san in aice Chluain Meala – agus age Marquis Phort Láirge. Dh'iarr an Marquis ar an bPaorach an rás a ligint leis fhéin inniu.

"Agus ligfidh mise leatsa amáireach," arsaigh an Marquis.

"Ligfidh mé," arsaigh an Paorach, "má liúnn tú do Chraobh na hÉireann."

"Liúfaidh mé," arsaigh an Marquis.

Choinnigh an Paorach an diallait aige ansan nuair a *start*álag an rás, mar bhí fhios gan dabht aige ná liúfadh sé dh'Éire. Nuair a bhíodar ag déanamh isteach ar an *winning post* shíl an Marquis go raibh an rás buaite aige. Liúigh sé do Shasana. Chuir an Paorach a shlait agus a spoir abhaile ar an gcapall agus bhain sé an rás den Marquis. Bhí *lady* in airde ar an n*grandstand* is nuair a bhí an rás foite[7] age'n bPaorach ...

"Is dócha," arsa sí, "gur tú an fear capall is fearr in Éire."

"Ní mé," arsa sé, "ach is mé an fear capall is fearr i Sasana inniu."

Bhí eagla orthu ansan, an tarna rás a bhí ag teacht, bhí eagla orthu go mbuafadh Sasana an rás agus bhí Tom Tug gearrtha amach gan aon rás a rioth níos mó mar bhí sé ag góilt gach aon rás. Dhathaíodar Tom Tug ansan agus

5. Ls. *eighnse*
6. .i. thaispeáin
7. /fet´ɪ/ .i. faighte.

thugadar anonn (é), agus é comhfhaid a bheadh sé ón droch-chapall agus bheadh sé ón gcapall maith go dtí deireadh thiar. Rioth Tom Tug sa rás agus nuair a bhí an fear a bhí ina choinne ag teacht isteach bhí Tom Tug suas leis.

"Marab é Tom Tug ó Éire athá im choinne inniu," arsa sé, "sé an diabhal ó Ifreann athá ann!"

Nuair a bhí an rás goite age Tom Tug cuireag ar bord árthaigh ar an niúmait dearg é agus tugag abhaile go hÉire é isteach go hEochaill agus tugag amach insa meaiseanna[8] in Eochaill é agus chuir an marcach a bhróig isteach trína chabhail. An marcach a dhein é, mar bhí príosún aige 'á bhfaighfí breith air 'taobh é a chuir ag rioth in ainm falsa. Agus thá sé curtha ina sheasamh ansan.

Capall ón bhfarraige ba dh'ea an stail a tháinig dtí an láir ar an inse.

2. Madra Strapa an Smag

Bhíodh madra á dh'fheiscint age Strapa an Smag. Thá sé ansan ar an dtaobh thoir de Chrosaire Bhaile na nGall. Thá cosán cóngair ag dul síos ansan ón mbóthar age ti' Lizzie Murray Bhaile na nGall. Bhíodh agus bhíodh madra á dh'fheiscint tamall siar uaidh age Tobar Peats Churraoin i mBaile na nGall. Níl aon rud le dachad bliain ó dh'airínn go bhfeicítí ann iad. Bhíodh sé chomh mór le cuíora – madra dubh – agus bhíodh sé ag dul i méid agus é ag imeacht rompu agus ag teacht ina ndiaidh.

D. DAOINE NEAMHSHAOLTA

1. Síolrach na *nDanes* an Eireabaill

Na Méirnínigh is sia atá anso. Dh'airínnse ón seana-mhuintir gur do shíorach[9] na *nDanes* iad san. Dh'airínn ón seana-mhuintir, nuair a théadh aon Mhéirníneach ar snámh go mbíodh bun eireaball orthu. Agus sé an ainm a chloisinn age'n seana-mhuintir orthu, 'Síolrach na nDanes an Eireabaill'. Níl aon Mhéirníneach anois ann. Tá an ceann deireanach curtha le sé nó seacht do bhliana ach tá beirt bhan dos an Méirnínigh fós ann.

E. NITHE NEAMHSHAOLTA AR MHUIR

1. Árthach Beo nó Árthach Falsa?

Tháinig árthach isteach go Cé Heilbhic fadó thimpeall chúig bhliana déag is

8. .i. corraigh
9. /də hˊi:rəx/ .i. de shíolrach.

fiche ó shoin agus nuair a tháinig sí isteach chuaigh sí ar ród i Mionn Ard Sannda. Agus chuir sí suas na soilse go léir agus i gceann leathuair a chloig do mhúch sí aríst iad agus i gceann leathuair a chloig las sí aríst iad. Agus thug sí i bhfaid den oíche soir agus anoir i mbéal an chuain gur chuaigh fear a bhí i Heilbhic go ndeine Dia trócaire orthu araon[10] anois, Tomáisín a' Bhocaí agus Tomás Ó Corráin, lanseáileadar[11] bád beag a bhí acu agus chuadar féna déin, dar leothu go píólóit a bhí uaithi. Nuair a chonaic sí ag teacht a dh'iarracht uirthi í bhog sí chun bóthair amach chun farraige agus leanadar amach píosa maith í agus is gairid go dh'éirigh an gála agus bhí an bheirt acu á ruagairt ar fuaid na farraige sa tslí ná raibh aon mhaith dhóibh a bheith a d'iarra' bheith ag iomradh an bháid ar ao'chor, ná raibh aon tor' aici orthu, farraigí á múchadh is gaoth. Séideag síos go Baile Uí Bhaoill iad, isteach ar Thráigh Bhaile Uí Bhaoill go dtí fear a bhí ag tabhairt aireachas[12] do *lodge* an *railway* a dtugaidís George English air. Chuadar isteach go dtí é thimpeall a dó a chlog san oíche agus chuaigh sé sin píosa dhen mbóthar leothu gur tháiníodar go Donn Garbhán. Chuadar isteach go dtí Tomás Neans a bhí i nDonn Garbhán agus iad fliuch báite agus uisce ar sileadh astu agus dh'óladar braon agus chuireadar chun bóthar na Rinne abhaile go Heilbhic aríst agus nuair a bhí sé ina lá sea bhíodar thar n-ais in Heilbhic agus an báidín briste ar Thráigh Bhaile Uí Bhaoill. N'fheacaíog an t-árthach ó shoin: n'fheadairíodar cé acu árthach falsa nó árthach beo í.

2. Scanradh a Fuair mé ar Thráigh

Bhí mé oíche age'n tráigh ag iascaireacht agus bhí mé ag tarraint *scads* chomh mear is ab fhéidir liom isteach in gaibhlín. Bhí pollóga agus *scads* agus macréilí marbh agam ar mo chompord is mo phíopa á chaitheamh agam is mé á dtarraint liom chomh mear is ab fhéidir liom iad a mharú. Bhí sé thimpeall a naoi a chlog san oíche nó b'fhéidir ina dhiaidh, agus tháinig éartha orm, scanradh[13] ceart. B'ait liom cad a bhí orm. Ní dh'airigh mé dada agus n'fheaca mé dada nach bhí allas ag teacht aníos im bhróga le heagla agus gruaig mo chinn ina seasamh agus dh'éirigh mé as an ngaibhlín agus bheir mé ar an gcleath is leag mé ina bhfochair í agus dh'imigh mé liom. Fé mar a bhí mé ag teacht sea is mó a bhí an t-eagla 'méadú orm, gur tháinig mé abhaile. Agus nuair a tháinig mé isteach bhí allas ag teacht amach as bhéal mo bhróg.

Bhí mé á marú le dubhán is le baighte macréal, is nuair a stad na pollóga chuaigh mé ag marú na *scads*. Eascú a bhí agam ag marú na bpollóg agus slais mhacréal a bhí agam ag marú na *scads*.

10. Ls. *'raon* ("R" caol i 'raon' – **SÓD**)
11. Ls. *lannseáileadar*
12. Ls. *'reachas* /r´axəs/
13. Ls. *scamhara* /sgaurə/

F. NITHE NEAMHSHAOLTA AR TÍR

1. Aifreann ón Saol Eile

Bhí seisear fear ar an áit seo ag imirt chártaí oíche. Cuíora a bhíodar a dh'imirt. Is dócha go bhfuil gairid do chéad bliain. Bhí aithne agam ar an bhfear a ghaibh an chuíora, ab ainm do Séamus De hÓr, agus bhí an ceathrar eile buachaillí, bhíodar cheithre cluiche chun an chuíora agus gan é aon chúig, agus dh'éirigh sé ón mbord is chuaigh sé amach. Agus nuair a tháinig sé isteach shuigh sé go dtí an mbord agus ghaibh[14] sé chúig cluiche gan aon chúig a thabhairt dóibh go raibh an chuíora goite[15] aige. Agus nuair a chuaigh sé 'faoistín go dtí an sagart sé an breithiúnachas áithrí a chuir an sagart air, dul trí oíche as dia' a chéile isteach sa séipéal go maidean agus má b'fhíor dh'airíomair go chuaigh sé ann.

Bhí sé ráite go bhfeaca sé radharc mór daoine gach oíche agus sagart ag léamh Aifrinn agus sagart eile 'fritheáladh an Aifrinn do agus sin a bhfuil de chúntas agam air.

14. Ls. *ghoi'* /ɣe/
15. .i. gaibhte /get´ɪ/ nó /got´ɪ

10. SEANCHAS STAIRIÚIL

A. SEANIARSMAÍ

1. Caillí Béaraí

Tá sé amuigh ansan as ár gcoinne go dtugann siad Caillí Béaraí air. Tá sé déanta le clocha. Dh'airigh mé go bhfuaireag airgead fadó riamh ann. Bhíodh go leor do sa tigh feirmeora a bhí ann pé ar domhan é. Bhíodh píosaí leath-choróineacha ag dainginiú an chaltair sa chéachta: sin iad na dinnceacha a bhíodh acu leis. Dh'airínn, seana-threabhsar a bhíodh caite ar an gclaí go bhfaighthí nóta deich scillinge ann.

2. Folach Fiach

Ar charn salachair a thabharfaidís folach fiach anso.

3. Cloch Átháin

Thá cloch ina seasamh amuigh ag Óchán[1] – Cloch Ócháin a thugaimis uirthi. Agus ó Chlais Mhóir go dtí an áit a bhfuil sí, trí iarracht a bhain Oscar aisti agus an trígiú iarracht chuir sé ina seasamh ar a ceann ag Óchán í is tá sí ar an áit sin ó shoin.

4. Carraig Mhóinbhíol[2] agus Cloch na Cille

Tá carraig eile anso le hár n-ais a dtugann siad Carraig Mhóinbhíol uirthi. Thá cill ar an taobh eile 'bhóthar agus thá cloch eile ina seasamh ann a dtugann Cloch na Cille uirthi ar talamh Sheáin Paor. Tá umar an uisce coisreacan i gcónaí insa chlaí ann, i [g]claí na teorann. Bhí séipéal ann sa tseanaimsir.

B. AIMSIR CHROMAIL

1. Cromail agus Mac Amhlaoi'

Bhí fear anso in Éire fadó againn a dtugaidís Mac Amhlaoi' air. Agus seacht mbliana fé ar tháinig Cromail go hÉire chrom sé ag tabhairt feasa dho mhuintir na hÉireann agus ag rá leothu gan aon obair príomháideach a dhéanadh mar go raibh Éire le scrios agen a leithéid sin do dhuine, Cromail.

1. .i. Áthán
2. Ls. *Mhún-aill*

Agus dh'airigh Cromail in Sasana cad dúirt sé agus chuir sé fios ar Mhac Amhlaoi' agus chuaigh Mac Amhlaoi' ina láthair. Nuair a chuaigh sé go dtí é dh'fhiarthaigh sé dhe dén páirt d'Éire is mó a seasódh sé i gcontúirt an fhaid is a bheadh sé inti. Dúirt Mac Amhlaoi' leis, má thiocfadh sé saor ó Dhrochad Maol Luimní go dtiocfadh sé abhaile slán.

Tháinig Cromail go hÉire agus shiúlaigh sé Éire go léir, agus nuair a bhí sé ag teacht isteach go dtí Drochad Maol Luimní, agus a thiománaí, chaill ceann dá chuid capaill crú. Dúirt an t-iománaí le Cromail go raibh crú caillthe age ceann 'es na capaill agus gur thuig sé ina aigne go raibh ceárta chun cinn air.

Thiomáin sé leis gur tháinig sé go dtí an cheárta agus bhí gabha bocht dealbh istigh sa cheárta gan gual gan iarann. Scoir sé an capall dhon charraeiste agus thug sé isteach insa cheárta é agus ní raibh aon iarann ag an ngabha a dhéanfadh crú. Chuardaigh sé na seana-iarnaí a bhí i gcúinne na ceártan agus fuair sé ceap gunna agus chuir sé sa tine é. Agus nuair a chuaigh an teas insa ngunna, bhí an truchar sa ngunna i nganfhios don ngabha agus lámhaigh sé an capall eile fén charraeiste ar Chromail amuigh age'n doras.

Dh'imíodar leo agus cheannaíodar capall eile agus thriall sé abhaile go dtí Sasana. Agus nuair a fuair sé é fhéin ina sheamra chuir sé fios ar Mhac Amhlaoi' go hÉire aríst.

Nuair a chuaigh Mac Amhlaoi' ina láthair bhí clár bainte aníos as an úrlár aige agus buatais óir thíos fén chlár. Agus nuair a chuaigh Mac Amhlaoi' isteach insa seamra leag sé a chois ar an gclár.

"Má thá fios agatsa," arsa sé le Mac Amhlaoi', "'nis domhsa cad athá fém chois anso agam."

"Thá buatais óir," arsa Mac Amhlaoi'.

"Cé chuir ann í?" arsa Cromail.

"Chuir tú fhéin," arsa sé.

"*Well,* cá bhfuair tú an fios?" arsa Cromail.

"'D'tabharfaidh tú coicíos dom chun é a 'nisint duit?" arsaigh Mac Amhlaoi'.

"Tabharfaidh mé," arsa sé.

Tháinig sé abhaile go hÉire agus chuaigh sé go dtí an tuama a raibh a athair agus a mháthair agus a mhuintir curtha. Thóg sé ceann a athar agus ceann a sheanathar agus ceann a shinseanathar agus an chlaidhimh a bhí aige, agus dh'imigh sé leis agus chuaigh sé i láthair Chromail.

"Cá bhfuair tú an fios anois?" arsa Cromail.

"Fuair mé uaidh sin é," arsa sé – ag caitheamh ceann a athar chuige.

"Cá bhfuair sé sin é?" arsa Cromail.

"Fuair sé uaidh sin é," arsa sé – ag caitheamh an ceann a sheanathar chuige.

"Agus cá bhfuair sé sin é?" arsa sé.

"Fuair sé uaidh sin é," arsa sé, "agus shiní an chlaidhimh a bhí aige."

"*Well*, dén faid a mhairfidh mé anois?" arsa Cromail.

"An fhaid agus is maith leat fhéin é," arsa sé.

"*Well*," arsa Cromail, "bronnaimse na gleannta thall is abhus ortsa anois," arsa sé.

Agus thá an seanfhocal so anso in Éire ó shoin gur 'le Mac Amhlaoi' na gleannta thall is abhus'.

C. AN GORTA

1. Bliain an Ocrais

Níl einne ón dtaobh so dhúthaigh ná gur ós na sléibhte a tháiníodar Bliain an Ocrais. Shaothraíodar gairdíní beaga cois na farraige agus dheineadar brácaí beaga. Tá na fothracha fós ann agus tá crann troime ag fás in aice gach ceann acu. Tháiníodar chun maireachtaint ar phrátaí agus ar bhairnigh agus tá na hainmneacha ar na gairdíní fós: tá Páircín Ghineacha agus Garraí an Leandair ann. Bhíodh iasc ana-fhairsin an uair sin: meireach san gheobhadh mórán daoine bás ná fuair bás chuigint. Thugadh na feirmeoirí dhóibh an droch-phaiste. Tá Gairdín Pheadair ann agus Leac an Ocrais: an t-ainniseoir a bhí ann a dh'fháil bháis leis an ocras.

Bhí an scanradh daoine anso Bliain an Ocrais. Neid Ó Foghlú a bhí anso, dúirt sé liomsa[3] go rabhadar fhéin ag ithe na bprátaí lá agus bhí na prátaí ite acu nuair a ghaibh fear isteach – agus ní raibh ar an mbord ach na crosmair[4] – agus do tháinig sé go dtí an bord agus do thosnaigh sé ag déanamh liathróidí dhóibh agus dh'ith sé iad agus dh'imigh sé amach agus fuair sé bás: mharaigh an bia é.

Ní raibh ag na daoine bochta ach gairdíní agus bhí an trioscar gairid dóibh sa bhfaill agus bhíodh méile prátaí acu agus méile bairneach. Bhí an iomarc acu ann agus beagán acu agus ní maighistir a bhí chuigint orthu, na hainniseoirí bochta, ní raibh fhios acu cad é méid maighistir a bhí orthu. Bhíodar ag maireachtaint ar an bpráta agus ar an iasc. Dheinidís meilt ar mhin choirce le bró. Bhíodh bró acu féin, b'fhéidir bró anso agus bró tamall eile ó bhaile.

Bhí mise anso agus píosa talún agam agus bhí tusa agus garraí agus tigh saor agat agus cúinne prátaí (ormsa), agus ní raibh greim ar do thigh agat ach ó Lá 'le Muire go dtí Lá 'le Muire. Ba dh'in é Lá 'le Muire na hImirí, mar nuair a bheadh an bhliain istigh bheadh an fear a bheadh ag obair sa ti' seo thuas ag teacht dtí

3. Ls. *liú-sa*

4. Ls. *crosmuir* /krosmır′/ – an croiceann agus aon phíosaí eile prátaí a bheadh fágtha tar éis dinnéir (feic Breatnach, *Seana-Chaint II,* lch. 122 s.v. *crosmair*)

mise agus fear na háite seo ag dul suas. Bhí Lá 'le Muire na gCoinneal ann (ach ní hé sin) Lá 'le Muire na hImirí. Saol súgánach[5] a bhí acu.

Chuir na feirmeoirí an chruinneacht anonn go Sasana an uair sin agus na feirmeoirí a fuair bás an uair sin, níor cheart, "go ndeine Dia trócaire orthu," a rá mar ligeadar na daoine chun báis. Dh'imigh na fearaibh ab fhearr go Sasana Nua.

Bhíodh ceann acu anso thuas a bhíodh ag tabhairt airgead ar ancam.[6] Crothaíoch ab ainm do. Maireann a chlann fós. Bhíodh an t-airgead ag teastáil chun cíosa agus chun mine buí a cheannach. Ní dheinidís leis an min bhuí ach í a scalladh dos na seirbhísigh – leite is fiche sa tseachtain.

Nách iontach an saol a bhí acu. Caití an corcán prátaí amach ar an mbord, agus beirítí ubh agus churtaí i lár an bhoird é agus brobh do thuí chruithneachta agus bítí á thumadh san ubh agus á shúpadh. Ithtí an práta ansan. Shin é an t-annlan a bhíodh acu. Nuair a dh'imigh an nós san ansan beirítí scadán agus leagtaí an scadán i lár an bhoird, agus nuair a bheadh an práta lomartha age gach einne cimileofaí an práta don scadán ansan. Ba dh'in é an t-annlan aríst: bhíodh samhas acu, braon bainne agus gráinne salainn air agus an práta a thumadh ann.

Dh'fhágadar an áit. Chaitheadar teithe, mar bhí an fear a bhí le n-ais, bhí sé mór leis an *agent* agus meireach an cíos a bheith id dhorn agat bhís curtha amach agus an cíos féin a bheith agat curfaí amach tú.

Steward an maighistir a bhí anso. Mhair sé i nDrom Anna.

2. Mar a Scrios an Gorta Baile Uí Churraoin

Baile Uí Churraoin ainm an bhaile seo. Ní dh'airigh mé riamh cad é an bun a bhí leis. Tá Baile na Móna ar an dtaobh eile don ngleann i bparóiste an tSeana-Phobail agus baile eile, An Loiscreán. Ansan ar an dtaobh so tá Ráth na Mingíneach.

An baile seo bhí sráid ann, an tSráidín, soir uainn anso timpeall ceathrú mhíle ón áit go bhfuil tú anois, bhí hocht cinn de thithe ann, duine bocht i gach aon tigh, ag maireachtaint ar a soláthar agus ar a sláinte. Tá gach aon rud leibhéaltha amach anois. Thá cúpla fothrach ann fós. Dh'imíodar go Sasana Nua. Bhí Drisceoil ann agus Cliog agus Corránach agus Faolánach agus Doghair. Chuaigh Cliog go dtí an mbaile mór ag sclábhaíocht, agus Wright. Tá siad i nDonn Garbhán fós agus Drisceoil agus Faolán. Chuaigh an chuid eile go Sasana Nua. 'Á mbeadh an acainn acu raghadh an murar ar fad ar aon bhád amháin agus meireach acainn acu raghadh fear an tí ann agus nuair a bheadh airgead tuillte acu chuirfeadh sé fios ar an gcuid eile.

5. Thug MT féin an míniú seo a leanas ar *saol súgánach: saol casta – mar seo inniubh agus mar siúd amáireach* (Breatnach, *Seana-Chaint II,* lch. 381 s.v. *súgánach*)
6. Ls. *anncam* /auŋkəm/

3. Bliain an Chalair

Cuireag thíos ansan insa Rinn a lán daoine Bliain an Chalair. Bhí Bliain an Ocrais ann i *forty seven* agus Bliain an Chalair i *forty eight*. Níl einne á chur anois ann. Baile Uí Raghallaigh athá ar an áit: le Bateman an pháirc. Maidhc Buail-Fear a bhí ar a sheanathair agus Máire Adharc ar a sheanamháthair. Sasanach ba dh'ea a sheanathair – Michael Bateman agus Mary Horn a bhean.

4. Teornaip á nDíol sa Drochshaol

Dh'airínn mo sheanathair á rá gur mhaith an ghnó leothu liathróid a dhéanadh de chroiceann na bprátaí sa Drochshaol agus iad a dh'ithe 'á raghaidís isteach in ti' feirmeora a mbeadh prátaí ite rompu. Dhéanfaidís dearúdaí des na croicinn agus dh'íosaidís síos iad. Agus bhíodh fear ar an mbaile againn, Seán Ó Catháin, bhíodh sé ag díol teornaip insa Drochshaol. Bhí sé ina chónaí i mBóthar na Sop mar a bhfuil Teanga an Rinn déanta anois, agus nuair a bhíodh an t-airgead acu fé dhéin teornaip ní thabharfadh sé dho fear an airgid a chuigint iad. Dheireadh sé go bhfaigheadh fear an airgid in aon áit iad agus go dtabharfadh sé a lua' dho.

D. SAOL NA SPAILPÍNÍ AGUS NA SCLÁBHAITHE

1. Mé Féin in Aimsir (i)

I dtosach mo shaoil nuair a chuas ag obair an chéad uair go dtí feirmeoirí ní raibh mé ach deich mbliana dh'aos agus chuaigh mé ag obair ar phúnt sa mbliain.

Bhíodh baraille uisce ón tobar agam fé a mbíodh sé ina lá ar maidin agus ba crúite agus gamhna fritheáilte agus mo bhroiceast[7] ite agam le solas coinnle.

Tháinig an saol thimpeall ansan go bhfuair mé scilling sa tseachtain, dhá scilling sa tseachtain, agus arán tíortha agus gruth[8] – meidhg ó bhainne gach aon mhaidean. Agus shíl na sclábhaithe go rabhadar go maith as nuair a fuaireadar é sin agus prátaí agus iasc goirt chun a ndinnéir.

Thug mé trí bliana ar an imeacht san agus nuair a bhí na trí bliana caite agam is dócha gur tháinig rud beag meas agam orm fhéin gur shíl mé go raibh mé áblata ar m'agha'[9] a thabhairt ar rud éigin níba fhearr. Chuaigh mé síos go Baile Uí Bhaoill go dtí fear dos na Cadhlaígh agus bhíodh arán tíortha agus *coffee* gach aon mhaidean ansan agus leite mhin tíortha, agus leamhnacht istoíche, agus prátaí agus iasc um eadra.[10] Agus fuair mé cheithre scillinge sa tseachtain ansan.

7. /vrik´asd/
8. /grox/
9. /məi/
10. /əm´adərə/ – deir Ua Súilleabháin gur i nathanna cailcithe amháin, ar nós é seo, a mhaireann *um* sna Déise (feic Ua Súilleabháin "Gaeilge na Mumhan," in *Stair na Gaeilge,* lch. 509)

Agus bhíodh bróga á ndéanadh age fear ón Charraig i gCoill 'ic Thomáis Fhinn a dtugaimís 'bróga na Carraige' orthu, agus bhíodh peidhre dhíbh san le fáil ar deich scillinge. Thug mé bliain nó dhó ansan agus chuaigh mé as san go dtí Aonach na Bealthaine agus ní raibh aon aonach cailíní ná buachaillí i gCoill 'ic Thomáis Fhinn ón lá san ó shoin – shin é an t-aonach déanach a bhí ann age buachaillí agus age cailíní. Agus bheadh a chomhartha[11] ar siúl ag gach einne – bheadh an bhuarach age'n chailín agus bheadh an corda nó an srian i ndorn an fear a bheadh ábalta ar treabhadh a dhéanadh. Agus cheisteofaí thú cad a bhí tú inniúil ar a dhéanadh – an raibh tú ábalta ar ba a dh'aodhaireacht, agus an raibh tú ábalta ar tithe a ghlanadh, agus an raibh tú ábalta ar prátaí a bhaint, agus an raibh tú ábalta ar ceangal a dhéanadh, agus mar seo.

Fuair mé trí phúint déag sa mbliain ansan ó fear des na Ceonaigh ó Bhaile Uí Dhubháin. Thug mé bliain eile ina fhochair sin.

Thug mé m'agha'[12] aníos ar an tsean-áit aríst, ar Dhonn Garbhán,[13] agus thit mé isteach le feirmeoir i nDonn Garbhán thall ti' an tobac agus shocraigh mé leis. Thiomáininn é fhéin, a bhean agus a bheirt iníon go dtí an Aifreann, go dtí an séipéal mór go Donn Garbhán gach aon mhaidean Domhna dtí an chéad Aifreann. Agus nuair a thagainn abhaile ón chéad Aifreann Dé Domhna, na prátaí a bhíodh chun mo dhinnéir Dé Sathairn agam bhídís insa tinteán á dtéamh dom ar maidin Dé Domhna nuair a thiocfainn ón chéad Aifreann, agus billeog gabáiste glas. Dh'imínn liom agus chaithinn tithe agus ba agus stáblaí agus gach aon rud a ghlanadh amach chún[14] dian is a chaithinn a dhéanadh Dhé Luain – gur tháinig mé aníos go dtí an Seana-Phobal aríst.

Agus shocraigh mé síos insa Seana-Phobal. Shin é an chéad uair a tháinig an chróin[15] sa tseachtain amach agus ní hé gach aon fhear a gheobhadh an chróin sa tseachtain – gheobhadh fear sa ngeimhreadh cheithre scillinge agus fear a bheadh i ndiaidh capall, thitfeadh amach go bhfaigheadh sé an chróin go dtí go dtiocfadh Lá Fhéil Pádraig. Agus nuair a thiocfadh Lá Fhéil Pádraig is ea a thosnaítaí ... is beag a mbíodh aon téagar prátaí curtha acu dtí 'dtiocfadh Lá Fhéil Pádraig. Gheobhfá an scilling sa ló ansan ag cur na bprátaí. Agus más fear [bean?] thú ná raibh ag obair coitianta i dtigh an fheirmeora gheobhfá trí raolacha, an lá a bheadh inniúil ar iad a chur, agus an lá ná beadh, tú a dh'fhuireach sa mbaile. Bheadh cróca bainne le fáil aged' bhean má bheadh sí ag teacht ag crú

11. /ku:rhə/
12. /məi/
13. /ɣaun gɑrəvɑ:n/
14. /xu:n/ .i. chomh
15. /xro:ŋ´/ – Cailltear gutaí gearra réamhaiceannacha roimh *r* (feic Breatnach, *The Irish of Ring*, lch. 125). De ghnáth feictear an t-athrú *ó* > **/u:/** sa chanúint seo, ach sa chás seo cloistear an /o:/ (*Ibid.*, lch. 118)

ba – cúig nó sé bha a chrú gach aon mhaidean, agus cúig nó sé cheannaibh gach aon oíche, agus crúiscín bainne géir a thabhairt di a thabharfadh sí abhaile dtína leanaí.

Agus deir buachaillí óga na tíorach liomsa inniu nach aon tsaol maith athá acu. Ach is dóigh liomsa 'air athá siad ag éirí inniu go bhfuil siad ag dul amach fé dhéin lá saoire seochas mar a bhí an saol nuair a bhí mé fhéin ag imeacht.

2. Mé Féin in Aimsir (ii)

Thimpeall deich mbliana a bhí mé nuair a chaith mé imeacht ón Rinn. Chuaigh mé in aimsir ar choróin sa ráithe i mBaile Uí Raghallaigh sa Rinn agus thug mé trí bliana ann agus dh'fhág mé Baile Uí Raghallaigh ansan agus chuaigh mé síos go dtí Aonach Coill Mhic Thomáis Fhinn, aonach na gcailíní is na mbuachaillí. Bhíodh buaracha ag na cailíní a bhíodh ábalta ar ba a chrú, agus na cailíní ná beadh bheadh comharthaí sóirt acu chun níocháin, nó pé rud a bheidís inniúil ar a dhéanadh bheadh comharthaí éigin ar siúl acu chun a sáint cad a bhíodar ábalta ar a dhéanadh. Agus an fear a bheadh inniúil ar pheidhre capall a leanúint bheadh corda ina láimh aige ag sainnt go raibh sé inniúil ar chapaill a leanúint.

Agus thagadh feirmeoirí ansan – mar a thiocfaidís isteach dtí an aonach ag ceannach beithíoch – thagaidís isteach ag tógaint na bhfear. Agus chuas ag obair ansan go dtí Baile Uí Dhubháin. Thug mé bliain ann agus tháinig mé ansan dtí Baile Uí Bhaoill agus thug mé dhá bhliain ann. Agus chuaigh mé ag obair go Cill Mhuire … na prátaí a bhíodh chun mo shuipéir againn … agus gráinne salainn. Agus bhíodh lanntaer agam a bhíodh geall leis chomh mór liom féin ag imeacht ag lorg na mbeithíoch ar an talamh ar maidin chun iad a thabhairt isteach chun iad a chrú. Agus bheidís sniogtha agus crúite agus ligthe amach fé sholas an lae. Sé nó seach bhí triúr iníon sa tigh agus fiche bó, agus mé fhéin agus an triúr iníon a chrúdh na ba. Agus is minic a thug mé anonn go dtí an séipéal ar maidin iad, agus nuair a thiocfaidís abhaile sé an práta a bhíodh chun mo shuipéir aréir a bhíodh sa tine dhom le hagha' mo bhroicaist th'réis na mba a chrú.

Dh'imigh mé ansan agus tháinig mé dtí an Seana-Phobal agus sin é an chéad áit a bhfeaca mé aon fhairsinge. Séard a bhíodh síos in Baile Uí Bhaoill, síos is gach aon áit ná arán tíre agus gruth agus níor mhór duit tua chun an arán tíre a ghearradh, bhíodh sí chomh cruaidh sin.

Nuair a tháinig mé thar n-ais aníos chuaigh mé aon bhliain amháin ag iascaireacht in áit m'athar. Agus sé a dheireadh m'athair liom ná an iascaireacht a sheachaint má thógfainn a chomhairle fhéin, mar nuair a thiocfadh an gála go gcaithfeadh fear na farraige fuireach amuigh agus go bhfaigheadh madra an fheirmeora foithin éigin ar thaobh den chruaich. Agus dhein mé a chomhairle.

Dh'imigh mé liom agus dh'fhág mé an iascaireacht is níor dhein mé aon phioc iascaireacht' ó shoin ach imeacht ag oibriú liom ar fuaid an tsaoil.

3. Saol na Spailpíní

Chonac mé fearaibh agus mná ag cuir cuíreacha go leor ar phunanna arbhair ar thrí raolacha agus ar bheagán cothaithe ná ar bheagán meas, agus tá naoi scillinge inniu acu agus a ndóthaint le n-ithe agus le n-ól agus meas dá réir orthu. Baochais le Dia agus leis an Rialtas a tháinig go hÉire chughainn go bhfuair-eamair Seán Buí agus a chuid dlithe a dhíbirt.

N'fheadaraíodar cathain a bhíodar ag góilt ná scur, go minic amuigh roimh lá agus na rámhainne féna gcuisle acu ag fuireach go n-imeodh an réilthín den aer chun solas a dh'fháil ar na prátaí chun dul á mbaint agus cuid acu ag dul seacht agus hocht míle lena rámhainne go dtí an mbaile mór ag seasamh ar an tsráid a d'iarra' a bpá a throid. Chonac mé dachad rámhann ar shráid Dhonn Garbhán aon oíche Domhnaigh amháin dem shaol agus cuid acu ag dul go Coilligeáin agus cuid acu ag dul go Clais Mhóir, cuid acu ag teacht dtí an Seana-Phobal, cuid acu ag dul dtí Baile Uí Bhaoill agus mar sin de. Ón Seana-Phobal agus ón Rinn [ba dh'ea iad].

Ba mhór an pá ó dheich scillinge go dtí dódhéag agus 'á mbeadh cúpla lá briste ar an tseachtain bhíodar gan dada agus chaitheadar a bheith sásta agus teacht abhaile dtína dtithe istoíche Dé Sathairn, b'fhéidir le cúig nó sé scillingí agus fear bocht ana-shásta teacht abhaile 'á bhfaigheadh sé peanta mór pórtair agus bullóg aráin a bheith ite aige le hagha' an bhóthair a chuir de. Bhíodh a méile ar maidin acu agen a hocht a chlog – ghlaofaí isteach orthu. Ní raibh aon fhear ag crú aon bhó an uair sin. Bhí na ba á dh'fhágaint ages na mná agus na fearaibh amuigh insa pháirc ó dh'éireoidís go luífidís. Ghlaodhfaí isteach orthu chun bord prátaí agus gráinne salainn agus cárt bhainne géir. Ghlaodhfaí mead-rach[16] orthu chun blúire iasc goirt agus práta agus cárt bhainne, agus an cleas céanna chun do shuipéir. Agus nuair a thabharfadh na prátaí, mias leitean istoíche agus arán agus bainne beirithe meadrach agus dul isteach 'on scioból ar easair thuí agus dul a chodladh agus beagán cnáimhseála ná gearán.

4. Spailpíní ó Chiarraí

(i)

Tháinig duine acu go dtí doras an tséipéil lá, séipéal an tSeana-Phobail. Bhí an sagart roimhig[17] ag an doras, agus an bosca aige. Ní raibh aon leath-phinge ag an Chiarraíoch. Dhruid sé siar, agus ghlaoigh sé ar an spailpín eile.

16. /m´adərəx/ i. um eadrach
17. /raig/ a déarfaí.

"Luathaigh, a Thaidhg, go bhfeicidh tú an margadh, Aifreann Dé dhá dhíol ar leath-phinge!"

(ii)

"Cá rabhais ag obair le seachtain, a Dhiarmán?"

"I bhfochair an fheirmeora mhóir úd go bhfuil ainm an éisc bhig air."

(iii)

Ciarraíoch a chuaigh isteach go dtí an leite, agus bhí sí ag rioth amach den méis le tanaíocht.

"Mhuise, dar Spiach," a dúirt sé, "bhí lá agamsa, agus bhainfinn an doras díot!"

I dtómas go raibh lá aige, agus bhí sé chomh bríomhar agus go mbeadh sé ag an doras roimpi, dá mhire a bhí sí ag imeacht. Bhí sé á chur in úil don bhfeirmeoir a thanaíocht a bhí an leite.

(iv)

Duine eile acu, bhí sé ag ól praiseach. Bhain sé bolgam aisti, agus mh'anam, loisc sí é. Dhein sí é a loisceadh síos. Nuair a rioth na deora anuas lena shúile:

"Cad é an diabhal atá ad chur ag gol, a Dhiarmán?" arsa duine eile acu.

"Tá, nuair a chuimhním ar mo mhuintir thiar agus ná feadair mé conas atá siad!"

Bheir an tara duine ar an gcárta, agus bhain sé slogóg aisti. Loisc sí ar fad é.

"Muise, go dtuga Dia siar tusa," ar seisean, "go dtí an méid atá thiar a bhain leat!"

(v)

Ciarraíoch a tháinig aniar.

"Fuair do mháthair bás," arsa sé leis an gceann eile.

"An bhfuair sí an sagart?"

"Ní bhfuair, ach fuair sí ní b'fhearra. Bhí píopaire ceolmhar aici i gcóir don anam. Bhí púnt snaoise ar thóin scaoirse, agus iad súd fhéin ag tabhairt cheithre ardaibh an tí isteach. An diabhal mé," arsa sé, "dh'fhanadar ó chaincín go caincín acu go raibh caincíní teo acu, agus bhí píobaire an dóláis ag seinm i ngiorracht dhá pháirc dhen tigh!"

(vi)

Ciarraíoch a bhuail le Ciarraíoch eile.

"An fada dhuit aniar?"

"Trí bliana," arsa sé.

"Cad mar gheall ar Mháire agus ar Sheán?"
"Ár ndón, chailleag Seán, agus dh'imigh Máire ina stríopach!"
"An raibh tórtha ar Sheán?"
"Bhí cheithre cinn de ghledairí ar lasadh os cionn a choirp!
Bhí tobac agus snaoisín ar thóin traoins, agus bhí píopaire an pharáiste ag seinniúint a bháis i ngiorracht dhá pháirc den tiúmpall!"

(vii)

Bhí Ciarraíoch babhta eile ar Aonach Bhaile Uí Chiaróg agus robálag ar an aonach é, agus chuaigh sé go dtí sagart an pharóiste á nisint do go robálag é, féachaint an bhfaigheadh sé – an sagart – aon mhaith a dhéanadh dho. Agus nuair a shroich sé ti'an tsagairt ní raibh … dh'imigh an ainm as a chuimhne – ní bhfaigheadh sé cuimhneamh ar Bhaile Uí Chiaróg.
"Agus cá robálag tú?" a deireadh an sagart.
"Och, an diabhal, fan go gcuimhneod air," a deireadh sé.
Ach sé an rud a thug sé leis in áit Baile Uí Chiaróg i ndeireadh nach:
"Robálag mé a athair," arsa sé, "in áit a dtugann siad Baile na Péiste Dubha gan Eiteall air."

5. Pá Ghairbh agus Pá Ghairbhíní

"Fear, firín agus *fairandrum,*" a dheireadh fear a bhí anso, Liam Ó Muiríosa, bhíodh sé ag dul ag obair ar an bhfómhar. Nuair a thagadh sé abhaile tráthnóna Dé Sathairn fiarthaítí dho dén pá a bhíodh thall Dé Domhna.

"Bhí pá ghairbh ann,
Agus pá ghairbh *Anderson*,
Agus pá ghairbhíní," a dheireadh sé.

Pá ghairbhíní, pá dhos na fearaibh gan mhaith. N'fheadair mé fén diabhal cad é an pá ghairbh *Anderson*. Pá ghairbh, sin pá dos na fearaibh mhaithe is dócha.

6. Pá an Sclábhaí sa Seanashaol

Nuair a bhíos im gharsún, níos mó ná dachad bliain ó shoin, is cuimhin liom bheith ag eisteacht le seandaoine ag caint age tórramh sa pharóiste seo. Bhíodar ag seanchas lena chéile ar an tseanaimsir siar, agus dúraíodar gur chuimhin leothu fearaibh a bheith ag obair ins an ngeimhreadh dubh do fheirmeoirí thimpeall na háite seo ar phingin sa ló agus a gcothú. Bhíodar ag rá gur mhaith an gnó leothu é a dh'fháil le linn an dá mhí sin. Bheidís díomhaoin ar fad meireach san. Chaitheadh an feirmeoir pá éigint a ghearradh amach dóibh, mar 'á dtógfadh sé isteach iad gan aon socrú a dhéanadh leothu gheobhaidís dul as a dhiaidh agus a bpá a bhaint de. Sin cúrsaí dlí – tá an dlí céanna ann inniu. Dhéanadh an phingin tobac dóibh, agus bheadh a bpá díolta ag an bhfeirmeoir leothu chomh maith agus dá mbeadh sé ag tabhairt púnt sa tseachtain dóibh.

7. An Cipín mar Chúntas Aimsire

Ó, is cuimhin liom an t-am gurb é an cúntas a bhíodh age fear na hoibre, dhá chipín ag cumhad cúntais ar aimsir ó sheachtain go seachtain. Agus chuaigh sé [an buachaill aimsire] chomh dian ar a mhaighistir gur chuaigh sé go Donn Garbhán agus fuair sé oiread toradh ar an gcipín agus fuair an maighistir ar an leabhar. Ó sea, bhí an maighistir ag gearradh a phá agus ag déanadh amach ná raibh oiread laethanta tabhartha agus a bhí sé ag rá. Bhí an túrnae a bhí age'n maighistir, bhí sé ag dul ana-dhian air mar gheall ar an gcipín, agus nuair a dh'iarr an breitheamh an cipín a bhí age'n mbuachaill thug sé oiread toradh[18] ar an gcipín is a thug sé ar an leabhar.

8. Obair sa tSeanaimsir

Tá fear sa Seana-Phobal a dtugann siad Tomás Cole air agus nuair a tháinig sé amach as an séipéal dúirt sé gob iontach an saol anois é; gur dh'éirigh sé maidin inniu agus ná feaca sé aon deatach amach as aon tigh age'n a sé a chlog seochas an t-am a raibh sé fhéin ag imeacht; go raibh sé ag déanamh naoi lá gach aon tseachtain agus ná rabhag a dhéanadh anois ach thimpeall ceithre lá gach aon tseachtain. Chaitheadh sé éirí ar deireadh na hoíche agus coinneal pingin a dhó ag bualadh chuige na mbeithíoch agus ag crú na mba agus a bhriscast ite aige fé a mbeadh solas an lae aige. Agus nuair a thiocfadh sé isteach ar cheann na hoíche, chaitheadh sé trí bualadh aríst go dtí a naoi a chlog san oíche, agus ní mórán aimsire a bhí aige le hagha' rince.

9. Machnamh Thomáis Cole[19]

Dh'éirigh mé ar maidin inné ar a sé a chlog, agus dh'adhain mé an tine. Dh'fhéach mé amach an doras ansan. An diabhal a bhfeacaíos an deatach amach as aon tigh ar an bparóiste! Nuair a bhíos-sa im gharsún bheadh lá oibre déanta an uair sin agam. Nín siad ag déanadh ach cheithre lá insa tseachtain anois, a Mhaidhc! Bhíodh naoi lá sa tseachtain agamsa, agus gan agam ach dhá mhéile leitean, agus práta agus gráinne salainn agus braon bainne géir um eadra. Dar fia, chuir mé gach einne acu a bhíodh ag ithe uibhe cearca agus im agus arán agus feoil ins na párlúisí! Ní fheadair mé cad a choinnigh beo mé marab é an droch-úsáid é!

18. Ls. *tor*

19. Tomás Cole (87) ón Seana-Phobal d'inis an méid seo leanas do Mhichéal Turraoin – M. Ó hAodha.

Chaithinn éirí ar maidin ar a ceathair a chlog, agus tuí na mbeithíoch a bhualadh le súiste, agus na ba a chrú, agus a dh'fhritheálamh. Mo bhriocast a dh'ithe le solas na coinnle, agus gan é go maith agam le n-ithe ach leath-bheirithe. Má dhéarfainn dada mar gheall air déarfaí liom é a dh'fhágaint ar an áit, agus é a dh'fháil níba fhearr, agus, dar fia, is minic a dúraíog. Imeacht liom ansan, agus oibriú go dtí 'dtabharfadh solas aríst orm. Dá mbeitheá aon tamaillín ón tigh chuirfí do dhinnéar amach chughat.

Teacht abhaile ansan, agus tuí na maidne a bhualadh go dtí a naoi a chlog. Dar fia, is beag uain chun rince a bhí agamsa! Táid ag rince anois agus solas an lae acu agus, i mbaiste, ag rince go maidin go minic.

Ní anonn go dtí an siopa a théadh mo mháthair fé dhéin stocaí dhom ach ina suí cois na tine go dtí a deich a chlog san oíche ag cniotáil. An t-uachtar stoca a dhéanfadh bean an uair sin, chaithfeadh sé trí bhaimpéis. Nuair a bheadh an tsáil agus an barra caite scamhtaí amach ansan í go dtí an áit a bheadh ar fónamh di. Chuirtí na bioráin isteach ansan, agus dh'oibrítí as an nua aríst í.

Bhuailtí tuí an lae ar maidin agus tuí na maidne san oíche. Tuí coirce a bhíodh acu. Dhéintí na punanna do bhualadh le súiste, agus an méid a bhainfí astu do bhailiú agus do chur in mála go dtí go mbeadh go leor acu chun a cháite.

Bhíodh criathar agus bodhrán age gach aon tseanabhean an uair sin, agus iad ag faire ar lá speisialta chun an t-arbhar a cháitheadh, amuigh ar na goirt. Tá an bodhrán déanta de chroiceann gabhair agus bannda thimpeall air.

Dhéanaidís sin an méid arbhair a bheadh buailte istigh i rioth an tséasúir do cháitheadh, amuigh ar na goirt, le bodhrán agus criathar, agus brait (málaí fuáilte lena chéile) agus é a líonadh insna málaí, agus thabharfadh na fearaibh isteach é leis na capaill.

10. Tomás Cole agus an Féar

Thógfadh sé [Tomás Cole] féar ar teasc – é a bhaint ar leath-choróin an t-acra, gan bia gan deoch. 'Á mbeadh an féar san trom, chaithfeadh sé éirí ar a trí a chlog, agus oibriú go dian go dteipfeadh an solas air chun an t-acra a leagaint. Bheadh buidéal uisce ceangailthe do bhanda a chabhlach air. B'fhéidir go mbeadh greim aráin ina fhochair sin aige.

Sa Mheitheamh a thosnóthaí ar an bhféar do bhaint, agus as san go dtí Féile Déagláin.

Ceathair is raol, nó cheithre scillinge sa tseachtain, agus dhá mhéile gan leaba a bheadh do san ngeimhreadh.

11. Siúlóid Fhada

Fear a shiúlaíodh ó gheata Thigh Shúilleabháin in Ráth na Mingíneach go dtí an Bhearna Bhuí ar an dtaobh eile den chuan chun dul ag obair ar sé scillinge sa tseachtain gan bia gan deoch. Michéal De Róiste ab ainm do. Níl sé curtha ach le trí bliana, agus ní raibh sé ana-aosta ar ao'chor. Théadh beirt eile ina fhochair. Sin deich míle ann agus deich míle as – fiche míle do shiúl, agus lá oibre a dhéanadh.

12. "Hocam"

Theas i bparóiste an tSeana-Phobail thit sé seo amach. Diarmaid Ó Briain dob ainm don bhfeirmeoir. Dh'éirídís ar a trí a chlog, agus bheadh na sclábhaithe agus capaill agus cartacha leo ag dul go Cill Longphort. Bhí feirm ansan aige, agus théidís san ag obair ann. Nuair a bhídís ag ithe a mbriocaist:

"Hocam!" a deireadh sé. "Tugadh gach einne a bhriocast agus a dhinnéar ina bholg anois leis!"

Ní bhfaighidís aon rud go gcasfaidís arís ar a hocht a chlog, um thráthnóna. Sin é mar a chuir sé chuchu go gcaithfidís déanadh leis an méid a bheidís a thabhairt leothu ag imeacht.

Athair mo chéile a dh'inis dom é sin – lena linn féin a thit sé amach.

13. Buachaill Aimsire ag Baint Aitinn

Is cuimhin liom féin nuair a bhíos im gharsún ag obair thoir in Heilbhic, ní raibh agam ach púnt sa ráithe, agus gan bróig ná stoca orm, gan blúire aráin ná cupán té le fáilt agam aon uair. Bhí triúr againn i bhfochair a chéile ann – níl dachad bliain ó shoin ann. Bhí buachaill sa tigh go dtugaidís Seán Ó Néill air. Bhíodh sé ag baint aitinn. Is mise a théadh amach chuige leis an mbrioscast, buidéal beag pórtar de bhainne géar, agus lua' pingne dh'arán. Caití arán a thabhairt do – bhíodh sé trí mhíle ón tigh, agus ní thabharfaí na prátaí amach chuige.

Dh'éirímís go léir i bhfochair a chéile insa dorchadas. Théadh sé sin le speal, ceann ar aghaidh ó dheas, ag baint an aitinn. Bhíodh ocht gcinn déag do bha, nó b'fhéidir fiche, idir bha agus gamhna – dachad ceann le friotháladh – agus ansan mo bhrioscast a dh'ithe, agus dul le capall fé dhéin an aitinn, agus brioscast an gharsúin seo do thabhairt liom. Bheadh an t-ualach aitinn lán agam, agus mé ag fágaint an chnoic, agus an réilthín in airde ar an aer i gcónaí. Chonaic mé ina bhfearaibh iad sa mbaile agam, agus gan bróig orthu.

Sa ngeimhreadh bhítí ag baint an aitinn, ón uair a bheadh prátaí bainte go dtí an earrach. Bheadh na prátaí bainte age gach einne Oíche Shamhna. Bhíodh eagla orthu roimh daighré – nuair athá an ré caite tá daighré agat; nuair atá an ré lán tá gealaí agat – spéirghealaí; nuair tá an ré imithe tá oíche dhubh dhorcha daighré agat.

Le hagha' easaireacha agus le hagha' aoiligh an t-aiteann. Chuirfí an dlí ort, agus chuirfí sa phríosún tú, dá mbéarfaí ort agus beart aitinn agat. Is cuimhin liom feirmeoir ag treabhadh páirce agus ag cur síl aitinn inti.

Ní raibh aon sop féir tirim le fáilt age capall feirmeora an uair sin, ach aiteann brúite le gearrthóir déanta ar nós na rámhainne.

Thabharfainn an dinnéar amach chuige arís – prátaí agus blúire éisc, agus buidéal bainne, agus gach aon rud fuar istigh i gciseán nuair a gheobhadh sé sin iad – b'fhéidir fleathsneachta ann. Raghadh sé ag ithe fé thor aitinn.

Is minic a chonaic mé an garsún céanna ag glanadh na gcapall istigh sa stábla. Nuair a bheadh taobh den chapall glan aige ní dhéanfadh sé ach breith ar mhuing leis, agus dul de léim thairis go dtí an taobh eile, agus gan ite aige ach práta agus gráinne salainn! Dh'íosfaidís cuíora anois, agus ní léimidís a huan.

14. Cruatan Saoil agus an Buachaill Aimsire

Bhí triúr againn ag obair i dti' feirmeora, agus ní raibh le fáilt againn ar maidin ach prátaí agus salann agus bainne géar. Is minic a bhíodh na prátaí féin athéite. Bhí mé féin thimpeall trí bliana déag an uair sin. Bhíomair ag crú na mba an mhaidean so – an mhaidean roimh Lá Fhéil' Pádraig – agus dúirt an garsún ba shine má shuímíst síos ag ithe prátaí inniu go maródh sé sinn leis an stól a bhí aige ag crú na mba!

Nuair a chuamair isteach, shuíomair ar an *settle*, agus dh'fhanamair mar sin gur tháinig fear an tí anuas as an seomra. Dh'fhiarthaigh sé dhínn dé chúis ná rabhamair ag ithe. Dúraíomair ná híosfaimís a thuilleadh prátaí. Dúirt sé sin le bean an tí, té a dh'fháilt dosna fearaibh chun a mbrisceaist. Dúirt sí sin ná faigheadh. Dh'imíomair ansan síos an bóthar. Lean fear an tí sinn, agus thug sé thar n-ais arís go dtí an ti' sinn. Dúirt sé le bean an tí brioscast a dh'fháilt dos na fearaibh agus caitheamh uaithi. Bhí an cailín age bord na cistine ag tógaint na bprátaí ná híosfaimís den mbord. Bhí bean an tí sa pharlús. Níor dein sí ach breith ar chorcán an té a bhí leagtha ar bhord an phárlúis, *swing* a bhaint as síos agus é a chaitheamh ar bord na cistine go dtí an cailín.

"Seo," arsa sí, "b'fhearr liom bheith ag cur salainn ar leite do mhuca ná bheith ag cur siúicre ar thé do sheirbhísigh!" I mBéarla a dúirt sí é: *"I'd rather be salting porridge for pigs than sugaring tay for servants!"*

Ní dh'airigh mé focal Gaelainne riamh uaithi sin cé ná raibh aon rud riamh timpeall uirthi ach Gaelainn.[20] Bhí an Ghaelainn ró-eitir[21] di. Is í an Ghaelainn a bhí ag na daoine bochta, agus ó ba dh'í ní raibh aon éileamh aici sin uirthi. Ní chuirfeadh sí í fhéin ar aon leibhéal leis na daoine bochta. Thoir age Heilbhic a

20. Tá /ge:l´iŋ´/ le *l* caol /l´/ agus /ge:liŋ´/ le *l* leathan /l/ le clos ó M.Dh. in aon taifeadadh amháin [LC (ar chéirnín) 1955: Uimh. Thag. C.B.É. 1644]

21. Tcs. *oitir* /et´ɪr´/ .i. neamh-ghalánta (feic Breatnach, *Seana-Chaint II,* lch. 171 s.v. *eitir*)

thit sé sin amach. Gairid do dhá chéad acra a bhí acu. Bhí dhá bhó agus fiche á gcrú ann.

Arán a gheibhimís as san amach. Níor ith mé blúire ime riamh ar mo chuid aráin istigh ann. Thagadh sí anuas óna hathair agus óna fear agus *check* uirthi, agus é lán de chácaí aráin a bheadh spártha, agus chaitheadh sí síos i ndabhach na muc, agus shuathadh sí tríd an leite é, ar eagla go mbéarfainnse ar phíosa dhe, mar mise a bhíodh ag tarraint uisce agus ag friotháladh na muc.

Tá sí sin ag tabhairt an fhéir anois agus mise anso. Níor mhaith liom aon éitheach a chuir uirthi – tá sí ar shlí na fírinne agus mise ar shlí na bréige, agus caithfeadsa m'aghaidh a thabhairt ar Dhia chomh maith léithe!

Ní raibh bróg ná stoca orm, samhradh ná geimhreadh, gur thuill mé féin iad. Coróin sa ráithe – púnt sa mbliain – sin é an pá a bhí agam. Chonaic mé na prátaí a bheadh chun mo dhinnéir inniu agam á gcuir i gcumhad dom le haghaidh mo bhrioscaist go dtí maidean amáireach. Prátaí, blúire éisc goirt agus cáirt bhainne géir an dinnéar a bheadh agat. Is é an méid a chífeá den leamhnacht ach an fhaid is a bheitheá á chrú ón mbó agus á thabhairt isteach. Gheobhthá píosa feola Dé Domhna don dinnéar – leath-cheann muice. Ach ní mar sin a bhí gach aon tigh feirmeora. Ní mar sin a bhí an saol agam sa Seana-Phobal ina dhia' san.

Bhíodh fearaibh an uair sin, níos mó ná deich mbliana fichead ó shoin, ar cheithre scillinge agus raol sa tseachtain. Ardfhear ar fad a gheobhadh coróin.

Bhíos i bhfochair daoine maithe ná raibh aon chroí bocht acu ná aon droch-chroí d'fhear oibre acu. Cuid den mhuintir a bhí ar an saol an uair sin ba dh'é rud iad ná droch-shíorthaigh, mar bhíodar ag féachaint ar dhaoine bochta agus ocras orthu is caoi acu é a bhaint díobh, ach ní dhéanfaidís ach a gcroí a bhriseadh le hobair. Obair agus ocras ba dh'é sin pá an duine bhoicht an uair sin! Bhí Aifrinní arda á léamh dóibh ina dhia' san, rud nár cheart a chuir leo. An áit eile seo bhí creideamh agus coinsias agus grá Dia ag baint leo. Thugadar an rud céanna don bhfear oibre agus don chailín a bhí acu féin. Ní raibh an t-airgead acu san mar thugadar a gceart uathu.

15. An Dá Speal

Bhí fear sa tSeana-Phobal, agus bhíodh dhá speal aige ag dul ag spealadóireacht – ceann fairsing agus ceann cúng. Fuair sé leite mhin bhuí an lá so – maidean Dé Luain – i dtigh feirmeora. Chuaigh sé amach, agus fé ar chuaigh sé amach, rug sé ar an speal chúng. Lean an feirmeoir amach é. Dh'fhan sé ag éisteacht leis ar an dtaobh eile den chlaí nuair a chuaigh sé ag obair. Bhí an fear oibre ag cur faoir ar an speal, agus ag caint leis féin:

"Leite mhin bhuí – ná bris do chroí!
Ach glac go bog é!"

Dar ná mháireach fuair sé leite mhin choirce chun a bhriocaist, arán agus pórtar chun a dhinnéir. Lean an feirmeoir amach é t'réis a dhinnéir. Nuair a chuaigh an spealadóir amach, rug sé ar an speal fhairsing, agus dúirt sé:

"Arán geal is leann,
Agus gach aon bhuille óm chroí anonn."

16. An Adharc agus an Dall

Bhí tigh sa pharóiste seo, agus shéidtí adharc ann chun na fearaibh a ghlaoch isteach go dtí an dinnéar. Shéidtí dos na ba um thráthnóna í. Aon am a mbeadh práinn leis na fearaibh ní raibh le déanadh ag bean an tí nó ag einne eile a bheadh sa mhacha ach breith ar an adhairc agus séideadh a bhaint aisti, agus bhí gach einne ag teacht abhaile. Saghas gogán ba dh'ea an adharc.

Bhí onncail fear an tí ann dall; is é is mó a shéideadh an adharc. Thugadh sé na ba abhaile leis chomh maith le heinne. Théadh sé amach gach aon mhaidean, agus thabharfadh sé ba abhaile chomh maith agus dá mbeadh fiche súil aige. Sheasaíodh sé mar seo, agus cluais air, féachaint an n-aireodh sé ag iníor iad. Bheadh fhios aige an raibh aon bhó ina dhiaidh, mar dh'aireodh sé í ag stracadh an fhéir. Dh'aithneodh sé ag tarraint nó ag séideadh anáil iad.

Bhíodh sé ag obair ag ceangail arís, leis. Bhí sé dachad bliain nuair a chaill sé a radharc. Ní cuimhin liom aon adharc eile.

17. Béarla á Labhairt síos amach

Béarla a bhí á labhairt urmhór in gach aon tigh nuair a bhíos-sa síos amach go dtáinig mé dtí Baile Uí Bhaoill – bhí Gaelainn go leor ann. Níor dh'airigh mé mórán Gaelainn in aon áit eile gur tháinig mé thar n-ais.

E. NA FÍNÍNÍ

1. Na Fíníní ar Thráigh na Rinne

Bliain ceathair a trí is fichid a tháinig na Fíníní ar thráigh na Rinne. Thug Peaid Lonáin isteach in bád iad. Tháinig an t-árthach leasmuigh den ché age Ceann Heilbhic agus ghlaoigh an t-árthach ar Pheaid Lonáin. Tháiníodar ó Shasana Nua agus chuaigh Peaid Lonáin cliatháanach leis an árthach – Peaid Lonáin ó Bhaile na nGall – agus dh'oscalaíog an doras i dteora an uisce san árthach agus nuair a dh'fhéach Peaid Lonáin amach sa bháidín bhí an bád lán agus dh'iarr sé ar an gcaptaen gan í a shancáil. Thug sé isteach ar thráigh na Rinne ansan iad agus riothadar anso agus ansúd agus gabhag cuid acu i nDonn Garbhán, agus cuid acu ar an mbóthar go hEochaill, agus cuid acu ar an tráigh, agus cimeádag insa phríosún iad gur triallag i mBaile Átha Cliath iad.

Agus ar lá a dtrialla i mBaile Átha Cliath bhí Dónall Ó Coileáin agus Aindrias De Róiste ag dearbhú orthu. Ón Rinn ba dh'ea an bheirt agus bhearrag trí huaire ceann acu chun go bhfaighfí iad a dhalladh agus an trígiú babhta a tháinig sé amach ar an mbinse dh'fhiarthaigh an breitheamh de Dhónall Ó Coileáin an aithníonn sé anois é.

"Dh'aithneoinn beirithe é," arsa sé, "fear an dá ribe."

"Coileán, Coileán," arsaigh an breitheamh, "agus is 'coileán' fhéin thú!"

Ghlaog ar Pheaid Lonáin, agus nuair a chuaigh sé in airde i láthair an bhreithimh, nuair a bhí an breitheamh ag dul ró-dhian air:

"*Well*, a Thiarna Bhreithimh," arsa Peaid Lonáin, "n'fheadair mé nách ceann acu tú fhéin."

Tóigeag Peaid Lonáin agus thugag ar ghuaile daoine go dtí an traen é agus bhí garda pílears ar Dhónall agus ar Aindrias gur chuireag isteach insa traen iad agus nuair a tháiníodar abhaile bhí bean insa Rinn agus dhein sí amhrán dóibh:

"Agus a Aindrias ghairid nár bhaine tú an fómhar,
Agus a Aindrias ghairid nár bhainir ná an mhóin,
Mar dhearbhaigh tú ar an bhFínín bocht a bhí fliuch dtína ghlúine,
Agus chuir tú ó Éire é go daor i bpríosún.

A Dhan Uí Choileáin na n-árann nár dh'fheicirse Dia,
Is a Dhan Uí Choileáin na n-árann nár dh'fheicir ná an ghrian,
Mar dhearbhaigh tú ar an bhFínín bocht a bhí fliuch dtína ghlúine,
Agus cuir tú ó Éire é óna ghaolta, mo chumha!

Dhein tú mar phlean é chun teacht ar an gcíos,
An *blood money* a ghlacadh is na fearaibh a dhíol.
A Phádraig Brún na n-árann ní san áit úd ab fhearr liom tú a bheith,
Ach sa Linn Bhuí a ghrághil agus bog-phuins led ais,
Agus Aindrias gránna ar shlabhra age'n bhfear maith."

Bean a dhein an t-amhrán san, ón Rinn. Chonacsa ina dhall é is n'fheaca sé an ghrian ag fáil bháis do – Dan Ó Coileáin.

F. TIARNAÍ TALÚN

1. Bagge na hAirde Móire

Bagge, bhí sé chun a bheith ag díbirt na ndaoine bochta in Ard Mhóir. Tháinig sé dtí Cruabhaile sa Seana-Phobal dtí Micil Ó Cadhla féachaint conas a dhíbreodh sé na daoine bochta. Dúirt Micil Ó Cadhla leis ná raibh aon fháil na préacháin a dhíbirt gan an choill a ghearradh uathu. Sin é an uair a chrom sé ag leagaint na dtithe is á ndó.

Dhóigh is leag. Ar ndóigh, dhíbir sé a raibh in Ard Mhóir amach thar farraige.

2. Steward, an *Land League* agus *Boycott* gur Theip air

Willie Harrington an ceann a bhí ar an Léig anso. Ón nGabhlán sa Seana-Phobal ba dh'ea é. Nín fhios agamsa cé hiad a bhíodh ar an Léig. Thuas age Ti' Bhilly, an tigh ósta sa Seana-Phobal a bhíodh na *meeting*í acu, pé rud a bheadh le déanadh. Bhailídís 'á mbeadh duine á chuir amach a d'iarra' é a chumhad istigh.

Fear maith ba dh'ea Steward, ach na h*agentí* a bhí aige ní rabhadar go maith. Bhí Diarmaid a' Bhúistéara mar *rent-warner* aige sa Rinn agus Nioclás Lúnún ar an Seana-Phobal. Bhíodh Nioclás ag fógairt:

"Beidh Steward age'n Mirín *(Marine Inn)* amáireach ag glacadh pinginí cíosa uaibh, agus einne ná fuil sé aige fanadh sé sa mbaile: nín aon ghnó in aon áit aige."

Bhí fear anso agus chuaigh sé go dtí an Mirín lá ag díol chíosa. Dhíol sé cíos trí bliana, agus dh'ól sé cíos trí bliana agus thug sé cíos trí bliana abhaile leis.

Dheinidís airgead a bhailiú don Léig, raol gach einne a bheadh *join*eáilte. Dheineadar *boycotting* ar Ghearóid Treo i gCill an Fhuarthainn nuair a thóg sé talamh Bhriain. Ní labharfadh einne leis ná ní dhéanfadh einne dada dho. Dhein an gabha obair do ach níor deineag *boycotting* ar an ngabha ar ao'chor. B'éigint dóibh éirí as sa deireadh mar ní raibh an Léig láidir agus bhí na daoine ró-bhocht. Dh'fhuair gach aon rud anuas a mhic ó, gurbh é fear an chinn bháin sa deireadh é.

G. AIMSIR NA nDEACHÚNA

1. Sochraid an Deachú

'Sochraid an Deachú', b'éard í deachú ná an seachtú punann a bhíodh ages na sagairt sa seanashaol. Sea, nó na ministéirí Sasanach, gheibhidís an seachtú punann chun iad a chumhad suas.

Agus cuireag an deachú i Sliabh Grainn. Leagadar amach sochraid agus chuadar go dtí Sliabh Grainn agus chuireadar í agus ní raibh aon trácht ar an deachú ó shoin. Bhí córas eile acu ... bhí córas eile acu agus is dócha an phunann istigh sa chomhra. Ach cuireag i Sliabh Grainn í is ní raibh aon trácht ar an deachú ó shoin.

H. BRUÍONTA

1. Sean-Aontaí agus Bruíonta

Sé an áit a mbíodh na haontaí fadó ná amuigh ar an tuaith, Caisleán an tSlé', Crosaire Chadhla. Mar sin ar fuaid na tuaithe a bhíodh an t-aonach. Agus bhídís ag aeráil bhataí in airde ins na simnéithe ó haonach go haonach chun bheith sa troid. Agus sé an uair a tháinig an síocháin ach nuair a chuireag na haontaí isteach 'dtís na bailthí móra. Bhí na gardaí ansan chun iad a *summons*áil agus síocháin a chur orthu.

Agus nuair a theastaíodh uathu an t-achrann a chur in airde: "Shidí an gabhar agus togha an aonaigh."

"Shidé an gabhar," a dheireadh an fear eile, "a chuirfeadh an *row* ar éigint."

Sin é mar a thosnaídís an t-achrann lena chéile.

2. Bataí Bruíne

Bataí druínigh agus plandaí fuinseoige a bhíodh acu. Bhíodh bata buailthe acu agus bata cosanta agus iall i gcionn gach aon bhata. Chuirtí iall isteach ar an bheist so agus chuirtí an iall ansan go gceanglódh sé suas an bata ar an gcrobh agus choinníodh sé siar sa chrobh an bata ansan ag bualadh.

3. Na *Factions* – Muintir an tSeana-Phobail agus Muintir na Gráinsí

Bhí muintir an tSeana-Phobail[22] fadó agus muintir na Gráinsí ana-mhór i gcoinne a chéile. Bhí Paróiste an tSeana-Phobail a dhéanadh amach go mb'fhearr d'fhearaibh a bhí sa Seana-Phobal ná mar a bhí sa nGráinsigh, agus bhí an Ghráinsigh a dhéanadh amach go mb'fhearr na fearaibh a bhí sa nGráinsigh ná a bhí sa Seana-Phobal.

Agus maidean Domhnaigh agus Aifreann Dé á léamh tháinig muintir na Gráinsí fé dhéin mhuintir an tSeana-Phobail a throid. Agus i mBaile an Aicéada' is ea a bhí an séipéal an uair sin. Bhí an sagart ar an altóir[23] ag léamh an Aifrinn nuair a tháinig muintir na Gráinsí. Agus bhí Pádraig Paor, a bhí i Móin a' Gheamhais, agus Micil Paor, a bhí i gCarraig a' Mhadra, agus Diarmaid Ó Arta, ar a nglúine istigh sa séipéal nuair a tháinig an scéala. Dh'éiríodar dena nglúine agus dh'fhágadar an sagart ar an altóir ina aonar agus dh'imíodar leo agus chuadar isteach ar an bpáirc agus throideadar istigh ar an bpáirc.

Agus nuair a bhí na bataí briste ar mhuintir an tSeana-Phobail bhí ti' beag ar thaobh an bhóthair. Phreabadar in airde ar an tigh agus nochtadar an tigh go dtíos na taobháin, agus stracadar na taobháin des na cúplaí agus siad na taobháin a ghaibh an lá dhóibh. Tháinig triúrar anuas ar Dhiarmaid – mar ard-fhear ba dh'ea

22. /main´t´ɪr´ n´ ˈt´anəhobɪl´/
23. /əlto:r´/

Diarmaid – tháinig triúr anuas air agus leagag é agus nuair a bhí sé leagaithe tháinig bean agus bheir sí ar chloch agus bhuail sí anuas insa cheann é agus chuir sí ionad[24] a chinn síos tríd an mbán, agus nuair a dh'éirigh sé thar n-ais is é a ghaibh an lá – sé a sheasaigh an chath. Bhí an Curraoineach Fada ón Sliabh – bhí sé ann – ag baint leis an nGráinsigh is ea a bhí sé – agus nuair a thug sé fé Dhiarmaid i gcúinne na páirce chrom Diarmaid féig sa tslí gur chuaigh sé féna chois agus ar an taobh eile 'bhóthar a stad sé amach dá cheann.

Bhí san go maith. Chuireadar an díbirt amach den pháirc orthu agus ar maidin Dé Domhna a bhí ina gceann bhí an sagart ag léamh an Aifrinn sa nGráinsigh. Nuair a bhíodar ag fágaint na Gráinsí ag teacht fé dhéin an chath a bheith acu sa Seana-Phobail séard a bhí chun a mbroiceaist acu ná reithe. Dh'iompaigh an sagart amach ar an althóir agus nuair a bhí an tAifreann léite aige:

"Ha há," arsa sé, "dh'airigh mé gur bhaineag an reithe as úr mbolg sa Seana-Phobal.

Shin é an deireadh athá air.

4. Pilib Tincéir agus Diarmaid Ó hArta

Bhí sé [Diarmaid Ó hArta] ina chónaí i mBaile an Aicéada' agus ní raibh aon fhear ró-mhaith dho ar dhá bhata. Dhá bhata a bhíodh ag troid an uair sin acu agus dh'airíodh sé trácht ar Philib Tincéir, gur ana-fhear é. Agus tháinig Pilib go dtí doras an halla an lá so go dtí é. Ní raibh aon aithne aige air agus dh'fhiarthaigh sé dhe cér dh'é:

"Mise Pilib Tincéir," arsaigh Pilib.

"Minic a dh'airíos trácht ort ar t'fheabhas agus do thréineacht," arsa Diarmaid.

Dh'imigh sé isteach fé dhéin a cheithre bhata agus thug sé amach na ceithre bhata agus chaith fé chosa Philib iad, agus dúirt sé leis a thogha a bhaint astu. Thóg Pilib peidhre acu agus luíodar chun a chéile age doras an halla agus chuir Diarmaid síos é i ndia' a chúil dtí Drochad Bhaile an Aicéada'. Agus chuir Pilib aníos dtí doras an halla aríst é agus chaitheadar uathu na bataí agus bhí dinnéar acu i bhfochair a chéile. Agus níor admháil einne acu ó shoin cé acu fear ab fhearr. Bhíodh na daoine a dhéanadh amach go mb'fhearr d'fhear Pilib mar bhí an fána age Diarmaid síos air agus chuir Pilib aníos thar n-ais i gcoinne an chnoic é.

I. LOING BHÁITE

1. Árthaí Báite sa Seanashaol

"Tá sé sin ar an saol ó bhliain an *Jubilee*." Chailleag árthach anso go dtugaidís an *Jubilee* uirthi. Is dócha gur chuimhin le m'athair é. Chailleag árthach eile a

24. /inəd/

dtugaidís an *Sarah Anne* uirthi. Ní cuimhin liomsa í. Is cuimhin liom an *Moresby*. Árthach Rúise ba dh'ea í. Agus chailleag an *Frenchman* ann. Scúnaeir ba dh'ea í agus an *Dunvegan*.

2. Árthach Báite agus Tigh Dóite

Bhí mé tráthnóna Mí na Féil Bríde ag obair ar bharra faille nuair a chonaic mé dhá árthach ag triall siar ar Mhionn Ard thimpeall a ceathair a chlog um thráthnóna. Agus bhí sé ag éirí chun gála – gaoth anoir aneas. Chuaigh ceann acu chun farraige agus choinnigh an ceann eile an taca siar díreach.

An oíche roimh[25] an aonach ba dh'ea í agus dh'fhan mé i dtigh an fheirmeora chun a bheith ag dul le beithígh dtí an aonach dar ná mháireach. Agus ar a dó a chlog san oíche tháinig an tAthair Ó Sé ó Aird Mhóir agus an *Rocket* agus a chuid fear isteach sa macha agus chuir sé as an leaba sinn. Chaitheamair stáblaí a dh'fháilt dos na capaill agus iad a chuir isteach, agus thimpeall a trí a chlog chuamair go barra faille agus bhí sí in airde ar an bhfaill, í fhéin agus ceathrar agus fiche fear agus iad ag béiceadh agus ag liúirigh mar a bheadh … sé an tslí a thaibhríodar dúinn nach mar a bheadh céis a bheadh ag liúirigh.

Chuireag an chéad chábla ar bord uirthi ar a ceathair a chlog agus ceann ar a cúig, ceann ar a sé, ceann ar a seacht, agus ní bhfaighidís aon cheann acu a dh'oibriú – ní bhfaighidís dul 'dtíos na miasa. Ar a hocht a chlog ar maidin is ea fuaireadar breith ar an gcéad cheann agus é a chuir i bhfeidhm. Bhí an chéad fhear ar an talamh againn ar a deich; bhí an captaen ina sheasamh ar an drochad agus an gunna ina láimh ag cuir ordaithe – gach aon fhear d'réir mar a bhí sé goirtithe, bhí sé le teacht ar dtúis sa chiseán. Bhí an *Rocket* ina dhá roinnt, (ceann …) taobh ag tabhairt amach an chiseáin folamh agus an taobh eile ag tabhairt isteach an chiseáin a mbeadh an fear istigh ann.

Ar a ceathair a chlog um thráthnóna bhí an fear déanach istigh againn ach an captaen agus an madra. Chrom sé ag stracadh a chinn nuair a bhí an fear déanach imithe uaidh agus é ag béiceadh. Chuir sé an madra roimhig[26] fhéin isteach sa gciseán ansan ar dtúis agus nuair a tháinig sé fhéin isteach bhíomair – le neart gleithreáin – mé fhéin agus buachaill des na Catháanaigh, ní raibh aon ghal tobac againn mar dhearúdamair an tobac le gleithreán an tsagairt chun teacht in aonacht leis: dhearúdamar na píopaí is an tobac insa mbaile.

"Thá gach aon rud istigh anois," a dúirt mise, "ach an tobac."

"Ó tobac," arsaigh an Francach, ag déanadh comhartha go raibh sé imithe síos.

Bhí triúr[27] acu agus a gceathrúna briste agus bhí beirt acu agus a riostaí briste,

25. /riv/ – ach /rai/ is gnáthaí a chloistear
26. /raig´/ – foirm analógach a thagann ón múnla *uaidh*.
27. /t´r´u:r/ (/t´r´u:rər/ is gnáthaí ag Maidhc)

agus thuas ti' Bhraonáin, fear an tsolais, is ea a bhíodar go léir istigh in seamra ansan againn agus sinn ag baint díbh agus ag cuir umumpu.[28] Tháinig fear na seolta a dhéanadh a bhí ar bord uirthi, tháinig sé isteach sa seamra nuair a bhíodar lán a bheith réidh agam fhéin agus age Muiris Churraoin athá thall ar an *mButtery*. Bhí allas ag titim anuais[29] díom mar a bheifeá ag caitheamh uisce orm le neart teais[30] á nochtadh is ag cuir umumpu. Thug sé buidéal *rum* isteach agus roinn sé thimpeall ar a chuid fear istigh sa seamra é. Agus nuair a bhí sé óltha, gach einne acu, deoch foite[31] acu go léir, leag sé an buidéal ar an mbord agus an gloine agus níor dh'fholáir sé braon dom.[32] Tháinig Dochtúr Craen agus a bhean, go ndéana Dia trócaire orthu, agus nuair a tháinig sí sin isteach sa seamra, í fhéin agus bean Bhraonáin, dh'fhiarthaigh sí dhíom an bhfuair mé aon bhraon is dúirt mé léi ná fuair mé.

"*Well*, shin é an nós athá insa mBreathnaisc," arsa sí. "Traeteálfaidh siad a muintir fhéin agus leagfaidh siad an buidéal agus an gloine ansan chun einne eile, pé rud is maith leis a bheith aige gheobhaidh sé fhéin é bheith aige. Agus ní Francaigh in ao'chor iad," a dúirt sí, ach *'Britons'*[33] a thug sí orthu.

Tháinig an dochtúir agus chóirigh sé iad agus tháinig an cearr leabhair[34] ansan agus chuadar isteach dtí an óspaidéal.

Hocht lá ina dhiaidh chuaigh mé síos go dtí barra faille maidin Sathairn agus fuair mé baraille lán d'ola istigh ar an tráigh agus shábháil mé ón taoide é. Nuair a tháinig mé abhaile go dtí mo bhroiceast bhí mé ag nisint don … fear an tí go raibh an baraille thíos age'n bhfaill sábháltha agam. Agus dh'iarr na feirmeoirí ansan – mar ní bhfaighinn an baraille aníos go deo gan ligin leis an ola imeacht leis an bhfarraige nó gan teaca[35] an baraille a ligin amach arís – dh'iarradar díom an dtarraingeoidís an ola. Dúirt mé leo í a tharraint leo, agus chuaigh mé go Donn Garbhán le dhá ualach coirce agus nuair a tháinig mé abhaile chuaigh mé síos go dtí an tráigh fé dhéin an bharaille – bhí an ola go léir tarraingthe acu. Thug mé liom an baraille aníos agus bhí an oíche milltheach[36] agus fána mór leis

28. /əmˈumpə/ .i. *umpu*
29. /ənˈuəʃ/
30. /t´aʃ/ [< teais] atá mar ghinideach ar an bhfocal *teas* in ionad *teasa* /t´asə/.
31. /fet´ɪ/ .i. faighte.
32. /ni:r ˈɣla:r´ ʃe: bre:n dom/ .i. níor tharraing sé braon dom (feic Breatnach, *Seana-Chaint II,* lch. 198 s.v. *foláirt*
33. *Bretons,* (Briotánaigh) is dócha.
34. /k´ɑ:r l´aur´/
35. i. neachtar acu
36. /m´əil´h´əx/ – tá an *t* meánach comhshamhlaithe anseo leis an gconsain atá roimhe i.e. *lt* > *th.* Samplaí eile de seo ón gcanúint seo is ea: scéalta /ʃgialhə/, ólta /o:lhə/, fáilte /fɑ:l´h´ɪ/, caillte /kail´h´ɪ/ (feic Breatnach, *The Irish of Ring,* lch. 129).

an áit a raibh mé im chónaí, agus 'á ligfaí leis an mbaraille bhí sé imithe leis an bhfána síos sa sruth agus é briste.

Agus thit amach gur leag mé isteach in seamra nua a bhí déanta ar an tigh é. Tháinig buachaill des na comharsain isteach go bhfeicfeadh sé an baraille agus rug sé ar an gcoinneal do bhord na cistean, agus nuair a chuaigh sé dtí doras an tseamra tharraing an baraille splanc ón choinneal isteach sa mbaraille agus ba shin tigh trí thine. Thug mé leathuair a chloig ag lorg na leanaí go léir agus á gcuir amach, agus bhí einne amháin den chlann gan fáil agam – an tara duine ba shine – ní raibh aon phioc de le fáil agam. Chuaigh mé tríd an tine trí huaire agus i ndeireadh thiar tháinig casachtach éigin datach a bhí á mhúchadh istigh fén leaba agus é casta in cuilt mná tí istigh fén leaba.

Agus nuair a fuair mé é a tharraint amach ón leaba bhí mé chún[37] tabhartha is ná raibh mé ábalta ar é a chuir in airde sa bhfuinneog. Agus tháinig Pádraig Ó Gríofa, go ndéana Dia trócaire air, agus rug sé ar gheaitín[38] na cairte agus bhuail sé an fhuinnóg, *sash* agus fráma agus gach aon rud eile amach as an bhfalla agus dúirt sé liom cúinne éigin dá chuid éadaigh a thabhairt do agus go dtabharfadh sé amach é, go dtabharfadh sé cúna' dhom. Agus fuair mé cúinne dhá chasóig a thabhairt do agus tharraing sé amach é. Agus chuir sé a láimh isteach ansan agus rug sé ar bhún na casóige orm fhéin agus fuair mé dul amach pé ar domhain de.

Agus nuair a chuaigh mé amach thit mo cheirte go léir díom, dóite ina gcipíní anuais díom. Thit mé i bhfanntais amuigh ansan agus thugag dtí tigh 'os na comharsain mé agus chuireag fios ar shagart agus ar dhochtúir agus ní raibh sagart ná dochtúir le fáil – go dtína dó a chlog dar ná mháireach is ea a tháinig an dochtúir agus an sagart dtí mé. Chuir an dochtúir fios ar leathpheanta biotáille siar go dtí Ti' Chadhla agus thug sé dho fear an bhosca – an bosca a bhíodh ag tarraint na ndaoine tinne isteach an uair sin go dtí an óspaidéal. Thug sé cnagaire dhe dhom le n-ól agus cnagaire eile dho fear an bhosca le tabhairt dom nuair a raghainn leathslí.

Agus nuair a niseag do chriú na bhFrancach gur mé a bhí ag teacht – a bhí á gcóiriú nuair a chuadar fhéin isteach – dh'iarradar leaba a thabhairt dom ina bhfochair agus chuireag isteach ina bhfochair mé.

Thug mé dhá lá dhéag gan gaoth ná grian a dh'fheiscint, ná duine, ach banda thimpeall ar gach aon phioc díom ar feadh sé lá dhéag a thug mé istigh, agus thug mé trí mhí díomhaoin. Loisceag ó mhulla' mo chinn go dtí bonn mo chos mé agus sin a bhfuaireas-sa dho bharra an árthaigh sin.

37. /xu:n/ .i. chomh.
38. *clár deiridh* [Féach Breatnach, *Seana-Chaint II,* lch. 210 s.v. *geaitín*]

J. AIMSIR THOGHACHÁIN

1. Tomás Mhichíl agus an Togha

Bhí togha anso fadó agus bhí ana-thuairisc ar John Dillon. Agus bhí seanduine ar an Seana-Phobal agus ba dh'é an scanradh, nuair a bhíodh an togha ann i gcónaí ba dh'é an scanradh é ag liúirigh agus ag scréachaigh do John Dillon. Ach bhí sé ag baint phrátaí an bhliain seo i bhfochair Thomás Mhichíl. Agus bhíodh gach einne bodhar aige mar gheall ar John Dillon. Agus thug Tomás Mhichíl, thug sé *jar* … *jar* cloiche – galún nó dhó uisce, fuair sé é agus shocraigh sé an *jar* in airde as ceann na leapan ceangailthe dhen mboimbéal agus corc ann. Agus bhí leaba ar dhá thaobh an lochta acu chun codlata. Agus bhí corda as an gcorc, agus nuair a dh'éirigh an bualadh agus an suíomhnú mar gheall ar an togha san oíche dhóibh – nuair a bhí sé traochta ó bheith ag suíomhnú is ag cur síos – tharraing Tomás Mhichíl an corc agus is mór an seó ná mhúchag an seanduine istigh sa leaba le huisce ag pampáil anuas sa mbéal air. Chaith sé … chaith Tomás Mhichíl éirí as an leaba agus teitheadh: bhí an sprang uaidh chun é a ropadh. Agus sin a bhfhuil le rá agam mar gheall ar sin.

11. EALAÍN BHÉIL

A. SEANASCÉALTA AGUS FINSCÉALTA AR AINMHITHE

1. Rí na nÉan

Insa seanashaol fadó bhí éanlach[1] an aeir ana-thrína chéile agus ní raibh rí ná ridire acu. Agus dúraíodar leo fhéin gur cheart dóibh rialadóir[2] éigin a cheapadh agus bhí cruinniú acu. Agus sé rud a cheapadar nach an t-éan is aoirde a raghadh san aer, é a bheith ina rí ar an gcuid eile go deo.

Dh'imíodar leo in airde san aer agus dh'fhan an dreoilín ar chóngar an fhiolair i gcónaí gur tháinig sé cortha. Agus nuair a tháinig sé cortha dh'éalaigh sé in airde ar dhrom an fhiolair agus ba dh'é an t-iolar an t-éan … an fiolar an t-éan ab aoirde a chuaigh san aer ansan.

Dúirt sé go dh'é fhéin an Rí anois. Agus léim an dreoilín dá dhrom is chuaigh sé as a cheann in airde agus dúirt sé leis nár dh'é ach é fhéin.

Nuair a bhíodar ag teacht abhaile dtí an talamh aríst fuair an fiolar amasc éigin ar an dreoilín agus bhuail sé sa drom é agus ghoirtigh[3] sé é. Agus nuair a tháiníodar abhaile dtí an talamh ní raibh an dreoilín inniúil ar nead a dhéanadh dho fhéin ansan.

Chuir sé fios ar éanlach an aeir go léir ansan agus dh'iarr sé orthu cúna a thabhairt do chun a nead a dhéanadh. Agus dh'eitíodar go léir é nach an gealún agus an fháileog. Dheineadar san a nead ina fhochair agus nuair a bhí a nead déanta aige – acu dho – dúirt sé leis an ngealún go dtabharfadh sé seilbh ar chleitín an tí anois do go deo agus choíche – tógaint a lín istigh ón síon – agus go dtabharfadh sé seilbh ar an mbata mulla dhon bhfáileog, agus ar an mboimbéal. Chuir sé fios ar an traidhn ansan agus dúirt sé leis an traidhn go gcuirfeadh sé an mí-ádh anois air. Dúirt sé leis go …

"Cuirfidh mé an mí-ádh ort anois," arsa sé, "go brách agus choíche, mar a mbeidh tú ag grágal idir lá agus oíche."

1. /ianləx/ .i. éanlaithe.
2. /ˈrialədo:r´/
3. /ɣor´t´ig´/ .i. ghortaigh

Chuir sé fios ar an gceann cait ansan agus dúirt sé leis go beag den ngrian a chífeadh sé choíche mara go mbeadh sé i bpoll sa lá is amuigh san oíche.

Dúirt sé leis an bhfuiseog ansan go gcaithfeadh sí nead a dhéanadh in lár páirce fé chosa ba agus uain, agus go gcaithfeadh an préachán dubh a nead a dhéanadh i mbarra an chrainn in airde, fliuch agus fuar, agus garda agus fán go brách ar an gcuach.

Thá an dreoilín ó shoin agus ní bhfaigheadh sé dul nach ó chlaí go claí agus ó thor go tor, mar athá droinn ar a dhrom ón lá san dtí an lá so.

2. "Trína Chéile a Bhuachaillí"

Bhí barántas ar an seana-dhreoilín fadó agus bhí fear na bpróiseasaí ar an eathla[4] agus n'fheadair sé cé acu an seanabhuachaill. Bhíodar ann agus cheithre súiste acu ag bualadh …

"Trína chéile a bhuachaillí," arsaigh an seanabhuachaill.

Chaith sé (fear na bpróiseasaí) imeacht.

3. Préacháin Phort Láirge agus Préacháin Chiarraí

Bliain uireasa[5] a tháinig ar phréacháin Phort Láirge anso agus dh'airigh préacháin Chiarraí go raibh an t-uireasa orthu agus tháiníodar aniar agus dúradar go raibh an fhairsinge thiar acu fhéin; go raibh a ndaothaint acu.

Chuaigh préacháin Phort Láirge siar dar ná mháireach dtí Drochad Banndan agus nuair a dh'fhéachadar siar n'fheacaíodar dada. N'fheacaíodar aon rud ach an rud céanna a bhí acu fhéin, solas an lae is na hoíche.

Bhíodar ag teacht abhaile dar ná mháireach is gach einne ag eisteacht leo is ní raibh acu ach:

"Bog bhladhmud, bog bhladhmud, bog bhladhmud," age gach aon phréachán ag casadh.

Bíd siad á rá fós.

4. An Fhuiseog agus an Feirmeoir

Bhí trí cinn óga aici agus bhí sí á dtógaint sa mhóinéar agus nead aici. Nuair a bhí sí ag imeacht ar maidin dúirt sí leis na ceannaibh óga bheith ag féachaint amach inniu má thiocfadh an feirmeoir ar an gclaí, féachaint cad a dhéarfadh sé. Nuair a tháinig sí abhaile tráthnóna …

"Cad dúirt an feirmeoir?" arsa sí.

"Dúirt sé go gcaithfeadh sé na comharsain a dh'fháil amáireach chun é a bhaint."

4. Ls. *iothla*.
5. Ls. *'riosa* /r´ısə/

"Nín aon bhaol fós oraibh," arsa sí. "Fanaigí mar a bhfuil sibh."

Nuair a bhí sí ag imeacht ar maidin dar ná mháireach dúirt sí leo féachaint amach féachaint cad a déarfadh sé. Nuair a tháinig sí abhaile ar cheann na hoíche dh'fhiarthaigh sí díobh cad dúirt sé inniu.

"Dúirt sé go gcaithfeadh sé na comharsain a dh'fháil siúráilthe amáireach chun é a bhaint. An trígiú maidean dúirt sí leo bheith ag féachaint amach inniu féachaint cad a déarfadh sé. Nuair a tháinig sé ar an gclaí dar ná mháireach …

"Ó, caithfidh mé féin é a bhaint inniu," arsa sé. "Tá sé in am é a bhaint."

(Nuair a tháinig sí tráthnóna dúradar léithe é.)

"Siúiligí libh anois," arsa sí. "Nuair a bhí sé ag brath ar na comharsain chun é a bhaint bheadh sé gan baint, ach nuair athá sé féin chun é a bhaint anois, siúiligí libh."

5. An Bhean agus an Béar

Ar airigh tú trácht riamh ar an mbean bhocht a bhí ag dul go Port Láirge leis an mála olainne?

Oíche t'réis gála mór ba dh'ea í agus bhí na crainn leagaithe agus cad a gheobhadh sí fé chrann nach béar, an crann tithe air.

"An dtógthá an crann díom?" arsa sé. "Dhéanfainn cuileachta dhuit isteach go Port Láirge.

"Tógfaidh mé mhuise," arsa sí.

Thóg sí an crann in airde dhe agus dh'imíodar leo agus is gairid gur tháinig ocras ar an mbéar.

"Íosfaidh mé thú," arsa sé. "Thá ocras orm."

"Ab é sin mo bhaochas," arsa sí, "t'réis an crann a thógaint díot?"

"Buann an t-ocras ar an bhfoighne," arsaigh an béar.

"*Well*, ná déin," arsa sí, "agus fágfaimid fé pé rud a bhuailfidh linn é agus pé rud a dhéarfaidh sé sin beidh mise sásta," arsaigh an tseanabhean.

"Tá go maith," arsa sé.

Dh'imíodar leo agus ba dh'é an chéad rud a tháinig suas nach madra rua. 'Niseadar a gcúrsa dhon madra rua.

"*Well*, ní bhfaighinnse úr gcás a phlé," arsaigh an madra rua, "gan a dh'fheiscint cad a thit amach. Agus má thagann sibh thar n-ais liom dtí an áit chéanna ar thit sé amach socróidh mé úr gcás ansan."

Chuadar thar n-ais.

"Sea, tóg in airde an crann anois," arsa sé[6] leis an tseanabhean.

"Sea, téir isteach anois san áit chéanna a raibh tú," arsa sé leis mbéar.[7]

6. Ls. *ar sise*
7. Ls. *arsa sé leis an madra rua*

"Leag anuas an crann anois air go bhfeicfidh mé conas a bhí sé," arsa sé leis an tseanabhean.

Leag sí anuas an crann aríst air.

"Fág ansan anois é," arsa sé, "is ní dh'íosfaidh sé thú. Siúl leat."

B. SEANASCÉALTA IONTAIS

1. Rí go Raibh Mac is Fiche aige

Bhí rí fadó ann agus bhí mac is fiche aige agus bhí sé níos boichte sa saol ná bhí aon rí eile a bhí ann lena linn. Agus bhíodh na rite ag tabhairt cuirí dinnéir dona chéile agus thit an cuireadh air, agus n'fheadair sé conas a tharraingeodh sé na daoine dtína thigh nuair a bhí sé bocht. Agus dúirt sé lena bhean go mb'fhearra dhóibh an chlann go léir a chur chun báis ná a bheith a d'iarra' a bheith ag plé leo sa saol a bhí acu agus iad dealbh 'bhreis ar aon rí eile a bhí ar an saol. Shocraigh sé suas scioból mór a bhí aige ar an taobh ismu' dhen chúirt agus líon sé suas do thuí é, agus dúirt sé leis an gclann go léir dul sa scioból anocht chun ná beidís roimhis[8] na daoine nuair a thiocfaidís roimhis[9] na rite.

Thagadh an mac ab óige, thagadh sé dho rás abhaile ó scoil gach aon oíche agus théadh sé ag cluasaíocht age'n bhfuinneoig leis an athair agus leis an máthair nuair a bhídís ag ithe a ndinnéir. Agus bhíodh croí na máthar briste ag cuimhneamh ar an mbás a bhí a murar le fáil ón athair, ach ní ligfeadh eagla dhi aon rud a rá chun cur ina choinne. Ach dh'airigh an mac ab óige, dh'airigh sé á rá leis an máthair é go gcuirfí a chodladh sa scioból anocht iad, agus nuair a gheobhadh sé sa scioból iad go raibh an scioból lán de thuí agus an tine a thabhairt don tuí agus go mbeidís go léir dóite ar maidin.

Chuadar amach sa scioból agus bhí úirlisí bailithe age'n mac ab óige istigh insa scioból fén tuí i ganfhios do einne. Agus nuair a bhí an glas ar na doirse agus gach aon rud socair suas thug sé cró agus piocóid do gach einne agus dh'oibríodar poll amach tríd an scioból, tríd an bhfalla. Agus chuadar thimpeall agus bhailíodar an méid beithígh a bhí age'n a n-athair isteach sa scioból agus dhúnadar suas é, agus ar maidin bhí an méid a bhí aige dóite agus an chlann go léir beo. Dh'imíodar leothu agus chuadar dtí Crosaire na Cheithre Rian, agus dúirt an mac ab óige le cúigear acu góilt "gach bóthar acu san anois agus raghadsa ar m'ábhar fhéin."

Dh'imíodar leothu, cúigear, gach bóthar agus geallúint lá agus bliain chun iad a chasadh ar a chéile ar an gcrosaire céanna má mhairfidís.

8. Ls. *raghais* /raiʃ/

9. Ls. *raghais* /raiʃ/

Bhí an mac ab óige ag imeacht leis agus chasag feirmeoir air agus dh'iarr sé obair air.

"*Well*, arsa sé, "tabharfaidh mé obair duit," arsa sé "ach ní thóigfidh tú é, mar an *job* a thabharfaidh mise dhuit anois," arsa sé, "einne riamh a chuir mé a chodladh anocht ann ní bhfuair mé beo riamh[10] ar maidin é. Ach má thógann tú é gheobhaidh tú é."

"Tógfaidh mise é," arsa sé – an garsún.

Chuaigh sé go dtí an tigh agus fuair sé píopa agus tobac agus cathaoir agus shocraigh sé síos tine dho fhéin agus bhí sé go compórdúil cois na tine. Ar an dá bhuille dhéag san oíche bhuail sprid isteach chuige agus sheasaigh sí ar an tinteán agus bhuail sí liathróid i gcoinne an fhalla. Agus chomh luath agus a tháinig an liathróid ar an talamh dh'éirigh an garsún agus bhuail sé an liathróid ina coinne agus dh'imríodar an cluiche ar an áit sin agus bhuaigh an garsún.

"*Well*, is deas an gnó dhuit do mhisneach anocht," arsaigh an sprid. "Tháimse ag teacht anso le chúig bhliana agus dachad agus thá mé saor óm pheacaí agatsa anocht. Thá cróca óir anois," arsa sí, "fé leac an tinteáin agus cróca airgid féd dhá chois, agus tháimse á mbronnadh san suas ortsa anois," arsa sí, "agus n'fheicfidh tú mise go brách aríst."

Nuair a tháinig an feirmeoir ar maidin go dtí an tigh bhí an choifín ag teacht aige mar a bhíodh ag teacht aige fé dhéin gach aon chorp, agus bhuail an buachaill amach chuige.

"*Well*, conas athá tú t'réis na hoíche?" arsa sé leis an mbuachaill.

"Tháim go maith, baochais le Dia," arsa sé.

"Ó, is tú an chéad duine riamh a bhí beo insa rúm," arsa sé.

Dh'imigh an feirmeoir leis abhaile agus thrialladh an garsún go dtí tigh an fheirmeora gach aon lá, agus ba ghairid go raibh sé fhéin agus iníon an fheirmeora i ngrá lena chéile agus phósadar.

Bhí an lá agus bliain caite go dtí aon lá amháin agus fuair sé carraeiste agus feidhre capall agus thiomáin sé leis dtí Crosaire na Cheithre Rian, agus i trí lá bhí cúirt déanta ar Chrosaire na Cheithre Rian aige. Agus nuair a bhí an cúigear dritheár ag teacht anoir, aniar, aduaidh agus aneas, nuair a bhíodar ag triall ar an gcrosaire b'ait leothu dhé'n seanseáil a bhí déanta ar an gcrosaire ó dh'fhágadar fhéin. Bhuaileadar age'n doras fhéachaint cé bhí ann. Bhí sé istigh rompu é fhéin agus a bhean agus chuir sé na tuara fáilte rompu agus bhí dinnéar breá acu.

"*Well*, b'fhearr dhúinn anois," arsa sé, "dul anois go bhfeiceoimis an rud salach athar san a bhí againn."

Chuadar ar a thóir agus bhíodh fear ag briseadh chloch leathais[11] na cúirte, bhí

10. Tá an 'R' ana-chaol i 'rian' agus 'riamh' – **SÓD.**
11. .i. *le hais*

sé ag briseadh na gcloch rompu – Seán na gCloch a Bhriseadh. D'fhiarthaíodar de conas a bhí sé, agus dúirt sé leothu go raibh sé ar a leaba. Chas gach einne acu thar n-ais abhaile ach an mac ba shine, agus dh'fhan sé ina fhochair, agus nuair a bhí an t-athair ag fáil bháis, fuair sé bás obann is gan aon uacht déanta. Chuaigh an mac ba shine amach fé dhéin Sheán na gCloch a Bhriseadh agus thug sé leis isteach é, agus chuir sé i leaba é i seamra eile dhen chúirt agus chuir sé fios ar an turnae chun uacht a dhéanadh. 'Nis sé dho Sheán dén t-uacht a dhéanfadh sé agus dhein Seán an t-uacht mar a dúirt sé leis nuair an tháinig an turnae.

"Nach," arsa sé, "thá chúig chéad púnt le fáil age Seán na gCloch a Bhriseadh nuair a bheadsa curtha."

Nuair a dh'imigh an t-athair fuair Seán, fuair sé chúig chéad púnt de dheasca dul isteach insa leaba.

Agus sin é mo scéalsa, agus má thá bréag ann bíodh.

Tomás Ó Cathail – chúig bhliana déag is fiche ó dh'airigh mé é ó Thomás Ó Cathail. Bhí sé deich mbliana is dachad. Seanchasaí deas ba dh'ea é, a raibh scéalta agus fiannaíocht go leor aige.

2. Scéal Mhangaire an Éisc

[**SÓD:** Ar dh'airigh tú riamh aon scéal ar fhear a bhí ag dul dtí an Aifreann a dh'ól uisce a bhí ag teacht amach as bhéal madra?]

Dh'airigh mé an scéal san ach ní as bhéal madra a dh'airigh mise.

Mangaire éisc ba dh'ea é agus fear ana-mhacánta, agus bhíodh sé ag díol an éisc i gcónaí agus é ag déanadh mearathail do gach aon rud ait a chíodh sé.

Seolag isteach i dtigh ósta an oíche seo é agus nuair a chuaigh sé dtí doras tigh an ósta cad a bhí nach fear go raibh go leor airgid aige agus iad á mharú.

Dh'imigh sé leis agus dá dhonacht a bhí sé roimhe[12] sin ba mheasa a bhí sé nuair a chonaic sé an fear á mharú mar gheall ar a chuid airgid.

Dh'imigh sé leis agus nuair chuaigh sé dtí crosbhóthar cad a chonaic sé nach triúr fear agus beirt acu ag daoradh an fhir eile mar gheall ar leath-acra talún. Agus bhíodar chun é a mharú agus dhein sé síocháin. Agus a bhí gach aon rud a dhéanadh trína chéile dhá aigne mar gheall ar an slí a bhfeaca sé an saol ag obair: anréasúnta[13] a bhí gach aon rud a bhí sé a dh'fheiscint, a shíl sé.

An chéad áit eile a casag air nach bothán bocht ar thaobh an bhóthair agus ceathrar leanbh agus an t-athair is an mháthair ag marú a chéile. Ní raibh aon rud ag teacht ina radharc – nach gach aon rud 'á mhí-ámharaíocht.

Dar ná mháireach bhí sé ag góilt thar ti' sagairt. Chonaic sé an sagart agus an cailín insan ngairdín agus chuir sé sin as a mheabhair ar fad é. Thug sé suas Aifreann agus Ord agus na'haon ní ansan agus ceann des na laethanta bhí sé ag

12. Ls. *ragha*
13. Ls. *Ann-réosúnta*

góilt an bóthar agus tháinig an tart millteach air agus bhí sé ag góilt ar thaobh an bhóthair nuair a dh'airigh sé fuaim an uisce insa sruthán laistigh de. Chuaigh sé isteach is dh'ól sé a dhaothain den uisce, agus nuair a tháinig sé amach ar an mbóthar bhí an duine uasal ina sheasamh ar an mbóthar roimhe.[14]

"Is aoibhinn é do shaol a dhuine," arsaigh an duine uasal leis, "agus is cráite é do mheon nó dé chúis ná téann tú dtís na hurnaithe?"

Thosnaigh sé is 'nis sé dho mar gheall ar an bhfear. 'Nis sé gach aon rud do.

"*Well*," arsaigh an duine uasal leis, "bhí tart mór ó chiana ort."

"Bhí," arsa sé.

"*Well*, an t-uisce a dh'ól tusa ó chiana," arsa sé, "siúl leat go sáinfidh mise dhuit cad as athá sé ag teacht.'

Amach as ceann seana-chapall dreoite a bhí curtha sa chlaí a bhí an t-uisce ag teacht.

"'Á bhfeictheása ó chiana," arsa sé, "cad as a bhí an t-uisce ag teacht ní dh'ólthá ar ao'chor é, agus 'á mbeadh fhios agat cad a bhí déanta age'n bhfear san a bhí á mharú os do choinne – cad a bhí déanta aige roimhe sin – ní bheadh sé ag déanadh aon trioblóid duit. Ní feallag riamh ná feallfaí," arsa sé, "agus ná bacsa cad a chonaic tú led shaol aríst. Lean dod shlí agus is cuma cén sagart a léifidh Aifreann – sé an tAifreann céanna é agus téirse dtí an Aifreann."

Thá gairid do dheich mbliana is dachad ó dh'airigh mise é sin age Seán Ó Muiríosa age Crosaire Cadhla.[15] Saor cloiche ba dh'ea é. Is aige a dh'airigh mé "Eachtra an Aodhaire": bhí sé sa leabhar[16] an lá deireanach. Ba shiúd[17] é an seanchasaí a mhic ó.

3. *Jacky the Lantern*

Ar *windjammer* a tháinig *Jacky the Lantern* isteach go Ciarraí – Seáinín an Mhearathail. Nuair a tháiníodar isteach go Ciarraí chuadar isteach go tigh ósta, agus bhíodar suaite sáraithe t'réis a bheith i ngála ar feadh trí lá agus trí oíche. Agus nuair a bhíodar ag ól a ndeoch shuigh *Jacky* ar shuíochán agus thit a chodladh air agus mála an mhairnéalaigh féna cheann. Nuair a dhúisigh sé as a chodladh bhí an chriú agus an captaen imithe chun farraige agus dhuibh agus d'fheann air agus n'fheadair sé cad ba mhaith do a dhéanadh ansan. Ní dhein sé ach breith ar an mála agus amach an doras leis. Ní raibh aige ach trí tistiúin agus ní fada a bhí sé imithe chun bóthair nuair a casag fear bocht air ag teacht ina

14. Ls. *ragha*
15. Lsí. *Crosaire Cadhla* agus *Crosaire Chadhla*
16. Bhí "Eachtra an Aodhaire" in eagrán d'*Éigse* ag Pádraig Ó Cadhla á léamh do Mhaidhc chun é a cheartú.
    Múinteoir i gColáiste na Rinne is ea Pádraigh Ó Cadhla – **SÓD.**
17. Ls. *ba dhiúd*

choinne agus dh'iarr sé cabhair air agus thug sé tistiún do. Dhá thistiún de bharra a shaoil a bhí ansan aige agus is gairid ina dhiaidh gur tháinig fear bocht eile suas agus dh'iarr sé cabhair air agus thug sé tistiún eile dho.

"*Well*, anois," arsa sé nuair a thug sé an tistiún do, "tabharfaidh mise trí achainí a loirgeoidh tú orm, geobhaidh tú iad."

"An chéad achainí athá uamsa anois," arsa sé leis an bhfear bocht, "aon rud a raghaidh isteach sa mhála san gan é a theacht amach go brách go maith liomsa é a ligint amach as; agus an tara achainí," arsa sé, "airgead a bheith im phóca gach aon uair a chuirfidh mé mo láimh ann."

"Geobhaidh tú san," arsaigh an fear bocht ag imeacht leis agus dh'imigh *Jacky* leis an bóthar soir agus an bóthar siar.

Bhí sé ag imeacht leis ansan gur chuaigh sé go dtí áirse a bhí as cheann drochaid, agus bhí fear ina sheasamh in airde ar an áirse agus cos leis ar gach taobh de agus an bóthar ar fad tóigthe suas aige.

"*Well*," arsaigh Seáinín an Mhearathail leis, "is mór an fear tú."

"Is mór," arsa sé. "Geobhainn mé fhéin a dhéanadh mór agus beag nuair a dh'oirfidh sé dhom.

"Bíodh geall," arsaigh Seáinín, "ná faighidh tú tú fhéin a dhéanadh chún[18] beag agus go raghaidh tú isteach san mála so."

"Oscail an mála," arsa sé.

Dh'oscail Seáinín an mála agus chuaigh sé de léim isteach san mála is dhún Seáinín an mála is bhuail sé chuige ar a dhrom é. Nuair a thriall sé dtí eathla feirmeora bhí triúr fear ag bualadh ar an eathla le súisteanna.

"*Well*, thá an diabhal thiar orm," arsaigh Seáinín. "'Á mbuailfeadh sibh ráis orm a bhogfadh dom é. Thá mo dhrom millte aige.

"Caith anso chughainn é," a dúraíodar.

Chaith sé chuchu ar an eathla é agus bhíodar ag góilt air go raibh an triúr acu cortha traochta ó bheith ag góilt air. Nuair a bhí an triúr acu cortha aige bhuail sé chuige ar a dhrom é is dh'imigh sé leis aríst chun bóthair. Agus nuair a bhí an oíche ag teacht air chonaic sé solas beag sa sliabh agus thriall sé ar an solas, agus bean bhocht a bhí istigh in bothán ann agus leanbh aici, agus dh'iarr sé iostas na hoíche uirthi.

"*Well*," arsa sí, "'á mbeadh m'fhear t'réis teacht óna lá oibre tá mé siúráilte go bhfaightheá agus fáilte, iostas na hoíche," arsa sí, "ach níor tháinig sé ón obair fós," arsa sí. Más maith leat fuireach go dtiocfaidh sé," arsa sí, "thá mé siúráilte ná beidh sé i bhfad."

Shuigh sé is dh'fhan sé agus nuair ná raibh sé ag teacht …

18. .i. *chomh*

"Bhfuil suipéar agat roimh[19] d'fhear[20] nuair a thiocfaidh sé," arsa sé, "tobac agus píopa?"

"Nín mhuise," arsa sí, "dada againn-ne anso ach an dealús."

"Coinnigh d'aprún dom," arsa sé.

Bheir sí ar dhá chúinne an aprúin is do choinnigh sí é is dh'fhan sé ag caitheamh airgid isteach ina haprún go raibh sí cortha aige.

"'Mi'[21] leat go dtí an siopa anois," arsa sé, "agus faigh[22] na' haon rud a dh'oirfidh dod fhear agus dod pháistí," arsa sé.

Dh'imigh sí léithe agus bhí a fear ag teacht ina coinne agus le dalladh an airgid ní dh'aithin sí a fear.

Nuair a tháinig fear an tí isteach bhí sé istigh roimhe[23] is dh'fhiarthaigh sé de an bhfeacaigh sé a bhean.

"Thá sí imithe dtí an siopa," arsaigh Seáinín, "fé dhéin gach aon rud a dh'oireann don tigh agus tobac agus píopa dhuit. B'fhé' go mb'fhearr duit dul ina coinne," arsa sé," agus í a luathú abhaile. Fanfaidh mise i bhfochair na leanaí. Cimeád do hata dom," arsa sé.

Chaith sé ceathair nó cúig de ladharacha eile airgid isteach sa hata chuige sin agus dh'imigh sé leis i gcoinne a mhná. Agus is gairid a bhíodar nuair a tháiníodar abhaile agus dheineadar suipéar breá compórdach. Nuair a bhí an suipéar caite dheineadar leaba dho Sheáinín ar thaobh an tí agus is gairid a bhíodar ina gcodladh nuair a dúirt an bhean lena fear:

"N'fheadar," arsa sí, "cad tá sa mála aige.

"Nách cuma dhuit cad tá sa mála anois aige," arsaigh a fear léi, "thá rud maith déanta aige dhuit."

Nuair ab am léithe Seáinín agus a fear a bheith ina gcodladh dh'éirigh sí amach as an leaba agus chuaigh sí dtí an mála agus bhain sí an córda den mála. Chuir an diabhal a lámh amach as an mála is scoith sé an ceann di. Nuair a bhí an ceann di ansan agus í ina 'colann gan ceann' i lár an tí dh'éirigh Seáinín agus dh'éirigh a fear …

"Cabhair Dé chughainn," arsaigh a fear, "cad tá le déanadh anois againn?"

"Níl aon rud le déanadh anois agat," arsaigh Seáinín," ach do thoil a chuir le toil Dé agus aire a thabhairt dos na leanaí agus tabharfaidh mise mo lán-chúna dhuit agus an rud athá déanta níl aon fháil ar é a leigheas."

Bhí tórramh brónach ansan acu agus sochraid shúgach. Tháiníodar araon abhaile ar meisce ón tsochraid nuair a bhí sí curtha acu.

19. Ls. *ragha*
20. Ls. *t-fhear* /tar/
21. i. *imigh*
22. Ls. *foig* /fig´/
23. Ls. *ragha*

Dhá bhliain a mhair an t-athair ansan i bhfochair na leanaí, agus nuair a fuair sé bás chuir Seáinín aríst é agus is gairid a bhí an t-athair curtha aige nuair a chuaigh sé dtí bean dos na comharsain a bhí gairid do agus thug sé roinnt airgid di as an dá leanbh a thóigint.

Dhá bhliain a mhair Seáinín as dia' an athar agus nuair a fuair sé bás ní ligfeadh Peadar isteach is na Flaithis é. Agus nuair a chonaic an diabhal ag teacht ag triall ar Ifreann é dúirt sé leis na diabhail na doirse go léir a dhúnadh. Ar imeacht do ó Ifreann ansan thug an diabhal lantréil[24] do agus thug sé oiread[25] san aimsire ar an saol so ansan ag cuir na ndaoine amú. Agus nuair a bhí a théarma caite ansan aige fuair sé bás i bhfothrach i gCiarraí agus sin é an áit a fuaireag an chéad lantréil.

Sin é mo scéalsa is má thá bréag ann bíodh.

Bhí a leithéid sin ann siúráilte. Dh'airínnse gach einne á rá fadó go mbíodh sé ag cuir na ndaoine amú san oíche.

4. Ministir na Feadaíola

Bhí ministir fadó ann go dtugaidís Ministir na Feadaíola air agus sé rialacha a bhí ina thigh ach einne a gheobhadh aon locht air fhéin ná ar a thigh ná ar a bhean, aon tseirbhíseach, an chluais ón cheann a bhaint de agus iall agus a leath de chnámh a dhroma a ligint leis abhaile. Agus bhí feirmeoir beag le n-ais go raibh triúrar[26] mac aige agus fuair a n-athair bás gan aon uacht a dhéanadh, agus theastaigh ón mac ba shine pósadh ansan agus ní bheadh an bheirt eile sásta. Dúirt sé go raghadh sé fhéin amach sa saol mar sin agus chuaigh. Dh'imigh sé leis gur tháinig sé chomh fada le Ministir na Feadaíola agus dh'iarr sé obair air. Dúirt sé leis go dtabharfadh.

"Ach tá fhios agat mo chuid rialacha anois," arsa sé, "einne a gheobhaidh aon locht ormsa ná ar mo bhean ná ar m'áit ná ar mo thigh thá an chluais le baint ón cheann de agus iall agus a leath de chnámh a dhroma agus é a ligint abhaile."

"Thá mé sásta," arsa sé.

Chuaigh sé ag obair ar maidin Dé Luain agus tháinig am broiceaist agus níor ghlaoigh einne chun broiceaist air. Tháinig am dinnéir agus níor ghlaoigh einne chun dinnéir air, agus nuair a tháiníog ag glaoch air chun greim éigin a thabhairt le n-ithe dho dúirt sé gurbh fhada an céalacan é. Agus 'e cheann go bhfuair sé an méid sin locht ar an áit bhaineag an chluais ón cheann de agus iall agus a leath de chnámh a dhroma agus ligeag abhaile é.

"*Well*, tá sé chomh maith dhomhsa[27] imeacht anois," arsaigh an tara mac," agus m'fhoirtiún a throid.

24. Ls. *lannturéil* /launtəre:l´/
25. Ls. *arud*
26. Ls. *triúra*
27. Ls. *dhû-sa* /ɣu:sə/ – bíonn an *u* fada i gcónaí sa bhfocal seo i gcanúint na Rinne.

Dh'imigh sé leis agus thriall sé go dtí Ministir na Feadaíola aríst agus dhein sé an margadh céanna.

Chuireag isteach insa scioból ag bualadh chruithneachta aríst é, agus tháinig am broiceaist agus níor ghlaog air, agus tháinig am dinnéir agus níor ghlaog air. Dúirt sé gurbh fhada an céalacan é. Bhaineag an chluais ón cheann de agus iall agus a leath de chnámh a dhroma agus ligeag abhaile é. Nuair a thriall sé abhaile go dtí an bheirt dritheár:

"Ó, go bhféacha Dia oraibhse dul amach sa saol!" arsaigh an fear óg. "Imeoidh mise anois," arsa sé, "agus ní bhainfidh dom mar thá bainte díbhse."

Dh'imigh sé leis agus chuaigh sé dtí Ministir na Feadaíola. Agus nuair a bhí-odar ag socrú:

"*Well*," arsaigh an mac ab óige, "má thugaimse an greim sin duitse an dtabhar-faidh tusa an greim chéanna dhomhsa ort, má gheibheann tú aon locht orm, an rud céanna a dhéanadh leat?"

"Tá mé sásta," arsaigh an ministir.

Chuaigh sé isteach sa scioból ar maidin Dé Luain agus ní raibh einne ag glaoch air agus fé a raibh an ministir ina shuí bhí dhá mhála cruithneachtan imithe chun siúil aige agus díoltha i ganfhios d'einne. Agus nuair a fuair sé greim bhí sé bog orthu mar bhí luathghreim aige féin agus ar maidin dar ná mháireach bhí mála eile aige agus bhí sé fhéin agus máthair an mhinistir ansan éirithe chun a chéile. Ach, más ea, ní bhfuair sé aon locht uirthi ach bhídís ag troid. Dúirt an ministir le ceann des na buachaillí ar maidin a rá leis na cuíreacha[28] a bhaint ós na caoire – na cosa a bhaint ós na caoire. Bhí bóithrín ag teacht ón bhfeirm isteach go dtí an tigh, ag dul amach go dtí an bhfeirm a bhí ar an taobh eile dhen tigh.

"'Bhfuil tú siúráilte," arsa sé, "gob é sin a dúirt sé – na cosa a bhaint ós na caoire?"

"Ó tháim," arsaigh an teachtaire.

Thug sé leis mileog agus í faobharaithe agus sheasaigh sé in lár an bhóithrín.

"Sea, scaoil chughamsa anois iad," arsa sé.

Scaoileag na caoire chuige treasna an bhóithrín ó fheirm go dtí feirm eile agus fé mar a bhíodh na caoire ag imeacht thairis[29] thugadh sé fúthu leis an mileog is bhaineadh sé dhá chois de cheann is bhaineadh sé cois de cheann eile. Agus nuair a éirigh an ministir bhí formhór na gcaoire caillthe aige agus ní ligfeadh eagla dhon ministir aon locht a dh'fháil air.

Nuair a tháinig an oíche dúirt a bhean leis an ministir …

"Thá obair do shaoil anois agat," arsa sí, "scarúint leis agus níl aon rud le

28. i. cuibhreacha /ki:rˊəxə/ .i. ceangal ón gcos tosaigh ar chlé go dtí an cos deiridh ar dheis (feic Breatnach, *Seana-Chaint II,* lch. 127 s.v. *cuíreach*)
29. Ls. *theiris*

déanadh agat leis anois," arsa sí, "ach cuir ag aodhaireacht na muc amáireach é, agus abair leis bearna a bhriseadh isteach ar chuid na ngaiscíoch agus nuair a gheobhaidh na gaiscígh istigh é maróidh siad é is ní bheidh a thuilleadh mar gheall air."

Ar maidin dar ná mháireach nuair a bhí a bhriocast ite aige dúirt an ministir leis na muca a scaoileadh síos ina leithéid seo dh'áit agus bearna a dh'oscailt isteach ina leithéid sin de chlaí agus iad a dh'aodhaireacht go n-imeodh an lá. Agus bhí sé ag eisteacht leis an mbean agus leis an ministir ag cuir síos ar cad a bhí déanta an oíche sin fé a chuaigh sé a chodladh. Thug sé leis dhá ghoile caereach agus nuair a bhíodar imithe a chodladh bheirigh sé dhá cháirt bainne géir agus dhein sé gruth agus meadhg agus líon sé gach goile le gruth agus meadhg.

Nuair a scaoil sé na muca isteach ar chuid na ngaiscíoch dar ná mháíreach dh'imigh sé agus chuaigh sé in airde in crann agus tháinig an gaiscíoch is chonaic sé na muca istigh ar a chuid. Dh'imigh sé fiain thimpeall fhéachaint cé lig isteach iad. Bhí an buachaill in airde in chrann. Tháinig sé thíos féna bhun.

"Tair anuas a spriosáin," arsa sé, "go stracfaidh mé as a chéile thú."

"Dheara, bíodh suaimhneas ort a mhic ó," arsaigh mac an fheirmeora. "Cad a dhein tú riamh ná déanfadh fear eile?"

"Dhéanfainn," arsa sé "dh'fháiscfinn meadhg amach as an clocha breaca san ansan," arsa sé.

"Sea, dein," arsa sé, "go bhfeiceoidh mé thú."

Bheir an gaiscíoch ar an gcloch agus dh'fháisc sé meadhg amach as an gcloch.

"Sea, cuir aníos chughamsa anois í," arsaigh mac an fheirmeora.

Chuir sé in airde chuige í agus bhí an goile lán de ghruth is de mheadhg 'dir a léine is a chroiceann aige. Chuir sé an chloch isteach lena ucht. Dh'fháisc sé an chloch gur bhris sé an goile anuas le gruth agus le meadhg insa mbéal ar an ngaiscíoch.

"Dhera dé mhaith dhuitse bheith im choinne," arsa sé, "sin gruth agus meadhg bainte aisti."

Tháinig eagla ar an ngaiscíoch agus dúirt sé leis fhéin gob fhearra dho déanadh suas leis, go mb'fhéidir 'á gcuirfeadh sé chuige go mbeadh sé ró-mhaith dh'fhear do. Thug sé abhaile dtína mháthair é agus bhí an chuid eile dhes na gaiscígh curtha ach é fhéin agus a mháthair a bhí ag maireachtain insa ti' móir. Agus nuair a chuadar abhaile dúirt a mháthair go raibh crúsca uisce uaithi.

"Bhfuil an tobar i bhfad uaibh?" a dúirt mac an fheirmeora.

"Níl," arsaigh a mháthair.

"Bhfuil aon chró agat?" arsa sé leis an ngaiscíoch.

"Thá," arsaigh an gaiscíoch.

"Tabhair dom an cró," arsa sé.

Chuaigh an gaiscíoch is thug sé an cró dho is dh'imíodar araon dtí an tobar agus nuair a bhí an crúsca lán ag an tobar aige:

"*Well*, a mhic ó," arsa mac an fheirmeora leis, "is mór an t-amadán tusa."

Tháinig sé ar thaobh dhen tobar agus dhein sé poll leis an gcró síos, poll maith doimhin, agus nuair a bhí sé déanta aige chuaigh sé ar an taobh eile dhen tobar agus dhein sé poll eile.

"Sea, hocum anois tú," arsa sé leis an ngaiscíoch. "Cuir do lámh síos ansan is beir ar an tobar im choinne," arsa sé, "go dtabharfaimid an tobar abhaile dtí do mháthair in éamais a bheith ag tarraint uisce mar seo."

"Ó, Dia lem anam," arsaigh an gaiscíoch, "conas a thabharfaimíst abhaile an tobar?"

"Cuir do lámh síos sa pholl san im choinne," arsa sé, "agus nuair a bheidh do láimh thíos dún do dhorn," arsa sé, "agus tógfaimid an tobar eadrainn is tabharfaimid abhaile go dtí an tigh é."

"Ó, Dia lem anam," arsaigh an gaiscíoch," ní bhfaightheá é sin a dhéanadh."

"Gheobhaidh mé," arsa é sin. "Cuir síos do láimh im choinne is tabharfaimid linn abhaile é."

"Ó, siúil leat. Siúil leat," arsaigh an fathaíoch.

Chuadar abhaile dtí an mháthair agus nuair a chuadar abhaile bhí beart tine uaithi agus bhí coill ag fás ar chnocán a bhí as ceann an tí agus dh'imíodar leo fé dhéin an bhrosna. Nuair a sheasaíodar fé bhun na coille:

"*Well*, a mhic ó," arsa mac an fheirmeora," thá buaite agatsa ar fad," arsa sé. "Cuir do láimh amach anois," arsa sé, "agus beir ar an gcrann san," arsa sé, "ar an taobh thoir ansan, agus raghadsa dtí an chrann thiar agus tarraingeoimid ar an dá chrann," arsa sé, "agus ardóimid an choill ón dtaobh thiar," arsa sé, "go dtitfidh a deireadh sa mbaile – í a thógaint as a pnéaca[30] agus gan a bheith ag féachaint mar seo is ag tarraint beart gach aon lá."

"Ó, Dia le m'anam," arsaigh an gaiscíoch, "conas a dhéanthá é sin?"

"Déanfaidh mé," arsa sé. "Beir ar an gcrann im choinne is tóigfimid an choill ón taobh san is titfidh sí anuas sa mbaile."

"Ó, siúil leat. Siúil leat," arsa sé.

Dh'imíodar leo abhaile agus sé rud a bhí beirithe age'n máthair rompu ná praiseach min tíortha agus í ag fiuchadh. Nuair a chonac mac an fheirmeora cad a bhí beirithe fuair sé an goile eile caereach a bhí lán de ghruth is de mheadhg aige agus chuir sé isteach ar a bholg 'dir a léine agus a chroiceann é. Agus bheir sé ar an gcáirt a bhí as a choinne is bhí sé á hól is dhoirt sé síos insa ngoile é.

30. Ls. *pnéucha* – cuireann R.B. Breatnach an fuaimniú /p´n´iakə/ i leith M.Dh. (Breatnach, *Seana-Chaint II,* lch. 323 s.v. *pnéac*)

Bheir an gaiscíoch – nuair a chonaic sé go raibh sí óltha aige – bheir sé ar an gcárt is chaith sé siar í is scallag é.

"Ó," arsaigh mac an fheirmeora ag breith ar an scian is á hoscailt, "sáigh tú fhéin go mear," arsa sé, "nó beidh tú loiscithe aici," – ag tabhairt an scian don ngoile a bhí lán di aige fhéin is á scaoileadh amach ar lár an úrláir aríst.

Ní dhein an gaiscíoch ach breith ar an scian is é fhéin a shá. Cailleag ar an áit sin é agus nuair a chonaic a mháthair cad a thit amach fuair sí bás obann ar an úrlár ina fhochair.

Bhí beirt acu imithe ansan uaidh agus thóg sé fhéin suas an áit. Ní raibh aon ghaiscíoch eile ann chun é a thógaint suas – bhíodar go léir imithe.

Bhí, pé duine ba shaibhre a bhí ar an áit, bhí iníon le dul gach aon trí ráithe[31] go dtí an tráigh chun a bheith ite age ainmhíneach éigin a thagadh ón bhfarraige isteach. Agus chaithfeadh sí dul ann pé acu ba mhaith léithe é nó nár mhaith. Bhí ceann de chapaill na ngaiscíoch age'n mbuachaill ag góil thimpeall ansan gach aon lá agus é á mharcaíocht go dtí gur tháinig an lá gur chuaigh iníon an mhéara a bhí ar an áit go dtí an tráigh chun bheith ite age'n ainmhíneach fiain. Nuair a bhí sí ina suí ar an tráigh dh'imigh sé leis agus bhí sé siar agus aniar an tráigh thóirsti gur tháinig an t-ainmhíneach, agus nuair a tháinig níor dhein sé ach é a bhualadh le snaidhm[32] den chlaidheamh[33] anuas as an diallait agus é a mharú agus thug sé slán an cailín.

Ní raibh aon aithne age'n chailín chuigin ansan air, agus nuair a chuaigh sí abhaile slán dtína hathair dh'fhiarthaigh a hathair di an bhfaigheadh sí a dh'aithint cén fear a thug saor í. Dúirt sí ná faigheadh nach gur dhóigh léithe 'á bhfeiceodh sí aríst é go n-aithneodh sí é.

"*Well*, cuirfimid cuireadh dinnéir amach go dtí ár ríocht go léir anois," arsa sé, "agus gheobhaidh tú seasamh insa doras," arsa sé "agus gach a dtiocfaidh," arsa sé, "deoch a thabhairt do gach einne," arsa sé, "a thiocfaidh isteach, agus má dh'aithníonn tú é," arsa sé, "gheobhaidh tú é a stad."

Tháinig lá an dinnéir agus bhíodar ag teacht anoir agus ag teacht aniar aduaidh agus aneas féachaint cé acu fhéin a dtitfeadh an cailín breá leothu. Agus pé cóiriú a bhí riamh roimhe[34] sin ar mhac an fheirmeora chóirigh sé é fhéin mí-ámharach ceart an lá san agus dh'imigh sé leis go dtí an dinnéar.[35] Ní raibh uaidh é a dh'aithint a chuigin ach ar shon ná tabharfadh sé le rá dos na daoine ná raghadh sé ann.

31. Ls. *reátha* /r´ɑ:hə/
32. Cf. Breatnach, *Seana-Chaint II*, lch. 366 s.v. *snaidhm – tharraing sé le cúpala s. mhillteach ar a' gcapall.*
33. /xlaiv/ .i. *chlaidheamh*
34. Ls. *ragha*
35. Ls. *pósadh*

Bhí sí ina seasamh sa doras agus úll óir ar liobarna as a hucht, agus clog ar liobarna as a láimh, agus gloine aici agus í ag traeteáil d'ré' mar a bhíodar ag teacht. Nuair a tháinig sé go dtí an doras dh'fhéach sí air. Bhuail an clog a bhí ar a cuisle agus stad sí é agus dh'airigh an t-athair an clog ag bualadh agus chuaigh sé go dtí í. Dh'fhiarthaigh sé dhi ab í fhéin a bhuail an clog. Dúirt sí nach í.

"An bhain aon rud leat?" a dúirt an t-athair, "do bhuailfeadh an clog?"

"Níor bhain," a dúirt sí.

"*Well*, an bhfuil aon tuairim agat tabhartha anois don méid athá t'réis theacht," arsa sé, "cé hé an fear a dh'úinsigh ón bhfarraige thú?"

"*Well*, an fear athá as mo choinne."

Phósag é fhéin agus í fhéin agus bhí páistí ina ndosaeiní acu agus dhíoladar ina gciseáin iad. Sin é mo scéalsa agus má thá bréag ann bíodh.

Ó Sheán Ó Muiríosa ina chónaí sa Móin Fhinn [a chuala mé an scéal seo]. Saor chloiche ba dh'ea é agus scéalaí maith. Bhíodh go leor daoine ag eisteacht leis. Bhí sé mallaithe agus bruíontach agus a bholg lán de dhlí. Ó age tórramh (a bhíodh sé ag scéalaíocht), nó age cuileachta age tinteán is ea a bheadh sé ag seanchas na scéalta. Iarrfaí air scéal a rá.

5. Rí Sacsan

Bhíodh rámhainn agus sclábhaithe ar shráid Dhonn Garbhán fadó agus tháinig Ciarraíoch … shin é an chéad rámhann a chonaic mise a tháinig ó Chiarraí – fear des na Ruiséalaigh a raibh sí aige – tháinig sé go Baile Uí Churraoin ag baint phrátaí – bhí naonúr againn ag baint. Agus bhí sé ag insint scéil dom mar gheall ar shaighdiúr a bhí fadó ann agus nuair a bhí a théarma caite aige ligeag amach é gan phingin ná raol. Agus chuir sé mar gheasa air fhéin nuair a bhí sé á dh'fhágaint ná codlódh sé an tara hoíche ar aon leaba agus ná híosfadh sé an tara méile bí' ar aon bhord go mbainfeadh sé sásamh de [Rí Sacsan].

Chuaigh sé abhaile go dtína mháthair agus dh'fhág sé slán aici agus dh'imigh sé leis tríd an tír. Ach is gairid a bhí sé ag imeacht nuair a chasag seacht muileann gaoithe leis agus iad ag casadh chomh mear le gaoth. Thug sé tamall ag féachaint orthu agus b'ait leis cad a bhí á gcuir ag obair. Is gairid uathu a chuaigh sé nuair a chonaic sé fear ina sheasamh ar lár páirce agus a mhéir ar thaobh dá chaincín aige agus é ag séideadh ghaoithe as an taobh eile.

"An miste dhom a dh'fhiarthaí dhíot," arsa sé, "cad athá tú a dhéanadh mar sin?"

"Ní miste mhuis," arsa sé. "Ar chasag aon seacht muileann gaoithe leat?"

"Chasag," arsa sé.

"*Well*, mise athá á gcuir sin ag obair," arsa sé.

"*Well*, 'á dtiocthá liom," arsa sé, "dhéanfaimís go maith sa saol."

"Raghad mhuis," arsa sé.

Dh'imíodar leothu agus is gairid a chuadar nuair a chasag fear eile orthu agus a hata ina lámh aige agus é ag féachaint in airde ar an aer.

"An miste dhom a dh'fhiarthaí dhíot," arsa sé, "cad athá tú a dhéanamh ansan?"

"Ní miste," arsa sé. "Mise a thug an sioc don domhan go léir," arsa sé, "agus nuair a bhainim díom mo hata," arsa sé, "bíonn aimsir bhreá againn, agus nuair a chuirim ar mo leathcheann é bíonn sioc liath againn, agus nuair a chuirim ar lár mo chinn é bíonn sioc dubh againn a cheanglódh an domhan den talamh."

"'Á dtiocthá liom," arsa sé, "dhéanfaimís go maith sa saol."

"Raghad mhuise," arsa sé.

Dh'imíodar leo agus is gairid a chuadar nuair a chasag fear eile orthu, agus gloine aige agus é ag féachaint tríd an ngloine.

"An miste dhom a dh'fhiarthaí dhíot," arsa sé, "cad athá tú a dhéanadh anso?"

"Ní miste," arsa sé. "Tháim ag faire ar phroimpeallán athá ar an gcnoc úd thall athá céad míle uainn agus thá sé ag éaló ar shiongán chun é a mharú."

"*Well*, 'á dtiocthá liom," arsa sé, "dhéanfaimís go maith sa saol."

"Raghad mhuise." arsa sé.

Dh'imíodar leo agus is gairid a chuadar nuair a chasag fear orthu agus gunna aige agus é ar a leathghlúin ag tógain[t] aimsiú.

"An miste dhom a dh'fhiarthaí dhíot," arsa sé, "cad athá tú a dhéanadh ansan?"

"Ní miste," arsa sé. Thá mé chun an tsúil a bhaint as phroimpeallán athá ar an gcnocán san thall," arsa sé, "agus gan é a mharú."

"'Á dtiocthá liom dhéanfaimís go maith sa saol," arsa sé.

"Raghad mhuis," arsa sé.

Dh'imíodar leo agus is gairid a chuadar nuair a chuadar a dh'iarracht ar choill.[36] Agus bhí fear istigh sa choill agus slabhra iarainn aige agus é ag stracadh chrainn as a bpnéaca agus é á dtabhairt … ag tabhairt brosna abhaile go dtína mháthair. Dh'fhiarthaigh sé dhe cad a bhí sé a dhéanadh. Dúirt sé go b'idé mar a dhéanadh sé tine a chumhad lena mháthair – lá sa mbliain a thabhairt ag tarraint adhmaid chuichi.

"'Á dtiocthá liom dhéanfaimís go maith sa saol," arsa sé.

"Raghad mhuis," arsa sé.

Dh'imíodar leo agus is gairid gur chasag fear orthu agus a chois de agus cois eile air, agus a chois leagaithe lena ais.

"An miste dhom a dh'fhiarthaí dhíot," arsaigh an saighdiúir, "cad athá tú a dhéanadh mar sin."

36. .i. i dtreo coille [feic Breatnach, *Seana-Chaint II,* lch. 240, s.v. *iarracht*]

"Ní miste," arsa sé.

"Beirimse ar an ngaoth athá romham agus ní bhéarfadh an ghaoth athá im dhiaidh orm nuair a chuirim an chois orm fhéin, agus nuair a bhíonn uam stad caithim í a bhaint díom."

"'Á dtiocthá liom," arsa sé, "dhéanfaimís go maith sa saol."

"Raghad mhuis," arsa sé.

"*Well*, thá na fearaibh is toite sa saol anois agam," arsa sé, "agus raghaidh mé agus bainfidh mé sásamh den Rí a lig amach gan mhaith mé."

Dh'imíodar leo agus nuair a tháiníodar dtí an Rí dh'iarr an Rí socrú. Agus sé an socrú a thug sé dho nach cupán airgid a thabhairt do – don bhfear a bhí aige fhéin – agus cupán airgid a thabhairt do fear na leathchoise, agus dul go dtí tobar a bhí seacht míle uathu agus pé acu is túisce a bheadh thar n-ais leis an gcupán uisce gan aon deor a bheith doirtithe as, ach é a bheith leibhéalta nuair a thiocfaidís, an fear is túisce a bheadh ann, an lá a bheith aige agus gan a thuilleadh a bheith mar gheall air.

Dúirt sé go raibh sé sásta.

Dh'imíodar araon leis an dá chupán agus bhí fear na leathchoise, bhí sé ag teacht abhaile ina choinne leath-slí, agus nuair a chonaic sé an teadhall a bhí aige leag sé a cheann ar seana-cheann chapaill a bhí in lár na páirce agus leag sé a chupán lena ais.

Nuair a bhí an fear eile ag casadh ón tobar bhí sé ina chodladh. Bheir sé ar a chupán agus dhoirt sé é. Agus nuair a dh'fhéach fear an ghloine tríd an ngloine chonaic sé ina chodladh é. 'Nis sé dhon bhfoghlaeir é. Chuaigh an foghlaeir go bhfuair sé radharc air agus chaith sé ruchar agus bhris sé ceann an chapaill féna chluais agus dhúisigh sé é. Dh'imigh sé leis go dtí an tobar thar n-ais agus bhí sé sa mbaile roimhig[37] aríst agus an cupán uisce aige.

Sé socrú a dhein sé leis an Rí ansan nach an méid óir a gheobhadh an fear is láidre a bhí aige a thabhairt leis, go raibh sé sásta ar é a thabhairt do.

Chuir sé fear go dtí an mbaile mór fé dhéin cheithre fichid seithe leathair, cheithre fichid bannda iarainn agus a gcuid tiocóidí.[38] Chuir sé fear dtí an cheárta ar feadh hocht lá ag déanadh mála, agus nuair a bhí an mála déanta aige tháinig sé go dtí an Rí agus (líonag ...) chuireag an méid óir a bhí age'n Rí isteach sa mála agus ní raibh leath an mhála lán.

"*Well*, b'olc an triail uait é," arsa ceann dá chuid fear leis an Rí. "'Á mb'áil leat cuireadh dinnéir a thabhairt anois dóibh fhéin dh'imeoidís; agus iad a chuir in airde ar an lochta mhiotail sin ansan," arsa sé, "agus na doirse a dhúnadh; agus nuair a bheidís ag ithe, tine a lasadh fén lochta agus iad a dhó in airde," arsa sé, "níor ghá dhuit scarúint led chuid óir."

37. /raig´/ i. *roimhe*

38. /t´i'ko:d´i:/ .i. *seamaí* – feic Breatnach, *Seana-Chaint II,* lch. 398 s.v. *tiocóid*

"Is maith an rud le déanadh é," arsaigh an Rí.

Chuireag in airde ar an lochta iad agus fuaireadar dinnéar breá, agus nuair a fuaireag in airde iad bhuaileag na glais ar na doirse agus dh'aidhneag an tine fúthu, agus ba ghairid go raibh fear ag allas agus fear á dhó.

Dh'éirigh fear an tseaca agus chuir sé a hata ar lár a chinn, agus nuair a shíleadar iad a bheith dóite, nuair a tháiníodar dtí an lochta bhí singirlíní seaca ar liobarna as gach aon rud agus gach einne beo glórmhar. Chaitheag na doirse a dh'oscailt agus iad a scaoileadh amach. Agus nuair a bhíodar ag imeacht agus an t-ór acu, tamall ón tigh, bhí an Rí agus a chamtha ag féachaint ina ndiaidh.

Dh'iompaigh an fear … na gaoithe siar agus leog sé a mhéir ar pholl a chaincín agus shéid sé as a radharc iad, agus n'fheacaíodar a chéile ó shoin ná n'fheicfid go brách aríst mara bhfeiceoidh siad a chéile ar an saol eile, go ndéana Dia grásta is trócaire orthu, is shin é mo scéalsa is má thá bréag ann bíodh.

6. Radal Ó Dála

Bhí garsún bocht fadó ann a dtugaidís Radal Ó Dála air, gan athair ná máthair agus é óg, agus chuaigh sé go dtí feirmeoir ag aodhaireacht bha. Théadh sé amach leis na ba ar maidin agus isteach istoíche agus tháinig sé isteach oíche agus dh'fhan sé aige cois na tine i bhfochair a mhaighistir. Agus bhí sé ag seanchas don maighistir ar iontas a chonaic sé amuigh insa pháirc inniu. Dh'fhiarthaigh an maighistir de dén t-iontas a chonaic sé, agus dúirt sé go bhfeaca sé datach[39] as tor luachra in lár na páirce.

"*Well*," arsaigh an maighistir leis, "[nuair] a raghaidh tú amach amáireach anois," arsa sé, "tabhair fé ndeara an bhó a dh'íosfaidh an chéad ghreim as an tor luachra a bhfeaca tú an datach as. Agus nuair a thiocfaidh tú isteach tabhair an chéad phigín dona cuid bainne dhomhsa agus bíodh an tara pigín agat fhéin. Chuaigh sé amach ar maidin leis na ba, agus nuair a tháinig sé isteach ar cheann na hoíche chrúigh sé an bhó agus dh'ól sé fhéin an chéad phigín den mbainne agus thug sé an tara pigín don maighistir. Chuaigh sé amach leis na ba dar ná mháireach agus tháinig sé isteach agus criathar déanta dhen luachair aige. Tháinig sé isteach anurathar agus bodhrán déanta dhe chroiceann giorré aige. Chonaic sé go raibh rud éigint aige ansan agus dh'imigh sé leis ón bhfeirmeoir agus chuaigh sé go dtí áit a raibh long á déanadh agus dh'iarr sé obair ar an maighistir a bhí thimpeall ar an long. Agus dúirt an maighistir leis – thug sé tua dho agus cipín – agus dúirt sé leis bolta a dhéanadh dhon pholl a bhí an fear san a bhí in airde i gcliathán an árthaigh a dhéanadh.

"Cad air a leagfaidh mé é?" arsaigh Radal. "Cad air a leagfaidh mé an cipín chun é a dh'ullú?" arsaigh Radal.

39. /dəˈtax/

"Leag ar an gcloch é," arsa sé – ag magadh fé a bhí sé. Ní dhein an garsún ach a cheosúr póca a thógaint as a phóca agus an ceosúr a leagaint ar a gcloch agus an pionna a leagaint ar an gceosúr, agus dh'oibrigh sé an pionna gan baint leis an gceosúr leis an tua. Agus nuair a bhí an cipín ullamh aige labhair sé leis an bhfear a bhí in airde ar chliathán an long:

"'Bhfuil tú réidh ansan?" arsa sé.

"Thá mé," arsaigh an fear a bhí ag déanadh an pholl tarachair.

"Fan amach as san," arsa sé.

Bhrúigh sé amach uaidh agus chuir sé … chuir sé ar a shúil mar sin é gur bhuail sé le buille dho chúl na tua é is chuir sé dtí an mbun sa poll é a bhí sé a dhéanadh in airde agus dh'imigh sé leis aríst – 'cheann a ráite go rabhag ag magadh fé.

Chuaigh sé go dtí áit go raibh cúirt á déanadh ansan agus dh'iarr sé obair ann agus de dheasca é bheith ag féachaint óg agus gan aon dealradh[40] a bheith air bhí gach einne ag baint iarracht mhaga' as. Dh'iarr sé obair ansan agus dúirt an … bhíodar ag dul dtína ndinnéar agus fuair sé an obair agus dh'fhiarthaigh sé dhen bhfear – dhen mhaighistir a bhí ag dul dtína dhinnéar:

"Cad a bheidh mé a dhéanadh go gcasfadh sibh?"

"Déan cat is dá eireaball," arsaigh an maighistir.

Nuair a tháiníodar óna ndinnéar bhí an cat agus dá eireaball tarraingthe amach ar an bpiléar aige agus é imithe aríst.

Chuaigh sé isteach go dtí an mbaile mór ansan is dh'airigh sé trácht ar ghréasaí, a raibh ana-thrácht air chun bróga a dhéanadh, a bhí sa mbaile mór. Agus chuaigh sé go dtí é agus dh'iarr sé obair air. Dúirt sé go dtabharfadh is fáilte. Bhí sé ag déanadh peidhre bróg d'iníon an mhéara a bhí sa mbaile mór – bhí an gréasaí – bhí sé á gcuir ar na cip.

"*Well*," arsaigh Radal 'á dtabharfá an bhróig dheas domhsa anois," arsa sé, "agus an ceann clé a bheith agat fhéin an mbeifeá sásta?"

"Beidh mé," arsaigh an maighistir.

Dhein Radal an bhróig dheas agus dhein an maighistir an bhróig chlé, agus nuair a chuaigh na bróga dtí an chailín déanta:

"*Well*, pé duine a dhein an bhróig seo," arsa sí, "caithfidh sé bróig a dhéanadh … bróga a dhéanadh dhomhsa ar leithli' i leith é fhéin."

Chuaigh scéala isteach dtí an mbaile mór, go dtí Radal go gcaithfeadh sé peidhre bróg a dhéanadh ar leithli'[41] dho iníon an mhéara. Dúirt sé ná faigheadh sé aon bhróig a dhéanadh dh'einne gan a toise a dh'fháilt.

Chuaigh sí isteach agus bhí sí ag tabhairt … thug sí a toise dho Radal agus bhí

40. /d´aurə/
41. /l´eh´ɪl´ɪ/ i. *leithligh*

ball searc ar Radal agus thit sí i ngrá leis ar an áit sin agus ní phósfadh sí aon fhear a bhí sa saol ach é.

Phósag í do ainneoin[42] a muintire agus nuair a bhí sí pósta chuaigh Radal isteach in 'Túr Dubh gan Solas' agus tháinig sé amach in hocht lá as an túr agus uaireadóir óir déanta aige. Agus dúirt sé, aon fhear a bhí ábaltha ar é sin a dhéanadh gur chóir ná móródh aon fhear a rugag a iníon air.

Bhí lá mór grinn insa mbaile mór ansan agus bhí liathróid á bualadh thar ti' na cúirte agus í … bheith roimpi[43] ar an taobh eile fiche babhta, gan í a ligint dtí an talamh. Bhuail Radal ó gach taobh í gan an talamh … gan a ligint di an talamh a threiseadh[44] ar aon taobh ar feadh babhta agus fiche.

Bhí trí léim gan stad, agus trí léim ard, agus léim thírithe á thabhairt ansan ann. Agus táilliúir an fear ab fhearr a bhí ar na trí léim gan stad, agus dúirt a bhean le Radal nuair a bhí an lá age'n táilliúir:

"Shíl mé," arsa sí, "go raibh fear agam chomh maith agus a bhí ar an domhan."

Nuair a dúirt sí an focal chuaigh Radal agus sheasaigh sé sa marc agus ghéarthaigh[45] sé an táilliúir de dhá léim, agus an trígiú léim dh'éirigh sé chomh hard agus nuair a thit sé ar an talamh dhein dhá leath ar a chroí – fuair sé bás.

Shin é an deireadh a bhí ar Radal Ó Dála agus an deireadh athá ar mo scéalsa anois.

7. An Leanbh agus an Fiolar

Do bhí duine uasal ann fadó agus bhí maor i mbun a chuid oibre. Bhí sé ag teacht aosta is bhí ceathrar mac ag an maor seo. Agus dúradar leo féin dá raghaidís ag obair ar feadh bliana amháin go dtuillfidís an oiread is a chimeádfadh an t-athair díomhaoin. Dh'imíodar leo agus chuadar go dtí Crosaire na gCeithre Rian. Dh'imigh ceann acu soir agus ceann acu siar agus ceann acu ó dheas agus duine dhíobh ó thuaidh.

Casag fear ar an bhfear ba shine acu agus dh'fhiarthaigh sé dhe cé acu buachaill a bhí ag lorg maighistir é nó maighistir ag lorg buachalla. Dúirt sé sin leis gur buachaill a bhí ag lorg maighistir é.

"Tá go maith," ar seisean. "Siúl leat liom go ceann lá is bliain agus tabharfaidh mé ceird dhuit.

"Dén cheird í sin?" ars an buachaill.

"Déanfaidh mé bithiúnach díot."

Dh'imigh sé leis ina fhochair.

42. /iŋ´u:n´/
43. /ru:m´p´ɪ/
44. /h´r´eʃ/ i. *shroisint* – feic Breatnach, *Seana-Chaint II,* lch. 405 s.v. *treiseadh.*
45. /jiarh´ig´/ – ghéarthaigh sé i. *bhuaigh sé ar* – feic Breatnach, *Seana-Chaint II,* lch. 214 s.v. *géarú.*

Bhí an tarna mac ag imeacht leis agus casag fear air agus dh'fhiarthaigh sé dhe cé acu buachaill a bhí ag lorg maighistir é nó maighistir ag lorg buachalla é. Dúirt sé leis gur buachaill a bhí ag lorg maighistir é.

"Siúl leat liom go ceann lá is bliain is tabharfaidh mé céird dhuit.

"Dén chéird í sin?" ar seisean.

"Foghlaeir," ar seisean.

Dh'imigh sé leis.

Bhí an tríú mac ag imeacht leis agus casag fear air, leis, agus dh'fhiafraigh sé dhe cé acu buachaill a bhí ag lorg maighistir é nó maighistir ag lorg bhuachalla é.

"Siúl leat liom go ceann lá is bliain is tabharfaidh mé ceird dhuit."

"Raghad," ar seisean.

"Dén chéird í sin?" ar seisean.

"Ag táilliúireacht," ar seisean.

Bhí an ceathrú mac ag imeacht leis agus casag fear air agus cuireag ceist air mar a chuireag ar an triúrar eile.

"Siúl leat liom go ceann lá is bliain is tabharfadih mé céird dhuit."

"Dén chéird í sin?" ar seisean.

"Ag faire ar na réilthíní."

Dh'imigh sé leis. Bhí geallúint tugtha teangbháil lena chéile ag Crosaire na gCeithre Rian i gceann lá agus bliain. Bhíodar ann. Ní raibh pingin ag einne acu ach a chéird.

"*Well*, cad athá agat?" ars an t-athair leis an gcéad duine, "de bharr na bliana?"

"Níl dada ach mo chéird."

"*Well*, cad athá agat de bharr na bliana?" ars an t-athair leis an tarna mac.

"Níl agam de bharr mo bhliana ach mo chéird."

"Nín agam, a athair," arsa an tríú mac," ach ceird de bharr mo bhliana."

"Nín," ars an ceathrú mac, "ná aon rud agam de bharr mo bhliana nach céird."

"Tá rud maith agaibh," ars an t-athair, "má tá sé ina cheart agaibh."

Bhí crann caorthainn ag fás as coinne an dorais amach agus bhí riabhóg agus nead aici i mbarr an chrainn agus í ar gor.

"Féach," ars an t-athair le fear faire na réilthíní, "dén saghas éin athá sa chrann so in airde?"

"Tá riabhóg agus í ar gor," arsa sé.

"Thoicim,"ar seisean leis an mbithiúnach, "téir in airde agus goid na ceithre cinn d'uibhe athá fúithi agus iad a ngoid amach uaithi agus gan í a dh'aireachtaint."

In airde leis, agus ghoid sé iad agus thug sé anuas leis iad gan í a dh'aireacht-aint.

Thug an t-athair amach bord na cistine ansan agus leag sé ubh ar gach aon chúinne den mbord.

"Thoicim," ar seisean leis an bhfoghlaeir, "dein dhá leath de ghach ceann díobh san gan an t-éan athá istigh iontu a mharú."

Thóg an foghlaeir aimsiú agus dhein sé dhá leath de ghach ceann acu agus gan an t-éan a bhí iontu a mharú.

"Thoicim anois," ar seisean leis an táilliúir, "fuáil suas iad san mar a bhíodar."

Dhein an táilliúir iad a dh'fhuáil suas mar a bhíodar.

"Cuir in airde anois arís iad," ar seisean leis an mbithiúnach.

Chuir sé in airde aríst iad mar a bhíodar.

Ag an am céanna bhí mac age bean an duine uasail a raibh an t-athair ag obair do, agus bhí sé amuigh sa ghairdín, istigh sa chliabhán, agus ghoid an fiolar é. Bhí na céadta púint le fáilt mar duais ag einne a gheobhadh amach é nó a chasfadh ar a athair é.

Dh'imíodar leo agus fuaireadar bád i mbéal ard na farraige, i bhfaill na bhfailltreacha ba ghoire dóibh, go bhfeaca fear gloine sciathán an fhiolair sa bhfaill.

"Sin é in airde anois é," arsa sé leis an mbithiúnach. Agus ghoid sé amach an páiste ó sciathán an fhiolair agus thug sé leis go dtí an mbád é.

Nuair a dhúisigh an fiolar chonaic sé go raibh an leanbh imithe agus dh'imigh sé i ndiaidh an bháid le conach buile, agus bhí sé ag túirlingt anuas ar an mbád chun iad go léir a dh'ithe. Chaith an foghlaeir leis agus bhuail sé é agus thit sé anuas sa mbád agus dhein sé brus de.

"Th'anam 'on diabhal! bailídh domhsa iad," ars an táilliúir. Dh'fhuáil an táilliúir suas í mar a bhí sí roimhe sin agus thugadar an leanbh go dtí an duine uasal.

"*Well*, cé agaibh a thabharfaidh [mé] an duais anois do?"

"Cé dho a thabharthá é nach domhsa – meireach mise ní fheiceoidís a chuigint é," ars an fear faire.

"Th'anam 'on diabhal! meireach mise ní thiocfadh an páiste abhaile go deo – nach mé a ghoid é," ars an bithiúnach.

"Th'anam 'on diabhal! ná raibh sibh go léir ite ag an bhfiolar meireach mise a lámhaigh é," arsa fear an ghunna.

Ní bhfaigheadh sé an duais do thabhairt d'einne acu: chaith sé í do roinnt eatarthu. Agus chuadar abhaile go dtí an athair agus thug gach einne a chuid féin do. Is mhaireadar go saibhir sámh i dteannta a chéile.

C. SEANASCÉALTA ROMÁNSÚLA (Novelle)

1. Scéal na dTrí Chomhairle

Bhí fear bocht fadó ina chónaí i gCluan Choscartha agus bean agus triúrar leanbh aige, agus le dealús an tsaoil chaill sé a mheabhair agus dh'imigh sé leis óna bhean agus óna leanaí agus ní stad sé riamh go chuaigh sé go Dún na nGall.

Chuaigh sé ag teacht fé dhéin iostas na hoíche i dti' duine uasail agus fuair sé iostas na hoíche agus a shuipéar agus thaithnigh sé leis an duine uasal agus choinnigh sé é. Istoíche amáireach dh'fhiarthaigh sé dhe ar mhaith leis fuireach ina fhochair. Dúirt sé go bhfanfadh.

Margadh seacht bliana is ea a dhéineadh maighistrí an uair sin le buachaillí agus shocraigh sé ar feadh seacht bliana leis. Agus i gcúrsa na seacht bliana níor chuimhnigh sé go raibh bean ná leanbh ná tigh ná áit aige, go dtí a raibh an seacht bliana caite. Agus an mhaidin a bhí na seacht bliana caite chuaigh sé isteach go dtí an duine uasal agus dtína bhean agus dúirt sé leothu go raibh bean agus leanaí i gCluan Choscartha aige.

Dh'fhiarthaigh fear an tí dhe cé acu ab fhearr leis anois, pá a sheacht mbliana nó trí chomhairle, agus dúirt sé go neosfadh sé é sin ar maidin do. Nuair a chuaigh sé a chodladh dhein bean an duine uasail cáca agus chuir sí pá a sheacht mbliana isteach sa cháca agus cheangail sí suas é ar choinníollacha ná hosclódh sé an cáca go brách go dtí 'n-osclódh sé ar a bhord fhéin é.

Ar maidin nuair a chuaigh sé isteach dúirt sé leis an duine uasal go mb'fhearr leis na trí chomhairle ná pá a sheacht mbliana. Thug an duine uasal na trí chomhairle dho – gan codladh go brách in aon áit a mbeadh cailín óg pósta age seanduine; agus gan cosán cóngair a dhéanadh choíche san oíche; agus gan aon rud a dhéanadh inniu a mbeadh sé ina chathú amáireach.

Dh'imigh sé leis chun bóthair agus nuair a bhí an oíche ag teacht air chonac sé solas uaidh isteach in gairthean a bhí ann agus chuaigh sé ag triall ar an solas. Agus chuaigh sé gur dh'iarr sé iostas na hoíche agus a shuipéar. Agus bhí fear aosta ina shuí ar chathaoir age'n tine agus cailín óg ag obair thimpeall an tí. Fuair sí a shuipéar do agus nuair a bhí a shuipéar ite aige dúirt an fear aosta a bhí age'n tine léithe leaba a dhéanadh ina leithéid sin do sheamra dho. Dúirt sí ná déanfadh ach go ndéanfadh sí sa seamra eile í. Dúirt sé léithe an leaba a dhéanadh dho mar a dúirt sé fhéin léithe. Nuair a bhí a shuipéar ite aige ghaibh sé baochas cailín óg léithe.

"Ó ní cailín óg a chuigint," a dúirt an fear aosta a bhí age'n tine. "Shin í mo bheansa."

Nuair a chuaigh sé siar insa seamra chun dul a chodladh chuimhnigh sé ar an gcomhairle, agus dh'ardaigh sé in airde an fhuinneog agus chuaigh sé amach tríd an bhfuinneog insan eathla. Agus bhíodh stálacha an uair sin déanta fé chocaí agus fé stácaí insa na heathlaíontaí a bhfaightheá dul isteach fúthu. Chuaigh sé isteach fén choca agus shocraigh sé é fhéin istigh fén stáil. Agus ba ghairid gur tháinig buachaill óg agus bhuail sé a dhrom sa choca. Agus ba ghairid gur tháinig cailín óg agus bhuail sí a dhrom [sic] sa choca ina fhochair. Agus bhíodar ag caint agus é ag eisteacht leo istigh fén stáil.

"Anocht an oíche," arsaigh an cailín óg, "é a mharú. Thá stranséar sa tigh agus gheobhaimid a mhilleán a chuir ar maidin air."

Bhí sé … scian phóca aige agus tharraing sé amach an scian phóca agus chuir sé a láimh amach go deas agus rug sé ar sciorta a chasóige agus ghearraigh sé ionad cnaipe amach as íochtar a chasóige agus chuir sé chuige síos ina phóca é.

Agus ar maidin dh'imíodar ón choca: nuair ab am leo imeacht dh'éirigh sé fhéin ar maidin agus dh'imigh sé leis. Agus an chéad thigh ósta a chasag air bhí sé istigh ag ól peannta pórtair nuair a dh'airigh sé go raibh an seanduine marbh in a leithéid sin do thigh. Dh'imigh sé leis nuair a bhí an peannta óltha aige agus nuair a tháinig an oíche bhí sé ag triall ar chabhas agus bhí triúrar fear ag teacht ó thigh ósta agus iad ar meisce, agus dh'fhiarthaíodar de cá raibh sé ag dul agus 'nis sé dhóibh.

"*Well*, 'á dtiocthá linn anois," a dúiríodar leis, "dhéanthá trí mhíle cóngair, agus ba mhór an chuid duit é seochas a bheith ag tabhairt an bhóthair thimpeall ort."

Nuair a bhí sé ar an gcabhas, ag dul trasna an chabhas ina bhfochair is ea a chuimhnigh sé ar an tara comhairle. Chas sé thar n-ais agus dh'imigh sé an bóthar, agus an chéad thigh ósta go bhfuair sé deoch ar maidin ann dh'airigh sé go raibh ceann den triúrar marbh ar an gcabhas an oíche sin.

Bhí san go maith. Thriall sé leis abhaile agus an mac ba shine a bhí aige 'air a bhí sé ag fágaint bhí sé cheithre bliana déag 'air a chas sé, agus féasóg air. Agus nuair a dh'oscail a bhean … nuair a dh'oscail a mhac an doras do 'air a dh'fhéach sé air tháinig éad air – shíl sé gur fear éigint eile a bhí i bhfochair a mhná – agus rug sé ar bhata a bhí ar chúl an doiris agus nuair a bhí sé chun é a tharraint leis an mbata is ea a chuimhnigh sé ar an trígiú comhairle. Leag sé an cáca ar an mbord agus dh'éirigh a bhean agus dheineadar suipéar agus bhíodar go deas compordúil. Agus nuair a dh'oscail sí an cáca bhí pá a sheacht mbliana istigh sa cháca. Agus an dá bhuille dhéag dar ná mháire[ach] bhí sé ar a leaba – 'air a ghabhag ar a … ghabhag ar a leaba é le marú an tseanduine.

Thugag thar n-ais arís é go dtí Dún na nGall, nó gairid do, agus nuair a bhí a chúis á plé agus é á dhaoradh chuir sé a láimh síos ina phóca agus tharraing sé aníos an píosa a ghearraigh sé as chasóg an bhuachaill a bhí age'n choca a raibh an comhrá[46] 'dir é fhéin agus an cailín chun an seanduine a mharú. Agus dúirt sé leothu, an chulaith a ghearraigh sé fhéin é sin amach as a thriall suas agus a dh'fháil. Agus 'nis sé a chúrsa dhóibh conas mar a bhí agus conas a ghearraigh sé é, agus cathain a dh'fhág sé an coca agus conas a thriall sé abhaile go Cluan Choscartha. Agus nuair a leanag suas é agus fuaireag a chulaith – an buachaill óg ar ghearraigh sé an píosa amach as a chulaith – agus choinníog sa phríosún

46. /kauˈrɑː/

an cailín óg agus an buachaill óg go rabhadar trialltha. Agus dhaorag an buachaill óg agus (tháinig ...) dh'fhan an fear bocht sa mbaile i bhfochair a bhean is a pháistí. Agus shin é mo scéalsa agus má thá bréag ann bíodh.

2. An Diabhal agus na Cártaí

Dh'airigh mé trácht ar bhuachaill a bhí ag imirt chártaí babhta. Agus nuair a bhí an sagart ag tógaint Corp Naofa an Tiarna chuir sé an t-aon a hart idir é agus an sagart agus thug sé é fhéin suas don diabhal agus chaith sé umar an uisce coisreacan beag a bhí ina phóca aige, chaith sé roimhig[47] é agus rinc sé anuas air ag dul amach as an séipéal. Agus ghabhadh sé gach aon rud ba mhaith leis as san amach.

Agus bhí sagart ar an áit seo againn ina dhia' san agus dúirt sé nár dhein sé aon rud riamh an fhaid a bhí sé ina shagart is mó a chuaigh trína chroí ná a rá gur chaith sé é a thabhairt amach ar althóir Dé i láthair pobail ar conas a dhéanfaí diabalaíocht.

Fuair sé feoil ó dhuine des na comharsain maidean is é ag dul ag léamh Aifrinn sa Seana-Phobal. Fuair an feirmeoir i gclaí na teorann an fheoil is thug sé roimhe ar an mbóthar í maidean shneachta. Agus bhí sé chomh mór ar buile de dheasca an fhuacht agus an sneachta, an fhaid is a bhí sé ag caint leis an bhfeirmeoir mar gheall ar an bhfeoil, nuair a chuaigh sé ar althóir Dé ag tabhairt saoiscéal uaidh thug sé amach air agus sin é mar a dúirt sé a bhí an diablaíocht á dhéanadh.

D. SEANASCÉALTA FÉ CHLEASAITHE

1. Seáinín Bithiúnach

Bhí bean bhocht fadó agus naoi mí a bhí sí pósta nuair a fuair a fear bás agus rugag mac óg di. Agus ní raibh aon chúna ná cabhair ó einne aici ansan chun é a thógaint, agus chuaigh sí ag obair dtí duine uasal a bhí ag obair lena hais. Agus dh'fhan sí ina fhochair ar feadh sé bliana déag go raibh an leanbh in aos céird a thabhairt do. Dúirt an duine uasal léithe ansan go dtabharfadh sé aon cheird ba mhaith leis don mac – má thóigfeadh sé aon chéird a thabharfadh sé dho go ndíolfadh sé as. Nuair a chuaigh sí abhaile ar cheann na hoíche bhí sí ag insint don mac cad dúirt an duine uasal:

"*Well*, a mháthair," arsa sé, "ní bheidh aon chéird go deo agamsa," arsa sé, "ach bithiúntaíocht."

"Ó, cabhair Dé chughainn," arsa sí, "t'réis mo chroí a bhriseadh ad thógaint ab é sin céird athá anois uait?"

47. Ls. *raghaig* /raig'/ .i. *roimhe*

"Shin é ceird athá uam a mháthair," arsa sé.

Istoíche amáireach 'air a chuaigh sí abhaile ba dh'é an cáis[48] céanna é – an seanchas céanna. Agus an trígiú oíche a chuaigh sí abhaile:

"*Well*, a mháthair," arsa sé, "déanfaidh mé rá anois leat. Tabhair trí oíche … téire trí oíche as dia' a chéile go dtí an tobar agus líon an cróca dh'uisce, agus leag an cróca uait ansan ar leac an tobair agus téir ar do dhá ghlúin agus cuir do bhas[a] lena chéile agus fiarthaigh de Dhia dén chéird a bheidh aged mhac. Agus pé rud a dhéarfaidh an Tiarna na trí oíche as dia'a chéile an mbeidh tú sásta?"

"Beidh mé," arsa sí – shíl sí go raibh aici.

Bhí crann mór ag fás as ceann an tobair in airde agus cosán cóngair ag dul dtí an tobar. Chuaigh an garsún i bhfoisc … chuaigh sé an cóngar agus bhí sé in airde sa chrann i ganfhios don máthair. Agus nuair a bhí an cróca lán aici – líon sí é – leag sí uaithi ar leac an tobair é agus chuir sí a basa le chéile agus dh'fhiarthaigh sí dhe Dhia dén chéird a bheadh agen a mac:

"Bithiúntaíocht," arsa sé in airde sa chrann.

"Cabhair Dé chughainn," arsa sí.

Istoíche amáireach ba dh'é an cáis céanna é – dhein sé an cóngar aríst agus bhí sé sa chrann i ganfhios di, is nuair a bhí an cróca lán chuaigh sí ar a dhá glúin agus dh'fhiarthaigh sí dhe Dhia dén chéird a bheadh agen a mac.

"Bithiúntaíocht," arsa sé.

An trígiú oíche ba dh'é an cáis céanna é. Nuair a bhí an crúsca lán dh'imigh sí abhaile agus bhí sé insa mbaile roimpi, an cosán cóngair, agus an tine adhainte aige agus é ina shuí síos cois na tine.

"*Well*, dén chéird a bheidh aged mhac," a dúirt sé.

"Beidh bithiúntaíocht," arsa sí – an rud athá uait.

"Thá go maith," arsa sé.

Ar maidin dar ná mháireach 'air a chuaigh sí ag obair dtí an duine uasal 'nis sí a cúrsa dhon duine uasal agus dúirt an duine uasal:

"*Well*, mhuise, más bithiúntaíocht athá uaidh sin anois," arsa sé,[49] "tabharfaidh mise dho fhéin bithiúntaíocht le déanadh anois do," arsaigh an duine uasal. "Caithfidh sé an capall a ghoid amach as an stábla anocht uam, agus seisear saighdiúirí armáltha agus glas ar gach aon doras," arsa sé. Agus mara ngoidfidh sé an capall," arsa sé,[50] "góilt de philéar ar maidin air."

Nuair a chuaigh sí abhaile ar cheann na hoíche bhí sí ag insint a cúrsa dho.

"Codail go sámh a bhean bhocht," arsa sé. "Beidh sé sin bog ar shaighdiúirí agus ar chapaill," arsa sé, "'air a bheadsa ré' leis."

48. /kɑːʃ/ .i. *cás*.
49. Téip, *sí*
50. Téip, *sí*

Nuair a tháinig an t-am chun dul ag goid an chapaill chuaigh sé go Donn Garbhán agus cheannaigh sé ciseán cuisle agus sé bhuidéil *whiskey* agus chuir sé isteach insan chiseán iad agus chuaigh sé abhaile. Agus nuair a tháinig an t-am chun dul ag goid an chapaill dh'imigh sé leis agus bhí ti' muc ceangailthe dhen stábla agus cheithre cinn de mhuca istigh ann. Dh'fhéach sé isteach ar na muca agus nuair a chuaigh sé … nuair a, nuair a chonaic sé na muca chuaigh sé isteach dtí an umar agus chaith sé é fhéin age umar agus an ciseán ar a chuisle. Agus nuair a thagadh muc fé dhéin greim bí' dtí an umar bhuaileadh sé sa bhfáinne í agus scréachadh an mhuc. Bhíodh na muca ag béiceadh agus b'ait leis na saighdiúirí a bhí sa stábla cad a bhí ar na muca. Chuadar amach ag féachaint cad a bhí ar na muca agus nuair a chuadar amach bhí sé sínte istigh age'n umar agus é ina chodladh agus an ciseán ar a chuisle.

Thógadar é agus thugadar isteach sa stábla é agus chuireadar ina chodladh ar easair thuí a bhí istigh sa stábla acu é. Agus nuair a bhí an oíche á caitheamh bhí na saighdiúirí ar meisce age'n mbuidéal *whiskey* agus bhí an bithiúnach ina dhúiseacht. Bhain sé an glas des na dóirse agus dh'imigh sé leis abhaile – é fhéin is an capall. Agus nuair a chuaigh a mháthair abhaile ar maidin dtí an duine uasal.

"Thá an méid sin déanta aige," arsaigh an duine uasal.

"Thá," arsa sí, "thá an capall aige."

"*Well*, mhuise," arsa sé,[51] "tabharfaidh mise a dhaothaint bithiúntaíocht anois do."

"Cad a thabharfaidh tú le déanadh anois do?" a dúirt a mháthair.

"Caithfidh sé úll óir a ghoid amach as an leaba idir mise agus mo bhean," arsa sé, "ar an dá bhuille dhéag anocht," arsa sé, "nó góil do philéar ar maidin air."

Nuair a chuaigh sí abhaile bhí sí ag insint a cúrsa dho agus:

"Cuma dho … cuma … cuma leis sin cad déanfaidh úll óir nó aon rud eile a mháthair," arsa sé, "nuair a bheadsa ré' leis. Téir a chodladh dhuit fhéin is codail go sámh."

Nuair a tháinig an dá bhuille dhéag nó gairid do dh'imigh sé leis agus thóg sé máthair an duine uasail amach as an tuama, ná raibh curtha nach coicíos, agus thug sé leis í ar a dhrom agus shocraigh sé ar bhataí croise as coinne fuinneog an duine uasail amach í. Agus nuair a dh'airigh an duine uasal an fothram 'air a bhí sé socair aige – dhein sé fothram go n-aireodh an duine uasal é – dh'fhéach sé amach sa bhfuineog is chonaic sé an corp. Chaith sé an truchar is leag sé an corp.

"Thá sé marbh agam," arsa sé lena bhean.

"*Well*," arsaigh an bhean, "tarraing as … tóg as an tslí é," arsa sí, "ná feiceadh na daoine ar maidin é," arsa sí, "beimid inár seó."

51. Téip, *sí*

Dh'éirigh sé agus chuaigh sé agus tharraing sé leis é go dtí praip[52] sceach a bhí lena ais, agus chuir sé isteach sa phraip sceach é agus nuair a tháinig sé thar n-ais."

"Thá mé caillte aige," arsa sé.

"Nach anois a bhí tú ansan," arsaigh a bhean.

Chuir sé a láimh sa leaba is bhí an t-úll óir imithe.

Nuair a tháinig a mháthair ag obair ar maidin.

"An raghthá síos go dtí é agus a rá leis teacht go dtí mé, go bhfuil uam é a dh'fheiscint.

Chuaigh.

Tháinig a mháthair aníos is 'nis sé dho:

"Bhí mise ag caint led mháthair aréir," arsa sé, "age'n dá bhuille dhéag agus bhí sí 'teacht chun tú a dh'fheiscint chun labhairt leat agus ina áit sin," arsa sé, "is amhla' a lámhaigh tú í."

"Dén trioblóid a bhí uirthi?" arsaigh an duine uasal.

"Thá fáinne óir ar gach aon mhéir le gach aon bhean uasal athá curtha sa tuama san áit a bhfuil sí agus nín ar do mháthairse ach trí cinn. Agus dá mbeadh fáinne óir ar gach aon mhéir léi ní bheadh a thuilleadh trioblóide go brách aríst inti."

Chuir sé fáinne óir ar gach aon mhéir léithe.

"Cuirfidh tú anocht aríst dom í?" arsa sé.

"Cuirfidh mé," arsaigh an bithiúnach.

Bhuail sé chuige ar a dhrom í agus thug sé leis dtí an tuama í, agus nuair a bhí an tuama oscailthe aige bhain sé na fáinní dho na méireacha go léir, agus bhuail sé chuige ina phóca iad agus dhún sé an tuama agus chuaigh sé abhaile dtína mháthair.

Agus phós sé, phós sé i bhfochair a mháthar agus bhí páistí ina ndosaení acu agus dhíol sé ina gciseáin iad, agus shin é mo scéalsa agus má thá bréag ann bíodh.

E. SEANASCÉALTA MAR GHEALL AR BHRÉAGA

1. Rí na mBréag

Bhí baintreach fadó sa mBaile Íochtarach agus ní raibh aici nach aon mhac amháin, agus ón uair a bhí sé ina leanbh bhí sé ag sáint a bheith ina leath-amadán.

Ach thug sé bliain agus fiche istigh sa chúinne gan corraí amach agus tháinig samhradh breá te agus chuaigh sé amach agus shín sé amuigh cois an chlaí agus

52. /prap´/ .i. muine – Feic Breatnach, *Seana-Chaint II,* lch. 323 s.v. *praip.*

thit a chodladh air. Agus nuair a dhúisigh sé as a chodladh bhí a loirgíní clúdaithe le cuileoga. Rug sé ar hata bog a bhí aige agus bhuail sé sleap dona ḥata anuas ar a dhá lorga agus mharaigh sé na mílte cuileog. Chuaigh sé isteach go dtína mháthair is dúirt sé léithe, aon fhear a mharódh dhá mhíle dh'aon saghas rud a cheap Dia ar an saol go raibh sé ábalta ar dhul ag troid a fhoirtiúin in aon áit den domhan.

Agus bhí rí sa Domhan Thoir a dtugaidís Rí na mBréag air agus ní raibh aige nach aon iníon amháin. Agus ní raibh einne chun í sin a dh'fháilt le pósadh nach pé duine a bhuafadh air fhéin in bréaga. Dúirt an t-amadán lena mháthair go raghadh sé fhéin anois fé dhéin iníon Rí na mBréag go dtí an Domhain Thoir.

"*Well*, a mhic ó," arsa sí, "id amadán a bhí tú riamh agus anois athá an t-amadán ag briseadh amach ceart ionat, agus nín aon rud agamsa a thabharfaidh mé dhuit," arsa sí, "nach sé ghráinne póire athá ansan ar an dresúr."

Bheir sé ar an sé ghráinne p̣óire is chuir sé síos ina phóca iad agus dh'imigh sé leis síos go dtí an tráigh agus fuair sé smután agus bhuail sé buille thall is abhus air agus dhein sé long de. Chaith sé amach sa bhfarraige é agus dh'éirigh sé ar órdóig a choise deise agus thit sé istigh ar bord ar órdóig a choise clé.

Dh'imigh sé leis lúpadán, lapadán, éisc is róinte, mílte ar aoirde, beithígh mhóra na farraige ag teacht thall agus abhus ar bhasa na mbataí rámha – gur bhuail sé isteach fé bhun cúirt Rí na mBréag insa Domhan Toir.

Chuaigh sé suas is ní raibh einne ina suí, is shuigh sé amuigh i ngairdín na bpabhsaithe gur chuir an buitléir a cheann amach insa bhfuinneog. Chuir sé na tuartha fáilthe roimhig[53] is dúirt sé leis teacht isteach agus suí go n-éireodh an Rí Onórach. Chuaigh sé isteach. Dh'fhan sé ina shuí istigh gur dh'éirigh Rí na mBréag agus chuadar chun broiceaist. Agus bhíodar ag seanchas age'n mbroiceast is dúirt Rí na mBréag, an gairdín gabáiste a bhí aige, ná raibh a leith-éid insa domhan go léir. Agus nuair a bhí an broiceast ite acu chuadar amach ag féachaint ar an ngabáiste.

"*Well*, a Rí Onóraigh," arsa Seán, "thá an gabáiste go breá, "arsa sé, "nach thá gabáiste insa mbaile agem mháthairse agus nuair a bhíonn tor de le gearradh anuas aici dhi fhéin nó dhos na comharsain," arsa sé, "tagann beirt sáibhéirí ón mbaile mór," arsa sé, "ar maidin Dé Luain le héirí na gréine agus nuair a bhíonn an ghrian ag dul síos istoíche Dhé Sathairn, sé deir ceann acu leis an gceann eile, 'Haire dhuit,' ar eagla go dtitfeadh an tor orthu."

"Ó, beag an mhaith dhom chuidse gabáiste dul in iomadh leis sin," arsaigh an Rí Onórach."

Thug sé leis ansan é ag féachaint ar abhallóirt[54] úll a bhí aige agus dúirt sé gur

53. /raig´/
54. /əuˈlo:r´t´/ .i. úllord

shin iad go raibh sé áirithe gob iad san … gob iad san úlla is mó a bhí insa domhan inniu.

"*Well*, a Rí Onóraigh," arsa sé, "thá siad go maith, nach," arsa sé, "na húlla athá sa mbaile agem mháthairse," arsa sé, "'air a bhíonn na húlla móra díoltha insa samhradh aici," arsa sé, "agus titeann na húlla beaga anuas ar an talamh," arsa sé, "nuair a bhíonn an taobh a bhíonn ar an talamh díbh dreoite,"[55] arsa sé, "tagann na feirmeoirí le drae shleamhnáin fé dhéin ceann an duine dhíbh chun a bheith ag cimeád uisce dhos na beithígh ar an talamh sa samhradh."

"Ó, Dia lem anam," arsaigh an Rí Onórach.

Thug sé leis ansan é ag féachaint ar bácús aráin a bhí aige, agus dúirt sé gob é sin bácús ba mhó a bhí sa domhan.

"*Well*, a Rí Onóraigh," arsa sé, "thá an bácús go breá," arsa sé, "nach dh'airigh tú trácht," arsa sé, "ar Sir Nugent, atá sa mBaile Íochtarach?"

"Dh'airigh mé," arsaigh an Rí Onórach.

"*Well*, thá bácús agem mháthairse," arsa sé, "agus dh'éirigh fiach age – age sin – ar maidin Dé Luain," arsa sé, "agus isteach i mbácús mo mhátharsa a rioth an madra rua," arsa sé, "agus nuair a bhí an ghrian ag dul síos istoíche Dé Sathairn, is ea a rugag thiar i dtóin bacús mo mhátharsa air."

Thug sé leis ansan é ag sáint gairdín beach a bhí aige dho – crucóga beach.

"*Well*, a Rí Onóraigh," arsa sé, "ós ag trácht ar na beacha, bhí mé ag dul isteach i ngairdín mo mháthar," arsa sé, "thá tamall ó shoin," arsa sé, "agus bhí saithe éirithe sa ngairdín," arsa sé, "agus b'ait liom," arsa sé, "dé chúis, nó cad a bhí ar na beacha," arsa sé, "ach ba ghairid," arsa sé "gur thug mé fé ndeara go raibh máthair ál mo mháthar imithe ós na beacha. Agus chuir mé cluais orm fhéin, a Rí Onóraigh," arsa sé, "agus dh'airigh mé," arsa sé, "a cuid gníogarna[56] aisti thall i ngáirdín Rí na Fraince. Dh'imigh mé liom, a Rí Onóraigh," arsa sé, "lúpadán, lapadán, éisc is róinte, mílte ar aoirde, beithígh mhóra na farraige ag teacht thall agus abhus ar bhasa na mbataí rámha, gur bhuail mé isteach cé Rí na Fraince. Agus bhí mé ag imeacht suas an sráid a Rí Onóraigh," arsa sé, "agus bhí spreallaire dh'fhear caol ard ag góil anuas im choinne, agus dh'fhiarthaigh mé dhe cá raibh gairdín Rí na Fraince anso, is níor thug sé aon fhreagra orm. Bhuail mé le cúl baise fé chorrán a ghéill é a Rí Onóraigh," arsa sé, "agus n'fheadair mé cár dh'imigh sé, agus nuair a dh'fhéach mé in airde ar an aer," arsa sé, "bhí sé ina scamall dubh ar an spéir as mo cheann in airde."

"Ó, ní dhéanfaidh tú san liomsa a Sheáin Mhic na Baintrí ó Éire," arsa sé.

"Ó, ní dhéanfaidh mé, dé chúis a ndéanfainn?" arsa Seán, "a athair mo chéile.

55. Dar le R.B. Breatnach (*The Irish of Ring*, lch. 45) go mbíonn /d´/ africéadtha in ionad an ghrúpa /d´r´/ sa chanúint seo uaireanta. Deir sé chomh maith go mb'fhéidir go bhféadfaí an t-aifricéad seo a léiriú le /d´z/ e.g. /d´zo:t´ɪ/ .i. dreoite.

56. /g´n´i:gərnə/

Chuaigh mé isteach sa ngairdín, a Rí Onóraigh," arsa sé, "agus fuair mé máthair ál mo mháthar agus seacht dtonna meáchant a bhí inti. Chuir mé síos i bpóca mo chasóige í, a Rí Onóraigh," arsa sé, "agus bhí mé ag teacht anuas an tsráid. Bhí náire orm as chomhair na ndaoine," arsa sé, "mar a bhí leathaobh orm. Chuaigh mé isteach in geard seana-iarnaí," arsa sé, "agus cheannaigh mé seacht dtonna iarainn a chuirfinn sa phóca eile a chumhadfadh díreach mé. Agus dh'imigh mé liom," arsa sé, "gur tháinig mé go dtím' smután – lúpadán, lapadán, éisc is róinte, mílte ar aoirde, beithígh mhóra na farraige ag teacht thall agus abhus ar bhasa na mbataí rámha gur bhuail mé isteach an Baile Íochtarach. Trus[57] an mheáchtain a bheith ar mo choite beag," arsa sé, "bhuail sí amach ... bhuail sí amuigh tamall beag amach sa bhfarraige. Agus chuimhnigh mé ar mhuintir mo mháthar," arsa sé, "agus thug mé beannóg[58] as mo chabhail," arsa sé. "Chuaigh mé amach ar an tráigh, "arsa sé, "'air a bhí an mheáchtain orm chuaigh mé síos 'dtím' dhá ghlúin sa ngainimh. Chuimhnigh mé ar mhuintir m'athar," arsa sé, "agus thug mé léim eile as mo chabhail agus tháinig mé aníos. Fuair mé trí fichid baraille cruithneachta, roillte cáite ansan ar chúinne na páirce," arsa sé, "agus dúirt mé liom fhéin go raibh daoine bochta go leor thimpeall ar mo mháthair sa mbaile a dtabharfadh sí dhóibh é 'á mbeadh aon rud agam a gcuirfinn ann é. Chuir mé láimh siar im oscaill, a Rí Onóraigh," arsa sé, "is fuair mé deanathairt.[59] Bheir mé air is chuir mé scor den scian thiar ann," arsa sé, "is dh'iompaidh mé an croiceann amach de is chuir mé na trí fichid baraille cruithneachtan roillte, cáite isteach ina croiceann agus bhuail mé in airde ar mo ghualainn i bhfochair na cheithre thonna dhéag meáchant. Bhí mé ag imeacht suas an talamh, a Rí Onóraigh," arsa sé, "is cad a thiocfadh trasna orm ach madra rua is a theanga amuigh aige. Dúirt mé liom fhéin go mb'olc an ... go mb'iontach an gnó agam a leithéid sin do rud salach a bheith ag magadh fé aon bhuachaill a bhí chomh maith liom. Dh'imigh mé ina dhiaidh," arsa sé, "is nuair a bhí sé ag dul thar an gclaí thug mé féig le buille chic. Chaith sé leitir amach as a bhéal," arsa sé, "agus séard a bhí sa leitir," arsa sé, "ach go bhfaighinn d'iníon agus leath do ríocht agus do ríocht go léir ó lá do bháis amach."

"Gheobhaidh tú san agus fáilte, a Sheáin Mhic na Baintrí Ó Éire," arsaigh an Rí Onórach, "ach caithfidh an buitléir athá agamsa dul anonn chun go bhfeicfidh sé an áit athá agat."

Tháinig an buitléir i leith, agus brácа beag déanta suais leis an gclaí a bhí age Seán agus age'n a mháthair agus age'n a onncail. Agus bhíodar ag ithe a ndinnéir roimhig[60] agus bhí sciath ar bhéal corcáin, agus dhá ghabhar ina seasamh ar

57. .i. toisc
58. /b´ınu:g/
59. /d´anəh´ır´t´/
60. /raig/

thaobh an tí agus bodhrán fé thón gach gabhar agus iad ag ithe a ndinnéir. Shuigh an buitléir síos ag féachaint orthu agus nuair a bhí a dhinnéar ite age Seán dh'éirigh sé agus chuaigh sé dtí an doras, agus dhein sé a mhún ar a lámha agus nigh sé a lámha. Agus chuaigh sé dtí stáca tuí eorna a bhí as coinne an doiris amach agus tharraing sé punann amach agus thirimigh sé a lámha leis an bpunann. Agus tháinig sé isteach aríst agus dh'imigh an buitléir abhaile go dtí an Rí Onórach.

Dh'fhiarthaigh sé – an Rí Onórach – de dén saghas áit a bhí ansan.

"*Well*, a mhic ó," arsa sé, "an garda a bhí … an garda a bhí ar an bhfear san agus ar a onncail agus ar a mháthair ag ithe a ndinnéir," arsa sé, "n'fheaca tú a leithéid riamh; agus an ceol a bhíog[61] ag imirt dóibh an fhaid is a bhíodar á dh'ithe ní dh'airigh mise a leithéid riamh; agus an pampa[62] a nigh sé a dhá láimh leis," arsa sé, "nuair a bhí a dhinnéar ite aige, ní cheannódh a mbain leat é; agus an tuaille[63] a thirimigh sé a dhá láimh leis ní bhfaightheá le ceannach in Éire ná in Sasana é."

Agus shin é mo scéalsa agus má thá bréag ann bíodh.

F. SCÉALTA SLABHRA

1. An Cat agus an Luch

Bhí an cat agus an luch ag súgradh thimpeall stáca in eathla feirmeora lá agus sciob an cat an t-eireaball den luch.

"'Chaitín, 'chaitín," arsa sí, "thorm[64] m'eireabaillín."

"Tabharfaidh mé," arsa sé, "má théann tú dtí an mbó fé dhéin braon dom."

"A bhó, a bhó, thorm braon, go dtabharfaidh mé braon don chaitín, go dtabharfaidh an caitín m'eireabaillín dom."

"Tabharfaidh mé," arsaigh an bhó, "má théann tú go dtí an scioból fé dhéin sop dom."

"'Scioból, 'scioból, thorm sop, go dtabharfaidh mé sop don mbó, go dtabharfaidh an bhó braon dom, go dtabharfaidh mé braon don chaitín, go dtabharfaidh an caitín m'eireabaillín dom."

"Tabharfaidh mé," arsaigh an scioból, "má théann tú go dtí an ngabha fé dhéin glas dom."

61. Is iad *bhíog* /v´i:g/ agus *rabhag* /rəug/ na foirmeacha neamhspleách agus spleách den Bhriathar Saor Caite sa chanúint seo. Caitheadh *-g* deireanach a úsáid anseo chun idirdhealú a dhéanamh idir *bhíog* /v´i:g/ agus *bhíodh* /v´i:x/ (feic Breatnach, *Seana-Chaint II,* lch. 304 s.v. *muinntir,* fonóta 1)

62. /paumpə/ .i. *caidéal.*

63. /tuəl´ɪ/ .i. *tuáille.*

64. /ˈhorəm/ .i. tabhair dom

"A ghabha, a ghabha, thorm glas, go dtabharfaidh mé glas don scioból, go dtabharfaidh an scioból sop dom, go dtabharfaidh mé sop don mbó, go dtabharfaidh an bhó braon dom, go dtabharfaidh mé braon don chaitín, go dtabharfaidh an caitín m'eireabaillín dom."

"Tabharfaidh mé," arsaigh an gabha, "má théann tú go dtí an ngeard fé dhéin guail dom."

"A gheard, a gheard, thorm gual, go dtabharfaidh mé gual don ngabha, go dtabharfaidh an gabha glas dom, go dtabharfaidh mé glas don scioból, go dtabharfaidh an scioból sop dom, go dtabharfaidh mé sop don mbó, go dtabharfaidh an bhó bhraon (sic) dom, go dtabharfaidh mé braon don chaitín, go dtabharfaidh an caitín m'eireabaillín dom."

"Tabharfaidh mé," arsaigh an geard, "má théann tú go dtí an tobar fé dhéin uisce dhom."

"'Thobar, 'thobar, thorm uisce, go dtabharfaidh mé uisce don ngeárd, go dtabharfaidh an geard gual dom, go dtabharfaidh mé gual don ngabha, go dtabharfaidh an gabha glas dom, go dtabharfaidh mé glas don scioból, go dtabharfaidh an scioból sop dom, go dtabharfaidh mé sop don mbó, go dtabharfaidh an bhó braon dom, go dtabharfaidh mé braon don chaitín, go dtabharfaidh an caitín m'eireabaillín dom."

"Sea, iompaigh aniar," arsaigh an caitín, "go gcuirfidh mé ort é, go n-íosfaidh mé in aon ghreim amháin thú," arsa sé.

G. SCÉALTA GEARRA ÁITIÚLA

1. An Garda Cuain agus an Chráin

Bhí garda cuain anso fadó agus trí scillinge an ceann a bhí as mhuc a chur a thiocfadh isteach leis an bhfarraige, báite.

Fuair sé an mhuc, an fear so, fuair sé an mhuc ar an tráigh is dh'oscail sé an mhuc is bhain sé trí cinn déag de bhanaí amach aisti. Chuaigh sé go dtí é agus thug sé leis iad go bhfeiceódh sé iad. Chaith sé é a dhíol as ceithre cinn déag de mhuca in áit aon cheann amháin.

2. Fear a Chodail sa Trioscar

Bhí aithne agam ar fhear is chuaigh sé go dtí an tráigh ar an dá bhuille dhéag san oíche fé dhéin trioscair. Agus bhí banc mór trioscair roimhe agus is gairid a bhí sé ag bailiú leis an raca in airde ar an gcarn nuair a dh'airigh sé fear eile dhes na comharsain ag teacht. Agus chumhadaigh sé an raca ar dtaobh ismu' den trioscar agus shín sé féin in airde ar mhulla an trioscair i dtómas go raibh sé t'réis bháis, i dtómas go fear báite a bhí ann. Agus tháinig an fear eile agus nuair a chonaic sé é níor dhein sé ach dul in airde is é a dh'iompach, é a dh'iompó anuas den trioscar is dul in airde ag sábháil é fhéin.

H. DIAGASÚLACHT AGUS TEAGASC

1. Na Cearca, an Deargadaol agus Ár Slánaitheoir

Bhí Ár dTiarna ag imeacht lá eile agus bhí na Giúdaigh ag cuir A thuairisc agus bhí na cearca, bhíodar ag scríobadh in áit go raibh Ár Slánaitheoir i bhfolach agus sin é an tslí a fuaireadar amach É. Nuair a bhí na cearca ag scríobadh nochtadar an chré dhe agus dar ná mháireach tháiníodar an tslí aríst agus chuireadar ceist ar dhuine éigin an bhfeacaíodar a leithéid sin ag góil an tslí inniu. Agus labhair an deargadaol agus dúirt sé leis na Giúdaigh:

"Inné, inniu," mar dhia go raibh Sé ann inné agus gur imigh Sé inniu.

Nuair a chítheá deargadaol bheadh sé ceart agat é a mharú fé a dtóigfidh sé a eireaball in airde. Deir siad go mbeadh seacht peacaí marú[65] maite dhuit 'á mbeadh a eireaball caite in airde aige.

2. Tuirse na nGaibhne

Nuair a bhí an Tiarna ag teithe ós na Giúdaigh chuaigh Sé isteach in gairdín feirmeora agus chlúdaigh Sé é fhéin fén chré agus chuaigh an chearc ag scríobadh na cré anuas de agus tháinig an chráin ag tóch na cré in airde air. Agus chuir sé tinneas na mbanaí ar an gcearc ag breith an uibh, agus tuirse na ngaibhne ar cholg na heorna, mar ní dhéanfadh an gabha an tairne chun é a chéasadh ar an gcros agus an tincéir a dhein an tairne agus chuir sé an tincéir gan aon chónaí go brách ná an tara tine a dh'adhaint ar aon tinteán amháin.

3. Aililiúíá

Bhí cailín agus buachaill fadó i bParóiste Chlaise Móire agus bhí an cailín agus an buachaill muinteartha agus bhí an dá mhuintir ina gcoinne – an t-athair i gcoinne an bhuachalla agus an t-athair i gcoinne an chailín. De dheasca iad a bheith muinteartha bhíodar ina namhaid agá chéile – an dá mhuintir. Agus chuaigh an t-athair Maidean Lae Bealthaine go dtí an tobar a bhí sa teora acu fé dhéin crúsca uisce, agus bhí máthair an chailín age'n tobar roimhe agus an crúsca lán aici, agus nuair a chonaic sí ag teacht é shailigh sí an tobar. Bhuail sé

65. /maru:/ .i. *marbha*

í de dheasca an tobair a shlachadh, agus nuair a chuaigh sí abhaile chuaigh sí ceann ar agha' go dtí sagart an pharóiste agus 'nis sí an cúrsa dho shagart an pharóiste agus thóg sé an chéad scéal uaithi. Tháinig sé go dtí an bhfear agus sciúirseáil sé go breá leis an bhfuip é, agus nuair a bhris ar an fhoighne age'n bhfear tharraing sé an sagart as an diallait de dhrom an chapaill agus bhuail sé an sagart.

Gach aon Domhnach a léadh an sagart Aifreann i gClais Mhóir chuireadh sé sluamhallacht ón althóir air. Agus bhíodh a mhac ag dul dtí an Aifreann gach aon Domhnach agus ní théadh sé fhéin dtí an Aifreann in aon chor, agus nuair a thagadh a mhac abhaile ón Aifreann dh'fhiarthaíodh an t-athair de cad a bhí ar siúl inniu aige. 'Niseadh an mac do.

"Aililiúíá," a deireadh an t-athair.

Bhí an scéal ag imeacht ar feadh seacht mbliana ansan gan an t-athair a dhul dtí aon Aifreann. Agus i gceann an seachtú bliain fuair sé bás, agus nuair a bhí dhá oíche thórraimh caite aige ní ligfeadh an sagart é a chur in aon roilig agus chaith an mac é a thabhairt leis agus é a chur age fuineoig an tseamra, an áit go raibh sé ag codhladh. Agus bliain a bhí sé curtha nuair a tháinig aistriú ar na sagairt agus tháinig sagart óg ar an áit, agus is gairid a bhí sé ar an áit nuair a bhuail sé isteach go dtí an mac lá is é ag siúl amach. Is bhí sé fhéin agus an mac so ag suí istigh age'n mbord, agus nuair a dh'fhéach an sagart amach sa bhfuineoig chonaic sé an crainnín as comparáid ag fás tríd an talamh age'n bhfuinneoig.

"Cá bhfuair tú an crann?" arsa sé leis an ngarsún.

"Ní bhfuair mé in aon áit é," arsaigh an garsún. "Sé an duine athá curtha ansan ach m'athair," arsa sé, "agus [ní] raibh sé curtha ann ach dhá mhí dhéag," arsa sé, "nuair a tháinig an crainnín aníos as cheann na huagha."

Chuaigh an sagart agus an mac amach agus chrom an sagart ag féachaint ar an gcrann [agus] gach aon bhileog a bhí ar an gcrann a dh'iompaigh sé ag féachaint air, bhí 'Aililiúíá' scrite ar gach aon bhileog.

"An ligtheá dhom é a thógaint?" arsaigh an sagart.

"Ligfidh mé," arsaigh an mac. "Déin do rogha rud leis."

Thug sé beirt fhear leis dar ná mháireach is dh'osclaíodar an ua', agus nuair a chuadar dtí clár na comhrann bhí an crainnín ag teacht aníos trí chlár na comhrann. Nuair a thóigeag an clúdach den chomhra bhí an crainnín ag fás as bharra a theanga, agus é chomh sleamhain chomh slán agus a bhí sé an lá a chuireag é. Thóg an sagart é agus thug sé leis isteach go dtí an Chlais Mhóir é agus thá sé sin curtha in Roilig Chlaise Móire ó shoin.

Agus shin é mo scéalsa, agus má theá bréag ann bíodh. Ní domhsa é. Ó Mhicil Shéimín [a chuala mé é]. Bhí sé ina chónaí i gCrosaire Chadhla. Agen a sheanathair a dh'airigh sé fhéin é. Thá deich mbliana is dachad ann. Bhí sé thimpeall deich mbliana is dachad eile.

4. Míol an Duine Uasail agus Míol an Bhacaigh

Chuaigh míol duine uasail ó Shasana agus míol bacaigh ó Éire ar son gill.[66]

Dúirt an duine uasal ná raibh aon mhíol a rithfeadh chomh mear lena mhíol fhéin. Chuir an bacach a mhíol fhéin ina choinne agus fuaireag mias agus téag an mhias. Níor sheasaigh míol an duine uasail ach dhá chúrsa ar fuaid na méise nuair a scoilt air. Dh'fhanfadh míol an bhacaigh ag rioth ó shoin. Bhí an iomarca brocamais i míol an duine uasail. Ní raibh míol an duine uasail ábaltha ar chuir suas leis an droch-úsáid.

An rud athá tóigthe ró-bhog níl aon chuir suas le droch-úsáid aige.

5. Herod agus an Leanbh Íosa

Bhí an Rí Herod – is é an rí a bhí ar Éire fadó é, ar an saol – agus ní raibh uaidh aon leanbh fireann a theacht ar an saol gan é a chuir chun báis 'á bhféadfadh sé, chun ná beadh aon rí eile ar an saol go deo nach é fhéin. Agus nuair a rugag an Leanbh Íosa, moladh is baochas lena ghrásta naofa – in stábla Beitlim in Jerusalem a rugag é. Agus nuair a rugag é chuaigh an scéal thimpeall go raibh a leithéid ann. Agus bhí na leanaí go léir, áthas orthu, go bhfeicfidís é. Agus chuadar á dh'onóradh le mil, túis agus ór chun é a thabhairt mar bhrontachas do. Agus nuair a chuadar … nuair a bhíodar ag dul go dtí é bhí Rí Herod rompu ar a shlí, agus dúirt sé leothu má b'fhíor go raibh a leithéid ann é a dh'insint do 'air a bheidís ag casadh.

Dh'imíodar agus tháinig réilthín ar an … ar an doras – as ceann an doiris in airde – mar mharc dóibh. Agus nuair a chuadar go dtí é dheineadar bronntanas mil, túis agus óir air. Agus nuair a bhíodar ag casadh 'niseadar do Herod go raibh sé ann – go raibh a leithéid ann.

Chuaigh Herod agus a chamtha féna dhéin ansan chun é a chuir chun báis. Agus shin é an uair a líon an spéir suas de réilthíní agus n'fheadar Herod cá raibh an réilthín ceart.

Dhein bóthar tríd an bhfarraige dhóibh agus dhún an bóthar isteach orthu agus bág agus cailleag Herod agus a chamtha, agus shin é an deireadh a bhí air.

6. Naomh Peadar agus an Tiarna

Nuair a bhí Naomh Peadar agus an Tiarna ag siúl na tíorach agus slat rialaithe an domhain age'n Tiarna ní raibh Peadar sásta ar ao'chor leis an rialú a bhí an

66. Ls. *geidhl* /gəil´/

Tiarna a dhéanadh. Agus bhíodar ag siúl na trá lá i bhfochair a chéile agus bhí long bhreá ag góil amuigh agus thóg an Tiarna in airde a láimh agus bháigh sé an long. Agus dh'fhiarthaigh Peadar de, dé chúis gur bháigh sé an long. Dúirt sé go raibh einne amháin ar bord uirthi a chealg an croí aige.

"Ní raibh sé ceart agat," arsa Peadar, "í a bhá mar gheall ar einne amháin."

Chuaigh an Tiarna go dtí port na habhann agus fuair sé cnuasnóg bheach, agus thóg sé ina dhorn í 'dir bheach agus mhil agus mar a bhí, agus shín sé chun Peadair iad.

"Cimeád iad san dom a Pheadair," arsa sé.

Thóg Peadar an nead ina láimh agus bhíodar ag imeacht leo agus iad ag seanchas. Agus nuair ab am leis an Tiarna iompó siar ar Pheadar dh'iarr sé na beacha air. Dh'oscail Peadar a láimh agus bhí na beacha go léir marbh aige.

"Dé chúis a mharaigh tú na beacha a Pheadair?" arsaigh an Tiarna.

"Chuir ceann acu cealg ionam," arsaigh Peadar, "agus dh'fháisc mé mo dhorn agus mharaigh mé iad go léir."

"Nár dh'fhiarthaigh tú dhíomsa ó chiana dé chúis a bháigh mé an long mar gheall ar einne amháin," a dúirt an Tiarna.

Dh'imíodar leo gur chuadar dtí cosán cóngair, agus bhíodar ag góilt an cosán cóngair agus cad a bheadh ag teacht ina gcoinne nach bithiúnach agus dh'iarr sé cabhair ar an Tiarna agus thug an Tiarna tistiún do.

"Dé chúis gur thug tú tistiún do san anois," arsaigh Peadar, "agus fios agat é ina bhithiúnach?"

"Ná bac leis sin," arsaigh an Tiarna.

Dh'imíodar leo agus is gairid gur chasag fear bocht aosta agus é lán do ghiobail orthu agus dh'iarr sé cabhair ar an Tiarna agus ní thug an Tiarna dada dho.

"*Well,* Dia lem anam," arsaigh Peadar, "thug tú tistiún don mbithiúnach ó chianaibh is ní thug tú aon rud anois don bhfear bocht athá míámharach ag fáil bháis."

"Ná bac leis sın," arsaigh an Tiarna, "go mbeimid ag casadh."

Nuair a bhíodar ag casadh bhí an fear bocht t'réis bháis, é ar thaobh an chosáin i leathais loch.

"Héach anois é," arsaigh Peadar, "agus 'á dtabharthá cabhair ó chiana dho bheadh sé beo anois."

"Cuardaigh anois é, "arsaigh an Tiarna.

Chuardaigh Peadar é agus bhí gach aon ghiobal a bhí air lán d'ór agus d'airgead in gach aon bhall a bhí air.

"Sea anois," arsaigh an Tiarna, "caith an méid athá aige anois isteach sa loch."

Chuaigh Peadar agus chaith sé an t-airgead isteach sa loch agus choinnigh sé an t-ór agus nuair a chas sé thar n-ais ar an Tiarna:

"Sea," arsaigh an Tiarna, "níor dhein tú mar a dúirt mé leat."

"Níor dhein mé," arsa Peadar, "ar ndó' dh'oirfeadh an t-ór dúinn ag góilt tríd an tír."

"Beidh a rian ort agus a dtiocfaidh id dhiaidh," arsaigh an Tiarna.

Agus shin é an chúis go bhfuil beart na sainte ar na sagairt ó shoin, agus go mbeidh go brách.

Dh'airigh mé é sin agem sheanathair, 'ndéana' Dia trócaire air, agus bhí sé aosta nuair a dh'airigh mé aige é. Iascaire ba dh'ea é agus bhí sé ina chónaí anso sa Rinn i gCnocán a Phaora'.

7. An Mac Scaipitheach

Bhí fear ann agus bhí beirt mhac aige agus dúirt an mac ab óige acu lena athair:

"A athair, tabhair domhsa a bhfuil ag teacht chugham ded chuid."

Agus roinn sé a chuid eatarthu, agus tar éis beagán laethanta bhailigh an mac ab óige chuige a chuid go léir agus dh'imigh sé leis go dtí dúthaith i bhfad ó bhaile. Agus scaip sé a chuid le drochiompar agus le ragairne.

Agus nuair a bhí gach aon rud caite aige tháinig gorta ana-dhian sa tír sin agus thosnaigh sé ar a bheith in uireasa.[67] Agus dh'imigh sé agus shocraigh sé le duine dhe mhuintir na tíorach san, agus chuir sé sin amach é chun a chuid talún ag cothú muc. Agus ba mhaith an gnó leis a bholg a líonadh leis na féithleoga a itheadh na muca ach ní thabharfadh einne dho iad.

Agus mharana' sé ina aigne agus dúirt sé:

"Héach a bhfuil de lucht tuarastal a thuilleamh i dtigh m'atharsa agus a ndóthaint aráin acu agus mise anso ag fáil bháis don ngorta. Éireod agus raghad ag triall ar m'athair agus déarfad leis: 'A athair, pheaca' mé in agha' neamh agus in do láthairse. Ní fiú mé feasta go ndéarfaí gur mac duit mé. Lig dom a bheith mar a bheadh duine 'ed lucht tuarastal a thuilleamh.'"

Agus d'éirigh sé agus tháinig sé ag triall ar a athair. Agus chonac an t-athair … bhí sé i bhfad uaidh – chonac an t-athair é agus tháinig ana-thrua aige dho agus rioth sé ina choinne agus chaith sé é fhéin ar a bhráid agus phóg sé é.

Agus dúirt an mac leis an athair:

"A athair, pheaca' mé in agha' neamh agus in do láthairse. Ní fiú mé feasta go ndéarfaí gur mac duit mé."

Nach dúirt an t-athair lena sheirbhísigh:

"Brostaígí agus tuigí[68] amach an chulaith éadaigh is fearr agus cuirigí uimig[69] í agus cuirigí fáinne ar a láimh agus bróga ar a chosa. Agus tuigí libh an gamhain

67. /'r´isə/
68. /tig´i:/ .i. tugaigí.
69. /im´ig´/ .i. uime.

ramhar agus maraígí é agus ithimíst agus bímís súgach. Ó bhí an mac so liom marbh agus tá sé beo aríst, bhí sé caillte agus fuaireag é, agus ithimíst agus bímís súgach."

Ach bhí an mac ba shine leis amuigh insa pháirc agus bhí sé ag teacht chun an tí agus dh'airigh sé an ceol agus an rince. Agus dh'fhiarthaigh dho dhuine des na seirbhísigh agus dé rud é seo a bhí ar siúl. Dúirt sé sin:

"Tháinig do dhriotháir óg agus mhairigh t'athair an gamhain ramhar de dheasca é a theacht slán chuige."

Tháinig fearg air agus ní raghadh sé isteach. Ansan tháinig an t-athair amach agus chuaigh sé in achainí air. Agus dúirt an mac leis an athair á dh'fhreagradh:

"Táimse ag obair leis na blianta so go léir agus níor dhiúltaíos riamh d'aon rud a dhéanadh dhuit agus níor thugais riamh dom oiread le mionnán chun greann a dhéanamh lem chairde. Ach an mac so dhuit, chomh luath agus a tháinig sé t'réis a chuid a chaitheamh le striapaigh mharaís an gamhain ramhar do. Nach dúirt an t-athair:

"A mhic, bíonn tusa im fhochair i gcónaí agus is leat a bhfuil agam. Nach ba cheart dúinn sult agus greann a dhéanadh, ó bhí an driotháir seo leat marbh agus tá sé beo aríst. Bhí sé caillte agus fuaireag é."

8. An Diabhal agus an Báille

Do bhí an diabhal agus an báille ag siúl an bóthar lá. Do ghabhadar thar tigh agus chonaiceadar muc sa ngarraí ag réabadh na bprátaí. Lena linn sin tháinig bean amach ag cur an tóir ar an muic agus ar sise léi:

"Go mbeiridh an diabhal leis thú!"

Dh'airigh an báille agus an diabhal an chaint san agus arsaigh an báille:

"Shin é do sheans anois agat agus beir leat an mhuc bhreá san."

"Mhuise ní bhearfad," arsaigh an diabhal, "mar ní óna croí a dúirt sí é."

Do shiúlaíodar leo agus do ghabhadar thar tigh eile. Bhí leanbh ag rioth amach an doras agus a mháthair as a dhiaidh a d'iarra' breith air, mar go raibh tubaiste éigint déanta sa tigh aige. Nuair ná faigheadh sí breith air do chuir sí a guí leis, agus arsa sí:

"Mhuise go dtógaidh an diabhal leis thú!"

"An airír é sin," arsaigh an báille leis an diabhal. "Sin leanbh breá sláintiúil agat agus beir leat é."

"Mhuise ní bhéarfad," arsaigh an diabhal, "mar ní óna croí a dúirt sí é."

Agus dh'imíodar leo.

Fé dheireadh thángadar go dtí an tigh a raibh aithne ar an mbáille ann. Do bhuail an báille ar an doras agus tháinig fear an tí amach. Nuair a chonaic sé gurbh é an báille a bhí aige do chuir sé a ghuí leis:

"Go mbeiridh an diabhal leis thú!" ar seisean.

Agus do rug an diabhal air agus thug sé chun siúil é agus dúirt sé:

"Dar fia, ach ba óna chroí a dúirt sé siúd a ghuí."

9. "Is Deocair an Chloch a Chaitheamh."

Is dócha gur dh'airigh tú go minic gur deocair an chloch a chaitheamh?

[Úna Parks: Is deocair, *yea*, dh'airigh mé.]

An chéad áit a chuaigh sé [Naomh Peadar] ag léamh Aifrinn, nuair a bhí an tAifreann léite aige agus a bhriceast ite aige dh'fhéach sé amach sa bhfuinneog, chonac[70] sé an cóthalán amuigh ar lár na páirce agus an cailín istigh in fáinne cloch agus iad chun í a mharú le clocha.

Dh'fhiarthaigh sé dhe chléireach an teampaill:

"Dé chúis an obair seo?"

Well, dúirt cléireach an teampaill gob é nós a bhí acu nach, aon chailín a thitfeadh ceantach[71] i bpeaca na taidhse nó i bpeaca na dnúise[72] – a mbeadh leanbh aici gan pósadh – gob in é a dhéintí léithe, í a chuir isteach sa bhfáinne agus í a mharú.

"An raghaidh tú amach" arsa Peadar, "is an gcuirfidh tú stad air go raghaidh mé amach?"

Chuaigh sé amach agus dúirt sé leothu, 'nis sé dhóibh cad dúirt Peadar. Nuair a tháinig Peadar chuaigh sé isteach sa bhfáinne go dtí í ......? is dh'eist sé a faoisidín.

Tháinig sé amach.

"Sea anois," arsa sé, "einne agaibh nár cheantaigh[73] i bpeaca na dnúise caitheadh sé an chloch."

Ní raibh sa bhfáinne aige ach einne amháin a gheobhadh breith ar an gcloch is í a chaitheamh. Shin é chúis gur deocair an chloch a chaitheamh.

Minic a dh'airigh mise é sin age'n tseanamhuintir.

10. Raghaidh an Fharraige isteach in Méaracán

Is minic a dh'airigh mé mo sheanathair ag rá go raghadh an fharraige mhór isteach in méaracán an lá déanach, mara ba dh'é rud é a dhein an fharraige nach trí deoraíocha ón Maighdean Mhuire agus gob in é cúis go raghadh sé isteach in méaracán an lá déanach.

70. /xnuk/ – is minicí a chloistear /xnik´/ sa chanúint seo (feic Breatnach, *The Irish of Ring,* lch. 126)

71. .i. *ciontach*

72. /p´akə nə dnu:ʃɪ/ i. *peaca na drúise*

73. i. chiontaigh

11. Dia leat a Linbh

Bhí fear fadó ann agus bhí aon leanbh amháin aige agus aon chapall amháin. Agus bhí leasmháthair ar an leanbh agus thit an leanbh tinn agus chuaigh sé go dtí bean an fheasa. Agus dh'fhiarthaigh bean an fheasa dhe cé acu ab fhearr leis, an leanbh nó an capall, agus dúirt sé go mb'fhearr leis an capall. Dúirt sí leis dul abhaile agus go mbeadh an leanbh ag fáil faothamh anocht ar an dá bhuille dhéag, agus go ndéanfadh an leanbh sraoth agus trí shraoth, agus gan einne a rá 'Dia linn' agus go mairfeadh an capall agus go n-imeodh an leanbh.

Chuaigh sé abhaile agus nuair a bhí an leanbh ag fáil faothamh age'n dá bhuille dhéag bhí sé fhéin agus an leasmháthair age'n leaba. Agus dhein an leanbh sraoth agus ní dúirt einne 'Dia linn'. Dhein sé an trígiú sraoth.

"Dia leat a linbh," arsaigh an leasmháthair. "Dia leat is Muire. 'Á mairfeadh do mháthair dhéarfadh sí 'Dia leat is fiche!'"

Mhair an leanbh is fuair an capall bás.

12. Casadh na Roithe

Bhí ministir fadó agus ní thugadh sé lóistín dh'einne gan a dh'insint do cad athá ... cad a bhí an Tiarna a dhéanadh le linn na huaire. Agus tháinig scoláire bocht an oíche seo go dtí é agus dh'fhiarthaigh sé dhe:

"Thá's agat mo chuid rialacha," arsa sé, "ná tugaim lóistín d'einne gan a dh'insint dom cad athá an Tiarna a dhéanadh le linn na huaire."

"Thá sé ar a roth," arsaigh an scoláire bocht.

"Cad athá sé a dhéanadh ar a roth?" arsaigh an ministir.

"Thá sé á casadh," arsaigh an scoláire bocht.

"Dén gnó a bhfuil sé ag casadh na roithe?" arsaigh an ministir.

"Chun a sháint duitse agus domhsa," arsa sé, "an té athá síos inniu a bheith suas amáireach, agus an té athá suas inniu a bheith síos amáireach. Shin é casadh na roithe," arsa sé.

Ní fhiarthaigh sé dh'einne ón lá san go dtí an lá a bhfuair sé bás cad a bhí an Tiarna a dhéanadh le linn na huaire.

13. Naomh Joseph agus an Mhaighdean Mhuire

Nuair a bhí Rí Herod ann fadó cheap ... cheapag go gcaithfeadh gach aon bhean a bhí sa tír pósadh agus ní raibh ón Maighdean Mhuire pósadh a chuigint – níor theastaigh sé uaithi. Ach tháinig an dlí ina coinne sa tslí go gcaithfeadh sí pósadh. Agus dh'iarr sí achainí ansan trí oíche a thabhairt di ag dul dtí an teampall agus an cheist a chuirfeadh sí amach insa teampall, an té a dh'fhreagródh an cheist gob é a phósfadh sí. Agus chuaigh sí go dtí an teampall an chéad oíche agus níor réitigh einne an cheist. Chuaigh sí an tara hoíche agus chuir sí amach an cheist agus níor réitigh einne í. Bhí Naomh Joseph – plintíseach[74] siúnéara ba dh'ea é – agus bhí sé aosta, caite agus dúirt sé lena mhaighistir an trígiú oíche go raghadh sé fhéin dtí an teampall anocht. Dú, ní bhac an maighistir do. Nuair a tháinig an tráthnóna fuair sé slat tuigithe agus dh'imigh sé leis go dtí an teampall, agus shuigh sé istigh sa teampall gur tháinig an Mhaighdean Mhuire agus go chuir sí amach an cheist. Agus sé an cheist a chuir sí amach nach 'dén mhaighdeanas ógacht ab aoirde a bhíonn bean?'

Agus dh'fhreagair Naomh Joseph í gob é maighdeanas a ógacht.

Las gach aon bhrainse a bhí ar an tslait agus thá sé ar an bpeictiúr ó shoin le feiscint, agus an tslat ina dhorn agus gach aon tslat … gach aon bhrainse lasta.

Chúpalálag é fhéin is an Mhaighdean Mhuire ansan. Agus shin é deireadh mo scéil.

14. Artha an Ghreama

Bhí an Leanbh … bhí an Leanbh Íosa agus A Mháthair ag imeacht agus ag lorg a coda dho agus ag lorg a bheith istigh san oíche, agus chuadar go dtí ti' beag feirmeora – eorna á cáitheadh ann – san oíche. Agus bhí an bhean a d'iarra' iad a chuir amach agus a fear a d'iarra' iad a chumhad istigh. Agus amaite, is amach i gcolg na heorna a chuireag a chodladh iad.

Agus i gcaitheamh na hoíche dhóibh bhí an fear … fuair sé treighid agus bhí sé ag fáil bháis.

"'Á nglaofá ar an gcúiplín athá sa scioból," a dúirt sé lena bhean, "dhéanfaidís cuileachta[75] dhuit an fhaid is a bheinn ag fáil bháis."

Chuaigh sí agus ghlaoigh sí orthu agus tháiníodar isteach. Chuaigh an Leanbh dtí an leaba dtí é.

"Leag m'ordóig ar pé áit a bhfuil an pian agat," a dúirt sé leis an bhfear."

Leag sé a láimh air agus chuir sé an artha:

"Fear caoin," arsa sé, "age bean bhorb,
Chuir Íosa Críost ina luí sa cholg aréir.
Dearna Mhuire agus a mic
Agus chúig méara Íosa
'Cuir scaoileadh agus scaipeadh ar do ghreim,
In ainm an Athar, an Mhic is an Sprid Naomh.
Amen."

Leighis an fear … leighiseag an fear ar an nóimint dearg.

74. /p´l´əin´t´i:ʃəx/ .i. *printíseach*
75. /kil´əxdə/ – nuair a bhíonn sé ar an tarna siolla de fhocal ná fuil aon siolla fada ann cuirtear béim ar *ach* de ghnáth, ach eisceacht is ea an focal seo *cuileachta* nuair ná fuil aon bhéim ar -əx (feic Breatnach, *The Irish of Ring,* lch. 123)

Agus shin é mar a chuir sé an artha mar 'air[76] a bhí an Tiarna ... thug sé trí bliana déag is fiche ar an talamh agus ní raibh sagart ná dochtúir againn ar feadh trí bliana déag agus fiche. Agus na harthraíontaí[77] ... na harthraíontaí agus na luíonna[78] a bhíonn ár leigheas ó shinsear go sinsear anuas go dtí nár ghéilleamar d'artha ná dho ... ná dho ... ó dén ainm é sin a thugann tú air – luíonna. Ní ghéilleamar do luíonna ná dho aon rud ach don ngunna – gunna a bhí uainn ansan, ag lámhach a chéile is ag marú a chéile.

Well, dh'imigh an Tiarna ansan t'réis trí bliana déag agus fiche agus dh'fhág sé na harthraíontaí agus na luíonna ina dhiaidh chun leighis. Agus bhíomar ag leigheas a chéile ó shinsir go sinsir anuas go dtí nár ghéilleamar do aon rud ach don rud ná raibh aon tairfe ann.

I. FIANNAÍOCHT

1. Oscar agus a Ghruaig

Ina chodladh a bhí Oscar[79] nuair a bearrag a ghruaig. Ní raibh aon neart in Oscar nuair a bhí an ghruaig de. Nuair a fuair a bhean ina chodladh é do bhearraigh sí laiste dá ghruaig. Ní raibh aon neart in Oscar as san amach. Bua ba dh'ea é a bhí aige. Bhí an neart le fuireach aige go mbainfí laiste dá ghruaig. Fé dhraíocht a bhí Oscar.

2. Cúirt Oisín

Bhíodh Oisín[80] ag bóigeáil i gcónaí as an gcúirt a bhí aige i dTír na nÓg agus bhí Oisín ag brath i gcónaí chun Oscar a dhul go bhfeiceodh sé an chúirt. Chuaigh Oscar ag féachaint ar chúirt Oisín. N'fheaca sé aon rud ach fiaile, fuilig is neanntóga.

J. DINNSEANCHAS

1. Páirc na Croiche

Páirc na Croiche, tá sé i nGabhlán i bParóiste an tSeana Phobail. Fíodóir a crochag ann. As san thuas a thóigeag é. Fíodóir ba dh'ea é agus thóg sé *journeyman* agus bhí sé ag obair aige, ach nuair a chuaigh an *journeyman* fé dhéin a

76. .i. nuair
77. .i. orthaí
78. /li:nə/ .i. luibheanna
79. Ls. *Ioscar*
80. Ls. *Isín* /iˈʃi:n´/ (feic Breatnach, *Seana-Chaint II*, lch. 197 s.v. *foighinneamh*)

pháigh, mharaigh sé [i. an fíodóir] é. Triallag i bPort Láirge é agus fuaireag daor é. Agus crochfaí duine an uair sin san áit a dhéanfadh sé an choir, ach bhí Carey san áit: ministir ba dh'ea é agus ní lobhálfadh sé é a chrochadh ina *phroperty* féin. Fuaireadar é a aistriú isteach go *property* an Bharúnaigh agus crochag ansan é. Téadán a chuir ar a mhineál agus é a tharraint in airde. Bhí crann crabaí ann. Cuirtí crann i gach aon áit a gcrochfaí duine. 'Bill an Mhuileora' an ainm a bhí ar an *journeyman*. Saighdiúirí a chroch é. Thá thimpeall céad bliain ó maraíog é.

2. Lána an Mhadra Rua

Tá Lána an Mhadra Rua in Eochaill ag dul ón ché suas go dtí an tsráid mhór. Chuaigh triúr síos go dtí Pointe an Chala' fadó agus shuíodar síos ansan gur tháinig bád an chala' féna ndéin. Nuair a tháinig an bád i leith níor dhein duine acu ach breith ar eireaball ar an madra rua is é a chaitheamh isteach sa mbád. Nuair a chuadar anonn go dtí an taobh eile rug ceann acu ar eireaball air – shíl sé go raibh sé marbh is chaith sé amach as an mbád é. Dh'éirigh an mada rua agus dh'imigh sé suas agus tá Lána an Mhadra Rua ó shoin air – *Fox's Lane*.

3. An Choill

Tá an Choill ar an dtaobh eile anso sa Loiscreán,[81] agus tá umar an uisce coisreac sa chlaí fós. An Choill a tugtar ar an bpáirc. Leis na Paoraigh is ea an áit. Tá na Paoraigh ann le trí chéad blian.

4. Leaba an tSagairt, Carraig a' Mhadra agus Faill a' Chlára

Tá Leaba an tSagairt i mBóthar a' Chuain thiar, i gCarraig a' Mhadra …

"Faill a' Chlára ag trá is ag líonadh,
Agus Carraig a' Mhadra a mharaigh na mílthe."[82]

Léigh an sagart Aifreann ansan go minic nuair a bhí sé ar teithe. Chodalaíodh sé fén leac. Bhíodh na daoine ag dul go dtí é ag tabhairt a chuid bí' chuige. Níor dh'airigh mé riamh cad ba chor do.

5. Carraig Bhunfhaill

Carraig Bhunfhaill anso, deiridís go mbíodh aonach ar an áit sin fadó.

6. Coill C*h*olmáin[83]

"Tá bád sa Rinn mar a cailleag í,
Is tá crann i gCoill C*h*olmáin mar a gearrag é."

Geibhtí crainn dos na báid i gCoill C*h*olmáin.

81. Baile i bParóiste an tSeana-Phobail.
82. Ls. *meighlthe* /m´əil´h´ɪ/ .i. mílte
83. Cill Cholmáin i bParóiste na hAirde Móire. 'Cill Cholmáin' gnáthainm na háite seo (féach Power, *Placenames*, lch. 81)

7. Baile Uí Churraoin

Baile Uí Churraoin gan greann,
Ná téire gan do dhinnéar ann;
Tá tigh mór slinne ann,
Ar bheagán tine,
Agus bean gan tuiscint ann.
Agus do bhí leis.

8. An Garraí Gann

Tá Garraí Gann i mBaile na hArda. Sclábhaí a fuair garraí ann agus chuaigh sé á thómhas agus dúirt sé go raibh an garraí gann.

9. Ciarraí agus Port Láirge

Contae Chiarraí ag fiarthaí a chéile,
Agus Contae Phort Láirge a thug an báire ó Éire.

10. Donn Garbhán agus Dún na Mainistreach

Donn Garbhán na seana-bhád seolta,
Agus Dún na Mainistreach na mbitsíní dreoite.
Scailpín is ea bitsín – *dogfish.*

11. "Cathair Luimní a bhí."

Cathair Luimní a bhí,
Bleá Cliath atá,
Agus Corca a bheidh."

Scoláire bocht a dúirt é. Sé Corca an baile mór is mó a bheidh in Éirinn fós.

K. SEANFHOCAIL

1. Bean gan aprún nó capall gan srathair [nín aon mhaith iontu].

2. "Cúnamh gach aon rud," a dúirt an dreoilín nuair a dhein sé a mhún sa bhfarraige.

3. Ní thagann an óige fé dhó choíche,
Is tagann an brón fé dhó san oíche.

4. Nuair is mó an cuileachta[84] is ea is mó an misneach.

5. An Déardaoin cabhrach a bhriseann an drom sa tseachtain.

6. Ciúnú na hoíche buanú na gaoithe.

7. Deireadh loinge í a bhá.
Deireadh átha í a loscadh.
Deireadh féile í a cháineadh.
Deireadh sláinte osna.
Tosach loinge clár.
Tosach átha clocha.
Tosach féile í a cháineadh.
Tosach sláinte codladh.

8. Ceart leapan beirt.
Dhéanfaí seift le triúra[r].
Rírá ceathrar.
Bheirim 'on diabhal cúigear.

9. Na trí ní is lú bheith ag plé leo sa domhan:
Nín aon mhaith a bheith ag cur stopadh le habhainn nuair athá sí ag rioth ró-láidir;
Nín aon mhaith a bheith ag caitheamh uisce ar fhrancach bháite;
Nín aon mhaith a bheith ag aighneas le bean gan náire.

10. Na trí ní is lú maith sa saol:
Fear as a mheabhair,
Árthach gan stiúir,
Agus clog gan eochair.

11. Sé ní ná feicfear go brách:
Gaoth, faobhar agus grá,
Sioc samhraidh agus fraochán earraigh,
Agus nead age'n seabhac i bpoll an deataigh.

12. Trí shaol fiolair saol fia,
Trí shaol fia saol fioróide,
Trí shaol fioróide iomaire críthir,
Trí iomaire críthir deireadh an domhain.

84. Ls. *cuiliochta* /kil´əxdə/

Iomaire críthir is ea iomaire a bhéadh déanta i bpáirc agus ligint di ansan agus bheadh an rian i bhfad ann. Ceann eile a dhéanadh ansan agus nuair a bheadh a rian san imithe ceann eile a dhéanadh agus nuair a bheadh a rian san imithe bheadh deireadh an domhain ann.

13. "Suirí i bhfad uait is pósadh gairid duit."

Sin é comhairle an tseanduine, mar, "ní cheannaíonn aon rud an t-aitheantas," a dúirt sé.

14. "An rud a bhíonn maith don ngé bíonn sé maith don ngandal."

Bean a dh'airigh mé á rá. Chuaigh sí isteach i dtigh ósta agus bhí deoch aici fhéin agus bhí sí a d'iarraidh deoch a thabhairt do agus níor theastaigh uaidh é a dh'ól mar ní raibh sé ag ól dada.

15. Na trí rud is meidhrí amuigh:
Puisín cait,
Mionnán gabhair
Agus baintreach óg mhná.

16. Trí ní ná tiocfar suas go deo aríst leothu:
Méile bídh agus oíche chodlata nó Aifreann Dé.

17. Tosach agus deireadh an duine ar an tine a thrialann.

18. Fallaí fuara a dheineann bean tí buartha.

19. Céalacan fada agus droch-bhróga a dheineann seandaoine dhe dhaoine óga.

20. Sin comhairle a thug an mháthair dá hiníon:
"Tabhair do chomhairle don té a ghlacfaidh í,
Agus do thón don té a ghreadfaidh í."

21. Nuair is fuar é an teachtaire is fuar é an freagra.

22. Ar airigh tú cad dúirt an fear lena iníon nuair a phós sí?
"Beidh mí na meala aici agus seachtain na céarach,
Ach tiocfaidh ráithe an chaca ina ndiaidh go léir."

23. An té is mó a labhrann sé is mó a dh'airíonn agus an té is lú a labhrann sé is lú a dh'airíonn.

24. Bealthaine mhéith, fhliuch a mhéadaíonn an eathla.[85]

Sé sin Bealthaine bhreá teacht a mbeadh drúcht breá trom ar an bhféar fé mar a bhíodh fadó.

25. Is fearr cioth fearthaine i mBealthaine ná ualach óir.
Sin é an t-am a theastaíonn an fhearthainn.

26. Is fearr lán doirn d'fhear ná lán doiris de bhean.
[Ach] bíonn cuid des na mná láidir go maith. Bhí aithne agamsa ar bhean agus ní raibh sí ró-mhór, máthair Ch--------, agus ní raibh aon fhear insan áit ná leagfadh sí. Is minic a dh'airigh mé go leagfadh sí aon fhear a bhí sa Rinn.

27. Bean feadaíola nó cearc grágála.
Ní ceart aon mhuinín a bheith astu.

28. Más maith leat a bheith buan caith fuar agus te,
Más maith leat a bheith sámh ná codail go brách idir bheirt,
Agus más maith leat a bheith compordúil go brách,
Ná téigh i mbun botháin le geilt.

29. Teacht agus imeacht na taoide,
Teacht agus imeacht an lá is an oíche,
Rast ar fhéar agus fán ar dhaoine,
Grian sa lá agus ré san oíche.

30. Is mó duine a bhí bocht a dh'éirigh,
Is mó duine a bhí saibhir a thit,
Is mó duine a luigh nár dh'éirigh,
Agus is mó duine a dh'éirigh nár luigh.

31. "Éadan mór, ceann meabhrach," a dhéarfadh an seanduine.

32. An ceann maighistir na colainne.

33. "Arm mná a teanga." Is minic a dh'airigh mé é. Ní bhíonn aon arm eile age'n mbean ach a teanga agus ní beag di é.

85. Ls. *iothala* – *eathla* /ahələ/ de gnáth ag Maidhc Dháith.

34. Cúl buí cas, croí bog úr.
Cailín a mbeadh 'cúl buí cas' uirthi bheadh sí fáilteach flaithiúil.

35. Caincín cú,
Tón mná,
Agus sigirlín seaca.
Na trí rudaí is fuaire.

36. Bíonn cluasa ar na clathacha,
Agus adharca ar na frathacha.
N'fheadair mé dén brí thá le adharca a bheith ar na frathacha.

37. Galar gan náire an tart ach bhuaigh an tochas air.

38. Sin dhá rud ná faighfí deireadh a chuir leis:
Rioth ar mhná,
Agus muc ag tóch.

39. Fiach nó iascach, ní bhíonn ann ach seans.

40. Bhí dhá amadán ag dul go dtí abhainn anallód agus ní bhíodh aon drochad ar an haibhne an uair sin ach cabhaiseanna. Bhí an dá amadán amuigh lena chéile. Nuair a tháinig an chéad duine díobh go dtí an abhainn bhí an cabhas foilithe.
"Nach minic a chuaigh fear buile thar tuile agus é láidir," ars an fear ina dhiaidh.
"Is minic a chuir tuile fear buile le fánaidh," a dúirt an tarna amadán.

41. Is mairg a cheannaíonn muc i mála.

42. Ní féidir sac folamh a chuir ina sheasamh raimidí.

43. Ní luaithe cabhair ná práinn.

44. Fuil a gheibheann an uaisleacht, airgead a gheibheann an uaibhreacht.

45. An bóthar fada roimh chosa laga.

46. Oíche shúgach agus maidin bhrónach a bhíonn age'n drancaer.

47. Céalacan fada is gan dada le fáil.

48. Mol an óige agus tiocfaidh sí,
Tabhair cic sa tóin di is titfidh sí.

49. Titfidh an éide is an creideamh ar lár
Má bhíonn aon ghaol ag einne le duine gan aird.

50. Is gairid do mheidhir mhór buairt,
Is gairid don bhfuacht an teas,
Is gairid don a thuilleadh titim mhór,
Mar nín aon rud buan ach an ceart.

Shin é a dúirt … shin é a dúirt an fear bocht leis an breitheamh nuair a bhí sé á thriail. Agus bhí an fear bocht … bhí an ceart aige. Agus nuair a dúirt an breitheamh go raibh an ceart aige:

"*Well*, is gairid do mheidhir mhór buairt, a dhuine uasail," arsa sé,
"Agus is gairid don bhfuacht an teas,
Is gairid don a thuilleadh titim mhór,
Mar nín aon rud buan ach an ceart."

51. Gaoth, faobhar agus grá – trí ní ná feicfear go brách.

52. Sioc samhraidh agus fraochán earraigh agus nead ag an seabhac i bpoll an dataigh.
[Trí ní ná feicfear go brách]

53. Nín deatach gan tine,
Nín mac gan máthar,
Nín bóthar gan casadh,
Nín long gan clár,
Nín sruth gan rioth,
Nín abhainn gan breac,
Nín bun gan barr,
Nín barr gan bun,
Nín saoi gan locht,
Nín claí gan cloch,
Nín asal gan cros,
Agus … Nín roilig gan corp.

L. TOMHAISEANNA

1.

Bhí triúr dritheár ag góil thar roilig babhta …

"Raghaidh mé anso isteach agus déarfaidh mé paidear ar mhac mo dhritheár," arsaigh ceann acu.

"Raghaidh agus mise isteach," arsaigh an tara fear, "agus déarfaidh mé paidear ar mhac mo dhritheár."

"*Well*, ní raghaidh mise isteach chuigint," arsaigh an trígiú dritheár mar ní mac dritheár ná dritheár dom é."

Freagra: Bé ba dh'é a mhac fhéin é.

2.

A Mhic Uí hAo, is tú Ao agus Bean Uí Ao do mháthair.

Is tú m'fhear, is tú mo mhac, is mé do bhean agus do mháthair.

Freagra: Dh'imigh a mac go Sasana Nua agus é óg. Cailleag a fear agus chuaigh sí go Sasana Nua í féin. Bean óg ba dh'ea í agus phós sí an buachaill seo. A mac féin a bhí ann.

3.

Uisce goirt gan salann gan sáile.

Freagra: Uisce a bheadh i ngort.

4.

Cím chugham tríd an móin
Firín beag is cor ina thóin,
Fiacail bhata idir dhá easna,
Agus bréidín casta ar a thóin.

Freagra: Túrann Lín.

5.

Cad a bheadh ró-ghairid, agus píosa a bhaint di bheadh sí fada a dóthain?

Freagra: Uaigh.

6.

Dén t-am is mó a bhíonn poill oscailte?

Freagra: Nuair a bhíonn an fómhar bainte.

7.

Dén t-am is mó a bhíonn clúmh ar an ngé?
Freagra: Nuair a bhíonn an ganndal in airde uirthi.

8.

Chuaigh mórsheisear Éireannach go Sasana Nua agus chuadar oíche fé dhéin lóistín agus ní raibh sa tigh ach sé leaba agus leaba chailín an tí. Ní raibh aon bhaint acu léithe sin. Conas a dheineadar é?

Freagra: Chuaigh an chéad fhear ag cimeád na coinnle.
Chuaigh an tara fear isteach sa chéad leaba.
Chuaigh an trígiú fear isteach sa tara leaba.
Chuaigh an ceathrú fear isteach sa trígiú leaba.
Chuaigh an cúigiú fear isteach sa cheathrú leaba.
Chuaigh an séigiú[86] fear isteach sa chúigiú leaba,
Agus chuaigh an fear a bhí ag cimeád na coinnle isteach sa seachtú[87] leaba.

9.

Thá sí thoir agus tá sí thiar,
Agus thá sí i ngairdín Bhaile Átha Cliath.
Is mó a greim ná greim capaill,
Agus ní dh'itheann sí an bia.
Freagra: Speal.

10.

Bó chúram cháram,
Bó cháram liath,
Bó a chuirfeadh stailc i gcapall
Agus an buitseachán ina hiaidh.
Freagra: Bád agus mála straíocála.

11.

Tháinig sí ar an saol gan croiceann.
Dh'eiteal sí gan sciathán,
Agus fuair sí bás ag amhrán.
Freagra: Broim.

86. /ʃe:g´u:/ – foirm analógach a thagann ón múnla *cúigiú.*
87. séigiú?

12.
Cad a chuirfeá i ndealradh[88] le leath na ré?
Freagra: Ná beadh ana-dhealradh age'n leath eile léi.

13.
'Bhfeaca tú an ré riamh agus í beirithe?
Freagra: Uí (uibhe) beirithe.

14.
'Bhfeaca tú leath-cheann muice le dhá shúil?
Freagra: Le[d'] dhá shúil.

15.
Cad is lú ná dhá shúil fríde?
Freagra: Aon tsúil amháin.

16.
Gilín Ó Gil thar farraige anoir
Ag insint a scéil gan béal gan fuil.
Freagra: Leitir.

17.
As ceann na talún,
Fé bhun na daraí,
Ar mhuin capaill
Ná rugag riamh,
Agus ná béarfar go deo,
Agus croiceann a mháthar
Mar shrian is mar dhiallait air.
Freagra: Tiarna talún a bhí ann agus aon cheist a cuirfí air ná faigheadh sé a réiteach thabharfadh sé an talamh gan dada dhon té a chuirfeadh an cheist air mara bhfaigheadh sé í a réiteach.

Bhí fear ann agus thit láir tinn air agus bhí fhios aige go gcaillfí an láir agus dh'oscail sé uirthi agus bhain sé an siorrach di. Agus thóig sé an siorrach ansan go raibh sé trí bliana agus bhain sé an croiceann den láir agus dhein sé srian agus diallait de agus dhein sé an bramach a mharcaíocht ansan agus thug sé isteach sa halla chuige í agus chuir sé an cheist chuige.

Bhí an capall as cheann na talún ar urlár cláir agus fé bhun na talún. Dair a bhí i sileáil an tí.

88. Ls. *i ndeabhra* /ə n´aurə/

18.

Cé acu is mó don bhfear, sa míol ná sa deanathairt?[89]

Freagra: Is mó sa míol mar seasaíonn sé a thriail is teitheann an deanathairt.

19.

Conas a chuirtheá deanathairt chun báis gan anbhás, gearra-bhás ná bás obann a thabhairt di?

Freagra: Í a dh'iompó ar a bolg agus fuireach ag cur digileas[90] uirthi go bhfaigheadh sí bás ag gáire.

20.

Cé rugag roimh a athair agus fuair bás roimh a mháthair agus bhí an saol go léir ag a shocraid?

Freagra: Abel.

21.

Nín sé istigh is nín sé amuigh agus tá sé in áit éigin timpeall an tí.

Freagra: An fhuinneog.

22.

Shiúd seo chughainn agus dhá chéad súil air.

Freagra: Corcán anraith.

23.

Siúd é in airde mo dhaid mór agus caipín air.

Freagra: Deatach.

24.

Tháinig sé isteach ar ghualainn na ndaoine agus dh'imigh sé in airde sa simné ina shnáithe síoda.

Freagra: Deatach.

25.

Ceathrar ag rioth,
Ceathrar ag crioth,
Beirt ag déanamh eolais,
Agus cóir seoil rompu amach.

Freagra: Bó bhainne.

89. .i. cé acu is mó a bhfuil tréithe an fhir ann, sa mhíol nó sa deanathairt? (feic Breatnach, *Seana-Chaint II,* lch. 185 s.v. *fear*)

90. Ls. *digilios* /d´ig´ıl´ıs/

26.
Dén chuid den bhó a théann isteach sa bhearnain i dtosach?
Freagra: A hanáil.

27.
Dé chúis go dtugtar "uirthi" ar bhád?
Freagra: Mar iomparaíonn sí na fearaibh.

M. AMHRÁIN A CHUM FILÍ ÁITIÚLA

1. Amhráin Chaitlín Shíomóin

(i) "Thíos age Leaca na Gréine."

Thíos age Leaca na Gréine
  Casag mé fhéin lá buaint,
Ag síor-ghearradh choirce gan éifeacht –
  Ar chailleag le saothar mór.

Bhí fearaibh is capaill go saotharach,
  Á chaitheamh fén chré go luath;
Is ní dhíolfadh sé sraith na mbocht fhéin dom,
  'Á mbeadh sí gan glaoch nach uair.

Sé ár maighstir Tiarna na nDéise,
  Is ná glacaigí fhéin aon bhuairt;
'Á mbeadh scrite againn isteach go dtí an *agent*
  Bheadh leagaint le fáil go luath.

Ní fiú tistiún an t-acra 'on t-aol é
  Dhá mbeifí á chréithirt buan,
Is meireach paistí dhen chladaigh a bheith taobh liom
  Chaithfhinnse fhéin tabhairt suas.

Mo thruasa an fear athá 'plé leis,
  Ag cur salainn is aol ina dhrom,
Clóbhar dearg is régras
  Á chaitheamh ina dhé' súd ann.
Ní chothódh sé seafaid ionlao dhom,
  Seacht n-acra dhéag den nGleann.

Nach é Dick 'ac Gearailt an séimhfhear,
A bhfuil carthanacht Dé ina chroí.
Thá boicht an bhaile go léireach
Gach maidean á nglaoch ina ghnó,
Agus nútas le freagairt in agha' an lae dhóibh,
Agus fanann sé fhéin dtí an bhfómhar."

(ii) An Brónfeainí

Dhein sí [Caitlín Shíomóin] drachtín eile do láirín chapaill a bhí aige – rásaeir:
"An chéad lá a riotheadar,"[91] arsa í, "bhí mé im shuí is mé 'mairne,
Níor chuas ar aon leaba nó gur labhair na héin,
Ag súil le teachtaireacht is le scéal abhaile uaithi,
Ab í láir an Ghearalthaigh a bhuaigh an chraobh.

Is luath ar maidin a fuair mé freagra,
Go raibh an srian á theannadh léithe is ag fáscadh béil.
Nár mhór an t-eagla a bhuail an smalcaire,
Nár chaill an t-anam agus scaoileadh léi.

Thá lá eile chun cáithe againn agus an Bhálthach[92] chun seasamh dúinn,
Agus breab ní ghlacfaidh ó einne beo,
Go n'aireofar in Airglinn ceol binn á spreagadh[93] againn,
Agus an Brónfeainí[94] ag tarraint orainn le sult is gleo

N'fheadair mé cad é an fhaid ó bhíodar ann ach dúirt seanduine a bhí anso thoir liom é sin. Caitlín Shíomóin a thugaidís uirthi a dúirt sé. Anso i mBaile Uí Churraoin a bhí Micil Ó Corráin. Thá sé curtha anois le dachad bliain.

2. An Léiseach agus Seán Cnap Ó Laoghaire

Dhein Doghair, an file a bhí sa Seana-Phobal amhrán don Léiseach agus do Sheán Cnap Ó Laoghaire. Bhíodar i gcúirt lena chéile mar gheall ar aiteann a ghoid.
Beidh an Léiseach is Cnap Ó Laoghaire
I gcoinne a chéile sa chúirt seo 'teacht,
Ag insint éithigh is ag damnú a chéile,
I dtaobh aiteann Gaelach a ghoid ón bhfear.

91. Ls. *rachadar* /ruxədər/
92. Marcach eile a raibh an ainm sin air – **SÓD.**
93. Ls. *spreaca* /sbr´agə/
94. Ainm na lárach – **SÓD.**

Beidh Missus Leary agus Mary taobh léi,
A thug a saol riamh gearrtha amach,
Ag dul dtí an séipéal chun a n-áithrí[95] a dhéanadh,
Agus gheobhaid luáil saothair ó Rí na bhFear.

I gcúrsaí an Léiseach tá's age gach einne cé hé siúd,
Cé chuir léine air is cé hí a mham,
Nach Seán Cnap Ó Laoghaire a tháinig ar éigin ón dtaobh thiar d'Éire,
Agus in aice an Léisigh a dhein sé nead.

Ó Chorca a tháinig Seán Cnap Ó Laoghaire ar an áit. Tá Doghair curtha anois le gairid de scór blian.

3. An Cat Fireann Bán

Maidhc Dháith: Sin amhrán a dheineag sa Rinn, 'An Cat Fireann Bán'.

Úna Parks: Sea.

Maidhc Dháith: An raibh aithne agat ar Mháiréad Néill?

Úna Parks: Dh'airigh mé trácht ar an amhrán sin … ní raibh – Mháiréad Néill.

Maidhc Dháith: Shin í a dhein é sin, í fhéin agus bean eile a dh'éirigh chun a chéile mar gheall ar lacha óg. Agus mharaigh … mharaíog an lacha agus chuireag … chuireag an … chuir an bhean eile milleán an lacha ar Mháiréad. Agus sé an ainm a thugadh an bhean eile ar Mháiréad ná 'An Bhean Chaoch' agus sé an ainm a thugadh Máiréad uirthi ná 'An tSeanaláir'. Agus nuair a bhí an cath caite chuaigh Máiréad isteach is shuigh sí istigh age'n tine is dhein sí an t-amhrán:

Sí an Bhean Chaoch a mharaigh é a dúirt an tSeanaláir,
Mar gheall ar an lacha ná raibh nach dhá lá,
Nach thabharfainnse scilling di in áit an díobháil,
'Á ligfeadh sí abhaile mo chat fireann bán.

Sásar breá bainne gach maidean ina chomhair,
Nó idir siúd is an t-eadra an súp is an fheoil,
An ciotal ar stealladh seacht n-uaire sa ló,
Is ní bhfaighead faid is mhairfead aon chat eile dhá shórt.

Pé duine a chaith leis fuair seans ar é lámhach,
Guím faid is mhairfidh sé neart ina láimh,
Mara beidh againn lachain agus uíbhe ina gciseáin,
Ó chuireag thar farraige an cat fireann bán.

95. /ɪ nɑ:r´h´i:/ .i. a n-aithrí

'Á bhfaigheadh sí siúd marbh é ní bheadh uirthi aon chás,
Bhainfeadh an croiceann de chún é a shábháil,
Chuirfeadh ar salann é cúpla lá,
Agus dhéanfadh ar chantacht í *gloves* chún bacsáil.

Nín aon Domhnach dá dtagadh ná bíodh sí 'máirseáil,
Ina seasamh ar an strapa is í 'fógairt bacsáil,
Nach anois gheobhaidh an baile beag tamall síocháin,
Ó leagag ar a mala aici mac an bleaigeaird.

Sí an Bhean Chaoch a threasnaigh mé agus a thug mé ar lár,
Agus a ghaibh dem chaincín ar leac an tinteáin,
Meireach Micil 'ac Gearailt a dhéanfadh díom snáth,
Fé ráinig chugham [Aindrias?] agus peidhre sciathán.

Beidh Máire sa mBearraic is Bid ag gordáil,
Agus Norry sa mbaile acu ag faire an chliabháin.

4. Na Prátaí Dúbha

A Rí na Trua agus 'Uain Ghil Bheannaithe,
Scaoil ár nglasaibh agus réidh ár gcás,
Sa bheatha seo aríst ód chroí go gcasfair chughainn,
Is an *poorhouse* go leagtar anuas ar lár.

Siad na prátaí dúbha a chuir ár gcomharsain ar scaipeadh uainn,
Sa *phoorhouse* agus anonn thar farraige,
Is in Roilig a' tSlé' athá na céadta acu treascartha,
Is uaisle na bhFlaitheas go ngabhaid a bpáirt.

A Rí na Glóire fóir is freagair sinn,
Féach ar an ainnise athá inár gcrá;
Lig braon beag arís do t'fhuil chun a cneasaithe,
Go mbeimíst id dh'amharc gach am den lá.

Ní hé Dia riamh a cheap an obair seo,
Daoine bochta a chur le fuacht agus le fán,
Sa *phoorhouse* agus anonn thar farraige,
Agus an lánú scartha go bhfaighidís bás.

5. Mo Shlán Chughaibh a Ghaibhne[96]

Mo shlán chughaibh a Ghaibhne, meidhir oraibh agus áthas,
'Á bhfanfaimís in úr dtimpeall bheadh trioscar ag ár gcráin ann,
I diúnais dul go Baile an Chlampair i gcontúirt ár mbáite,
Ár mbáidín á luascadh is gan aon trioscar le fáil ann.

Ar thrá mhara thuile bhíodh úr ngaidhlte trusáltha,
Agus cífear úr gcruacha ag góil suas an chanáile;
Tiocfaidh fear ó Mhóin Eotara agus fear ó Bhéal an Átha;
Iarraigí púnt air, sin cúig déag in úr láimh díbh,
Mo shlán chughaibh a ghaibhne, beam anonn chughaibh amáireach.

Cealla a dhein é sin i mBaile na nGall. Níl aon chúntas agam air.

N. AMHRÁIN AGUS DÁNTA ÉAGSÚLA

1. Moladh na hÓige

Ar airigh tú cad dúirt an duine aosta?

"Nuair a bhí mise i dtúis na hóige
Bhí sult agus gleo i mo chroí,
Ar báire iomáint is liathróide
Go minic a stór sea bhínn.

Anois tá buachaillí is cailíní óga
Go minic ag góilt an tslí,
Agus sé dhéarfadh gach duine dhem shórtsa
Ach gur dheas a bheith óg aríst."

2. "Lúidín Ó Lúrra."

Bhí buachaill óg is cailín óg turas ag caint le chéile, ag amhrán:

"Lúidín ó lúrra is ó lúrra lárra
Is shiúlaigh mé an choill faid a dh'éirigh an lá orm."

"Lúidín ó lúrra is ó lúrra lárra
Is má bhí aon drúcht ann is ionadh nár bág thú."

96. Carraigreacha is ea na Gaibhne (féach Power, *Place-names*, lch. 101)

"Lúidín ó lúrra is ó lúrra lárra
Is ní drúcht a bhí uamsa ach mo bhuachaillín sásta."

"Lúidín ó lúrra is ó lúrra lárra
Céad bó ina macha agus tarbh chun dártha."

3. Píopaire Chluain Fhia – Amhrán gan Deireadh

Mo chreach is mo chás an áit úd a leagag an corp,
I mbotháinín fásaigh[97] lámh le Roilig na gCloch,
Mo phíopaire breá deas is áille a dh'imríodh port,
Agus aililiú a Sheáin a dh'fhágais-se mise go bocht.

Tá fhios agat, píopaire é seo a bhí i gCluain Fhia agus mar an píopaire é cuireag an phíp leis. Hocht ceathrúna déag athá ann agus mar a chéile a thosach is a dheireadh.

Mo chreach is mo chás an áit úd a leagag an corp,
I mbotháinín fásaigh lámh le Roilig na gCloch,
Mo phíopaire breá deas is áille a dh'imríodh port,
Agus aililiú a Sheáin a dh'fhágais-se mise go bocht.

Tá fhios agat píopaire é seo a bhí i gCluain Fhia agus mar an píopaire é cuireag an phíp leis. Hocht ceathrúna déag athá ann agus mar a chéile a thosach is a dheireadh.

Is fada go mbeadh na hocht ceathrúna déag ráite agam.[98]

4. An Té a Chífeadh an tIontas

Té a chífeadh an t-iontas a chonnacaíos an lá úd,
Cnoc Mhaol Donn is é istigh ar bord árthaigh,
Is Baile na Sagart ag ól a shláinte,
Is m'anamsa an dedaró dilín ó déaró,
M'anamsa an dedaró a bhodaigh tháim ré' leat.

Té a chífeadh an t-iontas a chonnacaíos an lá úd,
Trí cinn de ghéanna ag baint féir as a *wig*,
Is Tiarna na nDéise ag ól té is ceithre mhuic,
Agus m'anamsa an dedaró dilín ó déaró,
M'anamsa an dedaró a bhodaigh tháim ré' leat.

97. *i mbotháinín fásaigh i. i mbotháinín tréigthe* (feic Breatnach, *Seana-Chaint II,* lch. 179 s.v. *fásach*)

98. Cantar "Mo chreach is mo chás … go bocht," cantar an cheathrú san ar fad. Deirtear ina fhocalaibh, "Tá fhios agat píobaire … a thosach is a dheireadh," agus tosnaítear aríst ag canadh an chéad cheathrú – **SÓD.**

Té a chífeadh an t-iontas a chonnacaíos an lá úd,
Madra rua ar sodar is diallait ón Spáinn air,
Is trí cinn do ghéanna ag baint feidhneáin[99] den mbuataisí in airde,
Is m'anamsa an dedaró dilín ó déaró,
M'anamsa an dedaró a bhodaigh tháim ré' leat.

Té a chífeadh an t-iontas a chonnacaíos an lá úd,
Slithide is muc aige ag dul go dtí an aonach,
Is m'anamsa an dedaró dilín ó déaró,
M'anamsa an dedaró a bhodaigh tháim ré' leat.

Té a chífeadh an t-iontas a chonnacaíos i bPort Láirge,
Táilliúir i mbéal muice is é ag scuabadh na sráide,
Is m'anamsa an dedaró dilín ó déaró,
M'anamsa an dedaró a bhodaigh tháim ré' leat.

Té a chífeadh an t-iontas a chonnacaíos an lá úd,
Eilit ag ceangal is eilit ag cáitheadh,
Dhá eilit déag ag déanadh stáca,
Dreoilín is píce aige ag caitheamh chuchu in airde,
Is m'anamsa an dedaró dilín ó déaró,
M'anamsa an dedaró a bhodaigh tháim ré' leat.

An té a chífeadh an t-iontas a chonnacaíos an lá úd,
Eochaill ar chóiste is é ag dul go Cúige Uladh,
Aird Mhóir cé gur mór é ag dul suas chun na cuilce,[100]
Is m'anamsa an dedaró dilín ó déaró,
M'anamsa an dedaró a bhodaigh tháim ré' leat.

Chonnacaíos an fharraige curtha fé shíolta,
'Gus Sléibhte Dubha Albain ag imeacht ar fuaid tíortha,
Agus m'anamsa an dedaró dilín ó déaró,
M'anamsa an dedaró a bhodaigh tháim ré' leat.

Sa phríosún a bhí an fear san agus dúraíog leis má dhéanfadh sé amhrán ná beadh aon phioc den bhfírinne ann go ligfí leis. Agus sé an méid bonntáiste a fuaireag air nach go bhfeaca sé an fharraige curtha fé shíolta agus Sléibhte Dubha Albain ag imeacht ar fuaid tíre. B'in é an méid den bhfírinne a bhí ann –

99. /f´əiˈn´ɑ:n´/ .i. eidhneáin.

100. Is dóichí gurb é an cloig-theach /kil´ˈk´ax/ in Aird Mhóir atá i gceist anseo (feic Breatnach, *The Irish of Ring,* lch. 50)

bhí an fharraige fé shíolta éisc agus bhí Sléibhte Dubha Albain ina ghual ag imeacht ar fuaid tíortha. Shin é an méid bonntáiste a fuaireag air.

5. An Scúnaer

Éireoidh mise ar maidin agus raghad go Carraig Áilis;
Chífidh mé an *schooner* is í ag túrnáil na bá isteach;
Barra crainn ag lúbadh is í ag úmhlú dhon ngála;
An seana-*vest* go súgach is gan feoithne age[101] fear mála.

'Thráiléirí m'anama mo mhairg gach lá sibh;
Cad déanfaidh sibh feasta, sé ti' na mbocht athá i ndán díbh;
Ní bheidh fiú an bhraon bainne géir agaibh ná té ar chupáin bhána;
Thá criú na mbád mhaola go haerach ti' Sheáin thall.
Thá sé ró-ghairid.

6. Eachtra Éamoinn de bhFál

Thá sé scrite[102] síos an méid sin d'aois Chríost, míle agus seacht gcéad agus fadó dho bhlianta ar an seachtú lá déag do Mhí an Abráin, eachtra Éamoinn De bhFál agus é lá ag teacht ó Chorca t'réis adhlacann a mhná, agus é go cráite, cortha, bean á chuir amach san oíche agus osna Eamoinn uirthi.

Deimhnímse dhíbhse a dhaoine,
An t-íospairt ó Liam Ó Curtáin,
Go brách ná ligfar do suí
I measc suíomh [saoithe ?] na bhfeadán.[103]

Nach gura míle measa dhon stóinse
A bhí ina suí cois na ndoirse,
Agus dúirt go dána
Ná raibh aon tslí aici dhomhsa.

"Dh'éiríos-sa im sheasamh," arsa Éamonn,
Agus labharaíos go tláth léi,
Agus dúraíos léithe go rabhas cortha cráite,
Mar gur tháiníos ar chosa in airde.
An lá san ó Chorca."

101. /gɑn f´u:n(ə) ɪg´e/
102. /ʃg´r´it´ɪ/
103. 'ameasc saoid-ar na bhfiodán' san eagrán a thóg Nioclás Breathnach ó Mhaidhc sa bhliain 1935 (CBÉ 150:554). 'I measc saoi ná 'dir dámh' san eagrán a thóg Nioclás ó Mhaidhc sa bhliain 1932 (CBÉ 86:365)

"Pé acu Corca nó Ceann tSáile
Do dh'fhágais a bhodaigh.
Shin é amuigh ti' 'n tábhairne,
Téire go lá ann is codail."

"Dh'éiríos im sheasamh arís t," arsaigh Éamonn,
"Agus labharaíos go tláth léi,
Agus dúraíos léi ná raibh puinn agam,
Agus nár chara dom bean an tábhairne."

"Airgead mara bhfuil id phóca
A stróinse ná bí ar cás liom,[104]
Buail an bóthar is fág mé.

"'A Stróinse' cé bheir orm?
A chaille ghoirgeach do chaillibh aosta,[105]
Agus meireach méid mo chathaíse
Do lascfainn ar a [do?] thaobh tú."

"An gcloiseann tú a chompánaigh,
Nó an bhfuil tú á labhrá[106] led chéile,
Ag eisteacht leis an mbodach so
A rá go lascfadh sé ar a thaobh mé."

"Nach dona is duais ormsa
Agus eagla mo substainte
Gheobhainn dom sheana-bhróga salacha
Insa mbodach san ag caint leat."

"B'fuiris sin a dhéanadh leamsa[107]
Mar athá mé go hocrach i ngéarbhruid,
Gur thug mo ghnó go Corca mé
Gan chostas gan chéile."

104. 'ar cásamh' san eagrán a thóg Nioclás Breathnach ó Mhaidhc sa bhliain 1935 (CBÉ 150:554)
105. 'a chaileav ghoirgeach a chaileav aosta' san eagrán a thóg Nioclás Breathnach ó Mhaidhc sa bhliain 1935 (CBÉ 150:365)
106. 'láráil' san eagrán a thóg Nioclás Breathnach ó Mhaidhc sa bhliain 1935 (CBÉ 150:365)
107. /l´aumsə/ i véarsaíocht amháin a fhaightear an fhoirm seo (feic Breatnach, *Seana-Chaint II,* lch. 256 s.v. *le*)

"Do chéile má fuair bás'
Ní fearr í a bheith ina beatha,
Thá cuileachta mhaith ar an áit seo,
Agus ní fearr sibhse a bheith ina mbarra."

"Sí an chuileachta mhaith ab fhearr leamsa,
Mar níor thaithíos riamh a haithreachas,
Nach féile mhaith is fáilte."

"Bhí aithne againn ar an mbuíon sin
Ó bhíomair i dtúis na hóige,
N'fheacaíomair agus nínid
Einne agaibse ar fónamh."

"Bheith ar fónamh níor dhual duit,
A stró chailleach gan eolas,
A lúrapóig na luaithe acu
A scaoil tharat uaisle na Fodla."

Tháinig Sadhb, Meidhir agus Móirín
Triúrar clainne na drochmná
A chuirfeadh an bhláthach sa chomhra.
Agus sé dúirt iníon an mhúdair ach,
"Bí súgach agus ól deoch."[108]

"Eascainní an Phápa oraibh,
Agus gráin-cháin ar úr gcantal,
Agus gura míle measa dhom chomh-scoláire
Sé ná lig aithne i dtráth chughamsa.

Mar 'á mbeadh oiread eile droch-ghníomhartha déanta aige agus do bhí, níor bhaol do go neosfainnse air é."

7. Is Fada Mé ar an Saol so

Is fada mé ar an saol so gan uireasa bí' ná éadaigh,
I measc mo mhuintir fhéinig ag cleachtadh an tlú[109] is á dh'fháil;

108. *Fuair sé bheith istigh ansan uathu agus ar maidin nuair a bhí sé ag fágaint, dhún sé an leath-doras ina dhiaidh agus dh'iompaigh sé thar n-ais orthu.* – Tá an abairt seo curtha isteach roimh an chéad véarsa eile san eagrán a thóg Nioclás Breathnach ó Mhaidhc sa bhliain 1935 (CBÉ 150:367)
109. "Dén rud an 'tlú'?" arsa Maidhc. Ní raibh fhios aige – **SÓD**

Bhí meas agem' dhaoir is agem' ghaoil orm gur mheallais-se le ráid[110] do bhéil mé;
Sé teachtaireacht a chuirinn ina dhéidh ort ach Rí Gléigeal na nGrást.

A bhuachaill shuite shásta ó thárla tú in mo líon
Níor smaoinigh féith im chroí ort ná osna in mo lár;
'Á dtiocfá agus mé a phósadh bheadh an Rí Glórmhar im láimh.

Tiocfaidh an bás ar chuaird chughat leathuair roimh an lá,
Agus bainfidh seancam cruaidh díot in gach cuan dár bhuail tú ar mhná;
Beidh tú in seamairín uaigneach agus barailín bhán anuas ort,
Agus nár bhreá í an áithrí an uair úd an té a gheobhadh uain ar í a dh'fháil.

8. Paorach Bhaile Uí Ghaigín

Thá Baile Uí Ghaigín go brách fé mhairg,
  Ó chaill scafaire na mbánta é;
Gach n-aon a ghabhadh an tslí chun a thí a bhíodh á dtarraint;
  Gheibhidís iostas mí agus ráithe.

A Thomáis na gCeann guím lom ort is deacair,
  Leaghadh agus leathadh ar do shláinte;
Ar nós coipe na habhann go rabhair seang lag marbh,
  I measc tonnacha ar feadh mí báite.

In Ifreann go rabhair i ngeall led pheacaí,
  Age'n diabhal go raibh t'anam agus garda air;
Mara dhearbhaigh tú an feall go raibh sé ina cheann ar *chrappies*'
  Togha na bhfear nár cáineag.

Nuair a chuirtheá ort do phíp a shíol na sagart,
  Is ró-bhreá a dh'imrítheá an dearna;
Sa bhFlaithis Mhic Chríost i measc na naomh go raibh t-anam,
  Agus guím Naomh Peadar air mar gharda.

9. Eachtra an Aodhaire

Bhí lánú fadó ann agus aon mhac amháin a bhí acu, agus nuair a tháinig sé in aos fiche bliain ní raibh aon suaimhneas age'n athair ná age'n a mháthair uaidh gan é a phósadh. Agus phósag é i gceann an fhiche bliain. Agus is gairid a bhí

110. .i. earráid.

sé pósta nuair a dh'eirigh 'dir é fhéin agus a bhean – ní réadar – agus dh'imigh sé leis óna bhean. Agus chas sé abhaile i gceann a dheich mbliana agus trí fichid, agus chuir sé síos ar a shaol ó aos a fiche dtí aos a dheich bliana agus trí fichid: dhein sé aisling ar a shaol:

"Aisling gan bhréag," arsa sé, "a dh'inseod féin díobh
  Ar aislingí an duine seo:
Go rabhas tamall dom shaol go taistiúil aerach
  Agus mé gan uireasa;
Cheapas dom fhéineach mara bhfaighinn céile
  Gurbh fhear buile mé;
Chasag lem thaobh í gur dh'insíos mo scéal di,
  Agus ba léi nár mhiste shin –
Chuireamair fios ar an gcléire chun sinn a cheangal dá chéile
  Agus deirimse féin go mb'fhuiris é.
Ach is gairid a réamair i bhfoithint a chéile
  Nuair a bhíomair coiripe;
Gur dh'eirigh éad agus éadtromacht céille orainn
  Mar gheall ar na nithe seo;
Cheapas dom fhéineach go raghainn ag aodhaireacht
  Síos go Muisire.
Fuair mé cleath[111] bhreá ghréine do dh'fhás ina haonar
  In Gleann Loiceann thiar;
'Siúl béal Éireann cúl le céile 'lorg aodhaireacht
  Agus gur ró-bhreá chuige mé;
Ní raibh lacha ná gé ná turcaí méith a chastaí im chlé
  Ná tiugainn[112] an ionga dho,
Nó go leathnaigh an scéal so i mbéal na dútha[113] gob é an t-aodhaire
  A bhí ag déanadh na slaide[114] seo.
Chasag mangaire éisc ag teacht ón ché orm
  A raibh asal dubh aige,
Agus dúirt go bhfeacaigh mo shamhailt inné
  Nó aréir in Luimine.
Hógraíog seacht agus raol as thuairisc aon aodhaire
  Go bhfeiceofaí cliub aige.

111. /k´əl´ax/ – sa chás seo tá guta siollach tar éis forbairt idir /k´/ agus /l´/ (feic Breatnach, *The Irish of Ring,* lch. 34)
112. /t´ugıŋ´/ .i. tugainn
113. /du:hə/ .i. dúiche
114. /slid´ı/

Riotheas den réim úd an Baile Gaelach, an Drochad Maol
  Agus Drochad na Finnuisce;
Thug mé seachtain dem shaol go taistiúil aerach gan ag ithe nach dhá bhéile
  Le neart corp dithnis;
Thug mé lá gréine ag fuirse in mo léine
  Agus í gan muirilte;[115]
Ba dheocair mé a réiteach
  Ná ionad muice amach.
Bhínn go túirseach nuair a gheibhinn an diúlta agus mé ag lorg
  A bheith istigh orthu;
Páistí na dútha im dhiaidh ar siúl is 'héach an t-amadán,'
  Age gach duine acu.
Bhí mé go socair age Cluan Choscartha is gan i gcóir costais agam
  Ach naoi bpingine –
Nuair a chasag bean bhorb orm is thug sí cogar dom agus dúirt go raghadh a chodladh liom
  Má thabharfainn gloine dhi;
Dúríos fhéin léithe go raibh bean sa mbaile agam
  A raibh mórán coda aice,
Agus 'á mbeinn acainneach i gcuid ná i gcaradas
  Nár mhór liom gloine dhi.
Dh'eirigh sí ina seasamh suas agus bhuail le buille bhata mé
  Agus dúirt, 'bíodh san agat!'
Ar eagla na tiubaiste agus go mbeadh an scéal níos dona agam
  Thug mé gloine dhi.
Age ti' Sheáin Uí Chaoimh sea bhuail an ríl mé
  Is mé ag ól na buisire –
Chonac mé an fhaoilinn ag góil an tslí amuigh
  Agus canna uisce aici;
Riotheas ina coinne gur shíl na daoine
  Gurbh fhear buile mé.
Sé do labhair sí leamsa ach, 'Ab é seo Muíneachán,
  An buachaill soineanta?'
Thug sí síos go dtí tigh beag íseal mé
  A bhí lán d'imirigh;
A raibh Cáit agus Bríde agus seanabhean chríonna agus garsúinín buí
  A bhí cam-ioscadach.[116]

115. /mir´ıl´t´ı/ .i. muinchille
116. /kaum-isgədəx/

Thug sí síos dtína cupúrd mé
  Agus líon sí gloine dhom,
Agus dúirt 'á bhfanfainn mí aici
  Ná beadh sí briste agam.
Chuir sí fios síos dtí tigh Sheáin Uí Chaoimh ar phíosa chuíora
  Le tabhairt le n-ithe dhom.
Thuig mé fhéin gur mhaith é a slí
  Agus go raibh sí soineanta,
Agus go mbeinn arís ina háirní
  Mar a bhínn roimhe[117] seo.
Ní mar sin a bhí – ní raibh sí mí agam
  Nuair a bhí sí ag suime liom;
Is 'á mbeadh sí bríomhar mara gheobhadh sí croí leis ba mhór é a híospairt
  Ar fuaid na soipe aici -
Tháini' mé aníos is ní chuaigh mé síos
  Ó shoin dtí í."

10. Paróiste an tSlé'

I am a young fellow that ploughs my land in vain,
Agus cailleacha an bhaile ná tabharfadh dom bean ná spré,
I place my affection in one that had gold in store,
Agus gheallas don ainnir go leanfainn di féin go deo.

We made up our minds with each other for to elope,
Agus thugas mo chapall i gcoinne mo mhíle stór,
I met my true lover about the appointing place,
Is í 'tarraint ar Chaiseal ag sodar i meán an lae.

'Twas then I accosted this juvenile, jovial dame,
Mo dhiallait ag cnagadh is mo chapall 'á mb'ard í a léim,
I being in a hurry I told her to mount my mare,
Sé dúirt sí: "Tháir cortha is fan socair go n-ólfam braon."

When we reached Cashel she called for a quart of ale,
Agus coirce go fairsing dom chapall is a dhóthain féir,
She opened her purse and she pulled out a note to change,
Níor dh'fhágamair Caiseal ar maidin gur bhuail sé a naoi.

117. /riv′ɪ/

Early next morning we started to meet the train,
Ar eagla an airm is go leanfadh an tóir inár ndéidh;
In Waterford city we stopped till our clothes we changed,
Bhí céad agus dachad do ghinithe buí age'n *maid.*

'Twas then we [bargained?] with the captain to sail away,
Nuair a dhíolas mo chapall le sagart ó Pharóiste an tSlé';
The ship was got ready, the weather got fine and fair,
Is shroiseamair caladh gan eagla bá ná baol.

When we reached London the police were on the quay,
Á rá go raibh rántas scrite sa *telegram* romhainn ó inné,
We both were detected and sent for a month to jail,
Thar n-ais aríst go Cluain Meala chun sinn do thriail.

Oh the day of our trial her mother she swore severe,
....
She said that her daughter was simple and I being a scheming rake,
Is gur bhuaileas-sa bob uirthi gan fhios don saol go léir.

The court were in silence the jury then was charged,
Dh'fhiarthaíodar den ainnir an raibh aon rud aici le rá,
She said that I was a most loving genteel young swain,
Ná pósfadh mo mhalairt go gcuirfí í doimhin sa chré.

When I was acquitted my love I did embrace,
Is chuas chun ti' an tsagairt chun ceangal le grá mo chléibh'
The priest he put on the knot and easily got his change,
Is mairfeam go sámh idir Charraig na Siúire is Féurd.[118]

11. Seoladh na nGamhna

Maidin aoibhinn cois taobh an ghleanna
Is mé ag seoladh na ngamhna thríd an bhfásach,
Sea dhearc mé chugham an ógbhean chanta
'Bhí modhail, deas, banúil, nárach.[119]
Dh'fhiosraíos fhéin go séimh den ainnir:
"Led thoil cad as a tháinís?"

118. .i. Fiodh Ard
119. /nɑ:rəx/ i. *náireach* – deir R.B. Breatnach go bhfuil an *r* leathan /r/ sa bhfocal seo comónta (Breatnach, *Seana-Chaint II,* lch. 301 s.v. *mí-úr,* fonóta 5)

"'S ag lorg na ngamhna sea dh'fhág mé an baile,
Agus ceann ní bhfaighead go lá dhíobh."

A' lorg na ngamhna 'sea chuireas mo leanbh;
Is baol liom ná feicfidh mé go lá í,
Mar bhí Traolacha roimpi ar inse an ghleanna
Agus Peadar Ó Néill i ngrá léi.
Is treibh iad súd riamh a bhí i ndia' na mbruinneall,
Agus srian ní chuirfar go brách leo;
Má thá dlí le fáil ins an áit seo a bhfuilim
Bainfidh mé díol 'am bháb díobh.

"Thá crainnín[120] córach i gcúinne na coille,
Agus ragham araon go lá ann;
Mar a mbeidh ceol binn na n-éan inár gcuir araon a chodladh;
Beidh duilliúr fúinn agus fásach.
Gheobham cead saor ó mhaor na coille
Féarach a thabhairt go lá dhóibh,
Is le fáinne an lae beam araon inár seasamh
A' seoladh na ngamhna thríd an bhfásach.

Mo mhallacht a bheirim do mhaoir agus do stiúirdí na coille,
Mar 'siad a chuir chun fáin mé;
Thá m'athair bocht gan chiall as mo dhiaidh age baile,
Is a Mhuire conas a raghad ina láthair."
"A shiúirín mo chroí ná bíodh ort mairg,
Mar is cleas é a bhain dod mháthair,
Is más ag imeacht uaim atháir is a rá ná casfair
Seo póg agus barraí mo dhá lámh duit.

Mar is fíodóir óg mé aniar ó Mhala,
Buachaill canta sásta;
Chaithfinn spól go deas fén anairt,
Nó dh'fhífinn brat nó mála.
Dhéanfainn nó romhar duit i measc na bhfearaibh
Lá breá earraigh Márta;
Gheobhainn mo chéacht i ndia' na gcapall,
Agus threabhfainn iomaire báin duit.

120. /kraiŋ´i:n/

Thá snúth agam le hÍosa fé Oíche Nollag,
Go mbeidh mé agus tú go sásta
Sa seamra is aoirde age Cúl Ó gCorra,
Is ár gcaraid ag ól ár sláinte.
Báisín Brídeach óm chroí le dochmas,
Agus buidéil fíona ón Spáinn ann,
Biotáille á roinnt[121] le linn dul a chodladh,
Agus gheobhaimid na gamhna amáireach."

12. Máirín De Barra

A Mháirín De Barra do mharaibh tú m'intinn,
Agus chuir tú sa talamh mé i nganfhios dom mhuintir,
Nuair a luím ar mo leaba is ort a bhím ag cuimhneamh,
Is ar éirí dhom ar maidin do chealg tú an croí agam.

Shíl mé tú a mhealladh le briathra is le póga,
Shíl mé tú a mhealladh le leabhar is le móda,
Shíl mé tú a mhealladh ar bhreaca na heorna,
Nach dh'fhág sé bocht dealbh ar theacht na blian' nua mé.

Thug mo chroí, thug mo chroí, thug mo chroí greann duit,
Maidean Lae Muire na gCoinneal sa Teampall,
Do shúilín ba dheise ná uisce na ngeamhartha,
Is do bhéilín ba bhinne ná an druid nuair a labharfadh.

Shiúlóinn an tsráid leat ar láimh inár aonar,
Agus raghainn thar sáile gan dhá phingin spré leat,
Mo ghaolta is mo chairde go lá an bháis a thréigfinn,
Thógfá ón mbás mé nach a rá go leat féin mé.

Dh'ólfainn agus dh'ólfainn agus dh'ólfainn do shláinte,
Dá mbeinn ar bord loinge do dh'ólfainn níba fhearr í,
Dá mbeinn in mo bhanartla d'fheidhlfinn do bhábán,
Siúd ort is ól deoch is Dé bheatha id shláinte.

A Mháire glac mo chomhairle ná seoltar tú ar t'aimhleas,
Seachain an stróinse, fear séidthe na hadhairce,
Gaibh leis an óigfhear go nglaonn siad Ó Floinn air,
Pós é ar ghrá an réitigh ós é is toil led mhuintir.

121. /r´əin´t´/

13. An Saighdiúir

An Saighdiúir:

"Thug mé grá cléibh duit a chiúin-chailín mhaorgaigh,
Mar is deas é clár t'éadan is do mhala gan cháim,
Do shúil mar na caora is do cham mar an braon glas,
Is do chaint mhilis néata mar an eala is í ar snámh.

Go deimhin duit a Bhrídigh agus ainnir na mín-chrobh,
Suigh anso taoi' liom ar chóngar mo lámha
Go neosfaidh mé scéal duit is b'fhearr ar thaobh Dé é,
Ná diúltaigh don saighdiúir athá dearg nó bán."

An Cailín:

"Pé mar a dhéinim don dearg ní ghéillim,
Go sínfear sa chré mé lag marbh go tláth,
Go bhfaighidh mé fear éigin in sínfead mo thaobh leis,
Ná beinn im ruagairt trím néalta le *drum* ná le lámhach."

An Saighdiúir:

"Go deimhin duit a Bhrídigh agus ainnir na mín-chrobh,
Ní ligfead mo chlaidheamh díom go dtiocfaidh an bás,
Maran sáisíonn sé t'intinn an dearg athá in mo thimpeall,
Caithfeadsa bréidín duit den dath dubh nó bán."

An Cailín:

"Eist, eist a shaighdiúir le ráiteachas grinn dom,
Agus fios age m'intinn go meallthá na mná,
Bhréagthása an Bhrídeach ar a caol leaba sínte,
Agus dh'fhágthá go claoite í agus osna ina lár."

An Saighdiúir:

"Nár gheallais-se dhomhsa is é a gheallúint ód chroí dhom,
Ceangal gan scaoileadh a bheith eadrainn go brách,
Go raibh an ród chun do thí agam is an t-eolas go rí-mhaith.
Is an eochair go bhfaighinn í fén tairsing gach lá."

14. Dónall Óg

Dh'airigh mé Michéal Ó Briain ag rá Dónal Óg an oíche úd (15/4/48) thíos ag an Coláiste agus tá an t-amhrán millte anois. Ní mar sin athá sé agamsa. Seo mar dh'airigh mise é:

Cé raghaidh liomsa go dtí Teampal Phádraig,
Go dtabharfaí turas as cheann mo ghrá geal,
Mar nín mé ag snúth leat inniu ná amáireach,
Is a mhuirnín dhílis mo chúig chéad slán leat.

Thug mé grá dhuit agus mé beag bídeach,
Thug mé grá dhuit agus mé mór críonna,
An trígiú grá dhuit go brách is choíche,
Mara grá na n-óg so go deo ní scaoileann.

Siúd é an Domhnach roimhe Domhnach Cásca,
Go raibh an sagart ar a ghlúine is é ag léamh na Páise'
....[122]
Is mo chroí agus m'intinn ag leagha le grá duit.

Lá dhá rabhas agus mé san ngairdín,
I measc na gcrann is na *lillies* bhána,
Ghai' tú thorm is níor dhein tú gáire,
Is ansúd a dh'aithin mé ná rabhais i ngrá liom.

Gheall tú dhomhsa agus dhein tú bréag liom,
Go mbeitheá romham ag cró na gcaereach,
Lig mé fead agus dhá chéad ghlao ort,
Is ní bhfuair mé romham nach drúcht is féar glas.

Gheall tú dhomhsa ní nárbh acainn duit,
Gheall tú long dom féna crannaíl airgid,
Dhá bhaile dhéag dom de bhailtí margaidh,
Agus cúirt bhreá ghléigeal ar thaobh na farraige.

Óboch! mo bhuaireamh siúd ní ná fuair mé,
Nach bothán fuar fliuch ar thaobh an róid,
Mo choisín lúfar ar bhataí an túrainn
Gach maidean dhrúchta gan fiú na mbróg.

Bhain tú soir díom agus bhain tú siar díom,
Bhain tú an ghaoth agus bhain tú an ghrian díom,
Bhain tú aodhaireacht na bó ar sliabh díom,
Is mór é m'amhras gur bhain tú Dia dhíom.

122. N'fhéadfadh Maidhc Dháith a dhéanamh amach go raibh líne ar lár anso – **SÓD.**

Mo chúig chéad slán le bliain an taca so,
Snáthad gan chró ní gheobhadh sé eadrainn,
Nach anois i mbliana gheobhadh ba is capaill ann,
Mar a ghabhann an t-árthach trí lár na farraige.

Bhí leagaint eile ann aríst. Bhí sé ann:

Maidean Domhnaigh is mé góil an bóthar,
Do ghai' tú thorm is níor chuir tú stró orm,
Ansúd a dh'aithin mé ná rabhais i ngrá liom,
Do chuas abhaile is do gholas mo dhaothaint.

15. Is a Chailín Beag Óg

Is a chailín beag óg ná pós an seanduine liath,
Ná cuir do dhá láimh le grá dho thairis aniar,
Mar thá tú bog óg is fós ní chruinnigh tú ciall,
Tá tuille is lán báid de mhná agus de linbh im dhiaidh.

Is cosúil leis an druíneach mo phíosa ghlan bata chun siúil,
Ní[l] acht air ná snaidhm óna bhonn nó go sroiseann[123] mo láimh,
'Tá chomh mín leis an síoda so a thagann thar lear,
Is a seolann sa mbruíon chomh binn leis an airgead geal.

Agus meireach an t-ól bheadh casóig agus bheist ar mo dhrom,
Is stocaí agus bróga agus cóir bheag eile as a chionn,
Mar is iad na mná óga a sheoil gach ainnise im cheann,
Má ligfinnse dhóibh siúd ní dócha go mbacfaidís leam.

Is minic a bhíos-sa agus dríodar na meisce in mo cheann,
Is minic a bhí mé sínte lag marbh gan ghreann,
Ainnir na mínchrobh is ina beinn síos a leagfainn mo cheann,
Ach anois ó tháim claoite sin scaoileadh agus scaipeadh ar mo ghreann.

16. Cití na gCumann

Thá amhrán agam a fuair mé ó Thomás Mhichíl, go ndéana Dia trócaire air, a dtugann siad Cití na gCumann air:

A Chití na gCumann ná séan mé,
  Siúl feasta is éalaigh leam
I ngleanntán coille nó slé' amach,
  Nó seal beag fé ghéag na gcrann.

123. Ls. *tsreiseann*

Phósfainn i ganfhios don saol thú,
  Is don sagart dá mb'fhéidir leam.
Is mara bhfaighfear ár gceangal in Éirinn
  Crochfam araon anonn.

Is cailín beag mise athá ar buaireamh,
  A dh'imigh óm mhuintir fhéin,
Agus sheolag i mbaile cois cuain mé
  Ag iomar i gciumhais an tslé'.
A raibh dhá chéad gaige dhá lua liom,
  Ná taithníonn a ngrua liom ná a scéimh,
Ach shidí sláinte an ógánaigh uasail
  A thagadh gan ghruaim fém dhéin,

A dhéanfainn duit cupórd is céachta,
  Agus muileann a ghléasadh ar abhainn.
An long is an coite dhá néatacht,
  Chuir m'athair mar cheird é romham.
Léifinn leabhar Laidin nó Gaelainn[124]
  Chún[125] cliste le haon mhac saoir.
'S is cúng an t-áras a dh'fhiarfainn
  Chun síneadh led thaobh deas síos.

Thá mise ag imeacht amáireach,
  Is ní haistear le cách mo shiúl.
Nín ór buí agam ar pláta,
  Is ar uisce ní shnánn mo long,
Mar is réic bocht a chuireag chun fáin mé,
  Agus bhainfeadh den cháirt an cumhar,
Is ina dhia' súd cá bhfios nárbh fhearr mé
  Ná fear eile agus barr na Mumhan.

Ceannóidh mise *vest* agus bríste
  A mhairfidh le saol na bhfear.
Is ní bhearrfidh mé an fhéasóg so choíche
  Go bhfásfaidh sí míle faid,

124. /ge:lɪŋ´/ – ar a shon gur *l* leathan /l/ atá anseo tá /ge:l´ɪŋ´/ le *l* caol /l´/ agus /ge:lɪŋ´/ le *l* leathan /l/ le clos in aon taifeadadh amháin ó M.Dh. chomh maith [LC (ar chéirnín) 1955: Uimh. Thag. CBÉ 1644]. Feic an méid atá le rá ag R.B. Breatnach mar gheall ar an bhfuaimniú seo, leis (Breatnach, *Seana-Chaint II,* lch. 207 s.v. *Gaeiling*)
125. .i. chomh

Scaoilfead ar sileadh leam síos í,
  Mar a bheadh olann ar chuíora ghlas.
Is mara bhfaighidh mise bean insa tír seo
  Riothfaidh mé síos amach.

Thíos age Tobar na Feirse
  Mar a labhrann na héin sa ngleann,
Sioc ná sneachta níor bhaol dúinn
  'Á mbeimíst araonach ann,
Is a Chití na gCumann ná séan mé,
  Siúl feasta agus éalaigh leam.

Tháiníos 'on bhaile seo aréir,
  Agus bhí sé agam déanach go leor,
Ar intinn an mhargadh a dhéanadh,
  Is go leanfainn di fhéin go deo,
Níor tháinig a Daidí chun réitigh,
  Ní dona dhom fhéin ná dhóibh,
Is mo chúig chéad slán lem stóirín,
  'S ní chasfaidh mé fhéin go deo.

17. Máire Ní Eidhin (Baile a' Lín)

Dall a bhí ag dul dtí an Aifreann, sé a dhein é.

Ar mo dhul dtí an Afreann le toil na ngrásta,
An lá breá páise is le teannta ón Rí,
Casag ainnir orm cois tí an tábhairne,
Agus thit mé láthair i ngrá le mnaoi.

Labhair mé léithe siúd go banúil nárach,
Is d'réir a cáile is ea a dh'fhreagair sí.
Sé dúirt sí: "A reachtaire thá m'intinn sásta,
Nach tair go lá liom go Baile a' Lín."[126]

Níor chuir mé an tairiscint riamh ar cairde,
Is nuair a fuair mé an foláireamh phreab mo chroí.
Ní raibh le dul againn ach trasna páirce,
Is thugamair an lá linn go Baile a' Lín.

126. Tá baile fearann, Baile an Lín *(Ballyleen),* i bParóiste Dhún Aill, Co. Phort Láirge (feic Power, *The Place-Names of Decies,* lch. 355).

Ansúd a bhí an sárfhear, gloinní is cáirteanna,
Is mo chúilín fáinneach lem ais ina suí.
Sé dúirt sí: "A reachtaire bí ag ól is fáilthe,
Thá an soiléar láidir i mBaile a' Lín.

"A réilthean an tsolais is a ghrian an ómair,
A chúilín péarlach is tú grá mo chroí,
'Á dtiocthá liom thar n-ais go hEochaill,
Go bhfaighimís cúntas cá mbeam inár luí.

Thabharfainn ao' rud duit ar bhailtí móra,
Biotáille ar bord is, dá n-ólthá, fíon,
Is a Rí na Glóire go ré' tú an ród dúinn,
Go bhfaigheam an t-eolas go Baile a' Lín."

Shiúlaíos Éire, an Fhrainc lena chéile,
Sasana an Bhéarla agus páirt an rí,
'Bhfuil ó shíolrach Séamus gach cúige in Éirinn,
Agus n'fheacaíos aon fhéirín, aon bhean mar í.

Bhí a gnaoi ar lasadh is a mailí[127] caola,
Píopa néata is nár dheas é a gnaoi,
Is ná ró-bhreá an féirín an té a gheobhadh le bréagadh í,
An pabhsae néata so ó Bhaile a' Lín.

18. Nóra an Chúil Úmair

An Fear:

"Ó 's a Nóra an Chúil Úmair sé mo chumha chreach nach féidir,
I ngleannta dubha[128] uaigneach nó i gcuanta ban Éireann,
Mara dh'fhágais-se mo cheannsa gan onnsa[129] amháin céille,
Is mac rí mé ó Lonndain athá i bpráinn mhór duine éigin."

An Bhean:

"Raghadsa thar sáile fágfad Éire feasta,
Sa bhFrainc athá mo thuirlingt agus cúnamh na sagart,
Go deo deo ar mo ghlúine 'déanadh dúchas le m'anam,
Sin slán le fearaibh Éireann nach le Rí ghléghil na bhFlaitheas."

127. /maˈl´i:/ – deir R.B. Breatnach nár chuala sé aon fhuaimniú eile do uimh. iol. *mala* ach é seo (Breatnach, *Seana-Chaint II,* lch. 289 s.v. *mala*)
128. /du:/ – cailltear an cuimilteach *bh* sa bhfocal seo.
129. /aunsə/ .i únsa

An Fear:

"Ó Nóra ná déin sin, pós mé fhéineach le taitneamh,
Thá cúirt agam i gcóir duit 'bhfuil *diamonds* agus ór ar a leathadh,
Ceannóimid na grásta ós na bráithre is ós na sagairt,
Is beidh gairm bean Rí agat ag luí ar do leaba."

An Bhean:

"Ní bhfaighinnse thú a phósadh is ní dual dom tú a mhealladh,
Mara thá mé i naoi n-oird is mo shúile ar na Flaithis,
Mo ghrása an tUan Trócaire is an Mhaighdean Ghlórmhar thar a mhaireann,
Mara bh'fhearr iad Lá an Chúntais ná aon chéile dhá bhfeaca."

An Fear:

"Más ag imeacht atháir uamsa buaim leat na Flaithis,
Go rabhais-se go huasal ar ghuaille na n-aingeal,
Comhra[130] dhon chaol-dair cois taobh deas do leapan,
Is mé i ngrá le cailín Gaelach iníon Laoghaire ón Chathair."

Ba dh'in bean ba bhreátha a bhí in Éire lena linn – í fhéin agus a deirfiúr – Máire agus Nóra. Agus bhí rite curtha le grá dhi agus ní phósfadh sí aon fhear. Bhí sí i naoi n-oird agus a hagha' ar na Flaithis agus tháinig an diabhal ó Ifreann fhéachaint an bhfaigheadh sé í a dh'aistriú ón staid a raibh sí air. Agus shiné mar a dúirt sé léithe ach pé rud a dúirt sé níor dh'éirigh leis.

19. Máire an Chúil Úmair [Cé hÉ Sin ar mo Thuama?]

Bhí deirfiúr eile aici, Máire, agus bhí buachaill óg i ngrá léi agus ní lamhálfadh[131] a muintir dóibh pósadh nuair ná raibh aon spré aige, agus dh'imigh sé leis go Sasana Nua. Agus nuair a tháinig sé abhaile – pé méid blianta a thug sé ann, n'fheadar – nuair a tháinig sé bhí sí curtha sa tuama. Agus nuair a tháinig sé chuaigh sé a chodladh ar a tuama gach aon oíche go dtí 'dh'éirigh sí ina sprid. Agus dheineadar araon an t-amhrán ar an tuama:

An Bhean:

"Cé hé sin ar mo thuama nó an buachaill den tír thú?
An bhfuilirse pósta nó dén teoraíocht ar díobh thú?"

An Fear:

"Nínimse pósta, ó stóirín mo chroí thú,
Ach an dtiocfá liom abhaile go suífinn síos taoibh leat."

130. /ku:rə/
131. Ls. *luálfadh* /lu:ˈɑ:lhəx/

An Bhean:

"Ní raghaidh mé leat abhaile ó, agus nín maith dhuit im chaoineamh,
Thá boladh fuar na cré uam, na gréine is na gaoithe,
Nuair a bhí mé im bheatha shaolta dh'imís uam thar taoide,
Is anois ó tháim i bhfad marbh nín maith dhuit im chaoineamh."

An Fear:

"Tabhair do mhallacht dod mháthair, go deo deo dhod athair,
Mar ní spré a bhí mé a dh'iarra' ort, ba caoire ná capaill,
Ach cead suí síos taobh leat a chúil péarla an chúil chasta.
....

Nuair is dóigh lem mhuintir istoíche mé bheith ar mo leaba,
Ar do thuama atháim sínte ó oíche go maidean,
Ag síorghol le cruata is ag cruaghol i ganfhios,
As dia' mo chiúin-chailín stuama do luag liom ina leanbh.

Thá na sagairt agus na bráithre gach lá liom i bhfearg,
I dtaobh a bheith i ngrá leat a Mháire is tú marbh,
Ach beidh mise i ngrá leat go brách faid is mhairfead,
Nó go sínfear mé taobh leat traochta sa talamh."

An Bhean:

"Fóill fóill ná déan sin nín aon rud ach smaoineamh,
Ar nós an ghal gréine ar thaobh cnoic lá gaoithe,
Nó an cuimhin leat an oíche úd nuair a bhíos agus tusa,
Ar sháil an tor druínigh is an oíche ag cur cuisne.

Moladh mór le hÍosa is le Rí Geal na Cruinne,
Go bhfuil mo choróin maighdeanas ina crann soilse as mo choinne."

20. Tiobraid Árann

Idir Bhreidhric is Bhreoiric ar nóin seal do bhíos,
Is mé ag triall go dtí Tiobraid Árann,
Chasag cailín óg orm a bhí orlach agus … a bhí óg agus groí,
Go raibh a píp is a bánchnis mar bhán-sneachta ar craoibh;
Dh'fhiosraíos di ar phós sí nó an ngeobhadh liom mar mhnaoi,
Is go raibh osna in mo chroí istigh le grá dhi.

Dh'fhreagair an bhéinn úd mé fhéineach gan mhoill,
"Tháir déanach id shlí agus id ráite;
Ó rángaig im líon tú ná déan dom aon díth,
'S is ró-ghearr a leanfadh an grá dhíot;
Gan ceangal ón chléireach ná déan dom aon díth,
Is thá bean eile id dhéidhse ag aodhaireacht bháibín,
Fan ag góil thimpeall ag baint féir ar an tír,
Sula raghaidh tú go Tiobraid Árann."

Dh'fhreagraíos fhéin an bhéinn úd gan mhoill,
"Mara n'fheacaíos mo bhean ná mo pháiste,
I gCaisleán a' tSlé' amuigh sea bhím im chónaí,
'S is Liam Ó Duibhir mé le háireamh;
Thá an chuid eile 'em ghaolta ar an taobh eile 'en toinn,
I bhfoithint na nDéise go tréan i mbun tís,
Ní neosfainn aon bhréag duit ar aon rud sa saol,
Agus gheobhaidh tú mo thuairisc sa mBáinsigh."

Nuair a tháiníos 'on Bháinseach dtí ti' Mháire Cuimín,
Do leagas mo speal is mo chlár ann,
Bhuaileas-sa clár agus tháinig *mug* dí,
Agus fuaireamar leaba go lá ann;
Bhí gach ní dhá bhreáthacht ar chlár agem' mhaoin,
Punch milis láidir is biotáille á chuir thríd;
Bhí mé síor-chrochadh lámha is ag gáire lem mhaoin,
Nuair a chonac mé í ag díol bean an tábhairne.

T'réis gach ní dhár dh'áiríos-sa dh'fhágas í ansúd,
Ina codladh sa seamra ti' an tábhairne;
Bhogas-sa bóthar ag stróireacht chun siúil,
Is mo speal ar mo ghualainn in airde,
Ar eagla an scéil úd is go ndéinfí orm díol,
Ná go mbeifí im dhaoradh le haon choistí dlí,
Níor tháiníos 'on Bháinseach gur tháinig an Fómhar,
Agus siúd mar a scaras le Máire.

21. Cois na Bríde

Cois na Bríde siar sea is minic mise ag triall,
Ar an ainnir athá bog ar a breáthacht;

Thá sí modhúil méith agus thá sí banúil léir,
Agus tá sí ciallmhar grámhar;
Ba bhinne liom a ceol, ná singiúint chlog na gceol,
Sí Máire Bheag na Gruaige Báine.

Ná gheibhimse fhéin aon aer ach ag éaló ar bharr an aeir,
Agus cúram ina déidh nách nár liom,
Ag codladh ar nós na n-éan ar bharraí bog na gcraobh,
Agus 'bhfuil einne beo i bpian mar athá mé?

Chuaigh mé féna déin, fuair mé í gan bhaol
I ngleanntáinín séidthe bláthmhar,
Ag cuir í féin i gcóir go n-éalódh liom mo stór,
Ar bhannaí air go raghainn léi thar sáile.

Leanbh í ar a bonn, thugag uainn í gan dabht,
Agus dh'fhág san m'intinn go buartha cráite,
Is age geataí Chill Mo Lua sea chaill mé luisne ar mo ghruaig,
Do Mháire Bheag na Gruaige Báine.

Ba mhilse blas a póg ná saothar na mbeach ar bord,
Agus iad á n-ól le branda craorach;
Mar a labhrann ann an chuach i lár an gheimhridh fuair,
Sa mbaile úd a bhfuil sí fé phléisiúir.

Tá mise tinn, níl fáil ar mé a leigheas,
Ní fíon agus ní meadhg ab fhearr liom,
Ach mo stór a theacht im fheighil is a ceann a chuir im bheinn,
Agus ba dhóigh liom go bhfaighinn mo shláinte.

Nach dealbh dúbhach an cás do dhuine mar atháim,
Ní chuireann siad na mná so aon suim ann,
Gob é a dh'airím iad a rá go dtabharfaidís grá
Don bhfear is measa cáil athá in Éirinn.

Gach a maireann beo dhe mhná is tusa féin mo ghrá,
Do Mháire Bheag na Gruaige Báine.

22. Dh'imíos ar mo *Frolic*

Dh'imíos ar mo *frolic* ar m'fhallaing i dtúis mo shaoil,
Gur chuas go Cnoc Grafa mar a mbaintear fómhar le faobhar,
Nuair a shíleas go bhfaighinn cead codladh mar a chleachtaigh mé im dhúthaí fhéin,
Bhí an scológ ina sheasamh ar maidin is b'ard í a ghlao.

"Agus móra dhuit a thraibhléir," agus bheannaigh sé fhéin ar dtúis,
"Cad ar reathais?" "Taobh thiar 'on Droichead ón gCuan (?),"
"Dar seannsás (?) ó mhaidin gur shiúlaís an méid sin slí,
Is gan fear in mo mhachasa a sheasaigh chugham fós ina shuí.

Nuair a chualaigh an gasra é phreabadar suas ina suí,
Bhí stocaí á stracadh agus lascaí seanabhróg a bhí críonn,
Do chailleas mo hata is do thugas lá ag buaint im mhaoil.

Agus siar dtí Mala a chuir m'athair mé a d'iarra' mná,
Ar mo chasadh dhom abhaile do dh'imigh an fia fím bhráid,
Thiteas dem chapall agus bhriseag dhá dtrian mo chnámh,
Go bhfó' Dia lem anam gur chailleas mo chiall le mná.

Is saighdiúirín singil mé briseadh as Garda an Rí,
An dá dheabhas pingin agam a thabharfainn ar cháirtín dí,
Bhuailfinn an *drum* duit nó dh'imreoinn cláirseach binn,
Is ar Aonach Chill Dara do scaras le grá mo chroí.

23. Eamonn Mágáine

Maidean bhog dhrúchtmhar idir Chaiseal is Dhúrlas,
Do chasag an chúileann orm ag góil im choinne sa ród;
Do leagas chugham í ar an múláinín úr-ghlas,
Ar mo leabhar dhuit gur bhrús í ag sileadh na ndeor.

Sé mo chumha fhada a mhaoineach nách marbh a bhí mé,
Faid a rángaig in do líon mise a ógánaigh óig,
Fé a mbeadh sé le maoimh orm go raibh céille eile ag luí leat,
Agus mise ag siúl tíorach led bhábáinín óg.

Seacht seachtain ón lá úd do chasag mo ghrá orm,
Go triopallach sásta ag góil im choinne sa ród;

Las sí le náire agus dhéin sí ar gháire,
Agus chuir sí romham fáilte nó fiche i mo chóir.

Sin leitir óm athair agus beannacht óm mháthair,
Chughatsa óró a ghrághil tar abhaile go fóill;
Do gheobhaidh tú le háireamh caoirigh is ba bána,
Agus mise mar bharr ar sin choíche is go deo.

Is maith é do láiribh is ba mhaith liomsa le fáilt é,
Agus tusa mar bharr ar sin choíche is go deo,
Mar thá mise in áirithe le bliain is trí ráithe,
Age iníon do Hú Dáibhis ó Chontae Mhaigh Eo.

Ó mo chreach is mo chráiteacht cad déanfaidh mé amáireach;
Cá bhfaighidh mise athair dom bhábáinín óg;
Mise Dónall Ó Duláine nár las riamh le náire,
Agus gheobhaidh tú in Sliabh Bán mé nó i gCluain Meala ag ól.

24. Láirín Cheanann an Phaoraigh

Eistigí feasta liom fhéineach,
Go neosfad díbh scéilín duain,
Ar láirín cheanann na bPaorach,
Is maireann sí i réim go buan,
Ní raibh aon chapall ar thalamh na hÉireann,
Ná riothfadh ar éigin uaidh,
Is choinnigh sí an baile dhá mhéad é,
Agus bhuaigh sí an craobh i dTrá Mhóir.

Is an té a bheadh i dTrá Mhóir an lá úd,
A chífeadh an sárfhear groí,
Arbh ainm do an Maighistir Seán Paor,
Ó Abhainn a' Logáin 'sea bhí.
'S í an láir a bhuaigh an dá lá ann,
'S í agus nár bhácáil aon chlaí,
Sheasaigh sí as cúrsa gach lá iad,
An *Spitfire* is an *Fairy Queen*.

Is an cúigiú lá fichead d'*October*,
Bhíomair ag gleo inár gcroí,

Ag féachaint ar chapaill an óigfhir,
Á gcimilt le róbaí buí,
Bhí mórán eile fé bhrón ann,
Ag sileadh na ndeor go fuíoch,
'Cheann capaill is marcaigh a bheith leointe,
A bhí i bh'fhad i gcreidiúint sa tír.

Nuair a chuaigh na marcaigh in airde,
Bhí gach n-aon ag cliaráil na slí,
Nuair a dh'airíomair a liúanna ar na hardaibh,
Ag beiteáil ar an *Fairy Queen,*
Nuair a fuaireadar focal tiomána,
Is iad ag déanadh ar an gceathrú claí,
Bhí cosa mórsheisir in airde,
Is an *Double* ag lídeáil na slí.

Tháinig an Séaghach dar ná mháireach
Is labhair leis an sárfhear groí.
Dh'iarr sé tamall dá láir air,
Is go ndéanfadh sé fhéin í 'mharcaíocht.
Dúirt go bhfaigheadh agus fáilte,
Dá dtitfeadh sí in lár na slí,
Chuir san deich bpúint agus dachad ina phóca,
Mar dhein sí fé dhó an gníomh.

25. Nár Gheibhimse Bás Choíche (smut de Chaisleán Uí Néill)

Nár gheibhimse bás choíche go bhfeicfidh mé dhíom an mí-ádh,
Go mbeidh ba agam is caoire is cead luí go socair lem ghrá,
Troscadh naoi n-oíche sa tír seo ní chuirfinn i bhfáir,[132]
Níorbh fhada liom lá agus oíche a bheinn sínte is í idir mo dhá láimh.

Thá mo ghairdín ina fhásach a dhian-ghrágeal nó an miste leat é?
Thá na *perries* ag fás ann chomh hard le duilliúr na gcraobh,
Ní dh'airím ceol cláirseach sa tsráid seo ná ceol binn na n-éan,
Ó dh'éalaigh mo ghrá uam cúl fánach le heinne sa saol.

Thá an ceo agus an brón so go brónach ag góil thimpeall mo chroí,
Agus lán mo dhá bhróigín de dheoracha ar sileadh liom síos,

132. i. i bhfáth air – feic Breatnach, *Seana-Chaint II*, lch. 179, nóta 5.

Mar grá cailín óg deas a bhreoigh mé agus a bhain díom mo chiall,
Ní mhairfead fhéin beo má phósaim an seanduine liath.

26. Caisleán Cuana

Is ag góil ó thuaidh dom don Chaisleán Cuana
Is mé ag cuir tuairisc ar thigh an óil,
Do chasag bruinneall orm ina suí ar fuaram
Cois tí móir ann ar thaobh an róid.

Do labhair sí liomsa go banúil stuama:
"Le toil duine uasail suigh go fóil
Go n-ólam deoch le croí mór subháilceach,
Cad as a ghluaisis nó ca'il do ghóil?"

"Age Tráigh na nGabhar, sea a bhím im chónaí,
Is is mór é m'amhras ar thigh an óil,
Bím gach uile Domhnach ag dul dtí an teampall
Ag súil le cabhair bheag a dh'fháil ón choróin.

Bím go huasal i mbailtí móra,
Go ró-mhór stuama age tigh an óil,
Dh'éalódh bruinneall ón tír aduaidh liom,
Meireach gur mhór léi mo dhúil san ól."

"Is deas is is gléigeal a nífinn do léintín,
Nó ghealfainn bréidín dhuit dhen anairt mhín,
Chuirfinn airgead ar do bhasa ag léimrigh,
Siúd ní ná déanfadh aon bhean sa tír.

Dh'eighlfinn[133] mac duit nó iníon mhaorga,
Agus thógfainn fhéin iad le sult mo chroí;
Nár mhór go mb'fhearra dhuit góil liom mar chéile,
Ná bheith id réic bocht ag góil an tslí."

"Is buachaill gabha mé is níl bonn ar chlár agam;
Níl maith im dhá láimh ar muir ná ar tír,
An deamhas deor leanna do gheobhainn ar cairde,
Ó aon bhean tábhairne dá bhfuil sa tír.

133. .i. dh'oilfinn

Is deas an gabha mé, dhéanfainn fonsa,
Carra donn deas is meadar nua;
Dhéanfainn sealgaireacht ar each chaol lúfar,
Is ní deise ná a mhúinfinn an mhaighdean óg.

'Á mbeadh súd agamsa, grán is púdar
Do mharóinn cúpla lacha ar mhóin,
An giorré ón scairt agus níorbh as dom chú bheag
Gach maidean drúchta dá ngeobhainn an ród."

27. Aonach na Bearna

Ar Aonach na Bearna lá seal dá rabhas,
Is is beag a shíleas an lá úd go gceannóinn aon ghabhar;
Thug mé chun Mháire é agus rángaigh í trom,
Agus bhí sí lán d'áthas ag ól a chuid nabhais,[134]

Is nár dhiail an bhleagáirdíocht í ráite gan dabht,
Gur mhol tú an chéad lá liom do rábaire gabhair
Go raibh sé macánta is gur bhreá í a chuid nabhais,
Is go gcrúfainn trí cháirt uaidh gach aon lá go dtí Samhain.

Ní mar sin a bhí ach is tráite a bhí 'úth,
Cnagaire bainne ní chrúigh mé le fonn,
Ach ag imeacht ag pileáileacht ar ard-mhullaí crann,
Ag cuir Máire is na comharsain gach lá ar ard-mhullaí ceann.

Faigh snáithe den chnáib a bhí ramhar,
Agus ceangail a chosa go dochrach dá cheann;
Scaoil síos an diabhal gránna le fána insa ngleann,
Sin a n-iarrfad de shásamh in áit mo chuid geamhair.

28. An Binsín Luachra

Agus bhíos-sa maidin uaigneach
  Ag dul síos dom go Contae an Chláir,
Bhí mo ghaidhrín agam go huaigneach,
  Ag uaigneas[135] is mo ghunna im láimh,

134. /nauʃ/.i. gruth núis *(beestings)*
135. Ls. *A' guaigneas* (in uaigneas (?))

'Air a chasag orm an stuabhean,
Ba ghile grua agus ba dheise gáir'
Agus bíom' aici den bhinsín buainte aici,
Den luachair ó ba ghlaise ag fás.

'Gus a chailín beag na luachra,
Glac suaimhneas is fan go réidh,
In lúib na coille craochta,
Ag eisteacht le ceol na n-éan,
Mar sagart ní bhfaighidh[136] scéal air,
Ná einne dtí 'bhfaighidh[137] mé bás,
Nó go dtiocfaidh caint don chéirseach,
Go n-iompóidh an lon dubh bán.

29. An Goirtín Eornan

Is buachaillín fíor-óg mé is go bhfóiridh orm Rí na nGrást,
Mara thug mé grean don óigbhean ti' an ósta ina cóiriú bán;
Ní chaith sí hata le mórchúis ná búcla bheadh déanta prás,
Nach iall i bhuaic a bróige, sí mo stór í go bhfaighidh mé bás.

A Nelly ó na n-árann thá an bás im chroí le tart,
Agus líon aon ghloine amháin dom den cháirt a bhíodh lán go geal;
Coinnigh cúntas gearrtha ar an gclár so agus cuir síos cailc,
Agus siúd fé thuairim sláinte cúl-fáinneach mo chailín deas.

Dé siúd díbse a dhaoine 'á n'íosfainnse barr an fhéir,
Nó ag dul sa talamh síos le díleachas do ghrá mo chléibh?
A píp ba ghile líne ná an síoda agus ná clúmh na n-éan,
Is nach buartha cráite a bhíos-sa nuair a smaoiníos ar a bheith ag scarúint léi.

Sí Nell Biorthnach ab fhearr liom, sí mo ghrá í thar a maireann beo;
Shiúlóinn oíche is lá leat is led bhánchnis ní mhairfinn beo;
Thá aon ghiní amháin im láimh agam is le grá dhuit a raghainn á dh'ól,
Agus bíse im choinne amáireach ti' an tábhairne má mhairir beo.

Sé mo léan gan mise im éinín ag léimrigh ó chrann go crann,
Nó im eascú fada caoldubh ag éaló ar bharr na dtonn;
Scrífinn cúpla líne 'dtím' chéad searc le gean dá com,
Agus codladh ní bhfaighinn a dhéanadh le neart éiclips is néalta im cheann.

136. Ls. *bhfaghaig*
137. Ls. *bhfagha*

Thíos age Cé Phort Láirge athá an t-árthach ag fuireach le gaoth,
A thabharfaidh sinn thar sáile is go brách brách ní chasfaidh mé;
Beidh mo charaid agus mo chairde go cráite agus ag gol im dhéidh,
Agus raghad go Baile Sheáin uaibh, sin slán age Clanna Gael.

Maidin earraigh shamhraidh gan amhras ar m'ábhar fhéin,
Is mé 'teacht abhaile ón teampall an t-am go mbíodh bláth ar chraobh,
Chonnac mé uam sa chrann í is í ag iompó chomh mear le gaoth,
Á rá: "Shidiad chughainn na Francaigh, sin cabhair ar Chlanna Gael."

30. Iníon an Fhaoit' ón nGleann

[Do dhearc mé chugham] an scáinseach
Dho chaol-chailín rua,
Go deimhin díbh thaithnigh a gnaoi liom,
Mara b'fhada a cúl gan cíoradh,
Agus insím díbhse a dhaoine
Go meallfadh sí an slua.

Nuair a ghabhaimse amach na hardaibh,
Agus chím uam mo ghrágeal,
Mar a bheadh rós insa ngairdín,
Nó bláth geal na n-úll.
Ba bhreátha í siúd ná Venus
San am a dh'fhág sí Éirinn,
Sí planda rós na naomh í,
Is nárbh éadtrom é (a) siúl.

'Á bhfaighinnse cailín maorgaí[138]
A dh'éalódh liom ina haonar,
A mholfainn fhéin a tréithe,
Thíos sna gleannta siar ó thuaidh,
Ag eisteacht leis na héinleach,
Is le fuaim na mbreac sa léimreach,
Leathuair bheag seal dá bréagadh,
Agus bhréagfainn í chun suain.

138. Tugann Breatnach an sampla *féachaint mhaergí, friendly look* mar mhíniú ar an bhfocal seo agus tugann sé an fuaimniú /f´iaxən´t´ ˈme:rgə/ ó Sheán Shíocháin, Seana-Chill, An Rinn (Breatnach, *Seana-Chaint II,* lch. 286 s.v. *maergí*)

Ach thá mé lán do náire,
Th'réis gach ní dár dh'áiríos,
Gur buachaill athá ar fán mé,
A dhéanfadh sult is greann.
Ní beo mé mí ná ráithe,
Mara bhfaighidh mé póg is grá uait,
Is cead suí síos id láthair,
'Iníon an Fhaoit' ón nGleann.

31. Amhrán an tSeanduine

Buachaill óg agus cailín óg a bhí muinteartha, agus ní raibh dada age'n mbuachaill óg ach a shláinte. Bhí feirm thalún age'n seanduine thuaidh i bparóiste Bhaile na Míolach, suas ó Dhonn Garbhán, agus bhí an buachaill óg sa Seana-Phobal. Phós a muintir ansan í leis an seanduine thuaidh i mBaile na Míolach. Bhí sí fhéin agus an buachaill scartha lena chéile ansan. Dhein an buachaill óg an t-amhrán ansan i dtómas[139] ná raibh sí sásta leis an seanduine:

An Cailín Óg:

A mhná na gcarad, mo charaid, an trua libh mé!
Ag luí le scota gan bhrí agus le haois go gcrapann sé,
  Is gan puinn dá bharra nach síor-ranntán,
In ionad fir ghroí a luífeadh cneasta liom,
  Agus go mb'fhiú é ar maidin a phóg a dh'fháil!

An Seanduine:

A Dhiagáin m'anama, m'acainn más méinn leat,
  Gheobhair aer ar gach margadh ar thogha gearráin,
Seál breá dathannach leaite go glúin ort
  Bróig chaol chanta agus iall ina bráid.
Is mó ceann sóirt a stórach a bheidh eadrainn:
  Beidh rósta agus smearadh againn in éadan cláir;
Beidh ciotal fé dhó sa ló ar stealladh againn,
  Agus feoil ina n-ealaigh le tabhairt don mbáb.
Gach oíche sa mbliain ag triall chun leapan dúinn,
Mar bharr ar gach greann beidh *round punch* eadrainn,
  Má gheallann tú a stóirín go bhfaighead síocháin.

139. Ls. *i dúmas* /ə ˈdu:məs/ .i. ag cur in iúl, mar dhea – feic Breatnach, *Seana-Chaint II*, lch. 165, s.v. dúmas.

An Cailín:

'Á gcuirtheása mise 'siúl bhóithre 'falaireacht
Agus ór ina chairn a thabhairt fém láimh,
Ní ghealfadh[140] mo chroí aon oíche sa tseachtain duit,
Is is dócha ná gealfaidh go bhfaighidh mé bás;
Imeoidh mé go deimhin im leadhb ar mearathal,
Amach fén choill mar a bhfaighfear scartha sinn,
Mar ní hacainn dom eisteacht le cladhaire seanduine
San oíche cneadaíl nó 'síor-ranntán.

An Seanduine:

Coinníollacha ár bpósta a stórach nár gheallais dom;
Góil liom go deo is gan smeo a bheith eadrainn,
Nó an fé' go ligtheása dhomhsa bheith 'siúl bhóithre 'falaireacht,
Crom fén anairt im chian-chonán.[141]

An Cailín:

Thabharfainnse *fees* agus é a dhíol ar an tairnge
Dh'einne beo 'ghlacfadh mo ghnó ina láimh,
A chnagfadh a phíp agem' chladhaire seanduine,
Nó a chaithfeadh sa díg é agus an claí do leagaint air –
Agus go bhfaighfí marbh é uair roimh lá!

32. Reidhrí Álainn

Chun na fírinne a dhéanadh leat n'fheadar mé 'bhfuil sé agam ina cheart inniu nó ná fuil.

[Úna Parks.: Is cuma an bhfuil nó ná fuil.]

[Duine éigin den lucht éisteachta: Sea, tabhair an méid athá uait.]

Coicíos roimh Fhéil' Pádraig ar mo shámh-leaba a bhí mé,
Nuair a tháinig chugham mo mháthair agus í go cráite ag síor-ghol,
"Éiri' i t'shuí a Phádraig is cráite a bheidh an croí agat,
Trí bhás do dhritheár álainn is ea dh'fhágas an Cnoc Buí amuigh."

"Fóil, a bhean gan ghanaid go neosfaidh tú brí do scéil dom,
Mar is deocair é a chuir i dtuiscint dom go bhfuil an scafaire sin traochta."
"Mise an bhean gan ghanaid is nár thaithigh riamh an t-éitheach,
Age Crosaire na bhFiodán, mo dhíomá, a ghabhag de piléir air.

140. Tcs. *ghealach*
141. Tcs. *Chíonchanán* .i. críon-chonán ?

Níor dh'fhágas an tSeana-Choill dtí eadrach an lae úd,
Ansúd a fuair mé an scafaire is é caite ar shoipín féir ann,
Gan duine beo 'á charaid á ghealadh ná á ghléasadh,
Nach saighdiúirí ó Shasana agus a mbeaignití ann taobh leo.

Dhruid mé leis an oifigeach agus labhair mé fhéin go séimh leis:
'Cad a dhein an cholann bhocht ná bainfí di a cuid éadaigh?'
Is táir a fuaireas freagra gur scafaire é a bhí traochta,
Is ná liúfaí méar a leagaint air go dtiocfadh na cróinéirí."

'Á mbeadh Reidhrí[142] Álainn lá mar a bhí sé,
Bhuailfeadh le fadhbáin iad a dh'fhágfadh insa díg iad;
Ní raibh Gadhra ná Coileánach ar phátrún ná ar aonach,
Ná déanfadh Reidhrí Álainn snáth orthu lena chaol-dair.

Ba dheas í a chois ar iomaire,
Ba dheas í a chois ar stáca,
Ba dheas í a ghlúin ar stáca,
Thógfadh sé na tithe óna mbun go dtína mbarr. ...

Ach 'á fheabhas a dheineas tú a mholadh,
Caithfead casadh agus tú a cháineadh,
Gur dhein tú pósadh scannalach,
'Thug masla mór dod chairde.

Scrífidh mise litir agus cuirfidh mé fé shéal í,
Síos go dtíos na Cumaraigh nó an maireann siad ar ao'chor,
Ní bheidh duine beo 'á charaid á ghealadh ná á ghléasadh,
Ní bheidh duine beo á charaid á ghealadh ná á ghléasadh ...

Scrífidh mise litir agus cuirfidh mé fé shéal í,
Síos go dtíos na Cumaraigh nó an maireann siad ar ao'chor,
Ní bheidh duine beo dhá charaid ón Chumarach go Cluain Fhia Paorach,
Ná beidh ag teacht ina sluaitibh agus fuaim acu ar éileamh.

33. Na Conneries

A Choimín mhallaithe guímse deacair ort agus gráin Mhic Dé,
Agus ar an ngasar úd athá ceangailte go dúbhach led thaobh,
Mar is sibh a dhearbhaigh na leabhartha i láthair Choisteala go luath sa mbréag,
Agus a chuir na Conneries thar na farraigí go dtíos na New South Wales.

142. /r´əir´iː/ – sa chás seo deintear an t-athrú *uai* > /əi/ i suíomh réamhaiceannach.

An té 'bheadh ina sheasamh ann agus a dhéanfadh machnamh ar ár gcúis á phlé;
Thosnaigh sí ar a seacht ar maidin agus sheasaigh dtí t'réis a naoi.
Chrioth an talamh chughainn le linn na leabhartha bheith á dtabhairt sa mbréag,
Mo ghraidhin é an t-anam bocht thá sé damanta más fíor í an chléir.

A Rí na bhFlaitheas Geal is a Bhanríon Bheannaithe tabhair cabhair orainn araon,
Agus ar an mbanarthla atá sa mbaile go dubhach inár ndéidh.
Meireach feabhas ár gcaraid bhí ár muiníl cnagaithe agus sinn go doimhin san aol,
Ach ansúd a chasag sinn chun téarmaí a chaitheamh ages na *New South Wales*.

(Shid í an cheathrú anois a bhí … an cheathrú dhéanach anois ina háit sin … shin é mar a cheapag an t-amhrán.)

Thá jaicéid gairid á dhéanamh ó mhaidin dúinn agus triús dhá réir,
Culaí[143] farraige, ní nár chaitheamar i dtúis ár saoil.
Le linn an Aifrinn bígí ag achainní agus ag guíochant chun Dé,
Na Conneries a thabhairt abhaile chughainn ós na New South Wales.

(Shin í an cheathrú dhéanach – *well*, shin í an tara ceathrú a bhíonn age Tóibín.
Úna Parks: Thá an ceart agat. Sea, *yea*.
Maidhc Dháith: Ó cuir thorat é … nuair a dh'aireoidh tú anois é, cuir thorat é agus sáinfidh do réasún fhéin duit gob é … gob é sin, gob í sin an fhírinne. Ó, shin é mar a cheapag an t-amhrán.).

34. Dúirt Margaret lena Máthair

Dúirt Margaret lena máthair 'á gceannódh sí bó bhainne dhi,
Go ndéanfadh sí im chomh hálainn is a bheadh in Éire ná in Sasana,
Ach an chéad fheircín a líon Margaret bhí cáithníní agus salachar ann,
Bhí ribí fada fánach le fáil ag an tráchar ann.
Bhí trí dheargadaol ann ag léimrigh is ag preabarnadh,
Agus smugairle mór tréigthe leataobh síos an bharaille,
Agus shiúd í chughaibhse Margaret ó Shráidín na hEaglaise,
Anonn is anall a Mhargaret do mhálaí is do bheilteanna,
Anonn is anall a Mhargaret ó Shráidín na hEaglaise.

143. /kuli:/ .i. cultacha

Bhí scáth gréine ina lámh aici ar maidin dar ná mháireach ag dul go dtí an
Aifreann;
Ní dh'é an tAifreann ba chás léi ach ag gáire is ag clabaireacht,
Agus shiúd í chughaibhse Margaret ó Shráidín na hEaglaise,
Anonn is anall a Mhargaret do mhálaí agus do bheilteanna,
Is a bhean na stocaí bána nach breá a bheith id chuideachta.

Shuíodar síos go sásta in airde ar an n*gallery*,
'Piocadh dorn cnánna a bhí spártha th'réis na seachtaine,
Agus shiúd í chughaibhse Margaret ó Shráidín na hEaglaise,
Anonn is anall a Mhargaret trí Shráidin na hEaglaise,
Anonn is anall a Mhargaret trí Shráidín na hEaglaise.

35. Na Gleannta

Bhí bean sa Rinn fadó. File[144] ba dh'ea í. Agus bhí trí tithe i gCill Lasrach, Ti' Bhróga, Briana agus Ti' na Ladhaire. Agus chuaigh sí go Donn Garbhán an lá so ab ainm di Gearaltach – des na Gearaltaigh ba dh'ea í. Agus dh'airigh sí i nDonn Garbhán go raibh an bhean a bhí i dTi' na Ladhaire th'réis bháis – agus nuair a bhí sí ag teacht abhaile in cairtín asail ...

"Mo shlán chun ti' na Ladhaire, arsa sí, "mar a mbíodh meidhir ar aosóga,
Agus mo shlán chun an dei-bhean athá tréanlag sa chomhra."

Nuair a tháinig sí dtí Drochad na Léithe:

"Mo shlán chun Gleann na Léithe, ní féidir liom gan tú 'mholadh,
Mara bhí tithe breá gléigeal' ann déanta dhe chlocha,

Mo shlán chun Gleann Pholl a' Phúca mar a mbíodh údar gach scéil ann,
Agus gach tráthnóinín samhra' fíon feann[145] ann le taoscadh.

Mo shlán chun Gleann Bhaile na nGall mar a labhair an Sprid Naomh ann,
Agus an faoileann ar an tráigh ag tabhairt scamhard an éisc leis.

Mo shlán chun Gleann na gCrán mar a mbíodh cránta agus céise,
Agus adhmad gach lá le fáil ann ina shlaoda.

Mo shlán chun Gleann Maguaird mar a mbíodh cúlach a' tsaoil ann,
Agus tobac i gcumhad ina chúlach age Réamonn.

144. /fel´ɪ/
145. /f´aun/ .i. fionn

Mo shlán chun Gleann Bhaile an Aicéada mar a mbíodh Aifreann á léamh ann,
Leaba age'n sagart agus brón ar a chléireach."

36. Chuas ag Walcaeracht

Chuas ag walcaeracht anonn go dtí an *Square* úd,
Agus b'fhearra dhom fhéin go bhfanfainn sa mbaile,
Mara thug sé siúd braon dom a chlog ar na hae agam,
Agus a chuir as mo chiall mé ar feadh tamaill.

I ngeard thíos an Phaoraigh sea dh'fhágadh sé an carraeiste,
Agus bhíodh an láir chaoch aige ar ligint;
Níorbh fhear in aon aon áit é, níorbh fhear ar an tsráid é,
Níorbh fhear ar an bpáirc é ná ar an úrlár insa mbaile.

Nach b'fhear ar an an bpláta é ag ithe na cránach,
Agus chuireadh sé a lán de ina *bhladder*,
Agus admhaím d'réir mo ráite go ....?. sé
Go líonfadh sé lán bád a chala'

37. Seán an Bhríste Leathair

Nuair a bhíos i dtúis na hóige is mé ag éirí suas im ghaige,
Is ceirt ar thaobh mo dhrom le leadhb de bhríste leathair.
Tiúr a liúr a liú,
Tiúr a liúra leaidí,
Tiúr a liúr a liú,
Seán a' Bhríste Leathair.

Théinnse an lá dtí an aonach dhruidfinn anonn 'on *standing*,[146]
Chífinn uam mo léadar is í 'ceannach úlla is *crackers*.
Dhruid sí anonn go séimh liom, thóg sí *veil* dá *bonnet*,
Is nach deas a thug sí an mhéir fé thaobh mo bhríste leathair.
Tiúr a liúr a liú,
Tiúr a liúra leaidí,
Tiúr a liúr a liú,
Seán a' Bhríste Leathair.

146. *saghas seastáin a bhíodh ag na háicéirí.*

'M thráthnóinín déanach is mise 'casadh abhaile,
Chonnac mé Máire a' lúbadh faoi?? is í im dh'fhaire.
Dhruid sí anonn go séimh liom' is ceart a thóg mé an t-*offer,*
Chuamar isteach ti' an tábhairne is dh'fhanamair ann go maidin.
Tiúr a liúr a liú,
Tiúr a liúra leaidí,
Tiúr a liúr a liú,
Seán a' Bhríste Leathair.

Théinnse is Máire ag rince is binn a bhuailfinn talamh,
Is bhídís ag sciúgaíl gháire age fuaim mo bhríste leathair.
Tiúr a liúr a liú,
Tiúr a liúra leaidí,
Tiúr a liúr a liú,
Seán a' Bhríste Leathair.

Dh'fhiarthaigh sí dhíom cá bhfuaireas abhar mo bhríste leathair;
Dh'fhreagraíos í gur dhéin í dhe chroiceann reithe.
Is deas é a thóin is a théip 'bhásta agus a phlapa,
Is nín aon locht in taobh ach ioscaidí bheith ag crapadh.
Tiúr a liúr a liú,
Tiúr a liúra leaidí,
Tiúr a liúr a liú,
Seán a' Bhríste Leathair.

Bhíodh a hathair is an garda á ruagadh ar fuaid an bhaile,
Gheibheadh sé mise is Máire ti' an tábhairne ag diúgadh leanna.
Tiúr a liúr a liú,
Tiúr a liúra leaidí,
Tiúr a liúr a liú,
Seán a' Bhríste Leathair.

Dh'éirímíst ar maidin dh'ithimíst ár ndóthain
Dh'ólaimíst ár ndalladh théinn fhéin den stáir úd,
Ar fad go dtí ti' an tsagairt is gheibhinn an píosa stáit
A gheobhaidh Máire dhom le taithneamh.
Tiúr a liúr a liú,
Tiúr a liúra leaidí,
Tiúr a liúr a liú,
Seán a' Bhríste Leathair.

38. An Dá Sheán is mo Sheánsa

Chuaigh an dá Sheán is mo Sheánsa dtí an aonach,
Dh'adhaineadar an sparainn is ba dheocair iad a réiteach,
Bean tí an tábhairne a chosain mo phláitín fhéineach,
Is faigheam aríst an crúiscín is bíodh sé lán,
Faigheam aríst an crúiscín, sláinte geal mo mhuirnín,
Is cuma liom mo chuirlín, dubh nó bán.

Chuireas-sa mo bhean go Caiseal ag díol úlla,
Dá dhiabhal pingine do thug sí chughamsa;
Nach mise an trua Mhuire 'siúl na dúithe,
'Lorg na scibe agus an baile ró-chúng di,
Faigheam aríst an crúiscín is bíodh sé lán;
Faigheam aríst an crúiscín, sláinte geal mo mhuirnín,
Is cuma liom mo chuirlín, dubh nó bán.

Fágaimse mo bheannacht age muintir an tí seo,
D'réir mar athá siad, óg agus críonna,
Mar ní bheinnse cortha dhona gcuileachta choíche
Go bhfásfadh an cuileann trí mhútha an tseana-thí seo
Agus faigheam aríst an crúiscín agus bíodh sé lán;
Faigheam aríst an crúiscín, sláinte geal mo mhúirnín,
Is cuma liom mo chúirlín, dubh nó bán.

39. Na Tuincéirí

Tráthnóinín breá samhra' le linn 'on ghrian luí,
  Agus mise age'n tine fé shuaimhneas im shuí,
Tháinig bean bhocht dtí an doras ag lorg lóistín,
  Is í ag féachaint tuirseach th'réis an bhóthair.
Bhí slipéirí briste gan ranna gan bonn,
  Agus seana-bhrat giobalach casta ar a ceann;
Ní raibh foscadh ón síon uirthi dá mbeadh sé ann,
  Is thugas cead luí sa scioból di.

Níorbh fhada go rugag go dian ar mo lámh;
  Cé bheadh ann nach Nóra is ag liúirigh go hard:
"Éirigh id sheasamh a Shéamuis a ghrá,
  Thá an macha amuigh lán de thuincéirí."
Dh'éiríos im sheasamh gan gíog as mo bhéal,

Agus síos go dtí an doras a chuas de ghlan-léim;
Cé go bhfeacaíos-sa bacaigh go fairsing im shaol,
Thug na rudairí[147] stáin úd an chraobh leo.

Bhí tuincéirí[148] breaca agus tuincéirí dubha,
Tuincéirí buí agus tuincéirí rua,
Is an bhean úd a tharraing óm chroí bocht an trua
Ina giolla ar scuaine tuincéirí.

40. Beidh Ríl Againn

Beidh ríl againn, beidh ríl againn, beidh ríl againn Dé Domhna,
Beidh ríl againn ar mhaoil an chnoic is an cailín deas á foghlaim.

Thá mé i ngrá le cailín deas, pósfam oíche Dhé Domhna,
Beidh ríl againn, beidh ríl againn, beidh ríl againn Dé Domhna,
Beidh ríl againn ar mhaoil an chnoic is an cailín beag á foghlaim.

41. Na Gamhna

Ó na gamhna, na gamhna, na gamhna beaga bána,
Gamhna lae Shamhna a bhíodh romham[149] ar na bánta;

Itheann siad an féar glas is barr an aitinn Gall'a,
Is tagann siad abhaile chugham le bainne sa samhradh.

Na gamhna, na gamhna, na gamhna beaga bána,
Gamhna lae Shamhna a bhíodh romham ar na bánta,

Ó na gamhna, na gamhna na gamhna beaga geala,
Snánn siad anonn is anall ó caladh.
Is ní bh'fhearr leo 'na thráigh é ná lán mara,

Na gamhna, na gamhna na gamhna siad ab fhearr liom,
Gamhna lae Shamhna a bhíodh romham ar na bánta.

147. .i. ridirí
148. /təiŋ´ˈk´e:r´i:/
149. /raum/ – faightear /ru:m/, leis, sa chanúint seo (feic Breatnach, *The Irish of Ring,* lch. 136). Deir Ua Súilleabháin (S. Ua Súilleabháin "Gaeilge na Mumhan," in *Stair na Gaeilge,* lch. 508) gur de bharr analaí le /raumpə/ a shíolraigh /raum/ agus /raut/ sa chanúint seo.

O. AMHRÁIN A CHUM SÉ FÉIN

1. Aréir is Mé ag Machnamh

Aréir is mé ag machnamh ar mo leaba shámh sínte,
Ar dhul go Baile Sheáin mar a bhfuil grá dho sheandaoine;
Thá coróin agus púnt le fáil acu ina láimh ann gach Aoine,
Agus aililiú a ghrá gil nach álainn an dlí í,
Agus fal da deal dídil deam deam.

Hocht agus raol a bhí im chárta saighneáltha age'n dlí agam
Nach dh'iarr mé na grásta agus choinnigh mé an fhoighne;
Meireach é a bheith spártha acu is dócha ná faighinn é,
Agus fal da deal dídil deam deam.

Bhí púnt in mo láimh agam a bhí ina dhá phíosa;
Chuir mé fios ar bhraoinín biotáille is greim éigin don phíopa,
Is nuair a dh'fhéach mé in mo lámh ní raibh aon phúnt agam ach píosa,
Agus fal da deal dídil deam deam.

Ba chuma le ministrí an Stáit é mara bhí pá acu chun díol as,
Nach bhain dála an scadán dóibh a shánn a cheann isna líonta,
Is nuair is dóigh leis fágaint ní chasann sé choíche,
Agus fal da deal dídil deam deam.

Nach a Éamoinn[150] a ghrágil ab fhear álainn sa tír thú,
Fuair tú síochán dúinn ag codladh na hoíche,
Go bhfága Dia an tsláinte agat go gcasfaidh tú aríst chughainn,
Agus fal da deal dídil deam deam.

Nach bhí do chuid ministrí ró-ghalánta chun a bpá a bheith ró-íseal,
Dh'fhág san ocras agus cránas sa stát so ar an bpíopa,
Agus fal da deol dídil deam deam.

Nach fuair an phíopa bocht sásamh an ceathrú lá dho Féil Bríde.
Sháin a pheann a bhí ina láimh aige dhíbh ná rabhabhair aríst uaidh,
Agus fal da deol dídil deam deam.

150. *Eamonn De Valera, is dócha, atá i gceist anseo.*

An dream so a bhí ar farraige 'faire na hoíche,
Thagadh abhaile is a n-aigne claoite;
Sé an buidéilín leanna a chorraíodh a gcroí dhóibh,
Agus fal da deol dídil deam deam.

Deir na mná so liom a bhí ag caitheamh toitíní
Go rabhadar ag cailliúint a sláinte agus codladh na hoíche,
Agus cé gur dheineabhair cránas go gcasfaidh sibh aríst chughainn,
Agus fal da deol dídil deam deam.

2. Hata Mhaidhc

Bhí mé lá anso Aoine Mhór na Gaoithe agus ní raibh aon tobac agam. Chuaigh mé go dtí an siopa fé dhéin tobac, agus ar mo theacht aniar dom éirigh mo hata dhíom agus bhí sé leathmhíle bóthair fé a bhfuair mé breith air. Agus nuair a tháinig mé isteach shuigh mé ar an gcathaoir age'n tine agus bhí Máire ag fáil an dinnéir:

A Mháire cuimhnigh," arsa mise, "ar an ngála gaoithe úd a shéid Dé hAoine,
Agus a chuir ar dhaoine mór-uafás.
Bhí tithe á leagaint agus crainn á síneadh,
Agus mórchuid daoine in uacht a mbáis.

Dh'éirigh im sheasamh go luath léir bríomhar,
Go gcuirfinn ceangal éigint ar an mbothán,
Ach ba ghairid gur shéideag dem phlaosc an béabhar,
Is a thuairisc in Éire níl le fáil.

Thá na gárdaí fhéineach go mór ar a éileamh,[151]
Gan stad ar ao'chor ach ag síor-mháirseáil;
Is é deir na comharsain lena chéile,
Go bhfuil sé in Sasana an Bhéarla nó amuigh sa Spáinn.

Bhí báigh agam fhéin leis mara bhí sé aosta,
Is a leithéid ar ao'chor ní bh'fhuiris a dh'fháil;
Cheannódh Churchill go daor uam fhéin é,
Ach b'fhearr liom in Éire é ná i mBaile Sheáin.

3. An Dreoilín

Bhí mé lá anso agus chuaigh mé ag cuir innill in airde roimh choiníní agus tháinig an dreoilín agus bhí gach aon léim aige os mo choinne amach:

151. *ar a éileamh* i. *á fhiosrú* (feic Breatnach, *Seana-Chaint II,* lch. 170 s.v. *éileamh*)

"Deacair is díth ort," arsa mise leis, "a chníopaire ghránna,
Ná faightheása do laethanta saoire a chaitheamh níos galánta,
Ná bheith ag imeacht in do shíobhra ag preabadh ar na bánta,
'Cuardach an tseana-chlaí sin a d'iarra' foithint a dh'fháil ann.

'Á dtiocthá chun mo thíse dtí an chruach nó dtí an stáca,
Thabharfainn duit foithint go ndúnfadh an Márta."
Phreab sé agus léim sé is tháinig uafás air,
Mara shíl sé 'á mbéarfainn air go mbéarfadh a bhás air.

4. Is Buachaill Deas Mise Athá im Aonar

Fear aosta athá ar an áit againne a raibh cailín óg hocht mbliana déag le pósadh uaidh. Agus bhí sé déanta amach aige gob iad na comharsain a chuir í sa tslí ná pósfadh sí é. Agus dh'imigh sí léi go Sasana, agus tháinig sé ag déanadh a ghearán domhsa mar gheall uirthi, agus dhein mé an t-amhrán so dho:

Is buachaill deas mise athá im aonar
Im stracadh is im raobadh is im chrá.
'Thug grá dho chailín deas néata;
Is baol liom ná réifidh mo chás.

Thá mo chroí bocht ag searradh is ag fiaradh,
Thá m'aigne im chiapadh is im chrá;
Sé mo léan mar a chonac mise riamh í,
Mara thá mé blianta léi i ngrá.

Anois athá mé ag teacht aosta,
Is mo chomharsain go léireach im chrá;
B'fhearr leo ná pósfainn ar ao'chor,
Mara thá a súile go léir ar an áit.

Nach raghad dtína hathair á hiarra'
Agus maran réifidh mo chás,
Beidh mé sa chré fé cheann bliana,
Ardaithe chun siúil age'n mbás.

Ná téire go Sasana ar ao'chor,
Nín aon rud níos fearr ann le fáil,
Is an bhean úd a chónaíonn anso taobh liom,
Thabharfadh sí a saol im chrústáil.[152]

152. *Tá comharsa mná aige a dhúisíonn gach maidean é chun go n-éireodh sé chun na mba a chrú agus sé seift athá aici, clocha a chrústáil in airde ar an dtigh mar díon stáin athá aige [Fonóta le **SÓD**, CBÉ 1100:10].*

Thá agamsa srian agus diallait,
Asailín néata agus cearr;
Tabharfaidh sé sinn go dtí an cléireach,
Is gheobhfar sinn araon a chúpláil.

Glacfam an Sácraimint Naofa
Sa teampall ón cléireach Dé Máirt,
Tabharfadsa abhaile mo chéile,
Agus déanfaidh iad go léir a phéirseáil.[153]

Thá Arta agus Cathal ag faire ar ghach taobh díom,
Dónall Ó Muiríosa is John Sheáin,
Paddy Nugent ag faire orthu go léireach,
Mar nín a dhaothain talún insa Stát.

5. A Mháire a Chéad Searc.

Is a Mháire a chéad searc 'á mbeitheá taoi'[154] liom
Bheinn ag cur síos duit is ag síor-chomhrá;
Shiúlóinn an tír leat 'dir lá agus oíche,
Agus shuífinn síos leat ar bhruach na trá.

Raghainn ag sealgaireacht leat dtí an chnoc is aoirde,
Major Eale nó fós Cruachán,
Gleann an Mhadra athá ina n-íochtar,
'S is fada an tslí é ó Ghleann na gCránn.

Chuirfinn culaí síoda ar sileadh síos leat,
Bróg dheas íseal agus iall ina bráid,
Lásaí óir leo mar íocain,
Chumhadfainn ag léamh is ag scríobh tú go bhfaighimís bás.

Nach anois tháim aosta is mo shláinte im chlaíochant,
Níl ithe an bhí' ionam ná codladh sámh,
Nach 'air a bheidh mé sínte insa chill seo taoi' liom,
Dom bí ag guíochant a chailín bhreá.

153. /f´e:r´ʃɑ:l´/ *iad go léir a ph.* .i. iad a bhualadh go breá (feic Breatnach, *Seana-Chaint II,* lch. 319 s.v. *péirseáil*)
154. /ti:/

6. 'Á bhFaighinn a bhfuil Tirim do Thalamh na hÉireann

Casag cailín ón Rinn orm lá agus mé ag dul go dtí an stór. Dúirt sí liom cúpla rann a dhéanadh di. Dúirt mé:

'Á bhfaighinn a bhfuil tirim do thalamh na hÉireann,
Sasana an Bhéarla is an Spáinn
B'fhearr liom aon phóigín amháineach ód bhéilín
Ná an méid sin go léireach a dh'fháil.

Raghainn go dtí Talamh an Éisc leat,
Dtí an Rúis agus thimpeall na Stáit,
Mara bhfaighinn aon áras in aon áit
Luífinn leat thíos isna báid.

Dh'éireoimíst ar maidin in éineacht
Chun ár mbéile beag fhéineach a dh'fháilt,
Bhainfinn an baighte i gcúil an ché dhuit.
Agus chuirfinn duit spiléir ar an tráigh.

Ní dh'iarrfainn bó, cuíora ná capall mar spré leat,
Ní dh'iarrfainn leat baile ná stát,
Mara b'fhoirtiún do aon fhear insa saol thú
B'áthas liom fhéineach thú a dh'fháilt.

P. DÁNTA AGUS AMHRÁIN DIAGA

1. Eachtra an Bháis

Ar bhóthar Luimní chasag an bás orm
Ina ghadaí ghránna is a chúl le claí;
Dhruid sé im choinne agus rug ar lámh orm,
Agus dh'fhiarthaigh do Sheán bocht conast a bhí.

"Tháim tinn túirseach, brúite im chnánna
Age snaidhm an mhála athá ar agha' mo chroí."
"Leag le t'ais é is tair im láthair
Go gleann mín álainn is déan t'áirthí."[155]

155. /tɑ:rʹʹhʹi:/ i. aithrí – i gcóir samplaí eile de mheititéis sa chanúint seo feic Breatnach, *The Irish of Ring,* lch. 147.

"Diúltha' a bheirim duit a ghadaí ghránna
Agus tabhair dom spásach go ceann trí mhí,
Go raghaidh mé abhaile dtí an Athair Mártan -
An fear ab fhearr a bhí i gcóta Chríost.

Ansúd a gheobhair mé im shuí ti' an tábhairne
I measc na sárfhear is mé ag ól na dí.
Geallaim gan mhoill duit má gheibhim mo shláinte,
Gur fada ón áit seo a gheobhaidh Seán arís."

"Fé lí na gréine má bhíonn tú in Éire ná i nGalapáil
Tiocfaidh *summons* chughat is mise taobh leis;
Bíodh t'áirthí déanta le t'ais a Sheáin.

Cuir fios ar an Eaglais chomh luath is féidir,
Agus bíodh sé taobh leat ar uair do bháis;
Raghair go Parathas i measc na naomh gheal;
Diúlthaigh don saol so agus dos na mná."

"Dos na mná," arsa Seán bocht, "ní fuiris diúltha
Mar is ró-bhreá an cúna iad ar uair an ghá,
'S is ró-bhreá an acra iad san oíche im' chlúdach,
Nó ag dúnadh mo shúile le linn mo bháis.

Nár mhór go mb'fhearra liom seal ar chúrsa
I bhfochair ainnir mhúinte agus í go breá,
Ná dul as m'aitheantas ar [anachúinse?]
Nár thug riamh cúntas cár ghaibh le cách."

"Is dochtúir mise is ní neosfad bréag duit,
Is breab ní ghlac mé ó einne fós;
Beirim an t-óg liom is an conán aosta,
An fear is tréine 's is treise cáil."

3. Scéal na Páise

Aréir is mé ag machnamh ar Íosa Mac m'Athar'
 Á dhaoradh le peannaid go doimhin insa pháis;
A mhín-chorp á ghearradh le sciúirsí go daingean;
 Dé hAoine á cheangal ar an ndaor-chros chun báis.

A Rí glégil na bhFlaitheas guímse chughat feasta
 Fóirithint ar m'anam is gan é ligint chun fáin,
Gach saigheadadh le peaca athá im' chroí istigh le fada
 A scaoileadh is a scaipeadh agus a shaothrú led' láimh.

A Rí glégil is a Mhuire saor sinn ar an tine;
 Ná lig sa chorra gearr sinn go brách;
'E réir mar a thuigim im smaointe is im thuiscint,
 Do dhlíse do bhriseadh nách éachtach ár gcás.
A Mháire agus a bhruinneall gráim tú le cumann,
 In ionad Rí Geal na nGrást,
Mar a mbeidh glóire dhá ligint, ceoltha dhá seinniúint
 Do gach n-aon bocht againne go ré' Dia ár gcás.

An té athá ar buile 's ná géilleann do Mhuire,
 Lá an tSlé' nuair a thiocfaidh sea a chífear uafás;
Blaemfaidh an tine, na sléibhte dhá mbriseadh,
 An ghrian uainn ar sileadh is an ré lenár lár.
Tiocfaidh Michéal Naofa le fuinneamh is a thrampéad aige á sheinniúint,
 Ag glaoch ar gach nduine ó thír agus ó shráid;
Beidh an chlaonbheart úd scrite ar chlár éadain gach nduine,
 A Dhia glégil is a Mhuire cuir sinn ar thaobh do dheislá.

4. Aisling na Maighdine

A Rí na ngrást is nach cráite a bhí tú,
Insan ngáirdín 'e ló is istoíche,
Do chuid fola is feola ina stráicí síos leat,
Is tú ag cuimhneamh ar an mbás a bhí le fáil agat Dé hAoine.

Shúd í an Aoine mo mhíle stór thú,
Shúd í an Aoine ar shileag na deortha,
Trí inthinn do chinn mo mhíle stór thú,
Is trí ród na fola, trí leac an Ví Rósa.

Nuair a chualaigh an Mhaighdean gob é siúd a hAon-Mhac,
Níor dh'fhan sí lena ceann a shocrú ná a chóiriú,
Nach shiúlaigh sí an fhásach gan snátha dhá bróga
A' lorg a hAon-Mhic a thug na Giúdaigh leothu.

Ag imeacht go brónach ag siúl an róid di,
Sí fuil a chroí istigh a mhúin di an t-eolas,
Luigh sí síos á caoineadh is á pógadh.

"A Mhic ó na páirte is a Mhic ó m'anama,
Is minic a dúraíos-sa leatsa gob é sin bás a bhí i ndán duit,
Gob é bás na billóide is mó do chráigh tú,
'Gus gob í do mháithrín fhéin is túisce a leagfadh láimh ort."

Nuair a dh'aithin na Giúdaigh gob í siúd A mháthair,
Thógadar suas ar a nguaille go hard í,
Agus bhuaileadar anuas ar chlocha na sráide í,
Is thugadar a hAon-Mhac leothu as an áit sin.

Eist a mháthair is déinse foighne inniu is amáireach,
Agus beidh tú agamsa in Parathas álainn,
Agus Ard-Rí na bhFlaitheas ag breith ar láimh ort.

Q. CAOINTE

1. A Dhritheáir na nAnam Is Dubhach a Bhí Mé

"A dhritheáir na n-anam," arsa sí, "is dúbhach a bhí mé
Nuair a chuaigh chugham cúntas go rabhais-se claoite,
Gan athair ná máthair, mac mic ná iníon duit
Ag cóiriú do leapan ná ag friotháladh bí' ort.
Ach ar nós an eala ar bharra na taoide
Amach ar maidin agus isteach istoíche,
Is gan léis ar t-anam ó mhaidean go hoíche."

Bean a fuair a dritheáir bás is chuaigh scéala chuichi, agus nuair a tháinig sí ar an tórramh sin é mar a dúirt sí.

2. Éist a Shagairt

Buachaill ba dh'ea é agus bhí sé naoi mbliana déag nuair a fuair sé bás. Bhí an sagart ag léamh an Aifrinn agus bhí an mháthair ag imeacht as a meabhair ag scréachaigh is ag liúirigh agus bhí an sagart a d'iarra' staidéar a chuir inti ...

"Eist a shagairt," arsa sí, "agus seasaigh díreach.
Níor thug sé trí ráithe[156] in umar do chroí agat,
Ná naoi mbliana déag ag siúl an tí agat,
Agus aililiú a dhuine thá clog ar mo chroí agat."

156. Ls. *reátha* /r´ɑ:hə/

3. Ar Maidin sa Dúnaing

Bhí fear bocht fadó ann agus fuair a bhean bás. Agus bhí sé lán de ragairne agus í á tórramh agus shín sé chun codladh a bheith aige, agus insa dúnaing nuair a dh'eirigh sé chuaigh sé go dtína bhean. Agus shidé mar a dúirt sé:

Ar maidin sa dúnaing nuair a dh'osclaíos-sa mo shúile,
Agus dh'fhéachas go brónach amach ar an spéir;
Chuimhnigh mé go dúchmhar ar an saol a bhí romhamsa,
Is ná beadh einne in mo chúram nach ainnise an tsaoil.

Giobal ná fáthaim ní raibh ar sileadh lem chnánna,
Ó chuir mé ort an fáinne istigh sa séipéal;
Bhíodh mo bhróga go sásta is mo cheirte go galánta,
Is níor náir liom é a rá leat i láthair an tsaoil.

Mo chreach is mo chráiteacht nach mór an tsannseáil dom
Bheith id' dh'ardach liom amáireach dtí ard an tséipéil;
Nuair a chasfaidh mé a ghrágil abhaile ar mo ghárlaigh
Nach dúbhach is nach cráite é mo scéal,
Féachaint ar mo ghárlaigh ag tabhairt a n-agha' in gach áit uaim
Ar nós éanlach' an aeir.

4. Caoineadh Iníon Uí Mhuiríosa

Fear é seo a bhí sa Chnoc Buí agus phós sé iníon i dTuar an Fhíona. Agus is gairid a bhí sí pósta nuair a fuair sí bás agus chuaigh sé á caoineamh. Agus ní raibh einne a bhain léithi curtha i dTuar an Fhíona, aon duine a bhain léithi ó mháthair ná athair ní raibh sé curtha i dTuar an Fhíona, agus dh'uachtaigh sí í a chur i dTuar an Fhíona. Agus nuair a chuaigh sé go dtí í sheasaigh sé as a ceann in airde:

"Thá tú ag dul amáireach," arsa sé, "ag tógaint áras do leapan,
Dtí an áit nách gá dhuit a bheith ag romhar ná ag grafadh,
Dtí an áit ná tagann aon trálach in lámha na bhfearaibh,
Dtí an áit nach gá dhuit cúram a dhéanadh dhe bhia ná éadach,
Agus cuireamna a chodladh le solas an lae thú.

Nuair a raghaidh tú amáireach go Tuar an Fhíona
Fiarthófar díot cér díobh thú;
Gheobhaidh tú a rá gur de Mhuintir Mhuiríosa,
Agus is mó fear álainn a dh'umhlóidh síos duit,
Agus bean fé chlóca a phógfaidh ó chroí thú.

Thug t'athair airgead bán agus buí dhuit,
Agus lán de mhacha de bha is de laoi dhuit,
Thug sé abhaile thú fé chulaith do phósta,
Agus glaonn Naomh Peadar mar ghiolla leat
Go Cathaoir na Glóire."

5. Caointeachán Deirféar an Ghabha

Bhí gabha fadó ann agus phós sé. Agus aon deirfiúr amháin a bhí aige agus dh'imigh sí léithe ó thua' go Dún na nGall. Agus bhí a bhean go holc dho cheann don ngabha[157] agus fuair sé bás. Agus chuireag scéala go dtí an deirfiúr go raibh sé t'réis bháis agus tháinig sí dtína thórramh agus chuaigh sí á chaoineamh:

"A bhuachaill gabha," arsa sí, "ó Chois Abha Bríde,
Is agamsa athá 's cad a dhein tú 'chlaoichant –
Stoca fhliuch agus bróg scaoilte,
Ag bualadh an oird ó thaobh na gaoithe,
Agus lámh ró-chruaidh age bean do thí leat,
A bhuachaill gabha ó Chois Abha Bríde.

A bhean úd thall an chiosúr síoda,
Gheobhairse fear mara nín tú críonna,
Nach ní bhfaigheadsa mo dhritheáir anois ná choíche,
An buachaill gabha ó Chois Abha Bríde.

Nuair a chuaigh chugham scéala go rabhais-se claoíte,
Mo mhaighistir grámhar níor bhac sé an tslí dhom,
Nach labhair a bhean ó 'sí a chaith an bríste,
Agus dúrt go gcaithfinn an lá a chur di in áit na hoíche,
A bhuachaill gabha ó Chois Abha Bríde."

6. Seán a' Búrc

Bhí baintreach fadó ann agus Búrcach a bhí pósta aici agus bhí triúrar leanbh aici leis nuair a fuair sé bás. Seán, Éamonn agus Proinsias ab ainm don triúrar clainne. Agus nuair a tháiníodar in aos a bpósta phós Seán – ba dh'é an ceann ba shine acu é – agus fuair sé tigh do fhéin. Agus bhíodh cuíthín dhearg[158] in cás aige insa chistin i gcónaí. Ach chuaigh an triúr acu, tamall th'réis do Sheán

157. .i. bhí an bhean go holc mar bhean chéile don ngabha (feic Breatnach, *Seana-Chaint II,* lch. 83 s.v. *ceann*)

158. Tugann R.B. Breatnach an focal *cuichín* /ki'hi:n'/ ar *linnet* (gleoiseach, *Carduelis cannabina*) (Breatnach, *Seana-Chaint II,* lch. 125 s.v. *cuichín*)

pósadh, go dtí an bhfarraige agus bág an triúrar. Agus bhíodar i bhfad gan fáilt nach ba dh'é Seán an chéad duine a tháinig i dtír. Agus nuair a fuaireag é chuaigh an chomhra dtí an bhfarraige agus chuireag insa chomhra é, agus le linn é a dhul dtí an roilig chun é a chur tháinig cioth mór sneachta. Agus chuireag scéala dtína bhean agus dtína mháthair go raibh sé foite.[159] Tháinig a bhean agus a mháthair dtí an áit a raibh sé chun é 'chur agus an ua[igh] á gearradh. Thóigeag an clúdach den chomhra go bhfeicfeadh a bhean agus a mháthair é agus leath a bhean a dhá lámh ar an gcomhra agus shidé a dúirt sí:

"A Sheáin De Búrc," arsa sí, "mo thúirse agus mo léan-chreach!
A' n-eiritheá id shuí go neosfainn scéal duit:

Is maith a dh'aithiníos ar an gcuíthín bhrónach,
Agus ar an gcioth sneachta úd a chaith an tráthnóna,
Go raibh mo leannán uam sínte in comhra,
Agus brat na haibíde a beannaíog sa Róimh air.

A dhaoine uaisle an toil libh mo ghearán!
A bheith ag gol ar ua[igh] mo leannáin,
A bhfuil laiste dhá chuacha i gcúinne mo sparáin,
Agus coileán dá scuainthe fuailte[160] im chriosláir.

Fanaigí siar a lucht gearradh,
Agus ná bígí ag siúl ar ua[igh] mo chara,
Ceann mo thí agus céile mo leapan,
Agus m'fhear maith pósta ó bhí mé im leanbh."

"Eist a bhean," arsa máthair na céile léithe, "agus thá tú cráite;
Ná himigh ar buile is ná caill do náire;
Baochas le Críost gob é do mhaoin a tháinig,
Ach Éamonn buí an fear ab fhearr díobh."

"Ní dhéarthása fhéin é sin a mháthair," [arsaigh an bhean],
"'Á dtabharfadh sé cóiste cóirithe ón Spáinn chughat,
Plúr mín milis agus caoi[161] imirt ar chláirseach,
Agus cead dul a chodladh idir a dhá láimh siúd."

159. /fet′ɪ/ .i. faighte.
160. /fu:al´t´ɪ/
161. /ke:/

7. A Dháith Paor

Captaen árthaigh ab ea é agus raiceálag é. Bhí sé ag triall ar Cheann tSáile. Do dhein a ghrá amhrán do ansan. Do bág an captaen.

A Dháith Paor na n-árann mo chás tú is mo mhairg,
'Tá ag dul ar bord árthaigh is gan aird ar do leapain,
Tá an t-uisce go sámh romhat, níl aon fháil ar dheoch leanna,
Maran bhfóirfidh Dia 'dtráth tá an bás leat ag tarraint.

Ag dul siar thar Cheann tSáile chrom an t-árthach ag cnagadh,
Dh'éirigh ár máta an fear ab fhearr bhí ar thalamh,
Lúigh sé is bhéic sé agus dúirt linn casadh abhaile,
Gob í seo an Ceannaí Bán ó Éire nár thraochag le fada.

Chailleamar ár mbonnspruit agus an *round topsail* bhí díreach,
Agus thabharfaí ár gcrann uainn meireach feabhas neart ár ndaoine;
Chailleamar ár maighistir sé ár ngreim tinn dóite,
Is th'réis é a gheallúint le meidhir dúinn go mbeimís ag rince ar a phósadh.

8. Caoineadh Mhichíl Uí Chionnfhaolaidh

A Chionnfhaola' mo chara is fada dhuit sínte,
'O ló agus istoíche …
A Chionnfhaola' mo chara is fada dhuit sínte,
Caoineamh is maranadh 'ló agus istoíche,
Ar an tsláinte do chaillis nó an gcasfadh sí aríst ort,
Ní hé gach einne a chailleann í a gcasann sí aríst air,
Nach deirim lena maireann agus a ngabhann an bóthar de dhaoine,
Gur dhein sí creachadh dhon nGaelainn tusa do shíneadh.
Nuair a bhí … ní rabhais ach id leanbh …
'Air a chuir mé ort aithne id leanbh a bhí tú,
Ar Bharra na Faille in aice na dTurraoineach,
Bhímíst ag féachaint ar bháid a faille ag teannadh is ag stríocadh,
'Trálaereacht sa Ród Leathan[162] ó mhaidin go hoíche.
Bhí tú séimh agus cneasta ó shoin agus deas leis na daoine,
Dílis don nGaelainn is á múineadh 'sea bhí tú,
Ní raibh duine a chuir ort aithne ná pógfadh ó chroí thú,
Ach an falsaer a mharaigh tú is a dh'fhág tú ansan sínte.
Glaoim ar Naomh Peadar, ar Mhuire agus Íosa,
Go gcóireoidh siad do leaba fé dtitfidh an oíche.

162. Caineál i mbá Dhún Garbhán (feic Breatnach, *Seana-Chaint II,* lch. 336 s.v. *ród,* fonóta 4)

9. Caoineadh an Fhir Mhóir

A Fhir Mhóir a chara is mór an creach,
Tú a dh'fheiscint sínte nó traochta amach,
Mara bhí fairsing' id chroí istigh agus tú dílis ceart,
Tharraing tú as gach tír iad 'on Choláiste isteach,
Mar ní lig tú einne le lios amach.
Is mó lá grámhar a chaith mé leat,
Im shuí ar stól nó ar chathaoir dheas,
Ag síor chur síos duit agus tú ag scríobh le cailc.
Bhí ithe is ól agam agus leaba mhaith,
Ach trócaire ó Chríost ach táim gan mhaith.
Nach é an briseadh croí dhúinn idir fhear is bhean,
Bheith ag féachaint ort amáireach uainn ag imeacht,
Dtí Ard na Carraigíne mar a mbeidh tú ag fuireach,
Fén chré go deo ann i measc na bhfear.
Beidh an tAthair Ormond agus an tEaspag Síocháin,
'O ló is istoíche ag comhrá leat.
Iarraim ar Mhuire agus ar Leanbh Íosa,
Gur i gCathaoir na Glóire a gheobhaidh tú fuireach.

10. Scúnaer a Bhág agus Caoineadh Dixon

Tháinig scúnaer isteach go hAird Mhóir fadó dho bhlianta agus chuireag ar na carraigeacha í, agus fuair bád sábhála na Rinne scéala ar dhul féna déin. Agus nuair a chuadar go dtí í bhí an t-uisce ró-éadtrom agus na fearaibh imithe dhi. Agus an tAthair Ó Sé a bhí ar an tráigh agus nuair a chuir sé thimpeall amach den tráigh í shíl an méid a bhí in Aird Mhóir go raibh sí caillthe mara bhí an ceann le *weather*áil amach aige le gaoth anoir aneas agus é ag dul fé dhéin Cuan Eochaille. Agus dheineadar Eochaill thimpeall a ceathair a chlog um thráthnóna nuair a tháiníodar isteach go hEochaill ar ghuaille daoine agus thógag amach as iad agus thugag dtí ti' an ósta fé dhéin deoch iad.

Agus dhá bhliain athá mo dhritheáirse[163] curtha, agus nuair a fuair sé bás dhein mé ceathrú dho:

Nuair a raghaidh tú amáireach dtí Ard na Carraigíne,[164]
Ní dh'fhiarthófar díot cér díobh thú,
Mar is mó láimh a bheidh chughatsa sínte,

163. Liam Turraoin, a dtugtaí 'Dixon' air, ob. ? 1956.

164. An reilig a bhaineann le Séipéal na Rinne.

Ard na Carraigíne: I dtaobh go bhfuil an bunfhocal *carraig* baininscneach sa bhfocal *carraigín* – go bhfuil an iarmhír dhíspeagtha *-ín* ina dheireadh – is léir go bhfuil sé tugtha isteach sa dara díochlaonadh chun na gnáthriallacha a chomhlíonadh. Ní thagann sé seo leis an méid atá le

'Cur na tuartha fáilte roimh threibh na dTurraoineach,
Mar ar tír is ar farraige is abaidh a bhíodar;
Nuair a lámhag an gunna dhíbh ....?? an tíogar.
Sa mbád sábhála chuabhair go luath léir bríomhar,
I bhfarraigí arda agus i ngála gaoithe,
'Treabhadh na farraige i gcúrsa na hoíche,
Agus um eadra amáireach in Eochaill a bhíobhair,
'Tosnú age ceann Heilbhic agus 'góil thimpeall na tíorach,
Agus 'á aoirdeacht a bhí an fharraige ní stríocfadh an Turraoineach.

R. RANNSCÉALTA AGUS SEANCHAS FILÍOCHTA

1. Máire an Bhata

Bhíodh bean ag góil anso go dtugaidís Máire an Bhata uirthi. Bhíodh sí ag déanadh leighis agus níor thaithnigh an obair leis an sagart. Bhuail an sagart léi lá ...

"An tusa Máire an Bhata," arsa sé, "go bhfuil dhá thaobh ar do theanga,
Taobh mín agus taobh garbh, roithleán ina barra agus an diabhal á casadh?"
"Is mé cheana a Mhic Chrochúir buí smeara,
Gur cirte dhuit a bheith ag rómhar na díg sa mbaile
Ná bheith ar althóir Dé fé éile[165] Chríost á chaitheamh."

2. Baiste an Amadáin

Bhí sagart fadó ina chónaí i dtigh 'athar agus bhí aodhaire bó age'n athair agus bhíodh an sagart agus é fhéin ag baint iarrachtaí as a chéile gach aon lá. Ach dtí an tigh a thagadh an leanbh le baisteadh an uair sin, agus an lá so tháinig leanbh go dtí an tigh agus dúirt an sagart leis an amadán go gcaitheadh sé an leanbh so a bhaisteadh anois.

"Ó ní bhfuaireas aon chumhachta riamh chun é a dhéanadh," arsaigh an t-amadán, "agus 'á bhfaighinn bhaistfainn é chomh maith leatsa."

"*Well*, tabharfaidh mise cead duit é a bhaisteadh anois," arsaigh an sagart.

"Thoiceam más ea," arsaigh an t-amadán, "leag anso chugham é."

Thug sé leis dtí bosca na baistí é.

---

rá ag Nioclás Breathnach mar gheall ar fhoirmeacha díspeagtha de ainmfhocail bhaininscneacha sa chanúint seo nuair a thugann sé le tuiscint go mbíonn na focail seo baininscneach sa tuiseal ainmneach agus firinscneach sa tuiseal ginideach (N. Breatnach, "Ceist, freagra, eolas agus aighneas," *Éigse* 5, 221). Feic, leis, an méid atá le rá ag Ua Súilleabháin mar gheall ar an gceist seo (S. Ua Súilleabháin "Gaeilge na Mumhan," in *Stair na Gaeilge,* lch. 496).

165. .i. éide ?

"Baistim tú, a linbh," arsa sé, "gan tóin gan ceann.
Gan uisce, gan salann, gan deor den leann,
Reithe t'athair agus cuíora do mháthair,
Is a leithéid seo dho leanbh ní tháinig sé riamh in mo láthair."

3. An Sagart agus an Drochbhean Tí

Sagart a ghoibh isteach dtí tigh chun *station* a bheith aige agus bhí ana-thuairisc uirthi gur ana-bhean tí í. Nuair a chuaigh an sagart isteach bhí a gabhal leaite[166] ar an tine aici …

"Deir siad liom," arsaigh an sagart, "gur maith an bhean tí tú.
Deirim leothu gur dóibh nách fíor é.
Tá t-agha' gan ní agus do cheann gan cíoradh,
Agus leathair do bhoilg á loscadh age'n ngríosaigh."

4. A Dhochtúir Dee Guímse Guí Dhuit

Fear bocht a bhí anso agus bhí sé ag carraeireacht capall go Donn Garbhán le coirce. Nuair a bhí sé ag teacht abhaile thit sé den chapall is briseag a chos. Tugag isteach go dtí Donn Garbhán go dtí an óspaidéal é agus ó Bhaile na hÍre ba dh'ea an dochtúir. Dos na Deeanna ba dh'ea é. Do ghearraigh sé an chos de agus níor mhair an fear bocht i bhfad t'réis é a ghearradh dhe. Tugag abhaile é agus nuair a bhí sé ar an gclár á thórramh chuaigh sí á chaoineamh, a bhean …

"A dhochtúir Dee," arsaigh sí, "guímse guí dhuit.
Nár bheiridh do bhean clann mhac ná iníon duit,
Agus má bheireann ina sampla go mbí siad.
Croiceann gabhair orthu agus eireaball cuíora,
Agus gob lachan a chartfaidh an t-aoileach,
Agus a thabharfaidh abhaile tú go Baile na hÍre."

5. Caoineadh Bhaile an Aicéada'

Bhí sé de nós age muintir Bhaile an Aicéada' sa Seana-Phobal sa tseanaimsir, bhí sé de nós acu duine éigint a dh'fháilt a chuirfidís in airde ar an mbord agus é a chóiriú amach mar a bheadh corp. Agus bhíodh cumann mhór buachaillí agus cailíní thimpeall ansan air agus gach einne ag tástáil féachaint cé acu is fearr a dhéanfadh ceathrú[167] caointeacháin dó. Ach bhí gaige mór ar an áit a bhí th'réis teacht abhaile ó Thalamh an Éisc agus bhí sé ana-mhórchúiseach ann fhéin, agus theastaigh ón gcumann garsún a bhí thimpeall é a chur ar an mbord 'á mb'fhéidir é chun go bhfaigheadh ceann acu ceathrú caointeacháin a dhéanadh

166. Ls. *leaithte* /l´at´ɪ/ .i. leata – feic Breatnach, *Seana-Chaint II,* lch. 267, s.v. *leathadh.*
167. Ls. *ceárthú* /k´ɑ:rˈhu:/

dho a bhainfeadh cuid den mhórchúis de. Ach fuaireadar é a bhogadh agus chuireadar ar an gclár an lá so é agus chuaigh an Brúnach á chaoineamh:

“Séard a airímse,” arsa sé sin, “á chur trína chéile,
Age muintir Bhaile an Aicéada’ agus Tóchar gránna an éithigh,
Nach nár thugais aon rud ó Thalamh an Éisc leat,
Ach deirimse leothu gur thugadar a n-éitheach,
Go thug tú seana-threabhasar agus seana-bhéabhar,
A thug seacht mbliana ag marú éisc ort.”

6. An Brúnach agus Michéal Ó hArta

Bhí nós fadó age muintir Bhaile an Aicaeda’[168] ar duine a chuir ar an gclár á thórramh Dhé Domhna’ th’réis Aifrinn, héachaint cé acu is fearr a dhéanfadh ceathrú chaointeacháin. Agus bhí file dhos na Brúnaigh i mBaile na Móna agus bhí titim amach éigin ’dir é fhéin agus Michéal Ó hArta. Ach bhí an Brúnach ag dul go hEochaill agus bhí Arta roimhe[169] ar Dhrochad Bhaile an Aicaeda’ agus ní raibh aon dul uaidh aige na’ chaith sé é throid.

Nach pé ar domhan de, t’réis an troid a bheith acu dhearbhaigh sé ar an mBrúnach agus chuir sé go Príosún Phort Láirge é. Agus chuaigh a mhac Séamus Dho Brún go dtí an phríosún ag féachaint a athar go Port Láirge. Agus nuair a dh’osclaíog an príosún, go bhfeicfeadh an mac an t-athair, dh’eirigh an t-athair ina sheasamh:

“Ansan athá tú a Dhaid,” arsaigh an mac.
“Sea,” arsa sé,
“Agus baochais[170] le Dia nach le goid bó, cuíora é ná capall,
Ná an solas fallsa a lasadh,
An t-árthach a thabhairt go bun faille,
Na fearaibh a strupáil agus a chuir ar a gcuid éadaí athrú datha,
Agus iad a chaitheamh i measc na bhfearaibh.
Siúd mar a dhein Muintir Arta.
Ar mo dhul dom dtí an margadh maidin an lae úd,
Shíl mé bheith chomh tapa, chomh cliste le haon fhear.
Nuair a chuaigh mé go Drochad Bhaile an Aicaeda’,
Chasag orm Michéal Ó hArta, fear Mháire Ní Chléire.
Bhí dath na húire agus snó[171] na cré air,
Is nuair a shíl mé go dtabharfadh an fhírinne saor mé
Bhí sé ró-chliste dhom chun dearbhú san éitheach.”

1682. /val´ɪ n iˈk´e:d´ɪ/ -- Baile an Aicéadaigh *(Hackettstown),* Paróiste an tSeana-Phobail.
169. /rai/
170. /be:xəʃ/
171. /snu:/

Dh'imigh Michéal go Talamh an Éisc ansan agus i gceann seacht mbliana tháinig sé abhaile. Agus bhíodh an nós, lean an nós díobh i gcónaí an duine a chuir ar an gclár agus féachaint cé acu is fearr a dhéanfadh ceathrú chaointeacháin. Agus nuair a tháinig sé ó Thalamh an Éisc bhí sé sáint[172] ana-chuid mórchúis. Agus níor thaithnigh sé leis na daoine a bhí thimpeall, an bhóiceáil a bhí aige …

"É 'se dar fia," arsaigh an Brúnach "'á bhfaighinnse ar an gclár é sin thabharfainnse caointeachán do san," arsa sé.

Bhuaileag féig pé ar domhan de gur bhogadar é, gur chuaigh sé ar an gclár, agus chuaigh an Brúnach á chaoineamh …

"Séard a dh'airímse a chur trína chéile," arsa sé,
"Age Muintir Bhaile an Aicaeda',
Agus an Tóchar gránna an éithigh,
Ach nár thugais aon rud ó Thalamh an Éisc leat,
Ná deirimse leothu gur thugadar a n-éitheach;
Gur thug tú seana-threabhsar agus seana-bhéavar
A thug seacht mbliana ag marú éisc ort."

7. Na Ceardaithe agus an Sclábhaí

Bhíodh triúr siúinéirí beaga ag obair i dtigh feirmeora babhta agus bhíodh an sclábhaí ag obair amuigh. Ceardaithe beaga ba dh'ea na siúinéirí. Thagadh an sclábhaí isteach …

"Dia dhíbh a cheardaithe mhiona," arsa sé.
"Dia is Muire dhuit," arsaigh an siúinéir, "a sclábhaí an tuirse.
Sé do lámha is gnáthach briste;
Ar do bhróig is gnáthach pluide;
As do thóin is gnáthach giobal;
Ar do shrón is gnáthach smuga.
Suigh sa chúinne i gcomhair rud le n-ithe."

8. Rincfead Ríl nó Dhó le hÉamonn 'ac Gearailt

Bhí cailín bocht ann agus ard-rinceoir ba dh'ea í. Bhíodh sí ag dul ar na hardáin ar son gill ag rince. Bhí iníon feirmeora ina coinne ar an ardán ag rince. Nuair a bhí an rince caite dh'iarr bean dos na comharsain abhaile an cailín bocht. Dúirt iníon an fheirmeora léi gadé an deithneas a bhí abhaile uirthi; ná raibh bó ná gamhain mar chúram uirthi. Ag tabhairt fúithi a bhí sí.

I gceann tamall t'réis an rince phós an cailín bocht buachaill ab ainm Éamonn Óg 'ac Gearailt a raibh ba agus capaill aige agus t'réis di pósadh bhí sí fhéin agus iníon an fheirmeora ar an ardán aríst agus tháinig an bhean ag glaoch aríst uirthi chun í a thabhairt abhaile …

172. /sɑ:n´t´/ .i. taispeáint

"Baochas le Rí na gCumhacht," arsa sí,
"Ná rabhas fé bhrón ach tamall.
Thá mo ghamhain ag ól
Agus agha' mo bhó ar an mbaile.
Imeod anois le gleo,
Gan brón orm ná mairg,
Agus rincfead ríl nó dhó
Le hÉamon Óg 'ac Gearailt."

9. A Shiota na Sála

Bhí onncail agamsa – onncail athar domhsa – i gCnocán a' Phaoraigh agus bhí ceann des na Meacharaibh tamall uaidh agus thug sé ordú dho cleamhnas[173] a dhéanadh dho. Agus bhí an obair ar bun aige. Agus bhí fear eile dhon áit ag déanadh cleamhnas do chailín óg eile leis an Meacharach, leis. Agus, *begor,* buag ar Phádraig – shin í a chuaigh ann. Agus sé an ainm a bhí air – ar athair an chailín a chuaigh ann ach An Siota. Agus bhí Pádraig go mór ar buile 'cheann go buag air. Bhí sé ag teacht ón Aifreann Dé Domhna agus ghoibh an cailín óg agus a fear amach thoiris:

"*Well*, a Shiota na sála," arsa sé, "is gránna é do sheasamh,
Agus dhéanfadh do shála grafán ar chnoc aitinn.
'Á dtabharthása an sparán dom agus a dh'áireamh dom dachad,
Ní thabharfainnse sa Pháirc tú ag tabhairt náire dom charaid."

10. A Háidín, a Háidín

Bhí feamilí sa Rinn fadó, na Háidíns agus na Hamiltons. Is cuimhin liom duine acu. Bhímís agus sinn 'ár bpáistí ag rith ina ndiaidh ...

"A Háidín, a Háidín an gob caol," a deirimís,
"Stiúradh sé an t-árthach chomh maith le bád maol."
Sin iad na báid a bhíodh acu ag marú na colmóirí.
Bhíodh na Háidíns agus na Hamiltons ag troid gach aon lá.
"Leite ages na Háidíns," a dhéiridís, "agus prátaí ages na Hamiltons."

Bhíodh Seán Cúnún a bhí sa Rinn ag déanadh réitigh eatarthu. Bhí cailín des na Háidíns a dtugaidís Miss Mary uirthi. Dhein duine éigin rann mar gheall uirthi.

"*Well*, nách í Miss Mary an cailín galánta,
'Á chomhartha gob í is í a chac sa sáspan,
Agus chuir Seán Cúnún trí luige san ngeaird de,
Agus chac sé pic má b'fhíor na Barnetts."

173. /klaunəs/ – dar le R.B. Breatnach (*The Irish of Ring,* lch. 22) gur *k* caol /k´/ agus *l* caol /ʟ´/ atá i dtosach an fhocail seo i.e. /k´ʟ´aunəs/, ach is léir sa chás seo gur *k* leathan /k/ agus *l* leathan /ʟ/ a bhí ag Maidhc sa chás seo.

11. Stáca an Mharga'

Bhí deachú fadó ar shráid Dhonn Garbhán agus age Paidhc Bharra Leacan – an deichiú punann, einne a mbeadh aon rud le díol ar an margadh aige bhí an deichiú punann le díol aige. Agus dhéantaí stáca dhen arbhar ar an margadh agus nuair a bheadh deireadh leis an margadh dhíoltaí an stáca.

Agus bhí fear breá des na hAnagánaigh ina chónaí ar Shráid an Mharga' – fear a raibh ana-mheas aige ar fhéin – bhí sé ana-dheocair bean a dh'fháil a sháiseodh[174] é. Ach bhí an stáca á dhíol an lá so agus bhí cailín breá ag teacht ó Dhún na Mainistreach ar scoil go Donn Garbhán agus bhíodh gach einne ag tógaint iontas don chailín – bhí sí ag dul i mbreáthacht agus i ndathamhlacht[175] gach aon lá a ghabhadh sí an tsráid. Ach bhí an stáca á dhíol an lá so agus ghaibh an cailín an tslí. Agus bhí seanduine éigin ina sheasamh age'n stáca agus nuair a dh'fhéach sé i ndia' an chailín:

"*Well*," arsa sé, "is breátha í ná stáca an mharga'."

Dh'fhan 'Stáca an Mharga' ar an gcailín go deo.

Bhí Annagán, bhíodh sé ag imeacht thimpeall na sráide agus culaith bhreá éadaigh aige agus é saibhir, agus ba ghairid gur dhein sé suais[176] le Stáca an Mharga', agus phós sé Stáca an Mharga'.

Agus bhí deirfiúr[177] d'Annagán pósta ar an dtaobh ismu' dhen mbaile mór agus is gairid a bhí sé pósta nuair a tháinig sé chun dealúis – ná raibh dada aige. Bhíodh sé ag siúl na sráide ansan agus gan aon éadach maith air ná aon rud. Agus bhí an deirfiúr ag teacht isteach go Donn Garbhán lá agus chasag léithe ar an tsráid é:

"Is baol liom a Sheáin," arsa sí, "gur dhein tú mearathal;[178]
Bhíodh culaith bhreá éadaigh ort agus do phócaí lán d'airgead;
Anois thá páistí na sráide seo ag gáire is ag magadh fút,
Ó thug tú grá dho Stáca an Mharga."

"Eist a Mháire," arsa sé, "agus ná bí i bhfearg liom,
Thá árthach gach lá ag snámh ar an bhfarraige;
Imeoidh mé amáireach, go brách ní chasfaidh mé,
Mar a fuair mé a dh'fhágfaidh mé Stáca an Mharga'."

174. /hɑ:ʃo:x/
175. /daxauləxd/ – sa chanúint deintear *ch* /x/ de *th* leathan deiridh i bhfocail aonsiollacha (e.g. *dath*, /dax/) agus tá an /x/ seo tar éis leathnú amach go dtí suíomh meánach i bhfocail a shíolraíonn ós na haonsiollaí seo (feic Breatnach, *The Irish of Ring*, lch. 137)
176. /suəʃ/
177. /d´er´ɪˈfu:r/
178. /m´arəhəl/ i. mearbhall

12. Moladh na Bochtaineachta

Bhí sagart fadó ar stáisiún i dti' feirmeora. Agus bhí aodhaire bó, bhíodh sé in gach aon tigh an uair sin, agus maidin mhillteach fearthainne ba dh'ea í agus chuaigh an t-aodhaire bocht amach leis na ba, agus nuair a tháinig sé isteach bhí uisce ag sileadh as. Tharraing sé amach an chroch agus chaith sé cois leis in airde ar an gcroch á thiormú fhéin. Agus nuair a bhí a bhriocast ite age'n sagart tháinig sé as an bpárlús agus shuigh sé age ceann an bhoird ag féachaint anonn ar an amadán bocht á théamh fhéin, á thiormú fhéin leis an tine.

"Is breá í an bhochtaineacht," arsaigh an sagart. "Is breá í an bhochtaineacht."

"*Well*, ní mholaimse an bhochtaineacht," arsaigh an t-amadán,
"Agus ní mó ní 'cháinim é.
Agus an té a mholann an bhochtaineacht
Dar Gobnait is aige ab fhearr liom í."

"Bhfuil na haitheanta chomh maith sin agat?" arsaigh an sagart.
"Tháid, 'athair," arsa sé.
"Abair dom iad," arsa sé.

"An Chéad Aithne," arsa sé, "cíos na hEaglaise ag glaoch;
An Tara hAithne, ag diúgadh leanna le craos;
Agus an Trígiú Aithne, beagán cuimhne ar dhaoine ainnise an tsaoil."

13. Bhí Mé Lá ar an mBaile seo

Bhí fear ar an mbaile seo fadó agus chuaigh sé dtí an collach le cráin, agus nuair a chuaigh sé dtí an tigh dh'osclaíog an doras do agus bhí asal ceangailte ar thaobh an tí agus cráin agus dhein sé ceathrú dhóibh:

"Bhíos-sa lá ar an mbaile seo," arsa sé,
"Agus sheolag isteach ti' Nioclais[179] mé;
Bhí asal bacach ceangailthe ann;
Agus bhí easair age'n chráin ann;
Bhí cac na gcearc go fairsing ann,
Agus Neillí ag leigheadh le náire;
Bhí corcán píothán chapall ann,
A dhéanfadh an Rinn a shásamh,
Ach ní hé sin féin a mhairbh mé
Ach anairthe na mbairneach."

179. Nioclás Ó Curraoin

14. Mhuise Baochas le Dia

Bhí bean ann agus bhí fear aici agus bhí sé go holc 'o cheann di. Fuair sé bás. Chuaigh sí á chaoineamh:

"Mhuise baochas le Dia agus le Muire," arsa sí,
"Go bhfuilirse uamsa imithe,
Mar gheobhaidh mé suí age'm thine,
Agus ubh mo chirce a dh'ithe,
Agus ní bhfaighirse teacht im ghoire,
Agus ochón."

15. A Bhean gan Leanbh

Bhíodh cailín óg babhta eile agus bhí sí seacht mbliana pósta. Ní raibh aon chlann aici. Nuair a dh'éirigh an cailín óg ar maidin bhí máthair na céile suite le hais na tine …

"A bhean gan leanbh," arsa sí,
"Is fada é do chéalacan."
"Bó gan tarbh," [arsaigh an cailín óg]
"Is fada go mbéarfaidh."

16. Scúilín agus Ciúisín

Bhí fear fadó ann is bhí sé ana-dhiaganta is théadh sé go dtí an Aifreann gach aon mhaidean is bhí maidrín beag aige. Sé ainm a bhí air fhéin nach Scúilín agus sé an ainm a bhí ar an madra ná Ciúisín. Agus an mhaidean so chuaigh sé dtí an Aifreann, bhí an sagart i gcoinne an mhadra a bheith ag dul insa séipéal. Ní dh'fhanfadh an maidrín ina dhiaidh in aon áit gan é a leanúint, ach an mhaidean Domhnaigh seo bheir an sagart ar dhá chois deiri' ar an madra agus bhuail sé a cheann i gcoinne falla an tséipéil agus mharaigh sé é.

"*Well*, a Chiúisín na n-anam," arsa Scúilín, "is ait é do chúrsaí,
Ag dul dtí an Aifreann ar maidin le humhlaíocht,
Do cheann gan dearmad don bhfalla do ceanglaíog,
Agus ní bás gan sagart a fuair do mhadra a Scúilín."

17. Scéal, Scéal agus Eireaball ar Éan

"Scéal, scéal agus eireaball ar éan,
Agus seacht n-acra de phéaca tarraingthe
Trasna ina bhéal."

Beirt a bhí istigh i dti' tórraimh oíche agus bhíodar a d'iarra' scéal a bhaint den bhfear so is níor 'nis sé aon scéal fiannaíochta riamh. Agus bhí sé clogaithe 'cheann a bheith ag leanúint air. Dh'iarrag ar iachall a chuir air scéal fiannaíochta a rá agus le searbhas ar an bhfear eile, shin é an freagra a thug sé air.

18. Imeoidh a dTiocfaidh agus Dh'imigh a dTáinig

Bhí fear bocht fadó ann agus bhí tigh aige ar thalamh an mhaighistir aige. Chuaigh sé fé dhéin brosna aitinn a bhaint ar thalamh an mhaighistir, agus bhí sé díreach gearrtha aige nuair a tháinig an maighistir. Dúirt an maighistir leis é a fhágaint ansan …

"Imeoidh," arsa sé "a dtiocfaidh agus dh'imigh a dtáinig riamh,
Ach ní dh'imigh na grásta ó Dhia;
Fágfaidh tusa agus mise an áit seo,
Agus beidh aiteann ag fás ár ndiaidh."

19. Ruainnín Branair a Bhí agam fhéin

Bhí buachaill ann fadó agus bhí sé i ngrá le cailín agus thug sé blianta ag suirí léithe agus bhíodh sé gach oíche san tigh agus deineag cleamhnas ansan di le fear eile agus phós sí é.

Bhíodh sé ag teacht go dtí an tigh t'réis í a phósadh agus oíche bhí sé suite le hais na tine agus an cailín agus a hathair agus a fear ag caitheamh suipéar sa pharlús. Bhí fear óg an tí t'réis ceann fir an chúinne a bhearradh tamall roimhe sin. Bhí an buachaill taoi' leis an tine agus a cheann fé agus é ag féachaint isteach sa tine. Tháinig an fear óg anuas as an bparlús is dh'fhiarthaigh sé dhe cad a bhí mar sin air.

"Cad athá mar sin ort?" arsa sé.
"Ruainnín branair a bhí agam fhéin," ar seisean,
"Agus mé i bhfad i bpéin ina bhun,
Is age'n bhfear a tháinig inné,
Atá an raobadh agus an cur."

20. Mór agus Muire Dhuit

Bhí bean fadó, des na Cárthaigh ba dh'ea í agus níor thug sí aon iasacht d'einne riamh a dh'iarr uirthi é. Agus an chomharsa ba ghiorra dhi, dhíol sé amach 'áit agus tháinig stranséar agus thóg sé an áit agus bhí inneall ag bualadh ar an eathla lá aige agus dúirt sé lena bhuachaill dul dtí Bean Uí Chártha' fé dhéin tamall do mhála. Agus dúirt an buachaill leis ná raibh aon mhaith dho dul á dh'iarra' mar nár thug sí aon iasacht d'einne riamh.

"*Well*, raghaidh mé fhéin á dh'iarra' mar sin," a dúirt an feirmeoir.
Chuaigh sé go dtí í agus nuair a chuaigh sé dtí an doras bhí sí ag scuabadh an tí …

"Mór agus Muire dhuit," arsa sé, "a mháthair na gCárthach,
A bhean bheag shoineanta shoismara shásta;

Is fear bocht dealbh mé a bhfuil capall ar pá agam,
Agus tabhair don teachtaire tamall do mhála.
Briseadh ná brú ní bhainfidh dod mhála;
Cuirfidh mé tuí agus aiteann idir é is an gráta,
Agus beidh sé sa mbaile chughat an t-am so amáireach."

"Gheobhaidh tú agus fáilte," a dúirt sí.

21. An Brúnach agus Bean na mBairneach

Bhí fear aosta dhos na Brúnaigh ina chónaí i mBaile na Móna fadó go dtugaidís Séamus Brún air, agus file ba dh'ea é. Agus bhíodh cuid des an mná ar buile chuige 'cheann a bheith ag déanadh rabhán dóibh, agus bhíodh an chuid eile acu baoch de. Agus bhí bean dos na Dogharanna i mBarra na Stuac agus bhíodh sí ag dul go dtí an tráigh gach aon Déardaoin fé dhéin bairneach. Agus tháinig sí dtí an doras an lá so ag baint iarracht as:

"An anso a bhíodh an stróinse dhos na Brúnaigh," arsa sí, "a bhíodh ag déanadh na rabhán?"

"Is ann," arsa sé, "a struaire ruachailleach agus de chúl na mbothán,
A bhfuil boladh na húire uait de dhúchas an bhocáin."

22. Diarmaid Ó Seanacháin agus na Brianaigh

Ní raibh aon ainm ab aoirde a bhí in Éire sa seanashaol nach na Brianaigh. Agus bhí fear ana-shaibhir des na Seanchánaigh ina chónaí le hais an Bhrianaigh, agus bhí an Seanachánach ar buile 'cheann a ráite go raibh ainm na mBrianach níba aoirde ná é fhéin agus é fhéin níos saibhre ná iad. Agus bhí an sagart cráite aige gach aon lá a dh'iarra'[180] air é a bhaisteadh ina Bhrianach. Nach dúirt an sagart leis nár bhaist an Eaglais riamh einne fé dhó, nach 'á gcuirfeadh sé cuireadh dinnéir amach go dtína ríocht agus nuair a bheadh an dinnéar caite go mbeartálfaidís coiste an dáréag, agus má bheartálfaidís ar einne chun an baiste a dhéanadh go mbeadh sé fhéin sásta má bheadh (má bhí …) má bheadh sé sin. Dúirt sé go gcuirfeadh – chuir sé cuireadh dinnéir amach. Agus bhí amadán ag aodhaireacht bha age athair an tsagairt agus 'nis sé a chúrsa dho, agus dh'fhiarthaigh sé dhe má bheartálfaí air an ndéanfadh sé an baiste. Dúirt sé go ndéanfadh.

Nuair a bhí an dinnéar caite ghlaoigh coiste an dáréag ar an amadán agus bhíodar sásta le pé rud a … pé ainm ba mhaith leis an amadán a thabhairt air.

Shocraíog áit baistí dho agus chuaigh Seanachán go dtí é agus sheasaigh sé as ceann Sheanacháin in airde:

180. /ə ɣiərə/ i. ag iarraidh

"Ní cosúil leis na Brianaigh," arsa sé,
"Do thigh ná do throscán;[181]
Ní cosúil ná leis na Brianaigh
Do mhiasa ná do chuid stán;
Ní cosúil ná leis na Brianaigh
Do shrianta ná do ghearráin;
Ní cosúil ná leis na Brianaigh
Do ghiall ná do shlinneáin,
Agus fágfadsa mar a dh'fhág an saol riamh tú
Id Sheana-Dhiarmaid Ó Seanacháin.

23. Eibhlín Ní Ghearailt

Bhí bean i mBaile na nGall fadó a dtugaidís Eibhlín Ní Ghearailt uirthi agus bhíodh craobh druínigh ag imeacht mar pharasól aici agus í ina suí ar na crosairí agus na capaill ag léimeadh ar na daoine, agus píopa cailce aici á chaitheamh. Agus bhí bean i mBaile na nGall a dtugaidís Máire Bhreathnach uirthi agus chuaigh Mary na nGearaltach mar bhean mhic isteach go dtí í. Agus ní rabhadar ag réachaint agus chuaigh Nioclás Fíodóir isteach go dtí Eibhlín Ní Ghearailt agus ní rabhadar ag réachaint. Fuair Máire Bhreathnach bás agus chuaigh Eibhlín Ní Ghearailt dtí an tórramh agus chuaigh sí dtí an clár …

"An cuimhin leatsa an lá úd," arsa sí, "bhíomair in aonacht.
Bhí cheithre cinn de mhuca againn araonach ag dul dtí an aonach;
Bhí ort bróig, stoca, agus léine,
Agus clóca a daothaint d'aon bhean,
Nó gur bhuail chughat síolrach bhithiúnach na gcaerach,
Agus dhein leat mar a dhein Iúdáisín liom fhéineach."

Chuir fear a bhí i mBaile na nGall amach í, an Curraoineach, agus i gceann i bhfad den am fuair an Curraoineach bás agus dh'airigh sí é. Chuaigh sí dtí an chlár tórraimh …

"Mo chreach ghéar fhada," arsa sí, "agus is fada a bhíos-sa
Ag smaoineamh ar an mbóithrín deas a bhí age ceann do thíse.
Níor bhóithrín ba é ná bóithrín caoire,
Ach bóithrín cearc chun do chac a scríobadh,
Is dá fhaid é an an lá ní chuirfinn crí'air."

24. Tadhg agus an Láirín

Bhí fear bocht ar an mbaile seo fadó agus bhíodh láirín beag agus é ag tarraint móna ar a phá ón Móin Fhinn léithe ab ainm do Tadhg. Agus bhí ualach móna

181. /h´r´ɪsˈgɑ:n/

lán aige amuigh ar an Móin Fhinn agus nuair a shíl sé í 'thabhairt an ualaigh léi shín sí fén ualach. Agus bhí beirt ón Rinn ag féachaint uirthi ag titim fén ualach agus thógadar ina fhochair í. Agus nuair a bhí sí tóigithe cóirithe chun teacht abhaile acu shuigh ceann acu in airde ar an gclaí agus dhein sé ceathrú caointeacháin di:

"Lá dhá rabhas," arsa sé, "agus mé ag dul dtí an Móin Fhinn,
Do chonnac mé an láir ba bhreátha radharc,
Bhí carra ar a lán nár nárach di,
'Sí a tharraing go breá é idir ard agus cnoc,
Agus sé Tadhg a chrág an lá úd,
A d'iarra' í a choimeád gan rioth."
"Ní buíochas ar mo láirse," arsa Tadhg, "a bheith láidir luath,
Mar athá aici stábla neamhspleách do fuacht,
Coirce spártha le fáil gach uair,
Féar go bhásta is gan trácht ar chruach."

25. An Garsún Bán

Bhíodh file ó Chom Seangán – tá sé siar ó Bhoth a' Dúin – ag teacht go hEochaill ag díol phrátaí. Sé an ainm a bhí air, an Garsún Bán, agus an ainm a bhí ar na prátaí, *Wisers,* agus bhuail fear eile leis ar Drochad Eochaill[e] …

"An tusa an Garsún Bán," arsa sé, "ó Chom Seangán
atá ag dul go hEochaill ag díol *Wisers*?"

"Prátaí bána," arsaigh an fear eile, "atá i mo mhála,
Agus ní haon fios cá raghaidh siad."

"Bhfuil siad inniúil chún bí', chun dí, chun síl agus chun margaidh?"

"Thá siad gan criochán gan sciollán gan falcaire."

26. Tadhg Gaelach agus an Bráthair Bocht

Chuir a mhaighistir Tadhg Gaelach babhta le mála coirce go dtí bráithre bochta, agus nuair a bhí an coirce tabhartha uaidh aige thug an bráthair isteach é agus thug sé braon biotáille dho in ceann des na gloinní a mbíodh a leath[182] lán le doimhneacht istigh iontu. Agus nuair a dh'fhéach Tadhg ar an mbraon leagaithe ar an gclár shíl sé go raibh ana-dheoch aige. Dh'ól sé é agus leag sé uaidh an gloine aríst:

182. /l´ax/

"*Well*, is mór é do thoirt ar clár," arsa Tadhg,
"Agus is gairid liom a chuaigh do lón,
Agus is mór an t-iontas liom cár ghoibh do lán,
Maran i do lár athá do thóin!"

"*Well*, ní féidir le bráthair bocht a bheith go maith i gcónaí," arsaigh an bráthair.

"*Well,* más bráthair bocht é an bráthar seann,[183]
Is ramhar é do bhléan agus do chúl,
Agus más maith é do shlí chun Dé,
Is mór gan chiall é an bráthar seann."

27. Tadhg Gaelach agus an Easóg

Agus tháinig file ón taobh thuaidh dtí é, á lorg. Agus nuair a tháinig sé suas bhí Tadhg sínte ar an ngleann is é á dh'aeráil fhéin leis an ngrian.

"Ghabhas aneas, a Thaidhg," arsa sé, agus ní shiúlaigh mé aon chiscéim ach aduaidh."

"'Bhfuil sí id phóca agat?" arsa Tadhg.

Bhí sí thíos ina phóca aige.

"Ghabhas aneas [an eas], a Thaidhg," arsa sé, "agus ní shiúlaigh mé aon cis-céim ach aduaidh."

Agus sé rud a bhí goite aige, sé rud í an 'eas', shin í an Ghaelainn cheart ar easóg – an eas – bhí an easóg, bhí an easóg ina phóca goite aige "Ghabhas aneas," a Thaidhg," arsa sé, "agus ní shiúlaigh mé aon ciscéim ach aduaidh.

"'Bhfuil sí id phóca agat?" arsa Tadhg.

28. Tadhg Gaelach agus an Dall

Bhí Tadhg Gaelach Ó Súilleabháin ag góilt an bóthar an lá áirithe so agus bhuail sé fé dhall a bhí ag teacht anuas ó thigh sagairt. Dh'fhiarthaigh sé dhen dall an bhfuair sé dada. Dúirt sé sin ná fuair oiread is a chaochfadh súil leis.

"B'fhearra dhuit dul suas aríst," arsa Tadhg leis, "agus tabharfaidh mise nóta dhuit."

Tharraing sé amach a pheann luaidhe agus do thug sé nóta dhon dall.

"Imigh leat suas leis sin agus leag ar lár an bhoird chuchu é."

Dh'imigh agus do dhein sé mar a dúirt Tadhg leis. Do rug sagart an pharóiste air agus do léigh sé é agus do shín sé thar n-ais go dtí an *coadjutor* é.

Séard a bhí air ach:

"A shagairt éibhir na n'iomad geall,
Chuireabhar úr gcuid lena chéile,
Agus ní chuimhníobhar ar aon rud a thabhairt don dall."

183. seang ?

Dh'aithin an sagart an láimhscríbhinn agus thug sé a dhinnéar go fairsing don dall.

29. Bás Thaidhg Ghaelaigh

Bhí sé ag lorg bás naofa in áit naofa, lá naofa, ar stad na ngrást agus fuair sé é. Istigh i séipéal Choill 'ac Thomáis Fhinn le linn an Aifrinn a fuair sé bás.

30. Clann Thaidhg Ghaelaigh

Bhí dhá dhuine dhéag is dachad clainne aige. Níorbh le aon mháthair amháin iad. Fuair sé amach gach einne acu ar deireadh.

An chéad cheann a chuaigh sé ag lorg, bhí sí ag suí ar thaobh an bhóthair ag crú peidhre gabhar …

"Cá luíonn Cúl na nGabhar anso," arsaigh Tadhg, "a chailín led thoil?"

"Ar an dtaobh thiar des na hadharca," arsa sí.

"Sin haon," arsa sé.

Bhí sé aosta an uair sin agus é critheánach. Dh'imigh sé is casag ceann eile air ag cniotáil.

"Dia is Muire dhuit a sheanabhean athá ag obair le barr na géire," arsa sé.

"Dia is Muire dhuit," arsa sí, "a cheann ar crioth,"[184] is gan ionat ach go mairir ar éigin."

"Sin dó," arsa sé.

Casag an trígiú ceann air ag tiomáint bó …

"An fada uaim Baile an Phoill, a bhean led thoil?"

"Á mbeifeá age'm thóin bheifeá age'n mbaile ba ghiorra dho."

31. File Phort Láirge

Bhí sé [Tadhg Gaelach?] ag lorg file Chontae Phort Láirge babhta agus ní raibh aon aithne chuigin aige air. Agus chuaigh sé isteach i dtigh oíche agus bhí cártaí á n-imirt ann agus bhí an domhan daoine acu thimpeall ar an tine.

"File go santach," arsa sé, "i dteannta dhaoine."

"Agus file a bhfuil breall air," arsaigh an fear eile, "athá amuigh an t-am so dh'oíche."

"Thá tú agam," arsa sé.

32A. Cróinín na Screathaine (i) – Cróinín agus an Fear Bréagach

Bhí file sa Screathan fadó, sa Seana-Phobal, a dtugaidís Cróinín air. Agus bhí páirc mhór cruithneacht aige agus chuir sé fear bréagach amach sa pháirc ag aodhaireacht na bpréacháin as an gcruithneacht. Agus ghoideadh – muin-

184. Ls. *crioch* /k´r´ux/ .i. crith

tir na háite – ghoididís an fear bréagach as an bpáirc mara bhíodh sé ag déanadh rabháin dóibh. Agus nuair a chuaigh Cróinín amach um thráthnóna bhí an fear bréagach imithe as an bpáirc, agus tháinig sé isteach agus shuigh sé age'n tine. Agus i 'dtómas gur tháinig an fear bréagach ag éileamh a phá air:

"Tabharfaidh mé próiseas ón chúirt duit," arsa sé,
"Le púnt in agha' an rátha."
"Dé chúis a dtabharthá próiseas ón chuirt domhsa," arsa Cróinín,
"Le púnt in agha an rátha,
Nuair nár sheasaimh tú an cúntas,
A bhí inniúil ar mé a shásamh?
Bhí tú droch-mhúinte, strolúsach, ceanndána,
Is ní rabhais um thráthnóna in aon chúinne dhem pháircse."
"*Well*," arsaigh an fear bréagach, "'á séidfeadh sé fearthain ná caithfinn fuireach ann,
Fé ocras fada is go lag ar mo chom,
Gan snátha dhon léine orm a chimeádfadh ón síon mé,
Is go mbuanaí Dia buan an té a luathaigh chun a thí mé!"

32B. Cróinín na Screathaine (ii) – Cróinín agus na Bóithreáin

Bhí feirm thalún lena ais agus bhí fear ag aodhaireacht na feirmeach – Tomás 'ac Gearailt. Agus théadh na mná go léir amach sa Meitheamh ag bailiú bóithreán[185] le hagha' tine. Agus bhí Cróinín ana-aosta an babht so: ní raibh sé ábaltha ar mórán a dhéanadh ná ar siúl a chuigin – bhí dhá bhata aige. Nach bheir sé ar mhála is strac sé é fhéin amach in slí éigin, amach sa pháirc, agus chrom sé ag bailiú na mbóithreán ina bhfochair. Agus ní raibh einne 'es na mná ag caint leis mara bhíodh sé ag déanadh rabhán dóibh.

Nuair ná raibh einne ag caint leis:

"*Well*, Cróinín is a mhála," arsa sé, "agus é ag sóláthar chacanna,
Agus iníon Mhártan Báille 'trúthán[186] insa mbaile leo,
Agus tine bhóithreán is breá mar a lasann sí;
Nín aon áit a mbíonn sí ná dónn sí agus greadann sí,
Agus thá mná na háite go dtí an bhfráma acu greadaithe,[187]
Agus is dóigh liomsa nách fearrde dhíbh trácht ar na cacanna,
Mara má chíonn Dróchán[188] sibh sé Aird Mhóir a stadfaidh libh."

185. /bu:r´ˈhɑ:n/
186. /tru:ˈhɑ:n/ .i. ag tnúth
187. /g´r´atəh´ɪ/
188. Peaid Dróch※áin – fear a bhíodh ag tabhairt aire don bhfeirm [feic an tAguisín, lch. 505]

32C. Cróinín na Screthaine (iii) – Cróinín agus an Bhardal

Thug Fuge bhardal gall'a[189] ansan do Thomás 'ac Gearailt agus is gairid a bhí an bhardal ar an áit nuair a mharaíog an bhardal, agus dh'airigh Cróinín gur air fhéin a bhí an milleán an bhardail a mharú:

"*Well* mhuise, ní hé Cróinín a mharaigh an bhardal," arsa sé,
"Nach Tomás 'ac Gearailt a bhris a chnánna,
Agus a chuir sa chlaí é dtí dar ná mháireach,[190]
Go ndéanfadh sé súp do Chaitlín Mhártain."

33. An File agus Sagart Paróiste Choilligeáin

Bhí file fadó i bParóiste Choilligeáin agus bhí an sagart a bhí ann filiúil chomh maith leis, agus bhídís ag baint iarrachtaí as a chéile gach aon áit a gcasfaí ar a chéile iad. Agus tháinig droch-gheimhreadh, sioc agus sneachta agus fuacht, agus bhí an domhan seandaoine ag fáil bháis i gCoilligeáin. Agus dúirt an file gur:

"Baiste agus pósadh,
Agus tórramh gan díobháil
Is mó a chuireann airgead i bpóca
Sagart Paróiste Choilligeáin."

Dh'airigh an sagart é agus nuair a bhí an tAifreann léite age'n sagart Dé Domhna' dh'iompaigh[191] sé amach ar an althóir …

"Baiste agus pósadh," arsa sé,
"Agus tórramh gan díobháil
'Chuireann airgead inár bpóca
Agus feoil dtí ár gcliatháin;
Nach thá beagán den sórt san
I bParóiste Choilligeáin."

34. Mar a Shanseáil an Sagart "Cailín Deas Crúite na Bó."

Bhí sagart ag dul ag cuir ola agus dh'airigh sé 'Cailín Deas Crúite na Bó' á dh'amhrán age cailín a bhí ag crú na mba istigh in lios. Agus tharraing sé suas an capall agus dh'eist sé leis an amhrán go raibh deireadh leis an amhrán. Agus nuair a bhí dh'imigh sé ag cuir na hola, agus nuair a chuaigh sé chun cinn bhí an corp th'réis bháis roimhig.[192] Bhí sé go mór ar buile mar gheall air. Bhí sé chun

189. /gaulə/ .i. gallda
190. /dar nɑː ˈvɑːr´əx/ .i. lá arna mháireach
191. /jaumpə/
192. /raig´/ .i. roimhe

sluamhallacht a chuir ar an té a dhein ansan é – an t-amhrán. Agus an fear a dhein an t-amhrán ansan, nuair a chasag air é, shanseáil[193] sé an t-amhrán do, an dtuigeann tú? Agus shidé mar a dúirt sé:

"A pheacaigh déin machnamh is múscail,
Agus guigh go dtí Rí Geal na hÓ',
Sinn a shaoradh ó pheaca na dnúise,[194]
Is ó mealladh gach cúileann deas óg."

Shin é an tosach a chuir sé ansan air:

"Glaoigí na hArdaingil in úr dtimpeall,
Agus guigh go dtí Banríon Geal na hÓ',
Mara b'fhearr í mar charaid Lá an Chúntais,
Ná 'Cailín Deas Crúite na mBó.

Tráfaidh an fharraige mhór-fhliuch,
Silfidh gach mór-charraig deor,
Iompóidh an ghealach a comhlain,
Is an ghrian bhreá ní shoilseoidh níos mó.

Nuair a shéidfidh an tArdaingeal a thrampéad,[195]
Raghaidh a hanam bocht ina [chomhairle chun comhair?]"

Shin é mar a shanseáil sé an t-amhrán. Níor dhein an sagart dada ansan leis.

35. Sagart Mór Ramhar

Bhí sagart babhta eile agus bhí sé ana-mhó[r] titithe [go] mór i bhfeoil agus bhíodh sé ag baint iarracht as siúinéir bocht a bhí tanaí trua agus siopa ar thaobh an bhóthair aige agus é ag obair. Agus bhí an sagart ag góil an bóthar an lá so agus stad sé:

"Siúinéir santach," arsa sé, "agus buille aige thall is abhus."

"Sea, agus sagart mór ramhar," arsaigh an siúinéir, "agus a bholg lán do *phunch*!"

36. A hAon Ón mBeo

Chastaí lá eile air é agus dh'fhiarthaíodh sé dhe dé chúis é fhéin a bheith chún ramhar agus tusa a bheith tanaí?'

193. /haunˈʃɑ:l´/
194. /o: f´akə nə dnu:ʃɪ/ .i. ó pheaca na drúise – is annamh a tharlaíonn an t-athrú seo, *r* > *n* sa chanúint seo (feic Breatnach, *The Irish of Ring*, lch. 143). Pléasctar an *d* go srónúil sa ghrúpa *dn* (*Ibid*, lch. 31).
195. /hraump´e:d/

"Thá a haon ón mbeo agat," arsa sé,
"Agus dó ón marbh,
Cúplaí le pósadh,
Agus leanaí le baisteadh,
Caoireoil mhéith agus bágún dearg,
Sé is mó a chuireann feoil ar chúl na sagart."

37. Pádraig Turraoin agus Catherine Morrissey

Lá Fhéil' Pádraig, ba bhéas leis na daoine bheith ag triall ar an mbaile mór agus go háirithe ar thigh an ósta. Bhíodh rince agus ceol agus ithe agus ól ó mhaidin dtí an oíche acu. Agus an lá so níor chuaigh Pádraig anonn a chuigin – chuaigh sé soir an baile go dtí cailín a dtugaidís Catherine Morrissey uirthi. Agus bhí nádúir filíochta inti chomh maith leis fhéin:

"Dé chúis ná fuil tú thall inniu, a Phádraig?" arsa sí.

"Ní raibh mo phócaí teann a ndóthain," arsa sé,
"Chun an óigbhean a thabhairt isteach,
Go dtabharfainn di gloine agus buidéal pórtair,
Is go mbogfadh sí an ród liom san oíche ag teacht."

"Má dhéineann coróin thú," arsa sí, thá sí im phóca,
Tair is tóig í is imigh leat."

"Mo ghrá is mo stór thú is is cailín óg thú,
Agus go rabhairse pósta age rí na bhfear."

S. GRINNSCÉALTA

1. Cad as don Stampa?

Bhíodh fear ag imeacht ar an áit seo fadó a dtugtaí an 'Stampa' air agus bhíodh na sagairt go léir ag baint iarracht as. Agus tháinig sagart óg ar an áit agus bhí sé fhéin agus Sagart an Pharóiste ag góil an bóthar lá agus theastaigh ón sagart óg aithne a chuir ar an Stampa. Agus bhí sé ag teacht ina gcoinne an bóthar:

"Shin é chughainn an Stampa[196] anois," arsa Sagart an Pharóiste.

"*Well*, bainfidh mise iarracht anois as," a dúirt an sagart óg.

"*Well* mhuis, is fearra dhuit ligint do," a dúirt Sagart an Pharóiste.

Nuair a tháiníodar dtí é:

196. /sdaumpə/

"Cad as don Stampa?" arsaigh an sagart óg.
"Thá ós na ceantair," arsaigh an Stampa.
"Ní heol dom ann é," arsaigh an sagart.
"*Well*, bhí sé romhat[197] ann," arsaigh an Stampa.
"*Well*, níorbh fhearr liom ann é," arsaigh an sagart.
"*Well*, tháim leat amhla'," arsaigh an Stampa.

2. Fear a Chuaigh go dtí an Althóir le Triúr Ban

Bhí aithne agamsa ar fhear agus chuaigh sé le trí bean go dtí an althóir[198] agus an trígiú bean a phós sé. Níor phós sé an bheirt eile ar aon chor. Dh'imigh sé abhaile uathu, ach an trígiú bean, nuair a bhíodar ar an althóir …

"Abair mar a dhéarfaidh mé anois," arsaigh an sagart.
"Abair mar a dhéarfaidh mé anois," arsaigh an fear.
"Ní gá dhuit é sin a rá ar aon chor," arsaigh an sagart.
"Ní gá dhuit é sin a rá ar aon chor," arsaigh an fear.
"*Well*, tá mé cráite agat," arsaigh an sagart.
"*Well*, tá mé cráite agat," arsaigh an fear.

Chaith sé stad ansan is insint do cad a bhí le rá aige.

3. An Bhean agus an Toirneach

Bhí bean amuigh ag piocadh phrátaí. Tháinig toirneach. Ní raibh aon fhoscadh ach a ciseán. Tháinig na toirneacha agus chuir sí a ceann isteach sa chiseán …

"Go saora' Dia mo thóin," arsa sí, "thá mo cheann go maith."

Tháinig an toirneach agus sciobadh an tóin di.

4. Droch-Bhéarla (i) – "*I Went up on* Cúirt *one Day*."

Amadán a bhí ann agus ní raibh aon chríthirt[199] ann agus ní dhéanfadh an t-athair ná an mháthair cleamhnas chuigint do, mar is dócha go raibh fhios acu go raibh an iomad den amadán ann. Chuaigh sé fhéin ag déanamh na maitse. Chuaigh sé dtí tigh ná raibh aon fhocal Gaelainne ann agus ní raibh an Béarla aige féin ach go hainnis im dhháltha féin. Bhí fear an tí ag cuir dín ar an dtigh.

Nuair a tháinig sé abhaile dtína athair is dtína mháthair bhíodar ag fiarthaí dhe conas a dhein sé an maits, chrom sé ar nisint dona athair is dona mháthair conas a dhein sé an maits:

197. /raut/
198. Ls. *ulthóir* /əlˈho:r´/
199. Luann R.B. Breatnach an focal *crithir* /k´r´ih´ɪr´/ le M.Dh. Mar seo a leanas a mhínigh Maidhc an focal de réir dealraimh: *crithir, sin cruinneas*. Leis sin tugann Breatnach an sampla *is beag an chrithir a bhí ann* ó fhaisnéiseoir eile (Breatnach, *Seana-Chaint II*, lch. 120 s.v. *crithir*)

"*I went up on* cúirt *one day*," arsa sé – sé sin gur chuaigh sé ag suirí léi.

"*I didn't stop nor stay till I put the head of me horse up to the notch of her father's door. A man up on the house came down. He threw a* féach *at me*

...

'To view,' said I.

The wife came out.

'What do you want?' says she.

'I want a wife,' said I.

'What have you?' says she.

'I have two cows bulled, two cows not bulled, a spot of a farm, a house and trioscar, *and if you don't like me don't strike under me and don't put me loosing – there's another in me view.'*"

5. Droch-Bhéarla (ii) – *"My Dadda Told it to me."*

"*My dadda told it to me to tell it to you to lave me home after the last lesson for the* gabhar bán *have the* mionnán *on top of* Cruachán *and to lave me home for fear the finuges id ate him.*"

Athair a chuir a mhac go dtí an scoil agus dúirt sé leis an maighistir é a ligint abhaile nuair a bheadh an leosún déanach déanta mar go raibh mionnán ag an gabhar – ar eagla go n-íosfadh na feannóga é.

6. Seán Bí id Shuí

Bhí bean eile babhta agus bhíodh cártaí á dh'imirt ina tigh agus bhíodh buachaill aimsire ... tháinig sé ar an áit agus chuaigh sé go dtí tigh na gcártaí ina bhfochair. Ní dúirt sí sin le heinne riamh suí. Dúirt na buachaillí leis ná dúirt sí le heinne riamh suí.

"*Well*, dhéarfaidh sí liomsa é," arsa sé.

"Ar mh'anam ná déarfaidh," a dúraíodar leis.

Bhí sí á dh'fhiarthaí do gach einne a bhí istigh sa tigh ansan cad é an ainm a bhí air is ní raibh fhios ag einne dén ainm a bhí air mar nár 'nis sé a ainm dh'einne acu.

Chuaigh sí dtí é féin ansan agus dh'fhiarthaigh de dén ainm a bhí air.

"Dén ainm athá ort led thoil?" arsa sí.

"Tá Seán Bí id Shuí," arsa sé.

"Sea Seán Bí id Shuí?" arsa sí.

"Bead cheana a bhean an tí," arsa sé.

"Ó ní hé a deirim," arsa sí.

"Is tú a chreidim," arsa sé, ag suí síos.

7. Fág Ansan É

Dh'airínn trácht ar bheirt bhuachaillí eile a bhíodh ag imirt chártaí gach aon oíche agus ní chuirfeadh aon rud aon eagla ar einne acu. Ach chuireadar geall lena chéile an oíche seo: chuir ceann acu geall leis an gceann eile ná raghadh sé isteach sa roilig fé dhéin ceann duine mhairbh. Agus ar an am san sé rud a dhéantaí leis na cnánna agus leis na cinn ná carn a dhéanadh i gcúinne na roilige dhíobh. Nach dúirt sé go raghadh. Dh'imigh sé agus chúig phúint gill acu agus dhein an buachaill eile an cóngar air agus bhí sé in airde sa chrann i ngeaird an tséipéil roimhe. Nuair a chuaigh sé isteach rug sé ar cheann an fhir mhairbh.

"Fág ansan é sin," arsaigh an fear in airde sa chrann. "Liomsa an ceann san."

Chaith sé uaidh é is rug sé ar cheann eile.

"Fág ansan é sin," arsa sé. "Liomsa é sin."

Chaith sé uaidh é is rug sé ar cheann eile.

"Fág ansan é sin," arsa sé. "Liomsa é sin."

"Era bíodh an diabhal agat," ars' é sin. "Ní raibh trí cinn ar einne riamh.'

Thug sé leis é.

8. An tAmadáinín agus an Sprid

Bhíodh amadáinín duine ag imeacht anso fadó go mbíodh sé ina chúlchearúch ag féachaint ar chártaí á n-imirt, agus bhíodh gach einne á chuir ina luí air go bhfeiceodh sé sprid anocht.

"*Well*," a deireadh sé, "deir siad so liomsa go bhfeiceoidh mé sprid agus nách cuma liomsa é mara bhfeicfidh sí mé."

9. D'réir mar a Thitfidh

"D'réir mar a thitfidh," arsaigh an bhean leis an smuga.

Bhí bean ag déanadh cáca agus bhí bean dos na comharsain á chumhad aici go bhfanfadh sí leis an gcáca. Bhí smuga ar sileadh le bean an cháca.

"Fan go n-íosfair píosa den cháca seo," arsa sí.

"D'réir mar a thitfidh," arsaigh an bhean eile.

'Á dtitfeadh an smuga ní dh'fhanfadh sí.

10. Micil Ó Gadhra agus Tomás a' Cathail

Bhí Micil Ó Gadhra agus Tomás a' Cathail thuas age'n tine sa Loiscreán ti' Ghadhra oíche. Agus bhí suímhniú mór acu mar gheall ar aosanna agus ní raibh einne acu ag tabhairt isteach don duine eile. Agus bhí Cathal ag ithe tobac. Bhí cat mór ti' Ghadhra. Bhí sé idir dhá chois Chathail agus pé féachaint a dhein an cat suas insan agha' ar Chathal chaith sé priosla mór tobac isteach in súil an chait. Dh'éirigh an cat de bheannóg as a chabhail agus chuaigh sé síos ar an drusúr is bhris sé an méid plátaí a bhí in airde ar an drusúr agus d'imigh Gadhra as a réasún. B'ait leis cad a tháinig ar an gcat. Chuaigh sé suas i seamra[200] is dhún sé an doras anuas air fhéin agus Cathal agus an bhruis aige ag imeacht ar fuaid na cistean á chosaint fhéin ar an gcat. Bhris sé cúig nó sé 'phlátaí agus dhoirt sé oidhean bainne fé a bhfuair Cathal an doras a dh'oscailt.

"Th'anam 'on diabhal a Thomáis," arsa Gadhra, "cad a tháinig ar an gcat?"

"Cá bhfios domhsa cad a tháinig air," arsa Cathal. "Ná feaca tusa cad a bhain do chomh maith liomsa, ná chuir einne isteach ná amach air."

"Ó, dar fia," arsa Gadhra, "scaireamair go maith. Thá an conach air siúd. B'fhearra dhúinn dul amach. B'fhearra dhúinn é a chuir isteach ti' na mba is na madraí a scaoileadh isteach chuige," arsa Gadhra.

"Déin do rogha rud leis," arsa Cathal. "Leat fhéin is ea é."

"Nach an dtiocfá liom," arsa Gadhra, "ar eagla go mbeadh an conach ar maidin aríst air?"

"Mhuise ar mh'anam ná raghad," arsa Cathal. "Ní chás liom go n-íosfadh sé a bhfuil agat anois."

11. Bhí mé Oíche age Bualadh

Bhí mé oíche fadó age bualadh agus bhí baraille go leith pórtair ann, agus bhí rince agus ceol óna ceathair a chlog tráthnóna: bhí deireadh leis an mbualadh go dtína ceathair a chlog ar maidin. Agus fear ab ainm do Tomás Ó Cathail, sé a bhí i ndia' innill dhon té a bhí ag bualadh, agus chaitheag é a chuir a chodladh ar an stól. Bhí fear eile ó Bharra na Stuac ann go dtugaidís Tomás Stíbhinn air, agus pé slí a dh'éalaigh Cathal amach thimpeall a trí a chlog dh'imigh sé leis ag triall abhaile. Agus nuair a chuaigh sé suas go dtí ti' Sheán Paor shín sé siar sa díg agus thit a chodladh air. Bhí Tomás Stíbhinn ag dul abhaile ina dhiaidh thimpeall a ceathair a chlog ar maidin agus fuair Tomás sínte sa díg é agus chuaigh Tomás anonn is rug sé ar chluais air …

"A Thomáisín a' Cathail," arsa Tomás, "de shíolrach na bhfearaibh ab fhearr,
Éirigh as an díg agus dein bríste dom chapaillín bán.
An airíonn tú mé? Mara n-éireoidh tú ar mo chomhairle tabharfaidh mé trí mí Príosún Phort Láirge dhuit, a bhleaigeairdín a bhris an mheaisín.
A Thomáisín a' Cathail de shíorach[201] na bhfearaibh ab fhearr,
Éirigh as an díg agus dein bríste dom chapaillín bán.
An airíonn tú mé? Mara ndúiseoidh tú agus mé a fhreagairt go mear tabharfaidh mé trí mí i bPríosún Phort Láirge dhuit."

"Tabharfaidh mise trí mí duitse," arsaigh an *sergeant*, ag bualadh anonn trasna an bhóthair agus ag breith ar chluais ar Thomás Stíbhinn.

200. Ls. *seabhamara* /ʃaumərə/
201. /hʹi:rəx/ .i. shíolrach

Thug sé leis Tomás abhaile agus Cathal – an pílear – agus seachtain ón lá san fuair Tomás a *shummons* agus tugag isteach go dtí Cúirt Dhonn Garbhán iad agus chuireag coróin an duine fíneála orthu.

Tháinig Tomás abhaile agus chuaigh sé síos dtí ti' an ósta t'réis do teacht abhaile.

"Nách dubhach an scéal liom mo choróin airgid a bheith díoltha agam mar gheall ar mo bhleaigeairdín a raibh mé a d'iarraidh é a chuir ina shuí as an ndíg agus é a thabhairt abhaile liom. Nár dheas an *job* a bhain dom mar gheall air, nach má chastar im chomhair go brách arís é, go bhféacha Dia agus an Mhaighdean Mhuire air."

Bhíodh rince agus ceol ó oíche go maidean, *sets*. *Melodeon* agus *fife* a bhíodh ag imirt, gach einne ag cuir allais de ó oíche go maidean, arán agus im agus té, prátaí agus feoil. Bheadh sé in gach aon áit má dh'íosfaí chuigint é, age'n mbualadh, leathchinn muc.

12. Gadhra agus an Diabhal

.... anso ag bearradh na gcapall agus chuaigh Diarmaid amach go dtí é, thimpeall a deich a chlog san oíche.

"*Well*, a Dhiarmaid," arsa sé … nó "a Ghadhra," arsa sé, "cé acu is measa leis an diabhal mise anois nó thusa?"

"Ó, is measa leis mise ar fad," arsaigh Gadhra.

"Dé chúis a ndéarthá é sin?" arsaigh Diarmaid.

"Mara thá sé siúráilte dhíotsa, is níl sé ach in amhras liomsa."

"Thá sé siúráilte dhíotsa," arsaigh Gadhra, "ach nín sé ach … nín sé ach in amhras liomsa."

13. Bean a Phós Ceathrar Gaibhne

Bhí bean fadó ann agus bhí sí pósta le gabha agus chuir sí chun báis é agus phós sí an tara gabha, agus chuir sí chun báis é, agus phós sí an trígiú gabha agus chuir sí chun báis é. Ach an ceathrú gabha, théadh sí amach san oíche agus shuíodh sí ar an inneoin fé a dtéadh sí a chodladh. Agus nuair a bhíodh sí caillthe leis an bhfuacht ag an inneoin théadh sí a chodladh leis an ngabha agus dh'iompaíodh sí a tón leis. Is [le] neart fuachta chuir sí chun báis an triúr acu. Nach an ceathrú gabha a tháinig, dhearg sé an inneoin ar a bheith ag fágaint na ceártan, agus chuaigh sí dho rás dtí an cheárta chun suí ar an inneoin. Is nuair a shuigh sí ar an inneoin bhí an inneoin dearg is cheangail a tón den inneoin. Dh'fhág [sí] an méid croicinn a bhí ar a tóin ceangailthe dhon inneoin agus nuair a chuaigh sí abhaile dar ná mháireach mharaigh an gabha cuíora a bhí aige agus chuir sé croiceann na caerach ar a tóin agus gheibheadh sé abhar peidhre stocaí gach aon bhliain d'olann dona tóin.

14. Fear an Treabhsair Chorda

Bhí fear ann agus cheannaigh a bhean treabhsar corda dho. Ní raibh fhios aige aon ní mar gheall ar an gcorda. Bhíodh sé ag dul ag imirt chártaí is é scanraithe le heagla.

Bhí sé ag teacht ó thigh cártaí is é déanach san oíche is bhí fearthain ann is nuair a dh'fhliuchag íochtar an c*h*orda, nuair a chrom an córda ag sciardáil dá chéile, shíl sé go duine éigint a bhí ina dhiaidh a bhí ag caint. Shíl sé gob é an rud a bhí an duine a rá:

"Raghadsa romhatsa. Raghadsa romhatsa. Raghadsa romhatsa."

Is ba dh'é an corda a bhí á rá nuair a dh'fhliuchag é. Tháinig sé abhaile is é marbh ó bheith ag rith is dúirt sé lena bhean go raibh duine ina dhiaidh, is sí a bhean a 'nis do mar gheall ar an gcorda.

15. Sin í an Obair Athá Déanta ar Tuathal

Ar dh'airigh tú cad a dheireadh an óinseach nuair a gheibheadh a hathair bás agus a chuirtí é, agus a gheibheadh a máthair bás anuas ar an athair a chuirtí í. Bhíodh óinseach iníne acu agus bhíodh sí ag caoineamh:

"Dheire mhuise," a dheireadh sí, "sin í an obair athá déanta ar tuathal.

M'athair thíos agus mo mháthair anuas air."

16. Mac Shiobhán Mhaol

(i)

Bhí baintreach fadó ann agus aon mhac amháin a bhí aici agus bhí a hanam sáite sa ngarsún: shíl sí go dtabharfadh na préacháin uaithi é. Agus ní raghadh sé dtí an scoil ná dtí paidir ná cré ná Aifreann ná aon rud eile dhi. Shíl sí 'á neosfadh sí dhos na sagairt ansan é go maródh na sagairt é. Nach tháinig sagart óg ar an áit a thaithnigh léithe agus 'nis sí dhon sagart mar gheall air ansan …

"Agus anois 'athair," arsa sí, "ní bhuailfidh tú é?"

"Ní bhuailfidh mé go deimhin," a dúirt an sagart. "Déanfaidh mé garsún maith dhe."

Ní raibh aon aithne ag an sagart ar an ngarsún a chuigint. Agus capall diallaite a bhíodh ages an sagairt an uair sin. Bhí an sagart ag góil an bóthar lá agus chonaic sé an garsún in airde in crann agus é ag piocadh crabaí fiaine. Tharraing sé an capall isteach fé bhun an chrainn.

"Dia dhuit, a gharsúin," arsaigh an sagart.

"Dia is Muire dhuit is Pádraig, 'athair," arsaigh an garsún.

"An ag piocadh crabaí fiaine athá tú ansan?" arsaigh an sagart.

"Ó sea, 'athair," arsa sé, "ach thá siad ag fuireach socair go maith liomsa."

"An mac do Siobhán Mhaol tusa?" arsaigh an sagart ansan.

"Óise amasa, 'athair," arsa sé, "is dócha go raibh adharca ar do mháthairse!"

Chonaic an garsún gur tháinig buile ar an sagart ansan. Chuaigh sé dho léim isteach insa pháirc as an gcrann, agus bhí fothrach ar an bpáirc agus rioth sé dtí an bhfothrach agus chuaigh sé isteach sa bhfothrach agus lean an sagart dtí an bhfothrach é.

"Ó stad, 'athair," arsaigh an garsún, "ná tair isteach a chuigin," arsa sé, "mara thá na seanfhocail sáraithe agat."

"Dé chúis?" arsaigh an sagart.

"Mar is minic riamh a dh'airigh mise," arsa sé, "nach 'dtíos na fallaí fuara ba mhaith led leithéidse teacht."

"Bhfuil do phaidreacha chomh maith sin anois agat," arsaigh an sagart, "agus athá na cainteanna so agat?"

"Nín 'athair," arsa sé. "Nín aon phaidir agam."

"*Well*, 'á múinfinn do phaidreacha anois duit," arsaigh an sagart, "an mbeidís agat nuair a chífinn aríst tú?"

"Beid, 'athair," arsa sé.

"Abair, ''Uain Dé a thrócair orainn agus peacaí an domhain,'" arsaigh an sagart.

"'Uain Dé a thrócair orainn is peacaí an domhain," arsaigh an garsún.

Dh'fhan an sagart á rá dho ansan go rabhadar aige, agus isteach sa mbliain nua 'sea a chasag an sagart aríst air:

"*Well*, conas athá tú ó shoin a gharsúin?" arsaigh an sagart.

"Ana-mhaith, 'athair," arsa sé.

"Thá na paidreacha agat a mhúin mé dhuit anois?" arsaigh an sagart.

"Táid, 'athair," arsa sé.

"Abair dom anois iad," arsaigh an sagart.

"Cuíora Dé a thrócair orainn is peacaí an domhain," arsaigh an garsún.

"*Get out,*" arsaigh an sagart – á bhualadh le clabhtóg, "ar ndó' ní mar sin a mhúin mise dhuit iad."

"Thanam 'on diabhal ar ndó' ní hea," arsa sé, "ach an rud a bhí ina uan anura ná fuil sé ina chuíora i mbliana!"

(ii)

Fuair an sagart amach ansan go mbíodh a mháthair ag ól braon. Agus bhí sé ag triall go dtí an scoil maidean, é fhéin agus a chapall. Agus bhí an garsúinín ag teacht ó thigh an ósta agus scrogall an bhuidéil aníos as phóca a chasóige. Chonaic an sagart an buidéal.

"*Well*, an neosfaidh tú an fhírinne anois dom a gharsúin," arsaigh an sagart leis, "cad athá sa mbuidéal agat?"

"*Well*, thá sult is greann is carthanacht, 'athair," arsa sé, "diabhal is deamhan is achrann."

17. An tEaspag agus an Garsún

Bhí garsún óg fadó ag dul go dtí an easpag, 'dul go dtí an séipéal, agus bhí an t-easpag ina dhiaidh agus an t-iománaí agus an carraeiste acu. Agus bhí asal óg laistigh den chlaí i bhfochair a mháthar. Agus nuair a dh'airigh sé fuaim carraeiste an easpaig chuaigh sé dho léim amach ar an mbóthar óna mháthair, agus bhí sé 'dir an garsún agus carraeiste an easpaig ansan. Dúirt an t-easpag leis an tiománaí nár ghá dho stad in aon chor, go stopfadh an garsúinín an t-asal. Agus nuair a chuadar suas go dtí an ngarsún:

"A pháiste gan pheaca," arsaigh an t-easpag, "stop an t-asal gan chiall."

"*Well*, má thá mise gan peaca," arsaigh an garsún, "téadh an t-asal sa diabhal!"

18. An Ciarraíoch agus an Muileann Gaoithe

Bhí beirt Chiarraígh ag teacht aniar anso fadó, agus bhíodh muilte gaoithe in airde ag aodhaireacht phréacháin as phrátaí sna garraithe ages na daoine, agus chonaicíodar istigh é insa pháirc.

"*Well,*" arsa ceann acu leis an gceann eile, "shin é istigh crainnín céasta Ár Slánaitheora. Raghaidh mé isteach agus bainfidh mé póg de."

Chuaigh sé isteach agus nuair a chuir sé a bhéal go dtí an muileann gaoithe chun an phóg a bhaint de bhuail an muileann gaoithe an pus de.

"Héach an diabhal," arsa sé, "dheineas mearthall. "Sé crann[202] tochraiste an diabhail é."

19. An Gairid do athá a Radharc?

Bhí fear anso agus bhíodh sé ag tiomáint an tsagairt agus ghaibh fear amach tharais agus níor labhair sé leo.

"Cad athá air," arsaigh an sagart, "nó an gairid do athá a radharc?"

"'On diabhal, a Athair," arsaigh an fear eile, "nách fearra gairid do ná i bhfad uaidh."

20. An Snáiteoir

Bhí beirt fhear anso sa Rinn fadó a dtugaidís Páidín Turraoin agus Michéal Ó Muiríosa orthu. Agus iad ag éirí suas ina ngarsúin óga ní raibh aon chomrádaithe ró-mhór dóibh – bhíodar ana-mhuinteartha agus an áit a mbeadh ceann acu bheadh an bheirt acu ann. Nach dúraíodar leothu fhéin nuair a bhíodar ag éirí suas chun a bheith in aos fiche bliain gur mhaith an rud dóibh 'á sparálfaidís a bpasáiste agus dul go Sasana Nua. Thoiliníodar, pé ar domhan de, is spáráladar a bpasáiste agus dh'imíodar suais dtí an Chóbh chun an pasáiste a dhíol agus – nuair a gheobhadh na hárthaí léirithe – chun imeacht. Dh'imíodar ag ól agus ag

202. /kru:n/

rince ar fuaid an Chóbh, agus dúirt Michéal Ó Muiríosa le Páidín gach aon rud a dh'fhágaint féig fhéin anois. Nuair a bhí na hárthaí léiríthe chun imeacht as tháiníodar chun dul ar bord:

"Thá sé chomh maith dhúinn ár bpasáiste a dhíol anois," arsaigh Michéal Ó Muiríosa.

"An diabhal, cad athá tú ag rá," arsa Páidín, "ar ndó' níl pingin agamsa anois. Ná fuil gach aon rud caite agam is ná dúirt tusa liom gach aon rud a dh'fhágaint fút fhéin anois."

"Ó, thá an mí-ádh thiar anois ort," a dúirt Michéal Ó Muiríosa, "nach siúl leat isteach go bhfeicfidh tú an t-árthach."

Chuadar isteach ar bord an árthaigh agus bhíodar ag siúl siar is aniar ar bord go bhfeaca Páidín poll idir dhá bharaille.

"An diabhal, an airír?" arsa Páidín, "'á raghainn isteach sa pholl ansan anois," arsa sé, "ar ndó' b'fhé' go bhfaighinn éaló amach. Agus gach aon am athá greim is bolagam ann an dtabharthá chugham é?"

"Tabharfaidh mé," arsa Michéal.

Chuaigh Páidín isteach sa pholl is dh'imigh an t-árthach.

'Air a bhí an t-árthach i ngiorracht lá seoil do Bhastún chuaigh Michéal Ó Muiríosa dtí é.

"*Well*, thá an mí-ádh thiar anois ort pé mar a dhein tú riamh," arsa Michéal Ó Muiríosa.

"Cad athá anois orm?" arsa Páidín.

"*Well*, d'réir ainmeach," arsa sé, "a chaithfidh gach einne an t-árthach a dh'fhágaint," arsa sé, "is nín t-ainm in aon leabhar."

"An airír?" arsa Páidín, "nuair a bheidh na daoine ag dul amach as an árthach ag an ché," arsa sé, "an chéad amasc a gheobhaidh mise," arsa sé, "raghaidh mé dho léim sa bhfarraige. Agus buailse do dhá bhais," arsa sé, "agus abair, 'fear á bhá, fear á bhá!'"

"Déanfaidh mé," arsaigh Michéal Ó Muiríosa.

An chéad amasc a fuair Páidín chuaigh sé dho léim sa bhfarraige is bhuail Michéal Ó Muiríosa a bhasa is dúirt sé, "fear á bhá!"

Chuaigh an captaen agus an máta le bád beag amach féna ndéin … féna dhéin. Nuair a bhí an captaen ag déanadh a dh'iarracht[203] ar Pháidín sa bhfarraige:

"Fan amach uam," arsa Páidín, "fan amach uam. Nach maith a dh'airigh tú anois mé is ní dh'airigh tú mé ó dh'fhág mé an Cóbh – id dhiaidh aniar ag liúirigh is ag scréachaigh ort – is dh'airigh tú anois mé," – ag cuir a láimh síos ina phóca. Thóigeag isteach sa mbád é.

"Ara bí réidh," arsaigh … arsaigh an captaen.

203. .i. i dtreo [Feic *Seana-Chaint II,* lch. 240, s.v. *iarracht*]

Chuir sé a láimh síos ina phóca is tharraing sé aníos ladhar pháipéar is iad ite age'n bhfarraige.

"Héach ar mo phasáiste anois!" arsa sé, á chaitheamh amach sa bhfarraige.

"Bíodh staidéar anois agat," arsaigh an captaen, "agus déanfaidh mise maith dhuit."

"Cad déanfaidh tú dhom?" arsa Páidín.

"Gheobhaidh tú dul isteach sa chábán ansan," arsaigh an captaen, "agus cuirfidh mise dollaer ar gach einne chun tú a dh'fheiscint, agus beidh airgead go leor agat fé bh'fhágfaidh an t-árthach an áit seo."

Chuaigh Páidín isteach sa chábán agus bhíodar ag teacht ina ndosaení is ina dtrí gceannaibh, anoir is aniar is aduaidh is aneas, go bhfeicfidís an snáiteoir a tháinig ón Chóbh go dtí Bastún agus dollaer ar gach einne chun é dh'fheiscint.

Nach i gceann trí lá tháinig scéal isteach san árthach go gcaithfeadh sé an snáiteoir is mó a bhí in Stát Bhastún a shnámh ar son gill. Chuaigh an captaen dtí é is bhí sé á nisint do.

"Era, a mhic ó," arsa Páidín, "dén éifeacht é sin? Dén éifeacht é sin?" arsa Páidín.

Dar ná mháireach tháinig an snáiteoir isteach is bhí sé fhéin is an captaen is Páidín ag siúl siar is aniar ar bord. Dh'iompaigh Páidín ar an snáiteoir:

"*Well*, a dhuine mhuinteartha," arsa Páidín," "dén náisiún an maith leat t'agha' a thabhairt anois air – dtí an bhFrainc, nó dtí Sasana, nó aon áit, aon áit ann ar fuaid an domhain ar mhaith leat t'agha' a thabhairt, thá mé ag tabhairt do thoil duit," arsa Páidín.

"Era eist," arsaigh an snáiteoir, "ar ndó', thá ár ndaothaint uisce ar Stát Bhastúin againn chun snámh in éamais dul sna háiteanna san."

"*Well*, dh'fhágas Éire," arsa Páidín, "chun na háiteanna san go léir a dh'fheiscint," arsa sé, "is caithfidh mé iad a dh'fheiscint fé a raghaidh mé abhaile. Nach thá mé ag tabhairt do thoil anois duitse."

Ba ghairid gur tháinig dochtúir isteach san árthach – chuireag fios air. Dh'éirigh a chroí ar an snáiteoir agus thugag … thug an dochtúir síos sa chábán é. Chuir sé é ó dhul in aon bhraon uisce fhaid is mhairfeadh sé. Dh'éirigh a chroí air is scanraigh Páidín é [nuair] a dh'airigh sé na háiteanna a raibh sé ag tabhairt agha' air.

Bhí an captaen agus an máta agus Páidín ag siúl siar is aniar ar bord an árthaigh dar ná mháireach agus bhí ancaire thuas chun cinn san árthach a raibh a chluais briste air.

"Dé rud é sin?" arsa Páidín leis an gcaptaen.

"Ancaire é sin," arsaigh an captaen, "a bhris sí seo cluais air droch-oíche a raibh sí ar ród.

"An diabhal, an airír?" arsa Páidín. "Raghaidh mé amach sa bhfarraige anois," arsa sé, "is má gheibheann tú cúna a thabhairt ach a leagfadh ar mo ghualainn é," arsa sé, "thabharfainn abhaile dtí m'athair go hÉire é," arsa sé, "mara gabha is ea é. Dhéanfadh sé obair go leor de."

"Era eist," arsaigh an captaen, "ní dhéanfainnse é sin ar Bhastún ar fad.

"Ní dhéanthá, a mhic ó, aon rud ar mhaithe liomsa," arsa Páidín.

Dh'fhág an t-árthach dar ná mháireach an cé agus tháinig Páidín agus a phócaí lán d'airgead abhaile go dtí an Chóbh ar an árthach.

Agus bhíodh bean ag imeacht thimpeall sa Chóbh a raibh asal aici agus í 'díol gach aon rud a dh'oirfeadh do bhean tí. Agus amaite, dhein Páidín suas léithe – Máire Ní Ghearailt – agus phós sé Máire Ní Ghearailt. Agus dúirt sé go raibh mac aici leis agus gur dh'ith an t-asal é … dh'ith an capall é agus dh'ith an t-asal é agus ní cheadódh sé ar chapall é.

21. Sagart Cheann a' Bhathalla agus Sagart Ghleann Dealgain

Bhí sagart i gCeann a' Bhathalla fadó agus sagart eile i nGleann Dealgain, agus bhí aithne mhaith acu ar a chéile, agus chasag lena chéile i nDonn Garbhán iad.

"Conas athá sagart na bpíothán agus na ngruamhán i gCeann a' Bhathalla?" arsa ceann acu.

"Thá sé go maith," arsaigh an ceann eile, "ach conas athá sagart na bpocán agus na mionnán i nGleann Dealgain?"

22. Tuilleadh Uisce a Mhic

Bhí an Gobán Saor agus a mhac ag cur faobhair ar na huirlisí lá. Do thug an Gobán fé ndeara go raibh an chloch a bhí ag a mhac ag éirí tirim agus do labhair sé leis mar seo:

"Tuilleadh uisce a mhic, mar sé an t-uisce a chuireann an faobhar," arsaigh an Gobán.

"Dar fia, más é," arsaigh an mac, "caithfidh mise uaim an chloch!"

23. Beir É Fhéin Leat!

Bhí lánúin pósta ann fadó agus níor réadar le chéile ró-mhaith riamh. Bhídís i gcónaí ag bruíon agus ag bearradh lena chéile. Bhíodar araon ana-aosta agus bhí an seanfhear ar leaba a bháis agus do thosnaigh an tseanabhean ag caint leis mar seo, agus í ag gol is ag caoineadh:

"Ó 'ise a Sheáin, a chuid, cad a dhéanfaidh mé a chuigint, a chuigint, nuair a bheidh tú imithe uaim. Is tú a bhí go maith riamh dom. Is mise a bhí buíoch do Dhia riamh toisc fear mar tusa a thabhairt dom. Ó, nach mise a bheadh sásta imeacht leat anois mar dén mhaith dom bheith beo agus tú imithe uaim."

Agus ansan nuair a dúirt sí an chaint deireanach san do labhair an bás mar seo:

"Siúil leat más ea! Gheobhaidh tú teacht leis!"

"Ó, beir é fhéin leat! Beir é fhéin leat!" arsaigh an bhean agus scanradh an domhain uirthi.

24. Pilib Tincéir agus a Mhná

Bhíodh tincéir ag imeacht thimpeall anso fadó a dtugtaí Pilib Tincéir air agus ardfhear ba dh'ea é. Agus bhí mórsheisear ban aige agus chuaigh sé a chodladh aon oíche amháin i bhfochair a mhórsheisear ban, agus dh'éiríodar chun a chéile sa leaba.

"Ar son Dia bíodh staidéar agaibh," arsa sé, "níl oiread san agaibh ann!"

25. Pilib Tincéir ag Malartú Ban

Chuaigh sé [Pilib Tincéir] go Ciarraí ansan agus dhein sé malairt ar thriúr dos na mná le tincéir eile agus chuadar isteach i dti' tábhairne nuair a bhí an mhalairt déanta acu. Agus nuair a dh'éirigh an t-ól ar Philib bhí sé ag cuir ina luí ar an tincéir eile gob iad na mná buinisceann[204] a thug sé dho. Chuireag amach as ti' an ósta iad agus chuadar síos ar ché, saghas éigin cé a bhí ann, isteach fés na draetí.[205] Dh'éiríodar chun a chéile istigh fés na draetí is ní raibh úim ná leathlaí[206] ná sáilín ná aon rud le feiscint ar maidin ar fuaid an ché nach amháin píosaí dhos na draetí ná raibh briste, tógaithe is stracaithe, is plaoisc briste, fuil is inithin[207] doirtithe acu.

26. Na Leaimbíos a Bhí ar Mhulla a' Chairn

(i)

Bhí triúrar dos na Leaimbíos ar Mhulla a' Chairn, beirt dritheár is deirfiúr. Bhí carn airgid acu agus fágag an t-airgead age cailín in Eochaill ná feacaíodar riamh ach dúirt duine éigint leo go raibh gaol aici leo.

Bhí an deirfiúr marbh age tinneas fiacal lá agus bhí bligeard ag imeacht thimpeall anso, Tomás Aintí a thugaidís air. Bhíodh sé ag dul ag obair ar maidin is gach aon liú aici amuigh ar an mbóthar le tinneas fiacal.

"Cad athá ort a Neil?" a deireadh an 'Raibion'[208] léi.

"Ó tinneas fiacal," arsa sí.

204. /bin´-ɪʃ-ˈg´aun/ .i. bun os ceann (feic Breatnach, *Seana-Chaint II,* lch. 69 s.v. *bun-ós-cionn*)

205. Ls. *dray-tí* /dre:t´i:/

206. Ls. *leachlaí* /l´axli:/

207. .i. inchinn. Ls. *inithin* – is dóichí gur dearmhad an bhailitheora atá anseo mar go mbeifí ag súil go láidir le *intinn* /ain´t´iŋ´/ sa chanúint seo (Feic Breatnach, *The Irish of Ring,* lch. 22, 32, 46, 48.)

208. Leasainm ar Thomás Aintí.

"Cuirfidh mise an artha anois duit," arsa sé, "má deireann tú gach aon rud a déarfaidh mise. Téir ar do ghlúine ansan anois," arsa sé.

Chuaigh

"Abair, 'Mise Neilín Leaimbí,' anois," arsa sé, "agus pian im fhiacail."

"Mise Neilín Leaimbí," arsa sí, "agus pian im fhiacail."

"*Well*, mise Tomáisín Aintí," arsa sé, "agus nár dh'fhóiri Dia ort!"

Dh'fhág sé ansan í.

(ii)

Bhí triúrar acu ansan. Ní bhíodh aon solas acu. Bhí corda ar an gclaibín agus é ceangailte dho chois na leapa agus an córda a leanúint ansan agus bhéarfadh an córda go dtí an leaba tú.

Sciléad *coffee* a beirítí Dé Domhna a bhíodh acu agus peaintín beag thíos ann agus braon de a dh'ól gach aon oíche. Cheannaídís luach pinge thobac agus dheinidís dhá leath dhe. 'Á mbeadh aon ghaoth ar ao'chor ann ní dheargófaí é.

Cúpla plannc a bhíodh sínte ansan as dia' a chéile agus iad leagaithe anuas ar chúpla cloch agus soipín reithní anuas orthu a bhí mar leabaidh ann nuair a tháinig Jack Williams ag tarraint an uachta.

Bhíodh ceirt casta ar bharr na hordóige acu nuair a bhídís ag tumadh na bprátaí sa samhas chun go dtóigfeadh an cheirt an samhas.

[**SÓD:** Cad é an rud an samhas a Mhaidhc?]

Plúr beirithe ar uisce. Bhíodh sé mar fhocal age'n seana-dhream: "Is fearr samhas ná dá fheabhas *dip*." Le *dripping* a dhéanfaí an *dip*.

"Tam[209] sa samhas a Phiarais," a dheireadh an mháthair leis an mac.

"Ambaiste, b'fhearr le Piaras an fheoil," a dheireadh sé.

(iii)

Micí Lí cúrsa a bhí ages na Leaimbíos. Bhíodh sé fhéin is iad fhéineach ag troid gach aon lá. Thit Micí tinn ar an leaba pé ar domhan de. Chuaigh Séamus Leaimbí síos go dtí ti' Bheirgín ag ól braon. Is gairid a bhí sé thíos nuair a dúiríog leis go raibh Micí t'réis bháis. Chuaigh sé suas is bhí an tigh lán age'n tórramh. Chuaigh sé suas as cheann an choirp is leag sé a dhorn ar a chaincín.

"Thá tú t'réis bháis anois a bhligeaird," arsa sé, "is gan focal id phus."

Is mó gáire a bhain sé asainn.

27. An Raibion agus an Táilliúir

D'imigh sé [an Raibion] leis is chuaigh sé síos dtí ti' Peaidí Neidí. Agus bhíodh táilliúir ag imeacht thimpeall a dtugaidís Maitiú na Blonaige air, agus bhí mé

209. .i. tum

fhéin ag baint phrátaí ann an tseachtain chéanna, agus nuair a théadh sé a chodladh gach aon oíche dh'aireothá amuigh sa macha é ag srannanadh. Agus bhí sé tamall san oíche nuair a tháinig an Raibion agus bhí Maitiú ar chnámh a chúil istigh sa leaba agus é ag srannanadh. Chuaigh an Raibion as a cheann in airde is dhein sé a mhún siar ina bhéal go raibh sé á mhúchadh. Dh'éirigh Maitiú dho léim amach as an leaba agus síos leis an dréimire. Suas leis dtí doras an phárlúis dtí Peaidí. Dh'éirigh Peaidí le uafás amach as an leaba agus ní bhfuaireamair aon néal a chodladh i rith na hoíche nach a d'iarra' síochána a dhéanadh eatarthu.

28. An Fear Dubh agus an *Bar* Gallúnaigh

Bhí mé cur dín do sheanduine – bhídís ag teacht abhaile ó Shasana Nua – agus thóg sé paiste beag talún agus tigh do fhéin ana-ghairid dúinn anso. Agus bhí mé fhéin agus é fhéin ana-mhór lena chéile: aon rud a bheadh le déanadh aige is orm a chuireadh sé fios. Ach, pé ar domhan de, bhí mé an lá so ag cur dín do agus bhí sé fhéin ag cur na scoilb insa champás dom. Agus d'réir mar a bhí sé ag cur na scoilb – ag oibriú na scoilb – bhí sé á gcomhairimh. Agus ó dhuine dhes na comharsain a cheannaigh sé na scoilb. Agus nuair a bhí na scoilb úsáidithe aige:

"*Well*, a Mhaidhc," arsa sé liomsa, "nach mór an gnó," arsa sé, "ná fuil aon dlí dho bhithiúnach."

"Era thá, a mhic ó," arsa mise, "dlí dho bhithiúnach."

"Nín," arsa sé, "is ná bí á nisint dom. Mara chonnac mé trialltha é," arsa sé, "sa Chúirt Mhór i *New York*. Bhí *niggar* óg á thriall age'n breitheamh ann," arsa sé, "le bithiúntaíocht. Agus bhí a mháthair ina suí síos ina fhochair. Agus nuair a bhí an breitheamh chun é a dhaoradh:

'*Well*,' arsaigh an breitheamh, ''á mb'ur dhóigh liom,' arsa sé, 'gur nádúr duit goid a dhéanadh ní chuirfinn aon phíonós ort.'

'Ó sea, a dhuine uasail,' arsaigh a mháthair á dh'fhreagairt.

'Conas, a bhean an tí?' arsaigh an breitheamh.

'*Well*, trí lá fé rugag é, a dhuine uasail,' arsa sí, 'bhí mé ag ní ciosúir in mias uisce fém dhá chois, agus chuir sé amach a láimh agus ghoid sé an *bar* gallúnaigh uam!'"

29. Mary Condon agus Father Conway

Bhí seanamhná na Rinne go léir ina suí age geata an tséipéil sa Rinn ag fuireach le faoisidín a dh'fháil ón sagart agus bhí Mary Condon ag eisteacht leo. Agus sé rud a rabhadar ag cur síos air nach ar Lá an Bhreithiúntais – an mbeadh a pheacaí go léir scrite ar éadan gach einne an Lá Déanach ar Chalvary.

"*Well* mhuis," arsa Mary, "is gairid go mbeidh fhios agamsa anois é, an fíor é sin," arsa sí.

Lena linn sin bhí Father Conway ag teacht is chuaigh sí amach ina choinne.

"A Father Conway," arsa sí, "an fíor," arsa sí, "an fíor go bhfuil ... cad athá siad so ag rá," arsa sí, "go mbeidh a pheacaí go léir scrite ar éadan gach einne an Lá Déanach ar Chalvary?"

"Mhuise amaite, is dócha gur fíor," arsaigh an sagart.

"*Well*, más fíor é sin," 'athair," arsa sí, "ní mhór dom éadansa a bheith chomh mór leis an Seana-Phobal!"

T. PAIDREACHA

1. Áirthí an Pheacaí

Ó sea. Bean bhocht a bhí fadó ann agus bhí sí ag imeacht roimpi. Agus bhí na sagairt ina coinne mar ní raibh sí pósta ar ao'chor agus bhí 'read[210] san clainne aici. Agus an oíche seo ní – bhíodh na sagairt a d'iarra' gan lóistín ná aon rud a thabhairt di – agus an oíche seo bhí an scoláire bocht, bhí sé ag góil thar fhothrach agus dh'airigh sé an duine ag fáil bháis istigh san fhothrach ... sa bhfothrach. Agus bhí dhá dhuine dhéag clainne aici – agus iad go léir curtha – baistithe aici. Agus nuair a chuaigh an scoláire bocht dtí doras na fothraí bhí an dá sholas déag lasta thimpeall uirthi agus í ag fáil bháis. Dh'imigh sé fé dhéin an tsagairt is ní thiocfadh an sagairt á hullú chun báis. Ar maidin nuair a tháinig an sagart – bhí sí t'réis bháis agus a faoisidín scrite ar shlinn féna ceann aici. Agus shidé mar a bhí an faoisidín:

Déinim m'fhaoisidín leat a Dhia
Trí gníomhartha mo cholla,
Trí smaointe mo chroí.
Dúraís agus b'fhíor,
Dheineas do dhlí agus do thoilse.
Thá mé a d'iarra' pardún agus mathúnachas im pheacaí ort a Thiarna.
Aingeal coinleach a chuir Dia chun mé a threorú,
Mé a chosaint, mé a stiúrú is mé a theagasc.
Múin dom do thoil naofa,
Gach beart agus gach ócáid;
Stiúraigh mé i mbeannacht an tSlánaitheoir.
Dia im chosaint ar mo namhaid,
Cúnaigh liom ar uair mo bháis,
Agus i ndeireadh dul i láthair Dé.

210. /rəd/ .i. oiread – feic Breatnach, *Seana-Chaint II*, lch. 315, s.v. *oiread.*

2. Paidir na Maidine

Paidir a déarthá ar maidin:

A Íosa ar maidin screadaim is glaoim ort.
A Uain Mhic Bheannaithe a cheannaigh go daor sinn,
Cuirim m'achainí fé bhrataí do scéithe
Mé a shábháil ón pheaca i gcaitheamh an lae seo.

3. Paidir na Leapa

'Íosa Dhílis 'Athair an tSuain,
Díbir na smaointe seo mallaithe uam,
Im shuí dhom, im luí dhom
Im chodladh is im shuain,
Bí im thimpeall bí im choinleacht
Bí im dh'fhaire gach uair.
Cabhair is cúnamh is grásta ó Dhia chugham,
Cabhair gach lá agus tháim dá dh'iarra'
Sácraimint na hÁirthí chugham,
Is go neartaí Dia liom,
Agus comraí m'anam' ort a Mhuire Bhaintiarna.

4. Paidir an Tromluí

Ar airigh tí riamh Paidir[211] an Tromluí?

Anna Mháthair Mhuire,
Muire Mháthair Chríost,
Naomh Eleezabeth máthair Uan (Eoin) Baiste.
Cuirim na trí mnaoi
Idir mé agus éagruas[212] na leapan.
Cros a céasadh Críost
Idir mé agus an tromluí.
In ainm an Athar is a Mhac is an Sprid Naomh.

5. Paidir na Toirní

Nuair a bheadh toirneach ann:

Garda Chríost im shábháil.

6. Na Naoimh is Muire Mháthair id Ghardáil

Na naoimh is Muire Mháthair id ghardáil gach nóimeant,
Agus ar do luísheol na haingil id dh'onóra,
Agus Peadar lá do bháis 'dtíos na Flaithis id stiúradh.

211. Ls. *Paidear*
212. Ls. *éugrós*

7. Sé Muire agus Críost a Thugann dúinn Báisteach

Sé Muire agus Críost a thugann dúinn báisteach,
Agus a thugann ina diaidh dúinn laethanta breátha,
'Thug ré agus grian dúinn ar an aer in airde,
Agus a líon suas an spéir le réilthíní breátha.
'Thug eisteacht agus radharc dúinn agus lúth ár gcnánna,
Agus a thabharfaidh an Bheatha Síorraí dhúinn nuair a raghaimid ina láthair.

8. Fáilte an Domhnaigh

Sé do bheathasa a Dhomhnaigh beannaithe,
Lá saoire naofa t'réis na seachtaine;
Corraigh mo chois chun dul go hAifreann;
Corraigh mo chroí chun dul go bréithre beannaithe;
Féach suas ar Mhac na Banaltran,
Ós é a cheannaigh sinn,
Gob é a ghlacfaidh sinn.

9. "Éirím a Chara."

Éirím a chara is mé dhom dhúiseacht,
Agus baochas a ghóil leatsa a chuir féirín anuas chugham,
Mara thá tú séimh agus cneasta is gan fearg aon uair ort,
Thá do chroí agus t'aigne fairsing gan buaireamh,
Agus Rí Gléigeal na bhFlaitheas go dtugaidh a bhua dhuit.

10. "Bíonn Fear an Fhir Dé ina Sheasamh Taoi' Liom."

Bíonn fear an Fhir Dé ina sheasamh taoi' liom,
Agus bíonn gach mí agam ar m'urlár,
'Tabhairt Corp Naofa dhom in ainm Íosa,
Agus é [ina mínse?] ar chrochadh lá'.
Mar is fada dhomhsa ar an leaba sínte,
'Ló is istoíche agus pianta im' chrá;
Thá mé aosta is mo shláinte im' chlaoichant,
Nín ithe an bhí' ionam ná codladh sámh,
Nach 'air a bheidh mé sínte in Ard na Carraigíne,
Dom bígí ag guíochant idir oíche is lá.

11. "An id Chodladh Athá tú?"

"An id' chodladh athá tú a mháthair?"
"Ní hea 'Íosa a mhic ach ag aisling ort athá mé."
"'Dí an aisling í a mháthair?"

"Aisling gur tháinig fear caol dubh ar each caol donn, tleá ghéar ina láimh chlé ag polladh do chliathán deas agus ag dortadh do chuid fola."

"Cuir luath bheannaithe. Is fírinneach an aisling í sin a mháthair. An té a dhéarfadh í sin trí huaire ar a leabain istoíche ní bheadh broid anam ar 'anam choíche:

Dia am mhúnadh,[213] Dia am chomhairleach agus Dia am theagasc,
Dia im shábháil as gach áit dá mbíonn an peaca.
A Dhia mhór láidir a fuair na grásta ó t'athair
Déan mé 'shábháil as gach áit dá mbíonn an peaca.

U. RANNA BEAGA AGUS VÉARSAÍ FÁIN

1. Tá Mé Cortha

Tá mé cortha agus ní moltar mo shaothar,
Is mór leo a n-ithim agus is beag leo a ndeinim'
Agus t'réis mo dhíchill ní bítear[214] baoch díom.

2. Seán Ó Dála

"Seán Ó Dála agus mála mine aige,
Dhá chéad práta sáite insa tine aige,
Práta ina láimh agus práta á dh'ithe aige,
Agus thabharfainnse an leabhar go n-íosfadh sé a thuilleadh acu."

Fear a bhí sa tSeanachill, is théimíst go dtí an doras san oíche go dtí é, a dtugaidís Seán Ó Dála air agus shin é mar a deirimís leis agus leanadh sé leis an sprang sinn.

3. Chodail Mé féin Aréir i dTigh

Chodail mé féin aréir i dtigh;
Bhí an fhearthain is an ghaoth ag séideadh anoir;
Bhí lachain is géanna is gandail ann;
Bhí seana-chuilt bhuí ar sheana-shop tuí,
Agus deanathairtí go gnóthach ann,
Agus ó a bhean an tí 'bhfuil buaireamh ort?
Agus ó a bhean an tí má tá ná bíodh;
Tá talamh gan chíos age buachaill bocht.

213. /vu:nə/ .i. mhúineadh – ní bhíonn *n* caol /n´/ sa bhfocal seo sa chanúint seo ar aon chor ach amháin sa chás go mbeadh sé foghlamtha ar scoil (feic Breatnach, *Seana-Chaint II,* lch. 304 s.v. *múnadh*, fonóta 3)
214. Ls. *bíotar* /b´i:tər/

4. Is Toil liom gan Dearmad mar Scéal é

Bhí an fear t'réis a cheann a bhearradh an oíche roimhe sin.

Is toil (oth) liom gan dearmad mar scéal é,
Gur bhearraigh mé tú féineach Dé Luain,
Gur bhain mé na *whiskers* go léir díot,
Na *curls* led éadan is an ghruaig;
Comhairle a thabharfaidh mé féin duit,
Má thógann mar éirlis í uaim,
Caith do shlat ar bhean éigin,
Agus ná bí 'imeacht i do ṛéic ar an bhfuaid.

5. Nách ait an Ainm

Nách ait an ainm ar sheanduine Davey,
Agus ar ndóigh ní haite ná ar a sheanabhean Mary.

6. Faoisidín Sheáin De hÓr

Faoisidín Sheáin De hÓr,
Paidir gan chóir gan cheart,
An chéad pheidléir a raghaidh go hEochaill
Nár thaga' sé beo thar n-ais.

7. Ar Maidin Inné Dheineamair Té

Bhí seanabhean thiar anso fadó agus dúirt sí:

"Ar maidin inné dheineamair té,
Tháinig Sé (Séaghdha) sa chuileachta,
Dh'óladar an té mar ba mhaith an gnó leo é,
Mar n'fheacaíodar aon té age'n a thuilleadh acu."

8. Chuir Tú ag Baint an Fhéir Mé

Chuir tú ag baint an fhéir mé,
Ag crú ba dubha faid a dh'aibigh sé,
Chuir tú ag bailiú pis is póire mé,
Is gach síol eile dá gcuirtí i gcré,
Agus ag buaint an tsíoda móin mé,
Um thráthnóinín is i meán an lae.

Bhí a thuilleadh ansan 'á bhfaighinn teacht air.

9. Chuamair go léir ag Iomáint

Bhí amadán anso fadó agus bhí sé pósta. Dúirt sé:

"Dh'éirigh mo Dhaid ar mo Mham,
Dh'éirig m'onncail ar m'aintín,
Dh'éirigh mé fhéin ar mo chailín,
Is chuamair go léir ag iomáint."

10. Crota agus Cléirigh

Crota agus Cléirigh ar dhá thaobh an tinteáin,
Agus gan dada dá phlé aige ach crústa an chorcáin.

An crústa a bhí ar an leite a bhí á phlé acu.

11. Nárbh Fhuirist a hAithint

Nárbh fhuirist a haithint gur gairid dom an mí-ádh,
Nuair a bhí an chearc bhreac ag breith na mbogán;
Chuir an dá ghabhar bhán liú astu san mbothán,
Agus nárbh fhuirist a haithint gur tú a bhí uathu a Sheáin.

V. SCÉALTA ÉAGSÚLA

1. An Captaen Árthaigh agus na Daoine Dubha

Chuaigh captaen árthaigh isteach i dtigh ósta. Chuaigh sé féin is a chriú isteach. Chuir sé deoch le fear an ósta. Bhí fear is fiche ann is bhíodar dubh is bán, naonúr dubh is dhá dhuine dhéag bán. Chuir sé deoch le fear an ósta go bhfaigheadh sé a raibh dubh acu a chuir amach, an seachtú duine i gcónaí, gan an seacht a thitim ar einne bán. Dhein sé fáinne díobh agus chuir sé gach aon fhear dubh amach.

Dh'fhan an captaen ansan tamall agus phós sé cailín agus thug sé leis iad. Bhíodar i bhfad ar an bhfarraige agus chuadar as bia. Bhí dhá dhuine dhéag le cur chun báis agus dúirt sé leo go ndéanfadh sé fáinne díobh agus go gcuirfí an seachtú duine chun báis go dtí go mbeadh an dá dhuine dhéag curtha chun báis. Chuir gach einne in airde a lámh go rabhadar sásta leis an gcomhaireamh.

Shocraigh bean an chaptaein na fearaibh agus nuair a dhein an captaen an comhaireamh do thit sé ar gach aon fhear dubh a bhí ann agus fágag an dá dhuine dhéag bán sa long.[215]

2. An Bradánach

Feirmeoir ab ea é seo agus sé an ainm a bhí air ná Ó Bradáin. Bhí cónaí air i gContae Chorcaí. Feirmeoir ana-shaibhir ba dh'ea é seo tamall ach chuaigh sé i

215. Ls. *lanng* /lauŋg/

mboichte sa saol. Thagadh fear go dtí an tigh, b'fhéidir uair sa mbliain chun lóistín a dh'fháilt ar feadh oíche. Tháinig an fear stranséartha[216] an oíche seo fé dhéin lóistín na hoíche go dtí an Bradánach.

Ní raibh aon choinne age fear an tí roimhig bean an tí mar ba ghnáthach leothu. Thagadh sé ar uaireanta áirithe sa mbliain i gcónaí. Mar sin féin fuair sé a bheith istigh.

Dh'fhiarthaigh sé díobh dé chúis ná raibh aon chaint acu an oíche sin, nó ar b'amhlaidh nár mhaith leo lóistín a thabhairt do.

"Ó, ní hé sin ar ao'chor atá orainn," arsa fear an tí, "nach tá buairt ár ndaothaint orainn. Tá fógra againn ón ár maighistir go bhfuil sé chun seilbh a bhaint dínn, mar [tá] a fheirm siúd sa teora againn agus ba mhian leis an fheirm againn a ligint isteach ina chuid talún féin."

"Níl aon ionadh orm buairt a bheith oraibh," a dúirt an fear stranséartha. Nach an gcoinneodh sibh rún maith don duine a thabharfadh an t-airgead díbh chun na cíosanna a dhíol?"

"Ó, dé chúis ná cumhadfaimís," a dúraíodar san. "Siúlaídh suas insa seomra go socróimíst ár gcúntaisí."

Chuadar suas sa pharlús a bhí ag an bhfeirmeoir seo, agus chuir an fear stranséartha brí an leabhair orthu chun rún ceart a chimeád mar gheall ar an airgead.

"Mise an fear a thabharfaidh an t-airgead díbh chun an chíosa a dhíol. Dé mhéid athá chun do chíos a dhíol?"

"Cúig céad púnt," ars an feirmeoir.

Chuir an stranséar a lámh ina phóca agus thug sé an t-airgead sin do.

Dúirt an fear seo leis aríst;

"Is dócha go dteastaíonn a thuilleadh cabhrach uait chun tú a chuir ar do bhonnaibh aríst agus tabharfad cúig céad eile duit."

Thug sé na cúig céad púnt don bhfeirmeoir agus dúirt sé leis scéal a chuir ar a mhaighistir teacht fé dhéin a chíosa.

Tháinig an maighistir ar a chapall diallaite a leithéid seo de lá fé dhéin a chuid cíosa, agus thug sé *receipt* ghlan don bhfeirmeoir. Agus dh'imigh an maighistir timpeall go dtí tuilleadh des na triúntaithe,[217] agus bhailigh sé a thuilleadh cíosa uathu. Nuair a bhí sé ag dul isteach lena chapall diallaite um thráthnóna agus an t-airgead bailithe aige, tháinig fear roimhe ar an gcosán agus cóir tine ina láimh agus dúirt sé leis;

"Bí anuas den chapall go mear agus tabhair an t-airgead [dom]."

Tháinig sé anuas den chapall agus thug sé an t-airgead don stranséar, mar bhí eagla air go gcaillfeadh sé a anam. Chuaigh an fear stranséartha in airde ar

216. Ls. *stroinnseardha* – /straunˈʃe:rhə/ a déarfaí (feic Breatnach, *The Irish of Ring,* lch. 98)
217. Ls. *tionntuidhte* /t´r´u:ntəhə/ (feic *Seana-Chaint II,* lch. 407. s.v. *triúntaí*)

chapall an duine uasail agus b'éigin don duine bocht sin siúl isteach go dtí a thigh féin gan capall gan airgead.

An Domhnach ina dhiaidh san bhí póstaeirí agus fógraí ar na fallaí go dtabharfadh sé trí chéad púnt don duine a thabharfadh aon chúntas ar an robálaí. Sé an duine a chuaigh go dtí an duine uasal ná an Bradánach chun cúntas a thabhairt ar an stranséar agus an t-airgead a thug sé do fhéineach. Dh'inis sé don duine uasal gur thug an fear bocht a leithéid seo d'airgead do chun na cíosanna a dhíol, agus gur dóichí ná a chéile gurb é an robálaí a bhí ann.

"Age'na leithéid seo d'uair sa bhliain tugann sé cuaird orainn agus tabharfaidh mise cúntas dhuit an oíche sin agus gheobhaidh tú é do ghabháilt. Buailfidh mé trí buillí ar an gclog nuair a bheidh an gadaí ina chodladh."

Bhí an cailín aimsire ag an mBradánach ana-ghéar agus ní raibh aon Ghaelainn ag an mBradánach.

Pé slí a dhein an cailín amach go raibh an breab faighte ag an mBradánach bhí sí ag faire go dtiocfadh an fear stranséartha, féachaint an bhfaigheadh sí a anam a shábháil. Tháinig an fear i gceann blian is lá ina dhiaidh san agus bhí na tuartha fáilte ag an mBradánach roimhe. Fuair sé suipéar idir ól is ithe agus an leaba ba bhreátha a bhí sa tigh. Chuaigh sé a chodladh luath agus chuir an Bradánach an glas ar an seomra.

Dh'fhan an cailín sa chistin ag guairneán. Bhí sí ag imeacht ar fuaid na cistine agus chrom sí ar amhrán breá. Sé an t-am a thosnaigh sí ag góilt don amhrán ach nuair a bhuaileag cúpla buille ar an gclog. Sí an áit a raibh cónaí ar an mBradánach ná sa Chill.

Seo mar a dúirt an cailín:
"Buailtear an clog insa Chill,
Agus clog an fhill anso;
Is breac baoite é an bradán,
Agus ná gabhthar an scadán ar an nead."

Bhí an Ghaelainn as meoin ag an stranséar agus thuig sé brí na bhfocal. Léim sé amach as an leaba agus níor dh'fhan sé chun a chuid éadaigh a chuir air ach thug sé leis ina láimh iad. Bhris sé an fhuinneog agus chuaigh sé amach tríthi.

Ní raibh sé imithe céad slat nuair a bhí na *yeomanry* timpeall an tí, ach bhí leaba folamh rompu sa seomra.

I gceann bliana tháinig an stranséar go dtí tigh an Bhradánaigh i lár an lae agus bhí culaith duine uasail air. Bhí an cailín aimsire ag níochán amuigh ag an tobar agus labhair an duine uasal léi agus bheannaigh sé di:

"Fan anso a chailín agus ná corraigh as go mbeidh mé ag teacht amach ó thigh do mhaighistir," a dúirt an stranséar."

"Fanfad, a dhuine uasail," a dúirt sí sin.

Dh'imigh sé isteach go dtí tigh an Bhradánaigh agus bhí na fearaibh go léir ag ithe a ndinnéir age bord na cistine. Bheannaigh sé dóibh agus bheannaíodar do. Dh'fhiarthaigh sé díobh cá raibh a maighistir agus dúraíodar san go raibh sé ag ithe a dhinnéir sa pharlús.

Chuir sé a lámh ina phóca agus tharraing sé aníos dhá chóir tine agus dúirt sé leis na fearaibh:

"Má chorraíonn aon fhear agaibh ón mbord gheobhaidh sibh an t-ábhar atá i gceann díbh siúd!"

Tháinig scanradh a gcroí orthu agus dúirt siad ná corróidís. Dh'imigh sé leis suas insa phárlús. Bhí na túrtha fáilte roimhe ag an mBradánach agus age'n a bhean, agus theastaigh sé uathu go suífeadh sé síos chun dinnéir ina bhfochair. Dúirt sé leothu ná raibh aon ocras air agus ná raibh aon rud uaidh nach a chuid féineach airgid. Dúraíodar go raibh an t-airgead acu agus gurb é an t-airgead ráthúil a thug sé dóibh agus:

"Tabharfaimíd gaimbín duit in fhochair do chuid airgid."

Dúirt sé leothu ná tógfadh sé thar n-ais nach a chuid féineach airgid. Chuaigh an Bradánach go dtí a bhosca airgid agus chomhairigh sé chuige an míle púnt.

Dúirt an stranséar leis an mBradánach:

"Téir ar do ghlúinibh anso anois agus tabharfaidh mé deich neomaintí dhuit chun do phardún a dh'iarra' ar Dhia ar do pheacaí sa saol seo faid ná raghfá i láthair Dé."

Bhí sé ina sheasamh ansan: bhí an cóir tine ina láimh dheis agus an t-uairead-óir ina láimh chlé. Nuair a bhí na deich neomaintí caite chuir sé an méid a bhí sa chóir tine tré chroí an Bhradánaigh. Bhuail sé amach tríd an gcistin agus bhí na fearaibh oibre go léir ag an mbord agus eagla a gcroí orthu corraí ón mbord.

Chuaigh sé amach go dtí an tobar, go dtí an áit ina raibh an cailín ag obair.

"Oscail t'aprún," ar seisean. Agus chaith sé míle púnt ina haprún.

Dúirt sé léi ansan:

"Ná téir thar n-ais go dtí tigh do mhaighistir go brách aríst. Imigh abhaile dhuit féineach agus má phósann tú féachfaidh mise in do dhiaidh.

Dh'imigh an stranséar agus ní raibh tásc ná tuairisc air ó shoin.

W. SLÁINTÍ, GUÍTE AGUS MALLACHTAÍ

1. Sláinte Thomáis

Bhí fear amuigh anso agus Domhnach Cásca bhí leath-bharaille pórtair bailithe suas ages na garsúin. Bhí beirt mhac aige agus mac iníne. Nuair a thag-adh an deoch chuige …

"Sláinte Thomáis,
Sláinte Sheáin,
Sláinte Shéamuis,
Agus do shláinte a Mháire Ní Lepps."
Máire Ní Lepps a bhean.

2. Sláinte gan Slaghdán
Sláinte gan slaghdán chughat agus ná rabhair choíche gan casachtach.

3. Meisce ort
Meisce ort ar fuaid na sceach,
Agus mise id lorg le píce.

4. Ag Lasadh an tSolais
Solas na bhFlaitheas chughainn.

5. Ag Múchadh an tSolais
Nár mhúcha Dia solas na bhFlaitheas ar ár n-anam.

6. Sláinte an Fhir Naofa
Sláinte an Fhir Naofa ar síneadh a ghéaga,
Ar chrann na croise ar shon na cine daonna;
Sláinte na mná Muire a rug mac gan chéile,
Agus sláinte na gcómharsan a thugann cúna dá chéile.

X. RÁITISÍ, NATHANNA AGUS FOCAIL ÉAGSÚLA

1. "Eagla na heagla is ní raibh dhá eagla ar einne riamh."
Is minic a dh'airigh mé é sin.

2. "Bhí creideamh maith aige."
"Bhí mhuis, creidimh muice i ngarraí póire!"

3. "Thá an méid sin déanta," arsaigh an tinncéir nuair a mhairbh sé a bhean.

4. Nuair a bheadh fearg air dhéarfadh duine: "Thá sé ina chocól anois acu." Cocól is ea an rud san a bhíonn ag fás agus do ghreamódh sé díot. Bíonn sé ina liathróid.

"Dhein sí cocól de," a deirtear nuair a mheallfadh cailín buachaill a mbeimís go léir a rá ná pósfadh sé chuigin í.

5. **[SÓD:** Seo rud a dh'airigh mé i mBaile na nGall, a Mhaidhc:
"An bhfuair tú an bainne?"
"Ní bhfuaireas bainne ná bliúnas."
Dén rud bliúnas?]
Angalais is dócha is ea bliúnas. Bhídís ag obair in áiteanna fadó agus dheinidís an bainne gorm le huisce, agus bliúnas is dócha ba dh'ea é sin mar bheadh sé chomh gorm le *blue*. Angalais[218] is ea uisce is bainne trí chéile.

6. 'Á mbeinn ag iarra' rud éigin ort agus ná tabharthá dhom é ...
"Níor ith na cait an bhliain fós," a dhéarfainn.
"Is mó lá a bhíonn i mbliain is fiche.
Níl aon lá acu ná tiocfaidh."
Sé sin le rá ná raibh an bhliain imithe agus go dtiocfadh lá fós go mbeitheásа ag lorg rud éigint ormsa.

7. Dh'airigh mé "Scaoil sé an cat as an mála." Bhí rud éigin déanta as an slí agamsa agus bhí uait é a dh'fháilt amach ó dhuine eile agus bhí tú ag góilt thimpeall air agus 'nis sé an scéal dhuit sa deireadh. Scaoil sé an cat as an mála.
"Agus má dúirt mé huiliú,
Ní dúirt mé huiliú an gcorrao."
Sé sin ní dh'ainmnigh mé ar an té a dhein é.

8. Sé sin 'folachadh[219] an chait ar a chac,' a dhéarfadh fear nuair a thabharfadh a bhean a léine dho agus gan í leath-nite. "Dar fia, thá folachadh an chait ar a chac uirthi."

9. Chomh crosta le cat agus chomh ciotach le mála casúr.

10. "An rud is liom is leo,
Agus an rud is leo ní liom."
Seanduine a bhí in tigh fadó agus aon rud a bhí aige bhí sé age muintir an tí agus an rud a bhíodh acu ní raibh aon fháil aige fhéin air.

218. /aŋəlɪʃ/ (feic Breatnach, *Seana-Chaint II*, lch. 20 s.v. *angalais*)
219. Ls. *folacha* /f(ə)ˈlaxə/ (feic Breatnach, *Seana-Chaint II*, lch. 198 s.v. *folachadh*)

11. "Faid saoil chughat," a deireadh Cathal,
"Agus laethanta geala,
Agus an lá is láidre a bheidh tú
An ghaoth id leagaint."

12. "Sláinte gan slaghdán chughat," a deireadh sé [Cathal],
"Agus ná rabhair choíche gan casachtach."

13. "An fear mar a mbíonn sé,
Agus an cat sa luath."
Dhéarthá é sin nuair a dhéanfadh fear gníomh maith ná raibh sa bhfear eile le n-ais ach ar nós an chait sa luath.

14. "Gráin-cháin ar do chuntanós."
Sé sin go mbeitheá chomh gránna agus go mbeadh an saol id cháineadh go deo.

15. Nuair a dhéarfadh seanabhean aon ní a bheadh olc; go dtabharfadh sí drochghuí dhuit ...
"Crosaim aríst tú," a deireadh sí.
"Cros cac le cipín ort," a deireadh an duine eile.

16. "*Well,* is anspianta[220] é an neart," arsaigh an dreoilín, nuair a strac sé an phiast as an gcac.

17. "Bhuaigh bean ar an muc, agus bhuaigh an mhuc ar an aonach."
[SÓD: Conas a bhuaigh an mhuc ar an aonach?]
Dh'imigh sí uathu go léir.

18. "Chomh dána le muc," a deireadh an seanduine.

19. Beatha duine a thoil – dábur ag góilt dona thóin sa loch é.

20. **[SÓD:** Bhí Maidhc Dháith ag sraothartaigh.]
"Dia linn mara snaoisín é," ar seisean.

21. "Tútach tairbheach a bhíodh bróga Sheán na Gaoithe,
Agus lán go fadhb a bhíodh adharc age Siobhán Mhaol."
– Adharc an tsnaoisín í sin. Bhíodh sí lán go béal.

220. Ls. *annspianta* /aunˈsb´iantə/

22. Ar airigh tú riamh seanamóin mhuintir na Rinne?
"Seanamóin mhuintir na Rinne,
Páistí, prátaí is trioscar."
Ní bhíonn dada eile ar siúl acu ach ag caint ar na páistí agus ar na prátaí agus ar an trioscar.

23. An t-ochtú mac déag bacaigh is ea an geocach,
Agus an t-ochtú mac déag geocaigh is ea an mhungairle.

24. Is minic a dh'airínn Seán Treo a bhí anso i mBaile Uí Churraoin:
"Cuir bacach i ndrom capaill," a deireadh sé, "agus tiomáinfidh sé go hifreann."

25. Déarthá le duine a mbeadh Muiris mar ainm air:
"A Mhuiris, a Mhuiris an bhfeacais an mhuc?"
"Dar Muiris," arsa Muiris, "n'fheacaíos ná pioc."

26. Agus déarthá le einne a mbeadh Gríofa mar ainm air:
"Gríofa an phíce,
Ná híosfadh feoil gan *fork*."[221]

27. "Bain an chluas ón gceann díom mara bhfuil mé ag insint na fírinne."

28. "Ná codail ar an gcluais sin go mbéarfaidh tú leat an buille sin."

29. Sin dhá phort ná fuil ag aon phíopaire:
Míocs is malabhog.

30. Le duine a bheadh ag gearán gan chúis déarthá leis: "An méid athá ort ní dh'aireoinn ar bharra mo theanga é."

31. "Go mbaintear barra na teangan díom má tháim ag insint aon ní ach an fhírinne."

32. "Sínfidh mé na cnánna dhom fhéineach," a deir duine – sé sin síneadh siar.

33. 'Á fheabhas é an suí síos bhuaigh an síneadh siar air.

221. Ls. <u>fork</u>

34. "Tá sé sin tanaí truai'. Nín ann ach na cnánna."

35. "Nín ann ach na puis is na *standers*." [Nín ann ach na cnánna].

36. "Thit an lug ar an lag air." Nuair a bhí sé ag dul ag déanadh rud éigint ní bhfaigheadh sé é a dhéanadh. Theip air is tháinig droch-mhisneach air.

37. Is minic a dh'airigh mé seanduine, nuair a bheadh sé ag tabhairt suas le tuirse:

"É mhuise a Mhaidhc, thá deireadh mo chaca déanta – táim traochta."

38. "Thá sé alabhodhar."

Sé sin thá sé bodhar nuair is maith leis é.

39. Thá sé géarchluasach.

40. Bíodh do chluais in airde agat, thá a leithéidí seo ag pósadh.

41. Thá tú chomh bodar le bodhrán,
Chomh righin le sleabhat,
Agus chomh snagarach le madra.

N'fheadar mé dén rud sleabhat, maran *leech* é.

42. Sin gaoth ó shléibhte an chaca! [Broim]

43. Sin smólach óm thóin agus nach breá an t-éan é! [Broim].

44. "Bhfuil tú ag éirí a Reidhrí?"
"Táim ag éirí," arsa Reidhrí,
"Má tá ionam éirí,
Agus nár bheirim ar éirí,
Má tá ionam éirí."

45. Bíonn a méireanna i bpoll tráthair le dealús.

46. Má scaoiltear na cearca isteach i ngort eornan dhéanfaidís 'raimidí' air.

47. Bheadh buachaill ar tormas ón scoil nuair a bheadh sé ar seachrán.

48. Crioscar fuachta = ar crioth le fuacht.

12. CAITHEAMH AIMSIRE NA nDAOINE

A. AN SCÉALAÍOCHT

1. Scéalaíocht sa Rinn Fadó

[**SÓD:** An iad na fir a bhíodh ag insint seanascéalta?]

Bhíodh gach cuid acu ag insint scéalta. Nuair a bhí mise mar na páistí sin thuas anois 'chuma dhuit aon tigh a raghthá isteach ann ní bheadh aon fhocal eile istigh ann acu ach iad ag cur síos ar rudaí míorúilteach, go ndeine Dia trócaire agus grásta ar na hanamacha. Ar tórramh chaitheadh beirt seandaoine an oíche ó oíche go maidean. Ní bheidh san go deo aríst [ann].

Dh'airínn seanchasaí a bhí anso sa Rinn, Pártnan Ó Briain, ag insint scéaltha, agus Nioclás Ó Cuidithe, agus mo sheanathair fhéin. Nuair a bheadh tórramh ann ... agus dh'fhanfaí ar siúl leis na scéaltha fiannaíochta go n-éireodh an lá. Chomh mear a bheadh fear réidh le scéal bheadh scéaltha age fear eile. Agus fearaibh a bhíodh ag insint na scéaltha i ndia' gach aon tórramh. Píopaí is snaoisín is tobac agus scéaltha fiannaíochta a bhíodh age gach aon tórramh agus níl aon chuid acu anois ann. Níor dh'airigh mé aon bhean riamh ag insint scéal fiannaíochta.

B. CLUICHÍ AGUS RANNA PÁISTÍ

1. Nead Gigirlín Geo

"Nead gigirlín geo,
Dhá éan marbh inti
Agus trí cinn beo."

Bhíodh sé sin ag na páistí. Deiridís é sin. Bheadh páiste óg ann agus ní bheadh fhios aige. Curtaí ina luí orainn go léir go raibh a leithéid ann. Buailfí bais ar do shúile ansan agus seolfaí an bóthar thú agus curfaí do lámh isteach i gcac bó.

2. Druingide, Druingide

An raibh an cleas so agaibh ag dul ar scoil?

Druingide, druingide
Ar chnámh do chruitese,
Útamáil ghadhra,
Taibhse[1] as cheann taibhse,

1. Ls. *Taidhse* /təiʃɪ/

Dúirt an gabha liom
Dul dtí an chearta
Agus spíce a dhéanadh,
Bolg a shéideadh,
Hút, fág, hap,
Agus dhé mhéid adharc ar feidhre poc?

Bheitheá i do sheasamh ar an dtaobh thiar de bhuachaill nuair a bheitheá á rá[2] agus tú á bhualadh sa drom agus mara gcuirfeadh sé in airde a cheithre méireanna go tapaidh thabharfá buille dhorn isteach fé pholl oscal dho.

3. Cé hÉ sin In Airde

Bhíodh imirt age páistí. Chuirfeása do dhorn anuas ar mo dhornsa. Dhéarfadh duine acu:

"Cé hé sin in airde ar cheann an stáca?
Leag ar lár é, an poitín bréan."

Ní cuimhin liom anois conas a bhíodh sé.

4. Dul i bhFolach

Curtaí ceosúir ar do shúile agus raghadh gach einne i bhfolach. Pé duine a chuirfeadh an ceosúir ort ansan bhéarfadh sé ar láimh ort nuair a bheadh an ceosúir ar do shúile aige agus dhéarfadh sé:

"Seo mo phingin,
Seo mo scilling,
Seo lua' bróga do phúicín dall."

Raghadh gach einne i bhfolach ansan, agus pé duine a mbéarfadh fear an phúicín ansan air sé a chaithfeadh an ceosúir a chuir aríst air. Agus an fear go raibh an ceosúir roimhe sin air a déarfadh:

"Seo mo phingin,
Seo mo scilling,
Seo lua' bróga do phúicín dall."

5. Poll na Gé

Bhíodh cleas eile acu go dtugaidís poll na gé air. Chrosaidís na méaracha mar sin ar a chéile.

"Cuir do mhéar síos insa pholl san," a dheiridís.

Chuireadh an páiste eile a mhéar síos agus bheiridís greim daingean ar an méir thíos leis an ordóig agus chuiridís ionga na hordóige tríd an méir. Bhíodh gach aon scread age'n páiste.

2. Ls. *reá* / r´ɑ:/

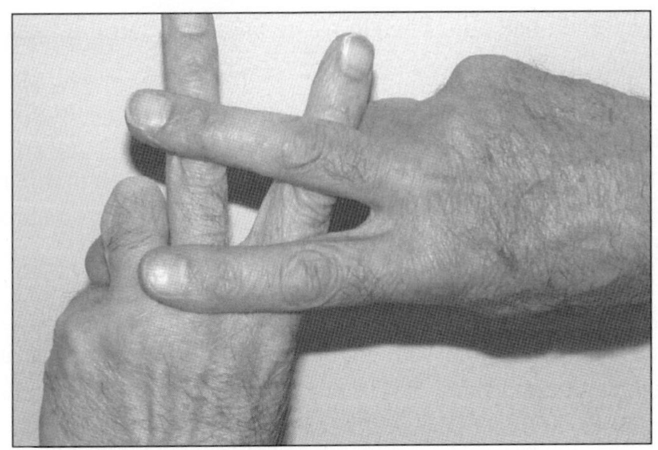

Poll na Gé.

6. Botháinín Ídín Éidín

Bhíodh cleas eile ag páistí ach ní chuimhin liom conas a dheinidís é.[3] Dheiridís é seo:

Botháinín ídín éidín,
An ionga leat,
Mac istí,
Mac isteá,
Ar biora beaga,
An phéacóg bhuí,
As san síos
Go cúinne an tí,
Spág bhuí na dtor.

Saghas éigint spórt a bhí acu ba dh'ea é.

7. Chuaigh an Mhuc seo go dtí an Margadh

Bhídís á rá so ar mhéaracha coise páiste:

Chuaigh an mhuc so go dtí an margadh,
Dh'fhan an mhuc so sa mbaile,
Fuair an mhuc so arán is im,
Ní bhfuair an mhuc so dada.
"Bíoc! Bíoc!" arsaigh an mhuicín seo age doras an sciobóil.

8. Mhuc Mhuc Bháisín

Bhíodh imirt ag páistí fadó. Tabharfaí isteach cloch ghlas agus beifí á chuir ó

3. Deir N.J.A. Williams gur 'Rann Díbeartha' is ea é seo [N.J.A. Williams, *Cniogaide Cnagaide – Rainn traidisiúnta do pháistí* (Baile Átha Cliath: An Clóchomhar Teoranta), lch. 137.]

dhorn go dorn i gcumhad agus bheadh páiste ansan a d'iarra' a fháil amach dén láimh a raibh sí. Déarfadh sé:

"An té a bhfuil an chloch ghlas aige,
Bogfaidh sé is lasfaidh sé is déanfaidh sé gáire,
Mhuc mhuc bháisín. Torm[4] í seo." – ag breith ar an láimh a bheadh uaidh.
Bheadh sí sa láimh dheas nó sa láimh chlé taoi' thiar dá dhrom.
Bhí a thuilleadh ann ach tá sé imithe as mo cheann.

9. Haon Scadán Fireann

Bhíodh na leanaí fadó agus bhí saghas rann acu héachaint cé acu is mó a dhéarfadh gan anáil a tharraint. Bhídís a d'iarra' buachaint ar a chéile héachaint cé acu is mó nó is sia a mbeadh anáil acu:

Haon scadán fireann ar phingin is an Felix Ó Groí,
Dó scadán fireann ar phingin is an Felix Ó Groí,
Trí scadán fireann ar phingin is an Felix Ó Groí,
Ceithre scadán fireann ar phingin is an Felix Ó Groí,
Chúig scadán fireann ar phingin is an Felix Ó Groí,
Sé scadán fireann ar phingin is an Felix Ó Groí,

Bhíodh sé sin acu héachaint cé acu is mó a gheodh buachant ar a chéile.

10. Is Mór an Obair liom é a Rá

Agus ceann eile a bhíodh acu:

Chím an ré i lár an lae i lár na móna bige beag,
Is mór an obair liom é a rá
Trí huaire gan m'anáil a tharraint.

Chím an ré i lár an lae i lár na móna bige beag,
Is mór an obair liom é a rá
Trí huaire gan m'anáil a tharraint.

Chím an ré i lár an lae i lár na móna bige beag,
Is mór an obair liom é a rá
Trí huaire gan m'anáil a tharraint.

11. Rioth an Luch ar Bharra Falla

Rioth an luch ar bharra falla is mada a' rioth fé shúsa, ??
Rioth an luch ar bharra falla is mada a' rioth fé shúsa, ??
Rioth an luch ar bharra falla is mada a' rioth fé shúsa, ??
Rioth an luch ar bharra falla is mada a' rioth fé shúsa, ??
Rioth an luch ar bharra falla is mada a' rioth fé shúsa, ??

4. Ls. *Turum* .i. tabhair dom.

13. SEANCHAS PEARSANTA

1. Mé Féin ag Iascaireacht

Nuair a bhíos óg is dócha go rabhas ait, mar ní hé gach einne a bhíonn óg ná bíonn tamall éigin dá shaol go hait. Chuaigh mé ag tástáil iascaireacht. Dh'fhan m'athair istigh ón bhfarraige le fuacht agus chuaigh mé ina áit. Agus 'dir oíche agus lá ba dh'ea an uair sin é – ní leagfaí ancaire – do thosach báid ó mhaidin Dé Luain go dtí istoíche Dhé Sathairn – mara rud é go gcaithfidís teithe ón bhfarraige le gála nó gan fuireach chun calma. Agus sa ngeimhreadh ba dh'ea é agus bhí sneacht … flichshneachta á shéideadh anoir aneas. Agus nuair a bheadh an bád ag dul chun cinn ar an bpota i gcónaí chaithfeadh fear seasamh agus a dhrom a thabhairt don chrann agus an lantaréil a chumhad ar a bholg go ndéanfadh sé solas don mbád a bheadh ag teacht ina choinne. Agus nuair a leagfá uait an lantaréil sé an méid a bheadh gan sioc agus sneachta dhíot ach amháin an méid a bheadh ar barraí do mhéaracha a bheadh i dteas an lantaréala. Ní raibh mé cóirithe le hí[1] na farraige, ní nach ionadh, ní raibh an acainn[2] agam: ní raibh éadach orm chun mé a chosaint ón bhfuacht. Agus míle baochas le Dia – is minic a chuimhním air – ná feadar mé cad a thug saol fada dhom mara fuair mé oiread fuacht agus anró[3] le haon fhear a chuireag anam riamh ann ar an saol so.

Nuair a bhí istoíche Dhé Sathairn agam bhí coróin agam ar mo scair agus tháinig mé abhaile.

"*Well,* an bhfuil do dhaothain den bhfarraige agat?" arsaigh m'athair. "Is minic a dúirt mise leat go mb'fhearra dhuit gabhar agus é bheith ar leath-shine agus bráca a bheith cois an chlaí ar mhullach an tslé' agat ná t'agha' a thabhairt don bhfarraige."

Bhí san go maith. Dh'fhág mé an fharraige agus tháinig mé ag triall ar na feirmeoirí. Agus go Baile Uí Churraoin a tháinig mé agus thug mé tamall ann. Agus tháinig buachaill óg a bhí ina chomrádaí agam tamall – Michéal Ó hEallaí, go ndéana Dia trócaire air – agus bhí na báid ag dul go Port Láirge fé dhéin scadán a bhí suas ar an abhainn, agus bhuail sé fúm age'n Aifreann, agus dúirt sé liom teacht leothu. Mé fhéin agus Micil a' Bhádaera agus Danny … dritheáir a bhí age Micilín Lad, Danny Mháire Dhónaill, agus Thomas Hally, go ndéana

1. .i. le haghaidh
2. /akiŋ´/
3. /au'ro:/ – ligtear ar lár *n* nó *nn* roimh *r* in *scanradh* /sgaurə/, *annró* /au'ró:/ agus *banríon* /bau'ri:n´/ (feic Breatnach, *The Irish of Ring,* l. 141)

Dia trócair air, agus Muiris na nGearaltach a bhí sa mbád. Sé an ainm a bhí ar an mbád ach an *Yacht*ín. Agus bhí fear eile ón mbaile seo, Fitz, bhí sé sa 'Record'. Bhí na báid, cheithre fichid bád, ó Ché Dhún Mór go Baile Shac, agus san oíche sé an tslí a dh'aireothá *funnel steam* acu ag imeacht ach mar a bheadh fliúit stáin á séideadh – iad ag séideadh chun an canáil a chumhad *clear*áltha, ná buailfeadh na *steam*anna na báid.

Agus chuamar isteach go Dún Mór maidin, cheithre fichid bád, agus ní raibh oiread scadán istigh in aon bhád agus a dhéanfadh broiceast d'aon fhear amháin. Ach Micilín Phaddy Mholly, go ndéana Dia trócaire air, tháinig sé anuas ó Bhaile Shac agus istigh in gaibhlín[4] bhí trí fichid méis scadán aige ar dhá phúnt an mhéis. Agus ní raibh ins na cheithre fichid bád oiread is a dhéanfadh broiceast d'éinne amháin. Chuamar suas an tara hoíche agus tháinig sé suas chun gála le gaoth anoir aneas. Agus bád scanrúil ba dh'ea an *Yacht*ín mara *yacht* ba dh'ea í agus nuair a bheadh sí in *swing* ceart chun seoil bheadh an t-uisce á thógaint féna líce agus ní bhfaightheá seasamh istigh inti. Bhíomair ag góil thar Shéamus Ó Mheachair agus chuir … bhí na líonta díreach tarraingthe aige agus chuir Muiris na nGearaltach, chuir sé deoch le Séamus Ó Meachair an chéad bhád a bheadh i nDún Mór an deoch a sheasamh agus gach aon fhear aige ag dul go Móin Choinn. Agus nuair a bhíomarna istigh i nDún Mór agus thuas i dti' Terry bhí deoch óltha againn fé a raibh Séamus Ó Meachair istigh age'n ché. Agus nuair a bhíomair ag teacht anuas bhí sé áirithe go raibh fear marbh insa choiréal – thá an coiréal ar an gcé ann, gairid don chanbhint. Agus tháiníomair anuas 'dtíos na báid. Agus i gceann trí lá tháiníomair abhaile. Agus nuair a tháiníomair amuigh ar an Meath Mhór dúirt Muiris na nGearaltach go raibh sé chomh maith iad a sheansáil anso anocht.

Chuireag amach na líonta ar an Meath Mhór[5] agus tharraingíog ar maidin iad gan dada. Tháinig mise abhaile go Baile na nGall, agus ón lá san go dtí an lá so, ní dhein mé aon phioc líontóireacht, pé mar a dhéanfadh iascaireacht chleithe nó iascaireacht báid bhig.

2. Bás Athar mo Chéile

Bhí athair mo chéile ar feadh i bhfad in aon tigh liom go bhfuair sé bás. Bhí sé mí ar an leaba fé a bhfuair sé bás. An oíche roimh a bhás, ghlaoigh sé orm timpeall a dhá bhuille dhéag. Bhí mé 'om bhearradh fhéin ag an mbord sa chistin. Nuair a chuaigh mé suas dtí an doras chuige:

"An bhfeaca tú einne ag góilt síos id choinne anois?" arsa sé.

"Ní fheaca mé," arsa mise.

4. /gai'l´i:n´/ .i. *góilín*

5. *An Mhea* nó *An Mhea Mhór,* an fharraige idir Ceann Heilbhic agus Mionn Ard – Breatnach, *Seana-Chaint II,* l. 294 s.v. *mea*

"Tá sé imithe síos id choinne anois," arsa sé, "fear tréan, agus culaith *pilot* gorm air, agus hata bog," arsa sé.

"Ag rioth leat athá na rudaí sin," arsa mise.

"Ní hea," arsa eisean.

Shuigh mé fé bhun na fuinneoige, is bhí mé ag féachaint air. Shíl mé gur aon tseansáil a bhí faighte aige. Dhearg mé píopa nua a bhí agam.

"Is dócha," arsa sé, "dá mbeadh trí púint tobac trí thine ná faighinnse aon ghal a bhaint as!"

"Tástáil tú féin," a dúirt mise, ag cur an phíopa ina bhéal.

Bhain sé trí tharraint as an bpíopa, is dúirt sé liom é a thógaint uaidh ansan. Dh'imigh mé síos aríst 'om bhearradh fhéin. Ba ghairid gur ghlaoigh sé aríst orm. Chuaigh mé suas go dtí é. Shíl mé go raibh sé t'réis lagachair a dh'fháilt, agus fuair mé an aibíd amach as an mbosca. Nuair a bhí mé ag cur a láimhe isteach san aibíd:

"Ná déan, a Mhichíl," arsa sé, "níl aon phráinn fós léithe."

Thóg mé an aibíd uaidh, agus leag mé ar an mbosca í. Dúirt sé liom braoinín den stuif a bhí i mbuidéal an dochtúra a chimilt dhena ucht. Chimil mé. Dh'fhiarthaigh mé an mbeadh spiúinín deoch ansan aige. Dúirt sé liom go mbeadh. Thug mé spiúin biotáille ansan do, agus uisce tríd.

"Ardaigh suas mo cheann anois," arsa sé.

Dh'ardaíos. Bhraith mé go raibh sé ana-lag. Las mé an choinneal bheannaithe, agus chuir mé an choinneal bheannaithe ina dhorn. Choinnigh sé an choinneal bheannaithe timpeall chúig nóimint.

"Tóig uaim anois í, a Mhichíl," arsa sé. "Tabhair reast dom."

Thóig mé an choinneal bheannaithe uaidh. Dúirt sé liom a cheann a dh'ardach aríst.

"Cabhair Dé chughainn," arsa sé, "níl aon rud againn a chuirfidh mé."

"Níor fágag einne riamh gan chur," arsa mé.

"Tá a dó nó a trí phúint ag Brianach an Aráin orm," arsa sé. Dh'inis sé dhom gach aon áit a raibh scilling air. "Anois," arsa sé, "is é an rud a chuirfidh mise – faigh bille le gach aon rud, agus cuir amach go dtí na gearrachailí in Sasana Nua iad. Cuirfidh siad san abhaile chughat gach aon rud a chaillfidh tú le mise a chur. "Ca'il Biddí anois? – ba dh'í sin a iníon – mo bheansa.

"Tá sí ina codladh i bhfochair na bpáistí."

"Glaoigh anois uirthi!"

Ghlaoigh mé uirthi. Tháinig sí i leith sa seomra go dtí é. Shín sé a lámh amach as an leaba chuichi.

"Is dócha," arsa sé, "ná fuil aon *skill* agatsa sa chuisle ach oiread linn féin."

"Nín," arsa sí.

Amach san ordóig a dh'imíonn an cuisle ag an bhfear, agus suas ins an ngualainn a imíonn sé ag an mbean.

"Déanaidh mise do thórramh ins an seomra nua," arsa sé, "agus beidh sé fuirist díbh an chomhra a chuir amach."

An seomra nua – b'in seomra a bhí curtha leis an tigh, is bhí dul amach díreach uaidh. Bhí póirse ar an gcistin, is ní bhfaighfí aon choifín a chuir amach tríd. Sin é cúis gur chuimhnigh sé ar gan é a thórramh sa chistin.

"Mo bheannachtsa anois agaibh," arsa sé, "agus beannacht Dé ina fochair! Mairidh ciúin agus ná hairíodh einne sibh. Tabhair dom an choinneal."

Las mé an choinneal, agus chuireas ina láimh í. Díreach ansan dh'imigh sé mar a mhúchfaí coinneal. Bhí sé hocht mbliana déag agus trí fichid d'aois. Tá sé curtha le ceithre bliana fichead. Ní raibh aon Bhéarla aige.

AGUISÍN

AGUISÍN

Ránaíonn gur bhailigh daoine éagsúla cuid de na míreanna atá sa bhuntéacs an dara huair ó Mhaidhc agus séard atá anseo ná samplaí de na hathinsintí sin. I gcás míreanna áirithe tá an triú agus fiú amháin an ceathrú hinsint ar fáil ach, dar ndóigh, ní fhéadfaí gach insint a chuir isteach anseo. Ar a shon san tá tagairt do gach insint go raibh teacht uirthi ins na nótaí. Tá an rangú céanna déanta anseo agus atá sa bhuntéacs agus freagraíonn uimhir gach míre ins an Aguisín seo don uimhir atá aici sa bhuntéacs.

7. RANNA NA hAIMSIRE

A. NA FÉILÍ COITIANTA

9. Rann Oíche Shamhna

Anocht Oíche Shamhna, a mhongó longa
Sop i's na fuinneoga agus ag dúnadh na ndoirse –
Eiri' id' shuí a bhean an tí –
Téire suas go fearúil, tair anuas go flaithiúil –
Tabhair leat cúl na b'lóige ar leath na lice
A mbeidh faid léim giorré ar faid inti –
Agus gearradh scine ar aoirde –
Ba mhaith liom deoch bhainne bhog, mhilis,
Gan cáithnín gan ribe,
A mbeadh uachtar ina bholg
Is leamhnacht ina chiosa –
Agus í a dh'fháil ó bhruinneall a 'níon ó.
Ní hé an bainne ó inniu ná an bainne ó inné –
Ba mhaith liomsa a 'níon ó –
Nach leamhnacht bog milis gan cáithnín gan ribe –
A mbeadh uachtar ina bholg is leamhnacht ina chiosa,
Agus ba dhóigh leat go dtachtfadh sé mise,
Agus mo chreach ghéar fhada níor bhaol dom.
Ní mise Piaras Ó Priosa ná Diarmaid Ó Duinne
Ná Diarmaid Ó Dúnaí ná raibh riamh ina chónaí
Ach ag obair i gcónaí,

Nach garsúinín bocht gan garraí gan gort –
A cailleag a athair lá cruaidh earraigh –
Agus bág a mháthair i gcioth mór sneachta,
Bú! bú! bú! Sín amach do chabhail a bhean an tí –
Agus gur seacht bhfearr a bheidh tú ar theacht na Samhna.

Na Guíonna

Ar do dhul síos strapa an gháirdín,
Go mbristear do phláitín –
Sceach dhearg id' scórnach,
Gan aon tobar níos giorra dhuit ná Eochaill,
Bainneach dhearg leat agus ciosaí gorma léi;
Agus gob coiligh id thóin ag dul go hIfreann,
Agus nách cacaidh an préachán ar do stáca –
Agus nára mó ná raibh an stáca agat.

[TÓF, gan Edifón, c. 1934: CBÉ 87:123-24]

8. PISEOGA AGUS DRAÍOCHT

A. DAOINE GO MBEADH COMHACHTAÍ SPEISIALTA ACU

7. An tAthair Murphy agus na Colmóirí

Sagart paróiste a bhí anso le linn m'atharsa, thaithnigh sé go mór leis na daoine, agus bhí muinín agus dóchas acu as. Dh'aistríog go Cluain Meala é. Ní raibh aon iasc á dh'fháilt ansan acu, t'réis do imeacht. Dheineadar suas luach diallaite dho, agus chuadar ó thuaidh chuige go ndéarfadh sé Aifreann dhóibh. Nuair a chonaic an sagart ag teacht iad, bhí ana-áthas air. Dh'aithin sé iad. Bhí dinnéar aige féin agus acu féin. Bhí ithe agus ól acu. Nuair a bhíodar ag imeacht, thugadar luach na diallaite dho, agus dh'iniseadar a gcúrsa dho. Dúirt sé leothu dul abhaile agus go raibh an t-iasc ag teacht ina gcoinne. Nuair a thángadar isteach go Baile Mhac Cairbre, bhí na mangairí ag dul isteach, agus iad lódáltha le colmóirí á ndíol.

[MÓhA, gan Edifón, idir 1933 agus 44: M. Ó hAodha, "Seanchas ós na Déisibh," *Béaloideas* 14 (1944):71]

9. SAMHLAÍOCHT I dTAOBH NITHE AGUS DAOINE

B. LUCHT SÍ

2. Seán 'ac Séamuis

Ar airigh tú trácht riamh ar an leanbh a ghoid muintir an leasa? Ní raibh ann ach aon leanbh mic amháin is bhí mórsheisear iníon ann. Ba dh'é[1] an leanbh déanach é agus leanbh ana-bhreá ba dh'ea é. Ní raibh einne chun é a dh'fháil ansan ó bhanríon[2] an leasa ach duine a dh'iarrfadh rud uirthi ná faigheadh sí a thabhairt uaithi. Agus chuaigh an deirfiúr ba shine a bhí aige féna dhéin agus má chuaigh tháinig sí gan é agus óinseach ba dh'ea an ceann ab óige dos na hiníonacha. Ní raibh aon chrithirt innti[3] mar a shíleadar. Nuair a theip ar na deirféaracha go léir, dúirt an óinseach go raghadh sí fhéin á dh'iarra', agus chuaigh sí á dh'iarra' agus dh'iarr:

"Seacht céad each," uirthi, "ar dhath a chéile,
Seacht céad caisleán agus a n-agha' ar a chéile,
Seacht céad baraille d'airgead raolaí,
Seacht céad ganndal lena n-annlan géanna,
Seacht céad gabhar ramhar gan aon locht,
Seacht céad asal gan aon chros chéasta."

Chaith sí an leanbh a thabhairt di. Bhí sí ábaltha ar gach aon rud a thabhairt di ach ní bhfaigheadh sí an t-asal a thabhairt di gan aon chros chéasta.

Fágann na síobhraithe ainimh ar leanbh nó leidín nó máchail.

[SÓD, gan Edifón, Meith.1945: CBÉ 977:15-16]

10. SEANCHAS STAIRIÚIL

B. AIMISIR CHROMAIL

1. Cromail agus Mac Amhlaoi'

Fé ar tháinig Cromail go hÉire bhí fear anso in Éire a dtugaidís Mac Amhlaoi' air agus thosnaigh sé ag tabhairt feasa uaidh. Agus dúirt sé leis na daoine gan a

1. Ls. *ba ghé*
2. Ls. *bainruíoin*
3. Ls. *eighnte*

bheith ag déanadh aon obair p*h*ríobháideach mar go raibh a leithéid sin de dhuine le teacht chun Éire a scrios. Agus dh'airigh Sasana … dh'airigh Cromail in Sasana cad dúirt Mac Amhlaoi' in Éire. Chuir sé fios ar Mhac Amhlaoi' agus chuaigh Mac Amhlaoi' ina láthair.

"Dén páirt d'Éire an seasóidh mé i gcantúirt 'air a bheidh mé ann?" a dúirt Cromail.

"Má thagann tú saor ó Dhrochad Maol Luimní," a dúirt Mac Amhlaoi', "tiocfaidh tú saor abhaile."

Tháinig Cromail go hÉire agus chuir sé *camp* suas age Ceann a' Mhadra thiar agus dh'fhan sé ann ar feadh mí. Chuaigh sé go Ciarraí ansan agus bhí sé ag teacht ó Chiarraí isteach go Luimne. Agus dh'iompaigh an t-iománaí siar air agus dúirt sé leis gur chaill ceann dos na capaill crú nach gob é a thuairim go raibh ceárta chun cinn air.

Chuadar chun cinn agus nuair a chuadar bhí an gabha bocht istigh sa gheárd agus gan iarann, gan gual, gan aon rud aige nach é dealbh. N'fheadar sé cad de a dhéanfadh sé crú ansan do. Scaireag an capall agus tháinig an capall as coinne an doiris amach. Agus chuardaigh sé na seana-iarnaí agus séard a fuair sé sna seana-iarnaí ná gunna. Agus chuir sé an gunna sa tine chun go ndéanfadh sé an crú dhen cheap. Agus nuair a chuaigh an teas insa ngunna dh'imigh an truchar agus lámhaigh sé capall Chromail as choinne an doiris amach.

Chuaigh sé ansan agus cheannaigh sé capall eile. Agus nuair a tháinig sé dh'imigh sé fhéin is a bhuachaill fé dhéin Shasana ag dul abhaile. Nuair a chuaigh sé abhaile thóg sé clár as an úrlár agus chuir sé buatais óir síos fén úrlár agus chuir sé fios ar Mhac Amhlaoi' ansan.

"Má thá fios agatsa," arsa sé, "cad athá fém chois anso agamsa?"

"Thá buatais óir," arsa Mac Amhlaoi'."

"Cé chuir ann í?" arsa Cromail.

"Chuir tú fhéin," arsaigh Mac Amhlaoi'.

Agus …

"*Well*, cá bhfuair tú an fios?" arsa Cromail.

"An dtabharfaidh tú seachtain dom chun é a dh'insint duit," arsaigh Mac Amhlaoi'.

"Tabharfaidh mé," arsa Cromail.

Tháinig Mac Amhlaoi' thar n-ais go hÉire agus thóg sé ceann a athar, agus ceann a shinseanathar, agus ceann a sheanathar agus chuaigh sé i láthair Chromail aríst.

"Cá bhfuair tú an fios?" arsa Cromail.

"Fuair mé uaidh sin é," arsa sé, ag caitheamh ceann 'athar sall chuige.

"Cá bhfuair sé sin é?" arsa Cromail.

"Fuair sé uaidh sin, agus shin í an claidheamh[4] a bhí aige."

"*Well*, dén faid a mhairfidh mé anois?" arsa Cromail.

"An fhaid agus is maith leat fhéin é," a dúirt Mac Amhlaoi', mar deir siad gob é Cromail fhéin a bháigh é fhéin.

"*Well*," arsa Cromail, "bronnaimse na gleannta anois ort," arsa sé "thall is abhus."

Agus thá an seanfhocal san anso in Éire ó shoin, agus beidh go deo, is dócha, "gur le Mac Amhlaoi' na gleannta thall is abhus."

[ÚP, ar théip, deireadh na gcaogaidí: Cn.ÚP, Coláiste na Rinne]

D. SAOL NA SPAILPÍNÍ AGUS NA SCLÁBHAITHE

4. Spailpíní ó Chiarraí

(v)

Bhí dhá Chiarraíoch anso fadó ag baint phrátaí agus chuaigh ceann acu abhaile féachaint a mhuintire, agus nuair a chas sé dúirt sé leis an bhfear eile go raibh a mháthair th'réis bháis.

"Ach an diabhal, a Dhiarmaid," arsa sé, "an bhfuair sí an sagart?"

"Ó ní bhfuair," arsa sé, "ach fuair sí ní níba fhearra. Bhí píopaire ceolmhar," arsa sé, "glór don anam. Bhí púnt snaoise ar thóin cniairse, is iad súd fhéin ag tabhairt ardaibh ceirhe [?] an tí isteach," arsa sé. "Agus bhíodar ó chaincín go caincín, leis, go raibh caincíní teo acu."

[NB, le hEdifón, 20/11/35: CBÉ 151:22]

(vii)

Bhí spailpín ar Aonach Bhaile Uí Chiaróg, agus robálag é. Chuaigh sé suas go dtí an sagart á insint do gur robálag é.

"Cár robálag tú?" arsaigh an sagart leis.

"Ach an diabhal, a athair, fan go gcuimhneod air."

Ní bhfaigheadh sé cuimhneamh ar ainm na háite, ar Bhaile Uí Chiaróg.

"Cár robálag tú?" arsaigh an sagart arís leis.

Chuireag an cheist air an trígiú huair.

"An diabhal mé, a athair," ar seisean, "gob ainm do, Baile na Péiste Dubha gan Eitealladh!"

[MÓhAo, gan Edifón, idir 1933 agus 44: M. Ó hAodha, "Seanchas ós na Déisibh," *Béaloideas* 14 (1944):77].

4. /klaiv/ .i. claíomh

E. NA FÍNÍNÍ

1. Na Fíníní ar Thráigh na Rinne

Sé an áit a tháinig na Fíníní isteach an chéad lá ná age Ard na Rinne, agus nuair a tháiníodar isteach ar an tráigh tháinig scanradh éigin orthu agus chromadar ag rioth anso is ansúd. Sin é an tslí a dheineag amach go raibh rud éigin suas acu. Leanag ansan iad agus ghabhag anso is ansúd ar fuaid an pharóiste … ghabhag cuid acu ag dul isteach go hEochaill agus Dónall Ó Coileáin agus Aindrias de Róiste a dhearbhaigh orthu. Agus Pádraig Ó Lonáin a thug isteach iad ina bhád agus Pádraig Brún a bhí ina fhochair. Ba dh'in iad an ceathrar. Bhí Aindrias de Róiste á dtabhairt go hEochaill ar a chapall agus choinnigh sé marc ansan gur dhaor sé iad.

… lá na trialacha in Baile Átha Cliath ansan agus dheineag trí shaghas dearbhtha orthu, féachaint an bhfaighfí lucht an dearbhtha a mhealladh. Agus nuair a thugag an trígiú babhta go dtí Coileán ceann acu – go dtí Dónall Ó Coileáin:

"Dh'aithneóinn beirithe," arsa sé, "fear an dá ribe."

"Are Coileán, Coileán," arsaigh an breitheamh, "agus is 'coileán' fhéin tú. An aithníonn tú einne acu san a Phádraig Uí Lonáin?" a dúirt an breitheamh leis an bhfear a thug isteach iad.

"*Well*, a Thiarna Bhreithimh," arsaigh Pádraig Ó Lonáin, "n'fheadar mé nach ceann acu tú féin."

Ón lá san go dtí an lá so tá col leis an gcumann a bhain leis an treibh a dhearbhaigh orthu, agus sé m'amhras go mbeidh go ceann blianta go leor a thiocfaidh. Ní ró-fhada a bhí na daoine – oiread col ages na daoine – ná raghaidís isteach ar shuíochán sa séipéal ar a mbeidís air. Agus i dtigh tábhairne dá labharfaidís focal chaithfí ina mbéal é.

[NB, le hEdifón, 25/8/34: CBÉ 150:262-64].

H. BRUÍONTA

3. Na *Factions* – Muintir an tSeana-Phobail agus Muintir na Gráinsí

Ní ró-fhada de bhlianta nuair a bhíodh gach paróiste ag imirt an fhir mhaith ar a chéile, fear maith ar gach paróiste agus duine a chuir *challengí* ar a chéile. Nach tháinig cumann na Gráinsí fé dhéin cumann an tSeana-Phobail chun cath a bheith acu. Agus bhí ardfhear insa Seana-Phobal a mb'ainm dó Diarmaid Ó hArta, agus Seán Paor a bhí in Móin an Gheamhais. Agus eisteacht leis an Aifreann a bhí muintir an tSeana-Phobail nuair a tháinig cumann na Gráinsí féna ndéin. Agus séard a bhí age muintir na Gráinsí chun a ndinnéir fé ar dh'fhágadar ná reithe chun dinnéir. Agus nuair a tháiníodar taobh ismu' den seana-shéipéal sa tSeana-Phobal ní bhfaigheadh muintir an tSeana-Phobail foighnimh agus chuadar amach ón séipéal agus chuadar isteach ar an bpáirc, a dtugann siad Páircín na Brúine ó shoin uirthi, gan an tAifreann a dh'eisteacht. Agus sa bhualadh dóibh do bhris na bataí orthu. Agus bhí tigh ceann tuí ar thaobh an bhóthair, tigh triúntaí, agus phreabadar in airde ar an tigh agus bhaineadar an ceann den tigh, agus na taobháin a bhí acu. Shíneag Diarmaid Ó hArta ar lár na páirce agus tháinig bean ón nGráinsigh agus fuair sí cloch mhór ná raibh sí ábalta, ar éigin, a bhogadh agus bhuail sí anuas ins an ceann leis an gcloich é.

Agus an Domhnach ina dhiaidh bhí an sagart sa Ghráinsigh ag tabhairt sóiscéal uaidh ar an althóir. Agus nuair a dh'iompaigh sé amach ar an bpobal séard a dúirt sé leothu:

"Ohó," arsa sé, "dh'airigh mé gur bhaineag drochsheasaimh asaibh sa Seana-Phobal."

Nuair a bhí Diarmaid Ó hArta ag fáil bháis agus é ina fhear aosta ansan tháinig an tAthair Ó Treasaigh ag cuir na hola air:

"Is mó gearradh in do cheann ," arsaigh an tAthair Ó Treasaigh leis.

"É 'se, b'in é an ceann cruaidh," arsa sé sin.

[NB, le hEdifón, 25/8/34: CBÉ 150:265-68].

4. Pilib Tincéir agus Diarmaid Ó hArta

Bhí ardfhear ar an mbaile seo a dtugaidís Diarmaid Ó Arta air agus ní raibh aon fhear ró-mhaith dho ar dhá bhata. Agus chuaigh Pilib Tincéir féna dhéin lá breá samhra' go dtí doras an halla agus thug Diarmaid amach cheithre bhata, agus thug sé togha na cheithre bhata do Philib. Agus thosnaíodar age doras an halla agus chuir Diarmaid síos go dtí Drochad Bhaile an Aicéada' leis an dá bhata é agus chuir Pilib thar n-ais dtí doras an halla aríst é. Agus nuair a bhí an chath caite thug Diarmaid isteach é agus bhí dinnéar acu, agus ní raibh fhios ag einne ón lá san go dtí an lá inniu cé acu ab fhearr d'fhear.

[SÓD, le hEdifón, M. Fómhair 1945: CBÉ 977:523-24].

12. EALAÍN BHÉIL

A. SEANASCÉALTA AGUS FINSCÉALTA AR AINMHITHE

1. Rí na nÉan

Bhí lá mór acu [na héanlaithe] féachaint cé acu[5] acu a bheadh ina Rí agus sé an tslí a shocraíodar[6] ansan é ach an t-éan is aoirde a raghadh san aer a bheith ina Rí.[7] Bhíodar ag imeacht leo agus choinnigh[8] sé [an dreoilín] i gcónaí ana-ghairid don bhfiolar. Nuair a tháinig sé cortha dh'éalaigh sé isteach fé sciathán an fhiolair, agus nuair a bhí an fiolar a fhaid in airde is a gheobhadh sé dul dúirt sé gob é fhéin an Rí. Phreab an dreoilín amach ós na sciatháin is chuaigh as a cheann in airde is dúirt sé nár dh'é é ach é fhéin. Nuair a bhíodar ag teacht anuas bhuail an fiolar sa drom é lena ghob. Ghoirtigh sé sa drom é is ní bhfuair sé eotal[9] ó shoin[10] ach ó chlaí go claí is ó thor go tor. 'Á mhéid é a mhurar[11] tá siad ganachúiseach, pé rud a bhaineann dóibh. Tá cheithre cinn is chúig cinn is fiche sa nead aige agus nách mór an mistiúir é go n-aithneoidh sé um thráthnóna an chéad cheann a dh'fhritheáil sé ar maidin.

[SÓD, gan Edifón, Meith. 1945: CBÉ 977:20-1].

B. SEANASCÉALTA IONTAIS

5. Rí Sacsan

Bhí rí fadó ann a dtugaidís Rí Sacsan air agus bhí saighdiúir aige a bhíodh ag imirt trampéad. Agus nuair a bhí bliain agus fiche caite aige scaoil sé amach an saighdiúir bocht gan aon tslí mhaireachtain insa domhan. Agus tháinig sé abhaile go dtína mháthair agus in ti' móir a bhí a mháthair ag obair ó dh'imigh sé uaithi agus ti' beag aici ón duine uasal. Nuair a tháinig sé abhaile dúirt sé lena mháthair go raghadh sé fhéin amach sa saol aríst agus dh'imigh sé leis. Agus is gairid a chuaigh sé nuair a chasag fear air agus a dhá chois ceangailthe aige agus é sínte siar ar pháirc.

"An miste dom a dh'fhiarthaí dhíot," arsa sé, "cad tá tú a dhéanadh ansan?"

5. Ls. *ceoca*
6. Ls. *shocaruíodar*
7. Tá an 'R' caol – **SÓD.**
8. Ls. *chuingi'*
9. .i. eitil
10. Ls. *ó choin*
11. .i. mhuirear

"Ní miste," arsa sé. "Beirimse ar an ngaoth athá romham agus ní bhéarfadh an ghaoth athá im dhiaidh orm, agus nuair a bhíonn uaim stad caithim mé fhéin a cheangal."

"*Well*, 'á dtiocthá liom," arsaigh an saighdiúir, "dhéanfaimíst go maith sa saol."

"Raghad mhuise," arsa sé.

Dh'imíodar leo agus is gairid a chuadar nuair a chonaicíodar fear agus gunna aige.

"An miste dhom a dh'fhiarthaí dhíot," arsa sé, "cad athá tú a dhéanadh ansan?"

"Ní miste," arsa sé. "An bhfeiceann tú an cnocán san thall thá seacht céad míle uaim?" arsa sé.

"Cím," arsaigh an saighdiúir.

"*Well,* thá siongán[12] ag imeacht ar snámh ar an gcnocán san anois," arsa sé, "agus thá mé chun an tsúil dheis a bhaint as agus gan é a mharú."

"*Well*, 'á dtiocthá liom," arsa sé, "dhéanfaimís go maith sa saol."

"Raghaidh mé mhuise," arsa sé.

Is gairid a chuadar nuair a casag fear orthu agus gloine aige agus é ag faire thríd an ngloine. Ní hea. Bhí sé ag imeacht leis is chasag fear air is é ina sheasamh i lár páirce agus a hata ar a leathcheann aige.

"An miste dhom a dh'fhiarthaí dhíot," arsa sé, "cad tá tú a dhéanadh ansan?"

"Ní miste," arsa sé. "Mise a thugann sioc don saol," arsa sé, "agus nuair a chuirim mo hata ar mo leathcheann bíonn sioc liath againn, agus nuair a chuirim mo hata ar mhulla mo chinn," arsa sé, "bíonn sioc dubh ann a cheanglódh na daoine den dtalamh, agus nuair a bhainim díom mo hata," arsa sé, "bíonn spalpadh gréine age'n saol."

"*Well*, 'á dtiocthá liom," arsa sé, "dhéanfaimís go maith sa saol."

"Raghaidh mé mhuise," arsa sé.

Dh'imíodar leothu agus is gairid go chasag seacht muileann gaoithe leothu is iad ag casadh chomh mear is ab fhéidir leo. Thugadar i bhfad ag féachaint air. B'ait leo cad a bhí ag cuir an mhuileann ag obair is ní bhfaighidís a dh'fheiscint cad a bhí á gcasadh. Dh'imíodar leothu nuair a bhíodar sásta ó bheith ag féachaint air, is is gairid go bhfeacaíodar fear ina sheasamh in lár páirce is a mhéir ar pholl a chaincín aige agus é ag séideadh gaoithe amach as an bpoll eile.

"An miste dhom a dh'fhiarthaí dhíot," arsa sé "Cad athá tú a dhéanadh ansan?"

"Ní miste," arsa sé. "An bhfeacaíobhair aon seacht muileann gaoithe?"

"Chonaíomair," arsa sé.

"*Well*, mise athá á gcuir sin ar siúl le gaoth pholl mo chaincín," arsa sé."

12. /ʃəˊŋɑ:n/ – feic Breatnach, *The Irish of Ring,* lgh. 48, 124, 141.

"*Well*, 'á dtiocthá liom," arsa sé, "dhéanfaimís go maith sa saol."

"Raghad mhuise," arsa sé.

Dh'imíodar leo gur tháiníodar go dtí scuab choille agus bhí fear ansan agus slabhra mór sínte amach aige agus é ag stracadh chrann as a bpnéaca[13] agus é á gcuir sa tslabhra chun iad a thabhairt abhaile dtína mháthair.

"An miste dhom a dh'fhiarthaí dhíot," arsa sé, "cad athá tú a dhéanadh anso?"

"Ní miste," arsa sé. "Táim á stracadh so as a bpnéaca agus á dtabhairt abhaile go dtí mo mháthair."

"Agus an bhfaighidh tú leath an méid athá tú 'chur sa mbeart?" arsa sé.

"Gheobhainn agus a bhfuil sa choill," arsa sé. "N'fheadair einne déard é mo neart."

"'Á dtiocthá liom dhéanfaimís go maith sa saol," arsa sé.

"Raghad mhuise," arsa sé.

Dh'imíodar leo agus tháinig sé abhaile agus chuaigh sé fé dhéin seancam a bhaint de Rí Sacsan. Shocraigh Rí Sacsan ansan leis ar an méid óir a gheobhadh an fear is láidre a bhí aige a thabhairt leis. Chuaigh sé agus cheannaigh sé dhá chéad seithe leathair, dhá chéad banda iarainn. Chuir sé an fear dtí an cheárta agus dh'fhan sé ag déanadh an mála go raibh gach uile seithe leathair agus gach uile banda iarainn ann agus tháinig sé abhaile leis an mála, agus ní raibh an mála lán nuair a bhí an méid óir a bhí age Rí Sacsan caite isteach san mála. Dúirt Rí Sacsan leis ansan cupán a thabhairt don bhfear a bhí aige fhéin agus dul dtína leithéid sin de thobar fé dhéin cupán óir lán d'uisce, agus má bhí aon fhear aige a bhuafadh air go raibh sé sásta – an cupán a thabhairt abhaile ón tobar gan aon deor a bheith doirtithe as nuair a shroisfidís an tigh. Dh'imigh an fear a chaitheadh é fhéin a cheangal agus fear Rí Sacsan fé dhéin an uisce go dtí an tobar agus cupán óir age gach einne acu. Agus bhí fear an tsaighdiúra ag teacht abhaile leath-slí ina choinne agus a chupán lán aige, agus nuair a chonaic sé an méid cúrsa a bhí aige sa deifir air shuigh sé síos ag déanadh reaist le hais seana-cheann capaill agus leag sé a cheann air an gceann capaill is thit a chodladh air. Agus nuair a bhí saighdiúir Rí Sacsan ag teacht thar n-ais dhoirt sé a chupán agus dh'fhág sé ansan é. B'ait leis an bhfoghlaeir dé chúis ná raibh sé ag teacht. Fuair fear na gloine agus dh'fhéach sé air agus dúirt sé go raibh sé ina chodladh agus ceann capaill féna cheann. Thóg an foghlaeir aimsiú air agus dhein sé smidiríní den cheann capaill féna cheann agus dh'éirigh sé agus chuaigh sé thar n-ais dtí an tobar aríst agus líon sé a chupán agus bhí sé sa mbaile roimh saighdiúir Rí Sacsan. Cuireag cuireadh dinnéir ansan dóibh agus chuireag in airde ar an lochta mhiotail iad agus nuair a bhí an dinnéar ar siúl acu dh'aidhneag tine fén lochta agus ba ghairid go raibh fear ag allas; ba ghairid go raibh fear eile á dhó; agus nuair a

13. Ls. *bpnéuga* sa ls. .i. bpréacha [bpréamhacha]

bhíodar chun a bheith á loscadh ar fad is ea a chuimhnigh fear an tseaca air fhéin. Dh'éirigh sé ina sheasamh. Chuir sé a hata ar mhulla a chinn is ba ghairid go raibh sligirníní[14] seaca ar liobarna as gach aon rud, agus nuair a tháiníog chun a dh'fheiscint an rabhadar dóite is amhla' a bhíodar caillte leis an bhfuacht.

Fuaireadar a gcuid óir agus dh'imíodar leo agus chuir Rí Sacsan an t-arm ag féachaint ina ndiaidh.

Chuadar tamall maith ina ndia' lena saighdiúirí agus nuair a chonaic fear na muilte gaoithe, nuair a chonaic sé ag teacht ina dhiaidh iad níor dhein sé ach iompó siar orthu agus a mhéir a leagaint ar pholl a chaincín is n'fheacaíog aon saighdiúir a bhain le Rí Sacsan ó shoin. Tháinig sé abhaile go dtína mháthair agus mhair sé fhéin agus a mháthair i dteannta a chéile gur tháinig an bás.

Is sin é mo scéalsa is má thá bréag ann bíodh.

Seán Ó Muiríosa [a dh'inis dom é].

[SÓD, gan Edifón, Samhain 1945: CBÉ 978:228-34.]

C. SEANASCÉALTA RÓMÁNSÚLA *(NOVELLAE)*

2. Scéal na dTrí Chomhairle

Bhí fear bocht fadó i gCuan Choscartha agus le hainnisíocht an tsaoil agus le bochtacht agus le dealús chaill sé a mheabhair. Agus dh'imigh sé thríd an saol mí-ámharach, mara ná feadar sé an raibh tigh ná áit ná páistí ná bean aige, agus ní stad sé riamh gur chuaigh sé go Dún na nGall.

Agus chonaic sé solas uaidh san oíche agus chuaigh sé ag triall ar an solas agus chuaigh sé isteach. Bhí fear aosta ina shuí age'n tine ar chathaoir agus dúirt sé leis suí aníos go dtí an tine go dtí é fhéin go mbeidís ag seanchas i gcúrsa na hoíche. Agus chuaigh. Agus bhíodar ag seanchas.

Ar maidin nuair a bhí an broiceast acu agus iad ag ithe an bhroiceaist, dh'fhiarthaigh an duine uasal de an bhfanfadh sé ina fhochair. Dúirt sé leis go bhfanfadh. Thug sé seacht mbliana ansan ina fhochair agus i gceann na seacht mbliana is ea chuimhnigh sé go raibh tigh agus áit agus leanaí agus bean i gCuan Choscartha aige.

"*Well,*" arsa sé leis an duine uasal, "a leithéid seo," arsa sé, "thá bean agus páistí i gCuan Choscartha agam, agus ní chuimhnigh mé riamh," arsa sé, "im shaol go raibh a leithéidí ann ná go raibh mé ... go raibh mé pósta a chuigint go dtí anois."

"*Well* anois," arsaigh an duine uasal, "is maith an t-am anois é – is fearr déanach ná choíche."

14. Ls. *silgirníní*

Tháinig a bhean – bean an duine uasail – agus thosnaigh sí ag déanadh cáca.

"*Well* anois," arsaigh an duine uasal, "cé acu is fearr leat anois," arsa sé, "pá do sheacht mbliana nó … nó trí chomhairle?"

"Is fearr liom trí chomhairle," arsa sé.

Bhí a bhean ag déanadh an cháca ar an mbord.

"*Well,*" arsa sé, "an chéad chomhairle," arsa sé, "ná: ná codail go deo in aon tigh a mbeidh bean óg pósta age seanduine; agus an tara comhairle," arsa sé, "ná déan cóngar san oíche go brách; agus an trígiú comhairle, ná déan aon rud inniu a mbeidh tú ina chathú amáireach."

"Thá go maith," arsa sé.

Nuair a bhí an cáca aige … nuair a bhí gach aon rud déanta agus é léirithe chun bóthair thug an bhean an cáca dho, déanta suas i gciosúir, ar choinníolla gan é a dh'oscailt ar aon bhord go brách go n-osclódh sé age'n mbaile é.

Dh'imigh sé leis agus a cháca aige agus chuaigh sé … san oíche dho chonaic sé an solas agus chuaigh sé ag triall ar an solas. Bhuail sé age'n doras agus do ligeag isteach é, agus bhí fear aosta ina shuí age'n tine agus cailín óg a dh'oscail an doras do.

"Go raibh maith agat a chailín óig," arsa sé leis an gcailín.

"Ó ní hí a chuigin," arsa sé, "shiní mo bheansa," arsaigh an fear aosta.

Nuair a chuimhnigh sé ar fhéin ansan dúirt an duine uasal é a chuir ina chodladh ina leithéid seo do sheamra agus dúirt sí sin é a chuir ina chodladh ina leithéid siúd do sheamra. Agus *be gor*, nuair a chuaigh sé dtí an seamra chuimhnigh sé ar an gcomhairle agus chuaigh sé amach sa bhfuinnóg.

Agus bhíodh stálacha déanta, a mbíodh cocaí déanta in airde orthu: chuaigh sé isteach fén stáil agus bhí sé ansan … é go sámh do fhéin an oíche seo nuair a tháinig an bhean óg agus an fear óg agus bhuaileadar a ndrom sa choca.

"Anocht an t-am chun é a mharú anois," arsaigh an cailín óg. "Thá stranséar sa tigh agus gheobhafar an milleán a chuir ar maidin air."

Chuir sé a láimh amach agus sháigh ina phóca fé dhéin an scian agus ghearraigh sé ionad cnaipe as an gcasóig mhór a bhí ar an mbuachaill óg, agus chuir sé chuige ina phóca é.

Agus ar maidin nuair a tháinig an dónaing air bhog sé chun bóthair, agus is gairid a chuaigh sé nuair a tháinig an oíche air. Bhí triúrar fear ag teacht ó thigh an ósta agus iad ar meisce, agus dh'fhiarthaíodar de cá raibh sé ag dul. 'Nis sé dhóibh. Dúiríodar leis teacht leothu fhéin anois is go ndéanfadh sé trí mhíle cóngair. Chuimhnigh sé ar an trígiú comhairle … an ceathrú comhairle (sic). Ní raghadh sé leothu.

Agus ag ól peannta pórtair a bhí sé 'dtigh an ósta dar ná mháireach nuair a dh'airigh sé gur mharaíog ceann den triúrar sa chóngar.

Nuair a chuaigh sé ... dh'imigh sé ansan nuair a bhí a dhinnéar ite aige agus chuaigh ... thriall sé ar an mbaile. Agus nuair thriall sé siar ... Cuan Choscartha bhuail sé ar an doras, agus an mac ba shine a bhí aige 'air a bhí sé ag fágaint, sé a dh'oscail an doras do. Agus nuair a chonaic sé é agus féasóg air tháinig éad air: shíl sé gur fear éigint eile a bhí i bhfochair na mná agus thóg sé an bata chun é a bhualadh leis an mbata agus chuimhnigh sé ar an trígiú comhairle.

Shocraíog suas an tsoitheach agus nuair a dh'osclaíog an cáca ar an mbord bhí pá sheacht bliana istigh sa cháca agus a beannacht, agus ... a beannacht agus dh'fhan sé ansan go ... dh'fhan sé ansan go ghlaoigh Dia air. Agus shiné mo scéalsa is má thá bréag ann bíodh.

[ÚP, ar théip, deireadh na gcaogaidí: Cn.ÚP, Coláiste na Rinne]

E. SEANASCÉALTA MAR GHEALL AR BHRÉAGA

1. Rí na mBréag

Bhí rí fadó sa Domhan Toir agus ní raibh aige ach aon iníon amháin agus ní raibh einne chun an iníon a phósadh ach pé duine a bhuafadh ar féin le bréaga. Agus bhí dhá sparra dhéag age taobh ismu' dhe dhoras ti' na cúirte agus bhí ceann fir ar gach aon sparra ach ar aon cheann amháin. Nuair a chualaigh mac na baintrí sa mBaile Íochtarach an cúrsa dúirt sé lena mháthair go raghadh sé fé dhéin iníon Rí na mBréag anois.

Agus chuaigh. Agus ní raibh aon rud age'n a mháthair le tabhairt do ach sé ghráinne póire nuair a bhí sé ag imeacht. Chuaigh sé síos ar an dtráigh agus fuair sé smiotán (smután?) agus bhuail sé cic ina thóin agus cic ina cheann is dhein sé long dhe. Dh'éirigh sé ar ordóig a choise deise agus thit sé istigh ar ordóig a choise chlé agus dh'imigh sé leis lúpadáin lapadáin, éisce, róinte, míolta móra na farraige ag teacht thar bhusa is thar bhasa agus ar bhasa na mbataí rámha, gur bhuail sé isteach fé bhun cúirt Rí na mBréag sa Domhan Thoir.

Ní raibh einne ina shuí roimhe ach an buitléir agus chuir sé na tuartha fáilte roimhe. Dúirt sé leis teacht isteach agus suí age'n tine go n-éireodh Rí na mBréag. Agus chuaigh. Agus nuair a dh'éirigh an Rí dh'itheadar a mbrioceast agus chuadar amach ag féachaint ar an ngairdín gabáiste a bhí aige.

"*Well,* a Sheáin," arsaigh an Rí, "shin é an gabáiste is breátha insa domhan go léir. Tá duine as gach aon áit th'réis é a dh'fheiscint agus dúirt gach einne gurb é gabáiste ba bhreátha a chonaicíodar riamh é."

"N'fheacaíodar mo chuidse a Rí Onóraigh," a dúirt Seán. "Tá gairdín gabáiste sa mbaile age'm mháthairse agus nuair a bhíonn tor de le gearradh anuas aici di féin ná dos na comharsain téann sí go dtí an mbaile mór agus tagann beirt agus sá [acu] ar maidin Dé Luain le héirí na gréine agus 'air a bhíonn an ghrian ag dul síos istoíche Dé Sathairn deir ceann acu leis an gceann eile:

"Tabhair aireachas duit ar eagla go dtitfeadh an tor ort.

"Tá sé ina sheó a Sheáin, a mhic na baintrí," a dúirt an Rí, "nach siúil leat," arsa sé, "go bhfeicfidh tú gairdín úll athá agam – abhloird úll athá agam."

Chuaigh.

"Sidiad na húlla is breátha sa domhan," a Sheáin," a dúirt an Rí.

"Ó, ní hiad a Rí Onóraigh," a dúirt Seán. "Tá gairdín úll sa mbaile agem' mháthairse agus nuair a bhíonn na húlla móra pioctha sa samhradh titeann an tara saghas anuas ar an talamh, agus nuair a bhíonn an taobh a bhíonn ar an dtalamh dreoite tagann feirmeoirí le drae shleamhnáin fé dhéin ceann an duine dhíobh chun bheith ag cimeád uisce dos na beithígh sa talamh sa samhradh."

"Tá buaite ar fad ages na húlla móra san a Sheáin," arsaigh an Rí.

Thug sé leis é ag féachaint ar an crucóga beach a bhí aige ansan é agus dúirt sé leis go b'in iad na beacha ba dheise a bhí sa domhan.

"*Well*, thá siad go deas a Rí Onóraigh," a dúirt Seán, "ach bhí mise ag dul isteach in gairdín mo mháthar an lá fé dheireadh agus dh'éirigh na beacha go léir agus bhíodar ag imeacht ar fuaid an gháirdín agus bhraith mé go raibh máthair ál imithe astu agus chuir mé púic orm féin, a Rí Onóraigh," arsa sé, "agus dh'airigh mé ag scríogarnaíl í laistigh thall i ngairdín Rí na Fraince. Agus dh'imigh mé liom lupadáin lapadáin, éisce, róinte, míolta móra na farraige ag teacht thar bhusa is thar bhasa is ar bhasa na maidí rámha, gur bhuail mé isteach fé bhun cúirt Rí na Fraince. Cheangail mé mo smután agus dh'imigh mé liom suas an tsráid, a Rí Onóraigh, agus bhí spreallaire d'fhear caol ard ag góilt anuas im choinne agus dh'fhiarthaigh mé dhe cá raibh gairdín Rí na Fraince anso. Agus níor thug sé aon fhreagra orm. Bhuail mé le cúl baise fé chorrán an ghéill é, a Rí Onóraigh," arsa sé, "agus nuair a dh'fhéach mé thimpeall orm féin, féachaint cá raibh sé, bhí sé mar scamall dubh san aer as mo chionn in airde. [Chuaigh mé isteach sa ngairdín, a Rí Onóraigh," arsa sé, " agus] seacht dtonna meáchant a bhí aici," a Rí Onóraigh, agus chuir mé síos i bpócá mo chasóg mhóir í. Agus nuair a bhí mé ag góilt anuas an tsráid bhí náire orm as coinne na ndaoine nuair a bhí leathaobh orm. Agus chuaigh mé isteach in geárd seana-iarnaí agus cheannaigh mé seacht dtonna iarainn a chuirfinn sa phóca a chumhadfadh díreach mé.

Tháinig mé anuas dtí mo smután agus scaoil mé í agus dh'imigh mé liom lupadáin lapadáin, éisce, róinte, míolta móra le hagha' ceol na farraige ag teacht thar busa agus thar basa, is ar bhasa na mbataí rámha, gur bhuail sé isteach go dtí an mBaile Íochtarach. Agus nuair a chonaic sí ag teacht mé bhuail sí amuigh tamall sa bhfarraige. Chuimhnigh mé ar mhuintir m'athar agus thug mé léim as mo chabhail agus chuaigh mé isteach ar an tráigh. Ceann an mheáchtain a bheith orm chuaigh mé síos 'dtím' dhá ghlúin sa ngainimh. Nuair a tháinig mé aníos as san chuaigh mé isteach ar an talamh. Fuair mé trí fichid baraille cruithneachta buailte cáite ar lár na páirce agus dúirt mé liom féin go raibh daoine bochta go leor thimpeall ar mo mháthair sa mbaile go dtabharfadh sí dhóibh é 'á mbeadh aon rud agam a chuirfinn ann é. Dh'airigh mé rud éigin siar fém oscail a Rí Onóraigh agus chuir mé mo lámh siar fém oscail agus fuair mé deanathairt agus bhuail mé scor de scian ina éadan agus ghearraigh mé an croiceann amach di. Agus chuir mé na trí fichid baraille cruithneachta buailte cáite isteach insa croiceann agus bhuail mé in airde ar mo ghualainn é i bhfochair na ceithre thonna déag meáchaint. Bhí mé ag imeacht suas an talamh, a Rí Onóraigh agus sheasaigh madra rua orm ag góilt anuas im choinne agus a theanga amuigh aige. Agus dúirt mé liom féin aon bhuachaill a bhí chomh maith liom gurbh é an feall a bheith ag féachaint ar a leithéid de rud salach ag seasamh orm. Lean mé é agus nuair a bhí sé ag dul thar an gclaí, a Rí Onóraigh, thug mé féig buille chic [a thabhairt] do agus chaith sé leitir amach as a bhéal, agus séard a bhí sa leitir ach go bhfaighinn t'iníon agus leath do ríochta agus do ríocht go léir ó lá do bháis amach."

"Gheobhaidh tú san agus fáilthe a Sheáin a mhic na baintrí ó Éire ach chaithfidh mo bhuitléir dul anonn chun go bhfeicfeadh sé an áit athá agaibh."

"Ó, thá fáilte roimhe," a dúirt Seán.

Ní raibh einne age Seán ach a mháthair agus a uncail agus bhíodh an t-uncail ag briseadh cloch ar an mbóthar gach aon lá agus ag teacht abhaile go dtí an mháthair gach aon oíche. Tháinig an buitléir i leith go bhfeiceadh sé an áit a bhí age Seán agus nuair a bhí Seán agus an t'uncail agus an mháthair ag ithe a ndinnéir bhí sciath ar bhéal chorcáin agus prátaí in airde uirthi agus cloch agus tocht mar shuíochán agus peidhre gabhar ina seasamh ag féachaint orthu agus bodhrán leagtha age tóin gach aon ghabhair. Agus shuigh an buitléir ar chloich go rabhadar réidh, agus nuair a bhí Seán réidh lena dhinnéar, chuaigh sé amach go dtí an doras agus dhein sé a mhún ar a lámha agus nigh sé iad agus dh'imigh sé dtí stáca tuí eorna a bhí as coinne an doiris agus tharraing sé *bundle* amach as an stáca. Thiormaigh sé a dhá láimh léi.

Chuaigh an buitléir abhaile go dtí an Rí. Dh'fhiarthaigh an Rí dhe dén saghas áite é, a bhí age Seán.

"*Well*," arsa sé, "an bord a raibh Seán ag ithe a dhinnéir," arsa sé, "ní bhfaighfeá ar ór ná ar airgead le ceannach é; agus an ceol a bhíodar ag imirt faid a bhíodar ag ithe a ndinnéir ní airigh tú a leithéid riamh; agus an pampa a nigh sé a dhá láimh leis nuair a bhí a dhinnéar ite age ní cheannódh ar bhain leat é; agus an tuaille ar thiormaigh sé a dhá láimh leis níl sé á dhíol in aon siopa in Éire ná in Sasana."

Phósag Seán agus iníon an Rí agus bhí páistí ina ndosaení acu agus dhíoladar ina gciseáin iad. Sin é mo scéalsa is má bréag ann bíodh.

[NB, le hEdifón, 1934: CBÉ 150:50-62].

F. SCÉALTA SLABHRA

1. An Cat is an Luch

Bhí an cat is an luch lá ag súgradh thimpeall stáca agus sciob an cat an t-eireaball den luch.

"A chaitín, a chaitín," arsaigh an luch, "trom m'eireabaillín."

"Tabharfaidh mé," arsaigh an cat, "nuair a raghaidh tú dtí an mbó fé dhéin braon dom."

"A bhó, a bhó," arsaigh an luch, "trom braon, a thabharfaidh mé dtí an chaitín go dtabharfaidh an caitín m'eireabaillín dom."

"Tabharfaidh mé," arsaigh an bhó, "nuair a raghaidh tú dtí an scioból fé dhéin sop dom."

"A scioból, a scioból, trom sop a thabharfaidh mé dtí an mbó, go dtabharfaidh an bhó braon dom a thabharfaidh mé dtí an caitín, go dtabharfaidh an caitín m'eireabaillín dom."

"Tabharfaidh mé," arsaigh an scioból, "má théann tú dtí an ngabha fé dhéin glas dom."

"A ghabha, a ghabha, trom glas, go dtabharfaidh mé an glas don scioból, go dtabharfaidh an scioból sop dom a thabharfaidh mé don mbó, go dtabharfaidh an bhó braon dom a thabharfaidh mé don gcaitín, go dtabharfaidh an caitín m'eireabaillín dom."

"Tabharfaidh mé," arsaigh an gabha, "má théann tú dtí an siopa fé dhéin eochair dom."

"A shiopa, a shiopa, tabhair dom eochair a thabharfaidh mé dtí an gabha, go dtabharfaidh an gabha glas dom a thabharfaidh mé don scioból, go dtabharfaidh an scioból sop dom a thabharfaidh mé don mbó, go dtabharfaidh an bhó braon dom a thabharfaidh mé don gcaitín, go dtabharfaidh an caitín m'eireabaillín dom."

Nuair a tháinig sí thar n-ais agus gach aon ní faighte aici dho ...

"Íosfaidh mé in aon ghreim amháin tú," arsa sé.

Dh'ith sé siar in aon ghreim amháin í.

[SÓD, gan Edifón, D. Fómhair 1945: CBÉ 978:75-6.]

H. DIAGASÚLACHT AGUS TEAGASC

5. Herod agus an Leanbh Íosa

Le linn an Mhaighdean Mhuire a bheith ina cailín óg cheapag dlí go gcaithfeadh gach bean pósadh. Agus níor theastaigh ón Maighdean Mhuire pósadh ar ao'chor agus dh'iarr sí mar achainí ansan gan í a phósadh le haon fhear ach an fear a dh'fhreagródh trí cheist trí oíche as dia' a chéile a chuirfeadh sí amach sa teampall. Agus fuair sí an achainí sin. Chuaigh sí go dtí an teampall trí oíche agus chuir sí an cheist amach an chéad oíche agus an tara oíche, agus ní dh'fhreagair einne an cheist. Bhí Naomh Joseph ina phrintíseach siúnéara agus nuair a dh'airigh sé an cúrsa dúirt sé go raghadh sé fhéin an trígiú oíche go dtí an teampall. Agus fuair sé slat tuigithe agus dh'imigh sé leis, agus nuair a chuaigh sé isteach sa teampall shuigh sé ar an suíochán agus bhí an Mhaighdean Mhuire in airde ar an *ngallery*. Dh'éirigh sí ina seasamh agus chuir sí an cheist:

"'Dí an mhaisiúlacht is mó in bhean?" a chuir sí amach. Agus dh'éirigh Naomh Joseph ina sheasamh agus dh'fhreagair sé í agus dúirt sé gob é an mhaighdeansúlacht.

Cúpalálag í fhéin agus Naomh Joseph ansan agus nuair a thúrlaing an Leanbh Íosa ina broinn tháinig formad ar Naomh Joseph. Agus bhí Naomh Seán i bhfad ag góilt do chun a chur i dtuiscint do cad a thit amach. Dh'imigh an scéal mar sin go dtí ar thriall sí go dtí *Bethlehem* le linn am an linbh a theacht agus chuaigh sí isteach insa stábailín idir an t-asal agus an bhó agus rugag an Tiarna Oíche Nollag idir an bhó agus an t-asal sa stábla i *mBethlehem* i *Jerusalem*.

Nuair a dh'airigh Rí Herod – ba dh'é an rí ba mhó a bhí ar an domhan ar an am san é – nuair a dh'airigh sé go raibh a leithéid ar an saol bhí sé mar dhlí aige gach aon leanbh mic a thiocfadh ar an saol a chur chun báis. Agus nuair a dh'airigh sé go raibh a leithéid ann chuaigh sé fhéin agus a chamtha féna dhéin ach ní bhfaigheadh sé a dhéanadh amach cá raibh sé.

Bhí triúrar ag dul á dh'onóradh ansan le mil, túis agus ór agus casag le Herod iad agus dúirt sé leothu, má b'fhíor a leithéid sin de scéal, nuair a bheidís ag casadh é a nisint do má bhí sé fírinneach. Tháinig réilthín as cheann an stábla in airde chun comhartha a dhéanadh dhóibh cá raibh sé agus thrialladar ar an réilthín. Agus bhí sé ansan rompu agus dheineadar an bronntachas a thabhairt do – mil, túis agus ór. Nuair a bhíodar ag casadh dúiríodar le Herod go mb'fhíor é. Dhein bóthar thríd an bhfarraige dhóibh agus nuair a dh'fhágadar Herod t'réis an scéal a thabhairt do chuaigh Herod féna dhéin go dtí an stábailín. Agus líon an spéir suas de réilthíní sa tslí ná feadair sé cá raibh an réilthín cheart, agus dhún an fharraige isteach ón dhá thaobh air – air fhéin agus ar a chamtha. Agus shin é cúrsaí báis a bhí age Herod agus age'na chamtha.

Dh'airigh mé é sin age Seán Ó Muiríosa aríst.

[SÓD, le hEdifón, Samhain 1945: CBÉ 978:235-37]

6. Naomh Peadar agus An Tiarna

Bhíodh an Tiarna cráite age Peadar – ní réadh … ní réadh a … ní réidís lena chéile chuigint agus gach aon rud a dhéarfadh an Tiarna ní bhíodh Peadar sásta. Nach bhíodar an lá so ag siúl cois trá agus ghoibh an t-árthach … amuigh. Thóg an Tiarna in airde a lámh is bháigh sé í.

"Dé chúis a bháigh tú an long, a Thiarna," arsaigh Peadair.

"Ó, arsa sé, "bhí einne amháin ar bord uirthi a chealg an croí agam."

"*Well,* ní raibh sé ceart agat í a bhá mar gheall ar einne amháin," arsaigh an Tiarna … arsaigh Peadair.

"Ná bac do san," arsaigh an Tiarna.

Dh'imíodar leo agus i gceann tamall anonn chuaigh an Tiarna dtí port na habhann agus fuair sé nead beach – mil is eile – agus shín sé chun Peadair iad.

"Cimeád iad san a Pheadair," arsa sé, "go mbeidh siad uam."

Nuair ab am leis an Tiarna iompó chun na beacha a dh'fháil dh'iompaigh sé siar ar Pheadair.

"Thorm iad san a Pheadair," arsaigh an Tiarna.

Dh'oscail Peadair a lámh is bhí na beacha go léir marbh aige.

"Dé chúis a mharaigh tú na beacha a Pheadair?" arsaigh an Tiarna.

"Chuir ceann acu cealg ionam," arsa sé, "is dh'fháisc mé mo lámh is mharaigh mé iad go léir.

"Ná dh'fhiarthaigh tú dhíomsa ó chiana," arsaigh an Tiarna, "dé chúis a bháigh mé an long mar gheall ar einne amháin.

Dh'imíodar leo agus bhí cosán cóngair ag teacht ón tráigh isteach sa talamh agus trí tistiún a bhí age'n Tiarna. Nuair a bhí sé ag dul an cosán cóngair cad a bhí ag teacht ina choinne nach fear bocht is dh'iarr sé cabhair air. Thug sé tistiún do. Agus an tara duine a chasag air ná bithiúnach. Thug sé tistiún eile dho.

"*Well,* Dia lem anam!" arsa Peadair. "Ná raibh fhios agat anois gur bithiúnach é sin agus thug tú cabhair do."

"Ná bac do san," arsaigh an Tiarna.

"Dh'imíodar leo. Is gairid a chuadar nuair a chasag fear bocht orthu lán de ghiobail agus dealradh an bháis air is dh'iarr sé cabhair ar an Tiarna is níor thug an Tiarna dada dho.

"*Well,* thá buaite agat," arsa Peadair. "Thug tú cabhair don mbithiúnach ó chiana is níor thug tú dada don bhfear bocht san ag seasamh leat athá lán do mhí-ádh is é ag fáil bháis."

"Ná bac do san go mbeimid ag casadh," arsaigh an Tiarna.

Nuair a bhíodar ag casadh bhí an fear bocht t'réis bháis i leathais loch mhór a bhí ann.

"Sea, cuardaigh anois é," arsaigh an Tiarna.

Chuardaigh Peadair é. Bhí airgead in … giobal a bhí i … ceangailthe istigh aige.

"Sea anois," arsaigh an Tiarna. "Caith a bhfuil aige anois," arsa sé, "amach sa loch, mar ..." arsa sé.

Dh'imigh Peadair agus chaith sé an t-ór … an t-airgead isteach sa loch is choinnigh sé an t-ór.

"Mhuis, ar ndó'," arsaigh Peadair, "bheadh beagáinín den airgead uainn ag góil tríd an tír."

"Beidh a rian ort," arsa sé, "agus a dtiocfaidh id dhiaidh. Agus shin é an chúis a bhfuil beart na sainte ar na sagairt ó shoin."

[ÚP, ar théip, deireadh na gcaogaidí: Cn.ÚP, Coláiste na Rinne]

7. An Mac Scaipitheach

Bhí fear ann agus bhí beirt mhac aige agus dúirt an mac ab óige acu lena athair:

"A athair, torm an méid atá ag teacht chugham ded chuid."

Agus do roinn sé a chuid eatarthu, agus tar éis beagán laethanta do bhailigh an mac ab óige chuige a chuid go léir agus dh'imigh sé go dúthaigh i bhfad ó bhaile. Agus do scaip sé a chuid le drochiompar agus le ragairne.

Agus nuair a bhí gach aon rud caite aige tháinig gorta ana-dhian sa tír sin agus do thosnaigh sé ar bheith in uireasa. Agus dh'imigh sé agus shocraigh sé le duine de mhuintir na tíre sin, agus do chuir seisean amach é chun a chuid talún ag cothú muc. Agus ba mhaith leis a bholg a líonadh leis na féithleoga a itheadh na muca agus ní thabharfadh einne dho iad.

Agus do mharanaigh sé ina aigne agus dúirt sé:

"Féach a bhfuil de lucht tuarastal a thuilleamh i dtigh m'athar agus a ndóthain aráin acu agus mise anso ag fáil bháis den ghorta. Éireod agus raghad ag triall ar m'athair agus déarfad leis: 'A athair, tá peaca déanta agam in aghaidh neamh agus id láthairse. Ní fiú mé feasta go ndéarfá gur mac dhuit mé. Lig dom a bheith mar dhuine dhed lucht tuarastal a thuilleamh.'"

Agus dh'éirigh sé agus tháinig sé fé dhéin a athar. Agus nuair a bhí sé i bhfad uaidh do chonaic an t'athair é agus tháinig ana-thrua aige dho agus rioth sé chuige agus chaith sé é féin ar a bhráid agus do phóg sé é.

Agus dúirt an mac leis:

"A athair, tá peaca déanta agam in aghaidh neamh agus id láthairse. Ní fiú mé feasta go ndéarfaí gur mac dhuit mé."

Agus dúirt an t-athair lena chuid seirbhíseach:

"Brostaígí[15] agus tuigí amach an chulaith éadaigh is fearr agus cuirigí[16] uimig é agus cuirigí fáinne ar a láimh agus bróga ar a chosa. Agus tuigí libh an ghamhain ramhar agus maraígí é agus ithimís agus bímís súgach. Ó bhí an mac so liom marbh agus tá sé beo arís, do chailleag é agus do fuaireag é."

Ach bhí an mac ba shine aige amuigh sa pháirc agus bhí sé ag teacht chun an tí agus dh'airigh sé an ceol agus an rince. Agus ghlaoigh sé ar dhuine des na seirbhísigh agus dh'fhiarthaigh sé dhe dé rud é seo a bhí ar siúl. Agus dúirt seisean:

"Tháinig do dhritheáir agus do mhairbh t'athair an gamhain ramhar de [dheasca] é theacht slán chuige."

Agus tháinig fearg air agus ní raghadh sé isteach. Ansan tháinig an t-athair amach agus chuaigh sé in achainí air. Agus dúirt seisean lena athair á fhreagradh:

"Féach, táimse ag obair duit na blianta so go léir agus níor dhiúltaíos riamh d'aon rud a dhéanamh dhuit agus níor thugais riamh dom oiread le mionnán chun greann a dhéanamh lem chairde. Ach an mac so leat, chomh luath agus a tháinig sé tar éis a chuid do chaitheamh le striapaigh mharaís an gamhain ramhar dho. Ach dúirt seisean leis:

"A mhic, táirse im fhochair i gcónaí agus is leat a bhfuil agam. Ach ba cheart greann agus sult a dhéanamh ó bhí do dhritheáir anura' marbh agus tá sé beo arís. Bhí sé caillte agus do fuaireag é."

[NB, gan Edifón, 1932: CBÉ 86:1-4].

11. Dia leat a Linbh

Bhíodh fear bocht fadó ann is bhí bó is capall … bhí bó is leanbh aige agus thit an leanbh is an capall tinn. Agus chuaigh sé dtí bean an fheasa ansan agus dh'fhiarthaigh bean an fheasa dhe cé acu ab fhearr leis a mhaireachtain, agus dúirt sé go mb'fhearr leis an gcapall (sic).

"*Well*, más ea," arsa sí, "beidh sé ag fáil faothamh anocht agena dá bhuille dhéag agus ná habraíodh einne agaibh 'Dia linn'. Déanfaidh sé trí shraoth fé a bhfaighidh sé bás."

15. Ls. *brostuidhí*
16. Ls. *cuiridhí*

Bhí an leasmháthair agus a mhá … bhí a mháthair curtha agus bhí a leasmháthair agus an t-athair as a cheann in airde agus dhein sé sraoth ach ní dúirt einne 'Dia linn'. Dhein sé an tara sraoth agus ní dúirt einne 'Dia linn'. Dhein sé an trígiú sraoth:

"Dia leat a linbh," arsaigh an leasmháthair. "Dia leat is Muire, agus 'á mairfeadh do mháthair dhéarfadh sí 'Dia leat is fiche'."

[ÚP, ar théip, deireadh na gcaogaidí: Cn.ÚP, Coláiste na Rinne]

M. AMHRÁIN A CHUM FILÍ ÁITIÚLA

1. Amhráin Chaitlín Shíomóin

(i) "Thíos age Leacain na Gréine."

Triúntaí bocht mná a bhí fé Ghearlaltach i Leacain na Gréine i bParóiste na Claise Móire fadó. Dúirt sí:

"Thíos age Leacain na Gréine," arsa sí,
"Casag mé fhéin lá buaint,
Ag síor-ghearradh choirce gan éifeacht –
Cailleag leis saothar mór.

Bhí fearaibh is capaill ar saothar
Á chaitheamh fén chré go luath;
Ní dhíolfadh sé sraith na mbocht fhéin dom,
'Á mbeadh sí gan glaoch nach uair.

Sé ár maighistir Tiarna na nDéise,
Is ná glacaigí fhéin aon bhuairt;
'Á mbeadh scrite againn isteach go dtí an *agent*
Bheadh leagaint le fáil go luath.

Mo thruasa an fear athá 'plé leis,
'Cur salainn is aol ina ndrom,
Clóbhar dearg is régras
Á chaitheamh ina dhé' súd ann.
Ní chothódh sé seafaid annlao dhom,
Seacht n-acra dhéag den nGleann.

Ní fiú tistiún an t-acra 'on tsaol é
'Á mbeifaí á chréithirt buan,
Is meireach paiste den chladaigh a bheith taobh leis
Chaithfeadh súd, mo léin, tabhairt suas.

Nach é Dick 'ac Gearailt an séimhfhear,
A bhfuil carthanacht Dé ina chroí.
Thá boicht an bhaile go léireach
Gach maidean ag glaoch ina ghnó,
Agus cabhair le freagairt in agha' an lae dhóibh,
Agus fanann sé fhéin dtí an bhfómhar."

[SÓD, gan Edifón, Samhain 1945: CBÉ 978:201-4]

3A. An Cat Fireann Bán (i)

Sí an Bhean Chaoch a mharaigh é a dúirt an 'tSeanaláir',
Mar gheall ar an lacha ná raibh nach dhá lá,
Nach thabharfainnse scilling di in áit an díobháil,
'Á ligfeadh sí abhaile mo chat fireann bán.

Sásar breá bainne gach maidean ina chomhair,
Nó idir siúd is an t-eadra an súp is an fheoil,
An ciotal ar stealladh seacht n-uaire sa ló,
Is ní bhfaighead faid is mhairfead aon chat eile dh'á shórt.

Pé duine a chaith leis fuair seans ar é lámhach,
Guím faid is mhairfidh sé neart ina láimh,
Mara beidh againn lachain is uíbhe ina gciseáin,
Ó chuireag thar farraige an cat fireann bán.

'Á bhfaigheadh sí siúd marbh é ní bheadh uirthi aon chás,
Bhainfeadh an croiceann de chun é a shábháil,
A chuirfeadh ar salann é cúpla lá,
Agus dhéanfadh ar chantacht di *gloves* chun bacsáil.

Nín aon Domhnach dá dtagadh ná bíodh sí 'máirseáil,
Ina seasamh ar an strapa is í 'fógairt bacsáil,
Nach anois gheobhaidh an baile beag tamall síocháin,
Ó leagag ar a mala aici mac an bhleaigeaird.

Beidh Máire sa mBearraic is Bid ag gordáil,
Agus Norry sa mbaile acu ag faire an cliabháin.

[WD, ar chéirnín, 1928: Uimh. Thag. CBÉ T0667]

3B. An Cat Fireann Bán (ii)

Sí an Bhean Chaoch a mharaigh é a dúirt an 'tSeanaláir',
Mar gheall ar an lacha ná raibh nach dhá lá,
Nach thabharfainnse scilling in áit an díobháil,
'Á ligfeadh sí abhaile mo chat fireann bán.

Sásar breá bainne gach maidean ina chomhair,
Nó idir siúd is an t-eadra an súp is an fheoil,
An ciotal ar stealladh seacht n-uaire sa ló,
Is ní bhfaighead faid a mhairfead aon chat eile dhá shórt.

Dá dtabharfaidís bainne don rógaire bán,
Do dh'fhanfadh sa mbaile acu 'faire an tinteáin,
Ach anois athá mairg is osna ina lár,
Ó léag ar a mbeatha de dheasca an chait bháin.

Pé duine a chaith leis nó fuair seans ar é lámhach,
Guím faid is mhairfidh sé neart ina láimh,
Mara beidh againn lachain is uí ina gciseáin,
Ó chuireag thar farraige an cat fireann bán.

'Á bhfaigheadh sí siúd marbh é ní bheadh uirthi aon chás,
Bhainfeadh an croiceann de chun é a shábháil,
A chuirfeadh ar salann é cúpla lá,
Agus dhéanfadh ar chantacht di *gloves* chún bacsáil.

Nín aon Domhnach dá dtagadh ná bíodh sí 'máirseáil,
Ina seasamh ar an strapa is í 'fógairt bacsáil,
Ach anois gheobhaidh an baile beag tamall síocháin,
Ó leagag ar a mala aici mac an bhleaigeaird.

Máiréad Néill a bhí in Heilbhic a dhein é seo. Bhí líne lachan aici, lachain óga, agus mharaigh an cat a bhí age'n a comharsa i mbéal an doiris, mharaigh sé na lachain óga agus dh'éiríodar chun a chéile mar gheall ar na lachain sa tslí gur bhuaileadar a chéile. Agus sé an ainm a thugadh Máiréad Néill ar Mháire Ní Laochdha, nach an tSeanaláir, agus sé an ainm a thugadh Máire Ní Laochdha ar Mháiréad Néill nach An Bhean Chaoch. Dhein Máiréad Néill an t-amhrán ansan.

[CÓD, (ar chéirnín) 1948: Uimh. Thag. C.B.E. 0498].

N. AMHRÁIN AGUS DÁNTA ÉAGSÚLA

4. An Té a Chífeadh an tIontas

Cé chífeadh an t-iontas a chonnacaíos an lá úd,
Eochaill ar chóiste is é ag dul go Cúige Uladh,
Ard Mhóir cé gur mór é ag dul suas chun na Cuirce.
Agus m'anamsa on dioduró, dindín ó déaró,
Mh'anamsa on dioduró a bhodaigh táim réidh leat.

Cé chífeadh an t-iontas a chonnacaíos-sa an lá úd,
Cnoc Maol Donn is é istigh ar bord árthaigh,
Is Baile na Sagart ag ól a shláinte,
Agus m'anamsa on dioduró, dindín ó déaró,
Mh'anamsa on dioduró a bhodaigh táim réidh leat.

Cé chífeadh an t-iontas a chonnacaíos-sa an lá úd,
Eilit ag ceangal is eilit ag cáitheadh'
Dhá eilit déag ag déanadh stácadh,
Dreoilín is píce aige á chaitheamh in airde'
Agus m'anamsa on dioduró, dindín ó déaró,
Mh'anamsa on dioduró a bhodaigh táim réidh leat.

Chonnacaíos-sa an fharraige curtha fé shíolta,
Sléibhte Dubha Albain ag imeacht ar fuaid tíortha,
Agus m'anamsa on dioduró, dindín ó déaró,
Mh'anamsa on dioduró a bhodaigh táim réidh leat.

Fear é seo a bhí sa phríosún agus bhí sé le ligin amach má dhéanfadh sé amhrán ná beadh aon fhocal den bhfírinne ann. Agus sin é an méid bonntáiste a fuaireadar air go raibh an fharraige curtha fé shíolta agus Sléibhte Dubha Albain ag imeacht ar fuaid tíortha. Bhí gual Albain ag imeacht ar fuaid tíortha agus bhí an fharraige fé shíolta éisc.

[SÓD, le hEdifón, M. Fómhair 1945: CBÉ 977:467-68].

5. An Scúnaer

Éireoidh mise ar maidin agus raghad go Carraig Áilis;
Chífidh mé an scúnaer a' túrnáil na bá isteach;
Barra crainn ag lúbadh is í ag úmhlú don ngála;
An seanabheist go súgach agus gan feoithne age fear mála.

A Thráiléirí m'anama mo mhairg gach lá sibh;
Cad déanfaidh sibh feasta sé an *poorhouse* athá i ndán díbh;
Ní bheidh fiú an braon báin-té géar (?) agaibh ná té in cupáin bhána;
Thá criú na mbád mhaola go haerach ti' Sheáin thall.

[NB, le hEdifón, 19/4/34: CBÉ 150:451].

6. Eachtra Eamoinn de bhFál

Tá sé scrite síos, an méid sin d'aois Chríost, míle agus seacht gcéad agus fadó de bhlianta ar an seachtú lá déag de mhí an Aibreáin, Eachtra Éamoinn de bhFál agus é lá ag teacht ó Chorca t'réis adhlacan a mhná agus é go cráite cortha; bean a chuir amach san oíche agus osna Eamoinn uirthi.

Deimhnímse dhíbhse a dhaoine,
An t-íospairt seo Liam Ó Cairteáin,
Go brách ná ligfear do suí
Dar na bhfiodán.

Ach gura míle measa dhon stróinse
A bhí ina suí cois na ndoirse,
Is dúirt go dána
Ná raibh aon ní aici dhomhsa.

"Dh'éiríos féin im sheasamh," arsa Éamonn,
"Agus labharaíos go tláth léi,
Agus dúraíos léi go rabhas cortha cráite,
Mar gur tháiníos an lá san
Ar chois in airde ó Chorca."

"Pé acu Corca nó Cionn tSáile
Do dh'fhágais a bhodaigh,
Shin é amuigh ti' tábhairne,[17]
Is téir go lá ann is codail."

"Dh'éiríos fhéin im sheasamh,
Agus labharaíos go tláth léi;
Dúríos léi ná raibh puinn agam,
Agus nár chara dom bean an tábhairne."

"Airgead mara bhfuil id phóca
A stróinse ná bí ar cásamh,
Buail an bóthar is fág mé."

"A stróinse cé bheir orm?
A chaille[18] goirgeach a chaille aosta,
Agus meireach méid mo chaithí
Do lascfainn ar a thaobh tú."

"An gcloiseann tú a chompánaigh'
Nó bhfuil tú á láráil led chéile,
Ag éisteacht leis an mbodach so,
Á rá go lascfadh sé ar a thaobh mé?"

"Meireach dona is duais ormsa," arsaigh an compánach,
"Agus eagla mo stubstainte
Gheobhainn dhem seana-bhróga salacha
San mbodach ag caint leat."

"B'fhuiris sin a dhéanadh leamsa," arsa Éamonn,
"Mar thá mé go hocrach i ngéarbhroid,
Go thug mo ghnó go Corca mé
Gan chostas gan chéile."

"Do chéile má fuair bás,
Ní fearr í bheith ina beatha,
Mar thá cuileachta mhaith ar an áit seo,
Agus ní fearr sibhse bheith ina mbarra."

17. Ls. *mo ti' tábhairne*
18. Ls. *chailleav*

"Sí an chuileachta mhaith ab fhearr leamsa," arsaigh Éamonn,
"Mar níor thaithíos riamh a haithreachas,
Nach féile mhaith is fáilte."

"Bhí aithne againn ar an mbuíon sin
Ó bhíomar i dtúis na hóige,
N'fheacaíomair agus nílid
Einne agaibse ar fónamh."

"Bheith ar fónamh níor dhual duit,
A stróchailleach gan eolas,
A lúrapóig na luaithe
A scaoil tharat uaisle na Fódla."

Tháinig Sadhb, Meidhbh agus Móirín,
Triúrar clainne na drochmhná,
A chuirfeadh an bhláthach insa chomhra.
Agus sé a dúirt iníon an mhúdair[19] ach,
"Bí súgach agus ól deoch."

"Eascainí an Phápa oraibh," ar sé,
"Agus gráin-cháin ar úr gcantal,
Agus gur míle measa dhom chomh-scoláire,
Sé nár lig aithne i dtráth chughamsa.
Mara mbeadh oiread eile droch-ghníomhartha déanta aige agus do bhí, níor bhaol do go neosfainnse air é."

[NB, le hEdifón, 1934: CBÉ 150:365, 367, 554]

7. Is Fada Mé ar an Saol so

Tiocfaidh an bás ar cuairt chughat leathuair bheag roimh an lá,
Agus bainfidh sé sásamh cruaidh díot in gach cuan dár bhuail tú ar mhná;
Beidh tú in seamairín uaigneach agus barailín bhán anuas ort,
Nár bhreá an rud an áithrí an uair úd don té a gheobhadh uain[20] ar í a dh'fháil.

19. Ls. *fhuadair*
20. Ls. *uam*

Is fada dhom ar an saol so gan uireasa bídh ná éadaigh,
I measc mo mhuintir fhéineach ag cleachta an chlú is á fáilt;
Bhí meas agem ghaoil is agem ghaol orm gur mheallaise led bhéal mé;
Sé teachtaire a chuirfead ina dhéidh ort ach Rí Gléigeal na nGrás.

Is a bhuachaill shuite shásta do tharla tú im shlé,
Ní smaoinigh féith im chroí ort ná osna in mo lár;
Dá dtiocthá is mé a phósadh bheadh Rí Glórmhar im láimh.

[NB, le hEdifón, 20/11/35: CBÉ 151:9-10].

9. Eachtra an Aodhaire

"Aisling gan bhréig," arsa sé, "a dh'inseod féin díbh
  Ar aislingí an duine seo:
Go raibh mé tamall dom shaol go taistiúil aerach
  Agus mé gan uireasa;
Cheap mé dom fhéineach mara bhfaighinn céile
  Go bh'fhear buile mé;
Chasag lem thaobh í gur dh'insíos[21] mo scéal,
  Agus ba léi nár mhiste san –
Chuireamair fios ar an gcléireach chun sinn a cheangal dá chéile
  Agus deirimse féin go mb'fhuiris é.
Mar is gairid a réamair i bhfoithint a chéile
  Nuair a bhíomair coiripe;
Gur dh'eirigh[22] éad agus éadtromacht céille orainn
  Mar gheall ar na nithe seo;
Cheapas dom fhéineach go raghainn ag aodhaireacht
  Síos go Muisire.
Fuair mé cleath bhreá ghréine do dh'fhás léi fhéineach
  I nGleann Loiceann thiar;
'Siúl béal Éireann an tír le chéile 'lorg aodhaireacht
  Agus gur ró-bhreá chuige mé;
Ní raibh lacha ná gé ná turcaí méith a chastaí lem chlé
  Ná tugainn an ionga dho,
Nó go leathnaigh an scéal so i mbéal na dútha gob é an t-aodhaire
  A bhí ag déanadh na slaide seo.

21. Ls. *gur innsíos*
22. Ls. *gur éirigh*

Níor chualaíos fhéin aon fhocal den scéal nó gur tháiníodar taobh liom
Go *brewery* Sheáin Uí Chonaill thuaidh.
Léiríodar go léireach in airm is in éadach go dtí Consailéir Grady
A d'iara' mutamais.[23]
Dh'fhógraíog seacht agus raol as thuairisc aon aodhaire
Go bhfeiceofaí cliub aige.
Riotheas den réim úd an Baile Gaelach, an Drochad Maol
Agus Drochad na Finnuisce;
Thug mé seachtain dem shaol go taistiúil aerach gan ag ithe ach dhá bhéile
Le neart corp dithnis;
Thug mé lá gréine ag fuirse lem léine
Is mé gan muirilte;
Agus ba dheacra í a réiteach
Ná ionad muice amach.
Bhínn go túirseach nuair a gheibhinn an diúltha agus mé 'lorg
Bheith istigh orthu;
Páistí na dútha im dhiaidh ar siúl agus 'héach a' t-amadán,'
Age gach duine acu.
Bhí mé go hocrach age Cúl Choscartha gan ag góilt costais dom
Ach naoi bpingine.
Nuair a chasag bean bhorb orm is thug sí cogar dom agus dúirt go raghadh a chodladh liom
'Á dtabharfainn gloine dhi;
Dúríos fhéin léithi go raibh bean sa mbaile agam
A raibh mórán coda aice,
Agus 'á mbeinn acainneach i gcuid ná i gcaradas
Nár mhór liom gloine dhi.
Dh'eirigh sí ina seasamh suas agus bhuail le buille bhata mé
Agus dúirt, 'bíodh san agat!'
Ar eagla na tiubaiste 'gus go mbeadh an scéal níos dona agam
Thug mé gloine dhi.
Age ti' Sheáin Uí Chaoimh sea bhuail an ríl mé
Is mé ag ól na buisire –
Chonac mé an fhaoilinn ag góil an tslí amuigh
Agus canna uisce aici;
Riotheas ina coinne gur shíl na daoine
Go bh'fhear buile mé.

23. .i. *mittimus* (téarma dlí)

Sé do labhair[24] sí leamsa ach, 'Ab é seo Muíneachán,
An buachaill soineanta?'
Thug sí síos dtí ti' beag íseal mé
A bhí lán d'imirigh;
A raibh Cáit agus Bríd agus seanabhean críonna agus garsúinín buí
A bhí cam-ioscadach.
Thug sí síos dtína cupúird mé
Agus líon sí gloine dhom,
Agus chuir sí fios síos dtí tigh Sheáin Uí Chaoimh ar phíosa chuíora
Le tabhairt le n-ithe dhom.
Thuig mé fhéin gur mhaith é in slí
Agus go raibh sí soineanta,
Agus go mbeinn arís ina háirní
Mar a bhínn roimhe seo.
Ní mar sin a bhí – ní raibh sí mí agam
Nuair a bhí sí 'suime liom;
Dá mbeadh sí bríomhar mara gheobhadh sí croí leis ba mhór é a híospairt
Ar fuaid na soipe aici –
Tháini' mé aníos agus níor chuaigh mé síos
Ó shoin dtí í."

[NB, le hEdifón, 1934: CBÉ 150:367, 369, 371, 373, 375].

10. Paróiste an tSlé'

I am a young fellow that ploughs my land in vain,
Agus cailleacha an bhaile ná tabharfadh dom bean ná spré,
I placed my affection in one that had gold in store,
Agus gheallas don ainnir go leanfainn di féin go deo.

We made up our minds with each other for to elope,
Agus thugas mo chapall i gcoinne mo mhíle stór,
I met my true lover about the appointing place,
Is í 'tarraint ar Chaiseal ag sodar i meán an lae.

'Twas then I accosted this juvenile, jovial dame,
Mo dhiallait ag cnagadh is mo chapall 'á mb'ard í a léim,
I being in a hurry I told her to mount my mare,
Sé dúirt sí: "Tháir cortha is fan socair go n-ólfam braon."

24. Ls. *lavar*

When we reached Cashel she called for a quart of ale,
Agus coirce go fairsing dom chapall is a dhóthain féir,
She opened her purse and she pulled out a note to change,
Níor dh'fhágamair Caiseal ar maidin gur bhuail sé a naoi.

Early next morning we started to meet the train,
Ar eagla an airm is go leanfadh an tóir inár ndéidh;
In Waterford City we stopped till our clothes we changed,
Bhí céad agus dachad do ghinithe buí age'n *maid.*

'Twas then we bargained with the captain to sail away,
Is dhíolas mo chapall le sagart ó Pharóiste an tSlé';
The ship was got ready, the weather got fine and fair,
Is shroiseamair caladh gan eagla bá ná baol.

When we reached London the police were on the quay,
Á rá go raibh rántas scrite sa *telegram* romhainn ó inné,
We both were detected and sent for a month to jail,
Thar n-ais aríst go Cluain Meala chun sinn do thriail.

Oh the day of our trial her mother she swore severe,
....
She said that her daughter was simple and I being a scheming rake,
Is gur bhuaileas-sa bob uirthi i ngan fhios den saol go léir.

The court were in silence the jury then were charged,
Dh'fhiarthaíodar den ainnir an raibh aon rud aici le rá,
She said I was a most loving genteel young swain,
Ná pósfadh mo mhalairt go gcuirfí í doimhin sa chré.

The barrister then read the will that her father made,
Is thug seachtain don ainnir chun an fheirm go léir a roinnt,
When I was acquitted my love I did embrace,
Agus chuas go ti' an tsagairt chun cheangal le grá mo chléibh.

When I was acquitted my love I did embrace,
Is chuas chun ti' an tsagairt chún ceangal le grá mo chléibh'
The priest he put on the knot and easily got his change,
Is mairfeam go sámh idir Charraig na Siúire is Féurd.

[LC, ar théip, 1954: Uimh. Thag. CBÉ 1274]

11. Seoladh na nGamhna

Maidin aoibhinn cois taobh an ghleanna
Is mé ag seoladh na ngamhna thríd an bhfásach,
Sea dhearc mé chugham an ógbhean chanta
'Bhí modhail, deas, banúil, nárach.
Dh'fhiosraíos fhéin go séimh den ainnir:
"Led thoil cad as a tháinís?"
"'S ag lorg na ngamhna sea dh'fhág mé an baile,
Agus ceann ní bhfaighead go lá dhíobh."

A' lorg na ngamhna 'sea chuireas mo leanbh;
Is baol liom ná feicfidh mé go lá í,
Mar bhí Traolacha roimpi ar inse an ghleanna
Agus Peadar Ó Néill i ngrá léi.
Is treibh iad siúd riamh a bhí i ndia' na mbruinneall,
Agus srian ní chuirfar go brách leo;
Má thá dlí le fáil ins an áit seo a bhfuilim
Bainfidh mé díol 'am bháb díobh.

"Thá crainnín córach i gcúinne na coille,
Agus ragham araon go lá ann;
Mar a mbeidh ceol binn na n-éan inár gcuir araon a chodladh;
Beidh duilliúr fúinn agus fásach.
Gheobham cead saor ó mhaor na coille
Féarach a thabhairt go lá dhóibh,
Is le fáinne an lae beam araon inár seasamh
A' seoladh na ngamhna thríd an bhfásach.

Mo mhallacht a bheirim do mhaoir agus do stiúrdaí na coille,
Mar 'siad a chuir chun fáin mé;
Thá m'athair bocht gan chiall as mo dhiaidh age baile,
Is a Mhuire conas a raghad ina láthair."
"A shiúirín mo chroí ná bíodh ort mairg,
Mar is cleas é a bhain dod mháthair,
Is más ag imeacht uaim atháir is a rá ná casfair
Seo póg agus barraí mo dhá lámh duit.

Mar is fíodóir óg mé aniar ó Mhala,
Buachaill canta sásta;
Chaithfinn spól go deas fén anairt,
Nó dh'fhífinn brat nó mála.
Dhéanfainn nó romhar duit i measc na bhfearaibh
Lá breá earraigh Márta;
Gheobhainn mo chéacht i ndia' na gcapall,
Agus threabhfainn iomaire báin duit.

Thá snúth agam le hÍosa fé Oíche Nollag,
Go mbeidh mé agus tú go sásta
Sa seamra is aoirde age Cúl Ó gCorra,
Is ár gcaraid ag ól ár sláinte.
Báisín Brídeach óm chroí le dochmas,
Agus buidéil fíona ón Spáinn ann,
Biotáille á roinnt le linn dul a chodladh,
Agus gheobhaimid na gamhna amáireach."

[ÚP, ar théip, deireadh na gcaogaidí: Cn.ÚP, Coláiste na Rinne]

13. An Saighdiúir

An Saighdiúir:

"Do thug mé grá chléibh dhuit a chiúin chailín mhaorgail,
Mar is deise clár t'éadain is do mhala gan cháim,
Do shúil mar na caortha is do chom mar an braon ghlas,
Is do chaint mhilis néata mar an eala is é ar snámh;

Ó go deimhin duit a Bhrídigh agus ainnir na mínchrobh,
Suigh anso taoi' liom ar chóngar mo lámh,
Go neosfaidh mé scéal duit agus b'fhearr ar thaobh Dé é,
Ná diúltaigh don saighdiúir atá dearg nó bán."

An Cailín:

"Agus pé mar a dhéinim don dearg ní ghéillim,
Nó go sínfear sa chré mé lag marbh go tláth,
Go bhfaighidh mé fear éigint chun síneadh mo thaobh leis,
Ná beinn im ruagairt trím néallta le *drum* ná le lámhach."

An Saighdiúir:
"Ó go deimhin duit a Bhrídigh agus ainnir na mínchrobh,
Ní léigfead mo chlaidheamh díom go dtiocfaidh an bás,
Maran sásaíonn sé t'intinn an dearg athá im thimpeall,
Caithfead raitín duit don dath dubh nó bán."

An Cailín:
"Agus eist eist a shaighdiúir led ráiteachas grinn dom,
Agus fios age m'intinn go meallfá na mná,
Go mbréagthása an Bhrídeach ar a caol-leapain sínte,
Agus dh'fhágthá go cnaoite í agus osna ina lár."

An Saighdiúir:
"Nár gheallais-se domhsa is é a gheallúint ód chroí dhom,
Ceangal gan scaoileadh a bheith eadrainn go brách,
Go raibh an ród chun do thí agam is an t-eolas go rí-mhaith'
Is an eochair go bhfaighinn í bhí an tairsing ar lár."

[NB, le hEdifón, 1934: CBÉ 150:391, 393].

14. Dónall Óg

A Dhónaill Óig má théir thar farraige,
Beir mé fhéin leat is ná déin de dearmad.
Gheobhair féirín lá aonaigh agus margaidh,
Níos fearr ná iníon Rí na Gréige mar chéile leapan duit.

Gheall tú dhomhsa agus dhein tú bréag liom,
Go mbeitheá romham ag cró[25] na gcaerach.
Lig mé fead agus dhá chéad glao ort,
Is ní bhfuair mé romham nach drúcht ar fhéar glas.

Gheall tú dhomhsa ní nárbh acainn duit;
Gheall tú long dom féna crannaíl airgid,
Dhá bhaile dhéag dom de bhailtí margaidh,
Agus cúirt bhreá ghléigeal ar thaobh na farraige.

25. Ls. *crú*

Oboch! mo bhuaireamh, siúd ní ná fuair mé,
Nach bothán fuar fliuch ar thaobh an róid,
Mo choisín lúfar ar bhataí an túrainn,
Gach maidean drúchta gan fiú na mbróg.

Bhain tú thoir díom agus bhain tú thiar díom,
Bhain tú an ghaoth agus bhain tú an ghrian díom,
Bhain tú aodhaireacht na bó ar shliabh díom,
Is mór é m'amhras gur bhain tú Dia dhíom.

Cé raghaidh liomsa dtí Teampall Phádraig,
Go dtabharfaidh mé turas as cheann mo ghrágeal,
Mar nín mé ag snúth leat inniu nó amáireach,
Is a mhuirnín dílis mo chúig chéad slán leat.

[ÚP, ar théip, deireadh na gcaogaidí: Cn.ÚP, Coláiste na Rinne]

16. Cití na gCumann

Is cailín beag mise athá ar buaireamh,
A dh'imigh óm mhuintir féin,
Is sheolag i mbaile cois cuain mé,
Ag iomradh i gciumhais an tslé',
A raibh dhá chéad gaige dá lua liom,
Ná taitníonn a ngrua liom ná a scéimh,
Ach shidí sláinte an ógánaigh uasail,
A thagadh gan ghruaim fím dhéin.

Dhéanfainn duit cupuird is céachta,
Agus muileann do ghléasadh ar abhainn,
An long is an coite dá néatacht,
Chuir m'athair mar cheird é romham;
Léifinn leabhair Laidin nó Gaelainne
Chomh cliste le haon mhac saoir,
Is nach cúng an t-áras a dh'iarrfainn,
Chun síneadh led thaobh dheas síos.

Is thá mise ag imeacht amáireach,
Is ná ní haistear le cách mo shiúl,

Mar is réic bocht a chuireag chun fáin mé,
Is a bhainfeadh den cháirt an cumhar.
Is gheobhaidh tú teagasc nárbh fhearr leat,
An fear eile ag spár na bpúnt,

Ceannóidh mise veist agus bríste,
Do mhairfidh le saol na bhfear.
Is ní bhearrfad an fhéasóg so choíche
Nó go bhfásfaidh sí míle ar faid,
Scaoilfead ar sileadh liom síos í,
Mar a bheadh olann ar chuíora ghlas,
Is mara bhfaighidh mise bean insa an tír seo
Riothfaidh mé síos amach.

Thíos age Tobar na Féirse
Mar a labhrann na héin sa ngleann,
Ní sioc ná sneachta níor bhaol dúinn
Dá mbeimíst araonach ann,
Is a Chití na gCumann ná séan mé,
Siúil feasta agus éalaigh leam.

Tháiníos don bhaile so aréir,
Agus thugas dá béilín póg,
Ar intinn an margadh a dhéanadh,
Is go leanfainn di féin go deo;
Níor tháinig a daidí chún réitigh,
Is ní dona dhom é ná dhóibh,
Is mo chúig céad slán lem spéirín,
Is ní chasfaidh mé fhéin go deo.

[NB, le hEdifón, 1934: CBÉ 150:397, 399, 401]

17. Máire Ní Eidhin

Ar mo dhul dtí an Aifreann le toil na ngrásta,
Lá breá Páise is le teannta ón Rí,
Chasag ainnir orm cois tí an tábhairne,
Agus thit mé i láthair i ngrá le mnaoi;

Do labhair mé léi siúd go bhanúil náireach,
Agus d'réir a cáil' sea a dh'fhreagair sí.
Sé dúirt sí, "A ghrafadaeir tá m'intinn sásta,
Nach tar go lá liom go Baile a' Lín."[26]

Ó ní chuir mé an tairiscint riamh ar cairde,
Nuair a fuair mé an foláireamh do phreab mo chroí;
Ní raibh le dul agam ach treasna páirce,
Agus thug mé an lá liom dtí cúinne an tí;

Ansúd bhí sárfhear na ngloinní is cáirteanna,
Mo chailín féineach le m'ais ina suí.
Sé a dúirt sí, "a ghrafadaer bí agat is fáilthe,
Tá an roiléar láidir i mBaile a' Lín.

Mhuise a réiltheann an tsolais is a ghrian na n-iúmair,
Is a chailín péarlach is tú grá mo chroí,
'Á dtiocfá leamsa thar n-ais go hEochaill,
Go bhfaighmís cúntas cá mbeam inár luí,

Do thabharfainnse aer duit ar bhailtí móra,
Puins ar bord is dá n-ólfá fíon,
Is a Rí na Glóire go ré' tú an ród dúinn,
Go bhfaigheam an t-eolas go Baile a' Lín.

Do shiúlaíos Éirinn, an Fhrainc le chéile,
Sasana an Bhéarla agus Páirt an Rí
'Bhfuil ó thíorach Séamus gach cúige in Éirinn,
Is ní fheacaíos aon fhéirín, aon bhean mar í;

Do bhí a gnaoi ar lasadh in mailí caola,
A píopa néata is nár dheas é a gnaoi;
Nár ró-bhreá an féirín an té gheobhadh le bréig í,
An pabhsae gléigeal so i mBaile a' Lín.

[NB, le hEdifón, 1934: CBÉ 150:401-3]

26. Ls. *Baile Uí Liaigh*

18. Nóra an Chúil Úmair

An Fear:

["Ó 's a Nóra an Chúil Úmair sé mo chumha chreach nach féidir,
I ngleannta dubha uaigneach nó i gcuanta ban Éireann,
Mara dh'fhágais-se mo cheannsa gan onnsa amháin céille,
Is [gur?] mac rí mé ó Londain athá i bpráinn mhór duine éigin."

An Bhean:

"Raghadsa thar sáile fágfad Éire feasta,
Sa bhFrainc athá mo thuirlingt agus comhairle na sagart,][27]
Go deo deo ar mo ghlúine 'déanadh dúchas le m'anam,
Sin slán le fearaibh Éireann nach le Rí ghlégil na bhFlaitheas."

An Fear:

"Ó Nóra ná déin sin pós mé fhéineach le taitneamh,
Thá cúirt agam i gcomhair duit 'bhfuil *diamonds* agus ór ar a leathadh,
Ceannóimid na grásta ós na bráithre is ós na sagairt,
Is beidh gairm bean Rí agat ag luí ar do leaba."

An Bhean:

"Ní bhfaighinnse thú a phósadh is ní dual dom tú a mhealladh,
Mara thá mé i naoi n-oird is mo shúile ar na Flaithis,
Mo ghrása an tUan Trócaire is an Mhaighdean Ghlórmhar thar a maireann,
Mara bh'fhearr iad Lá an Chúntais ná aon chéile dhá bhfeaca."

An Fear:

"Más ag imeacht atháir uamsa buaim leat na Flaithis,
Go rabhais-se go huasal ar ghuaille na n-aingeal,
Comhra dhon chaol-dair cois taobh deas do leapan,
Is mé i ngrá le cailín Gaelach iníon Laoghaire ón chathair."

Cuirfidh mé an chaint isteach ina dhiaidh anois. *Well* lig dóibh ....??????

Ba dh'í, ba dh'í sin agus a deirfiúr, an dá bhean ba bhreátha a bhí in Éire lena linn, agus bhí naoi rí déag curtha le grá dho Nóra agus ní phósfadh sí aon fhear. Agus tháinig an diabhal ó Ifreann go bhfaigheadh sé í a dh'aistriú ón staid a raibh sí air agus dhein sí fhéin agus é fhéin an t-amhrán eatarthu agus sin mar a bhí sé.

[ÚP, ar théip, deireadh na gcaogaidí: Cn.ÚP, Coláiste na Rinne]

27. [ ] Níl na línte seo ar an téip.

19. Máire an Chúil Úmair [Cé hÉ Sin ar mo Thuama?]

An Bhean:

"Cé hé sin ar mo thuama nó an buachaill den tír thú?
An bhfuilirse pósta nó dén treoraíocht ar dhíobh thú?"

An Fear:

"Nílimse pósta a dhianstóirín mo chroí tú,
Ach dá dtiocfá liom abhaile go luífinn síos leat."

An Bhean:

"Ní raghaidh mé leat abhaile agus níl maith dhuit im chaoineamh,
Mar tá boladh fuar na cré uaim, na gréine is na gaoithe,
Nuair a bhí mé im bheatha shaolta sea dh'imís thar taoide,
Anois ó tháim i bhfad marbh níl aon mhaith dhuit im chaoineamh."

An Fear:

"Tabhair do mhallacht dod mháthair, go deo deo dod athair,
Ní spré a bhíos a d'iarra' ort, ba caoire ná capaill,
Ach cead síneadh síos taobh leat a chúil péarla an chúil táiche (?).

Nuair is dóigh lem mhuintir san oíche mé bheith ar mo leaba,
Ar do thuama atháim sínte ó oíche go maidean,
Ag síorghol le cruata is ag cruaghol i ganfhios,
As dia' mo chiúin-chailín stuama do luag liom ina leanbh.

Thá na sagairt agus na bráithre gach lá lem bhearradh,
De chionn a bheith i ngrá leat a Mháire is tú marbh,
Beidh mise i ngrá go brách faid is mairfead,
Nó go sínfear mé taobh leat go tréinlag sa talamh."

An Bhean:

"Fóill! fóill! ná déan sin mar níl aon rud ach smaoineamh,
Ar nós an ghail gréine ar thaobh cnoic lá gaoithe,
Nó an cuimhin leatsa an oíche a bhínnse agus tusa,
Fé thál an tor druínigh is an oíche ag cur cuisne.

Moladh mór le hÍosa nár ndearnais riamh milleadh,
Agus go bhfuil do choróin maighdeanas agus crann soilse as mo choinne."

[TÓF, gan Edifón, c. 1934: CBÉ 87:26-7]

20. Tiobraid Árann

Idir Bhreidhric is Bhreoiric ar nóin seal do bhíos,
Is mé ag triall go dtí Tiobraid Árann,
Sí mo speal a bhí i gcomhair agam ón Hórach mear groí,
Is ná bhainidh aon díth dona shláinte.
Casag cailín óg orm a bhí … roimh aois,
A raibh a píp is a bánchnis mar bhán-sneachta ar craoibh;
Dh'fhiosraíos di ar phós sí nó an ngeobhadh liom mar mhnaoi,
Is go raibh osna i mo chroí istigh le grá dhi.

Dh'fhreagair an bhé úd mé fhéinig gan mhoill,
"Táir déanach id shlí is id ráite;
Ó ráinig im líon tú ná déan dom aon díth,
'S is ró-ghearr a leanfadh an grá dhíot;
Gan ceangal ón chléireach ná déan dom aon díth,
Is thá bean eile id dhéidh ag aodhaireacht bháibín,
Ach fan ag góil thimpeall ag baint féir ar an tír,
Sula raghaidh tú go Tiobraid Árann."

Dh'fhreagraíos fhéin an bhé úd gan mhoill,
"Mar n'fheacaíos mo bhean ná mo pháiste'
I gCaisleán a' tSlé' amuigh sea bhím im chónaí,
'S is Liam Ó Duibhir mé le háireamh;
Thá an chuid eile 'em ghaolta ar an taobh eile toinn,
I bhfoithint na nDéise go tréan i mbun tís,
Ní neosfainnse bréag duit ar aon rud sa saol,
Is gheobhaidh tú mo thuairisc sa mBáinsigh."

Nuair a tháiníos 'on Bháinseach dtí ti' Mháire Cuimín,
Leagas mo speal is mo chlár ann,
Bhuaileas-sa clár agus tháinig mug dí,
Agus fuaireamar leaba go lá ann;
Bhí gach ní dhá bhreáthacht ar chlár ag an mhaoin,
Punch milis láidir is biotáile á chuir thríd;
Bhí mé síor-chrochadh lámha is ag gáire lem mhaoin,
Nuair a chonac mé í ag díol bean an tábhairne.

T'réis gach ní dhá dh'airíos-sa dh'fhágas í ansúd,
Ina codladh sa seamra i ti' an tábhairne;
Bhogas-sa bóthar go stróireach chún siúil,
Is mo speal ar mo ghualainn in airde,
Ar eagla an scéil úd is go ndéinfí orm díol,
Ná go mbeifí im dhaoradh le haon choistí dlí,
Níor tháiníos 'on Bháinseach gur tháinig an Fómhar,
Agus siúd mar a scaras le Máire.

[LC, ar théip, 1954: Uimh. Thag. CBÉ 1269-71]

21. Cois na Bríde

Cois na Bríde siar sea is minic mise ag triall
Ar an ainnir athá bog ar bhreáthacht;
Agus thá sí modhúil[28] méith agus thá sí banúil léir,
Agus tá sí ciallmhar grámhar;
Ba bhinne liom a ceol ná seinniúint chlog na gceol,
Is í Máire Bheag na Gruaige Báine

Ba mhilse blas a póg ná saothar na mbeach ar bord,
Agus iad á ndó le brannda craorach;
Mara labhrann ann an chuach i lár an gheimhri' fuair,
Is sa mbaile úd ina mbíonn sí fé phléisiúir.

Is nach dealbh dúbhach an cás do dhuine mar atháim,
Is ní chuireann siad na mná aon suim ann,
Gob é a dh'airímid á rá go dtabharfaidís grá
Don bhfear is measa cáil athá in Éirinn.

Gach a maireann beo dhe mhná, óir is tusa féin mo ghrá,
Do Mháire Bheag na Gruaige Báine.

Nár gheibhimse fhéin aon scéal ach ag éaló ar bharr an aeir,
Agus cúram ina déidh nách náir liom,
Ag codladh ar nós na n-éan ar bharraí boga na gcraobh,
Agus 'bhfuil einne beo i bpian mar athá mé?
Chuaigh mé féna déin, fuair mé í gan bhaol

28. Ls. *mall*

I ngleanntáinín séidthe bláthmhar,
Ag cuir í féin i gcóir ó go n-éalódh liom mo stór,
Ar bhainníd [?] go raghainn léi thar sáile.

Leanaídh í ar a bonn, thógag uaim í gan dabht,
Agus dh'fhág san m'intinn go buartha cráite,
Is age geataí Chill Mo Luaithe sea chaill mé loca …[29] as mo ghruaig,
Do Mháire Bheag na Gruaige Báine.

Tá mise tinn agus níl fáil ar mo leigheas,
Ní fíon agus ní meadhg ab fhearr liom,
Ach mo stór teacht im fheighil is a ceann a chuir im bheinn,
Agus ba dhóigh liom go bhfaighinn mo shláinte.

[TÓF, gan Edifón, c. 1934: CBÉ 87:15-16]

22. Dh'imíos ar mo *Frolic*

Dh'imíos ar mo *frolic* ar m'fhallaing i dtúis mo shaoil,
Gur chuas go Cnoc Greafadh mar a ngearrtar an fómhar le faor,
Nuair a shíleas-sa go bhfaighinn cead codladh mar a thaithíos im dhúthagh fhéin,
Bhí an scológ ina sheasamh ar maidin is b'ard í a ghlao.

"Móir dhuit a thraibhléir," agus bheannaigh sé fhéin ar dtúis,
"Cad ar rachais," "Taobh thiar 'on Droichead Dán gCuan (?),"
"Dár sonns (?) an mhaidin a shiúil tú an méid sin slí,
Is gan fear im mhachasa a sheasaigh chugham fós ná suí.

Nuair a chuala an gasra é phreabadar suas ina suí,
Bhí stocaí dhá stracadh agus lascaí seanabhróg a bhí críonn,
Le neart fúta-fáta do chailleas mo hata,
Agus thugas lá ag buaint im mhaoil.

Siar go dtí Mágh Ealla a chuir m'athair mé a d'iarraidh mná,
Ar mo chasadh dhom abhaile dh'imigh an fia fém bhráid,
Thiteas dem chapall agus bhriseag dhá dtrian mo chnámh,
Mo logha Dia lem anam gur chailleas mo chiall le mná.

29. Ls. *loca leune*

Saighdiúirín singil mé briseadh as Garda an Rí,
An dá dheamhas pingin agam a thabharfainn ar cháirtín dí,
Bhuailfinn an *drum* duit agus dh'imreoinn cláirseach binn,
Is ar Aonach Chill Dara do scaras le grá mo chroí.

[TÓF, gan Edifón, c. 1934: CBÉ 87:19-20]

26. Caisleán Cuana

Age Tráigh na nGabhar, sea a bhím im chónaí,
Is mór é m'amhras ar thigh an óil,
Bím gach uile Domhnach ag dul dtí an teampall
Ag súil le cabhair bheag a dh'fháilt ón Choróin.

Bím go huasal in[s] na bailtí móra,
Go mór stuama age tigh an óil,
Is go n-éalódh bruinneall ón tír aduaidh liom,
Meireach gur mhór léi mo dhúil san ól.

Mhuise is deas gléigeal do nífinn do léintín,
Nó ghealfainn bréidín duit den anairt mhín,
A chuirfinn airgead ar do bhasa ag léimrigh,
Siúd ní dhéanfadh aon sprig (?) sa saoil;

Do dh'oilfinn báb duit nó iníon férgaí [mhaorgaigh?]'
Nó thógfainn fhéin iad le sult mo chroí;
Nár mhór go mb'fhearra dhuit góil liom mar chéile,
Ná bheith id réic bocht ar fuaid an tsaoil.

Is is buachaill gabha mé is níl bonn ar chlár agam;
Níl maith im dhá láimh ar muir ná ar tír,
Is an deamhas deor leanna do gheobhainn ar cairde,
Ó aon bhean tábhairne dhá bhfuil sa tír.

'Á mbeadh súd agamsa, grán is púdar
Mharóinn cúpla lacha ar mhóin,
Dhéanfainn sealgaireacht lem slat a lúbfadh
Ar bharr lúibe nó ar thácla rinn.

[NB, le hEdifón, 10/12/35: CBÉ 151:222-23]

29. An Goirtín Eornan

Buachaillín físor-og mé go bhfóiridh orm Rí na nGrást,
Thug mé searc don chailín óg ti' an ósta ina cóiriú[30] bán;
Ní chaith sí hata riamh le mórchúis ná búcla bheadh déanta prás,
Nach téip i gcileó (?) í, sí mo stór í go bhfaighidh mé bás.

Mo léan gan mise im éinín ag léimrigh ó chrann go crann,
Ná neosfainn crí' mo scéal duit ní bh'fhéidir go ndéanfá rún;
Beidh leitir chughatsa amáireach agus a cálá 'dtím' chailín buí,
Gob é mo chroí athá ag pléascairt is ní féidir liomsa codladh ciúin.

Tá gaoth aneas is tóirnigh ar árthach ar abhainn na Laoi;
Tá sneachta ar na bánta agus miona-shioc á mheascadh tríg;
Ní dh'airím fuaim ceol 'g amhránta ná age cúirliúin ar fuaid na tír'
Ó chailleas-sa mo stóirín mar is í a thógfadh an ceo dem chroí.

[NB, le hEdifón, 17/1/36: CBÉ 152:517-18]

30. Iníon an Fhaoit' ón nGleann

Maidean aoibhinn aerach
Im luí ar bhinn an tslé' dhom,
Bhí an lon dubh is an chéirseach
Go haoibhinn as mo cheann;
Nach deas a scrífinn véarsa;
Nach mór an seod nó léifinn,
A d'fhonn mé 'shíneadh taobh leat,
A Iníon an Fhaoit' ón nGleann.

Is maidean bhrothallach gheimhri'
Is mé ag siúl cois na hinse
Do dhearc mé chugham an scáinseach
Dho chaol-chailín rua'
Go deimhin do thaithnigh a gnaoi liom,
Mara b'fhada a cúl gan cíoradh,
Agus insím díbhse a dhaoine
Go meallfadh sí an slua.

30. Ls. *"cowriú"*

Nuair a ghabhaimse amach na harda,
Chím chugham mo ghrágeal,
Mar a bheadh an rós insa ngairdín,
Nó bláth geal na n-úll.
Ba bhreátha í siúd ná Vénus
San am a dh'fhág sí Éirinn,
Sí planda Rós na Naomh í,
Is nárbh éadtrom é a siúl.[31]

'Á bhfaighinnse cailín maorgaí
A dh'éalódh liom ina léintín,
A mholfainn fhéin a tréithe dhi,[32]
Is na gleannta is sia ó thuaidh,
Ag éisteacht leis na héanla',
Is le fuaim na mbreac sa géimreach,
Leathuair seal dá bréagadh,
Agus bhréagfainn í chun suain.

Ach thá mé lán de náire,
Th'réis gach ní dár dh'áiríos,
Gur buachaillín athá ar fán mé,
A dhéanfadh sult is greann.
Ní beo dhom mí ná ráithe,
Is mara bhfaighidh mé póg is grá uait,
Is cead síneadh síos led bháinchnis,
A Iníon an Fhaoit' ón nGleann.

[NB, le hEdifón, 17/1/36: CBÉ 152:537-39]

O. AMHRÁIN A CHUM SÉ FÉIN

1 Aréir is Mé ag Machnamh

Aréir is mé ag machnamh
Ar mo leaba shámh sínte,
Ar dhul go Baile Sheáin

31. Ls. *Is nár bhféidir orm (?) é siúbhal*
32. Ls. *na t-éife (?) dhi* Feic an líne seo sa leagan ó chnósach Úna Parks thuas [l. 360].

Mar a bhfuil grá dho sheandaoine;
Thá coróin agus púnt le fáil acu
Ina láimh ann Dé Aoine,
Agus aililiú a ghrá ghil
Nach álainn an dlí í,
Agus fol – the – dal – dee – dil – al – dam.

Hocht agus raol a bhí im chártasa
Saighneáltha age'n dlí agam
Ach dh'iarr mé na grásta,
Agus choinnigh mé an fhoighne;
Sin a raibh spártha acu,
Is meireach san ní bhfaighinn é,
Agus fol – the – dal – dee – dil – al – dam.

Bhí púnt in mo láimh agam
A bhí ina dhá phíosa;
Chuir mé fios ar bhraoinín biotáille,
Agus greim éigin don phíopa,
Nuair a dh'fhéach mé in mo lámh
Ní raibh dem phúnt agam ach píosa,
Agus fol – the – dal – dee – dil – al – dam.

Ba chuma le ministrí an Stáit é,
Mar bhí pá acu chun díol as,
Ach bhain dála na scadán díobh,
A shánn a gceann isna líonta,
Nuair is dóigh leothu fágaint
Ní chasann siad choíche,
Agus fol – the – dal – dee – dil – al – dam.

Ach a Éamoinn a ghrágil
B'fhear álainn sa tír thú,
Chumhad tú síochánta sinn
Ag codladh na hoíche,
Go bhfága Dia an tsláinte agat,
Go gcasfaidh tú aríst chughainn,
Agus fol – the – dal – dee – dil – al – dam.

Ach bhí do chuid ministrí ró-ghalánta
Chun a bpá a bheith ró-íseal,
Thug san ocras agus cránas
San stát so don phíopa,
Agus fol – the – dal – dee – dil – al – dam.

Ach fuair an píopa bocht sásamh
An ceathrú lá dho Féil Bríde.
Sháin an peann a bhí ina láimh aige
Ná rabhamair aríst uaidh,
Agus fol – the – dal – dee – dil – al – dam.

An dream so athá ar farraige
Ag faire na hoíche,
'Thagann abhaile
Is a n-aigne claoite;
Sé an buidéilín leanna
A chorraíodh a gcroí dhóibh,
Agus fol – the – dal – dee – dil – al – dam.

Sé deir na mná so liom
A bhí ag caitheamh toitíní
Go rabhadar ag cailliúint a sláinte,
Agus codladh na hoíche,
Agus cé gur dheineag ar cránas
Go gcasfaidh sibh aríst chughainn,
Agus fol – the – dal – dee – dil – al – dam.

[SÓD, gan Edifón, 24/3/48: CBÉ 1100:3-6]

2. Hata Mhaidhc

Bhí mé lá anso Aoine Mhór na Gaoithe agus ní raibh aon tobac agam. Chuaigh mé go dtí an siopa fé dhéin tobac, agus ar mo theacht aniar dom dh'éirigh mo hata díom agus bhí sé i leataoibh an bhóthair fé a bhfuair mé breith air. Agus nuair a tháinig mé isteach shuigh mé ar an gcathaoir age'n tine agus bhí Máire ag fáil an dinnéir:

"A Mháire cuimhnigh," arsa mise, "ar an ngála gaoithe úd a shéid Dé hAoine,
Agus a chuir ar dhaoine mór-uafás.

Bhí tithe á leagaint agus crainn á shíneadh,
Agus mórchuid daoine in uacht a mbáis.

Dh'éiríos im sheasamh go luath léir bríomhar,
Go gcuirfinn ceangal éigin ar an mbothán,
Ach ba ghairid gur shéideag dem phlaosc an béabhar,
Is a thuairisc in Éire níl le fáil.

Thá na gardaí fhéineach go mór ar éileamh,
Gan stad ar ao'chor ach ag síor-mháirseáil;
Is é deir na comharsain lena chéile,
Go bhfuil sé in Sasana an Bhéarla nó amuigh sa Spáinn.

Bhí báigh agam fhéin leis mar bhí sé aosta,
Is a leithéid ar ao'chor ní bh'fhuiris a dh'fháil;
Cheannódh Churchill go daor uaim fhéin é,
Ach b'fhearr liom in Éire é ná i mBaile Sheáin."

[ÚP, ar théip, deireadh na gcaogaidí: Cn.ÚP, Coláiste na Rinne]

3. An Dreoilín

Bhí mé ag cuir in airde innill síos ansan maidean Lae Nollag agus cad a chrom ag eitealadh istigh sa tor ach dreoilín. Bhain sé geit asam. Nuair a tháinig mé abhaile anso bhí gloine breá fuiscí ar an mbord agus nuair a dh'ól mé í bhí mé ar mo shástacht.

"*Well*, deacair is díth ort," arsa mise, "a shíobhra ghránna,
Agus an diabhal ar an bhfiolar nár bhris sé do chnánna,
Ná faightheása do laethanna saoire a chaitheamh níos galánta,
Ná bheith ag imeacht in do chníopaire ag imeacht ar na bánta.

Is ait an saghas rí thú go bhfuil peidhre sciathán ort,
Ag cuardach an tseana-chlaí sin d'iarra' foithint a dh'fháilt ann;
'Á dtiocthá chun mo thíse dtí an chruach nó dtí an stáca
Thabharfainn duit foithint go n-imeodh an Márta."

Phreab sé is léim sé is tháinig uafás air,
Shíl sé 'á mbéarfainn air go mbéarfadh an bás air.

[SÓD, gan Edifón, 24/3/48: CBÉ 1100:8]

4. Is Buachaill Deas Mise Athá im Aonar

Is buachaill deas mise athá im aonar
Im stracadh is im raobadh is im chrá.
'Thug grá dho chailín deas néata;
Is baol liom ná réithigh mo chás.

Thá mo chroí bocht ag searradh is ag fiaradh,
M'aigne im chiapadh is im chrá;
Sé mo léan mar a chonac mise riamh í,
Mar thá mé blianta léi i ngrá.

Anois tá mé ag 'teacht aosta,
Is mo chomharsain go léireach im chrá;
B'fhearr leo ná pósfainn ar ao'chor,
Tá a súile go léir ar an áit.

Ach raghad dtína hathair á hiarra'
Agus maran réfidh mo chás,
Beidh mé sa chré fé cheann bliana,
Ardaithe chún siúil age'n mbás.

Ná téire go Sasana ar ao'chor,
Nín aon rud níos fearr ann le fáil,
Is an bhean úd a chónaíonn anso taobh liom,
Thabharfadh sí a saol im chrústáil.

Thá agamsa srian agus diallait,
Asailín néata agus cearr;
Tabharfaidh sé sinn go dtí an cléireach,
Is déanfar sinn araon a chúpláil.

Glacfam an Sácraimint Naofa
Sa teampall ón cléireach Dé Máirt,
Tabharfadsa abhaile mo chéile,
Agus déanfad iad go léir a phéirseáil.

Thá Arta agus Cathal ag faire ar ghach taobh díom,
Dónall Ó Muiríosa is John Sheáin,

Paddy Nugent ag faire orthu go léireach,
Mar níl a dhaothaint talún insa Stát.

[SÓD, gan Edifón, 24/3/48: CBÉ 1100:9-10]

5. A Mháire a Chéad Searc

A Mháire a chéad searc 'á mbeitheá taoi' liom
Bheinn ag cuir síos duit agus ag síor-chomhrá;
Shiúlóinn an tír leat 'dir lá agus oiche,
Agus shuífinn síos leat ar bhruach na trá.

Raghainn ag sealgaireacht leat dtí an cnoc is aoirde,
Major Eale nó fós Cruachán,
Gleann an Mhadra athá ina n-íochtar,
Is fada an tslí é ó Ghleann na gCránn.

Chuirfinn culaí síoda ar crochadh síos leat,
Bróg dheas íseal agus iall ina bráid,
Lása óir leo mar íocain,
Chumhadfainn ag léamh is ag scríobh thú go bhfaighimís bás.

Anois tháim aosta is mo shláinte im chlaíochaint,
Níl ithe an bhí' ionam ná codladh sámh,
Nuair a bheidh mé sínte sa choill seo taoi' liom,
Dom bí ag guíochant a chailín bhreá.

[SÓD, gan Edifón, 24/3/48: CBÉ 1100:11]

P. DÁNTA AGUS AMHRÁIN DIAGA

2. Eachtra an Bháis

I mbóithrín Luimne chasag an bás orm
An gradaí gránna is a chúl le claí;
Dhruid sé im choinne agus rug ar lámh orm,
Agus dh'fhiarthaigh do Sheán bocht conast a bhí.[33]

33. Ls. *connust a bhí*

"Tháim tinn túirseach, brúite im chnánna
Age snaidhm an mhála athá ar agha' mo chroí."
"Leag le t'ais é is tar im láthair
Go gleann mín álainn is déan t'áirthí ."

"Diúlthadh a bheirim duit a ghradaí ghránna
Agus tabhair dom spásach go ceann trí mhí,
Go raghaidh mé abhaile dtí an Athair Mártain –
An fear ab fhearr a bhí i gcóta Chríost.

Ansúd a gheobhair mé im shuí in ti' an tábhairne
I measc na sárfhear is mé ag ól na dí.
Geallaim gan mhoill duit má gheibhim mo shláinte,
Gur fada ón áit seo a gheobhaidh Seán aríst."

"Fé luí na gréine má bhíonn tú in Éire ná i nGalapáil
Tiocfaidh *summons* chughat is mise taobh leis;
Bíodh t'áirthí déanta le t'ais a Sheáin.

Cuir fios ar an Eaglais chomh luath agus is féidir,
Bíodh sé taobh leat ar uair do bháis;
Raghad go Parathas i measc na naomh ngeal;
A dhiúlthaigh don saol so agus dos na mná."

"Dos na mná ní fuiris diúlthadh,
Mar is ró-bhreá an cúna' iad ar uair an lá,
Is ró-bhreá an acra iad san oíche im' chlúdach,
Nó nuair dúnaim mo shúile le linn an bháis.

Is nár mhór go mb'fhearr liom seal ar chúrsa
I bhfochair ainnir mhúinte agus í idir mo dhá lámha,
Ná dul as m'aitheantas ar Ana' Chúirse
Nár thug riamh cúntas cár ghaibh le cách."

"Is dochtúir mise is ní neosfad bréag duit,
Is breab ní ghlac mé ó einne fós;
Beirim an t-óg liom is an conán aosta,
An fear is tréine 's is treise cáil;

Beirim liom iad i láthair an Aoinmhic,
Is a bpeacaí léite age Rí na nGrás;
Béarfaidh mé agus tusa liom a Sheáin ban Éireann,
Siúl gan phlé liom is tar mar chách."

[NB, le hEdifón, 1934: CBÉ 152:383, 385, 387.]

3. Scéal na Páise

Aréir agus mé ag machnamh ar Íosa Mac m'Athar
Á dhaoradh le peannaid go doimhin insa pháis;
Ar a mhín-chorp á ghearradh le sciúirsí go daingean;
Dé hAoine á cheangal ar an ndaor-chros chún báis.
A Rí glégil na bhFlaitheas guímse chughat feasta
Fóirithint ar m'anam is gan é ligint chun fáin,
Gach saigheadadh le peaca athá im' chroí istigh le fada
A scaoileadh is a scaipeadh agus a shaothrú led' láimh.

A Rí glégil is a Mhuire saor sinn ar an tine;
Ná lig sa chorra gearr sinn go brách';
De réir mar a thuigim im smaointe is im thuiscint'
Do dhlíse do bhriseadh nách éachtach ár gcás.
A Mháire agus a bhruinneall gráim thú le cumann,
In ionad Rí Geal na nGrást,
Mar a mbeidh glóire dhá ligint, ceoltha dhá seinniúint
Do gach n-aon bocht againne go ré' Dia ár gcás.

Is an té athá ar buile 's ná géilleann do Mhuire,
Lá an tSlé' nuair a thiocfaidh sea a chífear uafás;
Blaemfaidh an tine, na sléibhte dhá mbriseadh,
An ghrian uainn ar sileadh is an ré lenár lár.
Tiocfaidh Michéal Naofa le fuinneamh is a thrampéad aige á sheinniúint,
Ag glaoch ar gach nduine ó thír agus ó shráid;
Beidh an chlaonbheart úd scrite ar chlár éadain gach nduine,
A Dhia glégil is a Mhuire cuir sinn ar thaobh do dheislámha.

[ÚP, ar théip, deireadh na gcaogaidí: Cn.ÚP, Coláiste na Rinne]

4A. Aisling na Maighdine
(Véarsa 2, 3, 4, 5, 6)

Shúd í an Aoine ó mo mhíle stór thú,
Shúd í an Aoine ar shileag na deortha,
Trí inthinn do chinn ó mo mhíle stór thú,
Is trí ród na fola, trí leac an Ví Rósa.

Nuair a chualaigh an Mhaighdean gob é siúd a hAon-Mhac,
Níor dh'fhan sí lena ceann a shocrú ná a chóiriú,
Nach shiúlaigh sí an fhásach gan snátha dhá bróga
Ag lorg a hAon-Mhic a thug na Giúdaigh leothu.

Is ag imeacht go brónach ag siúl an róid di,
'Sí fuil a chroí istigh a mhúin di an t-eolas,
Luigh sí síos á caoineadh is á pógadh.

A Mhic ó na páirte is a Mhic ó na n-anama,
Is minic a dúraíos-sa leatsa gob é sin bás a bhí i ndán duit,
Gob é bás na billóide is mó do chráigh tú,
Is gob í do mháithrín fhéineach is túisce a leagfadh láimh ort.

Nuair a dh'aithin na Giúdaigh gob í siúd A Mháthair,
Thógadar suas ar a nguaille go hard í,
Agus bhuaileadar anuas ar chlocha na sráide í,
Is thugadar a hAon-Mhac leothu as an áit sin.

[LC, ar chéirnín: Uimh. Thag. CBÉ 2281]

4B. Aisling na Maighdine
(Véarsa 1-7)

A Rí na ngrást is nach cráite a bhí tú,
Insan ngairdín 'e ló is istoíche,
Do chuid fola is feola ina stráicí síos leat,
Is tú ag cuimhneamh ar an mbás a bhí le fáil agat Dé hAoine.

Shúd í an Aoine ó mo mhíle stór thú,
Shúd í an Aoine ar shileag na deortha,

Trí inthinn do chinn ó mo mhíle stór thú,
Is trí ród na fola, trí leac an Ví Rósa.

Nuair a chualaigh an Mhaighdean gob é siúd a hAon-Mhac,
Níor dh'fhan sí lena ceann a shocrú ná a chóiriú,
Nach shiúlaigh sí an fhásach gan snátha dhá bróga
A' lorg a hAon-Mhic a thug na Giúdaigh leothu.

Is ag imeacht go brónach ag siúl an róid di,
'Sí fuil a chroí istigh a mhúin di an t-eolas,
Luigh sí síos á caoineadh is á pógadh.

A Mhic ó na páirte is a Mhic ó na n-anama,
Is minic a dúraíos-sa leatsa gob é sin bás a bhí i ndán duit,
Gob é bás na billóide is mó do chráigh tú,
Is gob í do mháithrín fhéin is túisce a leagfadh láimh ort.

Nuair a dh'aithin na Giúdaigh gob í siúd A Mháthair,
Thógadar suas ar a nguaile go hard í,
Agus bhuaileadar anuas ar chlocha na sráide í,
Is thugadar a hAon-Mhac leothu as an áit sin.

Éist a mháthair is déinse foighne inniu is amáireach,
Agus beidh tú agamsa in Parathas álainn,
Agus Ard Rí na bhFlaitheas ag breith ar láimh ort.

[SÓS, ar chéirnín, 1940: Uimh. Thag. CBÉ 0045]

Q. CAOINTE

3. Ar Maidin sa Dúnaing

Ar airigh tú riamh é seo a dhein an fear nuair a fuair a bhean bás:

Ar maidin sa dúnaing nuair a dh'osclaíos mo shúile,
Agus dh'fhéach mé go brónach amach ar an spéir.
Chuimhnigh mé go dúbhachmhar ar an saol a bhí romhamsa
Is ná beadh einne in mo chúram ach ainnise an tsaoil.

Giobal ná fáthaim ní raibh ar sileadh lem' chnánna
Ó chuir mé ort an fáinne istigh sa séipéal.
Bhí mo bhróga go galánta is mo cheirte go sásta,
Is ní náir liom é a rá leat i láthair an tsaoil.

Mo chreach is mo chráiteacht is mór an tsannseáil dom
Bheith id' dh'ardach liom amáireach dtí ard an tséipéil.
Nuair a chasfaidh mé amáireach abhaile ar mo ghárlaigh
Beidh siad ag tabhairt a n-agha' in gach áit uaim
Ar nós éanlaithe an aeir.

[SÓD, gan Edifón, Meith. 1945: CBÉ 977:37]

4. Caoineadh Iníon Uí Mhuiríosa

Bhí fear i Má Dheilge aon uair amháin agus bhí a iníon ag fáil bháis agus dh'uachtaigh sí í a chur sa Chnoc Buí agus ní hann ba cheart di bheith curtha chuigint agus tháinig a hathair go dtí an tórramh ...

"Thá tú ag dul amáireach," arsa sé,
"San áit nách cóir duit,
San áit ná tagann trálacha in lámha na bhfearaibh
San áit nách gá dhuit a bheith ag romhar ná ag grafadh;
San áit ná gá dhuit cúram a bheith agat in bó ná in capall,
Ná cúram in bia ná éadach,
Agus cuirimfeamna a chodladh le solas an lae thú."

[SÓD, gan Edifón, M. Fómhair 1945: CBÉ 977:448-49]

5. Caointeachán Deirféar an Ghabha

Bhí gabha fadó ann agus phós sé. Agus aon deirfiúr amháin a bhí aige agus dh'imigh sí léithe ó thua' go Dún na nGall. Agus bhí a bhean go holc dho cheann don ngabha agus fuair sé bás. Agus chuireag scéala go dtí an deirfiúr go raibh sé t'réis bháis agus tháinig sí dtína thórramh agus chuaigh sí á chaoineamh:

"A bhuachaill gabha," arsa sí, "ó Chois Abha Bríde,
Is agamsa athá 's cad a dhein tú 'chlaoichant –
Stoca fhliuch agus bróg scaoilte,
Ag bualadh an oird ó thaobh na gaoithe,
Agus lámh ró-chruaidh age bean do thí leat,
A bhuachaill gabha ó Chois Abha Bríde.

A bhean úd thall an chiosúr síoda,
Gheobhair fear mara nín tú críonna,
Nach ní bhfaigheadsa mo dhritheáir anois ná choíche,
An buachaill gabha ó Chois Abha Bríde.

Nuair a chuaigh chugham scéala go rabhais-se claoite,
Mo mhaighistir grámhar níor bhac sé an tslí dhom,
Nach labhair a bhean ó 'sí a chaith an bríste,
Agus dúrt go gcaithfinn an lá a chur di in áit na hoíche,
A bhuachaill gabha ó Chois Abha Bríde."

Sin é an méid athá agamsa dhe sin.

[ÚP, ar théip, deireadh na gcaogaidí: Cn.ÚP, Coláiste na Rinne]

6. Seán a' Búrc

Seán agus Éamonn agus Pronsias a bhí orthu, agus baintreach ba dh'ea a máthair. Agus phós Seán agus fuair sé tigh do fhéin agus bhíodh cuíthín dhearg in cás gach aon … i gcónaí sa chistin aige. Agus ar maidin Dé Luain – is gairid a bhí Seán pósta – ar maidin Dé Luain chuadar a dtriúr dtí an bhfarraige is bág an triúr acu. Agus nuair a tháiníodar … bhíodar i bhfad gan fáil, nach Seán an chéad fhear a tháinig i dtír. Agus nuair a tháinig sé tháinig cioth sneachta le linn…. agus bhí sé sa roilig agus an ua' á hoscailt nuair a chuaigh an scéala dtína bhean is dtína mháthair. Agus tháinig sí … leath … leath sí a dhá lámh ar an gcomhra:

"A Sheáin De Búrc," arsa sí, "mo thúirse agus mo léan-chreach!
A' n-eiritheá id shuí go neosfainn scéal duit:

Is maith a dh'aithiníos ar an gcuíthín bhrónach,
Agus ar an gcioth sneachta úd a chaith an tráthnóna,
Go raibh mo leannán uam sínte in comhra,
Agus brat na haibíde a beannaíog sa Róimh air.

A dhaoine uaisle an toil libh mo ghearán
A bheith ag gol ar ua' mo leannáin'
A bhfuil laiste dhá chuacha i gcúinne mo sparáin,
Agus coileán dá scuainthe fuailte im chriosláir.

Fanaigí siar a lucht gearradh,
Agus ná bígí ag siúl ar ua' mo chara,
Ceann mo thí agus céile mo leapan,
Agus m'fhear maith pósta ó bhí mé im leanbh."

"Eist a bhean," arsa máthair na céile léithe, "agus thá tú cráite;
Ná himigh ar buile is ná caill do náire;
Baochas le Críost gob é do mhaoin a tháinig,
Ach Éamonn buí an fear ab fhearr díobh."

"Ní dhéarthása fhéin é sin a mháthair [arsaigh an bhean],
'Á dtabharfadh sé cóiste cóirithe ón Spáinn chughat,
Plúr mín milis agus caoi imirt ar chláirseach,
Agus cead dul a chodladh idir a dhá láimh siúd."

[ÚP, ar théip, deireadh na gcaogaidí: Cn.ÚP, Coláiste na Rinne]

7. A Dháith Paor

A Dhá' Paor na n-árann mo chás tú is mo mhairg,
Tú ag dul ar bord árthaigh is gan aird ar do leabain;
Tá an t-uisce go sár-mhaith ach níl fáil ar dheoch leanna,
Mara bhfóirfidh Dia 'dtráth orainn bíodh an bás linn ag tarraint.

Dul siar de Cheann tSáile sea bhí an t-árthach ag cnagadh,
Dh'éirigh ár máta chomh hard leis na *topsails,*
Liúigh sé agus bhéic sé á rá linn casadh abhaile,
Is mara bhfóirfidh Dia i dtráth orainn bíodh an bás linn ag tarraint.

An deichiú lá 'shamhradh (Shamhna ?) gan amhras a chlaoigh sinn'
Le farraigí is go (?) tonnacha is gan *power* lenár síneadh;
Bhí taoide fénár *mainsail* ab éigin dóibh í leagaint,
Is gob í seo an Ceannaí Bán ó Éire nár thraochag le fada.

Maidean Aoine an Chéasta sea a shéid sé go garbh,
Le farraigí dú-chaothach ag séideadh go garbh.
Dh'éirigh ár máta … Dh'éirigh ....[34]

34. Is léir gur chuaigh Maidhc amú anseo san amhrán.

Maidean Aoine an Chéasta sea a shéid sé go garbh,
Le gála gaoithe ón tír chaothach is gan fáil ar a mhalairt;
Chailleamar ár m*bowspruit* is ár *round topsail* a bhí díreach;
Tabharfaí agus ár gcrann uainn meireach feabhas neart ár ndaoine.

Chailleamar ár maighistir, sé ár ngreim tinn dóite é,
Th'réis é a gheallúint le meidhir dúinn bheith ag rince ar a phósadh.

[NB, le hEdifón, 20/11/35: CBÉ 151:18-19]

R. RANNSCÉALTA AGUS SEANCHAS FILÍOCHTA

2. Baiste an Amadáin

Ar airigh tú riamh ar an amadán a bhí ag athair an tsagairt. Bhí sé ag aodhaireacht bha age athair an tsagairt agus nuair a thagadh an sagart abhaile bhíodh sé féin agus an sagart ag tabhairt fé chéile le filíocht. Istigh i dtigh an tsagairt a dheintí an baiste an uair sin. Tháinig an leanbh go dtí an tigh chun é a bhaisteadh nuair a bhí an sagart ann …

"Hócum a Thomáis," arsaigh an sagart leis, "baist an leanbh so," arsa sé, "ó thá tú chomh maith chun cainte agus athá tú."

"Níl cumhacht agam, a athair," arsa sé, "agus 'á mbeadh bhaistfinn é chomh maith leatsa."

"Tabharfaidh mise cead duit anois é a bhaisteadh," arsa sé.

"Leag anso chugham é," arsa sé.

Tugag go dtí bosca na baistí ansan é.

"Baistim tú a linbh," arsa sé, "gan tón gan ceann,
Gan uisce gan salann, gan deoir don leann.
Reithe t'athair agus cuíora do mháthair,
Agus do leithéid do leanbh níor tháinig riamh i mo láthair."

Ní dúirt an sagart dada.

[SÓD, gan Edifón, Meith. 1945: CBÉ 977:51-2]

5. Caoineadh Bhaile an Aicéada'

Bhí fear thiar anso, fear ab ainm do Michéal Ó hArta agus bóiceálaí mór fir ba dh'ea é, agus d'imigh sé leis go Talamh an Éisc. Thug sé seacht mbliana i dTalamh an Éisc agus 'á mhéid de bhóiceálaí é fé a n-imigh sé ba mhó ná san de bhóiceálaí é nuair a chas sé. Bhí sé de nós i mBaile an Aicéada' an uair sin t'réis a ndinnéir Dé Domhna' duine éigint[35] acu a chuir ar an mbord agus duine a dhul á chaoineamh féachaint ciacu acu fhéin a dhéanfadh ceathrú caointeacháin.

Ach bhí Michéal Ó hArta t'réis teacht ó Thalamh an Éisc agus dúirt duine dos na Brúnaigh, dúirt sé:

"'Á bhfaighinnse ar an mbord é sin," arsa sé, bhainfinn cuid dá chuid bóiceála dhe."

Ach ambaiste,[36] chuaigh Arta ar an mbord agus chuaigh an Brúnach á chaoineamh:

> "Sé rud a dh'airímse," arsa sé," á chuir trína chéile
> Age muintir Bhaile an Aicéada',[37]
> Agus ag Tóchar gránna an éithigh,
> Ach nár thugais aon rud ó Thalamh an Éisc leat,
> Ach deirimse leo," arsa sé, "gur thugadar a n-éitheach;
> Gur thug tú seana-threabhsar agus seana-bhéabhar
> A thug seacht mbliana i dTalamh an Éisc ort."

"Ó, dar t-anam 'on diabhal," arsa Arta ag éirí aniar is á bhualadh le buille dhorn.

[SÓD, gan Edifón, Meith. 1945: CBÉ 977: 142-43]

6. An Brúnach agus Michéal Ó hArta

Tháinig árthach isteach dtí Baile Mhic Airt fadó agus í lán d'oráistí. Agus bhí Diarmaid Ó hArta ina gharda cuain an am san agus thugag an t-árthach i 'dtír le solas fallsa, agus tharraingíog na horáistí san oíche le capaill. Agus i gcionn tamaill mhaith ina dhiaidh bhí ceann des na hArtaígh agus Muintir Brún a bhí i mBaile na Móna, dh'éiríodar chun a chéile age Drochad Bhaile an Aicéada' agus chuadar chun dlí. Agus chuir Arta an Brúnach dtí an príosún i bPort Láirge agus nuair a chuag amach dtí an príosún ag féachaint Muiris Brún nuair a osclaíog an príosún do.

"Ansan athá tú a Dhaid," arsa sé lena athair.

"Is ea," arsaigh an t-athair, "agus baochas le Dia nach le goid bó, cuíora é, ná capall,

35. Ls. *igint*
36. Ls. *omaiste*
37. Ls. *Bhaile Niocaede*

Ná an solas fallsa a lasadh,
An t-árthach a thabhairt chun na faille,
Na fearaibh a strupáil agus a gcuid éadaí a chuir ar áirthiú[38] datha,
Agus iad a chaitheamh i measc na bhfearaibh,
Siúd mar a dhéineadh Muintir Arta.
Ar mo dhul dom dtí an margadh maidin an lae úd,
Ar muin capaill diallaite chomh briste le haon fhear,
Gur chuadar go Drochad Bhaile an Aicéada',
Chasag orthu Michéal Ó hArta, fear Mháire Ní Chléire,
Bhí dath na húire agus snó na cré air,
Nuair a shíleadar go dtabharfadh an fhírinne saor mé,
Bhí sé ró-chliste chun dearbhú san éitheach."

[NB, le hEdifón, 1934: CBÉ 150: 260-62]

9. A Shiota na Sála

Bhí fear i mBaile na nGall a dtugaidís An Siota air agus bhí iníon aige. Bhí beirt bhuachaillí ag faire ar an iníon agus bhí onncail domhsa ag tabhairt cúna' do bhuachaill acu ach níorbh é sin a phós sí. Ach ghaibh an cailín thar m'onncail lá.

"A Shiota na sála," a dúirt sé léi, "is gránna é do sheasamh,
Agus dhéanfadh do shála grafán i gcnoc aitinn.
'Á dtabharthása an sparán dom agus a dh'áireamh dom dachad
Ní thabharfainn dtí an Pháirc tú ag tabhairt náire dom charaid."

Sin é an áit a tóigeag mise, An Pháirc, Cnocán a' Phaoraigh Íochtarach.

[SÓD, gan Edifón, D. Fómhair 1945: CBÉ 978:85-6]

11. Stáca an Mharga'

Bhíodh deachú fadó ar Shráid Dhonn Garbhán: bhíodh an deichiú punann le tabhairt isteach age gach einne dtí an margadh gach aon margadh, agus bhíodh stáca á dhéanadh dhes na punanna dtí a mbíodh an seosún caite. Agus bhíodh an stáca chomh breá agus ab fhéidir a dh'fháil. Nuair a bhíodh deireadh leis an seosún curtaí an stáca ar ceaint agus thógadh na feirmeoirí an stáca le hagha' a gcuid beithíoch.

38. .i. athrú

Ach bhíodh cailín ag teacht ó Dhún na Mainistreach gach aon lá ar scoil go Donn Garbhán agus bhíodh gach einne a bhíodh ar an margadh ag tógaint nútas den chailín go raibh sí ag dul i mbreáthacht, i láidreacht agus i ndathúlacht gach aon lá. Ach an lá so bhí an stáca á dhíol agus ghaibh an cailín tríd an tsráid agus bhí fear éigin ina sheasamh age'n stáca agus dh'fhéach sé i ndiaidh an chailín.

"*Well*," arsa sé, "is breátha í ná stáca an mharga'."

Dh'fhan Stáca an Mharga' ar an gcailín an dá lá agus a mhair sí agus bhí fear breá ina chónaí ar Shráid an Mharga' a dtugaidís Seán Ó hAnnagáin, agus bhí sé ana-dheocair cailín a dh'fháilt a phósadh sé, bhí sé ina bhóiceálaí chomh mór san.

Ach ba ghairid go mbíodh Seán ag siúl na sráide agus casag le Stáca an Mharga' é agus thaithnigh sí leis. Agus bhíodh sé ag siúl anonn agus anall go Dún na Mainistreach léithe, ach ar deireadh thiar phós sé an cailín gan dada. Agus i gceann blianta bhí sé bocht agus dealbh: rioth sé bocht sa saol agus bhí deirfiúr do ina cónaí dtaobh ismu' de Dhonn Garbhán agus ceann des na laethanta a bhí sé ag siúl na sráide chasag an deirfiúr air.

"Is baol liom a Sheáin," arsaigh an deirfiúr leis, "gur dhein tú mearthall.
Bhíodh culaith bhreá éadaigh ort agus do phocaí lán d'airgead.
Anois thá páistí na sráide seo ag gáirí is ag magadh fút,
Ó thug tú grá dho Stáca an Mharga'."

"Eist a Mháire," arsa sé, "agus ná bí i bhfearg liom,
Thá árthach gach lá ag snámh ar an bhfarraige.
Imeod amáireach, go brách ní chasfaidh mé,
Mar a fuair mé a dh'fhágfaidh mé Stáca an Mharga'."

Dh'imigh sé dar ná mháireach agus dh'fhág sé an bhean ina dhiaidh.

[SÓD, gan Edifón, D. Fómhair 1945: CBÉ 978:553-54]

12. Moladh na Bochtaineachta

Bhí sagart babhta eile i dtigh feirmeora ar *stations* agus bhí fear bocht ag aodhaireacht bha ann, agus an mhaidean is milltí a tháinig riamh, gaoth agus fearthainne, nuair a bhí na ba crúite chuaigh an t-aodhaire amach leothu. Agus nuair a tháinig sé isteach tharraing sé amach an chroch is chaith sé a chois in airde ar an gcroch á dh'aeráil féin leis an tine. Tháinig sagart an pharóiste anuas as an seamra is shuigh sé age ceann an bhoird.

"*Well*," arsa sé, "is breá í an bhochtanacht."

"*Well,*" arsaigh an t-amadán,
"Ní mholaimse an bhochtanacht,
Ná ní mó ná a cháinim í.
Agus an té a mholann an bhochtanacht,
Dar Gobnait is aige ab fhearr liom í."

"Bhfuil na haitheanta chomh maith san agat?" arsa sagart an pharóiste leis.
"Thá," arsa sé.
"Abair dom iad," arsaigh an sagart.

"An chéad aithne," arsa sé, "cíos na hEaglaise ag glaoch,[39]
An tara aithne, diúgadh leanna le craos,
An trígiú aithne, beagán cuimhne ar dhaoine ainnise an tsaoil."

"Stad ar an áit sin iad," arsaigh an sagart. "Thá siad go maith agat."

[SÓD, le hEdifón, M. Fómhair 1945: CBÉ 977:557-58]

13. Bhí Mé Lá ar an mBaile seo

Bhí bean bhocht a bhí ag siúl roimpi. Chuaigh sí isteach i dtigh i mBaile na Móna – tigh Niocláis Uí Churraoin – agus fuair sí báisín anairthe báirneach …

"Bhí mé lá ar an mbaile seo," arsa sí,
"Agus seolag isteach go ti' Niocláis mé;
Bhí asal bacach ceangailthe ann;
Bhí easair age'n chráin ann
A dhéanfadh an Rinn a shásamh,
Is ní hé sin féin a mharaigh mé
Ach anairthe na mbáirneach."

[SÓD, gan Edifón, Meith. 1945: CBÉ 968:560-61]

18. "Imeoidh a dTiocfaidh is a dTáinig."

Chuaigh a bhean féna dhéin go dtí tigh an ósta is é ag ól is ag caitheamh is a chuid aitinn ag imeacht ag an saol.

"Ansan athá tusa," arsa sí, "is do chuid ag imeacht ag an dútha!"
"Imeoidh a dtiocfaidh," arsa sé,
"Agus dh'imigh a dtáinig riamh,

39. "Sin í an otharáil an tsagairt, airgead a díoltar leis an sagart." – **Maidhc Dháith.**

Nach ní dh'imigh na grásta ó Dhia;
Imeodsa agus tusa ón áit seo,
Agus beidh aiteann ag fás inár ndiaidh."

[ÚP, ar théip, deireadh na gcaogaidí: Cn.ÚP, Coláiste na Rinne]

20. Mór agus Muire Dhuit

Bean í seo nár thug aon iasacht d'einne riamh a dh'iarr aon rud uirthi. Agus an fear a bhí lena hais bhriseag é agus dh'imigh sé agus tháinig duine eile agus thóg sé an áit. Agus bhí sé ag bualadh ar an eathla lá agus ní raibh aon mhála aige a chuirfeadh sé ar bhéal na maisíne. Agus dúirt sé leis an mbuachaill dul fé dhéin tamall do mhála, ar Bhean Uí Chárthaigh. Agus dúirt an buachaill leis ná raghadh mar nár thug sí aon rud d'einne riamh a dh'iarrag uirthi.

Ach chuaigh sé fhéin fé dhéin an mhála agus nuair a chuaigh sé dtí an doras bhí sí istigh ina seasamh sa chistin:

Agus shidé mar a dúirt sé:

"Mór agus Muire dhuit a mháthair na gCárthach,
A bhean bheag shoineanta shoismara shásta;
Is fear bocht dealbh mé a bhfuil capall ar pá agam,
Agus tabhair don teachtaire tamall do mhála.
Briseadh ná brú ní bhainfidh dod mhála;
Cuirfidh mé tuí agus aiteann idir é is an gráta,
Agus beidh sé sa mbaile chughat an t-am so amáireach."

"Gheobhair é sin agus agus fáilthe."

[WD, ar chéirnín, 1928: Uimh. Thag. CBÉ T0667]

22. Diarmaid Ó Seanacháin agus na Brianaigh

Ní raibh aon ainm ab aoirde a bhí in Éire sa tseanashaol ná na Brianaigh agus bhí feirmeoir mór ina chónaí leathais ceann dos na Brianaigh ab ainm do Diarmaid Ó Seanacháin, agus ní raibh aon mheas aige air fhéin 'cheann a ráite go raibh na Brianaigh níba aoirde in ainm ná é. Agus bhí an sagart cráite aige a d'iarra' é a bhaisteadh ina Bhrianach. Ach dúirt an sagart nár bhaist an Eaglais einne fé dhó riamh, ach má chuirfeadh sé cuireadh dinnéir amach go dtí an ríocht a bhí thimpeall air nuair a bheadh an dinnéar réidh go nglaofaidís coiste an dá dhuine dhéag. Agus má bheartálfaidís ar einne chun é a bhaisteadh go mbeadh sé fhéin sásta. Agus istigh a dhéantaí an baiste agus an pósadh an uair sin.

Bhí mac don bhfeirmeoir a bhí le n-ais, bhí sé ina shagart agus tháinig sé chun é a bhaisteadh, agus 'nis sé a chúrsa dh'aodhaire bó a bhí age'n a athair, agus dh'fhiarthaigh sé dhe má bheartálfadh coiste an dá fhear dhéag air an mbaistfeadh sé é. Dúirt sé go mbaistfeadh. Nuair a bhí an dinnéar caite bheartálag ar choiste an dá fhear dhéag agus tháinig an t-aodhaire bó agus shocraíog an baiste i gcúinne éigin den tigh. Dh'fhéach an t-aodhaire bó thimpeall ar an tigh.

"Ní cosúil ná leis na Brianaigh," arsa sé, "do thigh ná do throscán;
Ní cosúil ná leis na Brianaigh do shrianta ná do ghearáin;
Ní cosúil ná leis na Brianaigh do ghiall ná do shlinneáin,
Agus fágfadsa mar a dh'fhág an saol riamh id Sheana-Dhiarmaid Ó Seanacháin."

[SÓD, le hEdifón, M. Fómhair 1945: CBÉ 977:533-34]

23A. Eibhlín Ní Ghearailt

Bhí mé age tórramh aon uair amháin agus tháinig óinseach isteach dtí an tórramh agus craobh druínigh a bhí mar pharasól aici agus chaith gach einne teitheadh ó chorp mar stracfadh sí an aghaidh dhíobh leis an gcraobh agus 'air a chuaigh sí dtí an corp:

"An cuimhin leat an lá úd," arsa sí, "nuair a bhíomair in aonacht;
Bhí ceithre cinn de mhuca againn araonach ag dul dtí an aonach;
Bhí ort bróg, stoca agus léine agus clóca a daothaint d'aon bhean;
Nó gur bhuail fút síol bithiúnach na gcaerach,
Agus dhein leat mar a dhein Údáisín liom fhéineach."

[NB, le hEdifón, 1934: CBÉ 150:253-54]

23B. Eibhlín Ní Ghearailt

Bhí óinseach anso fadó a dtugaidís Eibhlín Ní Ghearailt uirthi, agus bhí sí ina hóinseach bertha[40] nach ní raibh sí riamh i dti' na ngealt. Agus bhíodh craobh druínigh mar pharasól ag imeacht ar an mbóthar aici agus bun píopa cailce. Agus bhíodh sí ina suí ar na crosairí roimhis na capaill 'air a bhítí ag tarraint gainní ó Pholl a' Phúca agus ón Rinn agus chuireadh sí go leor capall ar éigin. Agus bhí bean mhuinteara dhi á tórramh an lá so agus ní réigh an bhean a bhí á tórramh, ní réigh sí fhéin agus bean a mic a chuigint, agus ní réigh Eibhlín Ní Ghearailt agus an cliamhain a tháinig isteach chuichi a chuigint. Agus nuair a dh'airigh sí

40. /b´erhə/ .i. beirthe

go raibh a bean mhuinteara á tórramh chuaigh sí go dtí í agus sheasaigh sí in airde as ceann an choirp agus chaith gach einne teitheadh nó stracfadh sí an agha' dhíobh leis an gcraobh druínigh:

"An cuimhin leat an lá úd," arsa sí léithe, "a bhíomair in aonacht;
Bhí cheithre cinn de mhuca againn araonach ag dul dtí an aonach;
Bhí ort bróg, stoca agus léine agus clóca a daothain d'aon bhean,
Nó gur bhuail fút síolrach bhithiúnach na gcaerach,
Agus dhein leat mar a dhein Údáisín liom fhéineach."

[CD, ar chéirnín, 1948: Uimh. Thag. CBÉ M0493]

25. An Garsún Bán

File ó Chontae Phort Láirge é seo a bhíodh ag díol prátaí a dtugaidís *Wisers* orthu, agus tháinig file ó Chontae Chorcaí chun iarracht a bhaint as ina choinne ar an mbóthar.

Agus shidé mar a dúirt sé:

"An tusa an Garsún Bán ó Chom Seangán'
Athá ag dul go hEochaill ag díol *Wisers*?"

"Era, prátaí bána athá i mo mhálasa,
Agus nín aon fhios cá raghaidh siad."

"Bhfuil siad inniúil chún bí', chun dí agus chun marga'?"

"Thá siad gan criochán gan sciollán gan falcaire."

[WD, ar chéirnín, 1928: Uimh. Thag. CBÉ T0667]

27. Tadhg Gaelach agus an Easóg

Bhíodh Tadhg Gaelach babhta sínte ar thaobh gleanna. Ghaibh an file eile an tslí ag baint iarracht as ....

"Ghabhas aneas a Thaidhg," arsa sé.
"Agus ní shiúlóidh mé aon chiscéim ach aduaidh."

"'Bhfuil sí id phóca agat?" arsaigh Tadhg – easóg a bhí aige.

[SÓD, gan Edifón, Meith. 1945: CBÉ 977:4]

28. Tadhg Gaelach agus an Dall

Bhí an dall t'réis dul suas dtí iad.

[ÚP: Bhí Tadhg Gaelach ag dul …]

Bhí Tadhg age'n ngeata agus an dall ag teacht anuas. Agus bhí an dá shagart ag ithe a ndinnéir agus ní thugadar aon rud don dall.

"An raghaidh tú suas aríst," arsa Tadhg.

"Dé mhaith dhom dhul suas?" arsaigh an dall.

"*Well*, tabharfaidh mise nóta dhuit," arsaigh … scrígh Tadhg nóta agus thug sé dho é. "Leag é sin ar an mbord chuchu," arsa sé.

"Sagart éabartúil [íobartúil?] den chumann Gall,
Dh'itheadar a gcuid iad fhéineach,
Is ní chuimhníodar ar aon rud a thabhairt don dall." arsa Tadhg

Fuair sé a dhaothain ansan.

[ÚP, ar théip, deireadh na gcaogaidí: Cn.ÚP, Coláiste na Rinne]

32A. Cróinín na Screathaine (i) – Cróinín agus an Fear Bréagach

Bhí file sa Screathan fadó, sa Seana-Phobal, a dtugaidís Cróinín air. Agus bhí páirc mhór cruithneacht aige agus chuir sé fear bréagach amach sa pháirc ag aodhaireacht na bpréacháin as an gcruithneacht. Agus ghoideadh – muintir na háite – ghoididís an fear bréagach as an bpáirc mara bhíodh sé ag déanadh rabháin dóibh. Agus nuair a chuaigh Cróinín amach um thráthnóna bhí an fear bréagach imithe as an bpáirc, agus tháinig sé isteach agus shuigh sé age'n dtine. Agus 'dtómas gur tháinig an fear bréagach ag éileamh a phá air:

"Tabharfaidh mé próiseas ón chúirt duit," arsa sé,
"Le púnt in agha an rátha."

"Dé chúis a dtabharthá próiseas ón chuirt domhsa," arsa Cróinín,
"Le púnt in agha an rátha,
Nuair nár sheasaimh tú an cúntas,
A bhí inniúil ar mé a shásamh?
Bhí tú droch-mhúinte, strollúsach, ceanndána,
Is ní rabhais um thráthnóna in aon chúinne dhem pháircse."

"*Well*," arsaigh an fear bréagach, "'á séidfeadh sé fearthainn ná caithfinn fuireach ann,
Fé ocras fada is go lag ar mo chom,

Gan snátha dhon léine orm a chimeádfadh ón síon mé,
Is go mbuanaí Dia an té a luathaigh chun a thí mé!"

[RBB, ar théip, c. 1958: Cn.RBB, Scoil an Léinn Cheiltigh, Institiúid Ardléinn Bhaile Átha Cliath, Uimh. Thag.7.]

32B. Cróinín na Screathaine (ii) Cróinín agus na Bóithreáin A

Bhí feirm thalún lena ais agus bhí fear ag aodhaireacht na feirmeach – Tomás 'ac Gearailt. Agus théadh na mná go léir amach sa Meitheamh ag bailiú bóithreán le hagha' tine. Agus bhí Cróinín ana-aosta an babht so: ní raibh sé ábaltha ar mórán a dhéanadh ná ar siúl a chuigin – bhí dhá bhata aige. Ach bheir sé ar mhála is strac sé é fhéin amach ar slí éigin, amach sa pháirc, agus chrom sé ag bailiú na mbóithreán ina bhfochair. Agus ní raibh einne 'es na mná ag caint leis mar a bhíodh sé ag déanadh na rabhán dóibh.

Nuair ná raibh einne ag caint leis:

"*Well*, Cróinín is a mhála aige," arsa sé, "ag sóláthar chacanna,
Agus iníon Mhártan Báille 'trúthán insa mbaile leo,
Agus tine bhóithreán is breá mar a lasann sí;
Nín aon áit a mbíonn sí ná dónn sí agus greadann sí,
Agus thá mná na háite go dtí an bhfráma acu greadaithe,
Agus is dóigh liomsa nách fearrde dhíbh trácht ar na cacanna,
Mara má chíonn Dróchán sibh sé Aird Mhóir a stadfaidh libh."

[RBB, ar théip, c. 1958: Cn.RBB, Scoil an Léinn Cheiltigh, Institiúid Ardléinn Bhaile Átha Cliath, Uimh. Thag.33.]

32B. Cróinín na Screathaine B – (ii) Cróinín agus na Bóithreáin B

Bhí mná an Screathain go léir lá as choinne an tí amach aige agus iad ag bailiú bóithreán. Bóithreán, salachar na mba, nuair a bheidís age'n samhradh bhídís á mbailiú san le hagha' tine. Agus bhí fear acu ag tabhairt aireachas don bhfeirm a dtugaidís Peaid Dróchái[41] air, agus 'á bhfeiceodh Peaid Dróchái iad shummonsálfadh sé iad. Agus ní raibh einne dhe mhná Screathain ag caint le Cróinín chuigint. Chuaigh sé amach ina measc is é aosta. Thug sé leis mála is chrom sé ag bailiú na mbóithreán ina bhfochair, agus nuair ná raibh einne ag caint leis thóg sé in airde a cheann:

41. Ls. *Ruacháin*

"Cróinín is a mhála aige," arsa sé, "is é ag soláthar na gcacanna,
Agus iníon Mhártan Báille ag tnúthán sa mbaile leo;
Tine bhóithreán is breá mar a lasfaidh sí;
Nín aon áit a mbíonn sí ná dónn sí agus greadann sí,
Agus thá mná na háite go dtí an bhfráma acu greadaithe,
Is is dóigh liomsa nách fearrde dhíbh trácht ar na cacanna,
Mar má chíonn Dróchchán sibh sé Ard Mhóir a stadfaidh libh."

[SÓD, le hEdifón, M. Fómhair 1945: CBÉ 977:549-50]

(iii) Cróinín agus an Bhardal A

Thug Fuge bhardal gall'a ansan do Thomás 'ac Gearailt agus is gairid a bhí an bhardal ar an áit nuair a mharaíog an bhardal, agus dh'airigh Cróinín gur air fhéin a bhí an milleán an bhárdal a mharú:

"*Well* mhuise, ní hé Cróinín a mharaigh an bhárdal," arsa sé,
"Nach Tomás 'ac Gearailt a bhris a chnánna,
Agus a chuir sa chlaí é dtí dar ná mháireach,
Go ndéanfadh sé súp do Chaitlín Mhártain."

[RBB, ar théip, c. 1958: Cn.RBB, Scoil an Léinn Cheiltigh, Institiúid Ardléinn Bhaile Átha Cliath, Uimh. Thag. 56.]

(iii) Cróinín agus an Bhárdal B

Bhí comharsa le n-ais a mb'ainm do Tomás 'ac Gearailt agus mharaíog bárdal ar bhean Thomáis 'ac Gearailt. Agus dh'airigh Cróinín gur air fhéin a bhí milleán an bhárdail agus nuair a fuair sé amach go raibh an milleán air:

"Mhuise ní hé Cróinín a mhairbh an bárdal," arsa sé,
"Ach Tomás 'ac Gearailt a bhris a chnánna,
Agus chuir sa chlaí é go dtí dar ná mháireach,
Go ndéanfadh sé súip do Chaitlín Mhártain."

[NB, le hEdifón, 1934: CBÉ 150:379]

33. An File agus Sagart Paróiste Choilligeáin

Bhí sagart i gCoilligeáin fadó agus file ba dh'ea é agus bhí file sa pharóiste chomh maith leis. Bhídís ag labhairt lena chéile gach aon lá. Ach tháinig droch-gheimhreadh agus bhí an domhan daoine aosta ag fáil bháis agus dúirt an file gur:

"Baiste agus pósadh,
Agus tórramh gan díobháil,
A chuireann airgead i bpóca,
Sagart paróiste Choilligeáin."

Dh'airigh sagart an pharóiste é is Dé Domhna' nuair a bhí an tAifreann léite aige dh'iompaigh sé amach ar an altóir ...

"Baiste agus pósadh," arsa sé,
"Agus tórramh gan díobháil,
A chuireann airgead in ár bpóca,
Agus feoil ar ár gcliatháin;
Tá beagán den sórt san,
I bparóiste Choilligeáin."

[SÓD, le hEdifón, M. Fómhair 1945: CBÉ 977:507-8]

S. GRINNSCÉALTA

1. Cad as don Stampa?

Bhí fear eile ag imeacht anso go dtugaidís an Stampa air. Fear ana-shocair ba dh'ea é ach ní dheineadh sé aon rud ach ag imeacht ó áit go háit. Ach thagadh sagart 'on áit a bhí ana-fhiliúil agus dh'airigh sé trácht air ...

"B'fhearr liom go bhfeicfinn é," arsa sé leis an sagart paróiste.

Bhíodar araon ag siúl lá agus do chonaiceadar fear chúchu.

"Sin é anois é," arsaigh an sagart paróiste.

"Cad as don Stampa," arsaigh an sagart óg.

"Ós na ceanntair," arsaigh an Stampa.

"Ní heol dom ann é."

"*Well*, bhí sé romhat ann."

"*Well*, ní bhfearr liom ann é."

"*Well*, táim leat amhla',"arsaigh an Stampa.

[SÓD, gan Edifón, Meith. 1945: CBÉ 977:5-6]

16. Mac Shiobhán Mhaol

(i)

Buachaill a bhí ann fadó agus ba dheocair é a chimeád go dtí an scoil. Bhí sé ag piocadh craibí fiaine istigh in páirc lá agus tháinig an sagart aníos chuige.

"Ag piocadh craibí fiaine atá tú ansan?" arsan sagart leis.

"Má thá siad fiain tá siad ag fuireach socair go maith agamsa, a athair," arsaigh an buachaill.

"Mac do Shiobhán Mhaol thusa a mhaoineach?" arsaigh an sagart leis.

"Ó sea," arsaigh an buachaill, "is dócha go raibh adharc ar do mháthairse."

Theith sé ansan ón sagart agus chuaigh sé isteach in sean-fhothrach a bhí anonn trasna na páirce uaidh agus tháinig an sagart ina dhiaidh.

"Ó ná déin, a athair," arsaigh an buachaill, "ná tair a thuilleadh."

"Dé chúis?" arsaigh an sagart.

"Mar tá an seanfhocal sáraithe agat, mar dh'airigh mé riamh im shaol," arsa sé, "nach go dtíos na fallaí fuara ba mhaith led leithéidse teacht."

"Bhfuil do phaidreacha agat chomh maith is tá na cainteanna san agat?" arsaigh an sagart leis.

"Níl," arsa sé, "níl oiread is aon phaidir riamh agam."

"*Well*, dá múinfinnse anois duit ceann, an mbeadh sé agat nuair a chífinn thú aríst?" arsaigh an sagart leis.

"Beidh sé, a athair," arsa sé seo.

"Abair ''Uain déin trócaire orainn agus peacaí an domhain'," arsaigh an sagart leis.

"'Uain déin trócaire orainn agus peacaí an domhain," arsaigh an buachaill.

Bhí sé aige ansan.

Bhí sé isteach sa mbliain nua nuair do bhuail an sagart féig aríst.

"Bhfuil na paidreacha úd a mhúin mé dhuit anois agat?" arsaigh an sagart leis."

"Táid, a athair," arsa sé seo.

"Abair dom é," arsaigh an sagart leis.

"Cuíora déin trócaire orainn agus peacaí an domhain," arsaigh an buachaill go mall diagúil.[42]

"Á, ní mar sin a mhúin mise dhuit iad," arsaigh an sagart leis, á thógaint dá bhoinn le langaire clabhtóige.

"Ar ndó' an diabhal," arsaigh an buachaill leis, "ní hea, ach an rud a bhí ina uan anuraidh ná fuil sé ina chuíora i mbliana!"

[NB, gan Edifón, 8/2/32: CBÉ I86:7-9]

(ii)

Lá eile do chonaic an sagart céanna an garsún céanna so [Mac Shiobhán Mhaol] ag teacht amach as an tigh tábhairne agus do chonaic an sagart scrogall

42. Ls *diadhasamhail*

buidéil uisce beatha ag borradh amach as a phóca. Agus dúirt sé leis féin go mbeadh spota aige ar an ngarsún, ach má dúirt bhí thiar air mar bhí an garsún ró-mhaith dho. Do bheannaigh an sagart dho agus ansan dúirt sé:

"Cad athá sa mbuidéal san agat?"

"Is mó rud athá ann," arsaigh an buachaill.

"Cad iad?" arsaigh an sagart.

"Thá sult is greann is carthanacht, diabhal is deamhain is achrann," arsaigh an buachaill agus dh'imigh sé leis.

[SMacS, gan Edifón: CBÉ 630:233, 235]

17. An tEaspag agus an Garsún

Do tháinig an tEaspag dtí an Rinn fadó chun na páistí a chur fé Láimh Easpaig agus carraeiste capall a bhí aige. Nuair a bhí sé ag dul suas an bóthar dtí an séipéal chonaic sé asal agus searrach istigh i bpáirc. Droch-bhóithre a bhí ann an uair úd agus dhein an carraeiste a lán fothram ag góil an bóthar do. Do scanraigh fothram an charraeiste an searraichín[43] agus do léim sé de dhiorc amach thar an gclaí agus do rioth sé leis ar an mbóthar roimh an carraeiste. Níor mhaith leis an Easpag go raghadh an searraichín amú óna mháthair agus do ghlaoigh sé ar pháiste beag a bhí ag góilt suas an bóthar.

Agus, arsaigh an tEaspag leis an bpáiste:

"A pháiste gan pheaca
Stop an t-asal gan chiall."

"Má tháimse gan pheaca," arsaigh an páiste,
"Imíodh an t-asal sa diabhal."

Agus do rioth sé leis suas an bóthar.

[SMacS, gan Edifón: CBÉ 630:239-40]

26. Na Leaimbíos a Bhí ar Mhulla a' Chairn

(i)

Bhí bean bhocht ar Mhulla' an Chairn fadó a dtugaidís Neilí Leaindí uirthi agus bhíodh sí marbh age tinneas fiacla. Agus bhíodh fear ag imeacht thimpeall anso a dtugaidís an Robbun air agus bhí sé ag dul síos go dtí ti' Pheaidí Neidí maidean, agus bhí Neilí Leaindí bhocht amuigh ar an mbóthar agus gach aon scréach aici le tinneas fiacla.

43. *seirithín* a deirtear.

"An tinneas fiacla athá ort?" arsaigh an Robbun.

"Sea," arsa sí.

"*Well*, is gairid a bheidh," arsa sé. "Téir ar mhulla' do dhá ghlún ansan anois is leighisfidh mise dhuit é," arsa sé.

Chuaigh.

"Abair, 'Mise Neilí Leaindí[44] agus guím na mílte leat,'" arsa sé.

"Mise Neilí Leaindí, a mhaoineach, agus guím na mílte leat," arsa sí.

"*Well*, mise Tomáisín Aindí[45] agus nár dh'fhóire Dia ort," arsa sé.

[SÓD, le hEdifón, M. Fómhair 1945: CBÉ 977:525-26]

T. PAIDREACHA

1. Áirthí an Pheacaí

Bean bhocht a bhí ag fáil bháis agus bhí dhá dhuine dhéag clainne aici agus ní raibh sí pósta chuigint agus bhí an sagart ina coinne. Bhí sé i gcoinne méile bídh a thabhairt di ná iostas na hoíche. Seo an phaidir a dúirt sí:

Deinim m'fhoisdín leat a Dhia
Trí ghníomhartha mo cholla,
Trí smaointe mo chroí.
Dúirís agus b'fhíor –
Dheineas do dhlí agus do thoilse.
Tá mé a d'iarra' pardún agus mathúnachas im peacaí ort a Thiarna.
Aingeal coinleachta a chuir Dia chun mé a threorú,
Mé a chosaint, mé a stiúrú agus mé a theagasc.
Múin dom a thoil naofa,
Gach beart agus gach ócáid.
Stiúraigh mé i mbeannacht an tSlánaitheoir.
Cúnaigh liom ar uair mo bháis,
Agus i ndeireadh dul i láthair Dé.

[SÓD, gan Edifón, Meith. 1945: CBÉ 977:29]

44. Lsí. *Neilín Leaimbí* agus *Neilí Leaindí* ag SÓD.
45. Lsí. *Tomáisín Aintí* agus *Tomás Aindí* ag SÓD.

3. Paidir na Leapa

A Íosa Dílis Athair an tSuain,
Díbir na smaointe seo mallaithe uaim,
Im shuí dhom im luí dhom,
Im chodladh agus im shuain.
Bí im thimpeall bí im choinnleacht,
Bí im dh'fhaire gach uair.
Cabhair is cúna' is grásta ó Dhia chugham.
Cabhair gach lá agus tháim dá dh'iarra'
Sácraimint na hAithrí chugham,
Is go neartaí Dia liom,
Agus comaraí m'anam ort a Mhuire Bhantiarna.

[SÓD, gan Edifón, Meith. 1945: CBÉ 977:132-33.]

NÓTAÍ

1. SAOL NA nDAOINE SA RINN FADÓ

A. TITHE NA nDAOINE

1. Díonadóireacht. S.ÓD. (gan Edifón) Samhain 1945: CBÉ 978:387-91.

Tá na léaráidí de uirlisí an díonadóra agus den díonadóireacht bunaithe ar chinn na lse. [CBÉ 978:388, 391].

I gceistiúchán a dhein Coimisiún Béaloideas Éireann ar an ndíonadóireacht sa bhliain 1945 bailíodh eolas ó na háiteanna seo a leanas i gCo. Phort Láirge: An Chlais Mhór [lch. 270-71], Ard Mhór [lch. 272-73], An Rinn [lch. 274-78], Bun Machan [lch. 279], Paróiste na Cille [lch. 280].

2. Fallaí Feidín. M.ÓhAo (gan Edifón) idir 1933 agus 44: M. Ó hAodha, "Seanchas ós na Déisibh," *Béaloideas* 14 (1944):72

3. Bataí Boilg. M.ÓhAo (gan Edifón) idir 1933 agus 44: M. Ó hAodha, "Seanchas ós na Déisibh," *Béaloideas* 14 (1944):72-3.

Bhí "bataí boluig" agus "bataí builig" ag Michéal Turraoin. "Bataí builig" a bhí ag triúr seanduine ná maireann – Tomás Ó hArta ó Ghort na Daimhche, Tomás 'A' Cathail ón Seana-Phobal, agus Tomáisín Ó Muireadhaigh ón Seanachill. Mar a chéile athá an focal ag Labhrás Ó Cadhla agus ag Pádraig Ó Cadhla ón taobh eile de Dhún Garbhán – **M. Ó hAodha.**

4. Bráca. S.ÓD. (gan Edifón) Meith. 1945: CBÉ 977:6, 14.

5. Tine sa Phiniúir. S.ÓD. (gan Edifón) Meith. 1945: CBÉ 977:6-7.

6. Aol agus Gainimh. S.ÓD. (gan Edifón) Meith. 1945: CBÉ 977:8, 9.

7. Cliath as Ceann Doiris. S.ÓD. (gan Edifón) Meith. 1945: CBÉ 977:9.

8. Poll chun Uisce a Ligint Amach. S.ÓD. (gan Edifón) Meith. 1945: CBÉ 977:9-10.

9. Falla an Tí. S.ÓD. (gan Edifón) Meith. 1945: CBÉ 977:8-9.

Is dóichí gurb í an luibh atá i gceist anseo ná an 'tóirpín' *[Sempervivum tectorum (House Leek)]* a dh'fhástaí ar an gceann tuí chun an tigh a chosaint ar thintíocha. Tá cuntas maith ar an luibh seo ó Luach, Dubhlinn, Co. an Chláir ag Seán Mac Mathúna in CBÉ 41:288. Feic, leis, Breatnach, *Seana-Chaint II,* lch. 402, s.v. *tóirpín,* mar a bhfuil tagairt don 'tóirpín' ón mBaile Nua, Co. Thiobraid Árann.

10. Troscán an Tí. S.ÓD. (gan Edifón) Meith. 1945: CBÉ 977:10-11, 12-13.

Dúirt máthair chéile mhac Mhaidhc Dháith: "Cheannaigh mé cliabhán do mo chéad leanbh. 'Bh'feadar tú cad dúraíodh liomsa nuair a bhí an cliabhán ceannaithe agam?: 'Bíodh orm gur chaith tú féin é a cheannach,' arsa sí." – **S.ÓD.**

I dtigh Mhaidhc Dháith, bhí peictiúir an Chroí Naofa agus peictiúir den chrois agus den chailís ann, agus grianghrafaí de chlann Mhaidhc, grianghrafaí a tháinig thar lear. Bhíodar go léir crochta an-ard ar an bhfalla – **S.ÓD.**

11. Tigh gan Tine. S.ÓD. (gan Edifón) Meith. 1945: CBÉ 977:60.

12. Seoraí chun an Tine a Shéideadh.

(i) S.ÓD. (gan Edifón) Meith. 1945: CBÉ 968:557.

(ii) M.ÓhAo (gan Edifón) idir 1933 agus 44: M. Ó hAodha, "Seanchas ós na Déisibh," *Béaloideas* 14 (1944):73-4.

13. Cá Raibh na Tithe Tógtha? S.ÓD. (gan Edifón) Meith. 1945: CBÉ 977:7.

Tá na léaráidí den doras, den fhuinneog agus an ceann 'Téarmaí a bhaineann le structúr an tí,' bunaithe ar chinn na lse. [CBÉ 977:205]

14. Na Túir. S.ÓD. (gan Edifón) Meith. 1945: CBÉ 977:6.

15. Imirí. S.ÓD. (gan Edifón) Meith. 1945: CBÉ 977:14.

16. Tithe agus Botháin Feirme. S.ÓD. (gan Edifón) Meith. 1945: CBÉ 968:566.

17. Bothán. S.ÓD. (gan Edifón) Meith. 1945: CBÉ 977:6

18. Solas sna Tithe Fadó (i) Lampaí Treidhn A. S.ÓD. (le hEdifón) M. Fómhair 1945: CBÉ 978:18-19.

Treidhn: Ola a baintear as aenna éisc [Féach Breatnach, *Seana-Chaint II,* lch. 405, s.v. *treidhn*].

(ii) Lampaí Treidhn B. M.ÓhAo (gan Edifón) idir 1933 agus 44: M. Ó hAodha, "Seanchas ós na Déisibh," *Béaloideas* 14 (1944):105-6.

Scailpín (bits): *Dogfish (Scyliorhinus stellaris)*

(iii) Coinnle. S.ÓD. (le hEdifón) M. Fómhair 1945: CBÉ 978:19-20

B. FEIRMEOIREACHT

(a) UIRLISÍ FEIRME

1. An Rámhann. **(i)** S.ÓD. (gan Edifón) Nol., 1945: CBÉ 978:406-8, Samh., 1945; 254-55.

(ii) S.ÓD. (gan Edifón) Márta 1948: CBÉ 1100:75-6

(iii) S.ÓD. (gan Edifón) Samhain 1945: CBÉ 978:406

Léaráid bunaithe ar cheann na lse. [CBÉ 978:406].

2. An Sprang. S.ÓD. (gan Edifón) Nollaig 1945: CBÉ 978:410

Léaráid bunaithe ar cheann na lse. [CBÉ 978:410].

3. An Píce Féir. S.ÓD. (gan Edifón) Nollaig 1945: CBÉ 978:410.

Léaráid bunaithe ar cheann na lse. [CBÉ 978:410].

4. An Raca. S.ÓD. (gan Edifón) Nollaig 1945: CBÉ 978:411.
Léaráid bunaithe ar cheann na lse. [CBÉ 978:411].
5. An Piocóid. S.ÓD. (gan Edifón) Nollaig 1945: CBÉ 978:411
Léaráid bunaithe ar cheann na lse. [CBÉ 978:411].
6. Grafán Réitigh. S.ÓD. (gan Edifón) Nollaig 1945: CBÉ 978:412
Léaráid bunaithe ar cheann na lse. [CBÉ 978:412].
7. Grafán Socraithe. S.ÓD. (gan Edifón) Nollaig 1945: CBÉ 978:412
Léaráid bunaithe ar cheann na lse. [CBÉ 978:412].
8. An tOrd. S.ÓD. (gan Edifón) Nollaig 1945: CBÉ 978:412-13
Léaráid bunaithe ar cheann na lse. [CBÉ 978:412].
9. An Mhileog. S.ÓD. (gan Edifón) Nollaig 1945: CBÉ 978:413
Léaráid bunaithe ar cheann na lse. [CBÉ 978:413].
10. An Corrán. S.ÓD. (gan Edifón) Nollaig 1945: CBÉ 978:413-14
Léaráid bunaithe ar cheann na lse. [CBÉ 978:413].
11. An tSluasaid. S.ÓD. (gan Edifón) Nollaig 1945: CBÉ 978:409
Léaráid bunaithe ar cheann na lse. [CBÉ 978:409].
12. An Speal. S.ÓD. (gan Edifón) Nollaig 1945: CBÉ 978:442
Léaráid bunaithe ar cheann na lse. [CBÉ 978:442].
13. Cúram na nUirlisí Feirme. S.ÓD. (gan Edifón) Nollaig 1945: CBÉ 978:442

(b) OBAIR NA BLIANA AR AN bhFEIRM

1. Th'réis na Nollag. S.ÓD. (gan Edifón) Samhain 1945: CBÉ 978:374-76, 378-79

Bhailigh N.B. roinnt seanchais mar gheall ar obair na feirme ó Sheán Ó Doghair (50), Barra na Stuac ar an 12/12/35:

Cur na bPrátaí [CBÉ 151:273-75]
Cur Coirce [CBÉ 151:275]
Gearradh Féir [CBÉ 151:275-76]
Bualadh an Choirce [CBÉ 151:277]
Bualadh na Súiste [CBÉ 151:277-78]
Baint an Aitinn [CBÉ 151:278]
Baint na Móna [CBÉ 151:279-81]

2. Mí na Féil Bríde. S.ÓD. (gan Edifón) Samhain 1945: CBÉ 978:376-77, 381.
3. Mí na Márta. S.ÓD. (gan Edifón) Samhain 1945: CBÉ 978:377-78, 381.
4. Mí Abráin. S.ÓD. (gan Edifón) Samhain 1945: CBÉ 978:380, 382.
5. Mí na Bealthaine. S.ÓD. (gan Edifón) Samhain 1945: CBÉ 978:381.
6. Mí an Mheithimh. S.ÓD. (gan Edifón) Samhain 1945: CBÉ 978:383.
7. Mí na Féil Déagláin [Mí Iúil]. S.ÓD. (gan Edifón) Samhain 1945: CBÉ 978:383-84.

8. An Fómhar. S.ÓD. (gan Edifón) Samhain 1945: CBÉ 978:384-86.

9. M' Fhéil Michíl [M. Fómhair]. S.ÓD. (gan Edifón) Samhain 1945: CBÉ 978:385-86.

10. ***October* agus *November*.** S.ÓD. (gan Edifón) Samhain 1945: CBÉ 978:404.

11. Mí na Nollag. S.ÓD. (gan Edifón) Samhain 1945: CBÉ 978:386.

(c) TALAMH AGUS CURADÓIREACHT

1. Corrach. S.ÓD. (gan Edifón) Samhain 1945: CBÉ 978:292.
Saileach: Den ghéineas *Salix (Willow).*
Garaluachair: Luachair chrua, *Juncus inflexus (Hard Rush)* ?
Seasc: Cíb, seisc – den ghéineas *Carex (Sedge) ?.*

2. Móinteán. S.ÓD. (gan Edifón) Samhain 1945: CBÉ 978:292.
Luachair: Den ghéineas *Juncus (Rush).*

3. Slogaire. S.ÓD. (gan Edifón) Samhain 1945: CBÉ 978:292.

4. Gairthean Géar. S.ÓD. (gan Edifón) Samhain 1945: CBÉ 978:292-93.

5. ***Bleaicíní*.** S.ÓD. (gan Edifón) Samhain 1945: CBÉ 978:293.

6. Screig. S.ÓD. (gan Edifón) Samhain 1945: CBÉ 978:293.

7. Angaréis. S.ÓD. (gan Edifón) Samhain 1945: CBÉ 978:293.

8. Scrubarnach. S.ÓD. (gan Edifón) Samhain 1945: CBÉ 978:293.
Druíneach: Draighean, draighneán, draighneán donn, *Prunus spinosa (Blackthorn)*
Sceach Gheal: *Crataetus monogyna (Hawthorn)*

9. Leaca. S.ÓD. (gan Edifón) Samhain 1945: CBÉ 978:272.

10. Inse. S.ÓD. (gan Edifón) Samhain 1945: CBÉ 978:294.

11. Caoráin agus Bróinte. S.ÓD. (gan Edifón) Samhain 1945: CBÉ 978:294.

12. Mais. S.ÓD. (gan Edifón) Samhain 1945: CBÉ 978:294.

13. Móinéar. S.ÓD. (gan Edifón) Samhain 1945: CBÉ 978:294.

14. Gort. S.ÓD. (gan Edifón) Samhain 1945: CBÉ 978:294.

15. Talamh Dearg. S.ÓD. (gan Edifón) Samhain 1945: CBÉ 978:272.

16. Ithir. S.ÓD. (gan Edifón) Samhain 1945: CBÉ 978:295.

17. Garraí. S.ÓD. (gan Edifón) Samhain 1945: CBÉ 978:295.

18. Gairdín. S.ÓD. (gan Edifón) Samhain 1945: CBÉ 978:295.

19. Páirceanna. S.ÓD. (gan Edifón) Meith. 1945: CBÉ 968:566.

20. Clathacha. S.ÓD. (gan Edifón) Meith. 1945 agus Samhain 1945: CBÉ 968:566-68; 978:373.

21. Talamh Reachtais. S.ÓD. (gan Edifón) Meith. 1945: CBÉ 968:562-63

22. Ceathrú. S.ÓD. (gan Edifón) Samhain 1945: CBÉ 978:373.

23. Trinseáil S.ÓD. (gan Edifón) Samhain 1945: CBÉ 978:255**??**

24. Athrómhar. S.ÓD. (gan Edifón) Samhain 1945: CBÉ 978:291-92.

25. Briseadh agus Draeineáil na Talún. S.ÓD. (gan Edifón) Samhain 1945: CBÉ 978:198-201.

Sioráin: Caoch Rua, Péist Rua, den ghéineas *Elater (grub of Click Beetle – Wireworm)*

26. Béiteáil (i). S.ÓD. (gan Edifón) Meith. 1945: CBÉ 968:562-63.

27. Béiteáil (ii). S.ÓD. (gan Edifón) Samhain 1945: CBÉ 978:23.

28. Céachtaí agus Treabhadh. S.ÓD. (gan Edifón) Samhain 1945: CBÉ 978:204-7, 251-54.

29. An Chliath. S.ÓD. (gan Edifón) Samhain 1945: CBÉ 978:262.

30. Trioscar agus Roinnt na Trá. S.ÓD. (gan Edifón) Meith. 1945: CBÉ 977:2.

Lofán: Is é seo a leanas an míniú a thugann R.B. Breatnach ar an bhfocal 'lufán': mixture of sea-weed, withered grass etc. found on strand at high-water mark and used as fertiliser, *féar is triuscar agus gach ae' rud trín a chéile: dhá dhrill turnap nár shrois a' l. chún é chur orra agus thá siad go maith,* two drills of turnips on which no *lufán* was put because it ran out, and yet they were good [Breatnach, *Seana-Chaint II,* lch. 282, s.v. *lufán*].

Tagann an míniú seo go maith leis an méid seo a leanas a bhailigh N.B. le hEdifón ó Thomás Ó Muirithe (70), Cnocán a' Phaoraigh ar an 20/11/35 [CBÉ 152:100-1]:

Well, sa samhradh a thagann san isteach mar shiné is dócha an fuíolach an trioscair agus bíonn sé mion, bíonn sé dreoite. Bíonn dath uaithne ar chuid de is dath buí agus tagann sé isteach ansan leis an taoide, nuair a bhíonn an taoide, bíonn sé ciúin sa samhradh. *Well*, séard a dhéintí leis sin ansan, séard a dhéineadh na daoine fadó leis sin, tharraingídís é sin agus chuiridís isteach ins na machaí é agus ansan chuiridís gaineamh anuas air. Gach uile líne, chuiridís an ghaineamh anuas air, agus ansan nuair a bheadh sé sin foilithe age'n ngaineamh chuiridís ansan barr eile air agus ansan chuiridís an ghaineamh anuas air gach uile líne gainní agus lofáin agus dh'fhágaidís sa macha ansan é sin go dtí i dteannta na Féil Bríde. Agus shiné an uair ansan do thosnaídís á chuir san amach ar an talamh um Fhéil Bríde. *Well*, chuirfí é sin ar an talamh fé a ndéanfaí iomairí dhe, mar shiné an uair ab fhearr é a chuir amach. Agus dhéanfadh sé maith dhon talamh agus dhéanfadh sé briosc é. Agus rud eile, bheadh sé bog, breá chun é a threabhadh – bheadh sé briosc. Shiné mar a dhéintí leis an lofán agus is beag anois a chím á dhéanadh ag bailiú an lofáin mar a bhídís.

Agus slí eile a bhí acu fé ar tháinig na hasail amach – ní raibh aon asal an uair sin ach an beagán – agus siad na mná a bhíodh á chuir amach le ciseáin, á líonadh as na machaí. Agus bheadh bord ansan acu agus chuirfidís an ciseán ansan in airde ar an mbord nuair a bheadh sé lán agus bhíodh gad as an gciseán agus ar a gceann – pillín beag a bhíodh acu ar a gceann fén ngad chun ná raghadh an gad, thá fhios agat, tríothu – mulla a gcinn – ná raghadh an gad tríothu. Chuirfidís an pillín ansan ann agus ansan raghaidís ansan á tharraint sin agus á chuir amach ar an talamh.

31. Ag Baint Trioscair. S.ÓD. (le hEdifón) M. Fómhair 1945: CBÉ 978:11-12. Trioscar Dearg [*Oar Weed, Red Weed, Laminaria hyperborea* nó *Laminaria digitata* b'fhéidir].

Bhailigh N.B. eolas ana-thábhachtach mar gheall ar úsáid an trioscair sa Rinn ó Thomás Ó Muirithe (70), Cnocán a' Phaoraigh ar an 20/11/35 [CBÉ 152:97-109]. Bhí an méid seo a leanas le rá aige mar gheall ar an **trioscar dearg** [CBÉ 152:97-9]:

Na billeoga, bíonn sé sin chomh sleamhain – bíonn sé buí sleamhain – agus bíonn sé ag fás amuigh ar na clocha, amach ar na Gaibhne. Thagadh sé isteach ar an tráigh, leis, nuair a thiocfadh gála mór gaoithe le gaoth anoir. Thiocfadh sé isteach le gála gaoth anoir, isteach ar lán mara, agus bhíodh go leor des na daoine fadó, bhídís á tharraingt agus ag fuireach suas san oíche agus capaill acu ag dul amach ar an mbarra is ar an tráigh agus ag líonadh ualaí agus á thabhairt isteach ar feadh na hoíche go dí go mbeadh an taoide ag líonadh.

Bhíodh na feirmeoirí a bhíodh in Maoil a' Choirne, bhíodh Liam Ó Lonáin, agus bhíodh Risteird Ó Corráin agus bhíodh Séamus Ó Meachair, Micil Ó Meachair agus Éamonn Treo, Seán Paor agus go leor eile acu, ach bhainfeadh sé i bhfad díom iad go léir a chomhaireamh. Thógfadh sé ana-fhaid aimsire dhíom ar an méid a bhíodh ag tarraint an trioscair an uair sin ó Pholl a' Phúca, agus bhíodh daoine isteach, cuid acu isteach ón sliabh. Sé an tslí a mbailídís an trioscar nach le spranganna agus b'fhéidir cuid acu go mbeadh raca acu ann nuair a bheadh sé lán mara, á tharraingt isteach ansan agus ag déanadh cairn de. Agus ansan nuair a bheadh na cairn déanta acu ansan tharraingeoidís abhaile é. Agus an t-am is fearr chun an trioscair chun leasaithe ná i dteannta na Nollag – ó Shamhain agus as san go dtí an Nollaig, mar shiné an trioscar gheimhridh, mar shiné an trioscar is fearr, mar bíonn sé dreoite ansan agus bíonn i bhfad aimsire aige. Shiné an trioscar is fearr, a dhéarfaidís, do phrátaí – trioscar a chuirfí amach ar bhán um Nollaig nó um Shamhain.

Trioscar na gClog nó Trioscar Dubh: D'fhéadfadh aon cheann de dhá speiceas dhe algaí a bheith i gceist anseo: 1) Caisíneach, Dúlamán, Muirín na Muc [*Channel Wrack, Pelvetia canaliculata*] nó 2) Feamainn Bhoilgíneach, Dúlamán na gClog [*Bladder Wrack, Fucus vesiculosus*] i dtaobh go bhfuil cloig ar an dá shaghas.

Bhailigh N.B. an méid seo a leanas mar gheall ar thrioscar na gclog le hEdifón ó Thomás Ó Muirithe (70), Cnocán a' Phaoraigh ar an 20/11/35 [CBÉ 152:99-100]:

Well, ar na clocha a bhíonn sé, istigh cois trá. Chífeá é sin anois thíos age bun an Choláiste agus trioscar dubh a thugann siad air. Bíonn sé rua mar sin, cloig ann, agus dhéarfadh duine go bhfuil leigheas ansan do phianta chnámh má bheadh aon rud ar do chnánna. *Well*, thug mé fhéin cuid de go dtí Éamonn Ó Díghe. Bhí sé sin i nDonn Garbhán. Bhí siopa mór aige agus is minic a thug mé cuid de isteach chuige mar dúraíodh leis go raibh leigheas ann, agus thá leigheas ann do pé galar a bhaineann leis, leighisfeadh sé é, deir siad.

Deir siad go ana-leasú dho phrátaí é agus é sin a chuir amach san Abrán. Is fearr é ná an trioscar eile mar is luaithe a dhreonn sé agus bíonn an sáile istigh ins na cloig: thá cloig air. Ana-leasú is ea é do phrátaí. Ese, ní bhíonn mórán anois, ach bhíodh fadó sa tseanaimsir, á bhailiú. Bhíodh duine ar gach aon chloch, ach nín einne anois á bhailiú. Dh'imigh san fhéin. Bhíodh na mná agus na fearaibh, bhíodh duine ar gach aon chloch díobh fadó, mar a dhéarfá, thimpeall dachad bliain ó shoin, nach ní fiú a rá go bhfuil mórán le scór blianta … go bhfuil mórán anois á bhaint ná á stracadh – á stracadh lena lámha des na clocha a bhídís. É a thabhairt leothu ansan i gcairt agus é a chaitheamh amach ar an talamh agus ligint do dreochaint. Dhreofadh an aimsear é, agus nuair a gheobhadh sé an fhearthainn, atann an fhearthainn é agus bíonn ana-theas ar fad ag baint leis an trioscar dubh. Bíonn an teas ag baint leis. Sin é athá inniúil don phráta – sé an teas a bhíonn ón bpráta.

32. Tarraint agus Leathadh an Trioscair. S.ÓD. (gan Edifón) M. Fómhair 1945: CBÉ 978:15-16.

Fuip: Ruálach [*Sea Laces, Chorda filum*] ?

Bhailigh N.B. an méid seo a leanas mar gheall ar an bhfuip le hEdifón ó Thomás Ó Muirithe (70), Cnocán a' Phaoraigh ar an 20/11/35 [CBÉ 152:105-7]:

Thá mé chun cúntas a thabhairt díbh ar na fuipeanna. Sea, bíonn siad san díreach mar a bheadh corda, mar a bheadh in *whip* ag tiomáint an chapaill. Bhíodh na *whip*eanna fadó age daoine ag tiomáint na gcapall nuair a bhítí ag tarraint na gainní ó Pholl a' Phúca ....

Dath an óir mar sin a bhíodh ar na *whip*eanna agus, mar a dhéarfá, go mbeadh ceithre troithe ar faid iontu, nó cúig throithe cuid acu. Bhídís sin ag fás amuigh ar na carraigeacha amach chún na Gaibhne, mar isteach ós na Gaibhne a thagadh siad seo go léir, a thagann an trioscar so ar fad. Fásann sé ar na carraigeacha agus an méid ansan a dh'fhanfadh ansan gan baint, thá fhios agat, nuair a thiocfadh an gála ansan chuireadh sé isteach ansan iad. Thagadh sé isteach leis an bhfarraige go dtí Poll a' Phúca agus siar fé bhun Mhaoil a' Choirne – is dócha an áit a bhfuil an Coláiste na Rinne – Coláiste Gaelainn na Rinne. Bhíodh an domhan trioscar ansan fadó agus bhíodh gach einne agus a scair fhéin aige agus is minic a dh'éirigh achrann mór ar thrioscar. Bhíodh muintir siar chun Maoil a' Choirne agus Baile na Cúirte, bhíodh achrann go minic acu mar gheall ar an trioscar – iad ag baint dona chéile agus ag suíomhaint ar a chéile. Agus nín san amhla' anois in ao'chor – thá gach aon rud anois ana-chiúin.

33. Bád a Bádh ag Baint Trioscair. S.ÓD. (le hEdifón) M. Fómhair 1945: CBÉ 978:13-14.

34. Aoileach. S.ÓD. (le hEdifón) M. Fómhair 1945: CBÉ 978:16-17.

35. Leasú na nGarraithe. S.ÓD. (le hEdifón) M. Fómhair 1945: CBÉ 978:21-2.

Bhailigh N.B. an méid seo a leanas mar gheall ar obair na mban sna garraithe agus úsáid na gciseán droma le hEdifón ó Thomás Ó Muirithe (70), Cnocán a' Phaoraigh ar an 20/11/35 [CBÉ 152:101-3]:

Agus bhíodh na mná aríst ag dul síos in áit a dtugaidís an Cumarach air. Sé an áit a bhfuil an cumar ná fé bhun ti' Michéal Ó Cionnaola, síos ansan sa chumar. Agus bhíodh na mná ansan agus iad ag tarraint gainní aníos leothu go sásta, ag líonadh an chiseáin den ngaineamh. Ciseáin droma a thugtaí orthu, a bhíodh déanta de slata agus gad astu. Sé sin píosa théad, agus chuirfidís an píosa théad, chuirfidís isteach sa chiseán é – ciseáin, bhídís déanta dhe slata. Agus ansan an fear a dhéanfadh an ciseán ansan, dhéanfadh sé poll le *poker*: chuirfeadh sé bior sa tine agus dhéanfadh sé poll sa chiseán agus ansan chuirfeadh sé snaidhm ansan ar an ngad ar an taobh istigh den chiseán, mar ní bhfaighdís an ciseán [a thabhairt] leothu gan gad as, agus ansan é a chuir ar a gceann. Is dócha, b'fhéidir, go leor agaibhse a dh'aireodh an scéal so ná feaca sibh riamh a leithéid sin, ná b'fhéidir go leor daoine anois athá beo n'fheadaraíodar dén chiall a bhí leis ná dé chúis na ciseáin, ach chífeá cuid acu fós.

Agus arís bhailigh N.B. an méid seo a leanas mar gheall úsáid an ghainimh chun leasaithe le hEdifón ó Thomás Ó Muirithe (70), Cnocán a' Phaoraigh ar an 20/11/35 [CBÉ 152:105-6]:

Bhídís aneas ar fad ó Bhaile Uí Churraoin, Barra na Stuac agus amach mar sin – daoine ag tarraint gainní le hí leasaithe. Bhítí á chaitheamh amach ar an talamh, ach tháinig na daoine cortha dhi agus dheineadar amach ná raibh aon mhaith inti ach dhéarfaidís go raibh talamh gainní go maith chun eorna – shin é gaineamh na trá. Agus ansan bhítí á cuir i dtír – an ghaineamh sin – in geard a bhí thíos gairid do Pholl a' Phúca. Agus ba dh'é duine ar leis an geard san ná Muiris Ó Gríofa, agus bhíodh oiread san, thá fhios agat, aige le fáilt ós na feirmeoirí go léir a bhíodh ag tarraint na gainní agus chuirtí isteach sa ngeard ansan an ghaineamh i dtír go mbeadh sé d'uain acu í a tharraint is go mbeadh an sáile imithe aisti. Mar a dhéarfá is minic a bhí suas le céad capall ag teacht ó Pholl a' Phúca ó dheas ar fad go dtí Baile Uí Churraoin – na feirmeoirí ar fad á tarraint agus Maoil a' Choirne agus Baile na Cúirte is iad san ar fad á tarraint le hí leasaithe an uair sin. Nach nín san anois amhla'. Thá gach aon rud acu san imithe.

36. Lóchán, Colg agus Bunach. S.ÓD. (gan Edifón) Meith. 1945: CBÉ 977:10.
37. Siúnán chun Síl a Leathadh. S.ÓD. (gan Edifón) Meith. 1945: CBÉ 977:12
38. Ciseán Droma. S.ÓD. (gan Edifón) Meith. 1945: CBÉ 977:203-4

Bhailigh N.B. roinnt eolais mar gheall ar úsáid na gciseán sa Rinn le hEdifón ó Thomás Ó Muirithe (70), Cnocán a' Phaoraigh ar an 31/1/36 [CBÉ 153:40-41]

(d). SEANCHAS AR AINMHITHE FEIRME AGUS TÍS

(I) BA

1. Na Ba Beannaithe. S.ÓD. (gan Edifón) M. Fómhair 1945: CBÉ 977:455.
2. Airgead fé Chloch Chúinne Thi' na mBa. S.ÓD. (gan Edifón) M. Fómhair 1945: CBÉ 977:455.
3. Crú Chapaill ar Dhoras Thi' na mBa. S.ÓD. (gan Edifón) M. Fómhair 1945: CBÉ 977:455-56.
5. Dath an Útha. S.ÓD. (gan Edifón) M. Fómhair 1945: CBÉ 977:485.
6. Bó Mhaith a Thogha. S.ÓD. (gan Edifón) M. Fómhair 1945: CBÉ 977:460.
7. Coinneal Bheannaithe á Lasadh fé Úth na Bó. S.ÓD. (gan Edifón) M. Fómhair 1945: CBÉ 977:456-57.
8. Uisce na Cásca á Chroitheadh ar Dhrom na Bó. S.ÓD. (gan Edifón) M. Fómhair 1945: CBÉ 977:456.
9. An tSáile nó Picil chun Bó a Thirmiú. S.ÓD. (gan Edifón) M. Fómhair 1945: CBÉ 977:457
10. Gabhar á Chuir i Measc na mBó. S.ÓD. (gan Edifón) M. Fómhair 1945: CBÉ 977:457.
11. Súil Mhothaithe. S.ÓD. (gan Edifón) M. Fómhair 1945: CBÉ 977:457.
12. Soithí an Bhainne. S.ÓD. (gan Edifón) M. Fómhair 1945: CBÉ 977:458
13. Bainne á Chrú ar an Talamh. S.ÓD. (gan Edifón) M. Fómhair 1945: CBÉ 977:458

14. Conas Bó a Chrú i gCeart. S.ÓD. (gan Edifón) M. Fómhair 1945: CBÉ 977:459-60.

Ní raibh ach cheithre líne den rann seo (a deirtí ag crú na bó) anseo sa ls. (CBÉ 977:459) ach bhí leagan níos iomláine ar lch. 177 den imleabhar céanna (ó Mhaidhc Dháith, leis) agus is meascán den dá leagan atá anseo – Eagarthóir.

15. An Fearas Crúite. S.ÓD. (gan Edifón) M. Fómhair 1945: CBÉ 977:460.

16. Na Lámha a Ní tar éis Crúite. S.ÓD. (gan Edifón) M. Fómhair 1945: CBÉ 977:459

17. Na Mná ag Crú. S.ÓD. (gan Edifón) M. Fómhair 1945: CBÉ 977:459

18. Bia na mBa. S.ÓD. (gan Edifón) Meith. 1945: CBÉ 968:565.

20. Bleaist (i). S.ÓD. (gan Edifón) M. Fómhair 1945: CBÉ 977:458.

21. Bleaist (ii). S.ÓD. (gan Edifón) M. Fómhair 1945: CBÉ 977:485.

22. Fiabhras Bainne. S.ÓD. (gan Edifón) M. Fómhair 1945: CBÉ 977:455.

23. Ath-Dáir. S.ÓD. (gan Edifón) M. Fómhair 1945: CBÉ 977:481.

24. An Cheathrú Dhubh. S.ÓD. (gan Edifón) M. Fómhair 1945: CBÉ 977:481.

25. Boilg. S.ÓD. (gan Edifón) M. Fómhair 1945: CBÉ 977:482.

26. Dailleacht. S.ÓD. (gan Edifón) M. Fómhair 1945: CBÉ 977:482.

27. An Craosghalar. S.ÓD. (gan Edifón) M. Fómhair 1945: CBÉ 977:482.

28. Gearradh (i). S.ÓD. (gan Edifón) M. Fómhair 1945: CBÉ 977:478.

29. Gearradh (ii). S.ÓD. (gan Edifón) M. Fómhair 1945: CBÉ 977:484.

30. Beithíoch Goirtithe. S.ÓD. (gan Edifón) M. Fómhair 1945: CBÉ 977:483.

31. Práta i mBeithíoch. S.ÓD. (gan Edifón) M. Fómhair 1945: CBÉ 977:483.

32. Casachtach ar Bhó. S.ÓD. (gan Edifón) M. Fómhair 1945: CBÉ 977:484.

33. *Castor Oil* **– Leigheas ar Fháithníní ar Bha agus ar Chapaill.** S.ÓD. (gan Edifón) Aib. 1948: CBÉ 1100:148.

34. Cosc ar Shlat Troime. S.ÓD. (gan Edifón) M. Fómhair 1945: CBÉ 977:458.

35. Gráinneog ag Crú Bó. S.ÓD. (gan Edifón) M. Fómhair 1945: CBÉ 977:460.

36. Bulláin á nGearradh. S.ÓD. (gan Edifón) M. Fómhair 1945: CBÉ 977:479.

37. An Ghlas Ghaibhneach. S.ÓD. (gan Edifón) M. Fómhair 1945: CBÉ 977:461.

38. Lao. S.ÓD. (gan Edifón) M. Fómhair 1945: CBÉ 977:479.

39. Gamhain nó Bullán. S.ÓD. (gan Edifón) M. Fómhair 1945: CBÉ 977:479.

40. Seafaid. S.ÓD. (gan Edifón) M. Fómhair 1945: CBÉ 977:479.

41. Bullán. S.ÓD. (gan Edifón) M. Fómhair 1945: CBÉ 977:479.

42. Stoc Seasc. S.ÓD. (gan Edifón) M. Fómhair 1945: CBÉ 977:479.

43. Tairbhí. S.ÓD. (gan Edifón) M. Fómhair 1945: CBÉ 977:479-80.

44. Bulláin ag Treabhadh. S.ÓD. (gan Edifón) M. Fómhair 1945: CBÉ 977:480.

(II) LAOI

1. **Breith Laoi.** S.ÓD. (gan Edifón) M. Fómhair 1945: CBÉ 977:458, 472-74.
2. **Treighid.** S.ÓD. (gan Edifón) M. Fómhair 1945: CBÉ 977:474.
3. **An Scuaird.** S.ÓD. (gan Edifón) M. Fómhair 1945: CBÉ 977:474
4. **Bainneach.** S.ÓD. (gan Edifón) M. Fómhair 1945: CBÉ 977:484.
5. **An Phiast agus Artha na Péiste**. S.ÓD. (gan Edifón) M. Fómhair 1945: CBÉ 977:474.

   Bhailigh Séamus Ó Duilearga an artha seo ó Mhaidhc, leis, ar an 10/4/33:

   Artha í seo a chuir Séamus chun tairfe na gCríost,
   Agus cuirimse í in ainm an Athar an Mhic agus an Spioraid Naomh.
   Amen
   Ar an intinn sin maraím piast.

É sin a rá agus fíor na croise a dhéanamh trí huaire, agus 'maraím piast' a rá trí huaire. [*Leabhar nótaí, Déise 2 – From Ms. A (a notebook)*, Cnuasach Shéamuis Uí Dhuilearga, Roinn Bhéaloideas Éireann, An Coláiste Ollscoile, Baile Átha Cliath]

6. **An Bhroinne Dhearg.** S.ÓD. (gan Edifón) M. Fómhair 1945: CBÉ 977:475.
7. ***Hoose***. S.ÓD. (gan Edifón) M. Fómhair 1945: CBÉ 977:485.
8. **Lao Biata.** S.ÓD. (gan Edifón) M. Fómhair 1945: CBÉ 977:458.
9. **Lao Caillte.** S.ÓD. (gan Edifón) M. Fómhair 1945: CBÉ 977:475.
10. **Bó Tinn ar Lao – Fear go Raibh Bua aige (i)** S.ÓD. (le hEdifón) M. Fómhair 1945: CBÉ 977:568-69. **(ii)** S.ÓD. (le hEdifón) M. Fómhair 1945: CBÉ 977:569-70.

(III) CAPAILL

1. **Cúram an Chapaill.** S.ÓD. (gan Edifón) Samhain 1945: CBÉ 978:382-83.
2. **Leigheas ar Fhearsaí in Capaill.** S.ÓD. (le hEdifón) M. Fómhair 1945: CBÉ 977:570.
3. **Leigheas ar Phiastaí in Capaill.** S.ÓD. (le hEdifón) M. Fómhair 1945: CBÉ 977:570.
4. **Salachar an Duine – Leigheas ar Chladha in Chapaill.** S.ÓD. (gan Edifón) Aib. 1948: CBÉ 1100:148.

(IV) GABHAIR

1. **Gabhair, Pocáin, Minsigh agus Moiltheacháin.** S.ÓD. (gan Edifón) M. Fómhair 1945: CBÉ 978:33.
2. **Aghaidh agus Adharca na nGabhar.** S.ÓD. (gan Edifón) M. Fómhair 1945: CBÉ 978:31.

3. Ag Glaoch ar Ghabhair. S.ÓD. (gan Edifón) M. Fómhair 1945: CBÉ 978:31.
4. Buanna an Ghabhair. S.ÓD. (gan Edifón) M. Fómhair 1948: CBÉ 1100:232.
5. Peodal Gabhar. S.ÓD. (gan Edifón) M. Fómhair 1945: CBÉ 978:31.
6. Gabhair Fhiaine. S.ÓD. (gan Edifón) M. Fómhair 1945: CBÉ 978:31.
7. Gabhar i bhFaill. S.ÓD. (gan Edifón) M. Fómhair 1945: CBÉ 978:31-2.
8. Gabhair ag Bradaíocht. S.ÓD. (gan Edifón) M. Fómhair 1945: CBÉ 978:32.
9. Gabhar age Stáisiún Phort Láirge. S.ÓD. (gan Edifón) M. Fómhair 1945: CBÉ 978:32.
10. Gabhair á gCuir i dTeannta na mBeithíoch. S.ÓD. (gan Edifón) M. Fómhair 1945: CBÉ 978:32.
11. Langaidí Bata ar Ghabhair. S.ÓD. (gan Edifón) M. Fómhair 1945: CBÉ 978:32.
12. Ag Crú na nGabhar. S.ÓD. (gan Edifón) M. Fómhair 1945: CBÉ 978:32.
13. Im Gabhar. S.ÓD. (gan Edifón) M. Fómhair 1945: CBÉ 978:32.
14. Bainne Gabhar. S.ÓD. (gan Edifón) M. Fómhair 1945: CBÉ 978:32.
15. Gabhair á Marú. S.ÓD. (gan Edifón) M. Fómhair 1945: CBÉ 978:32-3.
16. Na Mionnáin. S.ÓD. (gan Edifón) M. Fómhair 1945: CBÉ 978:33.
17. Croiceann Gabhair. S.ÓD. (gan Edifón) M. Fómhair 1945: CBÉ 978:35, 37.

(V) CAOIRE

1. Caoire, Reithí, Uain agus Moiltheacháin. S.ÓD. (gan Edifón) M. Fómhair 1945: CBÉ 978:33-4.
2. Bearradh na gCaerach. S.ÓD. (gan Edifón) M. Fómhair 1945: CBÉ 978:35.
3. Tumadh na gCaerach. S.ÓD. (gan Edifón) M. Fómhair 1945: CBÉ 978:34-5.
4. Ceo na mBánta. S.ÓD. (gan Edifón) M. Fómhair 1945: CBÉ 978:35.
5. Cuíora Thirim. S.ÓD. (gan Edifón) M. Fómhair 1945: CBÉ 978:35.
6. Croiceann Caerach. S.ÓD. (gan Edifón) M. Fómhair 1945: CBÉ 978:35.
7. An Aimsir is Fearr do Chaoire. S.ÓD. (gan Edifón) M. Fómhair 1945: CBÉ 978:36.
8. Leigheas don Screig. S.ÓD. (gan Edifón) M. Fómhair 1945: CBÉ 978:36.
9. Gága. S.ÓD. (gan Edifón) M. Fómhair 1945: CBÉ 978:36.
10. Leigheas ar na Cnathacha. S.ÓD. (gan Edifón) M. Fómhair 1945: CBÉ 978:36.
11. Brait ar na Súile. S.ÓD. (gan Edifón) M. Fómhair 1945: CBÉ 978:36.
12. Crúibíneach. S.ÓD. (gan Edifón) M. Fómhair 1945: CBÉ 978:36-7.
13. Bainneach. S.ÓD. (gan Edifón) M. Fómhair 1945: CBÉ 978:37.

14. Gob Lachan ar Uain. S.ÓD. (gan Edifón) M. Fómhair 1945: CBÉ 978:37.
15. Eagla an Uain. S.ÓD. (gan Edifón) Bealtaine 1945: CBÉ 1100:231-32.

(VI) MUCA

1. Banc an Duine Bhoicht. S.ÓD. (gan Edifón) Meith. 1945: CBÉ 968:565.
2. Banbh, Céis, Cráin agus Collach. S.ÓD. (gan Edifón) M. Fómhair 1945: CBÉ 978:37.
3. Bia na Muc. S.ÓD. (gan Edifón) M. Fómhair 1945: CBÉ 978:41.
4. Ag Glaoch ar na Muca. S.ÓD. (gan Edifón) M. Fómhair 1945: CBÉ 978:37.
5. Fáinne ar Mhuc. S.ÓD. (gan Edifón) M. Fómhair 1945: CBÉ 978:38.
6. Muc ag Snámh. S.ÓD. (gan Edifón) M. Fómhair 1945: CBÉ 978:38.
7. Muca a Thabhairt go dtí an Aonach nó an Margadh. S.ÓD. (gan Edifón) M. Fómhair 1945: CBÉ 978:38-9.
8. Cráin fé Lóch. S.ÓD. (gan Edifón) M. Fómhair 1945: CBÉ 978:39.
9. Galair a Thagadh ar Mhuca. S.ÓD. (gan Edifón) M. Fómhair 1945: CBÉ 978:41.
10. An *Luck* a Gheobhthá as Mhuc. S.ÓD. (gan Edifón) M. Fómhair 1945: CBÉ 978:39-40.
11. Aonach na Muc. S.ÓD. (gan Edifón) M. Fómhair 1945: CBÉ 978:40.
12. Ag Marú Muc. S.ÓD. (gan Edifón) M. Fómhair 1945: CBÉ 978:40-1.

(VII) AN CAT

1. Buanna agus Tréithe an Chait. S.ÓD. (gan Edifón) D. Fómhair 1945: CBÉ 978:76-7, 79-80.
2. Glór an Chait. S.ÓD. (gan Edifón) M. Fómhair 1945: CBÉ 978:76-7, 79-80.
3. Puisín. S.ÓD. (gan Edifón) M. Fómhair 1945: CBÉ 978:77.
4. Cat Fireann. S.ÓD. (gan Edifón) M. Fómhair 1945: CBÉ 978:78-9.
5. Ainmneacha na gCat. S.ÓD. (gan Edifón) M. Fómhair 1945: CBÉ 978:79.
6. Cliobarnaorach nó Rábaire Cait. S.ÓD. (gan Edifón) M. Fómhair 1945: CBÉ 978:79.
7. Iongainí an Chait. S.ÓD. (gan Edifón) M. Fómhair 1945: CBÉ 978:80.
8. An Cat fé Íl. S.ÓD. (gan Edifón) M. Fómhair 1945: CBÉ 978:81.
9. Cosc ar Chat a Aistriú. S.ÓD. (gan Edifón) M. Fómhair 1945: CBÉ 978:82.

(VIII) AN MADRA

1. Madra, Gadhar agus Bits. S.ÓD. (gan Edifón) D. Fómhair 1945: CBÉ 978:93.
2. Cliobarnaorach, Maistín agus Coileán. S.ÓD. (gan Edifón) D. Fómhair 1945: CBÉ 978:93.

3. Paca agus Conairt. S.ÓD. (gan Edifón) D. Fómhair 1945: CBÉ 978:93.

4. Sceamhaíl, Glámaireacht, Uathairt, Amhastraigh agus Caointeachán. S.ÓD. (gan Edifón) D. Fómhair agus Samhain 1945: CBÉ 978:93, 195.

5. Bits fé Íl. S.ÓD. (gan Edifón) Samhain 1945: CBÉ 978:195-96.

6. Coileáin. S.ÓD. (gan Edifón) Samhain 1945: CBÉ 978:196.

7. Madraí ag Marú Caerach. S.ÓD. (gan Edifón) D. Fómhair 1945: CBÉ 978:94-5.

8. Conas Deireadh a Chuir le Madra. S.ÓD. (gan Edifón) Samhain 1945: CBÉ 978:196.

9. Leigheas i dTeanga an Mhadra. S.ÓD. (gan Edifón) Samhain 1945: CBÉ 978:197.

10. Conach ar Mhadra. S.ÓD. (gan Edifón) Samhain 1945: CBÉ 978:197.

11. An Fáth go mBíonn an Madra Amuigh agus an Cat Istigh. S.ÓD. (le hEdifón) M. Fómhair 1945: CBÉ 977:519-20.

Aa-Th. 200D*, *Why the Cat is Indoors and Dog Outside in Cold.*

(IX) CEARCA

1. Cearca sa Tigh Fadó. S.ÓD. (gan Edifón) D. Fómhair 1945: CBÉ 978:46-7.

2. Uibhe Cearc. S.ÓD. (gan Edifón) D. Fómhair 1945: CBÉ 978:67.

3. Na hUibhe Fadó. S.ÓD. (gan Edifón) D. Fómhair 1945: CBÉ 978:45-6.

4. Fornéal, Ubh Fioróige agus Bogán. S.ÓD. (gan Edifón) Meith. 1945: CBÉ 977:9.

5. Sicíní agus Fioróga. S.ÓD. (gan Edifón) D. Fómhair 1945: CBÉ 978:45.

6. Síolrach Cearc. S.ÓD. (gan Edifón) D. Fómhair 1945: CBÉ 978:45.

7. An Coileach. S.ÓD. (gan Edifón) D. Fómhair 1945: CBÉ 978:55-6, 59.

8. Coileach Maith. S.ÓD. (gan Edifón) Meith. 1945: CBÉ 977:42.

9. Coileach a Bháigh é féin. S.ÓD. (gan Edifón) D. Fómhair 1945: CBÉ 978:57-8.

An Harvey: Scúnaer 152 tonna ab ea an Harvey. Tógadh í i New Brunswick sa bhliain 1873 agus bhí sí ag obair amach as Dún Garbhán sa bhliain 1885.[1]

10. Coileach gur Thit an tAnam as. S.ÓD. (gan Edifón) D. Fómhair 1945: CBÉ 978:59-60.

11. Coileach ag Tarraint Plainc. S.ÓD. (gan Edifón) D. Fómhair 1945: CBÉ 978:60-1.

12. Comhartha Sochraide – Brobh as an gCirc. S.ÓD. (gan Edifón) Meith. 1945: CBÉ 977:9.

13. Cearca ag Bruíon – Strainséir ag Teacht. S.ÓD. (gan Edifón) D. Fómhair 1945: CBÉ 978:47.

1. J. Young, *A Maritime and General History of Dungarvan – 1690-1978* (Dún Garbhán, 1979), lch. 23.

(X) GÉANNA

1. **Nuair a Chacann an Ghé.** S.ÓD. (gan Edifón) D. Fómhair 1945: CBÉ 978:62.
2. **Uibhe na nGéanna.** S.ÓD. (gan Edifón) D. Fómhair 1945: CBÉ 978:62.
3. **Scuaine Ghéanna.** S.ÓD. (gan Edifón) D. Fómhair 1945: CBÉ 978:62.
4. **Géanna ag Bradaíocht.** S.ÓD. (gan Edifón) D. Fómhair 1945: CBÉ 978:62-3.
5. **Ag Glaoch ar na Géanna.** S.ÓD. (gan Edifón) D. Fómhair 1945: CBÉ 978:63.
6. **Na Géanna Istoíche**. S.ÓD. (gan Edifón) D. Fómhair 1945: CBÉ 978:63.
7. **Bia na nGéanna.** S.ÓD. (gan Edifón) D. Fómhair 1945: CBÉ 978:63.
8. **Feoil na nGéanna.** S.ÓD. (gan Edifón) D. Fómhair 1945: CBÉ 978:62.
9. **Blonag na nGéanna.** S.ÓD. (gan Edifón) D. Fómhair 1945: CBÉ 978:63-4.
10. **Géanna ag Tuar na hAimsire.** S.ÓD. (gan Edifón) D. Fómhair 1945: CBÉ 978:64.

(XI) LACHAIN

1. **Lachain, Lachain Fhiaine, Gearra-Lachain agus Buidiúin.** S.ÓD. (gan Edifón) D. Fómhair 1945: CBÉ 978:65.
2. **Ag Glaoch ar na Lachain.** S.ÓD. (gan Edifón) D. Fómhair 1945: CBÉ 978:65.
3. **Lachain Óga agus Laparacháin.** S.ÓD. (gan Edifón) D. Fómhair 1945: CBÉ 978:65.
4. **Na Lachain agus an tUisce.** S.ÓD. (gan Edifón) D. Fómhair 1945: CBÉ 978:67, 69.
5. **Bia na Lachan.** S.ÓD. (gan Edifón) D. Fómhair 1945: CBÉ 978:67.
6. **Uibhe Lachan.** S.ÓD. (gan Edifón) D. Fómhair 1945: CBÉ 978:67.
7. **Feoil na Lachan.** S.ÓD. (gan Edifón) D. Fómhair 1945: CBÉ 978:68.
8. **Glór na Lachan.** S.ÓD. (gan Edifón) D. Fómhair 1945: CBÉ 978:68.
9. **Fuair Tú É.** S.ÓD. (gan Edifón) D. Fómhair 1945: CBÉ 978:65-6.
10. **An Rud a Dúirt an Bardal.** S.ÓD. (gan Edifón) D. Fómhair 1945: CBÉ 978:63.

(XII) BEACHA

1. **Beacha Anois agus Fadó.** S.ÓD. (gan Edifón) D. Fómhair 1945: CBÉ 978:33.
2. **Beacha agus Crucóga.** S.ÓD. (gan Edifón) D. Fómhair 1945: CBÉ 978:69-70.
3. **Éirí na Saithe.** S.ÓD. (gan Edifón) D. Fómhair 1945: CBÉ 978:72.

4. Job agus na Beacha. S.ÓD. (gan Edifón) D. Fómhair 1945: CBÉ 978:72-3.

Mar léiriú ar an 'go-chraobh' tá an píosa seo seanchais a bhailigh S.ÓD. ó Mháire Bean an Bhreathnaigh (73), Baile na nGall (a saolaíodh agus a tógadh insa nGráinsigh), D. Fómhair, 1945:

> Bhíodh beacha ag m'áintín agus nuair a bhíodh an saithe ag éirí sa samhradh thugadh sí léi ceaintín leis an spiún agus "gochrann, gochraobh," aici, "gochrann, gochraobh." Agus thagaidís anuas ar chraobh éigin agus thugadh sí léi bairlín bhán agus leathadh sí an bhairlín bhán anuas orthu agus théidís in achra den mbairlín agus chrochadh sí isteach san chrucóg ansan iad. [CBÉ 978:176]

Tá a thuilleadh seanchais ar na beacha ón mbean chéanna ar lch. 177 den imleabhar céanna.

5. Beach gan Chealg. S.ÓD. (gan Edifón) D. Fómhair 1945: CBÉ 978:73.

6. An Mhil. S.ÓD. (gan Edifón) D. Fómhair 1945: CBÉ 978:73.

7. Bia na mBeach. S.ÓD. (gan Edifón) D. Fómhair 1945: CBÉ 978:74.

8. Púicín Nid na mBeach. S.ÓD. (gan Edifón) D. Fómhair 1945: CBÉ 978:73.

(XIII) SEANCHAS ÉAGSÚIL AR AINMHITHE TÍS AGUS FEIRME

1. Ag Glaoch ar na hAinmhithe. S.ÓD. (gan Edifón) Meith. 1945: CBÉ 977:177.

2. Tréimhsí Iompair in Ainmhithe. S.ÓD. (gan Edifón) D. Fómhair 1945: CBÉ 978:39.

C. FIACH AGUS FOGHLAERACHT

1. Géim. S.ÓD. (gan Edifón) Meith. 1945: CBÉ 977:37-8.

Cearca fraoi': Cearc fraoigh *[Red Grouse (Lagopus lagopus)]*
Cleabhair: Creabhar *[Woodcock (Scolopax rusticola)]*
Piotraisc: Patraisc *[Partridge (Perdix perdix)]*
Paghsúin: Piasún *[Pheasant (Phasianus colchicus)]*

2. Ag Fiach le hInneall. S.ÓD. (gan Edifón) Meith. 1945: CBÉ 977:38-9.

Tá an léaráid den inneall (i. súil ribe) bunaithe ar cheann na lse. [CBÉ 977:38, Meith. 1945].

3. Gunnaí agus Póitseáil. S.ÓD. (gan Edifón) Meith. 1945: CBÉ 977:37-40.

4. Ag Fiach le Portán. S.ÓD. (gan Edifón) Meith. 1945: CBÉ 977:43-4.

5. Cosc ar Choiníní a Mharú. S.ÓD. (gan Edifón) Meith. 1945: CBÉ 977:44.

6. Ag Leasú Croicinn. S.ÓD. (gan Edifón) Meith. 1945: CBÉ 977:44.

7. Coiníní ar Crochadh. S.ÓD. (gan Edifón) Nollaig 1945: CBÉ 978:405.

8. Ag Marú Madraí Rua. S.ÓD. (gan Edifón) Meith. 1945: CBÉ 977:34.

D. FARRAIGE AGUS TRÁIGH

(a) CÚRSAÍ IASCAIREACHTA AGUS FARRAIGE

1. Iascaireacht sa Rinn Fadó. N.B. (le hEdifón) 1935?:CBÉ 150:64, 66; ag S.ÓD. (gan Edifón) Meith. 1945: CBÉ 977:194.

Bhailigh N.B. cuid mhaith seanchais mar gheall ar ghnéithe éagsúla den iascaireacht le hEdifón ó Thomás Ó Muirithe (70), Cnocán a' Phaoraigh ar an 20/11/35 [CBÉ 152:109-31].

Langaí: langa *[ling (Molva molva)]*
Colmóirí: colmóir *[hake (Merluccius merluccius)]*
Deargáin: garbhánach, sléibhín *[red sea bream (Pagellus bogaraveo]*
Faoitín: *whiting (Merlangius merlangus)*
Pollóg: *pollock (Pollachius pollachius)*

2. An Bád Iascaigh. S.ÓD. (gan Edifón) Meith. 1945: CBÉ 977:56, 171-73.

Léaráid de húicéir na Rinne bunaithe ar cheann na lse., Meith. 1945: CBÉ 977:172, ar chóip de sheana-phictiúr péinteáilte agus ar roinnt ghrianghraf (Poole 8283, 8284, 8285; Lawrence 9574 – L.N.E.; Albert Nilsson 49.6 – R.B.É). Níl sa léaráid seo ar deireadh ach ach buille fé thuairim mar ná fuil aon cheann de na báid seo fágtha sa lá inniu.

3. A Bhirt Féin ag gach Bád. S.ÓD. (gan Edifón) Meith. 1945: CBÉ 977:194.

4. An Bád Iomra. S.ÓD. (gan Edifón) Meith. 1945: CBÉ 977:56.

5. Ordaithe na mBádóirí. S.ÓD. (gan Edifón) Meith. 1945: CBÉ 977:57.

6. Ainmneacha na mBád. S.ÓD. (gan Edifón) Meith. 1945: CBÉ 977:45.

7. Beannú na mBád. S.ÓD. (gan Edifón) Meith. 1945: CBÉ 977:67.

8. Saoirseacht Bhád. S.ÓD. (gan Edifón) Meith. 1945: CBÉ 977:195-96.

9. Doirithe agus Spiléír. S.ÓD. (gan Edifón) Meith. 1945: CBÉ 977:45.

10. Sciath Spiléir. S.ÓD. (gan Edifón) Meith. 1945: CBÉ 977:60.

11. Cló. S.ÓD. (gan Edifón) Meith. 1945: CBÉ 977:56.

12. Gleacaí, Losna agus Luiseag. S.ÓD. (gan Edifón) Meith. 1945: CBÉ 977:45-6.

13. An Dró agus an Ríl. S.ÓD. (gan Edifón) Meith. 1945: CBÉ 977:59.

14. Gaithe. S.ÓD. (gan Edifón) Meith. 1945: CBÉ 977:6.

15. Ag Iascach Ghliomach. S.ÓD. (gan Edifón) Meith. 1945: CBÉ 977:60.

16. Straíocáil. S.ÓD. (gan Edifón) Meith. 1945: CBÉ 977:46-7, 60, 173-4.

Trosc: bod donn, bod rua *[cod (Gadus morhua)]*
Leathóga Breaca: leathóg na mball dearg, plás *[Plaice (Pleuronectes flesus)]?*

Bhailigh N.B. an píosa seo seanchais mar gheall ar an leathóg bhreac le hEdifón ó Thomás Ó Muirithe (70), Cnocán a' Phaoraigh ar an 20/11/35 [CBÉ 152:117]:

Thá rian éigint sa leathóg bhreac, rian órdóg nó mar sin: thá trí phaiste dearga inti – ar an leathóg bhreac – paistí dearga. Agus shiné an tslí a n-aithnítear gob í an leathóg bhreac í. Bíonn ana-shaint age daoine chuichi sin. Thá an t-iasc go hana-bhreá ar an leathóg bhreac agus iasc is ea í, maidir leis na huaisle a bhí ann fadó, thabharfaidís aon rud ar leathóg bhreac.

Leathóg Muire: haileabó, alabard, bóleatha, bóleathóg, bóleith *[Halibut (Hipoglossus hippoglossus)]?*

Sóil: sól *[Sole (Solea solea)].*

Rothaí: roc *[den speiceas Raja, Ray].*

Eascúin: *[Eel (Anguilla anguilla)].*

Gliomach: *lobster (Homarus gammarus)*

Cráifis: piardóg, gabhal mara, gliomach Muire *[crawfish (Palinurus elephas)]*

Cnúdáin Donn, Cnúdáin Dearg: den bhfine *Triglidae, gurnard*

Bráthair: *monkfish (angel fish) (Squatina squatina)*

Jack-a-Dory: deoraí, Donncha na súl mór *[John Dory (Zeus faber)]*

Cadóg: *haddock (Melanogrammus aeglefinus)*

Crosóg: crosóg mhara, crosán mara, méadail mhéarach, méarán na cúig méara *[starfish,* den aicme *Asteroidea].*

Daba: *Dab (Limanda limanda)*

Blumaeirí: smugairle róin, scéith róin *[jellyfish (*den aicme *Scyphozoa)]*

Bhailigh N.B. an méid seo a leanas mar gheall ar na colmóirí le hEdifón ó Thomás Ó Muirithe (70), Cnocán a' Phaoraigh ar an 20/11/35 [CBÉ 152:117-18]:

Well, an colmóir. *Well*, bhí san chomh breá d'iasc agus gheobhfaí agus b'fhearr liom fhéin an colmóir ná aon iasc acu – iasc breá. Ach deir siad gur dh'é an colmóir, gob é an t-iasc is sia a raghadh ar dhuine, thá fhios agat, a bháfaí; gob é is sia a raghadh air chun é a dh'ithe – an colmóir. Eachtra na fiacla, le géiríocht, athá age'n gcolmóir.

Ach ní raibh aon iasc ró-mhaith dhóibh 'air a bheadh siad beirithe agus déanta suas. Agus ba chuimhin liom, fadó ansan nuair a bhítí á chuir ar salann, colmóir, bheadh cartacha ansan amuigh ins na machaí agus bheadh lampaí an uair sin acu – age daoine – lasta ar an bhfalla agus iad ag baint astu, baint na cinn díobh agus na putóga astu agus á nglanadh. Dhéanfaí iad ansan, na putóga san, a bhaint astu ansan. Chaithfí síos ansan in sruth san uisce iad, agus iad do ní ansan agus iad a chuir síos in dabhach mór a bhíodh ann – baraillí, dabhacha agus picil shalainn a chuir thimpeall orthu, is dócha iad a dh'fhágaint ar feodh seachtaine sa mbaraille agus picil shalainn a chuir orthu. Agus ansan thóigfí aníos as an bpicil iad agus chuirfí amach ar na clathacha iad á dtiormú leis an ngrian agus b'fhéidir go mbeifí coicíos á gcuir amach mar sin agus á dtiormú leis an ngrian nuair a bheadh an ghrian ann.

Thimpeall i dteannta Lae Fhéil' Déagláin is ea a gheibhtí na colmóirí agus bheidís in saesún ansan go dtí Lá San Nioclás: sin isteach díreach i dteannta [na] Nollag. Nuair a bheidís tirim ansan thiocfadh ceannathóir ansan, b'fhéidir ó Chorca, á gceannach san. Bhí fear ag teacht fadó agus sé an ainm a bhí air ná Cnú agus bhí Gaelainn bhreá aige – fear mór. Ba chuimhin liom é, agus bhí bean eile a bhíodh ag teacht ó Chiarraí: bean, is dóigh liom, dhos na Gearaltaigh í. *Well*, an uair sin bhíodh trí púint an céad orthu. Ó n'fheadar mé, nín siad ann in ao'chor anois nach bhíodh trí púint an céad orthu agus babhtaí b'fhéidir deich is dachad, agus nuair a bhíodar ana-fhairsing bhíodar ar dhá phúnt babht – na colmóirí tirime. Bhíodh daoine ag dul 'dtí Corca leothu is ag dul 'dtí an Chathair leothu fadó, agus dtí Cloichín a' Mhargaidh. Bhíodh daoine ag imeacht san oíche agus capaill ag imeacht ag tabhairt an éisc go dtí an Chloichín. Is dócha go mbíodh ceathair nó cúig de chapaill. Is minic a chuaigh capaill ón áit seo leo isteach 'dtí an Chloichín agus 'dtí an Chathair ag díol na gcolmóirí agus cheannófaí ansan iad agus gheobhaidís, mar a dhéarfá, trí púint an céad orthu is deich is dachad an céad orthu.

Bhailigh N.B. an blúire seo seanchais mar gheall ar an *Jack-a-Dory* le hEdifón ó Thomás Ó Muirithe (70), Cnocán a' Phaoraigh ar an 20/11/35 [CBÉ 152:116]:

Well, thá san a deir siad, beannaithe, mar is doigh liom go raibh sé ar cheann des na héisc a bhí ag ár Slánaitheoir.

17. An Traimil. S.ÓD. (gan Edifón) Meith. 1945: CBÉ 977:173.

Bhailigh N.B. eolas ana-luachmhar ar dhéanamh na dtraimilí ó Pheats Cuidithe (55), An Linn Bhuí, ar an 30/1/36 [CBÉ 153:58-61]. Chomh maith leis sin bhailigh sé a thuilleadh eolais mar gheall ar an iascaireacht ón bhfear céanna ar an 2/3/36 [CBÉ 153:402-9].

Bhailigh N.B. an méid seo a leanas mar gheall ar na traimilí agus ar mhargadh an éisc le hEdifón ó Thomás Ó Muirithe (70), Cnocán a' Phaoraigh ar an 20/11/35 [CBÉ 152:119-23]:

Agus bhítí ag déanadh *trammels* – mná ag déanadh líonta agus iad ag fuireach suas ag áirneán – fuireach suas á ndéanadh san – mogaill acu is snáthaid acu. Is amhla' a bhíodh an mogall déanta dhe throim[2] agus an tsnáthaid, ní dhéanfadh aon adhmad eile an gnó ach an troim.[3] Píosa

2. Ls. *thruim*
3. Ls. *traidhm*

dh'adhmad ba dh'ea é – mogall, mar a dhéarfá, trí horlach ar faid agus píosa adhmaid tuigh. Agus nuair a bheifí ag déanadh, thá fhios agat, na bpoill, á chasadh timpeall air sin agus ag déanadh na bpoill ins an líon, chaithfeadh an mogall a bheith acu agus an snáthaid ansan, mar a bheadh snáthaid déanta dhe píosa dhen adhmad so. *Well*, bheadh sé sin déanta agus dhá pholl déanta ansan agus bheadh sé gearrtha caol ansan arís, díreach mar a bheadh fiacail, thá fhios agat, aníos as nuair a bheifí á líonadh, tá fhios agat, chun é a chuir thimpeall air. Ansan nuair a bheadh san líonta ansan bheifí ag líonadh an lín, na snáthaide. Bhíodh duine eile ag líonadh na snáthaide, agus ansan duine eile ansan, thá fhios agat, á n-úsáid san ag déanadh na líonta. Cheangaileoidís an líon ansan agus cheangaileoidís, mar a dhéarthá, den leaba síos é. Raghaidís síos ansan agus d'réir mar a bheidís á ndéanadh chaithfidís stól fé cheann acu. Bheidís ag druidiúint aníos go raghaidís, mar a dhéarfá, suas leis an bhfalla so, agus nu[air] a bheidís ansan chuirfidís in airde ansan é. Bhíodh bata sáite isteach sa bhfalla agus an méid a bheadh déanta ansan acu, chuirfidís ar crochadh é go dtí go mbeadh deireadh leis an *dtrammel*, mar a dhéarfá. Bheadh feá ar faid sa *trammel.* Bhíodh triúr nó ceathrar ban á dhéanadh sa ngeimhreadh – ag déanadh na *dtrammels*, ag áirneán. 'Air a chuirfí ar an téad ansan iad agus chuirfí coirc orthu agus chuirfí ola ansan fúthu, chuirfí ar tiormú iad. Bheidís b'fhéidir seachtain, bheidís leata amach, thá fhios agat, ar na páirceanna – an líon. Agus ansan chuirfí coirc orthu. Chaithfeadh duine ansan a bheith ag déanadh poill is ag cuir *poker* sa tine.

Maidin Dé Luain ansan is ea a raghaidís ag cuir amach na *dtrammels.* Agus bhí clocha, thá fhios agat, ar na *trammels* agus coirc, agus sé chúis na clocha, thá fhios agat, chun iad do chimeád ná himeoidís, mar is minic a dh'imíodar nuair a thiocfadh gála orthu; agus na coirc acu aríst chun iad a chimeád ar snámh ón talamh chun go mbeadh caoi age'n colmóir dul in achrann iontu.

Théadh na colmóirí, thá fhios agat, in achrann ins an *trammel.* Agus ansan bheidís á gcasadh agus a d'iarra' iad fhéin a réiteach agus á stracadh. Bheidís mar sin go dtachtfadh an líon iad, agus shiné mar a dhéintí an colmóir a mharú fadó.

Théití ansan gach aon lá dhon tseachtain ansan fé dhéin na gcolmóirí agus is mó bád a mbíodh deich gcéad acu ann. Cúig céad is mar sin colmóir ar feadh na hoíche sin agus ansan Dé Sathairn is ea a thabharfaidís isteach na líonta leothu chun go nglanfaí iad. Dhéintí iad san a ní sa sruth ansan. Dhéineadh mná iad a tharraint sa sruth agus iad a ní agus iad a chuir ar tiormú nach bhí obair an domhain ar fad ag baint leo. Bhí trioblóid mhór ag baint le líonta is leis na colmóirí – an líon a leathadh amach ar pháirc agus é a thiormú, agus ansan iad a bhailiú i gcóir maidin Dé Luain aríst.

Agus bhíodh ard-bhualadh ar fad thuas ar Ché Dhonn Garbhán age mangairí is hucstaeirí agus iad á stracadh óna chéile – iad ag stracadh na gcolmóirí. Agus dh'éiríodh bualadh acu agus bhíodh ceann acu ag formad leis an gceann eile, agus níor mhaith leothu ansan go dtabharthá an t-iasc do cheann acu i breis air fhéin. Bheadh éad, agus is minic a dh'éirigh bualadh mór ann. Is minic a chonnac mé achrann mór ar an gcé – mná, hucstaeirí is mangairí ag lascadh a chéile agus ag bualadh a chéile. Scanradh ba dh'ea bheith ag éisteacht leothu. Bhíodh na hiascairí ansan ag teacht ansan go dtí an mbaile mór – bhíodh is dócha cuid dhen bheoir, dhen leann, dul á dh'ól, istigh acu – ag teacht aníos dtí tithe na n-óstaí, agus an tigh a rabhadar a thabhairt aghaidh dho bhíodh an t-ana-ghlaoch ann. Ní bhfaightheá do chois a tharraint istigh ann – ti' an ósta san – le hiascairí gan aon suim in airgead acu an uair sin. N'fheadaraíodar nach gairbhéal é, bhíodh sé chomh fairsing sin acu, agus is dócha go rud éigint mar sin is ciontach leis an iasc a chuir chun siúil, mar a bhíodh an domhan bruíonta agus ól ag baint leis. Agus thá sé déanta amach age daoine gob é sin an chúis athá leis gur shéan an t-iasc ar fad – gur shéan sé an chloch. Is dócha gob é ceadú Dé é. Is minic a bhímís san oíche agus chuiridís amú inár gcodladh sinn ag eisteacht le trucail is le mangairí ag imeacht, ag teacht i leith ó Bhaile na nGall sa meánoíche. Bheidís ag teacht agus ceol an domhain acu. Imeoidís san leothu agus ní théidís a chodladh in ao'chor ach ag imeacht ó áit go háit go Cluain Meala ag díol an éisc sin. Bhí an domhan airgid an uair sin á dhéanadh i mBaile na nGall thimpeall an éisc. Bhí an t-airgead an uair sin ana-fhairsing ann, ach ó dh'imigh an t-iasc dh'imigh an áit ar fad ach ina dhia' san aríst ba dhóigh leat go i bhfeabhas a chuaigh sé.

18. Scainseáil. S.ÓD. (gan Edifón) Meith. 1945: CBÉ 977:173.
19. An Breac i Mangalam. S.ÓD. (gan Edifón) Meith. 1945: CBÉ 977:173.
20. An Talamh Ceart. S.ÓD. (gan Edifón) Meith. 1945: CBÉ 977:56.
21. Ag Sáil. S.ÓD. (gan Edifón) Meith. 1945: CBÉ 977:173-74.
22. Reaigidí. S.ÓD. (gan Edifón) Meith. 1945: CBÉ 977:174.
23. Deisiú na Líonta. S.ÓD. (gan Edifón) Meith. 1945: CBÉ 977:60.
24. An tIasc á Chuir i dTír. S.ÓD. (gan Edifón) Meith. 1945: CBÉ 977:177.
25. Roinnt an Éisc. S.ÓD. (gan Edifón) Meith. 1945: CBÉ 977:197; N.B. (le

hEdifón) 1935?:CBÉ 150:69-70; ag M.ÓhAo (gan Edifón) idir 1933 agus 44: M. Ó hAodha, "Seanchas ós na Déisibh," *Béaloideas* 14 (1944): 70.

26. Iascaireacht Cholmóirí. M.ÓhAo (gan Edifón) idir 1933 agus 44: M. Ó hAodha, "Seanchas ós na Déisibh," *Béaloideas* 14 (1944): 69-70.

27. Sailleadh an Éisc. S.ÓD. (gan Edifón) Meith. 1945: CBÉ 977:47.

28. Ag Ródaíocht Colmóirí agus á Leasú. C.ÓD. (ar cheirnín) 1948: Uimh. Thag. CBÉ M0015-18.

29. Comhaireamh an Éisc. M.ÓhAo (gan Edifón) idir 1933 agus 44: M. Ó hAodha, "Seanchas ós na Déisibh," *Béaloideas* 14 (1944): 70.

30. Ag Comhaireamh Macréilí. S.ÓD. (gan Edifón) Meith. 1945: CBÉ 977:177.

31. Leandar. S.ÓD. (gan Edifón) Meith. 1945: CBÉ 977:56.

Deir R.B. Breatnach gur langa saillte is ea an leandar. (feic Breatnach, *Seana-Chaint II,* lch. 103 s.v. *coidhte*)

32. Ag Gearradh an Éisc. S.ÓD. (gan Edifón) Meith. 1945: CBÉ 977:47-8.

33. Seosún na hIascaireachta. S.ÓD. (gan Edifón) Meith. 1945: CBÉ 977:59.

34. Na Taoidí. S.ÓD. (gan Edifón) Meith. 1945: CBÉ 977:181.

35. Lán Mara Atha agus Éirí Ré. S.ÓD. (gan Edifón) Meith. 1945: CBÉ 977:181.

36. Rabhartaí. S.ÓD. (gan Edifón) Meith. 1945: CBÉ 977:182.

37. Barra Taoide. S.ÓD. (gan Edifón) Meith. 1945: CBÉ 977:200.

38. Comharthaí Éisc (i) S.ÓD. (gan Edifón) **Meith. 1945: CBÉ 977:190.**

Cánóga: Seans gurb é an saghas éin atá i gceist anseo ná an chánóg bhán < *fulmar petrel (Fulmarus glacialis)* nó an chánóg dhubh, *manx shearwater (Puffinus puffinus),* ar a shon go nglaotar 'cánóg' ar an 'fuipín', *puffin (Fratercula arctica)* in Uíbh Ráthach, Co. Chiarraí chomh maith. Ar a shon san is uile is dóichí gurb í an chánóg dhubh atá i gceist anseo mar ní dócha go raibh an chánóg bhán comónta ar chóstaí na hÉireann le linn óige an scéalaí, cé go bhfuil sí le feiscint go forleathan anois, go mórmhór ó theacht na dtráiléirí, a chaitheann ana-chuid fuílligh i bhfarraige.

Gainéin: *Guinéin* sa ls. i *gainéid, gannet (Sula bassana).*

Préacháin: Téarma ginearálta do éanlaithe farraige – préacháin bhána = faoileáin

Biota: Paiste nó comhartha ar an bhfarraige gur dhóichí go mbeadh iasc féna bhun.

(ii) S.ÓD. (gan Edifón) Meith. 1945: CBÉ 977:190-91.

(iii) S.ÓD. (gan Edifón) Meith. 1945: CBÉ 977:191.

(iv) S.ÓD. (gan Edifón) Meith. 1945: CBÉ 977:191.

Seagaide: seaga *[Shag (Phalacrocorax aristotelis)]*

(v) S.ÓD. (gan Edifón) Meith. 1945: CBÉ 977:191.
(vi) S.ÓD. (gan Edifón) Meith. 1945: CBÉ 977:191.
(vii) S.ÓD. (gan Edifón) Meith. 1945: CBÉ 977:191.
(viii) S.ÓD. (gan Edifón) Meith. 1945: CBÉ 977:192.
(ix) S.ÓD. (gan Edifón) Meith. 1945: CBÉ 977:192.
(x) M.ÓhAo (gan Edifón) idir 1933 agus 44: M. Ó hAodha, "Seanchas ós na Déisibh," *Béaloideas* 14 (1944): 71.
(xi) M.ÓhAo (gan Edifón) idir 1933 agus 44: M. Ó hAodha, "Seanchas ós na Déisibh," *Béaloideas* 14 (1944): 71.

39. Comharthaí Talún. S.ÓD. (gan Edifón) Meith. 1945: CBÉ 977:194-95.

40. Creidiúintí agus Piseoga Iascaireachta

(i) S.ÓD. (gan Edifón) Márta 1948: CBÉ 1100:35.
(ii) S.ÓD. (gan Edifón) Meith. 1945: CBÉ 977:192.
(iii) S.ÓD. (gan Edifón) Meith. 1945: CBÉ 977:192.
(iv) S.ÓD. (gan Edifón) Meith. 1945: CBÉ 977:192.
(v) S.ÓD. (gan Edifón) Meith. 1945: CBÉ 977:192.
(vi) S.ÓD. (gan Edifón) Meith. 1945: CBÉ 977:192.
(vii) A. S.ÓD. (gan Edifón) Meith. 1945: CBÉ 977:193.
(vii) B. C.ÓD. (ar cheirnín) 1948: Uimh. Thag. CBÉ 0493.

Lá S' Nioclás: An 6ú lá de Mhí na Nollag. Bhailigh S.ÓD. a thuilleadh seanchais mar gheall ar 'Naomh San Nioclás', Naomh Déaglán agus Naomh Abhaistín ó Shéamus Ó Conaire (51), An Carn, Rinn Ó gCuanach, Samhain, 1945 [CBÉ 978:210-13].

Bailigh N.B. cuntas ar 'Lá Pátrún na Rinne' ó Thomás Ó Muirithe (70), Cnocán a' Phaoraigh ar an 13/12/35 [CBÉ 151:313-18], agus a thuilleadh ar an 31/1/36 [CBÉ 153:54-55].

Bailigh N.B. a thuilleadh eolais ar 'Arán San Nioclás' ó Thomás Ó Muirithe (70), Cnocán a' Phaoraigh ar an 31/1/36 [CBÉ 153:56] agus aríst ó Pheaid a' Cártha (75), An Linn Bhuí ar an 31/1/36 [CBÉ 153:64-5].

(viii) S.ÓD. (gan Edifón) Meith. 1945: CBÉ 977:193.
(ix) S.ÓD. (gan Edifón) Meith. 1945: CBÉ 977:190.
(x) S.ÓD. (gan Edifón) Meith. 1945: CBÉ 977:193.
(xi) S.ÓD. (gan Edifón) Meith. 1945: CBÉ 977:194.

(b) ÉISC AGUS AINMHITHE EILE FARRAIGE

1. An Speidhlséir. S.ÓD. (gan Edifón) Meith. 1945: CBÉ 977:56.

Is dóichí gurb é an t-iasc atá i gceist anseo ná an Pilséar, *Pilchard (Clupea pilchardus).*

Bhailigh N.B. an méid seo a leanas mar gheall ar an saghas seo éisc le hEdifón ó Thomás Ó Muirithe (70), Cnocán a' Phaoraigh ar an 20/11/35 [CBÉ 152:116]:

> *Well*, sin iasc nár mhaith liom in ao'chor. Chonnac mé go minic iad agus bíonn siad mar a bheadh scadáin. An té ná beadh fhios aige é is minic a dhíolag iad le daoine mar dhómas go scadáin iad, ach ní bheidís chomh mór le scadán. Ach an té a mbeadh fhios aige, a mbeadh eolas aige ar iasc dh'aithneodh sé iad, ach an té ná beadh ní dh'aithneodh. Ach ní mhaith liomsa mar iasc iad. Ní mhaith liom in ao'chor iad. Ó téann siad ins na líonta díreach ar nós an scadáin – líon an scadáin á marú.

2. Mairteoil na Farraige agus Sicín na Farraige. S.ÓD. (gan Edifón) Meith. 1945: CBÉ 977:48.

3. An tAnglá. S.ÓD. (gan Edifón) Meith. 1945: CBÉ 977:176.

Seans gurb é an t-iasc atá i gceist anseo ná an Láimhíneach, Anglait nó Deilgín Deamhain, *Angler nó Monkfish (Lophius piscatorius).* Ach glaotar *Monkfish* ar dhá speiceas: 1. Láimhíneach, *Lophius piscatorius (Angler, Monk fish)* – P. Hayward, T. Nelson-Smith agus C. Shields, *Collins Pocket Guide, Sea Shore of Britain and Northern Europe* (Londain: Harper Collins, 1996), lch. 320 agus 2. Bráthair, *Squatina squatina (Angel Shark, Monkfish) – Ibid.*, lch. 308, agus is deacair a dhéanamh amach cén ceann atá i gceist ag an bhfaisnéiseoir

Bhailigh N.B. an méid seo a leanas mar gheall ar an anglá [eangabhá sa ls.] le hEdifón ó Thomás Ó Muirithe (70), Cnocán a' Phaoraigh ar an 20/11/35 [CBÉ 152:115-16]:

> *Well*, thá saghas éisc ann, ola a dhéintear ó iasc – ola an eangabhá – agus is deocair é a dh'fháilt. Ní hé gach einne a gheobhadh é agus thá san fhéin, thá sé déanta amach go bhfuil leigheas ann do go leor galar a bheadh ag góilt do dhuine. Einne a mbeadh *paralysis* ag góilt do nó rud mar sin dhéarfaidís go bhfuil sé go maith dho san. Ola na heangabhá a thugtar air, dath an bhiotáile ba dhóigh leat air, bíonn sé chomh héadtrom chomh glan san, an ola san. N'fheadar mé dén saghas é, saghas éigint iasc is ea é. Deineann siad é a leagha in seana-chorcán agus ansan é a líonadh isteach in cróca agus duine muinteartha a gheobhadh uathu é. Thá sé sin ana-ghann agus is deocair é a dh'fháilt. Ní hé gach éinne a gheobhadh é.

4. An Seoltóir. S.ÓD. (gan Edifón) Meith. 1945: CBÉ 977:176.

Seoltóir: *Basking shark (Selache maxima).*

5. Eascúin. S.ÓD. (le hEdifón) M. Fómhair 1945: CBÉ 977:572-72.

Eascú channgair: Eascann Choncair nó Eascann Mhara, *Conger eel, (Conger conger).*

6. An Mhuc Mhara. S.ÓD. (gan Edifón) Meith. 1945: CBÉ 977:176.

An Mhuc Mhara: *Porpoise (Phocoena phocoena).*

7. Na Tuiníní. S.ÓD. (gan Edifón) Meith. 1945: CBÉ 977:176.

Seans gurb é atá i gceist anseo ná an mhuc mhara óg, go nglaotar 'tóithín' uirthi i mBéarra, Co. Chorcaí agus in Uíbh Ráthach, Co. Chiarraí.

8. Ag Marú Róinte. S.ÓD. (gan Edifón) Meith. 1945: CBÉ 977:257-58.

(c) CNUASACH TRÁ

1. Gaibhlíní. S.ÓD. (gan Edifón) Meith. 1945: CBÉ 977:174.

Sleamhnóg: "Breac beag ar dhéanamh na heascún, thimpeall sé órlaigh, é ana-shleamhain." [Breatnach, *Seana-Chaint II*, lch. 362}. Seans gurb é seo an *Butterfish (Pholis gunnellus)* a fhaightear fé charraigreacha ar imeall lagtrá. Ceann cruaidh: *Butterfly blenny (Blennius ocellaris)* ?

2. An Tráigh. S.ÓD. (gan Edifón) Meith. 1945: CBÉ 977:174-75.

Gruamháin: *Cockle (Cardium edule)*

Colláin: Deir Micheál Ó Síocháin *(Seana-Chaint*, lch. 95) gurb é seo an t-iasc sliogach go nglaotar an *sand-mya* air. Más fíor é sin is dóichí gurb é atá i gceist ná an *sand gaper (clam, Mya arenaria)* atá ar cheann de na sliogéisc is toirtiúla dá bhfuil againn (suas go dtí 6" ar faid agus 3" ar leithead). Maireann sé in tránna go mbíonn meascán maith de phluide agus de ghaineamh iontu (J.Z. Yonge, *The Sea Shore* (Londain: Collins New Naturalist Series, 1966), lch. 245.

Bhailigh N.B. an méid seo a leanas mar gheall ar na colláin le hEdifón ó Thomás Ó Muirithe (70), Cnocán a' Phaoraigh ar an 20/11/35 [CBÉ 152:112]:

Agus bíonn saghas eile ansan ann, colláin, ach ní thagann na colláin go deo, ní bhfaighfá na colláin go deo dtí go dtiocfadh gála mór le gaoth anoir. Agus bíonn sliogáin orthu san leis, ar na colláin. Is minic a chífeá na colláin, na sliogáin ar an tráigh. Bíonn siad mór leathan, na colláin.

Píotháin: Den fhine *Littorinidae (Periwinkles).*

Gúgáin: *Common Whelk (Buccinum undatum)*?

3. An Gibín. S.ÓD. (gan Edifón) Meith. 1945: CBÉ 977:175.

Gibín: Corr ghainimh, spéirlint [den fhine *Ammodytidae (Sand Eels)*], b'fhéidir

4. Logaí. S.ÓD. (gan Edifón) Meith. 1945: CBÉ 977:175.

Loga Dubh: *Black Lug (Arenicola defodiens),* b'fhéidir.

Loga Bán: *Blow Lug (Arenicola marina),* b'fhéidir.

5. Ubh Mharaigh. S.ÓD. (gan Edifón) Meith. 1945: CBÉ 977:175.

Ubh Mharaigh: Cuán mara [Den fhine *Echinoidea (Sea Urchins)*]

6. An Chailleach Chiarraí. S.ÓD. (gan Edifón) Meith. 1945: CBÉ 977:175.

An Chailleach Chiarraí: "Portán, plaesg sleamhain glas air agus é dearg fé." [*Seana-Chaint II*, lch. 75]

7. Sceana Murú. S.ÓD. (gan Edifón) Meith. 1945: CBÉ 977:204.

Eitir: Banc gainní a nochtann lag trá é [Féach *Seana-Chaint II*, lch. 171]

Sceana Murú: Den fhine *Solenidae (Razor shells).* Sceana Marú atá sa ls., ach tá 'sgeana murú' ag Micheál Ó Síocháin (*Seana-Chaint,* lch. 101) agus, dar leis gurb í an mhuruach (*mermaid*) atá i gceist, mar dhea gur léi a bhaineann na 'sceanna' seo sa bhéaloideas.

Bhailigh N.B. an méid seo a leanas mar gheall ar na sceana murú le hEdifón ó Thomás Ó Muirithe (70), Cnocán a' Phaoraigh ar an 20/11/35 [CBÉ 152:112]:

> Amuigh ar an mbarra a gheibhtear iad san agus 'air a thagann gála, díreach bíonn siad. Sé an saghas iad san ach bíonn faid sceana – díreach chomh fada le scian – agus bíonn siad ana-chontúrthach. Bíonn siad géar agus bíonn an bia sa sliogán a bhíonn orthu agus bíonn an bia istigh iontu. Agus an bia a bhíonn iontu ansan, shin é a dhéineann an baoite dóibh a bhíonn istigh ins na sceana murú.

8. Colláin. S.ÓD. (gan Edifón) Meith. 1945: CBÉ 977:206.

9. Gruamháin. S.ÓD. (gan Edifón) Meith. 1945: CBÉ 977:206.

10. Píotháin. S.ÓD. (gan Edifón) M. Fómhair 1945: CBÉ 978:26.

11. Bairnigh. S.ÓD. (gan Edifón) M. Fómhair 1945: CBÉ 978:27.

Bairnigh: Den fhine *Patellidae (Limpets).*

12. Sleabhcán, Bairnigh, Duileasc agus Cosáinín. S.ÓD. (le hEdifón) M. Fómhair 1945: CBÉ 978:14.

Sleabhcán: *Purple laver, sloke (Porphora umbilicalis)* nó *Sea Lettuce (Ulva lactuca).*

Duileasc: *Dulse* [*Palmaria palmata* (Linnaeus); Kuntze, *Rhodymenia palmata*].

Bhailigh N.B. an méid seo a leanas mar gheall ar an nduileasc le hEdifón ó Thomás Ó Muirithe (70), Cnocán a' Phaoraigh ar an 20/11/35 [CBÉ 152:108]:

> Duileasc ansan. *Well*, bíonn sé sin dearg, leis. Bíonn sé ana-mhion agus bíonn sé go maith le n-ithe. Gheobhfá theas ansan in Ráth na Mingíneach agus age Faill a' Stáicín – ansan a gheibhtí é sin – agus is dócha ó dheas mar sin go raghfá 'dtí Baile Mhic Airt. Bíonn sé fairsing thimpeall i dteannta na Bealtaine agus baintear é sin agus itheann daoine sa samhradh is sa mBealtaine é. Ó é a stracadh lena lámha a dhéineann siad – díreach ar nós an trioscair – dhen charraig, dhes na clocha.
>
> Agus is minic a chífeá thall ar shráid Dhonn Garbhán á dhíol é. Chaithfí é a ghlanadh thá fhios agat, é a ní is é a ghlanadh is an ghaineamh a bhaint de. Gheobhfá fhéin é sin a dhéanadh, é a ní sa sáile agus ansan an ghaineamh a bhaint de, má bheadh aon mhion chlocha é a ghlanadh.

Thugtaí abhaile ansan é agus daoine a dhíoladh é agus gheobhaidís … bhíodh ana-shainnt age daoine chuige. N'fheadar mé fhéin conast a bhíodh sé á dhíol, cad a gheobhaidís an chloch air.

Cosáinín: Carraigín, *Carragheen, Irish Moss (Chondrus crispus).*

Bhailigh N.B. an méid seo a leanas mar gheall ar an gcosáinín le hEdifón ó Thomás Ó Muirithe (70), Cnocán a' Phaoraigh ar an 20/11/35 [CBÉ 152:108-9]:

Well, bíonn airgead mór air sin, leis. Cuirtear é sin amach go Sasana. Bhídís á bhailiú sin, cosáinín, agus bhíodh sé sin le fáilt aríst theas in Faill a' Stáicín. Agus chaitheá é a chuir ar tiormú – é a leathadh amach. Bíonn dath an trioscair air sin, leis, agus bíonn sé bán ansan nuair a bhíonn sé tirim. Caitear é sin a shábháil agus é a chuir isteach in málaí agus gheobhfaí b'fhéidir coróin is púnt nó mar sin an céad air. Baintear é sin aríst san earrach, san Abrán. Bhíodh daoine ó Bhaile na nGall – is bíonn – á bhaint, ach is beag athá anois á bhaint. Bhíodh Pilib á bhaint – Pilib Pól – Máire Biorthnach is iad san. Bhíodh go leor acu á bhaint fadó agus dhéintí ansan é a bhá is é a chuir in málaí agus ansan é a chuir amach go Sasana.

É a scríobadh anuas des na clocha – ní hé a bhaint ar ao'chor ach é a scríobadh. Bíonn sé ana-shleamhain agus is deocair, babhtaí, is deocair é a dh'fháilt. Bíonn mar a bheadh cíor acu á chíoradh anuas des na carraigeacha.

13. Sleabhcán. S.ÓD. (gan Edifón) M. Fómhair 1945: CBÉ 978:28.

Bhailigh N.B. an méid seo a leanas mar gheall ar an sleabhcán le hEdifón ó Thomás Ó Muirithe (70), Cnocán a' Phaoraigh ar an 20/11/35 [CBÉ 152:107-8]:

Well, sé an áit a bhfásann sé sin ná ó dheas chun Faill a' Stáicín, an sleabhcán, agus shéard é sin nach bíonn sé ana-shleamhain ar dhath an trioscair, agus itheann daoine é sin agus beiríonn siad é. Thá sé folláin, agus sé an t-am den bhliain ach san earrach, agus san earrach a dhéintí an sleabhcán. Bhíodh ana-ghlaoch ar an sleabhcán fadó agus conast? Sa Charghas, bhíodh sé age go leor daoine sa Charghas, mar bhíodh an troscadh dubh ann fadó agus bhíodh daoine ag imeacht ag díol an tsleabhcáin seo.

Dhéanfaí é sin a bheiriú, an sleabhcán, agus bata dair a chaithfeadh a bheith agat chun a bheith á chorraí, agus ansan é a líonadh in crócaí. Agus raghadh ansan, an dream san, raghaidís thimpeall dtí na daoine móra ar fuaid an bhaile mhóir – daoine uaisle – á dhíol san. N'fheadar mé fhéin cad a gheibhdís air – cróca dhe is dócha, bh'fhéidir scilling is mar sin – thimpeall cróca mar a dhéarfá. Raghadh galún ann. Agus ó dhaoine á bhaint lena lámha dhéinidís an sleabhcán.

Bíonn an sleabhcán ana-shleamhain. Bíonn sé ar an gcarraig agus sé an tslí a caithtí ná é a chíoradh dhe saghas éigin mar a bheadh cíor: bhíodh saghas éigint bata acu mar a bheifeá á chíoradh. Bhíodh mná á bhaint sin, muintir Ráth na Mingíneach. Bhíodh Nóra Lí, is dócha Máiréad Crochúir – iad san go léir á bhaint, muintir Ráth na Mingíneach – Siobhán Ní Chorráin, sea, shiné an méid is dóigh liom a raibh aithne agam orthu – Máire Paor.

E. CEARDANNA

1. **Gréasaíocht**. S.ÓD. (gan Edifón) Aib. 1948: CBÉ 1100:100.
2. **Obair Shiúnéara.** Bailithe ag M. Ó hAodha (gan Edifón) idir 1933 agus 1941, M. Ó hAodha, "Seanchas ós na Déisibh," *Béaloideas* 14 (1944): 64.
3. **An Dá Roth**. Bailithe ag M. Ó hAodha (gan Edifón) idir 1933 agus 1941, "Seanchas ós na Déisibh," *Béaloideas* 14 (1944): 68.
4. **Seán Paor – Gabha**. Bailithe ag M. Ó hAodha (gan Edifón) idir 1933 agus 1941, "Seanchas ós na Déisibh," *Béaloideas* 14 (1944): 68-9.

2. CÚRSAÍ GNÓTHA AGUS TAISTIL

A. TAISTIL AR TÍR

1. **An Drochad**. S.ÓD. (gan Edifón) M. Fómhair 1945: CBÉ 977:1.
   Léaráid bunaithe ar cheann na lse. [CBÉ 977:1]

B. SAOL LUCHT TAISTIL

1. **Muintir Thiobrad Árann**. S.ÓD. (gan Edifón) M. Fómhair 1945: CBÉ 977:3.

3. AN DUINE

A. BAILL AN CHOIRP AGUS A gCÚRAMAÍ

1. **Na Méaracha**. S.ÓD. (gan Edifón) M. Fómhair 1945: CBÉ 977:25 agus Márta 1948: 1100:19.
   Léaráid bunaithe ar chinn na lse. [CBÉ 977:25; 1100:19].

An Paighnteán: Ghlaoigh Maidhc an Pointeán agus an Marcaeir ar an méar seo ar dhá ocáid dhifriúla.

Feic S. Ó Súilleabháin, "Ainmneacha Méaranna na Láimhe," *Measgra i gCuimhne Mhichíl Uí Chléirigh*, eag. Sylvester O'Brien (Baile Átha Cliath: Assisi Press, 1944), lch. 165-80.

2. An Chos. S.ÓD. (gan Edifón) Márta 1948: CBÉ 1100:21.

Léaráid bunaithe ar cheann na lse. [CBÉ 1100:21].

Pláitín na Glún: Feic CBÉ 1100: (Aib. 1948) mar a bhfuil 'caipín na glún' tógtha síos, leis, ag S.ÓD. ó Mhaidhc. Níl aon mhíniú sa ls. ar cad é díreach atá i gceist.

3. An tSúil. S.ÓD. (gan Edifón) Márta 1948: CBÉ 1100:72.

Léaráid bunaithe ar cheann na lse. [CBÉ 1100:72].

4. Na Súile

(i) Saghasanna Súl. S.ÓD. (gan Edifón) Márta 1948: CBÉ 1100:71.
(ii) Péarla na Súl. S.ÓD. (gan Edifón) Márta 1948: CBÉ 1100:71-2.
(iii) Leathshúil a Luí. S.ÓD. (gan Edifón) Márta 1948: CBÉ 1100:72.
(iv) Ag Briolacadh. S.ÓD. (gan Edifón) Bealtaine 1948: CBÉ 1100:232.
(v) Sclim. S.ÓD. (gan Edifón) Márta 1948: CBÉ 1100:72.
(vi) Dath na Súl. S.ÓD. (gan Edifón) Márta 1948: CBÉ 1100:72.
(vii) Radharc Lag. S.ÓD. (gan Edifón) Márta agus Aib. 1948: CBÉ 1100:72, 232.
(viii) Srams. S.ÓD. (gan Edifón) Márta 1948: CBÉ 1100:72-3.
(ix) Cáithnín id Shúil. S.ÓD. (gan Edifón) Márta 1948: CBÉ 1100:73.

5. Na Cluasa

(i) Cluasa Capaill. S.ÓD. (gan Edifón) Márta 1948: CBÉ 1100:73.
(ii) Cluasaí. S.ÓD. (gan Edifón) Márta 1948: CBÉ 1100:73.
(iii) Poll na Cluaise. S.ÓD. (gan Edifón) Márta 1948: CBÉ 1100:73.
(iv) Céir Chluas. S.ÓD. (gan Edifón) Aib. 1948: CBÉ 1100:146.

6. An tSrón

(i) An tSrón nó an Caincín. S.ÓD. (gan Edifón) Aib. 1948: CBÉ 1100:97.
(ii) Geancachán. S.ÓD. (gan Edifón) Aib. 1948: CBÉ 1100:97.
(iii) Caincín Dearg. S.ÓD. (gan Edifón) Aib. 1948: CBÉ 1100:97.
(iv) Breall. S.ÓD. (gan Edifón) Aib. 1948: CBÉ 1100:97-8.
(v) Caincín Cam. S.ÓD. (gan Edifón) Aib. 1948: CBÉ 1100:98.
(vi) Srón-Mhúchadh. S.ÓD. (gan Edifón) Aib. 1948: CBÉ 1100:98.

7. An Béal, na Fiacla, an Teanga agus an Scornach

(i) An Béal. S.ÓD. (gan Edifón) Aib. 1948: CBÉ 1100:98.
(ii) Cab. S.ÓD. (gan Edifón) Aib. 1948: CBÉ 1100:98.

(iii) Preiceall. S.ÓD. (gan Edifón) Aib. 1948: CBÉ 1100:99.
(iv) Na Fiacla. S.ÓD. (gan Edifón) Aib. 1948: CBÉ 1100:99.
(v) Fiacla an Linbh. S.ÓD. (gan Edifón) Aib. 1948: CBÉ 1100:100.
(vi) Meabhaint. S.ÓD. (gan Edifón) Aib. 1948: CBÉ 1100:99.
(viii) Tarraint na bhFiacal Fadó. S.ÓD. (gan Edifón) Aib. 1948: CBÉ 1100:99.
(ix) Glanadh na bhFiacal Fadó. S.ÓD. (gan Edifón) Aib. 1948: CBÉ 1100:100.
(x) Fiacla níos Fearr Fadó. S.ÓD. (gan Edifón) Aib. 1948: CBÉ 1100:100.
(xi) Leadhb dá Theanga. S.ÓD. (gan Edifón) Aib. 1948: CBÉ 1100:100.
(xii) "Cuir amach do Theanga.". S.ÓD. (gan Edifón) Aib. 1948: CBÉ 1100:100-1.
(xiii) Sal ar an Teanga. S.ÓD. (gan Edifón) Aib. 1948: CBÉ 1100:101.
(xiv) Cáithnín a Bhaint leis an Teanga. S.ÓD. (gan Edifón) Aib. 1948: CBÉ 1100:101.
(xv) An Carball. S.ÓD. (gan Edifón) Aib. 1948: CBÉ 1100:101.
(xvi) An Drandal. S.ÓD. (gan Edifón) Aib. 1948: CBÉ 1100:101.
(xvii) An Craos. S.ÓD. (gan Edifón) Aib. 1948: CBÉ 1100:102.
(xviii) An Scornach. S.ÓD. (gan Edifón) Aib. 1948: CBÉ 1100:102.
(xix) An Píopán. S.ÓD. (gan Edifón) Aib. 1948: CBÉ 1100:102.
(xx) Na Sliseáin. S.ÓD. (gan Edifón) Aib. 1948: CBÉ 1100:101, 102.
(xxi) Úll na Scórnaí. S.ÓD. (gan Edifón) Aib. 1948: CBÉ 1100:102.

8. Gruaig an Duine

(i) Folt nó Glib. S.ÓD. (gan Edifón) Márta 1948: R.B.E. CBÉ 1100:66.
(ii) Ceann Bachlach. S.ÓD. (gan Edifón) Márta 1948: CBÉ 1100:67.
(iii) Gruaig na mBan. S.ÓD. (gan Edifón) Márta 1948: CBÉ 1100:70.
(iv) Dathú na Gruaige. S.ÓD. (gan Edifón) Márta 1948: CBÉ 1100:70.
(v) Ag Ní na Gruaige. S.ÓD. (gan Edifón) Márta 1948: CBÉ 1100:70.
(vi) Gruaig Liath. S.ÓD. (gan Edifón) Márta 1948: R.B.E. CBÉ 1100:71.
(vii) Gruaig ar Chabhail Fhir – Comhartha Nirt. S.ÓD. (gan Edifón) Márta 1948: R.B.E. CBÉ 1100:71.
(viii) Gráinneog. S.ÓD. (gan Edifón) Márta 1948: CBÉ 1100:71.
(ix) Féasóg nó Meigeall. S.ÓD. (gan Edifón) Márta 1948: CBÉ 1100:71.
(x) Lomadh an Luain. S.ÓD. (gan Edifón) Márta 1948: CBÉ 1100:67.
(xi) Bearradh na Gruaige. S.ÓD. (gan Edifón) Márta 1948: CBÉ 1100:76.
(xii) Cosc ar Bhearradh Gruaige sa Charghas. S.ÓD. (gan Edifón) Márta 1948: CBÉ 1100:67.
(xiii) An Ghruaig sa Síorraíocht. S.ÓD. (gan Edifón) Márta 1948: CBÉ 1100:67.

9. An Ceann, an Aghaidh agus an Muinéal

(i) An Muinéal agus Maic an Mhuiníl. S.ÓD. (gan Edifón) Aib. 1948: CBÉ 1100:102.

(ii) An Aghaidh. S.ÓD. (gan Edifón) Aib. 1948: CBÉ 1100:132.

(iii) An Corrán Géill. S.ÓD. (gan Edifón) Aib. 1948: CBÉ 1100:132, 133.

(iv) Feagaí. S.ÓD. (gan Edifón) Aib. 1948: CBÉ 1100:132.

(v) Gág. S.ÓD. (gan Edifón) Aib. 1948: CBÉ 1100:133.

(vi) Éadan Ard. S.ÓD. (gan Edifón) Aib. 1948: CBÉ 1100:131.

10. An Mheabhair agus an Inchinn. S.ÓD. (gan Edifón) Aib. 1948: CBÉ 1100:133-34.

11. Cnánna an Duine

(i) Baill na Gualainne. S.ÓD. (gan Edifón) Aib. 1948: CBÉ 1100:135.

úll na gualainne: barr an húmarais (an t-úll) a théann isteach sa chuas (*socket*)

(ii) Conas Guala a Chuir isteach. S.ÓD. (gan Edifón) Aib. 1948: CBÉ 1100:135.

(iii) Comhartha Tréan ar Fhear. S.ÓD. (gan Edifón) Aib. 1948: CBÉ 1100:135.

(iv) Duine Cromslinneánach. S.ÓD. (gan Edifón) Aib. 1948: CBÉ 1100:135.

(v) Súil Ghlúin nó Uilinn. S.ÓD. (gan Edifón) Aib. 1948: CBÉ 1100:136.

(vi) An Chuisle. S.ÓD. (gan Edifón) Aib. 1948: CBÉ 1100:136, 143.

(vii) Pluc na Láimhe agus an Chrobh. S.ÓD. (gan Edifón) Aib. 1948: CBÉ 1100:136.

(viii) Usáid na nGéaga – Gabháil, Bacla, Oscail. S.ÓD. (gan Edifón) Aib. 1948: CBÉ 1100:135-36.

(ix) Cnáimhín Bhéal an Ghoile. S.ÓD. (gan Edifón) Aib. 1948: CBÉ 1100:138.

cnáimhín bhéal an ghoile: an scéithín ?

(x) Cnámh an Droma. S.ÓD. (gan Edifón) Aib. 1948: CBÉ 1100:139-40.

(xi) Úll an Chromáin. S.ÓD. (gan Edifón) Aib. 1948: CBÉ 1100:140.

úll an chromáin: ceann an fhéamair.

12. Na Baotháin agus Caol an Droma. S.ÓD. (gan Edifón) Aib. 1948: CBÉ 1100:140.

13. An Leisce sa Drom. S.ÓD. (gan Edifón) Aib. 1948: CBÉ 1100:140.

14. An Bolg, an tImleacán agus an Bhléan. S.ÓD. (gan Edifón) Aib. 1948: CBÉ 1100:140.

15. Baill Inmheánacha an Choirp

(i) Na Baill ar an dTaobh Istigh den Chabhail. S.ÓD. (gan Edifón) Aib. 1948: CBÉ 1100:136.

(ii) Cúram an Ghoile agus na bPutóga. S.ÓD. (gan Edifón) Aib. 1948: CBÉ 1100:145.
(iii) Brúchtaíl agus Aiseag. S.ÓD. (gan Edifón) Aib. 1948: CBÉ 1100:145.
(iv) Uirleacan agus Tonn Taoscach. S.ÓD. (gan Edifón) Aib. 1948: CBÉ 1100:146.
(v) Gnó an Rí. S.ÓD. (gan Edifón) Aib. 1948: CBÉ 1100:145.
(vi) Slogadh na Lachan. S.ÓD. (gan Edifón) Aib. 1948: CBÉ 1100:144.
(vii) Duine le Dhá Ghoile. S.ÓD. (gan Edifón) Aib. 1948: CBÉ 1100:144.
(viii) Sceadal ar an gCroí. S.ÓD. (gan Edifón) Aib. 1948: CBÉ 1100:136.
(ix) Na Féitheacha. S.ÓD. (gan Edifón) Aib. 1948: CBÉ 1100:137.
(x) Fuil Chapaill agus Fuil Duine. S.ÓD. (gan Edifón) Aib. 1948: CBÉ 1100:138.
(xi) Bualadh na Cuisle. S.ÓD. (gan Edifón) Aib. 1948: CBÉ 1100:137.
(xii) Na Dubháin. S.ÓD. (gan Edifón) Aib. 1948: CBÉ 1100:138-39.
(xiii) Na Scamhóga, an Anáil agus Sranntarnaigh. S.ÓD. (gan Edifón) Aib. 1948: CBÉ 1100:148.
(xiv) Baill Ghnéis an Duine. S.ÓD. (gan Edifón) Bealtaine 1948: CBÉ 1100:229.
(xv) Seanseálacha nó Muirling ar Chailíní. S.ÓD. (gan Edifón) Bealtaine 1948: CBÉ 1100:231.

16. An Croiceann

(i) Bláthach chun Aghaidh a Ní. S.ÓD. (gan Edifón) Aib. 1948: CBÉ 1100:143.
(ii) Breicneach. S.ÓD. (gan Edifón) Aib. 1948: CBÉ 1100:143.
(iii) Snó an Bháis. S.ÓD. (gan Edifón) Aib. 1948: CBÉ 1100:141.
(iv) Idir Fheoil is Leathar. S.ÓD. (gan Edifón) Aib. 1948: CBÉ 1100:142.
(v) Allas agus Fuarallas. S.ÓD. (gan Edifón) Aib. 1948: CBÉ 1100:145.

B. SAGHASANNA DAOINE

1. **Cuirliún nó Spágaire.** S.ÓD. (gan Edifón) Márta 1948: CBÉ 1100:21.
2. **Colpa Buachalla nó Colpa Cailín.** S.ÓD. (gan Edifón) Márta 1948: CBÉ 1100:22.
3. **Gabhlánaí.** S.ÓD. (gan Edifón) Márta 1948: CBÉ 1100:22.
4. **Giofaire.** S.ÓD. (gan Edifón) Márta 1948: CBÉ 1100:31.
5. **Cabaire**. S.ÓD. (gan Edifón) Márta 1948: CBÉ 1100:31.
6. **Bragaidéir.** S.ÓD. (gan Edifón) Márta 1948: CBÉ 1100:32.
7. **Plubóg**. S.ÓD. (gan Edifón) Márta 1948: CBÉ 1100:32.
8. **Ótais**. S.ÓD. (gan Edifón) Márta 1948: CBÉ 1100:32.

9. Fathaíoch. S.ÓD. (gan Edifón) Márta 1948: CBÉ 1100:32.
10. Rábaire. S.ÓD. (gan Edifón) Márta 1948: CBÉ 1100:32.
11. Fear Fáigiúil. S.ÓD. (gan Edifón) Márta 1948: CBÉ 1100:32.
12. Truis-Traisc. S.ÓD. (gan Edifón) Márta 1948: CBÉ 1100:32.
13. Fear Croíléiseach. S.ÓD. (gan Edifón) Márta 1948: CBÉ 1100:32.
14. Leath-Leidhce. S.ÓD. (gan Edifón) Márta 1948: CBÉ 1100:47.
15. Ceann Máiléid. S.ÓD. (gan Edifón) Márta 1948: CBÉ 1100:47.
16. Broc na gCeann. S.ÓD. (gan Edifón) Márta 1948: CBÉ 1100:41.
17. Maig ina Ceann. S.ÓD. (gan Edifón) Aib. 1948: CBÉ 1100:102.
18. Plucaire. S.ÓD. (gan Edifón) Aib. 1948: CBÉ 1100:133.
19. Plubaire. S.ÓD. (gan Edifón) Aib. 1948: CBÉ 1100:133.
20. Smulcaire. S.ÓD. (gan Edifón) Aib. 1948: CBÉ 1100:133.
21. Tirimeachán. S.ÓD. (gan Edifón) Aib. 1948: CBÉ 1100:133.
22. Labaiste Fir. S.ÓD. (gan Edifón) Bealtaine 1948: CBÉ 1100:230.
23. Coilichín Coc. S.ÓD. (gan Edifón) D. Fómhair: CBÉ 978:61
24. Ceann Bó. S.ÓD. (gan Edifón) Márta 1948: CBÉ 1100:71.

C. FIR AGUS MNÁ

1. Meas nó Drochmheas ar Mhná. S.ÓD. (gan Edifón) Márta 1948: CBÉ 1100:36.
2. Moladh na Mná agus Moladh an Fhir. S.ÓD. (gan Edifón) Márta 1948: CBÉ 1100:36.
3. Éadach na mBan Fadó. S.ÓD. (gan Edifón) Márta 1948: CBÉ 1100:47.
4. Síle na gCearc. S.ÓD. (gan Edifón) Márta 1948: CBÉ 1100:27.
5. An Cleapéir. S.ÓD. (gan Edifón) Márta 1948: CBÉ 1100:28.
6. Ag Ithe is ag Ól is ag Clabaireacht. S.ÓD. (gan Edifón) Aib. 1948: CBÉ 1100:144.
7. Foighne na mBan. S.ÓD. (gan Edifón) Márta 1948: CBÉ 1100:29.
8. Imreas idir Fear agus Bean. S.ÓD. (gan Edifón) Márta 1948: CBÉ 1100:30.
9. Obair na mBan. S.ÓD. (le hEdifón) M. Fómhair 1945: CBÉ 978:22-3.
10. Mná Láidre. Bailithe ag M. Ó hAodha (gan Edifón) idir 1933 agus 1941, "Seanchas ós na Déisibh," *Béaloideas* 14 (1944): 65-6.
11. Éigean á Dhéanadh ar Chailín. S.ÓD. (gan Edifón) Meith. 1945: CBÉ 977:144-45.
12. Píosa Croicinn nó Píosa Leathair. S.ÓD. (gan Edifón) Aib. 1948: CBÉ 1100:141.
13. Fear ag Déanadh Gnó ar Bhean. S.ÓD. (gan Edifón) Aib. 1948: CBÉ 1100:149.

14. Bean ag Cuir suas d'Fhear. S.ÓD. (gan Edifón) Aib. 1948: CBÉ 1100:149.
15. Cac an Ghandail Bháin. S.ÓD. (gan Edifón) Aib. 1948: CBÉ 1100:145.
16. Fir á Mealladh le Braon de Sheanseáil an Chailín. S.ÓD. (gan Edifón) Aib. 1948: CBÉ 1100:146.
17. An Bhean Rua Naonúr Naoi nUaire. S.ÓD. (gan Edifón) Márta 1948: CBÉ 1100:35.
18. Rachtaíocht. S.ÓD. (gan Edifón) Bealtaine 1948: CBÉ 1100:230.
19. Tón Mná á dh'Iompó lena Fear. S.ÓD. (gan Edifón) Bealtaine 1948: CBÉ 1100:231.
20. Mná Breátha. S.ÓD. (gan Edifón) Márta 1948: CBÉ 1100:36.

D. BREITH AN LINBH

1. Leanbh Mic nó Leanbh Iníne. S.ÓD. (gan Edifón) Márta 1948: CBÉ 1100:30-1.
2. Cam Roilige. S.ÓD. (gan Edifón) Márta 1948: CBÉ 1100:35.

E. SAOL AN DUINE

1. An Óige. S.ÓD. (gan Edifón) Márta 1948: CBÉ 1100:41-4.
2. Pláinéid. S.ÓD. (gan Edifón) M. Fómhair 1945: CBÉ 977:443.

Mar léiriú ar an bhfocal sin 'pláinéad' bhailigh S.ÓD. an píosa seanchais seo a leanas ó Shéamus Ó Conaire (51), An Carn, Rinn Ó gCuanach, Samhain, 1945:

> Thá daoine ag teacht ar an saol agus tagann siad ar an saol fé phláinéad maith nó fé droch-phláinéad.
>
> Bhí – theas i Ráth na Mingíneach fadó sa seanashaol nuair a bhí na Gearaltaigh ann – Gearaltaigh Ráth na Mingíneach, na huaisle a bhí ann fadó. Agus chuaigh na fearaibh amach oíche bhreá – réilthíní ar fad a bhí ann – agus bhíodar ag trácht ar an ngealach, go raibh ré nua ann. Agus dúirt fear:
>
> "Thá ré nua ann agus go deimhin fhéin, má tá, go bhféacha Dia ar einne athá th'réis teacht ar an saol an am so lá. Thá droch-phláinéad as a cheann ar an spéir," arsa sé sin.
>
> Ach ní raibh a thuilleadh mar gheall ar sin. N'fheadair mé dén pláinéad é. Ní dh'airigh mé níos mó mar gheall air. [CBÉ 978:352-3]

3. An Saol ag Dul chun Donais. S.ÓD. (gan Edifón) M. Fómhair 1945: CBÉ 977:443-45.
4. Saol an Fhir. S.ÓD. (gan Edifón) Meith. 1945: CBÉ 977:57.

5. Saol na Mná. S.ÓD. (gan Edifón) Meith. 1945: CBÉ 977:58.
6. Fiche Bliain ag Fás. S.ÓD. (gan Edifón) Márta 1948: CBÉ 1100:43.
7. Scampla. S.ÓD. (gan Edifón) Meith. 1945: CBÉ 977:58.
8. Fear gan Mháthair. S.ÓD. (gan Edifón) Meith. 1945: CBÉ 977:58.

F. AN GRÁ, AN PÓSADH AGUS AN SAOL PÓSTA

1. Litir Scrite le Fuil. S.ÓD. (gan Edifón) Aib. 1948: CBÉ 1100:138.
2. Buachaill nó Cailín a Thogha le hAgha' Pósta. S.ÓD. (gan Edifón) Márta 1948: CBÉ 1100:36.
3. Saintiúil chun an Togha. S.ÓD. (gan Edifón) Samhain 1945: CBÉ 978:355-56.
4. Hata nó Caipín. S.ÓD. (gan Edifón) Meith. 1945: CBÉ 977:202.
5. Ní Mise a Bhí Caoch. S.ÓD. (gan Edifón) Meith. 1945: CBÉ 977:202.
6. Ag Teacht Abhaile chun í a Leagaint. S.ÓD. (gan Edifón) Meith. 1945: CBÉ 977:202.
7. Thá Eagla mo Chroí orm. S.ÓD. (gan Edifón) Meith. 1945: CBÉ 977:202-3.
8. Seana-Miúil. S.ÓD. (gan Edifón) Márta 1948: CBÉ 1100:35.

G. AN tSEANAOIS

1. Daoine ag Dul san Aos. S.ÓD. (gan Edifón) Márta 1948: CBÉ 1100:44.
2. Saol Fada. S.ÓD. (gan Edifón) Márta 1948: CBÉ 1100:44-5.
3. Comharthaí Aoise. S.ÓD. (gan Edifón) Márta 1948: CBÉ 1100:45.
4. An Seanduine ag Obair. S.ÓD. (gan Edifón) Márta 1948: CBÉ 1100:41-2.

H. AN BÁS

1. Ag Dul chun Báis. S.ÓD. (gan Edifón) Aib. 1948: CBÉ 1100:132.
2. An tAnam ag Fágaint na Colainne. S.ÓD. (gan Edifón) M. Fómhair 1945: CBÉ 977:441.
3. Doirse an Bháis. S.ÓD. (gan Edifón) M. Fómhair 1945: CBÉ 977:440-41.
4. Purgadóireacht. S.ÓD. (gan Edifón) M. Fómhair 1945: CBÉ 977:441-42.
5. An Bhadhb. S.ÓD. (gan Edifón) Meith. 1945: CBÉ 977:200.

Chun eolas cruinn coimsitheach a fháil ar na traidisiúin an bhaineann leis'an bhadhb' nó 'an bhean sí' in Éirinn feic P. Lysaght, *The Banshee – The Irish Supernatural Death-Messenger* (Baile Átha Cliath: The Glendale Press, 1986).

6. An Corp a Shá. S.ÓD. (gan Edifón) Márta 1948: CBÉ 1100:32-3.

7. Laiste Gruaige ón Duine Marbh a Chumhad. S.ÓD. (gan Edifón) Márta 1948: CBÉ 1100:70.
8. Mná Caointe. N.B. (le hEdifón) 1934: CBÉ 150:253

I. DEILEÁIL IDIR BEOIBH AGUS MARAÍBH

1. Michéal Ó Muirithe agus Máiréad de Brún. S.ÓD. (le hEdifón) M. Fómhair 1945: CBÉ 977:462-64.

J. FEALSÚNACHT AN DUINE

1. Cóiriú. S.ÓD. (gan Edifón) Márta 1948: CBÉ 1100:33-4.

4. CÚRSAÍ CREIDIMH

A. TOIBREACHA BEANNAITHE

1. Tobar Chruabhaile. S.ÓD. (gan Edifón) Meith. 1945: CBÉ 977:17.
2. Tobar *Father Twomey*. S.ÓD. (gan Edifón) Meith. 1945: CBÉ 977:18.
3. Tobar Bhuile Chlaidhimh. S.ÓD. (gan Edifón) Meith. 1945: CBÉ 977:18.

B. SAGAIRT AGUS CREIDEAMH

1. Cosc ar Dhul chun Sagartóireachta. S.ÓD. (gan Edifón) Meith. 1945: CBÉ 977:186-87.
2. Peacaí Seacht mBliana. S.ÓD. (gan Edifón) Meith. 1945: CBÉ 977:199-200.
3. Ifreann. S.ÓD. (le hEdifón) M. Fómhair 1945: CBÉ 978:24.
4. Údás Mallaithe. S.ÓD. (le hEdifón) M. Fómhair 1945: CBÉ 978:24-5.

C. NAOMHSHEANCHAS

1. Eachtraithe mar gheall ar Naomh Déaglán
(i) Naomh Déaglán agus na Préacháin. C.ÓD. (ar cheirnín) 1948: Uimh. Thag. CBÉ M0015-18.

Bhailigh S.ÓD. blúire seanchais mar gheall ar 'Chailís Naomh Deaglán' ó Shéamus Ó Conaire (51), An Carn, Rinn Ó gCuanach, Samhain, 1945 [CBÉ 978:462-66]. Ina theannta san, bhailigh sé a thuilleadh seanchais mar gheall ar Naomh Déaglán ó Shéamus timpeall an ama chéanna [CBÉ 978:210-13]. Ar an

1/7/45 fuair sé píosa breá seanchais ar Naomh Déaglán ó Mháire Bean an Bhreathnaigh (73), Baile na nGall [CBÉ 978:162-67]

(ii) Cloch Dhéagláin. C.ÓD. (ar cheirnín) 1948: Uimh. Thag. CBÉ M0015-18.

Bhí sé ráite gur tháinig an chloch seo ar snámh ón Róimh (nó ón mBreatain Bheag ?) i ndiaidh árthaigh Dhéagláin. Bhí clog ar an gcloch go raibh Naomh Déaglán tar éis dearmad a dhéanamh air. Bhíodh daoine ag iarraidh lamhchán isteach fén gcloch, atá ar an gcladach, mar chreididís go bhfaighidís leigheas ansan ar na dathacha.

Feic P. Harbison, *Pilgrimage in Ireland – The Monuments of the People* (Londain: Barry and Jenkins, 1991), lch. 135.

P. Power, *Ardmore-Déagláin, A Popular Guide to the Holy City* (Port Láirge, 1919).

T.J. Westropp, "Notes on the antiquities of Ardmore," *JRSAI* 33, 1903, lch. 353-80.

S. Ó Cadhla, *The Holy Well Tradition – The Pattern of St Declan, Ardmore, Co. Waterford, 1800-2000* (Baile Átha Cliath: Four Courts Press, 2002).

Bhailigh N.B. seanchas mar gheall ar 'Bagge na hAirde Móire' ó Liam Ó Caoimh (83), Rinn Croiche, Paróiste Dhún Garbháin ar an 7/11/36 [CBÉ 259:611]

5. AN NÁDÚR

A. SEANCHAS AR NA hÉANLAITHE

1. Nead an Dreoilín. S.ÓD. (gan Edifón) Meith. 1945: CBÉ 977:21-2.

Tá plé ana-choimsitheach déanta ag Sylvie Muller ar na scéalta agus ar na traidisiúin a bhaineann leis an dreoilín. [S.Muller, "The Irish wren tales and ritual," *Béaloideas* 64-5 (1996-97): 131-69.

2. An Fhuiseog. S.ÓD. (gan Edifón) Meith. 1945: CBÉ 977:201.

3. An Bod Buí. S.ÓD. (gan Edifón) Meith. 1945: CBÉ 977:23.

An Bod Buí: *Yellowhammer (Yellow bunting) [Emberiza citrinella]*

B. FEITHIDÍ

1. Ciaróga. Bailithe ag M. Ó hAodha (gan Edifón) idir 1933 agus 1941, "Seanchas ós na Déisibh," Béaloideas 14 (1944): 77.

Proimpeallán: *Dung beetle [de na speicis Geotrupes]*

C. PLANDAÍ

1. Teanga Naoscaí. S.ÓD. (gan Edifón) Meith. 1945: CBÉ 977:48.

D. AN SPÉIR AGUS AN AIMSIR

1. An Aimsir ag Dul chun Donais. S.ÓD. (gan Edifón) M. Fómhair 1945: CBÉ 977:444.
2. Gálaí. S.ÓD. (gan Edifón) Meith. 1945: CBÉ 977:59.
3. Cosaint ar Thoirneach. S.ÓD. (gan Edifón) Meith. 1945: CBÉ 977:134.
4. Dé Chúis go mBíonn Toirneacha ann? S.ÓD. (gan Edifón) Meith. 1945: CBÉ 977:135.
5. Bladhm, Splanc agus Caor. S.ÓD. (gan Edifón) Meith. 1945: CBÉ 977:135.
6. Toirneach Lá na Cúirte. S.ÓD. (gan Edifón) Meith. 1945: CBÉ 977:135.
7. Toirneach Anoir – Comhartha Aimsir Bhriste. S.ÓD. (gan Edifón) Meith. 1945: CBÉ 977:135.
8. Toirneach agus an Iascaireacht. S.ÓD. (gan Edifón) Meith. 1945: CBÉ 977:135.
9. An Ré. S.ÓD. (gan Edifón) Meith. 1945 agus Bealtaine 1948: CBÉ 977:182; 1100:230.
10. Ré Sathairn. S.ÓD. (gan Edifón) M. Fómhair 1945: CBÉ 977:461.
11. Comharthaí Aimsire

(i) S.ÓD. (gan Edifón) Meith. 1945: CBÉ 977:187.
(ii) S.ÓD. (gan Edifón) Meith. 1945: CBÉ 977:187.
(iii) S.ÓD. (gan Edifón) Meith. 1945: CBÉ 977:187.
(iv) S.ÓD. (gan Edifón) Meith. 1945: CBÉ 977:187.
(v) S.ÓD. (gan Edifón) Meith. 1945: CBÉ 977:187.
(vi) S.ÓD. (gan Edifón) Meith. 1945: CBÉ 977:187.
(vii) S.ÓD. (gan Edifón) Meith. 1945: CBÉ 977:188.
(viii) S.ÓD. (gan Edifón) Meith. 1945: CBÉ 977:188.
An Áiltheog: *Swallow (Hirundo rustica).*
(ix) S.ÓD. (gan Edifón) Meith. 1945: CBÉ 977:188.
(x) S.ÓD. (gan Edifón) Meith. 1945: CBÉ 977:188.
(xi) S.ÓD. (gan Edifón) Meith. 1945: CBÉ 977:188.
(xii) S.ÓD. (gan Edifón) Meith. 1945: CBÉ 977:188.
(xiii) S.ÓD. (gan Edifón) Meith. 1945: CBÉ 977:188.
(xiv S.ÓD. (gan Edifón) Meith. 1945: CBÉ 977:188.
(xv) S.ÓD. (gan Edifón) Meith. 1945: CBÉ 977:188.

(xvi) S.ÓD. (gan Edifón) Meith. 1945: CBÉ 977:188.
(xvii) S.ÓD. (gan Edifón) Meith. 1945: CBÉ 977:188-89.
(xviii) S.ÓD. (gan Edifón) Meith. 1945: CBÉ 977:189.
(xix) S.ÓD. (gan Edifón) Meith. 1945: CBÉ 977:189.
(xx) S.ÓD. (gan Edifón) Meith. 1945: CBÉ 977:189.
(xxi) S.ÓD. (gan Edifón) Meith. 1945: CBÉ 977:189.
Pilibín Míog: *Lapwing, green plover (Vanellus vanellus)*
Feadóga: fiodóga sa ls. .i. *golden plover (Pluvialis apricaria)* nó *grey plover (Pluvialis squatarola).*
Liathraisc: liatráisc, *missel thrush (Turdus viscivorus)*
(xxii) S.ÓD. (gan Edifón) Meith. 1945: CBÉ 977:189.
(xxiii) S.ÓD. (gan Edifón) Meith. 1945: CBÉ 977:189.
(xxiv) S.ÓD. (gan Edifón) Meith. 1945: CBÉ 977:189.
(xxv) S.ÓD. (gan Edifón) Meith. 1945: CBÉ 977:189.
(xxvi) S.ÓD. (gan Edifón) Meith. 1945: CBÉ 977:189-90.
(xxvii) S.ÓD. (gan Edifón) Meith. 1945: CBÉ 977:190.
(xxviii) S.ÓD. (gan Edifón) Meith. 1945: CBÉ 977:190.
(xxix) S.ÓD. (gan Edifón) Meith. 1945: CBÉ 977:190.
(xxx) S.ÓD. (gan Edifón) Meith. 1945: CBÉ 977:190.
(xxxi) S.ÓD. (gan Edifón) Meith. 1945: CBÉ 977:190.
(xxxii) S.ÓD. (gan Edifón) Meith. 1945: CBÉ 977:201.
(xxxiii) S.ÓD. (gan Edifón) Meith. 1945: CBÉ 977:201.
(xxxiv) S.ÓD. (gan Edifón) D. Fómhair 1945: CBÉ 978:90.
(xxxv) S.ÓD. (gan Edifón) M. Fómhair 1945: CBÉ 978:31.

12. Réilthíní. S.ÓD. (gan Edifón) Nollaig 1945: CBÉ 978:414.

6. GALAIR AGUS LEIGHISEANNA

1. **Leigheas ar Thinneas na Bliana.** S.ÓD. (gan Edifón) Meith. 1945: CBÉ 977:199.
2. **Luig na Seacht nGá.** S.ÓD. (gan Edifón) Meith. 1945: CBÉ 977:203.
   Luig na Seacht nGá: *Wall-rue [Aslplenium ruta-muraria]*
3. **Leigheas ar Nioscóid (nár oibrigh)**. S.ÓD. (le hEdifón) M. Fómhair 1945: CBÉ 977:466.
4. **Dearna Mhuire – Leigheas ar Phianta.** S.ÓD. (gan Edifón) M. Fómhair 1945: CBÉ 978:28-9.
   Dearna Mhuire: *Lady's Mantle [Alchemilla vulgaris]*

5. Leigheas ar Lagachar. S.ÓD. (gan Edifón) M. Fómhair 1945: CBÉ 978:29.

6. Leigheas ar an Triuch. S.ÓD. (gan Edifón) M. Fómhair 1945: CBÉ 978:31.

7. Leigheas ar Chnapáin. S.ÓD. (gan Edifón) M. Fómhair 1945: CBÉ 978:41.

8. Leigheas Magúil ar Shúile Tinne. S.ÓD. (gan Edifón) M. Fómhair 1945: CBÉ 978:41.

9. Fuilig Fíoruisce – Leigheas ar At. S.ÓD. (gan Edifón) Márta 1948: CBÉ 1100:69.

Fuilig Fíoruisce: *Blinks, Water Chickweed [Montia fontana]* ?

10. Leigheas ar Thinneas Cluaise. S.ÓD. (gan Edifón) Márta 1948: CBÉ 1100:74.

11. Léine Fleainí Dearg – Leigheas ar *Pluerisy*. S.ÓD. (gan Edifón) Márta 1948: CBÉ 1100:74.

12. Ciach Slaghdáin. S.ÓD. (gan Edifón) Aib. 1948: CBÉ 1100:102.

13. Eitinn nó Dicé. S.ÓD. (gan Edifón) Aib. 1948: CBÉ 1100:132.

14. Leigheas ar Loscadh Daighe. S.ÓD. (gan Edifón) Aib. 1948: CBÉ 1100:136.

15. Leigheas ar Shaltadh Croí. S.ÓD. (gan Edifón) Aib. 1948: CBÉ 1100:136-37.

16. Artha na Fola. S.ÓD. (gan Edifón) Aib. 1948: CBÉ 1100:137.

Fuair R.B. Breatnach Artha na Fola ó Mhaidhc chomh maith:

Leanbh do rugadh i gCathair na Beithile,
Chuaigh á bhaisteadh dtí Abhainn na Tríonóide;
Bhí an abhainn trom tógálach,
Agus an Leanbh go mí-thóra.
Mar do riothann an t-uisce seo
Go stadaidh do chuid fola,
In Ainm an Athar, an Mhic, agus an Spiorad Naomh.
Amen. [R.B. Breatnach, *The Irish of Ring* (Baile Átha Cliath: Institiúid Ard-Léinn Bhaile Átha Cliath, 1947), lch. 109]

17. Artha na bhFiacal (Artha na Péiste). S.ÓD. (gan Edifón) Aib. 1948: CBÉ 1100:99.

Bhailigh Séamus Ó Duilearga Artha na bhFiacal ó Mhaidhc chomh maith sa bhliain 1933:

Artha í seo a chuir Séamus
Chún tairibhe na gCríost,
Agus cuirimse í lé n-ainm an Athar a' Mhic agus a' Spioraid N. Amen.
Ar eintinn hin maruím piast.

É sin a rá agus fíor na croise a dhénamh trí huaire, agus 'mairím piast' a rá trí huaire.

Micheál Dhá Turraoin, 10 April, 1933.

[Lámhscríbhinní Shéamuis Uí Dhuilearga, CBÉ, Déise 2.From Ms A (a notebook),10 April 1933]

18. Nead Damháin Alla – Leigheas ar Ghearradh. S.ÓD. (gan Edifón) Aib. 1948: CBÉ 1100:137.

19. Leigheas ar Thine Dhia. S.ÓD. (gan Edifón) Aib. 1948: CBÉ 1100:137.

20. Siúicre Rua agus *Sulphu*r chun Fuil a Ghlanadh. S.ÓD. (gan Edifón) Aib. 1948: CBÉ 1100:137.

21. Leigheas ar Thinneas Uisce. S.ÓD. (gan Edifón) Aib. 1948: CBÉ 1100:139.

An Lus Mór: *Foxglove [Digitalis purpurea]*

22. Seán Towler – Fear Cnámh. S.ÓD. (gan Edifón) Aib. 1948: CBÉ 1100:140-41.

Bean Uí Mhurchú: Rugadh an bhean seo ar an 18/3/1887 agus cailleadh í ar an 27/5/1952. Máiréad Towler ón nGoirtín ab ea í sarar phós sí Seán Ó Murchú. Bhí ana-cháil uirthi mar bhean chnámh.[4] De réir dealraimh gur shíolraigh an sloinne seo ón sloinne Fowler – 'Bhí mé amuigh ti' Fhowler', a déarfaí: is as 'ti' Fhowler' a shíolraigh an sloinne Towler.[5] Chun a thuilleadh eolais a fháil ar mhuintir 'Fowler (Towler)' na Rinne feic *An Linn Bhuí* 3 (1999) 59.

23. Lus na Pinge – Leigheas ar an Scuirbhí. S.ÓD. (gan Edifón) Aib. 1948: CBÉ 1100:141-42.

Lus na Pinge: *Marsh Pennyworth [Hydrocotyle vulgaris]*

24. Leigheas ar an nGríos. S.ÓD. (gan Edifón) Aib. 1948: CBÉ 1100:142.

25. Bean a Raibh Artha an *Evil* aici. S.ÓD. (gan Edifón) Aib. 1948: CBÉ 1100:142.

26. Leigheas ar *Ringworm.* S.ÓD. (gan Edifón) Aib. 1948: CBÉ 1100:142.

Bitsíní: Den fhine *Scliorhinus [Dogfish].*

27. Abhar. S.ÓD. (gan Edifón) Aib. 1948: CBÉ 1100:142.

28. Cos Leointe. S.ÓD. (gan Edifón) Aib. 1948: CBÉ 1100:143.

29. Leigheas ar Mhaoile. S.ÓD. (gan Edifón) Márta 1948: CBÉ 1100:67.

30. Salann á Chuir ar an gCeann – Cosaint ar Fhuacht. S.ÓD. (gan Edifón) Márta 1948: CBÉ 1100:70.

31. Pearaifín – Leigheas ar Mhúchadh. S.ÓD. (gan Edifón) Aib. 1948: CBÉ 1100:148.

32. Spridí agus Pianta Fallsaera. S.ÓD. (gan Edifón) Aib. 1948: CBÉ 1100:144.

4. *Ar Bóthar Dom*, lch. 235.

5. Eolas a fuaireas ó Aoibheann Nic Dhonnchadha Scoil an Léinn Cheiltigh, Institiúid Ardléinn Bhaile Átha Cliath (a fuair ó Nioclás Mac Craith é), Nollaig, 1999.

7. RANNA NA hAIMSIRE

A. NA FÉILÍ COITIANTA

1. Lá Fhéil' Cros. S.ÓD. (gan Edifón) Meith. 1945: CBÉ 977:131-32.

2. Féile Bhríde

(i) Brat Bhríde. S.ÓD. (gan Edifón) Meith. 1945: CBÉ 977:183-84.

Bhailigh N.B. a thuilleadh seanchais mar gheall ar Naomh Bríde ó Thomás Ó Muirithe (70), Cnocán a' Phaoraigh ar an 13/12/35 [CBÉ 151:310-13]

(ii) Crúiscín Uisce á Chuir amach Oíche Bhríde. S.ÓD. (gan Edifón) Meith. 1945: CBÉ 977:184.

(iii) Cros Bhríde. S.ÓD. (gan Edifón) Meith. 1945: CBÉ 977:184-85.

3. Céadaoin na Luaithre. S.ÓD. (gan Edifón) Aib. 1948: CBÉ 1100:132.

4. Lá 'le Muire na hImirí. S.ÓD. (gan Edifón) Márta 1948: CBÉ 1100:22.

5. Déardaoin na Luachra agus Déardaoin Deascabhála. S.ÓD. (gan Edifón) Meith. 1945: CBÉ 977:183.

6. Oíche Bhealthaine – Uisce Beannaithe agus an Maighistir. S.ÓD. (gan Edifón) M. Fómhair 1945 agus Samhain 1945: CBÉ 977:446-47; 978:374.

7. Oíche Fhéil' Seáin – Ba á dTiomáint Tríd an Deatach. S.ÓD. (gan Edifón) M. Fómhair 1945: CBÉ 977:456.

8. Oíche Shamhna – Oíche na Marbh. S.ÓD. (gan Edifón) Meith. 1945: CBÉ 977:186.

9. Rann Oíche Shamhna . C.ÓD. (ar cheirnín) 1948: Uimh. Thag. CBÉ M0488.

D'fhág Maidhc línte 31 agus 32 ar lár mar go raibh an iomad daoine láithreach, ach thóg S.ÓD. an rann síos aríst uaidh in Aib. 1948 ar chomhairle Shéamuis Uí Dhuilearga (CBÉ 1100:85-6). San eagrán den rann seo atá in Beatha Mhichíl Turraoin tá sé soiléir go bhfuil cinsireacht déanta ar na 'Guíonna' chomh maith:

Ar do dhul síos duit strapa an ghairdín – go mbristear do phláitín –
Sceach dhearg id' scoirneach agus gan aon
Bhraon uisce níos giorra dhuit ná Eochaill,
Gob coiligh id' phriocadh sa chúl faid a mhairir,
Nár sheasaídh an préachán choíche ar do stáca -
Agus nára mó, ná raibh an stáca agat.

San insint seo deireann Maidhc gur chuaigh sé féin agus buachaill de na comharsain amach Oíche Shamhna nuair a bhí sé féin ag obair i dtigh Fhoghludha sa Seana-Phobal agus go raibh an rann seo agus fuaim na hadhairce le clos ar fuaid an pharóiste an oíche sin [M. Ó Cionnfhoalaidh, *Beatha Mhichíl Turraoin*, lch. 57].

Feic an tAguisín (lch. 439) mar a bhfuil insint eile den rann seo ó Mhaidhc [T.ÓF. (gan Edifón) c. 1934: CBÉ 87:123-24].

Bhailigh Ú.P. 'Rann Oíche Shamhna', leis, ó Mhaidhc ar théip (deireadh na gcaogaidí) [Cn.Ú.P., Coláiste na Rinne] agus mar a leanas atá na 'guíonna' san insint sin:

Ar do dhul síos strapa an gaáirdín,
Go mbristear do phláitín –
Sceach dhearg id scornach,
Gan aon tobar níos giorra dhuit ná Eochaill,
Nár shailídh an préachán do stáca –
Agus nára mó ná raibh an stáca agat.

Níl mé chun na cinn shalacha a chuir a chuigint air.

Bhailigh Seán Ó Súilleabháin leagan eile den rann seo sna Déise sa bhliain 1933:

(Dúirt Séamus de Paor (77), Baile Bhuitléara, Port Láirge liom go raibh sé mar nós ag óigfhearaibh na háite sin dul ó dhoras go doras oíche Shamhna agus an rann so leanas á rá acu – Seán Ó Súilleabháin:)

'Nocht 'nocht oíche Shamhna!
Na gugaí ganna,
Aoine na circe brice,
Sop is na fuinneoga,
Agus glas ar na doirse,
'S a bhean an tí, ná folaigh do phis,
Agus ní fearr dom an teachtaire
'Chuirfeá ón ti' seo go dtí an ti' úd thall,
Ná ceapaire breá 'ráin agus im,
Seasamh fada ar chosa laga,
Agus an oíche anocht,
Sioc, sioc a bhean an tí,
Liúidh go léir a bhuachaillí!
Agus mo liú mór fhéin libh!
Í Ú! -------------------------------- (liú)

Bhíodh fear an tí istigh sa chistin ansan agus an camtha eile amuigh agus chuiridís fadhbanna chuige le réiteach. Má tharlaíodh an réiteach pras ceart aige chaithidís imeacht leo gan ceapaire gan im (gan airagead, le tamall anuas), ach dá mba rud é ná bíodh fear an tí léir a dhóthain dóibh chaithfeadh sé síneadh chúchu a mbíodh acu. (Is baolach go mba bharbartha an crot a bhíodh ar chuid des na ceisteanna a chuiridís chun fir an tí – Seán Ó Súilleabháin)

Ceist: Seas amach agus féach an bhfuil an simné díreach.
Freagra: Mara bhfuil, sé a dhícheall bheith cam!

Ceist: Dé méid dealg athá ar sceach draighní?
Freagra: 'Á mbeadh a leath ar do thóin níor bheag leat é!

Ceist: Dé méid slat bláthaí a dhéanfadh bríste don tarbh?
Freagra: An oiread is a fholchadh a bhalcaisí!

[Bailithe ag Seán Ó Súilleabháin le hEdifón ó Shéamus de Paor (77), Baile an Bhuitléirigh, Co. Phort Láirge, Márta 1933 – CBÉ 33:25-6]

10. Lá Fhéil' Mártan. S.ÓD. (gan Edifón) Meith. 1945: CBÉ 977:185-86. Aa-Th. 1575,** *The Clever Shepherd.*

11. Oíche Nollag. S.ÓD. (gan Edifón) Meith. 1945: CBÉ 977:182.

B. FÉILÍ ÁITIÚLA

1. **Lá San Nioclás**. S.ÓD. (gan Edifón) Nollaig 1945: CBÉ 978:439-41.
2. **Domhnach na bhFear**. S.ÓD. (gan Edifón) Márta 1948: CBÉ 1100:27-8.
3. **Domhnach na *Rascals***. S.ÓD. (gan Edifón) Márta 1948: CBÉ 1100:28.

8. PISEOGA AGUS DRAÍOCHT

A. DAOINE GO mBEADH COMHACHTAÍ SPEISIALTA ACU

1. **Mary Mór – Bean Luíonna**. S.ÓD. (gan Edifón) Meith. 1945: CBÉ 977:3.
2. ***Old Moore's Almanac* – Mar a Fuair Iníon an Mhúraigh Fios na hAimsire**. S.ÓD. (gan Edifón) Meith. 1945: CBÉ 977:146-47.
3. **Sagart a Mhothaigh Cat**. S.ÓD. (le hEdifón) M. Fómhair 1945: CBÉ 977:529-30.
4. **Mar a Chaill Jimmy Landers a Ghruaig**. S.ÓD. (gan Edifón) Márta 1948: CBÉ 1100:48.
5. **Éalaithe a Raibh Fios aige**. S.ÓD. (gan Edifón) Aib. 1948: CBÉ 1100:94-5.
6. **Tairngreachtí Niocláis Chundúin**. M.ÓhAo (gan Edifón) idir 1933 agus 44: M. Ó hAodha, "Seanchas ós na Déisibh," *Béaloideas* 14 (1944):85-6.

Bhailigh Seosamh Ó Dálaigh an píosa beag seo mar gheall ar Nioclás Cundún ó Mhaidhc Dháith, Aib., 1945:

Cúnún a bhí i mBarra na Stuac sa Seana-Phobal, dheiridís go raibh fios aige ach gob as seana-thairngeachtaí a dh'fhaigheadh sé an fios. Dúirt sé gur ministir a bheadh tigh an tsagairt sa Seana-Phobal agus gur saighdiúirí a bheadh i gColáiste na Rinne. Bhí aithne mhaith agam air. Amaite, thá sé scór blian curtha anois is dócha. [CBÉ 1100:95]

7. **An tAthair Murphy agus na Colmóirí**. N.B. (le hEdifón) 1934: CBÉ 150:64.

Feic an tAguisín (lch. 440) mar a bhfuil leagan eile den scéilín seo ó Mhaidhc – M.ÓhAo (gan Edifón) idir 1933 agus 44: M. Ó hAodha, "Seanchas ós na Déisibh," *Béaloideas* 14 (1944):71.

B. RATH, MÍ-RATH AGUS MALLACHTÓIREACHT

1. **Airgead Sagairt**. S.ÓD. (gan Edifón) Meith. 1945: CBÉ 977:44-5.
2. **Céachta Treithe**. S.ÓD. (gan Edifón) Meith. 1945: CBÉ 977:45.
3. **Mallacht Bhaintrí**. S.ÓD. (gan Edifón) Meith. 1945: CBÉ 977:45.
4. **Guí Bhaintrí**. S.ÓD. (gan Edifón) Márta 1948: CBÉ 1100:35.
5. **An Mhallacht a Chuireag ar na Dúsméaraigh**. S.ÓD. (gan Edifón) M. Fómhair 1945: CBÉ 977:149-54.

Na Dúsméaraigh: Na Beresfords – Tiarnaí Phort Láirge a bhí, agus atá fós, sa Chorrach Mór gairid do Phort Lách, Co. Phort Láirge.

Bhailigh N.B. seanchas mar gheall ar na Beresfords ó Pheats Cotters (73), Cill na bhFraochán, Paróiste Chill Ghobnait ar an 6/1/36 [CBÉ 152:345-46]

6. **Droch-Ghalar a Chuir Uait.** S.ÓD. (gan Edifón) M. Fómhair 1945: CBÉ 977:461.

C. RUDAÍ GO LEANANN DRAÍOCHT AGUS RATH IAD

1. **Póire á Thabhairt go dtí an Aifreann**. S.ÓD. (gan Edifón) Meith. 1945: CBÉ 977:199.
2. **Gabhraisc**. S.ÓD. (le hEdifón) M. Fómhair 1945: CBÉ 978:7.
3. **Dul fé Sceach nó Sop a Bhaint as an gCleitín**. S.ÓD. (le hEdifón) M. Fómhair 1945: CBÉ 978:7.
4. **Cosaint ar Dhó san Airc Luachra**. S.ÓD. (gan Edifón) Aib. 1948: CBÉ 1100:101.
5. **Uisce na gCos agus Uisce an Choirp**. S.ÓD. (gan Edifón) Aib. 1948: CBÉ 1100:143.
6. **An Maighistir**. S.ÓD. (gan Edifón) Aib. 1948: CBÉ 1100:146-47.

D. PISEOGA ÉAGSÚLA

1. Aistriú Suíochán. S.ÓD. (le hEdifón) M. Fómhair 1945: CBÉ 978:7.
2. Feadaíol san Oíche agus Fiannaíocht sa Lá. S.ÓD. (gan Edifón) Márta 1948: CBÉ 1100:34.
3. Seanseáil Éadaigh. S.ÓD. (gan Edifón) Aib. 1948: CBÉ 1100:93.
4. Piseog a Bhaineann le Baiste an Linbh. S.ÓD. (gan Edifón) Aib. 1948: CBÉ 1100:93.
5. Piseoga a Bhaineann leis an gCaincín agus leis an Súil. S.ÓD. (gan Edifón) Aib. 1948: CBÉ 1100:98.
6. Cosc ar Rámhainn sa Tigh. S.ÓD. (gan Edifón) Aib. 1948: CBÉ 1100:135.
7. Fuil Timpeall an tSéipéil. S.ÓD. (gan Edifón) Aib. 1948: CBÉ 1100:137.
8. Tochas i gCroí na Dearnan. S.ÓD. (gan Edifón) Bealtaine 1948: CBÉ 1100:232.

9. SAMHLAÍOCHT I dTAOBH NITHE AGUS DAOINE

A. ÁITEANNA SÍ

1. Liosanna. S.ÓD. (gan Edifón) Meith. 1945: CBÉ 977:15, 16.

B. LUCHT SÍ

1. An Bhean Rua. S.ÓD. (gan Edifón) Márta 1948: CBÉ 1100:34.
2. Seán 'ac Séamuis. C.ÓD. (ar cheirnín) 1948: Uimh. Thag. CBÉ M0491 (insint 1).

Bhailigh S.ÓD. an rannscéal seo ó Mhaidhc, leis, (gan Edifón) Meith. 1945: CBÉ 977:15-16 [feic an tAguisín (lch. 441)] (insint 2).

In insint 1, leanbh aonaránach ab ea an leanbh a fuadaíodh agus in insint 2 ba é an t-aon leanbh mic amháin as ochtar clainne a fuadaíodh. In insint 1 ba iad iníonacha aintín an linbh a chuaigh á lorg go dtí an lios agus in insint 2 ba iad deirféaracha an linbh a chuaigh á iarraidh. Ní mar a chéile díreach ord na línte sa dá insint agus níl an líne *Seacht céad gabhar ramhar gan aon locht* in insint 1. Ina theannta san níl an líne *Seacht gcéad baraille dh'ór buí Dhéamair* in insint 2.

C. AINMHITHE NEAMHSHAOLTA

1. Tom Tug. S.ÓD. (gan Edifón) Meith. 1945: CBÉ 977:157-59.
2. Madra Strapa an Smag. S.ÓD. (gan Edifón) Samhain 1945: CBÉ 978:196-97.

D. DAOINE NEAMHSHAOLTA

1. **Síolrach na n*Danes* an Eireabaill.** S.ÓD. (gan Edifón) Meith. 1945: CBÉ 968:553-54.

E. NITHE NEAMHSHAOLTA AR MHUIR

1. **Árthach Beo nó Árthach Fallsa?** S.ÓD. (le hEdifón) M. Fómhair 1945: CBÉ 978:1a-2.
2. **Scanradh a Fuair mé ar Thráigh**. S.ÓD. (le hEdifón) M. Fómhair 1945: CBÉ 978:9-10.

F. NITHE NEAMHSHAOLTA AR TÍR

1. **Aifreann ón Saol Eile. S.ÓD.** (le hEdifón) M. Fómhair 1945: CBÉ 978:3-4.

10. SEANCHAS STAIRIÚIL

A. SEANIARSMAÍ

1. **Caillí Béaraí.** S.ÓD. (gan Edifón) Meith. 1945: CBÉ 977:16.

'Caillí Béarra Cois Farraige' – Tá na focail seo luaite le Maidhc Dháith in *Seana-Chaint II*, lch. 75. Uaigh Mheigiliteach is ea í seo atá suite i mBaile na Móna Íochtarach sa tSeana-Phobal. Deir Peter Harbison gur féidir an uaigh seo a áireamh mar Charn Cúirte nó mar Dholmán [P. Harbison, *Pre-Christian Ireland – From the First Settlers to the Early Celts* (Londain: Thames and Hudson, 1988), lch. 56]. Féach, leis, *J.R.S.A.I*, (1938), lch. 260-71.

Bhailigh S.ÓD. an píosa seo seanchais mar gheall ar 'Caillí Béarra Cois Farraige' ó Shéamus Ó Conaire (58), An Carn, Rinn Ó gCuanach, Aib. 48:

> Thá 'Cailli Béarra cois Farraige' theas ansan i gCuid Mhúine i mBaile na Móna sa Seana-Phobal. Bhí sé ráite gur ó Chiarraí a tháinig sí sin agus leagadh sí cos ar an tairsin agus cos eile amuigh in Lonndain agus thugadh sí gach aon rud a bhí uaithi ó Lonndain go dtí an áit seo léithe. Máirín Ní Shúilleabháin ba dh'ea í a dh'airínn agus is dóigh liom ansan gur gaol gairid di a dh'oscail an chéad *show* in Éire agus ba dh'é an ainm a bhí ar an *show* 'Magadh ar Chait Eibhlís Ní Bhruadair', mar sin cait a bhí an uair sin sa *showanna* ag déanadh gach aon saghas *divarsion*.

S.ÓD.: An raibh sí aosta?

Séamus Ó Conaire: N'fheadair einne gadé an aois a bhí sí: ní raibh aon chúntas ar a haois a chuigint i mBaile na Móna.

Ní raibh aon trácht ar a saibhreas. Bhí sé ráite go raibh go leor airgid aici. Bhí mná Catháneach ansan theas i mBaile na Móna agus bhí an domhan airgid acu – ór ar fad – agus bhí sé ráite gurb é airgead Chaillí Béarra a bhí acu. Ar a gcuid a bhí sé, agus ina dhia' san mar nár thugadar leathphine riamh uathu ar son Dia. Fuair gaolta gairid an t-airgead: ní raibh saol ná sláinte acu so a fuair é ina dhia' san. [CBÉ 1100:114-15]

Mhínigh Diarmaid Ó Sé, Fán Shliabh, Paróiste Chill Chaitiairn, Béarra, Co. Chorcaí conas mar a dhein naomh cloch den Chailleach Bhéarra [CBÉ 1224:19-20, 9/9/51]. Tá an chloch seo suite i nGort Garbh sa pharóiste céanna. An bhfuil aon bhaint ag clocha na huagha seo i mBaile na Móna leis an dtraidisiún céanna? Chun a thuilleadh eolais a fháil ar chultas fairsing, casta na Caillí in Éirinn agus in Albain féach G. Ó Cruadhlaoich, "Continuity and Adaptation in Legends of Cailleach Bhéarra," *Béaloideas* 56 (1988): 153-78 agus Idem, "Non-sovereignty Queen Aspects of the Otherworld Female in Irish Hag Legends: the Case of the Cailleach Bhéarra," *Béaloideas* 62-3 (1994-95): 147-62. Feic, leis, idem, *The Book of the Cailleach – Stories of the Wise-Woman Healer* (Corcaigh: Cork University Press, 2003).

2. Folach Fiach. S.ÓD. (gan Edifón) Meith. 1945: CBÉ 977:19.

3. Cloch Átháin. S.ÓD. (le hEdifón) M. Fómhair 1945: CBÉ 977:563.

4. Carraig Mhóinbhíol agus Cloch na Cille. S.ÓD. (le hEdifón) M. Fómhair 1945: CBÉ 977:564.

B. AIMSIR CHROMAIL

1. Cromail agus Mac Amhlaoi'. Bailithe ag an B.B.C. ar cheirnín sa bhliain 1951. [Uimh. Thag. CBÉ 1090].

Bhailigh Ú.P. an scéal seo, leis, ó Mhaidhc ar théip (deireadh na gcaogaidí) [Cn.Ú.P., Coláiste na Rinne] – feic an tAguisín (lch. 441) – agus bhailigh T.ÓF. uaidh é (gan Edifón) c. 1934 [CBÉ lml. 87:32, 35-7]. Bhailigh Micheul Ó Cionfhaolaidh uaidh chomh maith é fén teideal 'Mac Uí Eallaidhe' [Ó Cionnaolaidh, *Beatha Mhichíl Turraoin*, lch. 29-31]. Is mar a chéile, beagnach focal ar fhocal na hinsintí seo ar fad.

Bailigh N.B. ó Mhicil Paor (60), Cnocán Rua, leis, é ar an 7/1/36 [CBÉ 152:355-63].

Cé go raibh taoiseach dárbh ainm Maoilsheachlainn Mac Amhlaoibh in Éirinn, agus gur chum sé roinnt véarsaí tairngreachta, is dóichí gur mó a bhaineann an scéal seo le miotaseolaíocht ná le cúrsaí staire. Bhí an scéal seo, go raibh Mac Amhlaoibh mar fháidh ag Cromail, ar fáil go forleathan i gCúige Chonnacht agus sa Mhumhan. Bhí sé ráite gur tugadh máthair Mhaoilsheachlainne isteach i lios agus go raibh leanbh aici nuair a scaoileadh saor í, gurbh é ceann de na sióga a athair. Ba é an leanbh sin Mac Amhlaoibh seo againne agus bhí na cumhachtaí tairngreachta aige toisc gurbh ón saol eile a athair. [D. Ó hÓgáin, *Myth, Legend and Romance – An Encyclopaedia Of The Irish Folk Tradition* (Londain: Ryan Publishing, 1990), lch. 130].

C. AN GORTA

1. Bliain an Ocrais. S.ÓD. (gan Edifón) Meith. 1945: CBÉ 968:554-57.

Bhailigh N.B. a thuilleadh seanchais mar gheall ar an nGorta:

Ó Liam Ó Caoimh (83), Rinn Croiche, Par. Dhún Garbhán ar an 7/11/36 [CBÉ 259:610-12]

Ó Sheán Ó Doghair (50), Barra na Stuac ar an 13/12/35 [CBÉ 151:329-33].

2. Mar a Scrios an Gorta Baile Uí Churraoin. S.ÓD. (gan Edifón) Meith. 1945: CBÉ 968:558-59.

3. Bliain an Chalair. S.ÓD. (gan Edifón) Meith. 1945: CBÉ 968:557-58.

4. Teornaip á nDíol sa Drochshaol. N.B. (le hEdifón) 25/8/34: CBÉ 150:256.

D. SAOL NA SPAILPÍNÍ AGUS NA SCLÁBHAITHE

1. Mé Féin in Aimsir (i). C.ÓD. (ar cheirnín) 1948: Uimh. Thag. CBÉ M0015-18.

Aonach na Bealtaine: Bhíodh an t-aonach seo ar siúl ar an 12ú Bealtaine i gCoill 'ic Thomáis Fhinn (CBÉ Ls. S. 456:491). Chun eolas cruinn, coimsitheach a fháil ar stair agus ar bhéaloideas na spailpíní féach A. O'Dowd, *Spalpeens and Tattie Hokers – History and Folklore of the Irish Migratory Agricultural Worker in Ireland and Britain*, (Baile Átha Cliath: Irish Academic Press, 1991).

2. Mé Féin in Aimsir (ii). N.B. (le hEdifón) 1934: CBÉ 150:247-51.

3. Saol na Spailpíní. S.ÓD. (le hEdifón) M. Fómhair 1945: CBÉ 977:470-71.

4. Spailpíní ó Chiarraí

(i) M.ÓhAo (gan Edifón) idir 1933 agus 44: M. Ó hAodha, "Seanchas ós na Déisibh," *Béaloideas* 14 (1944):78.

(ii) M.ÓhAo (gan Edifón) idir 1933 agus 44: M. Ó hAodha, "Seanchas ós na Déisibh," *Béaloideas* 14 (1944):78.

(iii) M.ÓhAo (gan Edifón) idir 1933 agus 44: M. Ó hAodha, "Seanchas ós na Déisibh," *Béaloideas* 14 (1944):78.

(iv) M.ÓhAo (gan Edifón) idir 1933 agus 44: M. Ó hAodha, "Seanchas ós na Déisibh," *Béaloideas* 14 (1944):79

(v) M.ÓhAo (gan Edifón) idir 1933 agus 44: M. Ó hAodha, "Seanchas ós na Déisibh," *Béaloideas* 14 (1944):80 (Insint1.)

Shíl Michéal Turraoin go raibh cuid mhaith eile dhe seo ná raibh aige. An abairt dheireanach is soiléir ná fuil sé san áit cheart. Dhein sé aithris ar chaint na gCiarraíoch. "Fearra" a dúirt sé. "Ag magadh a bhí an Ciarraíoch," arsa sé, "i dtómas go mb'fhearr dhi an píopaire ná an sagart." Mar a chéile 'cnaoirse' agus 'criathar' dar le Michéal. Thug an Ciarraíoch 'cnaoirse' air. Bhíodh a n-ainm féin acu ar gach aon rud. Ní raibh pláta sa tigh ach dh'iompaíodh an criathair ar a bhéal, agus cuireadh páipéar an snaoisín in airde air. Thugadh timpeall an snaoisín mar sin – Micheál Ó hAodha.

ag tabairt cheithre ardaibh an tí isteach: Ag dul in gach aon chúinne dhen tigh. Capall a bheadh ag rioth fiain, bheadh sé ag tabhairt cheithre arda na páirce isteach – Maidhc Dháith.

Bhailigh N.B. an scéilín seo, leis, ó Mhaidhc leis an Edifón ar an 20/11/35: CBÉ 151:22 (Insint 2) – feic an tAguisín (lch. 443). In Insint 1. deir an Ciarrraíoch a chuaigh abhaile go raibh "píobaire ceolmhar aici i gcóir don anam" agus in Insint 2. deir sé go raibh "píobaire ceolmhar, glór don anam." Agus arís in Insint 1. deir an Ciarraíoch a chuaigh abhaile go raibh "punt snaoise ar thóin scaoirse" agus in Insint 2 deir sé go raibh "punt snaoise ar thóin cniairse." Agus tá "agus bhí píobaire an dóláis ag seinm i ngiorracht dhá pháirc dhen tigh!" in easnamh in Insint 2.

(vi) M.ÓhAo (gan Edifón) idir 1933 agus 44: M. Ó hAodha, "Seanchas ós na Déisibh," *Béaloideas* 14 (1944):80.

(vii) C.ÓD. (ar cheirnín) 1948: Uimh. Thag. CBÉ M0015-18.

Bhailigh Micheál Ó hAodha an scéilín seo ó Mhaidhc chomh maith, (gan Edifón) idir 1933 agus 44: M. Ó hAodha, "Seanchas ós na Déisibh," *Béaloideas* 14 (1944):77 – feic an tAguisín (lch. 443).

5. **Pá Ghairbh agus Pá Ghairbhíní**. S.ÓD. (gan Edifón) Márta 1948: CBÉ 1100:31.
6. **Pá an Sclábhaí sa Seanashaol**. M.ÓhAo (gan Edifón) idir 1933 agus 44: M. Ó hAodha, "Seanchas ós na Déisibh," *Béaloideas* 14 (1944):62.
7. **An Cipín mar chúntas Aimsire**. N.B. leis an Edifón [dáta bailithe míshoiléir (faighte 18 Aib. 1936)]: CBÉ 150:48-50.
8. **Obair sa Seanaimsir**. N.B. (le hEdifón) [dáta bailithe míshoiléir (faighte 18 Aib. 1936)]: CBÉ 150:50.
9. **Machnamh Thomáis Cole.** M.ÓhAo (gan Edifón) idir 1933 agus 44: M. Ó hAodha, "Seanchas ós na Déisibh," *Béaloideas* 14 (1944):66-7.

10. Tomás Cole agus an Féar. M.ÓhAo (gan Edifón) idir 1933 agus 44: M. Ó hAodha, "Seanchas ós na Déisibh," *Béaloideas* 14 (1944):67.

11. Siúlóid Fhada. M.ÓhAo (gan Edifón) idir 1933 agus 44: M. Ó hAodha, "Seanchas ós na Déisibh," *Béaloideas* 14 (1944):62.

12. "Hocam". M.ÓhAo (gan Edifón) idir 1933 agus 44: M. Ó hAodha, "Seanchas ós na Déisibh," *Béaloideas* 14 (1944):64.

13. Buachaill Aimsire ag Baint Aitinn. M.ÓhAo (gan Edifón) idir 1933 agus 44: M. Ó hAodha, "Seanchas ós na Déisibh," *Béaloideas* 14 (1944):60-1.

14. Cruatan Saoil agus an Buachaill Aimsire. M.ÓhAo (gan Edifón) idir 1933 agus 44: M. Ó hAodha, "Seanchas ós na Déisibh," *Béaloideas* 14 (1944):63-4.

15. An Dá Speal. M.ÓhAo (gan Edifón) idir 1933 agus 44: M. Ó hAodha, "Seanchas ós na Déisibh," *Béaloideas* 14 (1944):72.

16. An Adharc agus an Dall. M.ÓhAo (gan Edifón) idir 1933 agus 44: M. Ó hAodha, "Seanchas ós na Déisibh," *Béaloideas* 14 (1944):97.

17. Béarla á Labhairt síos amach. N.B. (le hEdifón) 25/8/34: CBÉ 150:254.

E. NA FÍNÍNÍ

1. Na Fíníní ar Thráigh na Rinne. S.ÓD. (le hEdifón) M. Fómhair 1945: CBÉ 977:545-47 (Insint 1).

Bhailigh N.B. an scéal seo ó Mhaidhc, leis, le hEdifón, 25/8/34: CBÉ150:262-64 (Insint 2) – feic an tAguisín (lch. 444).

Is mar a chéile beagnach an dá insint ach amháin go bhfuil an t-amhrán in easnamh in Insint 2. Luaitear Pádraig Brún san amhrán ach ní deirtear in Insint 1 cad é an pháirt a ghlac sé san eachtra, ach in Insint 2 deir Maidhc go raibh Pádraig Brún i bhfochair Pheaid Lonáin.

Peaid Lonáin: Ba é seo Peaid Mór na bhFíníní (General Whealan), mac le Pártholán Ó Faoláin agus Johanna Ní Lonáin ó Bhaile na nGall Beag a phós sa bhliain 1813. Rugadh Peaid sa bhliain 1827. Ghlaotaí Lonán air i ndiaidh na máthar. Phós Peaid Ellen Paor sa bhliain 1858 agus bhí seisear clainne acu: 1) Pártholán (1853); 2) Nioclás (1860); 3) June (1863); 4) Máighréad (1863), leathchúpla June a cailleadh óg; 5) Tomás; 6) Máighréad.[6]

Deir Sylvester Ó Muirithe, Heilbhic, gur sheol a athair mar gharsún óg sa bhliain 1905/1906 ar húicéir na bhFíníní le Batt Lonáin, mac le Peaid Mór. Deir sé leis, go dtugtaí 'An Fínín' uirthi as leaindeáil na bhFíníní sa bhliain 1867.[7]

6. N. Mac Craith, "Baile na nGall Mór agus Beag," *An Linn Bhuí* 3 (1999) 40.
7. Litir phearsanta ó Sylvester Ó Muirithe (9/8/00).

Bhailigh N.B. blúirí eile seanchais mar gheall ar na Fíníní sa Rinn:
Ó Mháire Bean Uí Mhuirithe (85) ar an 13/11/35 [CBÉ 151:503];
Ó Liam Ó Caoimh (82), Rinn Croiche, Par. Dhún Garbhán ar an 4/6/36 [CBÉ 153:421-24];
Ó Mhicil Paor (64), Curraichín ar an 18/5/36 [CBÉ 183:385-94].

F. TIARNAÍ TALÚN

1. Bagge na hAirde Móire. S.ÓD. (gan Edifón) Aib. 1948: CBÉ 1100:92.

Bhailigh N.B. roinnt seanchais eile mar gheall 'Bagge na hAirde Móire' ó Liam Ó Caoimh (83), Rinn Croiche, Par. Dhún Garbhán ar an 7/11/36 [CBÉ 259:611].

2. Steward, an *Land League* agus *Boycott* gur Theip air. S.ÓD. (gan Edifón) Aib. 1948: CBÉ 1100:129-30.

Chun éachtaint a fháil ar an gcúlra stairiúil a bhaineann leis an dtréimse go mbaineann an scéilín seo leis, féach E. Broderick, "Protestants and the 1826 Waterford County Election," *Decies – Journal of the Waterford Archaeological and Historical Society* 53 (1997): 45-66.

G. AIMISIR NA nDEACHÚNA

1. Sochraid an Deachú. N.B. (le hEdifón) 25/8/34: CBÉ 150:272.

Feic CBÉ 150:174-76, mar a bhfuil a thuilleadh seanchais mar gheall ar 'Shochraid an Deachú' ós na Déise. Tá gach dealramh ar an scéal go raibh N.B. ag bailiú ó Mhaidhc Dháith agus ó Sheán Mac Gearailt ó Mhágh Dheilge leis an Edifón i gColáiste na Rinne ar an ócáid chéanna (25/8/34). Is cosúil gur thosnaigh Seán ag caint ar an nDeachú i ndiaidh Mhaidhc agus gur le Seán a bhaineann an giota seo atá ar lch. 174-76 sa lámhscríbhinn. Níl sé sin soiléir ón lámhscríbhinn féin ach i leabhar nótaí le N.B. (CBÉ 206:104) luann sé an t-ábhar a bhí ar Fhiteán 24 ón Edifón: 1. Diarmaid Ó hArta agus Pilib – M.Dh., 2. Sean-Aontaí – M.Dh., 3. Sochraid an Deachú – M.Dh., 4. Seán a Gearailt.

Chun eolas a fháil ar Chogadh na nDeachúna i bPort Láirge feic E. Broderick, *Waterford's Anglicans: Religion and Politics*, 1819-1872 – Tráchtas Dochtúireachta Neamhfhoilsithe (Coláiste na hOllscoile, Corcaigh, Lúnasa 2000), lch. 103-119.

H. BRUÍONTA

1. Sean-Aontaí agus Bruíonta. N.B. (le hEdifón) 25/8/34: CBÉ 150:270-72.

2. Bataí Bruíne. M.ÓhAo (gan Edifón) idir 1933 agus 44: M. Ó hAodha, "Seanchas ós na Déisibh," Béaloideas 14 (1944):97.

3. Na *Factions* – Muintir an tSeana-Phobail agus Muintir na Gráinsí. C.ÓD. (ar cheirnín) 1948: Uimh. Thag. CBÉ M0015-18 (Insint 1).

Bhailigh N.B. an scéal seo, leis, ó Mhaidhc (le hEdifón) 25/8/34: CBÉ 150:265-68 (Insint 2) – feic an tAguisín (lch. 444) – agus bhailigh M.ÓhAo uaidh chomh maith é [M. Ó hAodha, "Seanchas ós na Déisibh," *Béaloideas* 14 (1944):97-8] (Insint 3).

In Insint 1 glaonn an scéalaí 'muintir na Gráinsí' agus 'muintir an tSeana-Phobail' ar an dá dhream a bhí ag bruíon, ach in Insint 2 agus in Insint 3 glaonn sé 'cumann na Gráinsí' orthu. In Insint 1 luann sé Micil Paor, Seán Paor agus Diarmaid Ó hArta a bheith páirteach sa bhruíon, in Insint 2 luann sé Seán Paor agus Diarmaid Ó hArta, ach in Insint 3 ní luann sé ach Diarmaid Ó hArta amháin. In Insint 2 agus 3 luaitear an logainm 'Páircín na Bruíne' mar shuíomh don mbruíon ach ní luaitear in aon chor é in Insint 1. In Insint 1 níl aon tagairt don sagart, an tAthair Ó Treasaigh, a chuir an ola dhéanach ar Dhiarmaid Ó hArta mar atá in Insint 2 agus 3. In Insint 2 nuair a dheineann an sagart tagairt dos na gearraíocha ar fad ar cheann Dhiarmaid, deireann Diarmaid: "É'se, b'in é an ceann cruaidh," agus in Insint 3 deireann sé: "Ba dh'in é an ceann lúbach láidir, a míníos san agus ceann bog t'athar!"

Tá tagairt don mbruíon áirithe seo in P. O'Donnell, *The Irish Faction Fighters of the 19th Century*, (Baile Átha Cliath: Anvil Books, 1975), lch. 182.

Bhailigh N.B. roinnt seanchais mar gheall ar na bríonta seo chomh maith:

'Carabhait agus Seanabheisteanna,' ó Pheats Cotters (73), Cill na bhFraochán ar an 1/1/36 [CBÉ 252:202-6].

Chun a thuilleadh eolais a fháil mar gheall ar na bruíonta seo i gCo. Port Láirge feic Sylvester Murray, "Carabhats and Seanbheists," *Deicies* 4 (1977): 9-12.

4. Pilib Tincéir agus Diarmaid Ó hArta. N.B. (le hEdifón) 25/8/34: CBÉ 150:268-70 (Insint 1).

Bhailigh S.ÓD. an scéilín seo, leis, ó Mhaidhc le hEdifón, M. Fómhair 1945: CBÉ 977:523-24 (Insint 2) – féach an tAgusín (lch. 445) – agus bhailigh M.ÓhAo uaidh chomh maith é [M. Ó hAodha, "Seanchas ós na Déisibh," *Béaloideas* 14 (1944):97) (Insint 3).

Tá Insint 1 agus 3 ana-dhealraitheach lena chéile ach tá Insint 2 i bhfad níos giorra ná iad. In Insint 2 ní tugtar aon bhreith ar ché a bhuaigh an bhruíon ach in Insint 1 agus 3 deirtear go bhfuil sé ráite go mb'fhéidir gur bhuaigh Pilib mar gur chuir sé Diarmaid i gcoinne an chnoic agus go raibh an fána ag Diarmaid nuair a chuir sé Pilib i leith a chúil.

Bhailigh N.B. seanchas mar gheall ar Dhiarmaid Ó hArta, leis:

Ó Liam Ó Néill (56), Ceann a' Bhathla ar an 17/1/36 [CBÉ 153:22-25];

Ó Mhicil Paor (63), Curraichín ar an 18/2/36 [CBÉ 153:307-8]

I. LOING BHÁITE

1. Árthaí Báite sa Seanashaol. S.ÓD. (gan Edifón) Márta 1948: CBÉ 1100:45-6.

An Jubilee: Bádh an Jubilee i nDún Garbhán ar an 16/2/38. Bhí sí ag taisteal ó Learphol go dtí Mobile. Edwards a bhí mar chaptaen uirthi.[8]

An Sarah Anne: Bádh an Sarah Anne ar an 21/1/62 i mBaile na Cúirte. Seán Mac Cárthaigh a bhí mar chaptaen uirthi agus bhí sí ar a treo ó Cardiff go dtí Port Láirge le last guail. Cailleadh an captaen agus ceathrar criú.[9]

An Moresby: Mar seo a leanas a chuir Maidhc síos ar bhá an Moresby do Mhicheul Ó Cionfhaolaidh:

> Tráthnóna an tríú lá fichead de Mhí na Nollag, san mbliain 1895, a tháinig an Moresby isteach i mbéal cuain Dhún Garbhán. Bhí leoithne maith láidir de ghaoith anoir aneas ann. Bhí a cuid seolta stractha, agus ba chosúil go raibh aimsear stailceach tar éis bualadh fúithi ar an bhfarraige. Cardiff d'fhág sí le last guail, agus is ag triall ar Mheirce Theas a bhí sí, má b'fhíor. Long iarainn breis agus míle tonna ba dh'ea í. Chuaigh sí ar ancaire san Ród Leathan, agus ní túisce a chuaigh ná seo an bád tárrthála a bhí i mBaile na Cúirte thall chúichi, ach dúirt an Captaen ná raibh aon bhaol air, agus ná fágfadh sé fhéin ná an fhoireann an long. Chuaigh bád beag ó Dhún Garbhán chúichi leis, mar ní fhaca an dream sin an bád tárrthála, mar líon sé de cheo. Le linn na huaire céanna tháinig long bheag dhá chrann isteach sa chuan, agus ba é áit ar chuaigh sí sin ar ancaire ná ar chúl an tí solais.
>
> An dream a chuaigh chúichi san mbád beag roimhe sin, chuadar de shiúl a gcos go Baile na Cúirte, agus dh'iarradar ar Chaptaen an bháid tárrthála dul i gcabhair ar an dream a bhí á mbá. Dúirt seisean ná raghadh, agus ansan ghlacadar seilbh le foiréigin insan mbád tárrthála, agus chuadar chun na loinge, ach bhí cuid des na máirnéalaigh báite an uair sin, agus a thuilleadh acu a chaith iad féin sa bhfarraige fhaid leo go n-éireodh leo an tráigh do shroisint de shnámh, ach mo léir níor éirigh. Do shaor an bád tárrthála seachtar acu, ach fuair beirt acu san féin bás tar éis teacht i dtír dóibh. An dream a bhádh chaitheadh a gcoirp isteach ar an gCois athá idir an Rinn agus Dún Garbhán, agus a thuilleadh acu níos giorra dhúinn anso ar thaobh na Rinne. Chaitheadh an Captaen isteach ar an gCois agus leanbh cheithre blian go daingean docht ina bhaclainn aige. Tháinig a bhean i dtír anso ar thaobh na Rinne.

8. E. J. Bourke, *Shipwrecks of the Irish Coast Vol. 3*, 1582-2000 (Baile Átha Cliath: An Chomhairle Oidhreachta, 2000), lch. 70.
9. E. J. Bourke, *Shipwrecks of the Irish Coast*, lch. 197.

> An dream acu a chaitheadh i dtír anso gairid dúinn thugadh a gcoirp go dtí tigh tábhairne sa Rinn, agus dheineadh iad a thórramh i dtigh leasmuigh a bhí ag baint leis. Ar chapaill a thugadh go dtí an tigh tábhairne iad, agus mé féin agus fear dárbh ainm Pádraig Tóibín a thug isteach san áit ar thórr-aíodh iad, ina nduine is ina nduine. Ba thrua leat bheith ag féachaint orthu.
>
> Fuair Captaen an bháid tárrthála i mBaile na Cúirte ana-mhilleán de chionn nár chuaigh sé i gcabhair orthu, agus tamall ina dhiaidh san dh'aistríodh an bád go dtí an Rinn. [*Beatha Mhichíl Turraoin*, lch. 102-3]

Ar Oíche Nollag, 1895 a bádh an Moresby. Long seoil iarainn de 1,155 tonna meáchain ab ea í agus bhí sí ar thuras ó Cardiff go dtí Meirice Theas le 1,778 tonna guail. Bhí criú de 23 duine inti chomh maith le bean an chaptaein agus a leanbh. Sa tuarascáil a d'ullmhaigh an Bord Trádála sa bhliain 1896 dúradh gur bheir drochaimsir ar an long agus gur lean sí scúnaer, an Mary Sinclair, isteach i gCuan Dhún Garbhán. Nuair a thug an fear i dTigh Solais Bhaile na Cúirte comhartha dhi a hancaire a chaitheamh amach deineadh rud air. Cheap an criú go raibh na cosa tugtha leo acu ansan de réir dealraimh, agus nuair a tháinig bád tarrthála Bhaile na Cúirte chuchu níor theastaigh uathu an long a thréigint. Idir an dá linn bhí an Mary Sinclair tar éis rith i dtír i gCluain Fhia ach sábháladh an criú. Theip ar an aimsir arís agus chuir captaen an bháid tharrthála comharthaí in airde ag glaoch ar an gcriú ach níor thánadar. Tharraing an Moresby a hanc-aire agus chuaigh sí in airde ar Bhanc an Tí Ghil (Whitehouse Bank). Nuair a fuaireadh radharc ar maidin uirthi bhí a cliathán leis an bhfarraige agus daoine le feiscint in airde sa chrannaíl. Ní fios cad ina thaobh nár tháinig an bád tarrthála ag fóirithint orthu. Níor éirigh leis na gardaí cósta téad a chuir ar bord uirthi agus ar deireadh thug cuid den chriú fén bhfarraige ag snámh. Dhein an máta iarracht ar bhean an Chaptaein a shábháil agus thug an Captaen a leanbh isteach san uisce ina theannta féin. Bhí an taoide ag trá agus sciobadh amach chun na farraige an criú ar fad. Ar deireadh d'éirigh le muintir na háite seachtar a thógaint beo ón bhfarraige isteach i mbád, ach cailleadh beirt acu. Fiche duine ar fad a cailleadh.[10]

An Dunvegan: Dhein Maidhc cur síos ar bhá an Dunvegan do Mhicheul Ó Cionnaolaidh chomh maith:

> Maidean lae an aonaigh i Mí an Eanair insan mbliain 1899 a tháinig an Dunvegan i dtír i bhFaill na gCaerach i mBaile Mhic Airt, agus míle tonna guail inti. Long trí gcrann ba dh'ea í, agus beirt agus fiche d'fhoireann uirthi.
>
> Bhí fear ón Scibirín uirthi agus fear ó Chill Chainnigh agus fear ó Ros Mhic Threoin. Bhí an Captaen agus a bhean agus iníon uirthi. Bhuail sí an chloch timpeall a ceathair an mhaidean san, agus dh'airigh muintir Phaid

10. J. Young, *A Maritime and General History of Dungarvan – 1690-1978* (Dún Garbhán, 1979), lch. 43-5.

Innseadúin an adharc dá séideadh, agus seo go barra faille iad. Chuadar síos san bhfaill, agus bhí an long chomh gairid sin don lán mara go bhfuair a foireann téad do chur go dtí an dream do bhí istigh. Is amhlaidh a dheineadar cábla ar an téad chaol, agus is mar sin a thugadh isteach é. Chuir an dream do bhí sa bhfaill cúpla gró sa talamh ansan, agus dheineadar an cábla orthu. Tháinig na máirnéalaigh isteach ar an téad ó láimh go láimh. Thugadh bean agus iníon an Chaptaein isteach i gciseán, agus chuadar go léir go dtí tigh Phaid Innseadúin agus fuaireadar bia agus iostas ann. Thugadar dhá lá agus dhá oíche ann. Tháinig teachtaire éigin féna ndéin, agus dh'imigh na mairnéalaigh ar chearranna, ach dh'fhan an Captaen, a bhean agus a iníon cúpla lá eile. Mac an Chluig dob ainm don Chaptaen. Ciardubhán ba shloinne don chéad mháta, agus Mac Coinnich don dara máta. Bhí roinnt mhaith brannda uirthi, agus tháinig daoine ó Aird Mhóir chúichi nuair a chiúnaigh an aimsear, agus fonn orthu roinnt den ól do thabhairt leo aisti, ach bhí beirt píléirí ó Chrosaire Chadhla á faire agus gunnaí acu. Bhí duine acu ana-óg, agus bhíodh sé á rá le muintir Airde Móire fuireach amach ón loing. Bhí eagla ar an bpíléir eile go ndéanfadh sé díobháil éigin leis an ngunna, agus bhain sé dhe ar fad sa deireadh é.

Chuireadh an long ar ceaint ansan. Fear a bhí ina chónaí i mBaile Uí Choinn a cheannaigh í, agus bhíodh sé ag tarraingt píosaí dhi leis gach aon lá le báid bheaga, ach níor fágadh í go léir aige. Fuair sé greim ar ghabha agus ar fheirmeoir lá ag tógaint rud éigin aisti, agus thug sé chun na cúirte iad. Bhíodar i bhfad ag fuireach in Aird Mhóir sarar thosnaigh an chúirt, agus gan greim ite acu ón dearg-mhaidin. Dúirt an feirmeoir leis an ngabha teacht go bhfaighdís deoch éigin.

"Ní bhfaighinn é a dh'ól, a mhic ó," arsan gabha, "tá mo ghoile lán de dhlí. Dh'éirigh leo dul ón dlí ar chúpla scilling fíneála. [*Beatha Mhichíl Turraoin*, lch. 110-12]

Dar le John Young ba i Mí Eanair, 1898 a bádh an Dunvegan. Long seoil de 980 tonna meáchain ab ea í. Bhí sí ar thuras ó Barry Dock in Cardiff go dtí New Orleans le 1,000 tonna guail agus roinnt earraí eile. Ba é George Bell ó Cheanada an captaen agus bhí a bhean agus a leanbh ar bord; ba é Rudolph Belmore ón nGearmáin an chéad mháta agus ba é an tUasal McKensie ó Nova Scotia an tarna máta. Bhí fear de mhuintir Bharréid ó Eochaill ar bord uirthi chomh maith agus daoine ón Scibirín, ó Ros Mhic Threoin, agus ó Chill Chainnigh leis. Tháinig gach duine slán aisti agus ba ar Mhuintir Innseadúin (Nugent) ó Bhaile Mhic Airt a bhuíochas san.[11]

11. J. Young, *A Maritime and General History of Dungarvan*, lch. 30-1.

2. Árthach Báite agus Tigh Dóite. C.ÓD. (ar cheirnín) 1948: Uimh. Thag. CBÉ M0015-18.

Is í an Marechal de Noailles – a tháinig i dtír sa nGlinntín sa mbliain 1913 – an long atá i gceist anseo. Tá cur síos iomlán ar an eachtra seo agus ar an ndóiteán a lean é i dtigh Mhaidhc in *Beatha Mhichíl Turraoin,* lch. 106-12.

Dominique Huet a bhí mar chaptaen ar an árthach seo.[12] Bhí sí ag iompar last de earraí éagsúla ó New Caledonia agus 24 duine de chriú ar bord uirthi. Bhí sé braite ag na gardaí cósta go raibh sí i mbaol a báite agus chuireadar fios ar an mbád tarrthála in Heilbhic. Ba iad na gardaí cósta a chuir an téad chomh fada leis an long mar níorbh fhéidir leis an mbád tarrthála teacht in aon ghaobhar di. D'éirigh leo gach duine a thabhairt i dtír slán sábhálta . Bhí seans Dé le criú an bháid tarrthála an baile a bhaint amach iad féin ar deireadh mar is in olcas a chuaigh an aimsir ina dhiaidh sin.[13]

An *Rocket*: *Rocket Cart*: Bhain na cartacha seo leis na Gardaí Cósta. Sa bhliain 1886 bhí 51 díobh ar chostaí na hÉireann. Ar a shon go mbíodh an trealamh fé chúram na nGardaí Cósta, go minic bhíodh cabhair dheonach ar fáil ón bpobal áitiúil. Bhíodh 25 duine ag teastáil chun an trealamh a oibriú. Ba é an trealamh a bhíodh ar bord na cairte ná: *Whip Block* and *Tally Board, Hawser Cutter, Heaving Cane* and *Line, Rocket Machine, Fuze Boz, Rocket, Whip, Hawser* and *Breeches Buoy, Cliff Ladder.*[14]

J. AIMSIR THOGHACHÁIN

1. Tomás Mhichíl agus an Togha. R.B.B. (ar théip) c. 1958: Cn.R.B.B., Scoil an Léinn Cheiltigh, Institiúid Ard-Léinn Bhaile Átha Cliath, Uimh. Thag. 325.

11. EALAÍN BHÉIL

A. SEANASCÉALTA AGUS FINSCÉALTA AR AINMHITHE

1. Rí na nÉan. Bailithe ag an B.B.C. ar cheirnín, 1951: Uimh. Thag. CBÉ 1090. Aa-Th. 221, *The Election of the Bird-king.*

Tá tábhacht an scéil seo agus Aa-Th. 232C* pléite ag Sylvie Muller ina halt "The Irish Wren Tales and Ritual," *Béaloideas* 64-5 (1996-97): 131-69.

12. E. J. Bourke, *Shipwrecks of the Irish Coast*, lch. 200.
13. J. Young, *A Maritime History of Dungarvan*, lch. 47-8.
14. *Illustrated London News*, Mí na Nollag, 1886.

Bhailigh S.ÓD. an scéal seo, leis, ó Mhaidhc, (gan Edifón) Meith. 1945: CBÉ 970:20-1 – feic an tAguisín (lch. 446). Bhailigh Ú.P. ó Mhaidhc, leis ar théip (deireadh na gcaogaidí) é agus tá leagan seo Ú.P. beagnach ar aon dul le leagan seo an B.B.C. chomh fada is a bhaineann le faid an scéal agus le móitífeanna [Cn.Ú.P., Coláiste na Rinne].

2. **"Trína Chéile a Bhuachaillí."**. S.ÓD. (gan Edifón) Meith. 1945: CBÉ 977:22.
   Aa-Th. 232C*, *Which Bird Is Father?*
3. **Préacháin Phort Láirge agus Préacháin Chiarraí.** S.ÓD. (gan Edifón) Meith. 1945: CBÉ 977:41-2.
4. **An Fhuiseog agus an Feirmeoir.** S.ÓD. (gan Edifón) Meith. 1945: CBÉ 977:22-3.
5. **An Bhean agus an Béar**. S.ÓD. (gan Edifón) D. Fómhair 1945: CBÉ 978:77-8.

B. SEANASCÉALTA IONTAIS

1. **Rí go Raibh Mac is Fiche aige**. S.ÓD. (le hEdifón) M. Fómhair 1945: CBÉ 977:537-42.
   Aa-Th. Cf. 326, *The Youth Who Wanted to Learn What Fear is.*
2. **Scéal Mhangaire an Éisc**. S.ÓD. (gan Edifón) M. Fómhair 1945: CBÉ 978:169-72.
   Aa-Th. Cf. 471, Cf. 471A, *The Bridge to the Other World.*
3. ***Jacky the Lantern***. S.ÓD. (gan Edifón) Meith. 1945: CBÉ 977:149-54.
   Aa-Th. 330, *The Smith Outwits the Devil.*
   Bhailigh N.B. an scéal seo ó dhaoine eile i gceantar na Rinne:
   Bean Uí Mhuirithe (76), Helvic, 18/12/35 [CBÉ 151:373-76];
   Peaid a' Cártha (75), An Linn Bhuí, 31/1/36 [CBÉ 153:62-64]
4. **Ministir na Feadaíola**. S.ÓD. (le hEdifón) Samhain 1945: CBÉ 978:216-27.
   Aa-Th. 300, *The Dragon Slayer* + Aa-Th. 1000-1029, *Labor Contract (Anger Bargain).*
5. **Rí Sacsan**. C.ÓD. (ar cheirnín) 1948: Uimh. Thag. CBÉ M0015-18.
   Aa-Th. 513A, *Six Go through the Whole World*

Deir Maidhc anso gurbh é Frank Russell, spailpín ó Chiarraí, a d'inis an scéal seo dó, ach nuair a d'inis sé do S.ÓD. é i Mí na Samhna 1945 dúirt sé gurbh é Seán Ó Muiríosa a d'inis do é [CBÉ 978:234].

Bhailigh T.ÓF. an scéal seo ó Mhaidhc chomh maith, c, 1934, fén dteideal 'Scéal Bhrianáin' – Brianán is ainm don laoch san insint seo den scéal [CBÉ 87:111-16a] agus bhailigh S.ÓD. uaidh é (le hEdifón) Samhain 1945: CBÉ 978: 228-34 – feic an tAguisín (lch. 446).

6. Radal Ó Dála. C.ÓD. (ar cheirnín) 1948: Uimh. Thag. CBÉ M0015-18.

Aa-Th. 673, *The White Serpent's Flesh* (Irish by-form: *How Carol O'Daly got supernatural knowledge from milk of a certain cow – Types of the Irish Folktale*).

Feic: J.E. Doan, *Cearbhall Ó Dálaigh: An Irish Poet in Romance and Oral Tradition* – Tráchtas Dochtúireachta (Ollscoil Harvard, Cambridge Mass., Aib., 1981)

Idem, "The Poetic Tradition of Cearbhall Ó Dálaigh," *Éigse* 18 (1982): 1-24

Idem, "Cearbhall Ó Dálaigh as Craftsman and Trickster," *Béaloideas* 50 (1982): 54-89.

Idem, "Cearbhall Ó Dálaigh as Lover and Tragic Hero," *Béaloideas* 51 (1983): 11-30

T. Ó Cillín, "Cearbhall Ó Dálaigh," *Béaloideas*, 3 (1931-32): 196-210.

7. An Leanbh agus an Fiolar. T.ÓF. (gan Edifón) c. 1934: CBÉ 87:118-22.

Aa-Th. 653 *The Four Skillful Brothers.*

C. SEANASCÉALTA ROMÁNSÚLA

1. Scéal na dTrí Chomhairle. C.ÓD. (ar cheirnín) 1948: Uimh. Thag. CBÉ M0015-18.

Aa-Th. 910B. *The Servent's Good Counsels.*

Feic, *The Irish of Ring*, lch. 95-101 mar a bhfuil insint eile den scéal seo ó Mhaidhc Dháith. Bhailigh N.B. an tríú leagan uaidh leis an Edifón ar an 13/11/35 [CBÉ 150:542, 544, 546, 548, 550, 552] agus bhailigh Ú.P. aríst uaidh é ar théip (deireadh na gcaogaidí) [CnÚ.P.]. Sa leagan seo, Ú.P., ní insíonn Maidhc fé mar a tugadh an fear bocht chun na cúirte agus mar a thug sé fianaise i gcoinne an fhir óig agus an chailín óig a mharaigh an seanduine – féach an tAguisín (lch. 449).

2. An Diabhal agus na Cártaí. S.ÓD. (le hEdifón) M. Fómhair 1945: CBÉ 978:6.

Aa.-Th. 810-14. *The Man Promised to the Devil.*

D. SEANASCÉALTA FÉ CHLEASAITHE

1. Seáinín Bithiúnach. Ú.P. ar théip (deireadh na gcaogaidí) [Cn.Ú.P., Coláiste na Rinne].

Aa-Th. 1525. *The Master Thief.*

E. SEANASCÉALTA MAR GHEALL AR BHRÉAGA

1. Rí na mBréag. C.ÓD. (ar cheirnín) 1948: Uimh. Thag. CBÉ M0015-18.

Aa-Th. 1920, *Contest in Lying* + 859C, *The Penniless Wooer:>> House of my Father with one hundred and fifty Lights and Goat Pen.>>*

Bhailigh N.B. an scéal seo, leis, ó Mhaidhc (le hEdifón) 1934: CBÉ150:50-62 – féach an tAgusín (lch. 451). Bhailigh Ú.P. uaidh chomh maith é, ar théip, deireadh na gcaogaidí – Cn.Ú.P., Coláiste na Rinne.

F. SCÉALTA SLABHRA

1. An Cat is an Luch. Ú.P. ar théip (deireadh na gcaogaidí) [Cn.Ú.P., Coláiste na Rinne].

Bhailigh S.ÓD. an scéal seo, leis, ó Mhaidhc, (gan Edifón) D. Fómhair 1945: CBÉ 978: 75-6 – feic an tAguisín (lch. 454).

G. SCÉALTA GEARRA ÁITIÚLA

1. An Garda Cuain agus an Chráin. S.ÓD. (gan Edifón) Meith. 1945: CBÉ 977:148.

2. Fear a Chodail sa Trioscar. S.ÓD. (le hEdifón) M. Fómhair 1945: CBÉ 978:9.

H. DIAGASÚLACHT AGUS TEAGASC

1. Na Cearca, an Deargadaol agus Ár Slánaitheoir. S.ÓD. (gan Edifón) M. Fómhair 1945: CBÉ 978:25.

2. Tuirse na nGaibhne. S.ÓD. (le hEdifón) M. Fómhair 1945: CBÉ 977:509-10.

Féach móitíf A 1650, *Origin of different classes – social and professional* in S. Thompson, *Motif-Index of Folk-Literature*, i-iv, Copenhagen 1955.

Féach leis, P. Ó Héalaí, "Tuirse na nGaibhne ar na Buachaillí Bó – Scéal apacrafúil dúchasach." *Béaloideas* 53 (1985). 87-129.

3. Aililiúiá. S.ÓD. (le hEdifón) M. Fómhair 1945: CBÉ 977:559-62.

4. Míol an Duine Uasail agus Míol an Bhacaigh. S.ÓD. (gan Edifón) D. Fómhair 1945: CBÉ 978:43.

5. Herod agus an Leanbh Íosa. Ú.P. ar théip (deireadh na gcaogaidí) [Cn.Ú.P., Coláiste na Rinne].

Bhailigh S.ÓD. an scéal seo, leis, ó Mhaidhc, le hEdifón, Samhain 1945: CBÉ 978: 235-37 – feic an tAguisín (lch. 455).

Bhailigh R.B.Breatnach uaidh, leis, é, ar théip, c. 1958: Cn.R.B.B., Institiúid Ardléinn Bhaile Átha Cliath.

6. Naomh Peadar agus an Tiarna. C.ÓD. (ar cheirnín) 1948: Uimh. Thag. CBÉ M0015-18.

Bhailigh Ú.P. an scéal seo ó Mhaidhc chomh maith, ar théip (deireadh na gcaogaidí) [Cn.Ú.P., Coláiste na Rinne] – féach an tAguisín (lch. 456). Bhailigh R.B.Breatnach uaidh, leis, é, ar théip, c. 1958: Cn.R.B.B., Institiúid Ardléinn Bhaile Átha Cliath.

7. An Mac Scaipitheach. WD (ar cheirnín) 1928: Uimh. Thag. CBÉ T0667.

Bhí Gearmánach dárbh ainm Wilhelm Doegen as Roinn na bhFuaimeanna (Luatabteilung) an Staatsbibliothek, Berlin ag obair ar son Acadamh Ríoga na hÉireann idir 1928 agus 1932 ag déanamh céirníní de chanúintí na Gaelainne. Sa bhliain 1928 a deineadh an obair seo i gCúige Mumhan, agus tá liosta de na cainteoirí a taifeadadh an bhliain sin le fáil in miontuairiscí Acadamh Ríoga na hÉireann don seisiún 1928-29 (Appendix, lch. 19-29). Bhí Michéal Turraoin ar dhuine de thriúr ón Rinn a taifeadadh ar an 5/4/28 – ba iad Michéal Ó Cionnaola agus Seán Ó Droma an bheirt eile. Roghnaíodh an fabhailscéal 'An Mac Scaipitheach,'*(The Prodigal Son)*, fé mar a hinsíodh in Luke xv. 11-32, mar scéal do na cainteoirí. Chun go mbeadh téacs bunúsach ag na cainteoirí go léir roghnaíodh leagan an Athar Peadar Ó Laoghaire den scéal. Dúradh leis na daoine a bheadh ag traenáil na gcainteoirí gan cloí ró-mhór le téacs an Athar Peadar agus moladh go n-usáidfeadh na cainteoirí a gcanúintí féin in ionad aon fhocail nó nathanna a thaibhseodh deoranta dóibh sa bhun-téacs. Ba iad Art Mac Gréagóir agus An Fear Mór ó Choláiste na Rinne a d'ullamhaigh na cainteoirí ó Cho. Phort Láirge. Is dóichí gur mar seo a fuair Maidhc Dháith an scéal seo agus, tá a rian air, tá an dá insint atá againn ó Mhaidhc ana-dhealraitheach lena chéile – ceann seo Doegen, agus insint eile a thóg Nioclás Breathnach uaidh (gan Edifón) sa bhliain 1932 – CBÉ 86:1-4 – feic an tAguisín (lch. 457).

8. An Diabhal agus an Báile. S.MacS. (ní fios cathain) (gan Edifón): CBÉ 630:237-38.

9. Is Deocair an Chloch a Chaitheamh. Ú.P. ar théip (deireadh na gcaogaidí) [Cn.Ú.P., Coláiste na Rinne].

10. Raghaidh an Fharraige isteach in Méaracán. Ú.P. ar théip (deireadh na gcaogaidí) [Cn.Ú.P., Coláiste na Rinne].

11. "Dia leat a Linbh." S.ÓD. (le hEdifón) M. Fómhair 1945: CBÉ 977:503-4.

Bhailigh Ú.P. an scéilín seo, leis, ó Mhaidhc ar théip (deireadh na gcaogaidí) [Cn.Ú.P., Coláiste na Rinne] – feic an tAguisín (lch. 458).

12. Casadh na Roithe. Ú.P. ar théip (deireadh na gcaogaidí) [Cn.Ú.P., Coláiste na Rinne].

13. Naomh Joseph agus an Mhaighdean Mhuire. Ú.P. ar théip (deireadh na gcaogaidí) [Cn.Ú.P., Coláiste na Rinne].

14. Artha an Ghreama. R.B.B., c. 1958: Cn.R.B.B., Scoil an Léinn Cheiltigh, Institiúid Ardléinn Bhaile Átha Cliath.

I. FIANNAÍOCHT

1. Oscar agus a Ghruaig. S.ÓD. (gan Edifón) Márta 1948: CBÉ 1100:69.

2. Cúirt Oisín. S.ÓD. (gan Edifón) Márta 1948: CBÉ 1100:69.

J. DINNSEANCHAS

1. Páirc na Croiche. S.ÓD. (gan Edifón) Meith. 1945: CBÉ 977:2-3.

2. Lána an Mhadra Rua. S.ÓD. (gan Edifón) Meith. 1945: CBÉ 977:12.

3. An Choill. S.ÓD. (gan Edifón) Meith. 1945: CBÉ 977:16.

4. Leaba an tSagairt, Carraig a' Mhadra agus Faill a' Chlára. S.ÓD. (gan Edifón) Meith. 1945: CBÉ 977:16-17.

5. Carraig Bhunfhaill. S.ÓD. (gan Edifón) Meith. 1945: CBÉ 977:17.

6. Coill Cholmáin. S.ÓD. (gan Edifón) Meith. 1945: CBÉ 977:17.

7. Baile Uí Churraoin. S.ÓD. (gan Edifón) Meith. 1945: CBÉ 968:560.

8. An Garraí Gann. S.ÓD. (gan Edifón) Meith. 1945: CBÉ 968:569.

9. Ciarraí agus Port Láirge. S.ÓD. (gan Edifón) Meith. 1945: CBÉ 968:569.

10. Donn Garbhán agus Dún na Mainistreach. S.ÓD. (gan Edifón) Meith. 1945: CBÉ 968:570.

11. Cathair Luimní a Bhí. S.ÓD. (gan Edifón) Meith. 1945: CBÉ 977:3.

K. SEANFHOCAIL

1. S.ÓD. (gan Edifón) Meith. 1945: CBÉ 977:13.

2. S.ÓD. (gan Edifón) Meith. 1945: CBÉ 977:20.

3. S.ÓD. (gan Edifón) Meith. 1945: CBÉ 977:37.

Bhailigh Ú.P. an seanfhocal seo, leis, ó Mhaidhc ar théip (deireadh na gcaogaidí) [Cn.Ú.P., Coláiste na Rinne] agus bhailigh S.ÓD. aríst uaidh é (gan Edifón) Márta 1948: CBÉ 1100:43.

4. S.ÓD. (gan Edifón) Meith. 1945: CBÉ 977:39-40.

5. S.ÓD. (gan Edifón) Meith. 1945: CBÉ 977:175.

6. S.ÓD. (gan Edifón) Meith. 1945: CBÉ 977:175.

7. S.ÓD. (gan Edifón) Meith. 1945: CBÉ 977:195.

8. S.ÓD. (gan Edifón) Meith. 1945: CBÉ 977:198.

9. S.ÓD. (gan Edifón) Meith. 1945: CBÉ 977:198-99.

10. S.ÓD. (gan Edifón) Meith. 1945: CBÉ 977:199.
11. S.ÓD. (gan Edifón) M. Fómhair 1945: CBÉ 977:449.
12. S.ÓD. (gan Edifón) D. Fómhair 1945: CBÉ 978:30-1.
13. S.ÓD. (gan Edifón) D. Fómhair 1945: CBÉ 978:44.
14. S.ÓD. (gan Edifón) D. Fómhair 1945: CBÉ 978:63.
15. S.ÓD. (gan Edifón) D. Fómhair 1945: CBÉ 978:81.
16. S.ÓD. (le hEdifón) M. Fómhair 1945: CBÉ 977:535.
17. S.ÓD. (gan Edifón) Meith. 1945: CBÉ 968:567.
Bhailigh Ú.P. an seanfhocal seo, leis, ó Mhaidhc ar théip (deireadh na gcaogaidí) [Cn.Ú.P., Coláiste na Rinne].
18. S.ÓD. (gan Edifón) Meith. 1945: CBÉ 968:567.
19. S.ÓD. (gan Edifón) Meith. 1945: CBÉ 968:567.
20. S.ÓD. (gan Edifón) Samhain 1945: CBÉ 978:209.
21. S.ÓD. (gan Edifón) Meith. 1945: CBÉ 968:560.
Bhailigh Ú.P. an seanfhocal seo, leis, ó Mhaidhc ar théip (deireadh na gcaogaidí) [Cn.Ú.P., Coláiste na Rinne].
22. S.ÓD. (gan Edifón) Meith. 1945: CBÉ 968:568.
23. S.ÓD. (gan Edifón) Samhain 1945: CBÉ 978:356.
24. S.ÓD. (gan Edifón) Samhain 1945: CBÉ 978:374.
25. S.ÓD. (gan Edifón) Márta 1948: CBÉ 1100:26.
26. S.ÓD. (gan Edifón) Márta 1948: CBÉ 1100:28-9.
27. S.ÓD. (gan Edifón) Márta 1948: CBÉ 1100:34.
28. S.ÓD. (gan Edifón) Márta 1948: CBÉ 1100:78.
29. S.ÓD. (gan Edifón) Márta 1948: CBÉ 1100:46.
30. S.ÓD. (gan Edifón) Márta 1948: CBÉ 1100:46-7.
31. S.ÓD. (gan Edifón) Márta 1948: CBÉ 1100:48.
32. S.ÓD. (gan Edifón) Márta 1948: CBÉ 1100:48.
33. S.ÓD. (gan Edifón) Márta 1948: CBÉ 1100:101.
34. S.ÓD. (gan Edifón) Aib. 1948: CBÉ 1100:134.
35. S.ÓD. (gan Edifón) Aib. 1948: CBÉ 1100:231.
36. S.ÓD. (gan Edifón) Bealtaine 1948: CBÉ 1100:233.
37. S.ÓD. (gan Edifón) Bealtaine 1948: CBÉ 1100:231.
39. T.ÓF. (gan Edifón) c. 1934: CBÉ 87:125.
40. T.ÓF. (gan Edifón) c. 1934: CBÉ 87:139.
41. T.ÓF. (gan Edifón) c. 1934: CBÉ 87:141.
42. T.ÓF. (gan Edifón) c. 1934: CBÉ 87:141.
43. T.ÓF. (gan Edifón) c. 1934: CBÉ 87:141.
44. T.ÓF. (gan Edifón) c. 1934: CBÉ 87:141.
45. Ú.P. ar théip (deireadh na gcaogaidí) [Cn.Ú.P., Coláiste na Rinne].

46. Ú.P. ar théip (deireadh na gcaogaidí) [Cn.Ú.P., Coláiste na Rinne].
47. Ú.P. ar théip (deireadh na gcaogaidí) [Cn.Ú.P., Coláiste na Rinne].
48. Ú.P. ar théip (deireadh na gcaogaidí) [Cn.Ú.P., Coláiste na Rinne].
49. Ú.P. ar théip (deireadh na gcaogaidí) [Cn.Ú.P., Coláiste na Rinne].
50. Ú.P. ar théip (deireadh na gcaogaidí) [Cn.Ú.P., Coláiste na Rinne].
51. Ú.P. ar théip (deireadh na gcaogaidí) [Cn.Ú.P., Coláiste na Rinne].
52. Ú.P. ar théip (deireadh na gcaogaidí) [Cn.Ú.P., Coláiste na Rinne].
53. R.B.B. (ar théip) c. 1958: Cn.R.B.B., Scoil an Léinn Cheiltigh, Institiúid Ard-Léinn Bhaile Átha Cliath: Uimh. Thag. 177.

L. TOMHAISEANNA

1. S.ÓD. (gan Edifón) Meith. 1945: CBÉ 977:8.
2. S.ÓD. (gan Edifón) Meith. 1945: CBÉ 977:8.
3. S.ÓD. (gan Edifón) Meith. 1945: CBÉ 977:25.
4. S.ÓD. (gan Edifón) Meith. 1945: CBÉ 977:25.

Cím chugham tríd an móin
Firín beag is cor ina thóin,
Fiacail bhata idir dhá easna,
Agus *fiddle-faddle* ar a thóin. – Máthair chéile Mhaidhc Dháith.

5. S.ÓD. (gan Edifón) Meith. 1945: CBÉ 977:27.

Bhailigh T.ÓF. an tomhas seo, leis, ó Mhaidhc (gan Edifón) c. 1934: CBÉ 87:140.

6. S.ÓD. (gan Edifón) Meith. 1945: CBÉ 977:40.
7. S.ÓD. (gan Edifón) Meith. 1945: CBÉ 977:40.
8. S.ÓD. (gan Edifón) Meith. 1945: CBÉ 977:55.
9. S.ÓD. (gan Edifón) Meith. 1945: CBÉ 977:201.
10. S.ÓD. (gan Edifón) M. Fómhair 1945: CBÉ 977:473.
11. S.ÓD. (gan Edifón) D. Fómhair 1945: CBÉ 978:42-3.
12. S.ÓD. (gan Edifón) Meith. 1945: CBÉ 968:570.
13. S.ÓD. (gan Edifón) Meith. 1945: CBÉ 968:570.
14. S.ÓD. (gan Edifón) Meith. 1945: CBÉ 968:570.
15. S.ÓD. (gan Edifón) Meith. 1945: CBÉ 968:570.
16. S.ÓD. (gan Edifón) Meith. 1945: CBÉ 968:570.
17. S.ÓD. (gan Edifón) Samhain 1945: CBÉ 978:193-94.

Aa-Th. Cf. 851, *The Princess who Cannot Solve the Riddle*.

18. S.ÓD. (gan Edifón) Meith. 1945: CBÉ 968:566.
19. S.ÓD. (gan Edifón) D. Fómhair 1945: CBÉ 978:42.
20. T.ÓF. (gan Edifón) c. 1934: CBÉ 87:139.

21. T.ÓF. (gan Edifón) c. 1934: CBÉ 87:139.
22. T.ÓF. (gan Edifón) c. 1934: CBÉ 87:139.
23. T.ÓF. (gan Edifón) c. 1934: CBÉ 87:139.
24. T.ÓF. (gan Edifón) c. 1934: CBÉ 87:140.
25. T.ÓF. (gan Edifón) c. 1934: CBÉ 87:140.
26. T.ÓF. (gan Edifón) c. 1934: CBÉ 87:140.
27. T.ÓF. (gan Edifón) c. 1934: CBÉ 87:140.

M. AMHRÁIN A CHUM FILÍ ÁITIÚLA

1. Amhráin Chaitlín Shíomóin
(i) Thíos age Leacain na Gréine. Ú.P. ar théip (deireadh na gcaogaidí) [Cn.Ú.P., Coláiste na Rinne].

Bhailigh L.C é seo ó Mhaidhc, leis, ar cheirnín, 1954: Uimh. Thag. R.B.É. 1269-71. Bhailigh N.B. uaidh é sa bhliain 1934 [CBÉ 150:395, 397]. Bhailigh S.ÓD., leis, ó Mhaidhc é (gan Edifón) Samhain 1945: CBÉ 978:201-4. Is mar a chéile ord na véarsaí sna leaganacha breise seo agus leagan na téipe ach tá an séú véarsa ar lár i leagan L.C. agus i leagan N.B. – feic an tAguisín (lch. 459) mar a bhfuil leagan S.ÓD. I leagan Ú.P. dúirt Maidhc ina amhrán é.
(ii) An Brónfeainí. S.ÓD. (gan Edifón) Samhain 1945: CBÉ 978:203.

2. An Léiseach agus Seán Cnap Ó Laoghaire. S.ÓD. (gan Edifón) Aib. 1948: CBÉ 1100:201-2.

Bhailigh S.ÓD. a thuilleadh seanchais mar gheall ar Sheán Cnap Ó Laoghaire ó Shéamus Ó Conaire, An Carn, Rinn Ó gCuanach, Aib. 48 [CBÉ 1100:112-13].

3. An Cat Fireann Bán. Ú.P. ar théip (deireadh na gcaogaidí) [Cn.Ú.P., Coláiste na Rinne].

Bhailigh W.D. é seo, leis, ó Mhaidhc ar cheirnín, 1928: Uimh. Thag. CBÉ T0667 – feic an tAguisín (lch. 460) agus bhailigh C.ÓD. ar cheirnín uaidh é, 1948 – Uimh. Thag. R.B.É. 0498. Bhailigh S.ÓD. uaidh é leis an Edifón, M. Fómhair 1945: CBÉ 977:514-16 – feic an tAguisín (lch. 461). Dúirt sé ina amhrán é do C.ÓD.

4. Na Prátaí Dubha. R.B.B. (ar théip) c. 1958: Cn.R.B.B., Scoil an Léinn Cheiltigh Institiúid Ard-Léinn Bhaile Átha Cliath.

Ba í Máire Ní Dhroma, a bhí pósta le le Séamus Turraoin sa Pháirc i gCnocán a' Phaoraigh Íochtarach, a chum an t-amhrán seo. Chun a thuilleadh seanchais mar gheall ar Mháire Ní Dhroma, feic *An Linn Bhuí* 2 (1998) 60-3.

Bhailigh S.ÓD. é seo, leis, ó Dhónall Ó Laochdha (80), Baile Mhic Airt, 25/3/48: CBÉ 1100: 23-4:

> Insa saol san cuireag carn díobh amuigh in Roilig an tSlé'. Cuireag cuid acu ná raibh t'réis bháis chuigint. Dh'airigh sé gur tháinig bean amach ó thigh

na mbocht sa choifín agus nuair a caitheadh an chré uirthi chuir sí an cumhad den choifín. N'fheadair mé ar fágadh ansan í nó nár fágadh. Ba mhaith í an bhean a a bhí sa Rinn a dhein an t-amhrán. Conas é siúd a bhí sé a Mhaidhc? Ó sea:

> Siad na prátaí dúbha a dhein ár gcomharsa ar scaipeadh uainn,
> Chuir iad sa *phoorhouse* is anonn thar farraige,
> Gur in Roilig a' tSlé' athá na céadta díobh treascartha,
> Uaisle na bhFlaitheas ag réiteach ár gcás.

N'fheadar mé cad a thagann ina dhiaidh sin. B'fhéidir gob é seo é:

> A Rí na Trua agus 'Uain Gil Beannaithe,
> Scaoil ár nglasaibh agus réidh ár gcás,
> Lig braon beag aríst dod fuil chun a chneasaithe,
> Go mbeimíst id' amharc gach am den lá.
>
> Tá siad ar siúl ó nóin[15] go dtí maidean ann,
> As san go tráthnóna ag cuir cúiríní allais díobh.
> Nín aon mhaith dhóibh ansúd mara bhfuil an cíos acu freagarach,
> Téidís abhaile agus ár dtithe ar lár.
>
> Ní hé Dia riamh a cheap an obair seo,
> Na daoine bochta so a chuir le fán,
> Na leanaí beaga óga so a tógag le macanas,
> Ní bhfaigheadh a máithreacha freagairt dóibh 'á bhfaighdís bás.
>
> A Rí na Glóire fóir agus freagair dúinn,
> Oscail ár gcroí agus díbir an ganair as;
> An[16] bheatha so aríst óm chroí go gcasfaidh mé,
> Na púrhamhais go leagtar anuas ar lár.

Bhí Maidhc i láthair nuair a thóg S.ÓD. na véarsaí seo ó Dhónall Ó Laochdha agus bhí an méid seo a leanas le rá aige mar gheall air:

> Neilí na Páirce a dhein é sin, Máiréad Turraoin ab ainm di. Bhí gaol agam fhéin léi. Seanamháthair athair Jimmy French ab í í. Buachaill é sin athá amuigh age Crosaire Chadhla. Sin í a dhein 'Na Gleannta'. Mhol sí iad go léir ar dtúis agus ansan dh'ampaigh sí thimpeall agus cháin sí aríst iad. [CBÉ 1100:24]

15. Ls. *niúin* sa ls.
16. B'fhéidir gur 'on (d'on) atá anso – **S.ÓD.**

Féach N. Tóibín, *Duanaire Déiseach*, (Baile Átha Cliath: Sáirséal agus Dill, 1978), lch. 19-21.

Féach, leis, C. Ó Gráda, *An Drochshaol – Béaloideas agus Amhráin*, (Baile Átha Cliath: Coiscéim, 1994); D. Cowman agus D. Brady eag., *Teacht na bPrátaí Dubha – The Famine in Waterford*, (Port Láirge: Geography Publications agus Comhairle Chontae Phort Láirge, 1995).

5. Mo Shlán Chughaibh a Ghaibhne. S.ÓD. (le hEdifón) M. Fómhair 1945: CBÉ 978: 13.

N. AMHRÁIN AGUS DÁNTA ÉAGSÚLA

1. Moladh na hÓige. S.ÓD. (gan Edifón) Meith. 1945: CBÉ 977:11.

2. Lúidín Ó Lúrra. S.ÓD. (gan Edifón) Meith. 1945: CBÉ 977:26.

3. Píopaire Chluain Fhia – Amhrán gan Deireadh. S.ÓD. (gan Edifón) Meith. 1945: CBÉ 977:28.

Bhailigh T.ÓF. an véarsa seo ó Mhaidhc, leis (gan aon chomhthéacs) (gan Edifón) c. 1934: CBÉ 87:32, agus bhailigh N.B. uaidh é chomh maith, (le hEdifón) 20/11/35: CBÉ 151:20.

4. An Té a Chífeadh an tIontas. Ú.P. ar théip (deireadh na gcaogaidí) [Cn.Ú.P., Coláiste na Rinne].

Bhailigh S.ÓD. an t-amhrán seo, leis, ó Mhaidhc (le hEdifón) M. Fómhair 1945: CBÉ 977:467-68] – feic an tAguisín (lch. 462).

5. An Scúnaer. C.ÓD. (ar cheirnín) 1948: Uimh. Thag. CBÉ M0015-18.

Bhailigh T.ÓF. an t-amhrán seo ó Mhaidhc Dháith chomh maith, timpeall na bliana 1934 [CBÉ 150:12] agus bhailigh N.B. uaidh é (le hEdifón) 19/4/34: CBÉ 150:451 – feic an tAguisín (lch. 463). Bhailigh Ú.P. uaidh ar théip, leis, é ach dúirt Maidhc ina amhrán é an turas seo é [Cn.Ú.P., Coláiste na Rinne].

Bhailigh N.B. leagan eile de ó Liam Tóibín (25), Ceann a' Bhathla ar an 21/12/35 [CBÉ 152:177-78]:

Ó do dh'éirigh mé féin ar maidin agus chuaigh mé go 'dtí barr Charraig Áilis,
Agus chonaic mé an *schooner* is í ag túrnáil na bá isteach;
Ó bhí barra crainn ag lúbadh agus í ag úmhlú dhon ngála,
Agus an seanabheist go súgach is gan feoithne age fear mála.

Ó thrálaeirí m'anama cad a dhéanfaidh na mná libh;
Cad a dhéanfaidh na linbh ó más ar buile a théann na mná uaibh,
Ó gan deor bainne géir againn ná té ar chupáin bhána,
Ach criú na mbád mhaola go haerach age ti' Sheáin thall.

6. Eachtra Eamoinn de bhFál. C.ÓD. (ar cheirnín) 1948: Uimh. Thag. CBÉ M0015-18.

Rugadh Eamonn de bhFál c. 1683 agus ba sa bhaile fearainn Cobhrach i bparóiste Dhún Ghuairne, Co. Chorcaí, a chaith sé an chuid is mó dá shaol. Cailleadh Eamonn sa bhliain 1755. Chuir Risteárd Ó Foghludha ("Fiachra Éilgeach") a chuid filíochta in eagar sa leabhar *Cois Caoin-Reathaighe – Filíocht Éamoinn de bhFál ó Dhún Guairne*, (Baile Átha Cliath: Oifig an tSoláthair, 1946).

Tá "Eachtra Éamoinn de bhFál", ina iomlán ní foláir, ar fáil sa leabhar san (lch. 57-61). Tá cuid mhaith véarsaí ar lár in eagrán seo Mhaidhc Dháith ach tá sé spéisiúil go raibh an t-eagrán seo ón traidisiún béil fós ar fáil sna Déise sa bhliain 1948.

Mar seo a leanas a mhínigh Maidhc do N.B. sa bhliain 1932 cad é an bunús a bhí leis an dán seo:

> File a mb'ainm do Éamonn de bhFál agus a chompánach a tháinig aniar ó Chorca go Port Láirge chun lonnú futhu. Bhí Éamonn pósta. Ní rabhadar i bhfad ar an dtaobh so dúiche nuair a dh'éirigh idir Éamonn agus an compánach agus dh'imigh an compánach siar go Corca arís. Fuair bean Éamoinn bás ansan agus chaith sé dul siar go Corca á cur. Chuaigh. Agus é ag teacht abhaile do bhuail sé isteach go tigh ósta a bhí ar thaobh an bhóthair agus cé bhí pósta ann ach an compánach. Bhí seanabhean ina suí ar thairsin an doiris agus ní scaoilfeadh sí Éamonn isteach gan airgead, go bhfuair sé í a bhogadh sa deireadh. Tháinig sé abhaile agus dhein sé eachtra ar a chúrsaí mar seo.

Níor thug Maidhc ach cuid den dán do Nioclás ar an ócáid seo (go 'dtí an líne 'Is téire go lá ann is codail.") – CBÉ 86:361, 363, 365. Thóg N.B. 'Eachtra an Éamoinn de bhFál' arís ó Mhaidhc leis an Edifón sa bhliain 1935: CBÉ 150:554, 365, 367 [feic an tAguisín (lch. 463)] agus thóg Ú.P. ar théip uaidh (deireadh na gcaogaidí) leis é [Cn.Ú.P., Coláiste na Rinne].

Nuair a bhailigh R.B.B. Eachtra Éamonn de bhFál uaidh thug Maidhc réamhrá níos faide arís ná mar a dhein sé ar aon ócáid eile:

> Bhí beirt fhear anso i bPort Láirge a dtugaidís an Compánach agus Éamonn de bhFál orthu. Agus bhíodar ag éirí suas ina gcomrádaithe móra lena chéile go 'dtí gur tháiníodar in aos dhéanadh dhóibh fhéin. Agus thit cúrsaí aite amach ar an gCompánach agus chuaigh sé ar a theitheadh go Corca agus phós sé i gCorca. Agus phós Éamonn de bhFál bean ó Chorca anso i bPort Láirge agus nuair a fuair sí bás chuaigh sé go Corca á cur. Agus chuaigh sé fhaid leis dtína chomhscoláire fé dhéin iostas na hoíche, ná beadh sé ag siúl an bhóthar fada abhaile. Agus lig an comhscoláire air ná

dh'aithin sé é agus dh'éirigh sé fhéin agus bean an chomhscoláire age'n doras. Agus nuair a tháinig sé abhaile chuir sé síos air. [Cnósach R.B.B., Scoil an Léinn Cheiltigh, Institiúid Ardléinn Bhaile Átha Cliath]

7. Is Fada Mé ar an Saol so. S.ÓD. (gan Edifón) Samhain 1945: CBÉ 978:208-9.

Bhailigh N.B. é seo, leis, ó Mhaidhc (le hEdifón) 20/11/35: CBÉ151:9-10 – feic an tAguisín (lch. 465).

8. Paorach Bhaile Uí Ghaigín. S.ÓD. (le hEdifón) M. Fómhair 1945: CBÉ 977:543-44.

Tá leagan eile den amhrán seo in *Beatha Mhichíl Turraoin*, lch. 37-8, atá bunoscionn ar fad leis an gceann seo.

Chun éachtaint a fháil ar an stair a bhaineann le Paoraigh Bhaile Uí Ghaigín féach N. Mac Craith, "1798 insna Déise," *An Linn Bhuí – Iris Ghaeltacht* na *nDéise* 2 (1998): 92-98.

9. Eachtra an Aodhaire. C.ÓD. (ar cheirnín) 1948: Uimh. Thag. CBÉ 0489a.

In Beatha Mhichíl Turraoin tá sé ráite gur chuala Maidhc é seo ó fhear a dtugtaí Seáinín Bodhar air, a bhí ina chónaí i mBaile an Chnoca. Bhí Maidhc in aimsir i dtigh feormeora i mBaile Uí Bhaoill ag an am. Bhíodh cártaí á n-imirt i dtigh Sheáinín istoíche, ach b'fhearr le Maidhc a bheith ag éisteacht le Seáinín ag seanchas cois na tine. (*Beatha Mhichíl Turraoin*, lch. 25). Ach bréagnaíonn Maidhc é seo in insint eile a thug sé do R.B.B. [féach thíos]:

> *Well*, cuirfidh mé píosa eachtra eile isteach anois. Bhí fear i gCrosaire Chadhla fadó agus aon mhac amháin a bhí aige. Agus bhí mhá … an t-athair agus an mháthair cráite aige nuair ná pósfaidís é. Agus ar ghrá na síochána phósadar é. Agus aon bhliain amháin a dh'fhan sé i bhfochair na mná nuair a dh'imigh sé uaithi. Agus thug sé deich mbliana agus trí fichid imithe, agus chas sé abhaile ar an mbean i gceann a dheich mbliana agus trí fichid agus chuir sé síos ar a shaol ó thosach go deireadh:
>
> "Aisling gan bhréag," arsa sé ....
>
> [Stadadh an meaisín i ndeireadh na heachtra. Dealraíonn sé gur dh'fhiafraigh R.B.B. de Mhaidhc cé uaidh a dh'airigh sé an eachtra agus gur dh'iarr R.B.B. air ansan an freagra a chuir sa mheaisín – Nóta, Aoibhinn Nic Dhonnachdha, Scoil an Léinn Cheiltigh, Institiúid Ard-Léinn Bhaile Átha Cliath]
>
> "An fear – thá trí fichid bliain ó dh'airigh mise é sin agus an fear a dh'airigh mé aige é, ab ainm do Seáinín Aindí agus thá trí fichid blian ó dúirt sé ar thinteán Mhicil French dom é."

Agus arís, nuair a dh'inis sé 'Scéal Mhangaire an Éisc' do S.ÓD. luann sé an fear a dh'inis 'Eachtra an Aodhaire' dó:

Thá gairid do dheich mbliana is dachad ó dh'airigh mise é sin age Seán Ó Muiríosa age Crosaire Cadhla.[17] Saor cloiche ba dh'ea é. Is aige a dh'airigh mé "Eachtra an Aodhaire": bhí sé sa leabhar[18] an lá deireanach. Ba shiúd é an seanchasaí a mhic ó. (CBÉ 978:172).

Bhailigh N.B. 'Eachtra an Aodhaire' ó Mhaidhc ar an 8/2/32 chomh maith [CBÉ 86:21-4] agus bhailigh sé uaidh aríst leis an Edifón é sa bhliain 1935: CBÉ150:367, 369, 371, 373, 375 – feic an tAguisín (lch. 466). Bhailigh R.B.B. uaidh é ar théip, c. 1958: Cn.R.B.B., Scoil an Léinn Cheiltigh, Institiúid Ardléinn Bhaile Átha Cliath, Uimh. Thag. 56. agus bhailigh Ú.P. ar théip (deireadh na gcaogaidí) uaidh, leis, é [Cn.Ú.P., Coláiste na Rinne].

10. Paróiste an tSlé'. S.ÓD. (gan Edifón) Meith. 1945: CBÉ 1100:38-40.

Bhailigh L.C. an t-amhrán seo ó Mhaidhc, leis, ar théip, 1954: Uimh. Thag. R.B.E. 1274 – feic an tAguisín (lch. 468).

11. Seoladh na nGamhna. C.ÓD. (ar théip), 1948: Uimh. Thag. R.B.E. 0489b-90t.

Bhailigh Ú.P. an t -amhrán seo ó Mhaidhc, leis, ar théip [Cn.Ú.P., Coláiste na Rinne] – féach an tAguisín (lch. 468). Bhailigh N.B. uaidh é chomh maith ar an 20/11/35: CBÉ 151:10-12.

Féach L. de Noraidh agus D. Ó hÓgáin, eag., *Binneas thar Meon* (Baile Átha Cliath: Comhairle Bhéaloideas Éireann, 1994) lch. 118-19, 214-15.

12. Máirín De Barra. S.ÓD. (gan Edifón) Aib. 1948: CBÉ 1100:81-2.

13. An Saighdiúir. S.ÓD. (gan Edifón) Aib. 1948: CBÉ 1100:83-4.

Bhailigh T.ÓF. an t-amhrán seo ó Mhaidhc, leis, sa bhliain 1935 :CBÉ 87:10-11 agus bhailigh Ú.P. uaidh ar théip, leis, é (deireadh na gcaogaidí) [Cn.Ú.P., Coláiste na Rinne]. Bhailigh N.B. uaidh chomh maith é (le hEdifón) 1934: CBÉ150:391, 393 – feic an tAguisín (lch. 471), Bhailigh R.B.B. uaidh ar théip é, c. 1958: Cn.R.B.B., Scoil an Léinn Cheiltigh, Institiúid Ard-Léinn Bhaile Átha Cliath, Uimh. Thag. 371.

14. Dónall Óg. S.ÓD. (gan Edifón) Aib. 1948: CBÉ 1100:89-91.

Bhailigh Ú.P. an t-amhrán seo, leis, ó Mhaidhc ar théip [Cn.Ú.P., Coláiste na Rinne] – feic an tAguisín (lch. 472).

Féach L. de Noraidh agus D. Ó hÓgáin, eag., *Binneas thar Meon*, lch.61-2.

15. Is a Chailín Beag Óg. N.B. (le hEdifón) 1934: CBÉ150: 387, 389.

Bhailigh Liam de Noraidh an t-amhrán seo, leis, ó Mhaidhc ar an 19/11/1940 (L. de Noraidh agus D. Ó hÓgáin, eag., *Binneas thar Meon*, lch. 83-4, 236). Níl

17. Ls. *Crosaire Cadhla* agus *Crosaire Chadhla*

18. Bhí "Eachtra an Aodhaire" in eagrán d'*Éigse* ag Pádraig Ó Cadhla á léamh do Mhaidhc chun é a cheartú. Múinteoir i gColáiste na Rinne is ea Pádraigh Ó Cadhla – **S.ÓD**

véarsa 2 in eagrán de Noraidh, ach tá véarsa breise in eagrán de Noraidh ná fuil in eagrán N.B.:

Siúil, siúil, a Sheáin, ní foláir dúinn fágaint go doich
Go n-éireoidh an t-ádh níos fearr linn amach ar an tuaith,
....
Is go mbeidh oíche pléará againn go hard ar an toice bheag rua.

16. Cití na gCumann. R.B.B. (ar théip) c. 1958: Cn.R.B.B., Scoil an Léinn Cheiltigh, Institiúid Ard-Léinn Bhaile Átha Cliath: Uimh. Thag. 346.

Bhailigh N.B. é seo, leis, ó Mhaidhc (le hEdifón) 1934: CBÉ150:387, 399, 401 – feic an tAguisín (lch. 473).

Féach L. de Noraidh agus D. Ó hÓgáin, eag., *Binneas thar Meon*, lch. 124-25.

17. Máire Ní Eidhin (Baile an Lín). Ú.P. ar théip (deireadh na gcaogaidí) [Cn.Ú.P., Coláiste na Rinne].

Ceann de amhráin Raifteirí is ea é seo a cumadh c. 1830. Tá dealramh leis an dtuairim gurbh iad na spailpíní a thug go dtí Cúige Mumhan é.[19] Is cosúil gurbh é Mártan Draopar ó Bhaile na nGall a mhúin do Mhaidhc é [N. Breatnach, *Ar Bóthar Dom* (An Rinn: Coláiste na Rinne, 1998), lch. 18]. Ní fios conas a fuair Mártan é. Tá 'Baile Uí Lia,' 'Baile Uí Liaigh' agus 'Baile Uí Luighe' sna lámhscríbhinní ach níl aon dabht ná gurbh é 'Baile Lín' /bal´ı l´i:n´/ a bhí ag Maidhc nuair a dúirt sé an t-amrán do Ú.P. Tá baile fearann, Baile an Lín (Ballyleen), i bParóiste Dhún Aill, Co. Phort Láirge [Feic Rev. P. Power, *Log-Ainmneacha na nDéise – The Place-Names of Decies* (Corcaigh: Cork University Press, 1952) lch. 355].

Bhailigh N.B. é seo, leis, ó Mhaidhc (le hEdifón) 1934: CBÉ150: 401-3 – feic an tAguisín (lch. 474) – agus bhailigh T.ÓF. dhá véarsa de uaidh (gan Edifón) c. 1934 :CBÉ 87:18.

18. Nóra an Chúil Úmair. LC (ar théip) 1954: Uimh. Thag. CBÉ 1265.

Bhailigh Ú.P. an t-amhrán seo ó Mhaidhc ar théip (feic an tAguisín, lch. 476) ach tá an chéad véarsa agus smut den tarna véarsa in easnamh [Cn.Ú.P., Coláiste na Rinne]. Bhailigh T.ÓF. uaidh chomh maith é gan Edifón, c. 1934 agus tá véarsa breise ina dheireadh ná fuair na bailitheoirí eile uaidh:

Thug mé naoi mbliana in innsmín ? fé ghlasaibh,
Ná feicidh einne mo scéimh ná mo leacain,
Naoi rite déag romhatsa agus de dhroim Nóra agus an talamh,
Agus ní mise a bhí ciontach nach an tsúil a thug fé ndeara í. [CBÉ 87:29]

Bhí an véarsa seo i leagan a bhailigh R.A. Breatnach ó Mhaidhc. Tá sé tugtha thíos díreach mar atá sé ag an mbailitheoir chun éachtaint éigin a thabhairt ar chuid de na focail atá i leagan Thomáis Uí Fhaoláin go bhfuil amhras fúthu:

19. Féach L. de Noraidh agus D. Ó hÓgáin, eag., *Binneas thar Meon*, lch.112-14, 208-9, 241-42.

Thugas nao mbliana 'ndeinsiún fé ghlasaibh,
Ná feceóch oinne mo sgéimh ná mo leacain,
Nao ruite déag rûtsa de dhroim Núra sa talamh –
Agus ní mise bhí ceanntach nach an t-úl fé ndear é. [R.A. Breatnach, "Roinnt Amhrán ón Rinn," *Éigse*, II, 4 (1940): 245]

19. Máire an Chúil Úmair [Cé hÉ Sin ar mo Thuama?]. LC (ar théip) 1954: Uimh. Thag. CBÉ 1265.

Bhailigh T.ÓF. an t-amhrán seo ó Mhaidhc fén teideal 'Cáitín an Chúil Ómra', c. 1934: CBÉ 87:26-7 – feic an tAguisín (lch. 477) – agus bhailigh R.A. Breatnach an t-amhrán ina iomlán uaidh [R.A. Breatnach, "Roinnt Amhrán ón Rinn," *Éigse*, II (4): 243-44].

Féach L. de Noraidh agus D. Ó hÓgáin, eag., *Binneas thar Meon*, lch.59-60.

20. Tiobraid Árann. Ú.P. ar théip (deireadh na gcaogaidí) [Cn.Ú.P., Coláiste na Rinne].

Breidhric agus Breoiric: Deighric is Breo – dhá bhaile fearann sléibhe i bParóiste Lic Fhuaráin, Co. Phort Láirge [Feic, P. Canon Power, *The Place Names of the Decies*, lch. 159.]

Bhailigh L.C. an t-amhrán seo ar cheirnín ó Mhaidhc chomh maith, 1954: Uimh. Thag. CBÉ 1269-71 – feic an tAguisín (lch. 478) – agus bhailigh T.ÓF. uaidh chomh maith é c. 1934: CBÉ 87:13-14]

21. Cois na Bríde. N.B. (le hEdifón) 20/11/35: CBÉ 151:12-14.

Bhailigh T.ÓF. an t-amhrán seo ó Mhaidhc, leis, (gan Edifón) c. 1934: CBÉ 87:15-16 – feic an tAguisín (lch. 479).

22. Dh'imíos ar mo *Frolic*. N.B. (le hEdifón) 20/11/34: CBÉ151: 14-16.

Bhailigh T.ÓF. an t-amhrán seo, leis, ó Mhaidhc (gan Edifón) c. 1934: CBÉ 87:19-20 – feic an tAguisín (lch. 480).

23. Eamonn Mágáine. N.B. (le hEdifón) 20/11/34: CBÉ151: 17-18.

24. Láirín Cheanann an Phaoraigh. LC (ar théip)1954: Uimh. Thag. CBÉ 1269-71.

Tá an t-amhrán seo áirithe fén dteideal Láirín an Ghearaltaigh i Roinn Bhéaloideas Éireann ach tá gach dealramh ar an scéal gurb é an t-amhrán atá anso ná Láirín Cheanann an Phaoraigh, agus nách é Láirín an Ghearaltaigh é ar ao'chor [Feic N. Breatnach, *Ar Bóthar Dom* (An Rinn: Coláiste na Rinne, 1998), lch. 155-56]. Fuair N.B. amhrán difriúil ar fad fén dteideal Láirín an Ghearaltaigh ó Mrs Fleming, Mary St., Dún Garbhán (10/11/35), CBÉ 150:466.

25. Nár Gheibhimse Bás Choíche [smut de Chaisleán Uí Néill]. LC (ar théip) 1954: Uimh. Thag. CBÉ 1269-71.

26. Caisleán Cuana. S.ÓD. (le hEdifón) M. Fómhair 1945: CBÉ977: 565-67.

Bhailigh N.B. an t-amhrán seo, leis, ó Mhaidhc (le hEdifón) 10/12/35: CBÉ 151:222-23 – feic an tAguisín (lch. 481).

Féach L. de Noraidh agus D. Ó hÓgáin, eag., *Binneas thar Meon*, lch.45-7.

27. Aonach na Bearna. N.B. (le hEdifón) 17/1/36: CBÉ152: 516.

Chuala Maidhc é seo ó Thomás Ó Cathail (aois 42), c. 1896.

28. An Binsín Luachra. N.B. (le hEdifón) 17/1/36: CBÉ152: 516-17.

29. An Goirtín Eornan. Ú.P. ar théip (deireadh na gcaogaidí) [Cn.Ú.P., Coláiste na Rinne].

Bhailigh N.B. an t-amhrán seo, leis, ó Mhaidhc (le hEdifón) 17/1/36: CBÉ 152:517-18 – feic an tAguisín (lch. 482).

30. Iníon an Fhaoit' ón nGleann. Ú.P. ar théip (deireadh na gcaogaidí) [Cn.Ú.P., Coláiste na Rinne].

Bhailigh N.B. an t-amhrán seo, leis, ó Mhaidhc (le hEdifón) 17/1/36: CBÉ 152:537-39 – feic an tAguisín (lch. 482).

31. Amhrán an tSeanduine. RAB (gan Edifón): R.A. Breatnach, "Roinnt Amhrán ón Rinn," *Éigse* II (4), 1940:241.

32. Reidhrí Álainn. Ú.P. ar théip (deireadh na gcaogaidí) [Cn.Ú.P., Coláiste na Rinne].

Ag tagairt dos na bruíonta (*faction fights*) atá an t-amhrán seo de réir deal-raimh (feic S. Murray, "Carabhats and Seanbheists: Factions in Waterford, 1805-15," *Decies* 4 (1977): 10.

An tSeana-Choill: Tá baile fearann, Seana Cuill (Old Hazel Place) i bParóiste Mhaothaile, Co. Phort Láirge – luaite ag P. Canon Power (*Place Names of Decies*, lch. 412).

33. Na Conneries. Ú.P. ar théip (deireadh na gcaogaidí) [Cn.Ú.P., Coláiste na Rinne].

Ar ócáid eile phléigh Maidhc an t-amhrán seo le Ú.P. agus agus duine éigin eile agus mar a leanas a chuaigh an comhrá:

> [Duine éigin den lucht éisteachta: Ach deir tú ná fuil 'Na Conneries' go maith ar an bpláta ceoil amuigh. Deir tú ná fuil 'Na Conneries' …]
>
> Thá 'Na Conneries' age … age an tAthair Ó Fearraíle. Thá sé ansan aige scrite uamsa mar a … mar athá sé … Agus thriail sé gach einne agus ní bhfuair sé na ceathrúin ag teacht as dia' a chéile mar a ceapag iad ó einne ach uam. Dúirt sé liom é, 'ndéana Dia trócaire air. Agus einne a bhfuil aon mheabhair ina cheann tuigfidh sé na … tuigfidh sé na ceathrúin ag teacht as dia' a chéile. Thá doine eile nois agus …

'Le linn … le linn … A Rí na bhFlaitheas Geal is a Bhanríon Bheannaithe'
– shiné an tara ceathrú athá acu.
Well, ní bhfuaireas-sa ....?
'An té a bheadh ina sheasamh ann,' – shiní an tara ceathrú – ach …
'An té a bheadh ina sheasamh ann agus a dhéanfadh machnamh ar ár gcúis á plé.
Thosnaigh sí ar a seacht ar maidin agus sheasaigh t'réis a naoi,
Chrioth an talamh fúinn le linn na leabhartha a bheith á dtabhairt sa mbréag,
Mo ghraidhin é an t-anam bocht, tá sí damanta más fíor í an chléir.'

Well, ansan thá sé a d'iarra' cabhair ar an Tiarna is ar an Maighdean Mhuire …

'A Rí na bhFlaitheas Geal,' a deir sé, 'agus a Bhanríon Bheannaithe tabhair cabhair orainn araon,
Agus ar an mbararthla' – shiní a máthair a bhí sa mbaile – 'go dúbhach inár ndéidh,
Meireach feabhas ár gcaride bhí ár muiníl cnagaithe agus sinn go doimhin san aol,
Ansúd a casag sinn chun téarmaí a chaitheamh ages na New South Wales.

Anois thá jaicéid gairid á dhéanamh ó mhaidean dúinn is triús dá réir.'

Bhí 'Na Conairígh' á rá thíos sa halla thíos oíche agus bhí an tAthair Ó Fearraíle amuigh age'n bhfuinneog, agus nuair a bhí an t-amhrán ráite ghlaoigh sé ormsa:

"A Mhaidhc," arsa sé, "'bhfuil 'Na Conairígh' ráite ina gceart.
"Nín," arsa mise. "Nín siad ráite ina gceart."
Anonn linn 'dtí fuinneog na hoifige, go ndéana Dia trócaire is grásta air, agus shuíomair síos. Agus chuir … chuir sé thoiris … chuir sé thoiris ansan mo chuidse cainte ....
"Ó," arsa sé, "thá an ceart agat."
Scrigh sé ansan é agus pé áit a bhfuil oifig Fear ... nó a raibh sé – ar an gColáiste athá sí – thá sé sin istigh ann.

[Ú.P.: Thá sé ann. Thá sé age Michéal Ó Bolguidhir is dóigh liom. Dhéarfainn go bhfuil a chuid stuif ag Michéal Ó Bolguidhir … Michéal Ó Bulguidhir … Michéal Ó Bolguidhir.]

Age Bolgéar?

[Ú.P.: Age Bolgéar, sea, mar bhí gaol eatarthu agus bhíodar ana-mhuinteartha.]

Age Bolgéar. Cé hé sin?

[Ú.P.: Bolger – Micheál Bulger]

Ó sea, sea. *Well*, ní dh'iarr sé sin orm é.

[Ú.P.: Nár dh'iarr]

Níor dh'iarr sé orm é.

[Duine éigin den lucht éisteachta: Fuair sé … fuair sé ón Athair Ó Fearraíl é]

[Ú.P.: Dhéarfainn gur bhfuair sé ón Athair Ó Fearraíl é mar is dóigh liom go bhfuil stuif an Athair Uí Fhearraíl age sin.]

Well anois 'á mba é .... cuirfidh tú thorat é – einne a bhfuil aon mheabhair anso ar ao'chor aige tuigfidh sé go bhfuil sé ina cheart mar athá sé agamsa. Nach [nu]air a n'aireoidh tú á rá é age'n radio b'fhuiris a dh'aithint ag einne, b'fhuirist a dh'aithint ag einne go bhfuil sé ag imeacht bunosceann. [Cn.Ú.P., Coláiste na Rinne]

34. **Dúirt Margaret lena Máthair**. Ú.P. ar théip (deireadh na gcaogaidí) [Cn.Ú.P., Coláiste na Rinne].
35. **Na Gleannta**. R.B.B. (ar théip) c. 1958: Cn.R.B.B., Scoil an Léinn Cheiltigh Institiúid Ard-Léinn Bhaile Átha Cliath: Uimh. Thag. 6.
36. **Chuas ag Walcaeracht.** R.B.B. (ar théip) c. 1958: Cn.R.B.B., Scoil an Léinn Cheiltigh Institiúid Ard-Léinn Bhaile Átha Cliath: Uimh. Thag. 499.
37. **Seán an Bhríste Leathair**. R.B.B. (ar théip) c. 1958: Cn.R.B.B., Scoil an Léinn Cheiltigh Institiúid Ard-Léinn Bhaile Átha Cliath: Uimh. Thag. ?.
38. **An Dá Sheán is mo Sheánsa**. R.B.B. (ar théip) c. 1958: Cn.R.B.B., Scoil an Léinn Cheiltigh Institiúid Ard-Léinn Bhaile Átha Cliath: Uimh. Thag. ?.
39. **Na Tuincéirí.** R.B.B. (ar théip) c. 1958: Cn.R.B.B., Scoil an Léinn Cheiltigh Institiúid Ard-Léinn Bhaile Átha Cliath: Uimh. Thag. ?
40. **Beidh Ríl Againn**. R.B.B. (ar théip) c. 1958: Cn.R.B.B., Scoil an Léinn Cheiltigh Institiúid Ard-Léinn Bhaile Átha Cliath: Uimh. Thag. 567.

O. AMHRÁIN A CHUM SÉ FÉIN

1. Aréir is Mé ag Machnamh

C.ÓD. (ar cheirnín) 1948: Uimh. Thag. CBÉ M0015-18.

Bhailigh Ú.P. an t-amhrán seo ó Mhaidhc ar théip chomh maith [Cn.Ú.P., Coláiste na Rinne] agus bhailigh S.ÓD. uaidh chomh maith é (gan Edifón) 24/3/48: CBÉ 1100:3-6 – feic an tAguisín (lch. 483).

[Tá Maidhc ar a phinsean le bliain. Ní bhfuair sé ach hocht agus raol sa tseachtain. Chuir san i gcoinne an Rialtais é agus do chúm sé amhrán – S.ÓD.]

2. Hata Mhaidhc. S.ÓD. (gan Edifón) 24/3/48: CBÉ 1100:6-7.

Bhailigh Ú.P. an t-amhrán seo ó Mhaidhc chomh maith ar théip (deireadh na gcaogaidí) [Cn.Ú.P., Coláiste na Rinne] – feic an tAguisín (lch. 485).

[Séideadh a hata dhe Mhaidhc lá gaoithe móire. Tháinig gála i mbliana. Nuair a tháinig sé abhaile shuigh sé ar a chathaoir agus do labhair sé, mar dhea, lena a bhean chéile ná maireann – S.ÓD.]

3. An Dreoilín. Ú.P. ar théip (deireadh na gcaogaidí) [Cn.Ú.P., Coláiste na Rinne].

Bhailigh S.ÓD é seo ó Mhaidhc chomh maith (gan Edifón) 24/3/38: CBÉ 1100:8 – feic an tAguisín (lch. 486).

4. Is Buachaill Deas Mise Athá im Aonar. C.ÓD. (ar cheirnín) 1948: Uimh. Thag. CBÉ M0015-18.

Chum Maidhc amhrán eile le déanaí ar dhuine dhos na comharsain, fear aosta ná raibh pósta riamh agus atá ana-dhian a d'iarra' pósadh anois. Is beag ná raibh cleamhnas déanta aige le cailín óg tamall gairid ó shoin ach ní thoileodh muintir an chailín leis agus d'imigh an cailín anonn go Sasana. Tá an fear so ina aonar sa tigh – S.ÓD.

'Thabharfadh sí a saol im chrústáil': Tá comharsa mná aige a dhúisíonn gach maidean é chun go n-éireodh sé chun na mba a chrú agus sé seift athá aici, clocha a chrústach in airde ar an dtigh mar díon stáin athá air – S.ÓD.

Bhailigh S.ÓD. é seo ó Mhaidhc chomh maith (gan Edifón) 24/3/48: CBÉ 1100:9-10 – feic an tAguisín (lch. 487).

5. A Mháire a Chéad Searc. CÓD (ar cheirnín) 1948: Uimh. Thag. CBÉ. 0498.

Bhailigh S.ÓD. é seo ó Mhaidhc chomh maith (gan Edifón) 24/3/48: CBÉ 1100:11 – feic an tAguisín (lch. 488).

Major Eale: *Major Eale's Grave* ar bharr Chnoc Mhaoldomhnaigh. D'fhág an Major le huacht go gcuirfí é ar bharr an chnoic i dteannta a mhadra agus a ghunna. (Power, *The Place-Names of Decies*, lch. 49).

6. 'Á bhFaighinn a bhfuil Tirim do Thalamh na hÉireann. S.ÓD. (gan Edifón) 24/3/48: CBÉ 1100:12.

P. DÁNTA AGUS AMHRÁIN DIAGA

1. Eachtra an Bháis. C.ÓD. (ar cheirnín) 1948: Uimh. Thag. CBÉ M0490.

Bhailigh N.B. Eachtra an Bháis ó Mhaidhc (gan Edifón) ar an 8/2/32: CBÉ 86:9-11 [feic an tAguisín (lch. 488)] agus bhailigh sé aríst uaidh é (le hEdifón) 1934: CBÉ152: 383, 385, 387. Bhailigh Ú.P. ar théip (deireadh na gcaogaidí) uaidh é chomh maith [Cn.Ú.P., Coláiste na Rinne] agus bhailigh R.B.B. uaidh é ar théip, c. 1958: Cn.R.B.B., Scoil an Léinn Cheiltigh, Institiúid Ard-Léinn Bhaile Átha Cliath, Uimh. Thag. 507.

3. Scéal na Páise. C.ÓD. (ar cheirnín) 1948: Uimh. Thag. CBÉ 0492.

Bhailigh Ú.P. an scéal seo, leis, ó Mhaidhc ar théip (deireadh na gcaogaidí) [Cn.Ú.P., Coláiste na Rinne] – feic an tAguisín (lch. 490).

Féach L. de Noraidh agus D. Ó hÓgáin, eag., *Binneas thar Meon*, lch.55-8.

4. Aisling na Maighdine. C.ÓD. (ar cheirnín) 1948: Uimh. Thag. CBÉ 0494.

Féach A. Partridge, *Caoineadh na dTrí Muire- Téama na Páise i bhFilíocht Bhéil na Gaeilge* (Baile Átha Cliath: An Clóchomhar Teo, 1983), lch. 248-50 mar a bhfuil an taifeadadh seo i gcló cheana. Tá leagan eile de Caoineadh na Maighdine (ó bhéalaithris Mhaidhc Dháith) foilsithe ag R.A. Breatnach – R.A. Breatnach, "Roinnt Amhrán ón Rinn," *Éigse* II (1940) 245-6. Bhailigh N.B. Aisling na Maighdine ó Mhaidhc chomh maith ar an 8/2/32 [CBÉ 86:6-7]. Bhailigh T.ÓF. uaidh é c. 1934 [CBÉ 87:21-2]. Bhailigh Ú.P. uaidh ar théip é (deireadh na gcaogaidí) [Cn.Ú.P., Coláiste na Rinne]. Bhailigh S.ÓS ar cheirnín uaidh é sa bhliain 1940: Uimh. Thag. CBÉ 0045 [feic an tAguisín (lch. 491), agus bhailigh L.C. uaidh ar cheirnín é chomh maith: Uimh. Thag. CBÉ 2281 – ní fios cathain ach is dóichí gur sa bhliain 1954 nó 1955 a deineadh é – feic an tAguisín (lch. 491).

Ví Rósa <Via Dolorosa, R.A. Breatnach, "Roinnt Amhrán ón Rinn," *Éigse* II (1940) 245.

Q. CAOINTE

1. A Dhritheáir na Anam Is Dubhach a Bhí Mé. S.ÓD. (gan Edifón) Meith. 1945: CBÉ977: 155-56.

2. Éist a Shagairt. S.ÓD. (gan Edifón) M. Fómhair 1945: CBÉ977: 476-77.

3. Ar Maidin sa Dúnaing. C.ÓD. (ar cheirnín) 1948: Uimh. Thag. CBÉ M00490.

Bhailigh N.B. an caointeachán seo ó Mhaidhc chomh maith (le hEdifón) ar an 20/11/35: CBÉ 151:20-21 agus Bhailigh T.ÓF. é, leis, (gan Edifón) c. 1934: CBÉ 87:30. Bhailigh S.ÓD. aríst é, (gan Edifón) Meith. 1945: CBÉ 977:37 – feic an tAguisín (lch. 492).

4. Caoineadh Iníon Uí Mhuiríosa. Ú.P. ar théip (deireadh na gcaogaidí) [Cn.Ú.P., Coláiste na Rinne].

Bhailigh S.ÓD. é seo, leis, ó Mhaidhc, (gan Edifón) M. Fómhair 1945: CBÉ 977: 448-49, ach níl ann ach an chéad véarsa – feic an tAguisín (lch. 493).

Dúirt Labhrás Ó Cadhla, a rugadh i Scairt na Draighní, Paróiste Chill Ghobnait (1889-1961), gurbh í an bhean atá á caoineadh anseo ná Siobhán Ní Mhuiríosa na Ceapaí, An Cheapach, Paróiste an Teampaill Ghil. D'uachtaigh sí go gcuirfí i dTuar an Fhíona í agus ba í an chéad duine dá muintir a cuireadh riamh san áit sin. Tháinig a huncail go dtí an tórramh agus dúirt sé go mb'fhearr í a chur sa Chnoc Buí. Taifeadadh an caoineadh dhá uair ó Labhrás Ó Cadhla (sa bhliain 1948 agus arís sa bhliain 1958). Is mar a chéile an dá leagan ach amháin go bhfuil véarsa breise i leagan 1958. [L. Ó Cadhla, *Amhráin ó Shliabh* Gua (Leabhrán agus CD) (Baile Átha Cliath: RTÉ, 2000), lch. 15, 27].

5. Caointeachán Deirféar an Ghabha. C.ÓD. (ar cheirnín) 1948: Uimh. Thag. CBÉ M0492.

Bhailigh Ú.P. an caoineadh seo, leis, ó Mhaidhc ar théip (deireadh na gcaogaidí) [Cn.Ú.P., Coláiste na Rinne] – féach an tAguisín.(lch. 493).

6. Seán a' Búrc. C.ÓD. (ar cheirnín) 1948: Uimh. Thag. CBÉ M0494.

Bhailigh Ú.P. é seo, leis, ó Mhaidhc ar théip (deireadh na gcaogaidí) [Cn.Ú.P., Coláiste na Rinne] – feic an tAguisín (lch. 494).

7. A Dháith Paor. N.B. (gan Edifón) 8/2/32: CBÉ86: 78-9

Bhailigh N.B. an caointeachán seo ó Mhaidhc aríst, (le hEdifón) 20/11/35: CBÉ151: 18-19 – feic an tAguisín (lch. 495).

8. Caoineadh Mhichíl Uí Chionnfhaolaidh. Ú.P. ar théip (deireadh na gcaogaidí) [Cn.Ú.P., Coláiste na Rinne].

Rugadh Michéal Ó Cionnfhaolaidh (1887-1956) sa Pháirc i gCnocán a' Phaoraigh Íochtarach. Thosnaigh sé ag múineadh i Scoil na Leanbh sa Rinn nuair a bunaíodh í sa bhliain 1919. Bhí sé ag múineadh ar na cúrsaí samhraidh i gColáiste na Rinne ó 1912-1952.

9. Caoineadh an Fhir Mhóir. Ú.P. ar théip (deireadh na gcaogaidí) [Cn.Ú.P., Coláiste na Rinne].

Rugadh An Fear Mór (Séamus Ó hEochadha) i Móin an Ghé, Co. Luimní sa bhliain 1880. Tháinig sé go dtí an Rinn an chéad uair ag foghlaim na Gaelainne. Bhí sé ag múineadh ar na cúrsaí samhraidh i mBóthar na Sop sa bhliain 1906. Toghadh ina Phríomh-oide é ar Scoil na Leanbh nuair a bunaíodh í sa bhliain 1919. Cailleadh An Fear Mór sa bhliain 1959.

10. Scúnaer a Bhág agus Caoineadh Dixon. Bailithe ag R.B. Breatnach ar théip, c. 1958: Cn.R.B.B., Institiúid Ardléinn Bhaile Átha Cliath, Uimh. Thag. 302.

'Dixon' a bhí mar leasainm ar Liam Turraoin, dearthár Mhaidhc.

R. RANNSCÉALTA AGUS SEANCHAS FILÍOCHTA

1. Máire an Bhata. S.ÓD. (gan Edifón) Meith. 1945: CBÉ 977: 49-50.

2. Baiste an Amadáin. C.ÓD. (ar cheirnín) 1948: Uimh. Thag. CBÉ M0491.

Bhailigh S.ÓD. é seo, leis, (gan Edifón) Meith. 1945: CBÉ977: 51-2 – feic an tAguisín (lch. 496).

3. An Sagart agus an Drochbhhean Tí. S.ÓD. (gan Edifón) Meith. 1945: CBÉ 977: 52.

4. A Dhochtúir Dee Guímse Guí Dhuit. S.ÓD. (gan Edifón) Meith. 1945: CBÉ 977: 136-37.

Bhailigh Ú.P. é seo ó Mhaidhc, leis, ar théip (deireadh na gcaogaidí) ach níl ann ach an rann féin. Ránódh go raibh a thuilleadh ann ach má bhí níor tháinig sé amach ar an dtéip [Cn.Ú.P., Coláiste na Rinne].

5. Caoineadh Bhaile an Aicéada'. N.B. (le hEdifón) 1934: CBÉ 150: 258-60.

Bhailigh S.ÓD. é seo, leis, (gan Edifón) Meith. 1945: CBÉ 977: 142-43 – feic an tAguisín (lch. 496).

6. An Brúnach agus Michéal Ó hArta. C.ÓD. (ar cheirnín) 1948: Uimh. Thag. CBÉ M0487.

Bhailigh N.B. é seo, leis, (le hEdifón) 1934: CBÉ 150: 260-62 – feic an tAguisín (lch. 497).

7. Na Ceardaithe agus an Sclábhaí. S.ÓD. (gan Edifón) Meith. 1945: CBÉ 977: 179-80.

8. Rincfead Ríl nó Dhó le hÉamonn 'ac Gearailt. S.ÓD. (gan Edifón) M. Fómhair 1945: CBÉ 977: 446-47.

9. A Shiota na Sála. R.B.B. (ar théip) c. 1958: Cn.R.B.B., Scoil an Léinn Cheiltigh Institiúid Ard-Léinn Bhaile Átha Cliath: Uimh. Thag. 52.

Bhailigh S.ÓD. é seo, leis, ó Mhaidhc (gan Edifón) D. Fómhair 1945: CBÉ 978: 85-6. – feic an tAguisín.(lch. 498)

10. A Háidín, a Háidín. S.ÓD. (gan Edifón) D. Fómhair 1945: CBÉ978: 88.

Bhailigh R.B. Breatnach an véarsa mar gheall ar 'Miss Mary' ó Mhaidhc, leis, ach gan aon chur síos ar an mbunús a bhí leis, agus bhí véarsa eile roimhe chomh maith:

Thá an *schooner* sa chuain is ní féidir léi fágaint,
Nuair ná fuil gatha le leithead na seol is níl ….?? mara …....?
Conas a bheadh nuair a bhí léine ar Pheadar de agus léine ar Mháire,
Agus bairlín féna dtóin ós í is mó a raibh gá léi.

Nach í Miss Mary an cailín galánta,
'Á chomhartha gob í a chac sa sáspan,
Agus chuir Seán Cúnún trí laige sa ngeárd de,
Agus chac sé pic má b'fhíor na Barnetts.

[Bailithe ag R.B. Breatnach ar théip, c. 1958: Cn.R.B.B., Institiúid Ard-Léinn Bhaile Átha Cliath, Uimh. Thag. 572]

11. Stáca an Mharga'. C.ÓD. (ar cheirnín) 1948: Uimh. Thag. CBÉ M0488.

Bhailigh S.ÓD. é seo chomh maith, (le hEdifón) M. Fómhair 1945: CBÉ 977: 552-54 – feic an tAguisín (lch. 498).

12. Moladh na Bochtaineachta. C.ÓD. (ar cheirnín) 1948: Uimh. Thag. CBÉ M0492.

Bhailigh S.ÓD. é seo chomh maith, (le hEdifón) M. Fómhair 1945: CBÉ 977: 557-58 – feic an tAguisín (lch. 499).

13. Bhí Mé Lá ar an mBaile seo. N.B. (le hEdifón) 1934: CBÉ 150: 381.

Bhailigh S.ÓD. é seo, leis, (gan Edifón) Meith. 1945: CBÉ 968:560-61 – feic an tAguisín (lch. 500) – agus bhailigh T.ÓF., leis, é (gan Edifón) c. 1934: CBÉ 87:144. Bhailigh R.B.B. ar théip uaidh é c. 1958: Cn.R.B.B., Scoil an Léinn Cheiltigh, Institiúid Ard-Léinn Bhaile Átha Cliath, Uimh. Thag. 445.

14. Mhuise Baochas le Dia. S.ÓD. (gan Edifón) Meith. 1945: CBÉ 968: 559.

15. A Bhean gan Leanbh. S.ÓD. (gan Edifón) Meith. 1945: CBÉ 968: 561-62.

16. Scúilín agus Ciúisín. S.ÓD. (le hEdifón) Samhain 1945: CBÉ 978: 238-39.

Bhailigh Ú.P. an rannscéal seo, leis, ó Mhaidhc [Cn.Ú.P., Coláiste na Rinne].

17. Scéal, Scéal agus Eireaball ar Éan. S.ÓD. (le hEdifón) Samhain 1945: CBÉ 978: 240-41.

18. Imeoidh a dTiocfaidh agus Dh'imigh a dTáinig. S.ÓD. (gan Edifón) Meith. 1945: CBÉ 968: 569.

Bhailigh Ú.P. é seo, leis, ó Mhaidhc ar théip deireadh na gcaogaidí [Cn.Ú.P., Coláiste na Rinne] – Feic an tAguisín (lch. 500).

19. Ruainín Branair a Bhí agam fhéin. S.ÓD. (gan Edifón) Márta 1948: CBÉ 1100: 67-8.

20. Mór agus Muire Dhuit. C.ÓD. (ar cheirnín) 1948: Uimh. Thag. CBÉ M0493.

Bhailigh W.D. é seo ó Mhaidhc chomh maith (ar cheirnín) 1928: Uimh. Thag. CBÉ T0667 – feic an tAguisín (lch. 501).

21. An Brúnach agus Bean na mBairneach. C.ÓD. (ar cheirnín) 1948: Uimh. Thag. CBÉ M0015-18.

22. Diarmaid Ó Seanacháin agus na Brianaigh. C.ÓD. (ar cheirnín) 1948: Uimh. Thag. CBÉ M0015-18.

Bhailigh N.B. an rannscéal seo, leis, ó Mhaidhc Dháith le hEdifón ar an 19/4/35: CBÉ 150:451,453, agus bhailigh T.ÓF. an rann uaidh (gan Edifón) – gan aon mhíniú – c. 1934: CBÉ 87:23. Bhailigh S.ÓD. aríst uaidh é (le hEdifón) M. Fómhair 1945: CBÉ 977: 533-34 – feic an tAguisín (lch. 501) – agus bhailigh Ú.P. uaidh é ar théip deireadh na gcaogaidí [Cn.Ú.P., Coláiste na Rinne].

23. Eibhlín Ní Ghearailt. S.ÓD. (le hEdifón) M. Fómhair 1945: CBÉ 977: 527-28.

Bhailigh N.B. é seo ó Maidhc chomh maith (le hEdifón) 1934: CBÉ 150: 253-54 – feic an tAguisín (lch. 502) agus bhailigh C.ÓD. uaidh é ar cheirnín, 1948: Uimh. Thag. CBÉ M0493 – feic an tAguisín (lch. 502).

Fuair N.B. na línte deireanacha den rannscéal seo mar chuid de rannscéal ar leithligh ó Mhaidhc le hEdifón ar ócáid eile sa bhliain 1934. Níl aon tagairt ann don ainm Eibhlín Ní Ghearailt ná do cad ina thaobh gur cuireadh amach as an gcéad tórramh í:

> Bhí seanabhean chaointe ar an mbaile seo babhta agus chuaigh sí isteach i dti' tórraimh agus thosnaigh sí ag caointeachán. Agus bhí fear istigh ann ab ainm do Pádraig Ó Cuirrín agus chuir sé amach í agus dh'imigh sí léithe abhaile. Agus i gceann tamaill de bhlianta fuair an Cuirríneach bás agus chuaigh sí dtí a thórramh féin á chaoineamh. Nuair a chuaigh sí isteach dtí clár a thórraimh:
>
> "Mo chreach ghéar fhada," arsa sí,
> "Dá fhaid a bhí mé,
> Bhí bóithrín deas age ceann do thíse;
> Níor bhóithrín ba é ná bóithrín caoirigh,
> Ach bóithrín cearc chun do chac a scríobadh,
> Agus dá fhaid é an lá ní chuirfidís críoch air." [CBÉ 150:383]

24. Tadhg agus an Láirín. N.B. (le hEdifón) 1934: CBÉ 150:375,377.

25. An Garsún Bán. S.ÓD. (gan Edifón) Meith. 1945: CBÉ 977: 3-4.

Bhailigh W.D. é seo ó Mhaidhc, leis, ar cheirnín, 1928: Uimh. Thag. CBÉ T0667 – feic an tAguisín (lch. 503).

26. Tadhg Gaelach agus an Bráthair Bocht. C.ÓD. (ar cheirnín) 1948: Uimh. Thag. CBÉ M0495.

Féach N. Breatnach, *Ar Bóthar Dom*, lch. 2.

Bhailigh N.B. a thuilleadh seanchais mar gheall ar Thadhg Gaelach Ó Súilleabháin ó dhaoine éagsúla sa Rinn agus sa Seana-Phobal:

> Ó Sheán Ó Mathúna (71), Gabhlán, 1/4/36 [CBÉ 183:268-76]
> Ó Mhicil Paor (65), Curraichín, 11/11/36 [CBÉ 259:680-81].
> Ó Nioclás Póil (72), Ceann a' Bhathla, 1/11/36 [CBÉ 259:577-79].

27. Tadhg Gaelach agus an Easóg. Ú.P. deireadh na gcaogaidí [Cn.Ú.P., Coláiste na Rinne].

Bhailigh S.ÓD. é seo ó Mhaidhc, leis, (gan Edifón) Meith. 1945: CBÉ 977: 4 – feic an tAguisín (lch. 503).

28. Tadhg Gaelach agus an Dall. N.B. (gan Edifón) 8/232: CBÉ 86:5.

Bhailigh Ú.P. é seo, leis, ó Mhaidhc ar théip deireadh na gcaogaidí [Cn.Ú.P., Coláiste na Rinne] – Féic an tAguisín (lch. 504).

29. Bás Thaidhg Ghaelaigh. S.ÓD. (gan Edifón) Meith. 1945: CBÉ 977:4.

30. Clann Thaidhg Ghaelaigh. S.ÓD. (gan Edifón) Meith. 1945: CBÉ 977: 4-5.

31. File Phort Láirge. Ú.P. ar théip (deireadh na gcaogaidí) [Cn.Ú.P., Coláiste na Rinne].

32. Cróinín na Screathaine

Rugadh Bill Cróinín ar an 18/7/1896 agus cailleadh é c. 1910 (Breatnach, *Ar Bóthar Dom*, lch. 227)

(i) Cróinín agus an Fear Bréagach. S.ÓD. (le hEdifón) M. Fómhair 1945: CBÉ 977:548-49.

Bhailigh R.B.B. é seo ó Mhaidhc chomh maith ar théip, c. 1958: Cn. R.B.B., Scoil an Léinn Cheiltigh, Institiúid Ardléinn Bhaile Átha Cliath, Uimh. Thag.7 – feic an tAguisín (lch. 504).

(ii) Cróinín agus na Bóithreáin . N.B. (le hEdifón) 1934: CBÉ 150:550-1.

Bhailigh R.B.B. é seo ó Mhaidhc chomh maith ar théip, c. 1958: Cn.R.B.B., Institiúid Ardléinn Bhaile Átha Cliath, Uimh. Thag. 33 [feic an tAguisín, lch. 505] agus bhailigh S.ÓD. uaidh, leis, é leis an Edifón M. Fómhair 1945: CBÉ 977:449-50 – feic an tAguisín (lch. 505).

(iii) A. Cróinín agus an Bárdal. S.ÓD. (le hEdifón) M. Fómhair 1945: CBÉ 977:550-1.

Bhailigh R.B.B. é seo ó Mhaidhc chomh maith ar théip, c. 1958: Cn.R.B.B., Institiúid Ardléinn Bhaile Átha Cliath, Uimh. Thag. 56 [feic an tAguisín (lch. 506)] agus bhailigh N.B. uaidh, leis, é leis an Edifón 1934: CBÉ 150:379 – feic an tAguisín (lch. 506).

33. An File agus Sagart Paróiste Choilligeáin. C.ÓD. (ar cheirnín) 1948: Uimh. Thag. CBÉ M0487.

Bhailigh S.ÓD. é seo, leis, (le hEdifón) M. Fómhair 1945: CBÉ 977:507-8 – feic an tAguisín (lch. 506).

34. Mar a Sheanseáil an Sagart "Cailín Deas Crúite na Bó." Ú.P. ar théip (deireadh na gcaogaidí) [Cn.Ú.P., Coláiste na Rinne].

Dhein Maidhc tagart do seo, leis, nuair a bhí S.ÓD. ag bailiú seanchais uaidh sa bhliain 1945:

> Bhí an sagart ag dul ag cuir na hola suas agus d'airigh sé an t-amhrán istigh i lios, agus bhí an t-amhrán chomh breá agus go bhfan sé ag éisteacht leis nó go raibh sé críochnaithe. Agus nuair a chuaigh sé dtí an tigh bhí an fear t'réis bháis. Bhí fearg ar an sagart chun an té a dhein an t-amhrán. Bhí

oiread san feirge air chuige go raibh sé glaoite go dtí an séipéal an Domhnach a bhí ina cheann chun sluamhallacht a chuir ón althóir air.

Agus an fear a cheap an t-amhrán, ag obair i dtigh feirmeora a bhí sé, agus fé ar tháinig an Domhnach tháinig mac den bhfeirmeoir a bhí ina shagart, tháinig sé abhaile ar laethanta saoire agus 'niseag an cúrsa dho mhac an fheirmeora a bhí ina shagart conas a thit gach aon rud amach agus go bhfuair an fear bás gan ola de dheasca an amhráin.

D'fhiarthaigh an sagart den bhfear an bhfaigheadh sé an t-amhrán a dh'aistriú agus dúirt sé go bhfaigheadh. Dh'aistrigh sé an t-amhrán ansan agus níor chuir an sagart a bhí san áit aon sluamhallacht ansan air, agus thá an t-amhrán ar an dá shlí ó shoin.

Bhí sé ró-mhór ag cuir síos ar na mná ar dtúis agus dh'aistrigh sé ar an mbeannaitheacht ansan é. [CBÉ 978:95-6, D. Fómhair 1945]

35. Sagart Mór Ramhar. R.B.B. (ar théip) c. 1958: Cn.R.B.B., Scoil an Léinn Cheiltigh Institiúid Ard-Léinn Bhaile Átha Cliath: Uimh. Thag. 425.

36. A hAon ón mBeo. R.B.B. (ar théip) c. 1958: Cn.R.B.B., Scoil an Léinn Cheiltigh Institiúid Ard-Léinn Bhaile Átha Cliath: Uimh. Thag.

37. Pádraig Turraoin agus Catherine Morrissey. R.B.B. (ar théip) c. 1958: Cn.R.B.B., Scoil an Léinn Cheiltigh Institiúid Ard-Léinn Bhaile Átha Cliath: Uimh. Thag. 466.

S. GRINNSCÉALTA

1. Cad as don Stampa? C.ÓD. (ar cheirnín) 1948: Uimh. Thag. CBÉ 0493.

Bhailigh S.MacS. é seo ó Mhaidhc chomh maith (gan Edifón): CBÉ 630:235, agus bhailigh S.ÓD. é (gan Edifón) Meith. 1945: CBÉ 977:5-6 – feic an tAguisín (lch. 507).

2. Fear a Chuaigh go dtí an Althóir le Trí Bean. S.ÓD. (gan Edifón) Meith. 1945: CBÉ 977:27.

3. An Bhean agus an Toirneach. S.ÓD. (gan Edifón) Meith. 1945: CBÉ 977:133.

4. Droch-Bhéarla (i) – *"I Went up on Cúirt one Day."* S.ÓD. (gan Edifón) Meith. 1945: CBÉ 977:140-41.

5. Droch-Bhéarla (ii) – *"My Dadda Told it to me."* S.ÓD. (gan Edifón) Meith. 1945: CBÉ 977:180.

Feannóg: *Hooded, grey crow (Corvus corone cornix).*

6. Seán Bí id Shuí. S.ÓD. (gan Edifón) Meith. 1945: CBÉ 977:156.

Aa-Th. 1544, *The Man Who Got a Night's Lodging.*

7. Fág Ansan É. S.ÓD. (le hEdifón) M. Fómhair 1945: CBÉ 978:5.

8. An tAmadáinín agus an Sprid. S.ÓD. (le hEdifón) M. Fómhair 1945: CBÉ 978:1a-2.

9. D'réir mar a Thitfidh. S.ÓD. (le hEdifón) Deireadh Fómhair 1945: CBÉ 978:83-4.

10. Micil Ó Gadhra agus Tomás a Cathail. S.ÓD. (le hEdifón) M. Fómhair 1945: CBÉ 977:517-18.

11. Bhí mé Oíche age Bualadh. S.ÓD. (le hEdifón) M. Fómhair 1945: CBÉ 977:511-13.

12. Gadhra agus an Diabhal. Ú.P. ar théip (deireadh na gcaogaidí) [Cn.Ú.P., Coláiste na Rinne].

13. Bean a Phós Ceathrar Gaibhne. S.ÓD. (le hEdifón) M. Fómhair 1945: CBÉ 977:521-22.

14. Fear an Treabhsair Chorda. S.ÓD. (gan Edifón) Márta 1948: CBÉ 1100:25-6.

15. Sin í an Obair Athá Déanta ar Tuathal. S.ÓD. (gan Edifón) Márta 1948: CBÉ 1100:29.

16. Mac Shiobhán Mhaol

(i) C.ÓD. (ar cheirnín) 1948: Uimh. Thag. CBÉ 0495.

Aa-Th. 1832N*. *Lamb of God Becomes Sheep of God*, cf. Aa-Th. 1833 *The Boy Applies the Sermon.*

Bhailigh S.MacS. an scéal seo ó Mhaidhc chomh maith, (gan Edifón):CBÉ 630:229, 31, 33, agus bhailigh N.B., leis, uaidh é (gan Edifón) 8/2/32: CBÉ 86:7-9 – feic an tAguisín (lch. 507).

(ii) C.ÓD. (ar cheirnín) 1948: Uimh. Thag. CBÉ 0495.

Bhailigh S.MacS. é seo ó Mhaidhc chomh maith, (gan Edifón):CBÉ 630:233, 35 – feic an tAguisín (lch. 508).

17. An tEaspag agus an Garsún. C.ÓD. (ar cheirnín) 1948: Uimh. Thag. CBÉ 0015-18.

Bhailigh S.Mac S. é seo ó Mhaidhc chomh maith, (gan Edifón): CBÉ 630: 239-40 – feic an tAguisín (lch. 509).

18. An Ciarraíoch agus an Muileann Gaoithe. C.ÓD. (ar cheirnín) 1948: Uimh. Thag. CBÉ 0015-18.

Aa-Th.: *The Windmill is Thought to be a Holy Cross.*

19. An Gairid do Athá a Radharc? S.ÓD. (gan Edifón) Bealtaine 1948: CBÉ1100:232-33.

20. An Snáiteoir. Ú.P. ar théip (deireadh na gcaogaidí) [Cn.Ú.P., Coláiste na Rinne].

Bhailigh N.B. a thuilleadh seanchais mar gheall ar Pháidín Turraoin:

Ó Thomás Ó Muirithe (70), Cnocán a' Phaoraigh, 31/1/36 [CBÉ 153:42-5];
Ó Pheaid a' Cártha (75), An Linn Bhuí, 2/3/36 [CBÉ 153:400-1]

21. Sagart Cheann a' Bhathalla agus Sagart Ghleann Dealgain. Ú.P. ar théip (deireadh na gcaogaidí) [Cn.Ú.P., Coláiste na Rinne].

Gleann Dealgain: I bParóiste Chill Rosanta, Co. Phort Láirge.

22. Tuilleadh Uisce a Mhic. S.MacS. (gan Edifón): CBÉ 630: 241.

23. Beir É Fhéin Leat! S.MacS. (gan Edifón): CBÉ 630: 242.

24. Pilib Tincéir agus a Mhná. S.ÓD. (le hEdifón) M. Fómhair 1945: CBÉ 977:523.

25. Pilib Tincéir ag Malartú Ban. S.ÓD. (le hEdifón) M. Fómhair 1945: CBÉ 977:524.

26. Na Leaimbíos a Bhí ar Mhulla a' Chairn

(i) S.ÓD. (gan Edifón) Márta 1948: CBÉ1100:15-16.

Bhailigh S.ÓD. é seo ó Mhaidhc ar ocáid éile (le hEdifón) M. Fómhair 1945: CBÉ 977:525-26 – feic an tAguisín (lch. 509).

(ii) S.ÓD. (gan Edifón) Márta 1948: CBÉ1100:16-17.

(iii) S.ÓD. (gan Edifón) Márta 1948: CBÉ1100:17.

27. An Raibion agus an Táilliúir. S.ÓD. (le hEdifón) M. Fómhair 1945: CBÉ 977:526-7.

28. An Fear Dubh agus an Bar Gallúnaigh. R.B.B. (ar théip) c. 1958: Cn. R.B.B., Scoil an Léinn Cheiltigh Institiúid Ard-Léinn Bhaile Átha Cliath: Uimh. Thag. 579.

29. Mary Condon agus Father Conway. Ú.P. ar théip (deireadh na gcaogaidí) [Cn.Ú.P., Coláiste na Rinne]

T. PAIDREACHA

1. Áirthí an Pheacaí. Ú.P. ar théip (deireadh na gcaogaidí) [Cn.Ú.P., Coláiste na Rinne]

Bhailigh S.ÓD. an phaidir seo, leis, ó Mhaidhc (gan Edifón) Meith. 1945: CBÉ 977:29 – Feic an tAguisín (lch. 510).

Bhailigh R.B.B. leagan eile den phaidir seo ó Mhaidhc Dháith. Is mar a chéile é, nach mór, go dtí an séú líne agus tá an chuid eile difriúil:

Dia a'm chosaint ar mo námhaid!
Cónaigh liom ar uair mo bháis,
Agus i ndeireadh dul i láthair Dé.

Déin faoisidín do bheatha
Ar pheacaí do shaoil,
Agus ní fheadar Mac Dé
Nach it'aingeal atáir.[20]

20. R.B. Breathnach, *The Irish of Ring,* lch. 101-3.

Is mar a chéile leagan eile a bhailigh Ú.P. ó Mhaidhc ar théip agus leagan S.ÓD. ach amháin go bhfuil líne breise: "Dia am chosaint ar mo namhaid" roimh an dara líne dheireanach [Cn.Ú.P., Coláiste na Rinne].

2. Paidir na Maidine. S.ÓD. (gan Edifón) Meith. 1945: CBÉ 977:132.

3. Paidir na Leapa. Ú.P. ar théip deireadh na gcaogaidí [Cn.Ú.P., Coláiste na Rinne].

Bhailigh S.ÓD. an phaidir seo ó Mhaidhc, leis, (gan Edifón) Meith. 1945: CBÉ 977:132-33. – feic an tAguisín (lch. 511).

4. Paidir an Tromluí. S.ÓD. (gan Edifón) Meith. 1945: CBÉ 977:30.

Bhí leagan den phaidir seo ag máthair chéile mhic Mhaidhc Dháith …

"Tá sí sin agamsa ach tá deifir bheag inti," arsa Nóra Bean Uí Shíocháin, máthair chéile mac Mhaidhc Dháth atá sa tigh faró. Mar leanas a dúirt sí í:

"Anna máthair Mhuire,
Eleesabeth máthair Eón Baiste.
Cuirimid an triúr san idir sinn agus galar na leapan
Agus gach galar eile athá ár díth,
Agus an crann a céasag Críost,
Idir sinn agus an tromluí – S.ÓD.

5. Paidir na Toirní. S.ÓD. (gan Edifón) Meith. 1945: CBÉ 977:133.

6. Na Naoimh is Muire Mháthair id Ghardáil. S.ÓD. (gan Edifón) Márta 1948: CBÉ 1100:13.

7. Sé Muire agus Críost a Thugann dúinn Báisteach. S.ÓD. (gan Edifón) Márta 1948: CBÉ 1100:13-14.

8. Fáilte an Domhnaigh. T.ÓF. (gan Edifón) c. 1934: CBÉ 87:23.

9. "Éirím a Chara." Ú.P. ar théip (deireadh na gcaogaidí) [Cn.Ú.P., Coláiste na Rinne].

10. "Tá Fear an Fhir Dé ina Sheasamh Taoi' Liom." Ú.P. ar théip (deireadh na gcaogaidí) [Cn.Ú.P., Coláiste na Rinne].

11. "An id Chodladh Athá tú?" C.ÓD. (ar théip) 1948 – Uimh. Thag. RBÉ 0492.

U. RANNA BEAGA AGUS VÉARSAÍ FÁIN

1. Tá Mé Cortha. S.ÓD. (gan Edifón) Meith. 1945: CBÉ 977:180.

2. Seán Ó Dála. S.ÓD. (le hEdifón) M. Fómhair 1945: CBÉ 977:535-36.

3. Chodail Mé féin Aréir i dTigh. S.ÓD. (gan Edifón) Meith. 1945: CBÉ 968:566.

4. Is Toil liom gan Dearmad mar Scéal é. S.ÓD. (gan Edifón) Márta 1948: CBÉ 1100:68.

5. Nách ait an Ainm. S.ÓD. (gan Edifón) Márta 1948: CBÉ 1100:77.
6. Faoistín Sheáin De hÓr. C.ÓD. (ar cheirnín) 1948: Uimh. Thag. CBÉ 0492.
7. Ar Maidin Inné Dheineamair Té. S.ÓD. (gan Edifón) Aib. 1948: CBÉ 1100:131.
8. Chuir Tú ag Baint an Fhéir Mé. S.ÓD. (gan Edifón) Bealtaine 1948: CBÉ 1100:230.
9. Chuamair go léir ag Iomáint. S.ÓD. (gan Edifón) Bealtaine 1948: CBÉ 1100:230.
10. Crota agus Cléirigh. S.ÓD. (gan Edifón) Bealtaine 1948: CBÉ 1100:233.
11. Nárbh Fhuirist a hAithint. T.ÓF. (gan Edifón) c. 1934: CBÉ 87:125.

V. SCÉALTA ÉAGSÚLA

1. An Captaen Árthaigh agus na Daoine Dubha. S.ÓD. (gan Edifón) Meith. 1945: CBÉ 977:54-5.
2. An Bradánach. T.ÓF. (gan Edifón) c. 1934: CBÉ 87:158-65.

W. SLÁINTÍ, GUÍTE AGUS MALLACHTAÍ

1. Sláinte Thomáis. S.ÓD. (gan Edifón) Meith. 1945: CBÉ 977:182-83.
2. Sláinte gan Slaghdán. S.ÓD. (gan Edifón) Meith. 1945: CBÉ 968:564.
3. Meisce ort. S.ÓD. (gan Edifón) Meith. 1945: CBÉ968:564.
4. Ag Lasadh an tSolais. S.ÓD. (gan Edifón) Meith. 1945: CBÉ 968:567.
5. Ag Múchadh an tSolais. S.ÓD. (gan Edifón) Meith. 1945: CBÉ 968:567.
6. Sláinte an Fhir Naofa. S.ÓD. (gan Edifón) Meith. 1948: CBÉ 1100:78.

X. RÁITISÍ, NATHANNA AGUS FOCAIL ÉAGSÚLA

1. S.ÓD. (gan Edifón) Meith. 1945: CBÉ 977:200.
2. S.ÓD. (gan Edifón) Meith. 1945: CBÉ 977:203.
3. S.ÓD. (gan Edifón) M. Fómhair 1945: CBÉ 977:445.
4. S.ÓD. (gan Edifón) D. Fómhair 1945: CBÉ 978:42.
5. S.ÓD. (gan Edifón) D. Fómhair 1945: CBÉ 978:64.
6. S.ÓD. (gan Edifón) D. Fómhair 1945: CBÉ 978:82.
7. S.ÓD. (gan Edifón) D. Fómhair 1945: CBÉ 978:82.
8. S.ÓD. (gan Edifón) D. Fómhair 1945: CBÉ 978:83.
9. S.ÓD. (gan Edifón) D. Fómhair 1945: CBÉ 978:83.
10. S.ÓD. (gan Edifón) D. Fómhair 1945: CBÉ 978:84.

11. S.ÓD. (gan Edifón) D. Fómhair 1945: CBÉ 978:90.
12. S.ÓD. (gan Edifón) D. Fómhair 1945: CBÉ 978:90.
13. S.ÓD. (gan Edifón) D. Fómhair 1945: CBÉ 978:92.
14. S.ÓD. (gan Edifón) D. Fómhair 1945: CBÉ 978:172.
15. S.ÓD. (gan Edifón) D. Fómhair 1945: CBÉ 978:172.
16. S.ÓD. (gan Edifón) Meith. 1945: CBÉ 977:22.
17. S.ÓD. (gan Edifón) D. Fómhair 1945: CBÉ 978:37-8.
18. S.ÓD. (gan Edifón) D. Fómhair 1945: CBÉ 978:37.
19. S.ÓD. (gan Edifón) Meith. 1945: CBÉ 968:565.
20. S.ÓD. (gan Edifón) Meith. 1945: CBÉ 968:564.
21. S.ÓD. (gan Edifón) Samhain 1945: CBÉ 978:295.
22. S.ÓD. (gan Edifón) Samhain 1945: CBÉ 978:354.
23. S.ÓD. (gan Edifón) Samhain 1945: CBÉ 978:354.
24. S.ÓD. (gan Edifón) Samhain 1945: CBÉ 978:355.
25. S.ÓD. (gan Edifón) Márta 1948: CBÉ 1100:37.
26. S.ÓD. (gan Edifón) Márta 1948: CBÉ 1100:37.
'Gríofa an Phíce' – Feic *An Linn Bhuí* 2 (1998):37.
27. S.ÓD. (gan Edifón) Márta 1948: CBÉ 1100:73.
28. S.ÓD. (gan Edifón) Márta 1948: CBÉ 1100:73.
29. S.ÓD. (gan Edifón) Márta 1948: CBÉ 1100:77.
30. S.ÓD. (gan Edifón) Aib. 1948: CBÉ 1100:101.
31. S.ÓD. (gan Edifón) Aib. 1948: CBÉ 1100:101.
32. S.ÓD. (gan Edifón) Aib. 1948: CBÉ 1100:140.
33. S.ÓD. (gan Edifón) Aib. 1948: CBÉ 1100:140.
34. S.ÓD. (gan Edifón) Aib. 1948: CBÉ 1100:140.
35. S.ÓD. (gan Edifón) Aib. 1948: CBÉ 1100:140.
36. S.ÓD. (gan Edifón) Aib. 1948: CBÉ 1100:144.
37. S.ÓD. (gan Edifón) Bealtaine 1948: CBÉ 1100:231.
38. S.ÓD. (gan Edifón) Bealtaine 1948: CBÉ 1100:233.
39. S.ÓD. (gan Edifón) Bealtaine 1948: CBÉ 1100:233.
40. S.ÓD. (gan Edifón) Bealtaine 1948: CBÉ 1100:233.
41. S.ÓD. (gan Edifón) Bealtaine 1948: CBÉ 1100:233.
42. T.ÓF. (gan Edifón) c. 1934: CBÉ 87:124.
43. T.ÓF. (gan Edifón) c. 1934: CBÉ 87:124.
44. T.ÓF. (gan Edifón) c. 1934: CBÉ 87:125.
45. T.ÓF. (gan Edifón) c. 1934: CBÉ 87:125.
46. T.ÓF. (gan Edifón) c. 1934: CBÉ 87:141.
47. T.ÓF. (gan Edifón) c. 1934: CBÉ 87:141.
48. T.ÓF. (gan Edifón) c. 1934: CBÉ 87:141.

12. CAITHEAMH AIMSIRE NA nDAOINE

A. AN SCÉALAÍOCHT

1. **Scéalaíocht sa Rinn Fadó.** N.B. (le hEdifón) 1934?: CBÉ 150:251-53.

B. CLUICHÍ AGUS RANNA PÁISTÍ

1. **Nead Gigirlín Geo.** S.ÓD. (gan Edifón) Meith. 1945: CBÉ 977:24.
2. **Druingide, Druingide.** S.ÓD. (gan Edifón) Meith. 1945: CBÉ 977:24-5.
3. **Cé hÉ sin In Airde.** S.ÓD. (gan Edifón) Meith. 1945: CBÉ 977:27.
4. **Dul i bhFolach.** S.ÓD. (gan Edifón) Meith. 1945: CBÉ 977:53-4.
5. **Poll na Gé.** S.ÓD. (gan Edifón) Márta 1948: CBÉ 1100:20.
6. **Botháinín Ídín Éidín.** S.ÓD. (gan Edifón) Márta 1948: CBÉ 1100:20.
7. **Chuaigh an Mhuc seo go dtí an Margadh.** S.ÓD. (gan Edifón) Márta 1948: CBÉ 1100:22.
8. **Mhuc Mhuc Bháisín.** S.ÓD. (gan Edifón) Aib. 1948: CBÉ 1100:133.
9. **Haon Scadán Fireann.** L.C. (ar cheirnín) 1954: Uimh. Thag. CBÉ 1265.
10. **Is mór an obair liom é a rá.** L.C. (ar cheirnín) 1954: Uimh. Thag. CBÉ 1265.
11. **Rioth an Luch ar Bharra Falla** (ar cheirnín) 1954: Uimh. Thag. CBÉ 1265.

13. SEANCHAS PEARSANTA

1. **Mé Féin ag Iascaireacht.** R.B.B. (ar théip) c. 1958: Cn.R.B.B., Scoil an Léinn Cheiltigh, Institiúid Ard-Léinn Bhaile Átha Cliath, Uimh. Thag. 187.
2. **Bás Athar mo Chéile.** M.ÓhAo. (gan Edifón) idir 1933 agus 44: M. Ó hAodha, "Seanchas ós na Déisibh," *Béaloideas* 14 (1944): 86-7
   Feic M. Ó Cionnfhaolaidh, *Beatha Mhichíl Turraoin*, lch. 64-71

NODANNA

Aa-Th.	Catalóg Idirnáisiúnta Aarne agus Thompson (*Types of the Folktale*)
Aib.	Mí Aibreáin.
CBÉ	Cnuasach Béaloideas Éireann
C.F.	Cartlann na bhFuaimeanna.
Cn.RBB	Cnuasach R.B. Breatnach
Cn.ÚP	Cnuasach Úna Parks
CÓD	Caoimhín Ó Danachair
L.N.É.	Leabharlann Náisiúnta na hÉireann
LC	Leo Corduff
M.F.	Mí Mheán Fhómhair.
Meith.	Mí an Mheithimh.
NB	Nioclás Breatnach
R.B.É.	Roinn Bhéaloideas Éireann
RAB	Risteard A. Breatnach
RBB	Risteard B. Breatnach
SALC	Scoil an Léinn Cheiltigh, Institiúid Ardléinn Bhaile Átha Cliath.
Samh.	Mí na Samhna.
SMacS	Séamus Mac Samhráin
SÓD	Seosamh Ó Dálaigh
SÓS	Seán Ó Súilleabháin
TÓF	Tomás Ó Faoláin
ÚP	Úna Parks
WD	Wilhelm Doegen

AN MODH EAGARTHÓIREACHTA

Ba é a beartaíodh, sa chóiriú a deineadh, ná gan aon ghné den chanúint ná d'urlabhra an fhaisnéiseora a cheilt. Ar a shon san, bhíothas ábalta ar roinnt mhaith de litriú an lae inniu a chur i bhfeidhm ar litriú na lámhscríbhinne gan cur isteach ar iarracht an bhailitheora chun an chanúint a léiriú. In aon áit go raibh aon amhras go raibh gné éigin suaithinseach den chanúint ná d'urlabhra an fhaisnéiseora á léiriú i litriú an bhailitheora deineadh iarracht ar gan cur isteach ar sin. Ní bheadh i gcuid de na nithe sin, dar ndóigh, ach tuairimí suibíochtúla an eagarthóra féin – rudaí gur thóg sé ceann dóibh agus gur taibhsíodh dó gur fearrde an téacs iad a fhágaint ann ar mhaithe le caomhnú na canúna – agus ránódh gan aon tábhacht a bheith ag baint leo ó thaobh na teangeolaíochta dhe. Fágann san ar fad nár cloíodh go docht leis na rialacha eagarthóireachta atá leagtha síos thíos, ach tá samplaí de na *heisceachtaí* tugtha chomh maith.

Níor deineadh aon athrú ar an ndeilbhíocht ach amháin na nithe atá luaite fé uimhir 3 thíos. Tá athraithe áirithe déanta ar mhodh na bparagraf agus ar an bponcaíocht ar mhaithe le soléiteacht. Deineadh iarracht ar é sin a dhéanamh i slí ná ceilfí rithim chainte an fhaisnéiseora, ach níorbh fhéidir an dá thráigh a fhreastal i gcónaí toisc gur ceapadh go raibh sé tábhachtach rangú ceart a dhéanamh ar an ábhar.

Tá cuid mhaith teidil nua curtha ar na míreanna éagsúla toisc gan aon teideal a bheith ar chuid de na míreanna sna lámhscríbhinní. Níorbh fholáir é sin a dhéanamh chun léiriú ceart a thabhairt ar ábhar an tseanchais agus chun ná beadh aon dá theideal ró-dhealraitheach lena chéile.

Tá gnáth-lúibíní in aon áit go raibh lúibíní sa lámhscríbhinn féin agus lúibíní cearnacha timpeall ar aon ní atá curtha isteach ag an eagarthóir.

Baineann aon tséimhiú nó urú atá i gcló iodáileach leis an eagarthóir.

Ar ndóin, níor cuireadh na rialacha thíos i bhfeidhm ar Fhoclóir Mhaidhc Dháith in aon chor. Chomh fada is a bhaineann leis na samplaí ós na láimhscríbhinní atá tugtha sa bhfoclóir sin, fágadh litriú na láimhscríbhinní a bheag nó a mhór gan athrú.

1.1 Litriú na Gaeilge ar litriú na lámhscríbhinne:

aingise > ainnise
anguréis > angaréis
arúir > arbhair
baighmbéal > boimbéal

bhuaidh > uaidh
bíotar > bítear
blunag > blonag
caidhl > coill;
caighn > cuimhin
cathuíoracha > cathaoireacha;
coingeal > coinneal
croithe > croiche
cúd > cumhad
curaoracht > carraeireacht
dach > dath
dagha-ré > duibhré
deigheas > deimheas
dial > diabhal
díobar > díbir
dliosc > duileasc
duingeacht > doimhneacht
eadtorra > eatarthu
eidhnne > einne
eidhnse > inse
eirbal > eireaball
feairibh > fearaibh
feile > file
finiúg > fuineog
foig > faigh
foite > faighte
gaisgíoch > gaiscíoch
ingil > inneall
liothóg > leathóg
luíor > ladhar
ó choin > ó shoin
rachúil > rathúil
ragha > roimh *nó* roimhe
raghainseáil > rinseáil
raghais > roimhis
rátha > ráithe
reá > rá
reidhnt > roinnt
rúáin > rabháin

saighlse > soilse
scamhra > scanradh
scamhraithe > scanraithe
scúárd > scamhard
sruch > sruth
suile > sailleadh
suirighe > suirí
tarainge > tairne
teighnteáin > tinteáin
tráchnóna > tráthnóna
treighnseáil > trinseáil
túirt > tabhairt
ubhal > úll
úch > úth
uí > uibhe
ulthóir > althóir

Eisceachtaí:
’á (= dá)
age’n (= ag an)
caillthe (= caillte)
cimeád (= coimhéad)
dáltha (= dálta)
’dir (= idir)
éigint (= éigin)
ghreamóthá (= ghreamófá)
luig (= luibh)
maighistir (= máistir)
thá (= tá)
tiormú (= tirmiú)
tóigthe (= tógtha)
trígiú (= tríú)
ruch *nó* riuch > rioth (= rith)

1.2 Sínte fada de réir gnáis an lae inniu:

beárrtha > bearrtha
beó > beo
bórd > bord
chú > chomh

chúgham > chugham
daoíne > daoine
dúsa > domhsa
faoítíní > faoitíní
feárr > fearr
leó > leo
gárda > garda
innseód > inseod
túrtha > tabhartha

Eisceachtaí:
chún (= chomh)
fáithnín (= faithnín)

1.3 Consain a fágadh ar lár (a bháitear sa chaint) a chur isteach:

ao' bhall > aon bhall
bamhríon > banríon
éalaithe > éanlaithe;
fiaras > fiabhras
scamhra > scanradh
suaineas > suaimhneas

1.4 Consain bhreise a ruagairt:

bhuaidh > uaidh
fághbhail > fáil
leagthaithe > leagaithe
oídhche > oíche
téigheann > téann

Eisceachtaí:
aríst (= arís)
éigint (= éigin)

1.5 Consain a scríobh caol nó leathan de réir gnáis an lae inniu:

chaithá > chaitheá
chídhfá > chífeá
dh'fhainfeadh > dh'fhanfadh

feairibh > fearaibh
i nduísc > i ndísc
shaoilidís > shílidís

Eisceachtaí:
amáireach (= amárach)
bhaistfaí (= bhaistfí)

1.6 Consain a scríobh de réir gnáis an lae inniu:

bosgaí > boscaí
cliach > cliath
deabharach > dealrach
diaig > diaidh
measg > measc
rachúil > rathúil
tórrav > tórramh

1.7 Consain iomarcacha a ruagairt:

bruíonn > bruíon
caithte > caite
cíorrtha > cíortha;
dóghann > dónn;
greadthuithe > greadaithe
imtheacht > imeacht
inghíne; iníne
laethannta > laethanta

1.8 Gutaí a fágadh ar lár (a bháitear sa chaint) a chur isteach:

bleóg > bileog
clúr > colúr
crúsg' uisce > crúsca uisce
freach > fuireach
'gus > agus
'mach > amach;
'mithe > imithe
mlachtú > mallachtú
'mu > amuigh

nuas > anuas
próiste > paróiste
'reachas > aireachas;
'riosa > uireasa
sp'léar > spiléar
trócair' air > trócaire air

Eisceachtaí:
'dir (= idir)
dró (= dorú)
'nis (= inis, d'inis)

1.9 Gutaí nó défhoghair a scríobh de réir nóis:

aca > acu
amhardóg *nó* úrdóg > ordóg
anucht > anocht
asair > easair
bruit > brait
buineann > baineann;
búird > boird
campordúil > compordúil
clíothán > cliathán
crúnán > crónán
cuitín > caitín
cúrthaí > comharthaí
éugrós > éagrós
éudon > éadan
féur > féar
fudó > fadó
gnú > gnó
guirt > goirt
igint > éigint
iomar > umar
iríst > aríst
léuthróid > liathróid
liúinte > leointe
maighntir > muintir
marcaol > marcrael

muinteán > móinteán
reá > rá
reighnce > rince
rúr > romhar
téudán > téadán
tún > tón;
ulthóir > althóir
umadáinín > amadáinín
unta > iontu
úntais > iontais
unúir > onóir

Eisceachtaí:
baochas (=buíochas)

1.10 Meititéis a dhíbirt:

ana-bhurdach > ana-bhradach
burlach > brollach
cheirthe > cheithre
cuirneacht > cruithneacht
prugadóireacht > purgadóireacht

1.11 Gutaí eipinteiteacha a dhíbirt:

aistiriú > aistriú;
bodharáin > bodhráin
cabharach > cabhrach
colamúirí > colmóirí
dearamhú > dearbhú
eagala > eagla
eathala > eathla
feirimiúra > feirmeora
furamhúr > formhór
lannturéil > lantréil
oibire > oibre
Satharain > Sathrain

2. Dealú na bhfocal de réir gnáis an lae inniu:

abhfad > i bhfad
achodla > a chodladh
adúirt > a dúirt
anaice > in aice
an bhó sa t-asal > an bhó is an t-asal
bhíossa > bhíos-sa
go b'í > gob í
cárt ghoileithe > cárt go leithe
dtín > dtí an
duit-se > duitse
ináirde > in airde
loscadaí > loscadh daighe
le na > lena
ní' ba > níba
'samhla < is amhla'
sa n-aigne > is a n-aigne
tharnais > thar n-ais
trí-na-chéile > trína chéile

Eisceachtaí:
dar ná mháireach (= lá arna mháireach)
t'réis (= tar éis)

3. DEILBHÍOCHT

3.1 Scríobhadh deirí infhillte an bhriathair de réir gnáis an lae inniu i gcásanna áirithe:

(a) Ainm briathartha:
scota *nó* scoithe > scoitheadh
sniuga > sniugadh
treabha > treabhadh
séide > séideadh
sloga > slogadh

Eisceachtaí:
déuna' > déanadh (= déanamh)
góilt (= gabháil)

sranntarna > srantarnadh (= srantarnaigh)
tarraint (= tarraingt)

(b) Aimsir Chaite:
cheannuig > cheannaigh
chuai' *nó* chuaidh > chuaigh
dhairi *nó* dh'airig > dh'airigh
ghearrui' > ghearraigh
tháini' > tháinig
therrig > tharraing

Eisceachtaí:
fuaireamair (= fuaireamar)

(c) Aimsir Fháistineach:
caithfi' > caithfidh
gealaig > gealfaidh
gheóig *nó* gheó' > gheobhaidh
glacfaig > glacfaidh
go bhfagha > go bhfaighidh
raghai' > raghaidh

(d) Modh Coinníollach:
bheach > bheadh
chnacach > chnagfadh
chuirfeach > chuirfeadh
dh'atfach > dh'atfadh

Eisceachtaí:
dh'aireotha > dh'aireothá (= dh'aireofá)
thosnóthá (= thosnófá)

(e) Briathar Saor Caite – Fágadh deireadh gan athrú:
cailliog > cailleag
chuireag (= cuireadh)
diniog > deineag
fuairiog > fuaireag
n'fheacuíog > n'fheacaíog

(f) Gnáthchaite:

bhíoch > bhíodh
chuireach > chuireadh
shuídheach > shuíodh
théigheach > théadh

Eisceachtaí:

bhídíst (= bhídís)

3.2 An Réamhfhocal Simplí *ag* agus an tAinm Briathartha:

a' teacht > ag teacht

3.3 An Réamhfhocal Simplí *ag* agus an tAlt:

agen > age'n (= ag an)

3.4 Scríobhadh an tAlt de réir gnáis an lae inniu ach amháin i logainmneacha e.g. *Móin a' Gheamhais:*

fear a' bháid > fear an bháid

3.5 Scríobhadh na forainmneacha réamhfhocalacha de réir nóis i gcásanna áirithe:

rút > romhat

Eisceachtaí:

chúgham > chugham (= chugam)
dhe (= de)
dho (= dó)
léithi (= léi)
leotha > leothu (= leo)

3.6 Níor deineadh aon athrú ar na foirmeacha seo a leanas den chopail:

ba dh'é (= ba é)
ba dh'ea (= ba ea)
sé (= is é)
sí (= is í)

LOGAINMNEACHA

Ní áiteanna saolta ar fad atá anseo ach go bhfuil nithiúlacht áirithe ag baint leo go léir i samhlaíocht an duine.

Tá lúibíní cearnacha timpeall ar aon rud ná fuil sa téacs féin.

Baineann an t-innéacs seo leis an mbuntéacs amháin i.e. l. 89-436.

b.f. = Baile Fearann, par. = Paróiste (Sibhialta).

PEARSAIN

Ní daoine saolta ar fad atá san innéacs seo ach go raibh pearsanacht áirithe ag baint leo ar fad i seanchas agus scéalta Mhichíl Turraoin. Tá idir leasainm-neacha, pearsain ón miotaseolaíocht, déithe agus treabhchaisí áirithe ann. Chomh fada le sloinnte dhe, tá tagairtí fé 'Muintir' le fáil nuair is mar sin atá sa téacs.

Tá lúibíní cearnacha timpeall ar aon rud ná fuil sa téacs féin.

Baineann an t-innéacs seo leis an mbuntéacs amháin i.e. l. 89-436.

FOCLÓIR MHAIDHC DHÁITH

1. Sa liosta seo tá (a) focail ná fuil mar mhalairtí aitheanta in *Foclóir Gaeilge-Béarla (An Roinn Oideachais, 1977),* (b) focail go bhfuil brí nó fuaimniú eisceachtúil ag baint leo nó go bhfuil struchtúr comhréire eisceachtúil acu, (c) Ainmneacha *flora* agus *fauna,* (d) Iasachtaí ón mBéarla go ndeineadh Gaelú foirme orthu nó iasachtaí go bhfuil brí leo ná fuil sa Bhéarla.
2. Cuirtear litriú foghraíochta le focail áirithe sa chás go bhfuil fianaise ann ar fhuaimniú an fhaisnéiseora ó (a) litriú na lse., (b) ábhar fuaime, nó (c) saothar R.B. Breatnach. Ar ndóin, níl san iarracht seo ar an bhfoghraíocht a léiriú ach treoir don léitheoir agus níl aon staidéar doimhin déanta anseo ar an gcanúint.
3. Ní mór atá idir an nodaireacht fhóinéimeach sa bhfoclóir seo agus an nodaireacht a d'úsáid Ó Cuív (1944), Breatnach (1947 agus 1961) agus Ó Sé (2000). Ar nós Uí Shé tá /ɪ/ anseo in ionad /i/ don ghuta lag i bhfocail ar nós *aoirde* /i:r´d´ɪ/ agus *ceirte* /k´er´t´ɪ/, rud ná raibh ag Breatnach ach /ə/ a úsáid i gcónaí e.g. /i:r´d´ə/ agus /k´er´t´ə/. Ar ndóin, níor dhein R.B. Breatnach aon idirdhealú idir /ɑ:/ agus /a:/ sa tslí gur úsáid sé /a:/ i gcónaí do *á*. Deintear iarracht anseo ar é seo a chur ina cheart. Úsáidtear /x´/ anseo do *ch* caol in ionad /ç/ a bhí ag Breatnach.
4. Glactar anseo leis an gcóras a bhí ag Breatnach do na defhoghair[3]: /iə/ (/fiərəs/ *fiaras* < fiabhras), /ia/ (/dian/ dian), /uə/ (/buəxil´/ buachaill), /ai/ (/t´r´ainʃa:l´/ trinseáil), /au/ (/b´r´aul/ breall), /aunˈsb´iəntə/ anspianta), /əi/ (/l´ei/ *leigheadh* < leá) /əu/ (/k´l´əur/ *cleabhar* < creabhar), /əuˈlo:r´t´/ *aballóirt* < úllord).
5. Ní chláraítear an ceannfhocal fén bhfoirm chaighdeánach i gcónaí – go minic fágtar ann foirm na lse. mar threoir don bhfuaimniú e.g. acainn (< *acmhainn*), áirthí (< aithrí).
6. Ní raibh córas litrithe de réir a cheile ag na bailitheoirí éagsúla. Fiú amháin i gcás Sheosaimh Uí Dhálaigh, a bhailigh an chuid is mó den ábhar ó Mhaidhc Dháith, d'athraigh an córas a d'úsáid sé diaidh ar ndiaidh de réir mar a bhí sé ag dul i dtaithí ar an gcanúint.
7. Bhí ábhar fuaime a bhailigh Úna Parks, R.B. Breatnach agus daoine eile mar threoir bhreise agam i dtaobh an fhuaimnithe.
8. Go minic bhí fianaise mar gheall ar an bhfuaimniú le fáil i saothar foilsithe R.B. Breatnach – bhí Maidhc ar dhuine de na faisnéiseoirí ba thábhachtaí a bhí aige dá chuid oibre ar Ghaelainn na nDéise.
9. Luaitear an rann cainte i ndiaidh an fhocail.

M.T. = Michéal Turraoin, Maidhc Dháith
C.ÓD. = Caoimhín Ó Danachair.
L.C. = Leo Corduff.
Cn.R.B.B. = Cnuasach Risteard B. Breatnach, Scoil an Léinn Cheiltigh, Institiúid Ardléinn Bhaile Átha Cliath.
Cn.Ú.P. = Cnuasach Úna Parks, Coláiste na Rinne.
W.D. = Wilhelm Doegen.
CBÉ = Cnuasach Béaloideas Éireann.
CBÉ [C.F.] = Cnuasach Béaloideas Éireann, Cartlann na bhFuaimeanna.
SOND = *Seanchas ós na Déise.*
M.F. = Mí Mheán Fhómhair.
Aib. = Mí Aibreáin.
Samh. = Mí na Samhna.
Meith. = Mí an Mheithimh.
D.F. = Deireadh Fómhair.
aid. = aidiacht.
aid. bhr. = aidiacht bhriathair
ain. = ainmfhocal.
ain. br. = ainm briathair
ain. iol. = ainmneach iolra.
br. = briathar.
dobh. = dobhriathar.
br. neamhais. = briathar neamhaistreach.
réamh. = réamhfhocal.
for. réamh. = forainm réamhfhoclach.

---

abhallóirt /əuˈloːr´t´/[1] *ain. Úllord.* Thug sé leis ansan é a' féachaint ar ~ úll a bhí aige. CBÉ[C.F.] M0015-18, 1948.
abhar *ain.* ~ an raca [raca féir], *an píosa adhmaid go dtéann fiacla an raca isteach ann.* Cois faidhnseóig' a bhíonn ann agus ~ faidhnseóige agus fiacla daraí nó iarainn. CBÉ 978:411, Nol., 45. (léaráid).
acainn /akiŋ´/[2] *ain. Acmhainn.* Ní raibh mé cóirithe le hí na farraige, ní nach ionadh, ní raibh aon ~ agam: ní raibh éadach orm chun mé a chosaint ón bhfuacht. Cn.R.B.B., 187.
acainneach *aid. Acmhainneach.* Agus 'á mbeinn ~ i gcuid ná i gcaradas/ Nár mhór liom gloine dhi. *(amhrán).* CBÉ[C.F.] 0489a, 1948.
acra /akərə/[3] *ain.* 1. *Cúnamh, sólás.* 'S is ró-bhreá an ~ iad san oíche im' chlúdach/ Nó a' dúnadh mo shúile le linn mo bháis. *(amhrán).* CBÉ[C.F.] 0490, 1948.

1. Feic Breatnach, *Seana-Chaint II,* lch. 1, s.v. *abhallóirt.*
2. Feic Breatnach, *The Irish of Ring,* lgh. 114, 141.
3. Feic Breatnach, *Seana-Chaint II,* lch. 2, s.v. *acara*

2. ~í, *cúramaí beaga a bheadh le déanamh ag páiste*. Nuair a bhíodh na páistí in aos scoile, bhídís ag aodhaireacht bha agus a' teindeáil mhuc agus a' déanadh' teachtaireacht, a' pioca phrátaí agus a' tabhairt sgioltháin amach agus ~í mar sin faid a bheadh na feairibh san páirc. CBÉ 1100:41 Márta, 48.
áimhéireacht *ain. br. Spraoi*. Ag ~ athá siad a' dul anois, lucht na mbád – sé sin a' dul ar pléisiúr. CBÉ 977:45, Meith., 45.
ainimh /an´ɪv´/[4] *ain. Máchail*. Fágann na síobhraithe ~ ar leanbh nó leidín nó máchail. CBÉ 977:16, Meith. 45.
ainmhíneach /an´ɪv´i:n´əx/[5] *ain. Ollphéist*. … tháinig a' lá gur chuaigh iníon a' mhéara a bhí ar an áit go dtí an tráigh chun bheith ite age ~ fiain. CBÉ 978:225, Samh., 45.
aireachas /r´axəs/ *ain. Aire*. Séideag síos go Baile Uí Bhaoill iad, isteach ar Thráigh Bhaile Uí Bhaoill go dtí fear a bhí a' tabhairt ~ do *lodge* a' *railway* a dtugaidís George English air. CBÉ 978:2, M.F., 45.
aireachtaint *ain. br. Braistint, Cloisint*. … téir in airde agus goid na ceithre cinn d'uibhe athá fuithi agus iad a ngoid amach uaithi agus gan í a dh'~.[6] CBÉ 87:120, c. 1934.
áirthí /ɑ:r´ˈhi:/[7] *ain. Aithrí*. Leag le t'ais é is tair im láthair/ Go gleann mín álainn is déan t'~. *(amhrán)*. CBÉ[C.F.] 0490, 1948.
áirthiú[8] *ain. Athrú*. Na fearaibh a strupáil agus a chuir ar a gcuid éadaí ~ datha. CBÉ[C.F.] 0487-0496, 1948.
aistriú /aʃd´(ɪ)ˈr´u:/[9] *ain. Suathadh aigne*. … níor nis sé dada dhi ar eagla go ndéanfadh sé aon ~ uirthe. CBÉ 978:71, D.F., 45.
áit *ain*. Ar an ~ sin, *ar an bpointe boise*. … thit sí i ngrá leis ar an ~ sin agus ní phósfadh sí aon fhear a bhí sa saol ach é. C.ÓD. (ar chéirnín). CBÉ [C.F.] M0015-18, 1948.
aiteann *ain*. ~ gallda. *(Ulex europaeus) (Gorse, Furze)*. Thugaidís ~ fadó dhóibh [na capaill] mar dhíolaidís a' féur fadó, ~ galla. CBÉ 978:382, Samh., 45.
alabhodhar /aləˈvour/[10] *aid*. "Thá sé ~." Sé sin thá sé bodhar nuair is maith leis é. CBÉ 1100:233, Beal., 48.

4. Feic *Ibid.*, lch. 11, s.v. *ainimh*.
5. ls., *ainimhíneach*.
6. Deir Breatnach go bhfuil an chéad siolla den bhfocal seo fágtha ar lár i ngach comhthéacs agus go bhfuil /j/ (< dh = *dho* roimh ghuta) ar an gcéad siolla i ngach comhthéacs (feic Breatnach, *Seana-Chaint II*, lch. 331, s.v. *'reachtain(t)*.
7. Feic *Ibid.*,lgh. 13, 110, 126 n. 4, 138, 144, 147.
8. Thabharfadh an litriú seo le tuiscint gurb é an fuaimniú atá i gceist anseo ná /ɑ:r´ˈh´u:/, ach tugann Breatnach (*The Irish of Ring*, lgh. 13, 16, 74, 77, 126 n. 4, 138, 144, 147) an fuaimniú /a:rˈhu:/ don bhfocal *athrughadh*.
9. Feic Breatnach, *Seana-Chaint II*, lch. 14, s.v. *aistriú*.
10. Feic *Ibid.*, lch. 16, s.v. *alla-*.

allas *ain. br.* Ag ~, *ag cur allais*. Dh'aidhneag tine fén lochta agus ba ghairid go raibh fear ag ~. CBÉ 978:233, Samh., 45.
amasc /ɑməsk/ *ain. Amas*. An chéad ~ a fuair Páidín chuaigh sé dho léim sa bhfarraige. Cn.Ú.P.
amháineach *aid. Amháin*. B'fhearr liom aon phóigín ~ ód bhéilín *(amhrán a chum sé féin)*. CBÉ 1100:12, Márta, 48.
ancam /auŋkəm/[11] *ain. iasacht*? Bhíodh ceann acu anso thuas bhíodh a' tabhairt airgead ar ~. Crothaíoch a b'ainim do. Maireann a chlann fós. Bhíodh a' t-airgead a' teastáil chun cíosa agus chun mine buí a cheannach. CBÉ 968:556, Meith., 45.
angalais /aŋəlɪʃ/[12] *ain. Uisce measctha le bainne*. ~ is ea uisge is bainne trí chéile. CBÉ 978:64, D.F., 45.
angaréis *ain. Talamh gharbh, chlochach*. Thá ~ ann, áit a mbeadh clocha agus sceacha agus ainnise, ach bheadh sé tirim. CBÉ 978:293, Samh., 45.
anglá *ain. (Lophius piscatorius) (Monkfish)*. Sin breac a bhíodh ann, ~. Bhaintí ola aisti le hagha' pianta.[13] CBÉ 977:176, Meith., 45.
anlann *ain. Sáith*. Seacht gcéad ganndal agus a n-~ géanna. *(rann)*. CBÉ[C.F.]0492, 1948.
annla /aulə/ *ain.* (*ain. iol. annlaithe*). *Hanla céachta*. Thá an dá ~ ansan goite ar a' gcabhaill. Tá rungaí idir an dá ~. CBÉ 978:206, Samh., 45. An bhéim ansan a' dul siar ón raca dtí sna h-amhalaithe. CBÉ 978:205, Samh., 45.
anréasúnta /aunre:su:ntə/ *aid. Míréasúnta ar fad*. D'imi' sé leis agus bhí ga' hao' rud a dhéanadh trína chéile dhá aigne mar gheall ar an slí a bhfeacai' sé an saol ag obair: ~ a bhí ga' haon rud a bhí sé dh'fheiscint, a shíl sé. CBÉ 978:170, D.F., 45.
anspianta /aunˈsbˊiantə/[14] *aid. Millteach*. "*Well*, is ~ é an neart," arsaigh an dreoilín, nuair a strac sé an phiast as a' gcac. CBÉ 977:22, Meith. 45.
anurathar /nurəhər/[15] *ain. Arú amárach*. Tháinig sé isteach ~ agus bodhrán déanta dhe chroiceann giorré aige. CBÉ[C.F.] M0015-18, 1948.
aodhaireacht /e:rˊəxt/ *ain. br. Coimeád*. … chuir sé fear bréagach amach sa pháirc ag ~ na bpréacháin as an gcruithneacht. Cn.R.B.B., 7.
aoileach *ain.* ~ barra, ~ *tógtha ó bharr an chairn aoiligh*. Curtaí i dteannta a chéile in aon charn aoíli' amháin é agus i ndeireadh na bliana ansan an t-~ barra, ualaí thógthá dhá bharra agus a' méid a thógthá dhá bhun, dh'aithneóthá ga'

11. ls., *anncum*.
12. ls., *angaluis* – feic *Ibid*., lch. 20, s.v. *angalais* n. 2, mar a bhfuil míniú eile ar an bhfocal seo luaite le MT.
13. Feic Breatnach, *Seana-Chaint II,* lch. 312, s.v. ola.
14. Feic *Ibid*., lch. 22, s.v. *annspianta.*agus Sheehan *Sean-Chaint,* lch. 172, s.v. *ann-spíanta*.
15. Feic Breatnach, *Seana-Chaint II.*, lch. 310, s.v. *nurathar.*

h-aon áit a leaththá ualach de. B'fheárr ualach dhe'n mbun ná trí hualaí den mbarra. CBÉ 978:16, M.F., 45.

aoirde /i:r´d´ɪ/[16] *ain.* An chruach in ~ coise, *chomh hard is go gcaithfí dréimire a usáid chun an chuid eile den chruach a dhéanamh.* Agus nuair a bhí an chruach in ~ coise chuireag an dréimre age ceann na cruaiche. CBÉ[C.F.] 1655-6, 1955.

aoirdeacht *ain. Aoirde.* Agus 'á ~ a bhí an fharraige ní stríocfadh an Turraoineach. *(caoineadh).* Cn.R.B.B., 302.

aol *ain. Cré.* Meireach feabhas ár gcaraid bhí ár muiníl cnagaithe agus sinn go doimhin san ~. Cn.Ú.P.

araonach /ərˈe:nəx/ *ain. Araon.* Bhí cheithre cinn de mhuca againn ~ ag dul dtí an aonach. CBÉ[C.F.] 0493, 1948.

artha /arhə/[17] *ain.* (*ain. iol.* arthaíontaí /ari:nti:/). *Ortha.* Agus na harthraíontaí agus na luíonna a bhíonn ár leigheas ó shinsear go sinsear anuas go dtí nár ghéill-eamar d'~ ná dho luíonna. Cn.Ú.P.

as *réamh.* 1. ~ mo dhiaidh, *i mo dhiaidh.* Thá m'athair bocht gan chiall ~ mo dhiaidh age baile. *(amhrán).* CBÉ[C.F.]0489b-90t., 1948. 2. ~ diaidh a chéile, *i ndiaidh a chéile.* ... agus dh'iarr sí mar achainní ansan gan í a phósadh le h-aon fhear ach fear a dh'fhreagródh trí cheist trí oíche ~ dia' chéile chuirfeadh sí amach sa teampall. CBÉ 978:235, Samh., 45.

aspa *ain. Haspa.* ~ a bhíodh ar an doras. Sin é a bhíodh sa tseanashaol ag gach aon tigh muintire. SOND, *Béal.* 14 (1944):72.

bábharúil /bɑ:vəˈru:l´/[18] *aid. Grámhar.* Bhí na daoine níba láidre agus níba bhábharúla le chéile fadó. Tá an bháigh agus an grá imithe. CBÉ 977:443, M.F., 45.

bac *br.* Níor bhac sé an tslí dhom, *níor stop sé mé, níor chuir sé isteach ná amach orm.* Nuair a chuaigh chugham scéala go rabhais-se claoite/ Mo mhaigh-istir grámhar níor bhac sé an tslí dhom/ Nach labhair a bhean ó 'sí a chaith an bríste. *(caoineadh).* CBÉ[C.F.]0492, 1948.

bácáil /bɑ:kɑ:l´/ *br. Diúltaigh.* 'S í an láir a bhuaigh an dá lá ann/ 'Sí agus nár bhácáil aon chlaí. *(amhrán).* CBÉ[C.F.]1269-71, 1954.

bachallach /baxələx/[19] *aid. Catach.* Bheadh ceann ~ gruaige ar dhuine – "Do cheann ~ gruaige led' guaile gan cíoradh." CBÉ 1100:67 , Márta, 48.

bacsáil /bakˈsɑ:l´/ *ain. Dornálaíocht.* Agus dhéanfadh ar chantacht í *gloves* chun bacsáil. *(amhrán).* CBÉ[C.F.]0498, 1948.

báire *ain.* ~ caide, *cluiche peile.* Chimeádfadh na garsúin an lamhnán [lamhnán muice] chun ~ caide a bheith acu. CBÉ 978:41, D.F., 45.

16. Feic *Ibid.*, lch. 12, s.v. *airde.*
17. Feic *Ibid.*, lch. 31, s.v. *artha.*
18. Feic *Ibid.*, lch. 39, s.v. *bámhar,* mar a bhfuil an fuaimniú /ba:vər/ tugtha.
19. Feic *Ibid.*, lch. 35, s.v. *bachallach.*

bairneach /bɑ:rn´əx?[20] *ain. (Den fhine Patellidae) (Limpets).* Baintear go leor ~ anso. Ní dhíoltar ar ao'chor iad. Is breá le daoine anso bairnigh. B'fhearr leo iad ná feoil agus ní bhíonn siad i seosún ceart go dtí an Márta. Caitheann siad trí deocha dhen sáile dh'fháil san Márta, trí thaoide. CBÉ 978:27, M.F., 45.
bais *ain.* 1. ~ na rámhainne, *an chuid di a sáitear sa talamh.* ~ nó bráid na rámhainne. CBÉ 978:406, Nol., 45. *(léaráid).* 2. ~ na sluaiste, *an chuid den tsluasaid lena thógfaí an taoscán cré.* CBÉ 978:409, Nol., 45. *(léaráid).*
balc *ain. Ceann de na cláracha adhmaid as a ndeintear cliath.* Cliach adhmaid agus pionnaí iarainn inti a bhíodh acu, an cliach chéanna is tá anois, ach má tá ní raibh ao' chliach seacht m~ ná hocht m~ ann (fé mar athá anois) ach cliach sé ~. An t-adhmad ina mbíonn na pionnaí an ~. CBÉ 978:290, Samh., 45.
ballasc[21] *ain. Ballasta.* CBÉ 977:171, Meith., 45.
banc *ain.* ~ an duine bhoicht, *muc.* Dh'airi' mé 'bannc an duine bhoicht' á thabhairt ar mhuic. CBÉ 968:565, Meith. 45.
barra *ain.* ~-taoide, *brúscar feamnaí, cúrán etc. ar snámh ar an bhfarraige.* Bíonn ~-taoide /ti:d´ı/[22] ar an uisce uaireanta – trioscar lofa agus ga' haon rud a' snámh ar bharr an uisce. CBÉ 977:200, Meith., 45.
bastairt *ain. Madra cros-síolraithe, bastard.* Maraíonn cuid acu caoire, an chuid acu athá crosta – *Kerryblue* agus cú b'fhéidir. ~ a thabharthá ar mhadra a bheadh crosta. CBÉ 978:94, D.F., 45.
bata ain. 1. ~ boilg, *córas chun doras a choimeád dúnta.* An ~ boilg cóir dúnta an doiris a bhíodh acu. 'Cheann é a bheith ar lár an doiris is ea thugadh ~ boilg air. SOND, Béal. 14 (1944):72. 2. ~ na rámhainne, *cos na rámhainne.* ~ na rámhainne. CBÉ 978:406, Nol., 45. *(léaráid).* 3. ~ na sluaiste, *cos na sluaiste.* ~ na sluaiste. CBÉ 978:409, Nol., 45. *(léaráid).*
beainisín. ~ ~ ~ *(a déarfaí ag glaoch ar na géanna).* CBÉ 978:63, D.F., 45.
béal *ain.* 1. I m~, *ar fuaid.* Nó go leathnaigh an scéal so i m~ na dútha. *(amhrán).* CBÉ[C.F.]0489a, 1948. 2. ~ na rámhainne, *faobhar na rámhainne.* ~ na rámhainne. CBÉ 978:406, Nol., 45. *(léaráid).*
beannóg /b´ınu:g/ *ain. Léim.* Agus chuimhnigh mé ar mhuintir mo mháthar," arsa sé, "agus thug mé ~ as mo chabhal," arsa sé. CBÉ[C.F.] M0015-18, 1948.
beart /b´art/[23] *ain.* ~ na sainte, *rian, teist na sainte.* Agus shin é an chúis go bhfuil ~ na sainte ar na sagairt ó shoin, agus go mbeidh go brách. CBÉ[C.F.] M0015-18, 1948.
beartáil *br. Bunaigh.* ... agus nuair a bheadh an dinnéar caite go mbeartálfaidís coiste an dáréag. CBÉ[C.F.] M0015-18, 1948.

20. Feic *Ibid.*, lch. 39, s.v. *báirneach.*
21. ls. *bulasc.*
22. Feic Breatnach, *Seana-Chaint II,* lch. 41, s.v. *bara-taoide.*
23. Feic *Ibid.*, lch. 44, s.v. *beart.*

beilt *ain. Crios.* … agus cárt bainne géir ó bhean a' déirí, nuair a bheadh san ite agat bheithá a' scaoile na ~e. CBÉ 977:47, Meith., 45.

béim *ain. Ball den chéachta (beam).* Bhíodh dhá chapall á tharraint [an céachta adhmaid] agus fear is gabhlóg adhmaid aige agus é leagaithe anuas ar a' m~ agus é á chimeád sa talamh. CBÉ 978:204, Samh., 45.

beiteáil /b´eˈt´ɑ:l´/ *ain.br. Ag cur geall síos.* Nuair a dh'airíomair a liúanna ar na hardaibh/ Ag ~ ar an Fairy Queen. CBÉ[C.F.]1269-71, 1954.

béiteáil *ain. Lomadh a dheintí ar thalamh á hullmhú chun prátaí.* Dheinidís ~ an uair sin. Bhíodh grafán réitigh agus grafán socraithe i gach aon tigh. Bhainidís a' croiceann don mbán leis an ngrafán réitigh agus bhí an aimsir comh tirim agus comh te an uair sin agus go ndóg an scraith. Chuiridís aol tríd a' luath ansan agus leathaidís é sin ar an iomaire nó i gcroiceann a' bháin sara ndéanfaidís na hiomairí, agus seacht seachtaine ón lá a cuirthaí iad go dtí an lá a bainthaí na prátaí sin sa ~. CBÉ 968:562, Meith., 45.

beo *aid. Ag corraí.* … ag iascach phollóg agus é a' tarraint chuige agus a' scaoileadh bhuaidh an dró chun an baidhte a chúmhad ~. CBÉ 977:174, Meith., 45.

bia. ~ ~ ~ *(a déarfaí ag glaoch ar na turcaithe).* CBÉ 977:178, Meith., 45.

biata *aid.* Lao ~, *lao máchaileach.* Dh'airi' mé lao ~. Lao is ea é go bhfuil rud éigint bunosceann leo. Níl a ndeireadh ceapaithe i gceart nó rud éigint. Ní bhfaighinn a rá cad a bhíonn bunosceann leo. Bheadh sé ana-ramhar. CBÉ 977:458, M.F.., 45.

bioránach /b´ɪˈrɑ:nəx/[24] *ain.* ~ giorré óg, *leanbh roimh dul ar scoil.* Tabharfaí diogánach ar leanbh, leis, suas dtí mbeadh sé a' dul ar scoil agus é a' ceaifiléireacht le seanduine: "Diogánach é siúd agus ~ giorré óg." CBÉ 1100:44, Márta, 48.

biota /b´itə/[25] *ain. Paiste nó comhartha ar an bhfarraige gur dhóichí go mbeadh iasc féna bhun.* An áit [ar an bhfarraige] a bheadh na préacháin go léir, sin é an ~. CBÉ. 977:190, Meith. 45.

birt *ain.* 1. *Áit ar an bhfarraige chun dul ag ródaíocht.* Bheadh a bhirt féin age gach aon bhád. Pé áit a raghthá a' ródaíocht, sin ~. CBÉ 977:194, Meith., 45. 2. *Post mar dhuine de chriú báid.* … agus 'á mbeithá thíos ar a' gcé dh'iarrthá ~ i mbád. CBÉ 977:194, Meith., 45.

bits *ain. (Den ghéineas Scliorhinus) (Dogfish).* Bhaintí na haenna amach as na scailpíní (iasc a dtugtar an ~ air). SOND, Béal. 14 (1944):105.

bitsín *ain. (Den ghéineas Scliorhinus) (Dogfish).* Scailpín is ea ~ – *dogfish.* CBÉ 968:570, Meith., 45.

24. Feic *Ibid.*, lch. 49, s.v. *bioránach.*
25. Feic *Ibid.*, lch. 49, s.v. *biota.*

bladhm *ain. Scail.* Thiocfadh an caor 'na bhladhm. Bíonn an splannc fada, caol. Deir siad ná fuil aon díobháil insa bhladhm. Comhartha aimsir bhreá a deir siad is ea an bhladhm. CBÉ 977:135, Meith. 45.
blaem /ble:m/[26] *br. Bladhm.* ~fidh an tine. *(amhrán).* CBÉ [C.F.]0490, 1948.
bleaicín /b´l´ak´i:n´/ *ain. Talamh lom sléibhe.* ~í – Ansan thá talamh gainí ann agus talamh cré dhearg agus talamh bleaic nó ~í, sé sin é bheith buailte as an sliabh agus gan aon ní a bheith ragha [roimhe] ann ach móin. Dh'eampódh sé chomh dubh le gual agus bheadh ana-phrátaí ina leithéid sin d'áit. CBÉ 978:293, Samh., 45.
bleaist /b´l´aʃd´/ *ain. Galar in úth na bó – Maistíteas b'fhéidir.* 'Á bhfaigheadh bó ~ bheadh bainne treanntaithe ina sine. Bheadh leac san úch. CBÉ 977:458, M.F.., 45.
bléan /b´l´ian/[27] *ain. Bléin.* Bíonn an bolg chun tosa' agus an t-imleacán agus an dá bhléan ar gach taobh ag bun an bhoilg. CBÉ 1100:140, Aib. 48.
blumaeir /bluˈme:r´/[28] *ain. Smugairle róin, (den aicme Scyphozoa) (jellyfish). …* ~í – deineann siad san leis an teas den bhfarraige, bheidís fé mar a bheadh lampa mór jelly. CBÉ 977:174, Meith., 45.
bod *ain.* ~ buí. *Buíóg, (Emberiza citrinella) (Yellowhammer), is dócha.* "~ buí ag rince ar chlaí na teórann/ Agus ~ buí eile agus eireaball dóite." Éan beag is ea an ~ buí. An spág bhuí, sin í an chearc. Bíonn an nead i sceacha aici. Bíonn a burlach ana-bhuí agus cúl a cinn. Bíonn ubh liath-bhán aici agus paistí beaga breaca ann. CBÉ 977:23, Meith. 45.
bodhrán *ain. Gléas chun gráinne a cháitheadh.* Bheadh ~ is criathar in ga' aon tigh an uair sin – an gráinne a chréithirt ar dtúis is é a cháitheadh as an m~ ansan chun a' cháith a bhaint de. CBÉ 978:375, Samh. 45.
bogha *ain. Uirlis díonadóireachta.* Bhí cois fhada as an m~ mar a bheadh cois raca, agus crúca as. Bíonn bata beag trasna ansan agus dhá pholl ann agus cur-tar ~ tuigithe insa dá pholl san agus chúmhadfadh san an tuí ar an díon go dtí gcuirfeadh an díonadóir a lámh go dtí é. CBÉ 978:391-92, Samh., 45.
bóiceáil /bo:ˈk´ɑ:l´/[29] *ain. Maíomh.* Agus níor thaithnigh sé leis na daoine a bhí thimpeall an bhóiceáil a bhí aige. CBÉ[C.F.] 0487-0496, 1948.
bóiceálaí *ain. Duine a bhíonn i gcónaí ag maíomh.* Bhí fear thiar anso, fear ab ainm do Michéal Ó hArta agus ~ mór fir ba dh'ea é. CBÉ 977:142, Meith., 45.
boilig *ain. Galar i ngiall beithígh.* Bualadh teangan a deir tú. Is dócha gob é sin go dtugaimid ~ air, an giall istigh a dh'at fén teanga. CBÉ 977:481, M.F.., 45.

26. Feic *Ibid.*, lch. 49, s.v. *blaem.*
27. Feic *Ibid.*, lch. 50, s.v. *bléan.*
28. Feic *Ibid.*, s.v. *blumaeir.*
29. Feic *Ibid.*, lch. 52, s.v. *bóiceáil.*

bóithreán /buːr´ˈhɑːn/[30] *ain. Bualtach bó triomaithe mar ábhar tine.* Agus théadh na mná go léir amach sa Meitheamh ag bailiú ~ le hagha' tine. Cn.R.B.B., 33.
borradh /borə/[31] *ain. br. Gobadh.* 1. … do chonaic an sagart scrogall buidéil uisce beatha ag ~ amach as a phóca. CBÉ 630: 233. 2. ~ an éan ghé, *fás tapaidh.* "Thá ~ an éan ghé fé," adeir siad, "le ao' rud a bhíonn a' fás go mear. CBÉ 978:63, D.F., 45.
bosca *ain. Otharcharr.* Chuir an dochtúir fios ar leathpheanta biotáile siar go dtí Ti' Chadhla agus thug sé dho fear an bhosca – an ~ a bhíodh ag tarraint na ndaoine tinne isteach an uair sin go dtí an óspaidéal. CBÉ [C.F.] M0015-18, 1948.
brabhra /braurə/[32] *ain. Dealrachán, branra.* ~ do bhrád, branra do bhrád. Sin é ~ do bhrád *(collar-bone).* CBÉ 1100:134, Aib., 48.
bráca /brɑːkə/[33] *ain. Tigh beag ainnis cois an chlaí.* Nuair a curtaí duine amach as thigh dhéanfadh sé ~ taobh claí. Thógfadh sé falla beag le clocha agus le cré agus chuirfeadh sé cúpla smut adhmaid ón gclaí go dtí an falla, agus bheadh sé sin díonaithe le fraoch aige. CBÉ 977:14, Meith., 45.
bragaidéir *ain. Fear a bheadh ró-chainteach.* Agus ~ – sin fear a bhíonn ag síor-chabaireacht. CBÉ 1100:32, Márta, 48.
bráid /brɑːd´/ *ain.* **1.** *Gearra beag ar leithligh a dhéanfá san iasc chun é a mharcáil.* … agus nuair a thabharfainnse mo cholmóir isteach bhí marc agam – ~. CBÉ[C.F.] M0015-18, 1948. **2.** **~ na rámhainne,** *an chuid di a sáitear sa talamh.* Bais nó ~ na rámhainne. CBÉ 978:406, Nol., 45. *(léaráid).*
brat *ain. Brait, galar a thagann ar shúile na gcaerach.* Tagann brait[34] ar a súile. Leighisfeadh an siúicre iad ar nós na mba. CBÉ 978:36, D.F., 45.
bráthair *ain. (Squatina squatina) (Angel Shark).* CBÉ 977:174, Meith., 45.
breac *ain.* ~ an dá shúil déag. Sa gaibhlíní sa tráigh bíonn shrims, ~ an dá shúil déag, cealacán, sleamhnóg, ceann cruaidh, pis a' ribe. CBÉ 977:174, Meith., 45.
bréagaíocht *ain. Bréige.* … agus gach síol á gcuirfar dul i mine agus i m~. CBÉ 977:444, M.F., 45.
breall /b´r´aul/[35] *ain. Dearmad.* "File go sanntach," arsa sé, "i dteannta dhaoine."/ "Agus file a bhfuil ~ air," arsaigh an fear eile, "athá amuigh an t-am so dh'oíche." *(rann).* Cn.R.B.B., 187.
brí ain. *Ábaltacht.* Thóg sé ansan é nuair a sháin sé [i. an capall] a bhrí. CBÉ 977:157-59, Meith., 1945.

30. Feic *Ibid.*, lch. 52, s.v. *bóithreán.*
31. Feic *Ibid.*, lch. 53, s.v. *borradh.*
32. Feic *Ibid.*, lch. 56, s.v. *brannra.*
33. Feic *Ibid.*, lch. 54, s.v. *bráca.*
34. ls., *bruit.*
35. Feic *Ibid.*, lch. 57, s.v. *breall.*

briollacadh /b´r´uləkə/[36] *ain. br.* Ag ~, *ag féachaint go géar.* Bheiththá ag féachaint nó a' ~, sé sin ag féachaint go géar led dhá shúil. "Dh'airi' sé an ghiniúla agus bhí sé a' ~. CBÉ 1100:232, Beal., 48.

bris *br.* **Bhris an t-iasc,** *léim an t-iasc amach as an uisce.* Ní bhriseann an scadán chuige. Bíonn an macrael agus an sceaid ag ~eadh. CBÉ 977:191, Meith., 45.

bró /bro:/[37] *ain.* **1.** *Scoil éisc, carn feamnaí ar snámh ar bharr an uisce.* Chaithfidís na líonta san m~, sé sin mórchuid éisc is baidhte. CBÉ 977:190, Meith., 45. Nuair a thiocfadh fear abhaile is mórchuid éisc aige déarfaidís: "Thit sé isteach sa m~." **2.** *Cnapán cré.* Caoráin agus ~inte, cnapáin mhóra cré a chaithá a bhriseadh le raca. Is mó na ~inte ná na caoráin. CBÉ 978:294, Samh. 1945.

bróg *ain. Ball den chéachta.* Bíonn an calltar a' dul síos tríd an mbéim nó bíonn bróig á dhaingniú ar an mbéim sa céachtaí nua athá anois ann. CBÉ 978:206, Samh. 1945.

broiceast /brik´ˈasd/ *ain. Bricfeasta.* Bhíodh baraille uisce ón tobar agam fé a mbíodh sé ina lá ar maidin agus ba crúite agus gamhna fritheáilte agus mo bhroiceast ite agam le solas coinnle. CBÉ[C.F.] M0015-18, 1948.

broinne *ain.* **An Bhroinne Dhearg.** *(Babesiosis) (Red water fever).* Agus an bhroinne dhearg, bheadh a chuid uisce dearg [beithíoch]. CBÉ 977:475, M.F., 1945.

brontachas /brauntəxəs/ *ain. Brontanas.* Agus chuadar á dh'onóradh le mil, túis agus ór chun é a thabhairt mar bhrontachas do. Cn.Ú.P.

brontas /brauntəs/ *ain. Brontanas.* … sé ~ a chuirfinn chughat nach teacht anso agus éisteacht lena aigne sin agus lena ghuth agus lena chuid Gaelainn. CBÉ[C.F.]1644, 1955.

bruíontach aid. *Bruíonach.* Bhí sé mallaithe agus ~ agus a bholg lá de dhlí. CBÉ 978:227, Samh., 45.

bruis *ain. Scuab.* … is dhún sé an doras anuas air fhéin agus Cathal agus a' bhruis aige a' 'meacht ar fuaid na cistean á chosaint fhéin ar a' gcat. CBÉ 977:518, M.F., 45.

buaigh *br.* **Buaim leat**, *guím ort.* Más ag imeacht atháir uamsa buaim leat na Flaithis. *(amhrán).* CBÉ[C.F.]1265, 1954.

bualadh *ain.* **~ cloiche,** *cnapán fé bhonn na coise.* Níor airi' mé aon fhocal ar *corn* riamh ach tagann sé ar pháistí nuair ná bíonn bróga orthu sa samhradh, fuil-teacha. Tagann cnapán mór thíos féna gcois. Thugadh seanamhná ~ cloiche air. CBÉ 1100:22, Márta, 48.

bualadh *ain.br.* **ag ~ amach,** *ag ullmhú na talún i gcóir treafa.* É [an talamh gharbh] a bhualadh amach le cróití is le piocóidí ar dtúis. Ní chuirfidis ao' rud

36. Feic *Ibid.*, lch. 60, s.v. *briollacadh.*
37. Feic *Ibid.*, lch. 61, s.v. *bró.*

a' chéad bhliain ann go mbeadh sé dreóite. Dhéanfaidís é threabhadh ansan an tara bliain. CBÉ 978:198, Samh., 45.

buidiún *ain. Saghas éigin lachan.* Bíonn lachain anso leis ag daoine, agus bíonn lachain fhiaine ann – lachain fhiaine agus gearra-lachain agus buidiúin. CBÉ 978:65, D.F., 45.

buille *ain.* **An ~ a chlog,** *a haon a chlog.* … nuair a dh'imíodar fé dhéin na spiléar idir an dá bhuille dhéag 's a' ~ a chlog, is gairid a bhíodar imithe nuair a ghlaoigh an coileach. CBÉ 978:59, D.F.. 1945.

bullán *ain. Beithíoch fireann go dtí dhá bhliain d'aois.* Ó bhliain go dtí dhá bhliain, gamhain nó bullán is ea é. CBÉ 977:479, M.F.., 45.

bunóc /bəˈnu:k/[38] *ain. Leanbh a bheadh díreach beirthe.* ~ is ea leanbh t'réis teacht ar an saol. CBÉ 1100:41, Márta 1948.

bunrámhainne[39] *ain. Rámhann caite.* ~ a thabharfaidís ar rámhann a bheadh ana-chaite. CBÉ 978:407, Nol., 45.

cab *ain. Béal beag.* ~ is ea béal beag. CBÉ 1100:98, Aib., 48.

cabhail /kəul´/[40] *ain.* **1. ~ an tí,** *lár an tí.* **…** i gcabhail a' tí a bhíonn an simné. CBÉ 978:387, Samh., 45. **2. I g~ an árthaigh,** *thíos fé dheic.* Agus bhíodh go leor adhmaid ar deic an uair sin acu chomh maith leis an last a bheadh ina ~. **3. ~ na rámhainne,** *an chuid den rámhann go dtéann an chos (bata) agus an tuille isteach ann.* ~, ~ na rámhainne. CBÉ 978:406, Nol., 45. *(léaráid).*

cabhalmhar *aid. Cabhlach.* Deiridís go mbeadh an bhó níos cabhalmhaire /kaulvɪr´ɪ/[41] leis an lao fireann ná bheadh sí leis an lao baineann, go mbeadh tabhairt níos mó inti ag iompar lao fireann ná lao baineann. CBÉ 977:472, M.F.., 45.

cac *ain.* **1. Ag cur chaca uaidh/uaithi,** *scanraithe.* "Bhí sé a' cuir chaca bhuaidh." Sé sin le scanradh. CBÉ 1100:145, Aib., 48. **2. Bain ~ as,** *cuir ag obair go dian.* "Bheirim 'on diabhal gur bhaineas-sa ~ as," a dhéarfadh fear, sé sin gur bhain sé níos mó ná a dhaothaint oibre as. CBÉ 1100:145, Aib., 48. **3. ~ an ghandail bháin,** *oideas nó breab éigin a bheadh ag cailín chun fear a mhealladh.* Thugadh cailíní ~ an ghandail bháin d'fheairibh óga agus chaillfeadh na feairibh a gciall d'iarra' an cailín sin a bheith acu. CBÉ 1100:145, Aib., 48. **4. Tá deireadh mo chaca déanta,** *táim traochta amach, i ndeireadh na feide.* Is minic a dh'airi' mé seanduine nuair a bheadh sé a' tabhairt suas le tuirse. "E mhuis a Mhaidhc thá deireadh mo chaca déanta. Táim traochta. CBÉ 1100:231, Beal., 48.

cadóg /kəˈdo:g/ *ain. (Melanogrammus aeglefinus) (Haddock). Jacky-a-Dory* agus an chadóg agus an deargán, sin iad na trí bric a bhí age'n suipéar déanach agus thá rian A mhéire agus 'órdóige iontu. CBÉ 1100:35, Márta, 1948.

38. ls., *bunúc* – Feic, leis, *Ibid.*, lch. 69, s.v. *bunóc.*

39. ls., *bun-ráinne.*

40. Feic Breatnach, *Seana-Chaint II,* lch. 70, s.v. *cabhail.*

41. ls., *callmhuire.*

caga *ain. Ceaig.* ... caga le hagha' uisce. CBÉ 977:193, Meith., 45.
caill *br. Maraigh.* Chaillfeadh a' t-uisce bog na cnathacha. CBÉ 978:36, D.F., 45.
cailleach *ain.* **~ Chiarraí,** *portán beag.* Bíonn ~a Ciarraí ann leis, portáin bheaga: bíonn siad acu le hagha' baidhte. CBÉ 977:175, Meith., 45.
caisearbhán *ain. (Taraxacum officinale) (Dandeloin).* Thugaidís caisreabháin[42] brúite do mhuca le n-ithe. CBÉ 978:41, D.F., 45.
caisleán /kɪʃˈl´ɑ:n/[43] *ain.* **~ bán,** *scamall mór bán.* Scamaill mhóra bhána, caisleáin bhána – sin comhartha fearthaine. CBÉ 977:188, Meith., 45.
caith *br.* **~ ina b[h]éal é,** *cas leis/léi é.* I dtigh tábhairne dá labharfaidís focal chaithfí ina mbéal é. CBÉ 150:264.
campordúil /kaumpo:rdu:l´/[44] *aid. Breá.* Nuair a thánaímair dtí crosaire Bhaile na Móna bhí an ré in airde go breá agus an oíche, an oíche ~ ceart. CBÉ[C.F.] 1655-6, 1955.
canbhint *ain. Clochar.* ... thá an coiréal ar an gcé ann, gairid don chanbhint [i nDún Mór]. Cn.R.B.B., 187.
cánóg *ain. Seans gurb é an saghas éin atá i gceist anseo ná an chánóg bhán (Fulmarus glacialis) (fulmar petrel) nó an chánóg dhubh (Puffinus puffinus) (Manx Shearwater), ar a shon go nglaotar 'cánóg' ar an 'fuipín' (Fratercula arctica) (Puffin) in Uíbh Ráthach, Co. Chiarraí*[45] *chomh maith.* Bheidís a' féachaint amach don mbaidhte, na ~a agus na gainéin, an áit is mó a fhicidís iad sea is mó bheadh an baidhte. CBÉ 977:190, Meith., 45.
caoineamh /ˈki:n´əv/ *ain. br. Caoineadh.* Agus is gairid a bhí sí pósta nuair a fuair sí bás agus chuaigh sé á ~. Cn.Ú.P.
caorán *ain. Cnapán cré.* Caoráin agus bróinte, cnapáin mhóra cré a chaithá a bhriseadh le raca. Is mó na bróinte ná na caoráin. CBÉ 978:294, Samh., 1945.
caorthann *ain. (Sorbus aucuparia) (Mountain Ash, Rowan).* Bhí crann caorthainn ag fás as coinne an dorais. CBÉ 87:120.
cárnúch *ain. Úth cruaidh i mbó.* Bheadh cuid acu [na ba] agus bheadh ~ acu – úch fíor-cruaidh – agus bheadh cuid eile acu agus bheadh leac ina n-úch. CBÉ 977:457, M.F., 45.
carraeiste /kre:ʃd´ɪ/ *ain. Carráiste.* Agus nuair a dh'airigh sé fuaim ~ an easpaigh chuai' sé dho léim amach ar a' mbóthar. CBÉ[C.F.] M0015-18, 1948.

42. ls., *coisreabháin.*
43. Feic Breatnach, *Seana-Chaint II,* lch. 76, s.v. *caisleán.*
44. Feic Breatnach, *The Irish of Ring* ,lgh. 29, 130, s.v. *compord.*
45. Nic Pháidín, C. *Cnuasach Focal ó Uíbh Ráthach.* Baile Átha Cliath: Acadamh Ríoga na hÉireann, 1987, lch. 23, s.v. *cánóg.*

cartadh /kartə/[46] *ain. br.* Bíonn tú a' ~ le spranng. CBÉ 978:442, Noll., 1945.
cartaigh *br.* Ag forcáil. Croiceann gabhair orthu agus eireaball cuíora/ Agus gob lachan a chartfaidh an t-aoileach *(véarsa).* CBÉ 977: 137, Meith., 1945
céachta *ain.* **1. ~ síl,** *céachta beag.* Déanfaí an talamh a threabhadh ar dtúis agus gheofaí céachta beag ansan, céachta síl, agus déanfaí an treabhadh sin a ribeáil agus ansan é dh'fhuirseadh. Ní bhíodh aon chlár ar a'gcéachta beag a' ribeáil ach bhíodh clár air a' clúdach an tsíl. Aon chapall amháin a bhíodh á tharraint. CBÉ 978:252, Samh., 1945. **2. ~ páirteach,** *céachta gur le níos mó ná duine amháin é.* Bhíodh treabhadh páirteach agus ~í páirteach anso fadó agus ba dh'in an treabhadh coiripe. An lá theastódh uaitse treabhadh a dhéanadh, theastódh treabhadh bhuamsa an lá céanna, agus nuair a bhíodh ~ páirteach ann, nuair a dhéarfainnse gur ceart é dheisiú déarthása nár ghá é – go raibh sé maith go leor. CBÉ 978:254, Samh., 1945.
ceaifiléireacht /k´af´ɪl´e:r´əxd/ *ain. br. Cleasaíocht, amadántaíocht.* Tabharfaí diogánach ar leanbh, leis, suas dtí a mbeadh sé a' dul ar scoil agus é a' ~ le seanduine. CBÉ 1100:44, Márta, 48.
ceaist /k´aʃd´/[47] *ain. Téarma a d'usáidtí i gcomhaireamh an éisc i. trí cinn breise a chuirtí le gach céad.* Bíonn trí cinn i gach aon láimh. Ba dh'in haon. Bíonn dachad láimh i gcéad agus ceaist isteach. Bíonn láimh sa cheaist. CBÉ 977:177, Meith., 45.
ceann *ain.* **1. ~ cruaidh,** *(Blennius ocellaris) (Butterfly Blenny).* CBÉ 977:174, Meith., 45. **2. ~ bó,** duine go mbeadh aghaidh mhór air/uirthi. Casfaí pus mór le duine. Bhí aithne agamsa ar fhear, sé an ainm a bhí air, ~ Bó. 'Á dtabharfaí air istigh in tigh ósta é bheadh sé i gcontúirt an tigh a leagaint. CBÉ 1100:44, Márta, 71. **3. Ina cheann/ina ceann/ina gceann,** *ag teacht.* … agus ar maidin Dé Domhna a bhí ina g~ bhí an sagart ag léamh an Aifrinn sa nGráinsigh. CBÉ[C.F.] M0015-18, 1948. **4. ~ cait,** *(Asio otus) (Long-eared Owl).* Chuir sé [an dreoilín] fios ar an g~ cait ansan agus dúirt sé leis go beag den ngrian a chífeadh sé choíche mara go mbeadh sé i bpoll sa lá is amuigh san oíche. B.B.C., CBÉ[C.F.]1090, 1951. **5. 'Cheann a ráite** /x´aun ə ˈrɑ:t´ɪ/, *toisc.* … agus bhí an Seanachánach ar buile 'cheann a ráite go raibh ainm na mBrianach níba aoirde ná é fhéin. CBÉ[C.F.] M0015-18, 1948. **6. As ~,** *os cionn.* Bhí crann mór ag fás as ~ an tobair in airde. Cn.Ú.P. **7. Bhí sé/sí go holc dho c[h]eann do/di,** *bhí sé/sí go holc mar fhear/bhean tí do/di.*[48] Agus bhí a bhean go holc dho cheann don ngabha agus fuair sé bás. CBÉ[C.F.]M0492, 1948. Bhí bean ann agus bhí fear aice agus bhí sé go h-olc a cheann di. CBÉ 968:559, Meith., 45. **8. ~ na hoíche,**

46. Feic Breatnach, *The Irish of Ring*, lch. 79, s.v. *cartadh.*
47. Feic Breatnach, *Seana-Chaint II,* lch. 82, s.v. *ceaist.*
48. Feic *Ibid.*, lch. 83, s,v. *ceann.*

tosach na hoíche. Chuai' sé amach ar maidin leis na ba, agus nuair a tháinig sé isteach ar cheann na hoíche chrúigh sé an bhó. CBÉ[C.F.] M0015-18, 1948.

cearc *ain.* **~ fraoi'** /k´ark´ ˈfri:/[49] *Cearc Fhraoigh. (Lagopus lagopus) (Red Grouse).* Bhí ~a fraoi', agus piotruisce agus cleabhair agus paghsúin anso. CBÉ 977:38, Meith., 45.

cearr *ain.* **~ leabhair.** Tháinig an dochtúir agus chóirigh sé iad agus tháinig an ~ leabhair /k´ɑ:r l´aur´/ ansan agus chuadar isteach dtí an óspaidéal. CBÉ[C.F.] M0015-18, 1948.

ceathrú /k´ɑ:ˈrhu:/[50] *ain. Leath-acra.* ~, sin leath-acra. Thá sí anso thiar, Páirc na Ceathrún. Dhá leath a dhéanadh' d'acra, thá dhá 'cheáthrú' agat. CBÉ 978:373, Samh., 45.

ceilp /k´el´p´/ *ain. Talamh cruaidh.* Treabhfaí an coinleach ragha [roimh] an bán chun go mbeadh an bán lom chun go mbeadh sé ina cheilp a dheiridís – sé sin gan é bheith ag tarraint na gaoithe th'réis é a threabhadh. CBÉ 978:376, Samh., 45.

ceirte /k´er´t´ɪ/[51] *ain. Éadach.* Agus nuair a chuai' mé amach thit mo cheirte go léir díom, dóite ina gcipíní anuais díom. CBÉ[C.F.] M0015-18, 1948.

céis /k´e:ʃ/[52] *ain. Banbh ó thrí mhí go dtí sé mhí.* Bíonn an banbh ina chéis nuair a bhíonn sé trí mhí agus as san go dtí mbíonn sé sé mhí. CBÉ 978:37, D.F., 45.

ceosúir *ain. Ciarsúr.* … agus bhí an cailín óg ag teacht ina choinne an bóthar agus ~ póca ina dorn agus an sparán istigh ann. CBÉ 977:462, M.F.., 1945

chuigint *for. réamh.* **A ~,** *in aon chor, ar chor ar bith.* Ní raibh aon aithne ag an sagart ar an ngarsún a ~. CBÉ[C.F.]0495, 1948.

chún /xu:n/ *dobh. Chomh.* … agus chaithinn tithe agus ba agus stáblaí agus gach aon rud a ghlanadh amach ~ dian is a chaithinn a dhéanadh Dhé Luain. CBÉ[C.F.] M0015-18, 1948.

ciarraíoch *ain. Bó Chiarraíoch.* Deir siad, na Ciarraíg sin, gur fearr a' crúiteoir a' ceann a mbeadh a' t-úch bán aici ná'n ceann a mbeidh a' t-úch dubh aici. CBÉ 977:485, M.F., 45.

cinnfhéarainn /k´i:ŋ´iariŋ/[53] *ain. Cinnfhearainn.* An áit a bheadh na capaill a' casadh, sin í an ~ . "Thá na capaill a' dul amach ar an g~," CBÉ 978:207, Samh., 45.

ciseán /k´iˈʃɑ:n/ *ain.* **1.** *An trealamh a bhí ann (breeches buoy) chun duine a thabhairt i dtír ó long bháite.* Bhí an chéad fhear ar a' talamh againn ar a deich; bhí an captaen ina sheasamh ar an drochad agus an gunna ina láimh ag cuir ordaithe – gach aon fhear d'réir mar a bhí sé goirtithe, bhí sé le teacht ar dtúis sa

49. Feic *Ibid.,* lch. 85, s.v. *cearc.*
50. Feic *Ibid.*, lch. 82 s.v. *ceáthrú.*
51. Feic *Ibid.*, s.v. *ceirte.*
52. Feic *Ibid.*, lch. 88, s.v. *céis.*
53. Feic *Ibid.*, lch. 93, s.v. *cinn-fhearainn.*

chiseán. CBÉ[C.F.] M0015-18, 1948. **2. Ina gciseáin,** *go flúirseach.* Mara beidh againn lachain is uíbhe ina gciseáin. *(amhrán)* CBÉ[C.F.]0498, 1948.

cladha *ain. Aicíd a thagann ar speir chapaill.* An rud a thagann thiar ar speir a' chapaill, ní bhfaighinn cuímhneamh ar an ainm athá air. *Greaze* a thugann siad san mBéarla air. Ó sea, ~ is dóigh liom a thugann siad air – salachar duine a chimilt do san le cipín. CBÉ 1100:147-8, Aib., 48.

claibín *ain. Laiste.* Belt nó ceosúir a chuir amach a' crochadh ar a' g~ Oíche Féil Bríde agus é fhágaint ansan go maidean. CBÉ 977:183-4, Meith., 45.

claíochán /kli:ˈxɑ:n/[54] *ain. Claí beag íseal.* Maolchlaí nó ~ a tugtar ar chlaí beag íseal. CBÉ 968:568, Meith., 45.

claíochant /kli:x´nt/ *ain. br. Marú.* Is agamsa athá 's cad a dhein tú 'chlaíochant. *(caoineadh).* CBÉ[C.F.] 0490, 1948.

cláirín *ain. Comhla adhmaid a bhíodh ar dhá thaobh an mhála stríocála.* Béal mór ar an mála stríocála. Bíonn téad na luaithe thíos agus téad na gcorc ar barra agus dhá chláirín ar gach taobh. CBÉ 977:46, Meith., 45.

claoite /kli:t´ı/ *aid. bhr. Caillte.* Nuair a chuaigh chugham scéala go rabhais-se ~. *(caoineadh).* CBÉ[C.F.] 0490, 1948.

clár *ain.* **~ géarbair,** *an chéad chlár os cionn na cille sa bhád.* An chéad chlár as cheann na cille sa mbád, an ~ géarbair, agus pionnaí adhmaid ar fad athá ansan. CBÉ 977:173, Meith., 45.

cleabhar /k´L´əur/[55] *ain. Creabhar. (Scolopax rusticola) (Woodcock).* Bhí cearca fraoi', agus piotruisce agus cleabhair agus paghsúin anso. CBÉ 977:38, Meith., 45.

cleapéir *ain. Teanga mhná.* Bhí aithne agamsa ar fhear, sé an ainm a thugadh sé ar theanga mná, an ~, mar na seana-mheaisíní dheineadh a' siúinéir fadó chun na teine a shéideadh bhí ceithre chleapéir iontu agus chuireadh sé i gcomórtas teanga na mná leó san mar bhídís a' síor-chasadh istigh sa mheaisín. CBÉ 1100:28, Márta, 48.

cleath /k´ıl´ax/[56] *ain. Slat iascaigh.* … chaith mé an t-iasc go léir isteach sa ghaibhlín agus bheir mé ar a' g~ is leag mé 'na bhfochair í. CBÉ 977:9, M.F.., 45.

cleite *ain. Sciathán.* … chuimnigh mé ar an seaga a bhíodh ina sheasamh ar an gcloch á thirmiú fhéin is a dhá chleite in airde aige. CBÉ[C.F.] 1655-6, 1955.

cleitín /k´L´et´i:n´/ *ain. Imeall an chinn tuí os cionn an fhalla.* Chuirtheá an chéad chúrsa thíos age'n g~. CBÉ 978:388, Samh., 45. Bhíodh an ~ amu', bun a' dín agus an trús istigh as cheann an phortfhalla. CBÉ 977:8, Meith., 45.

54. Feic *Ibid.*, lch. 96, s.v. *claidhe.*

55. Ar a shon go dtugann Breatnach an fuaimniú /k´r´əur/ do ainm an éin seo, deir sé chomh maith go bhfuil /k´L´əur ˈke:x/ cloiste aige ag tagairt don bhfeithid go nglaotar *dochtúir* nó *dochtúir caoch* uirthi – *Ibid.,* lch. 117, s.v. *creabhar,* n. 5.

56. ls., *cleach.*

cliaráil /k´l´iarɑ:l´/ *ain. br. Glanadh.* Nuair a chuaigh na marcaigh in airde/ Bhí gach n-aon ag ~ na slí. *(amhrán).* CBÉ[C.F.]1269-71, 1954.

cliaráltha /k´l´iarɑ:lhə/ *aid. bhr. Glan, saor ó thrácht.* … iad ag séideadh chun an canáil a chumhad ~, ná buailfeadh na *steam*anna na báid. Cn.R.B.B., 187.

cliath[57] *ain. Clár adhmaid os cionn an doiris.* Bhíodh ~ as cheann an doiris agus bhíodh na cearca agus an coileach in airde air. CBÉ 977:9, Meith., 45.

clinseáltha[58] *aid. bhr.* **Bád ~,** *bád scairdhéanta.* Bíonn dhá shórt bád ann, bád ~ agus bád grábháltha, ach báid grábháltha ar fad a bhí anso. CBÉ 977:195, Meith., 45.

cliobarnaorach *ain.* **1. ~ cait,** ***cat mór.*** ~ cait. Thabharfadh daoine eile rábaire air. CBÉ 978:79, D.F., 45. **2. ~ madra,** *madra mór.* ~ madra. CBÉ 978:93, D.F., 45.

clipe *ain. Spíce.* Bíonn ubh mharaigh leis insa tráigh. Bíonn sé sin ina liathróid agus clipí air. CBÉ 977:175, Meith., 45.

cló *ain. Fearas chun spiléar a chrochadh air.* Bhíodh ~ anso chun spiléar a chrochadh air. Bata ba dh'ea é go raibh dhá scoilt ann. Bhíodh a cheann sáite isteach sa bhfalla. Bhíodh na duáin crochta ar thaobh de agus an dró ar a' dtaobh eile. CBÉ 977:56, Meith., 45.

clóbhar *ain.* **~ dearg,** *Seamair Dhearg (Trifolium pratense) (Red clover).* ~ dearg is régras/ Á chaitheamh ina dhé' súd ann. *(amhrán).* CBÉ[C.F.]1269-71, 1954.

cloch *ain. Magairle.* Magarlaí nó ~a *(testicles).* CBÉ 1100:229, Beal., 48.

clogaithe *aid. bhr. Cráite, ciapaithe.* Agus bhí sé ~ 'cheann a bheith a' leanúint air. CBÉ 978:240, Samh., 45.

cluas *ain.* **~ sluaiste,** *an áit go gcuirfeá do chos ar an sluasaid.* ~a na sluaiste. CBÉ 978:409, Nol., 45. *(léaráid).*

cluasaí *ain. Duine a bhíonn ag éisteacht le comhrá daoine eile.* ~ thabharfaidís ar dhuine a bheadh ag eisteacht sa doirse. CBÉ 1100:73, Márta, 48.

clúdach *ain. An fód a churtí ón gclais in airde ar an iomaire.* ~ a thugaidís ar a' bhfód a chaithidís as a' gclais anuas ar an iomaire. CBÉ 978:291, Samh., 45.

cnáimhín *ain.* **~ bhéal an ghoile,** *an scéithín (Ensiform cartilage).* Bíonn cnámh beag anso i mbéal do ghoile, a dtugann siad ~ bhéal a' ghoile air. 'Á raghach sé sin isteach chaillthá do ghoile. Ní bhfaighthá dada a dh'ithe. Gheóthá é sin a chuir amach arís led mhéireanna. CBÉ 1100:139, Aib., 48.

cnaoite /kni:t´ɪ/[59] *aid. bhr. Claoite, caite, snaoite.* Go mbréagthása an Bhrídeach ar a caol-leapain sínte/ Agus dh'fhágthá go ~ í agus osna ina lár. *(amhrán).* CBÉ150:393, 1934

57. ls. *cliach*

58. ls., *cleighnseáltha*

59. Feic Breatnach, *Seana-Chaint II,* lch. 100, s.v. *cnaoite.*

cnathacha /knahəxə/[60] (*ain. iol. de* **cnuimh**[61] < cruimh), *cruimheanna.* Cré tirim claí, sin é bhíodh acu fé ar tháinig an *Jeyes Fluid*, an cré a chimilt don bpaiste a mbeadh na ~ ann [ar an gcuíora]. CBÉ 978:36, D.F., 45.
cnuasnóg *ain.* **~ bheach,** *nead bheach.* Chuaigh an Tiarna go dtí port na habhann agus fuair sé ~ bheach, agus thóg sé ina dhorn í 'dir bheach agus mhil. CBÉ[C.F.] M0015-18, 1948.
cnúdán *ain. (Den bhfine Triglidae) (Gurnard). ~ Donn, ~ Dearg (Aspitrigla cuculus).* CBÉ 977:174, Meith., 45.
coc *ain. Cocán.* Bhíodh ~ déanta thiar ar chúl a gcinn ag cuid de na mná agus ar mhulla a gcinn ag cuid eile acu, agus ar a dhá gcluais. CBÉ 1100:69, Márta, 48.
cocól *ain.* **1. Dhein sí ~ de,** *mheall sí é.* "Dhein sí ~ de," a deirtear nuair a mheallfadh cailín buachaill a mbeimís go léir a rá ná pósfadh sé chuigin í. CBÉ978:42, D.F., 1945. **2.** *Toradh planda éigin ar nós Leadán Liosta (Arctium minus) (Lesser Burdock), nó Garbhlus (Galium aparine) (Cleavers, Goosegrass, Robin-run-the-hedge).* ~ is ea an rud san a bhíonn ag fás agus do ghreamódh sé díot. CBÉ978:42, D.F., 1945. **3.** *Duine go mbeadh fearg curtha ag daoine air.* Nuair a bheadh fearg air dhéarfadh duine: "Thá sé ina chocól anois acu." CBÉ978:42, D.F., 1945.
coileán *ain. Cuid óg an róin.* ... agus ní bhíodh aon obair aige ach amháin imeacht ar fuaid na faille ó mhaidin dtí an oíche agus bhíodh sé a' robáil na coileáin ós na róinte. CBÉ 977:257, Meith., 45.
coilichín /k´il´ɪh´iːn´/[62] *ain.* **~ coc,** duine go mbeadh sé fuirist fearg a chur air. ~ coc is ea duine a mbaileoidís go léir thimpeall air chun fearg a chuir air agus b'fhuiris fearg a chuir air. CBÉ 978:61, D.F., 45.
coill *br. Cúpláil (in éanlaithe) – an coileach ag dul ar an gcearc.* Coileach maith é sin. ~iúfai' /k´l´uːhə/ sé na cearca ag eitealadh.[63] CBÉ 977:42, Meith., 45.
coillteoir *ain. Fear a choilleann beithígh.* Bhíodh duine ag imeacht thimpeall a ghearradh iad [na bulláin], ~. CBÉ 977:479, M.F., 45.
coimíneas *ain. Coimín.* Tá an sliabh acu ansan chuin móin a bhaint ann. Tá sé ina choimíneas. CBÉ 968:565, Meith., 45.
coipe /kip´ɪ/[64] *ain. Cúr.* Ar nós ~ na habhann go rabhair seang lag marbh/ I measc tonnacha ar feadh mí báite. (amhrán). 977:544, M.F., 1945.

60. Feic *Ibid.*, lch. 101, s.v. *cnathacha.*
61. Feic *Ibid.*, lch. 102, s.v. *cnuimh* – thug MT an fuaimniú /knai/ do R.B. Breatnach nuair a cheistigh sé é ina thaobh (*Ibid.*, n. 1.)
62. ls., *coilithín.*
63. Feic *Ibid.*, lch. 104, s.v. *coiliú.*
64. Feic *Ibid.*, lch. 127, s.v. *cuipe.*

cóir *ain.* ~ **tine,** *gunna.* Chuir sé a lámh na phóca agus tharraing sé aníos dhá chóir tine. CBÉ 87:163, c. 1934.
coirce /kork´ɪ/[65] *ain.* ~ **cuaiche,** *coirce a chuirfí déanach.* 'Á mbeadh a' chuach tagaithe fé mbeadh an coirce nó na prátaí curtha acu bheidís ina bprátaí cuaiche, nó bheadh an ~ ina choirce cuaiche agus ní bheadh aon mheas ar a leithéid. CBÉ 978:380, Samh., 45.
cóirigh *br. Maisigh.* "'Á bhfaighthá cuireadh dtí rince anois," arsa sé, "nó dtí pósadh, ar an am a bhí beartaithe dhuit chun dul ann ná cóireothá tú fhéin chun dul ann." CBÉ 1100:33, Márta, 1938.
coiripe /kir´ɪp´ɪ/ *aid. Duaisiúil, trioblóideach.* Bhíodh treabhadh páirteach agus céachtaí páirteach anso fadó agus ba dh'in an treabhadh ~. An lá a theastódh uaitse treabhadh a dhéanadh theastódh treabhadh uamsa an lá céanna, agus nuair a bhíodh céachta páirteach ann, nuair a dhéarfainnse gur ceart é a dheisiú déarthása nár ghá é – go raibh sé maith go leor. CBÉ 978:254, Samh., 1945. Ach is gairid a réamair i bhfoithint a chéile/ Nuair a bhíomair ~. *(amhrán).* CBÉ [C.F.] 0489a, 1948.
coistéad *ain.* **1.** *Téad a bhíonn ar an mála stríocála.* Bíonn téad ó gach cláirín ag teacht isteach sa mbád – an ~. CBÉ 977:46, Meith., 45. **2.** *Téad a bhíodh idir an dá chapall ag treabhadh.* Bíonn ~ idir an dá chapall. CBÉ 978:205, Samh., 45. **3.** *Téad idir an céachta agus an chuing mhór.* Bíonn ~ agus cab idir an chuing[66] mhór agus an raca. Bíonn an choistéad goite ar an raca leis an gcab agus pionna á cheangal. CBÉ 978:205, Samh., 45.
collán *ain. Deir Micheál Ó Síocháin gurb é seo an sliogéisc go nglaotar an sand-mya air.*[67] *Más fíor é sin is dóichí gurb é atá i gceist ná an Sand Gaper (Mya arenaria) (Clam) atá ar cheann de na sliogéisc is toirtiúla dá bhfuil againn (suas go dtí 6" ar faid agus 3" ar leithead). Maireann sé in tránna go mbíonn meascán maith de phluide agus de ghaineamh iontu.* Bíonn colláin leis insa tráigh. Bhainidís na colláin leis na rámhainne ach chaitheadh an gála isteach ar a' tráigh leis iad. CBÉ 977:206, Meith., 45.
colmóir /koləˈmu:r´/ *ain. (Merluccius merluccius) (Hake).* Bhí na lanngaí agus na colmóirí fairsing. CBÉ 977:46-7, Meith., 45.
colpa /koləpə/[68] *ain.* ~ **buachalla,** ~ **cailín,** *balcaire beag de dhuine.* Buachaill beag tiubh, thabharfainn ~ air – ~ buachalla nó ~ cailín. CBÉ 1100:22, Márta, 48.

65. Feic *Ibid.*, lch. 105, s.v. *coirce.*
66. ls. *caidhng* /kaiŋ´g´/.
67. Sheehan *Sean-Chaint,* lch. 95, s.v. *píothán.*
68. Feic Breatnach, *Seana-Chaint II,* lch. 107, s.v. *colapa. Feic, leis,* Sheehan *Sean-Chaint,* lch. 63, s.v. *colpa.*

comhra /ku:rə/[69] *ain. Cónra.* Thóigeag an clúdach den chomhra go bhfeiceadh a bhean agus a mháthair é. CBÉ[C.F.]0494, 1948.
con *ain. Cnó.* Bíonn bolltaí agus nutaí ann. Thabharfadh daoine eile ~ ar nuta. CBÉ 978:206, Samh., 45.
conast /conəsd/ *dobh. Conas.* Dhruid sé im choinne agus rug ar lámh orm/ Agus dh'fhiarthaigh do Sheán bocht ~ a bhí. CBÉ[C.F.] 0490, 1948.
cóngar /ku:ŋgər/[70] *ain.* **Dhein sé an ~ air/uirthi,** *bhí sé ann roimhe/roimpi.* ... dhein an buachaill eile an ~ air agus bhí sé in airde sa chrann i ngeaird an tséipéil roimhe. CBÉ978:5, M.F.., 1945.
cor *ain.* **Cad ba chor do,** *cad d'imigh air.* Dh'airi' mé trácht ag na seandaoine ar an anam, go bhfágfadh sé an cholann mar fhágfadh colúr fiain a nead, le gráin ar an gcolann; agus ná raibh fhios ag aon cholann cad ba chor do as san amach. CBÉ 977:441, M.F.., 1945.
corda *ain.* **~í an damhháin alla,** *líon an damhháin alla.* ~í an duáin alla ar a' talamh, nuair a bheidís sin tiubh ar a' talamh ar maidin nó um thráthnóna, deir siad gur comhartha mór fearthaine é. CBÉ 977:189, Meith., 45.
corrach /k(ə)ˈrax/[71] *ain. Talamh fliuch.* ~ garbh a mbeadh saileach is garaluachair agus seasc ag fás air, gach aon ghairthean ann. CBÉ. 978:292, Samh., 1945.
corrán /krɑ:n/[72] *ain.* **~ scoite,** *~ gan aon fhiacla.* Bhíodh ~ scoite ann leis. Ní bheadh aon fhiacail ansan áfach. Bhíodh sé acu a scotha aitinn, a' baint an aitinn des na stampaí le hagha' easair. CBÉ 978:414, Nol., 1945.
corriasc *ain. Corr réisc. (Ardea cinerea) (Grey Heron).* An ~ ar bhruach an tsrutha [comhartha fearthaine]. CBÉ 977:187, Meith., 45.
cosáinín *ain. (Chondrus crispus) (Carrageen).* Bhíodh sleabhacán agus bairnigh agus diliosc agus ~ á mbaint fadó. CBÉ 978:14, M.F., 45
crabaí /kraˈbi:/ *ain. (iol.).* ~ **fiaine**, *fia-úlla. (Malus sylvestris) (Crab apple).* ... agus chonaic sé an garsún in airde in crann agus é ag piocadh ~ fiaine. CBÉ[C.F.]0495, 1948.
craghscalach *aid. An-fhuar.* "Tá sé ~," a déarthá nuair a bheadh an lá fuar. CBÉ 977:176, Meith., 45.
cráifis *ain. Piardóg. (Palinurus elephas) (Crawfish).* CBÉ 977:174, Meith., 45.
craindí /krandʹi:/[73] *ain. Leaba de shaghas éigin.* Bhíodh leaba eile sa chistin go dtugaidís an ~ uirthi. Bhíodh cheithre clocha ann agus bataí anuas orthu, agus tocht clúimh nó tocht lócháin leagtha anuas ar na bataí. CBÉ 977:10, Meith., 45.

69. Feic *Ibid.,* lch. 110, s.v. comhra.
70. Feic *Ibid.*, lch. 111, s.v. *conggar.*
71. Feic *Ibid.*, lch. 134, s.v. *currach.*
72. ls., *crán* – feic Breatnach, *Seana-Chaint II,* lch. 113, s.v. *corrán.*
73. Feic *Ibid.,* lch. 116, s.v. *crandí.*

crann *ain.* **1. ~ crabaí,** *Crann Fia-úll. (Malus sylvestris) (Crab Apple).* Fuaireadar é aistriú isteach go *property* an Bharúnaigh agus crochag ansan é. Téadán a chuir ar a mhineál agus é a tharraint in airde. Bhí ~ crabaí ann. CBÉ 977:2, Meith., 1945. **2.** *Gas prátaí.* 'Á bhfeiceofaí na crainn[74] a' titim anuas – bheidís gearrtha ages na sioráin, thugaidís leo géanna go dtí an gharraí. CBÉ 977:18, Meith., 45.

creithirt *ain.* **Ní raibh aon ~ ann/inti,** *ní raibh aon chríoch air/uirthi.* Óinseach ba dh'ea an ceann ab óige dos na hiníonacha – ní raibh aon chreithirt inti. CBÉ 977:15, Meith., 45.

criocaird[75] *ain. Criogar. (Acheta domesticus) (Cricket).* Tigh go mbíonn ~ ann, deir siad go mbíonn siad san rathúil agus go mbíonn airgead sa tigh. CBÉ 977:176, Meith., 45.

crioscar *ain.* **~ fuachta,** *fuacht ana-olc.* ~ fuachta – ar crioth le fuacht. CBÉ 87:141, c. 1934.

cró *ain.* **1. ~ na mbánta,** *cac caerach.* '~ na mbánta,' sé sin salachar na gcaerach. CBÉ 978:35, D.F., 45. **2. ~ na sluaiste,** *an chuid den tsluasaid go dtéann an chos isteach inti.* CBÉ 978:409, Nol., 45. *(léaráid).*

crobh *ain. An Chrobh Dhearg. (Geranium sanguinium) (Bloody Crane's-Bill).* Agus an bhroinne dhearg, bheadh a chuid uisce dearg [an beithíoch]. An chrobh dhearg a bhíodh mar leigheas air. CBÉ 977:475, M.F., 45.

crochta *aid. bhr.* **Níos ~,** *níos aoirde.* Tiormaíonn an eitir níos túisce ná an tráigh, thá an eitir níos ~. CBÉ 977:204, Meith., 1945.

croiceann *ain.* **Fuair sé piosa croicinn,** *bhí sé ag cúirtéireacht.* Fear a raghadh tamall i bhfochair mná, déarfadh duine: "Fuair sé píosa ~" nó "Fuair sé píosa leathair." CBÉ 1100:141, Aib., 48.

croíléiseach *aid. Fial.* Fear ~ – sin fear fial. CBÉ 1100:32, Márta, 48.

cros *ain.* **1. Lá Fhéil ~,** *an lá is faide sa bhliain.* An cúigiú lá fichead den mí seo, Lá Fhéil' ~, an lá is sia sa mbliain. Lá Fhéil' ~, sin é an lá a chuaig Naomh Seán fé dhéin na croise. Chuiridís ~ le cipín dóite ar mhuirilte an pháiste, gach páiste sa tigh, an lá san, aon am den lá, ar a lámh chlé. Agus de dheasca Lá Fhéil' ~ a deineag é sin ach ní mar gheall air sin a baisteag Lá Fhéil' ~ air. CBÉ 977:131-2, Meith., 1945. **2.** *Ball den chéachta.* Ar a' taobh thiar den challtar ansan thá an chros. Ar a' g~ athá cabhaill a' chéachta. CBÉ 978:206, Samh., 45.

crosmair /krosmır´/[76] *ain. Craiceann agus píosaí eile prátaí a bheadh fágtha tar éis dinnéir.* Neid Ó Foghlú a bhí anso, dúirt sé liú-sa go rabhadar fhéin ag ithe

74. ls. *craighn* < /kraiŋ´/. Feic Breatnach, *The Irish of Ring,* lch. 22.

75. Tugann Breatnach an fuaimniú /k´r´ukərd/ don bhfocal seo – *Idem., Seana-Chaint II,* lch. 120, s.v. *criocard.*

76. ls., *crosmuir* – feic *Ibid.*, lch. 122, s.v. *crosmair.*

na bprátaí lá agus bhí na prátaí ite acu nuair a ghoibh fear isteach – agus ní raibh ar a' mbórd ach na ~ – agus do tháini' sé go dtí an bórd agus do thosnai' sé a' déanamh liathróidí dhóibh agus dh'ith sé iad agus dh'imi' sé amach agus fuair sé bás: mharaigh an bia é. CBÉ 968:555, Meith., 45.

crosóg *ain. Crosóg mhara. (Den aicme Asteroidea) (Starfish).* CBÉ 977:174, Meith., 45.

crosta *aid. bhr.* **1.** *Coiscithe.* Bhí sé ~ crann troim a dhó. CBÉ 977:7, Meith., 1945. **2.** *Cros-síolraithe.* Maraíonn cuid acu caoire, an chuid acu athá ~ – *Kerryblue* agus cú b'fhéidir. CBÉ 978:94, D.F., 45.. Thá cuid acu [caoire] adharcach agus cuid acu maol agus bíonn cuid acu ~ ansan, reithe maol a ligint dtí cuíora adharcach. CBÉ 978:33, D.F., 45.

cruaigh *br.* **Nuair a chruann,** *nuair a bhíonn an áirithe sin fáis nó forbartha déanta.* Nuair a chruann a' t-uan is deocair é a bhogadh." Sé sin 'á mbeadh sé lom ina óige is deocair feóil a chur air. CBÉ 978:404, Nol., 45.

crucóg /kər'ko:g/[77] *ain. Cruiceog.* Thug sé leis ansan é ag sáint gáirdín beach a bhí aige dho – ~a beach. CBÉ[C.F.] M0015-18, 1948.

cruib *ain. Críol.* Curtar na muca anois isteach i g~ á mbreith ar a' marga. CBÉ 978:38, D.F., 45.

crúibíneach *ain. Dreo i gcrúb chaerach.* Tagann ~ orthu [na caoire]. Bíonn na rútáin ag dreo acu. CBÉ 978:36, D.F., 45.

cruinnitheoir *ain. Páirt den tsúil ribe.* Bíonn an t-inneall ceangailte de staic sa talamh. Bíonn an lúb dtaobh ismuigh dhen chruinnitheoir. Slat bheag is ea an cruinnitheoir go mbíonn gág ina barra. CBÉ 977:39, Meith., 45.

cruinniú *ain. Acmhainn.* Ach an té mbíoch an ~ aige gheódh sé ga' hao' rud a dhéanadh. CBÉ 1100:42, Márta, 48.

cuach *ain. (Cuculus canorus) (Cuckoo).* Dúirt sé leis an bhfuiseog ansan go gcaithfeadh sí nead a dhéanadh in lár páirce fé chosa ba agus uain, agus go gcaithfeadh an préachán dubh a nead a dhéanadh i mbarra an chrainn in airde, fliuch agus fuar, agus garda agus fán go brách ar an g~. B.B.C., CBÉ [C.F.] 1090, 1951.

cuaichín /kuə'h´i:n´/[78] *ain. Dos.* Aon áit a chífeadh sé clais chuirfeadh sé ~ ann chun é thabhairt ar leibhéal – duarnán tuí agus a cheann lúbtha agus casta ar a' gcuid eile chun go bhfaigheadh sé é a shá suas fén díon. CBÉ 978:392, Samh., 45. Deineann siad clais des na prátaí agus deineann siad iad a chlúdach le luachair agus le cré – ~ luachra a chur istigh leo agus í a chlúdach le cré amu' mar mhilfeadh na francaigh iad 'á mbeadh tuí orthu. CBÉ 978:385, Samh., 45.

77. Feic Breatnach, *Seana-Chaint II,* lch. 123, s.v. *cruiceóg.*
78. Feic *Ibid.*, lch. 124, s.v. *cuaichín.*

cuaird /kuər´d´/[79] *ain. Aon fhód amháin treabhaite timpeall.* "Tharraing sé ~ leis a' gcéachta." Sé sin, bhain sé fód thimpeall leis. CBÉ 978:206, Samh., 45.
cuid *ain.* **1. Dhein sé a chuid féin di,** *bhí caidreamh collaí aige léi.* Dh'admháil an cailín óg don chúirt gur dhein sé a chuid fhéin di an oiread san babhtaí. CBÉ 977:144, Meith., 45. **2.** *Talamh.* … agus abair leis bearna a bhriseadh isteach ar chuid na ngaiscíoch. CBÉ 978:220, Samh., 45.
cuileachta /kil´əxdə/ *ain. Cuideachta.* "'Á nglaofá ar an gcúiplín athá sa scioból," a dúirt sé lena bhean, "dhéanfaidís ~ dhuit an fhaid is a bheinn ag fáil bháis." Cn.Ú.P.
cuíreach /ki:r´əx/[80] *ain. Cuibhreach.* Chonac mé fearaibh agus mná ag cuir ~a go leor ar phunanna arbhair ar thrí raolacha agus ar bheagán cothaithe ná ar bheagán meas. CBÉ 977:470, M.F.., 45.
cúirliún *ain.* **1.** *Crotạch. (Numenius arquata) (Curlew).* Agus trí fhead ó chúirliún comhartha fearthaine. CBÉ 977:187, Meith., 45. **2.** *Duine le cosa fada. ~.* "Is diail an ~ duine é," a dheiridís. Thugaidís spágaire air. CBÉ 1100:21, Márta, 48.
cuisle /kiʃl´ɪ/[81] *ain.* **Ciseán ~,** *ciseán a chrochfá ar do riosta.* … chuaigh sé go Donn Garbhán agus cheannai' sé ciseán ~ agus sé bhuidéil *whiskey* agus chuir sé isteach insan chiseán iad agus chuai' sé abhaile. … chuai' sé isteach dtí an umar agus chaith sé é fhéin age umar agus an ciseán ar a chuisle. Cn.Ú.P.
cuithín /kɪh´i:n´/[82] *ain. Gleoiseach (Carduelis cannabina) (Linnet).* Agus bhíodh ~ dhearg in cás aige insa chistin i gcónaí. CBÉ[C.F.]0494, 1948.
culán *ain. Fearas a bhíonn ar an raca féir chun an t-abhar a coimeád socair.* Curtar prios air chun ná beadh an t-abhar a' luasca. Tugann daoíne ~ air, ar a' prios. CBÉ 978:411, Nol., 45.
cumann /kumən/[83] *ain.* **1.** *Cine, dream áirithe daoine.* Bhíodh bean chaointe i ndia' gach aon chumann. Bhíodh a bhean chaointe fhéin age gach aon chumann agus thiocfadh sí sin agus mholfadh sí an ~ go maith má bheadh sí leis, agus mara mbeadh ba bheag an mhaith ina hiaidh é – ghearrfadh sí suas go breá é. CBÉ 150:253. **2.** *Slua.* Agus bhíodh ~ mhór buachaillí agus cailíní thimpeall ansan air. CBÉ 150:258.
cúpáil *ain. Na clocha a bhíonn ar bharr an fhalla (coping).* Bíonn falla eile ansan ar gach taobh don slait agus ~ mar bharra air sin. CBÉ 977:1, M.F., 1945.
cúram *ain.* **~ an tsalachair,** *cac.* Cuireann siad ~ an tsalachair díobh, an salachar nó an cac. CBÉ 1100:145, Aib., 48.

79. Feic *Ibid.*, s.v. *cuaird.*
80. Feic *Ibid.*, lch. 127, s.v. *cuíreach.*
81. Feic *Ibid.*, lch. 128, s.v. *cuisle.*
82. *Feic* Ibid., lch. 125, s.v. *cuichín.*
83. Feic *Ibid.*, lch. 130, s.v. *cumann.*

cúrsa *ain.* **1.** *Scéal.* Agus 'nis sé a chúrsa dhóibh conas mar a bhí. CBÉ[C.F.] M0015-18, 1948. **2. ~í báis,** *cúis bháis.* Agus shin é ~í báis a bhí age Herod agus age'na chamtha. Samhain 1945: CBÉ 978:237, Samh., 1945.

dá *ain.* **An ~ lá a mhair,** *an fhaid is a mhair.* Dh'fhan 'Stáca an Mharga ar a' gcailín an ~ lá agus a mhair sí. CBÉ 977:553, M.F., 45.

daba *ain. (Limanda limanda) (Dab).* Bhíodh ~í, leathóga breaca, leathóga Muire sa trál. CBÉ 977:45, Meith., 45.

daighré /dəiˈr´e:/[84] *ain. Duibheré.* ~ is fearr dos na líonta. CBÉ 977:192, Meith., 45.

dalladh /daləl[85] *ain. Mearbhall, suathadh aigne.* Dh'imi' sí léithe agus bhí a fear a' teacht 'na coinne agus le ~ an airgid ní dh'aithin sí a fear. CBÉ 977:152, Meith., 45.

daothain /de:h´ın´/ *ain. Dóthain.* "*Well*, an bhfuil do dhaothain den bhfarraige agat?" arsaigh m'athair. Cn.R.B.B., 187.

dar /dar/. **~ ná mháireach** /dar nɑ: vɑ:r´əx/, *lá arna mhárach.* Ar maidin ~ ná mháireach nuair a bhí a bhriocast ite aige ..... CBÉ 978:220, Samh., 1945.

dathamhlacht /daxauləxd/ *ain. Dathúlacht.* Bhí sí ag dul i mbreáthacht agus i n~ gach aon lá a ghabhadh sí an tsráid. CBÉ[C.F.] 0487-0496, 1948.

dé /d´e:/. **~ chúis?** *cén chúis?* "Ó, ní dhéanfai' mé, ~ chúis /d´e: xu:ʃ/ a ndéanfainn," arsa Seán, "a athair mo chéile." CBÉ[C.F.] M0015-18, 1948.

deabhra /d´aurə/[86] *ain. Dealramh.* **...** agus de dheasca é bheith ag féachaint óg agus gan aon ~ a bheith air bhí gach einne ag baint iarracht mhaga' as. CBÉ[C.F.] M0015-18, 1948.

déan *br.* **~ an cóngar air/uirthi**, bí ann roimhe/roimpi. Dh'imi' sé agus chúig phúint gill acu agus dhein a' buachaill eile an cóngar air agus bhí sé in airde sa chrann i ngeaird a' tséipéil ragha [roimhe]. CBÉ 978:5, M.F., 45.

déanadh /d´ianə/[87] *ain. br.* **Chun na fírinne a dhéanadh leat,** *chun na fírinne a insint duit.* Chun na fírinne a dhéanadh leat n'fheadar mé 'bhfuil sé agam ina cheart inniu nó ná fuil. Cn.Ú.P.

deanathairt /d´anəh´ır´t´/ *ain. Dreancaid. (Den ord Siphonaptera) (Fleas).* Chuir mé láimh siar im oscaill, a Rí Onóraigh," arsa sé, "is fuair mé ~." CBÉ[C.F.] M0015-18, 1948.

dearg /d´arəg/ *aid.* **Ar an nóimint ~,** *láithreach.* ... leighiseag an fear ar an nóimint ~. Cn.Ú.P.

deargadaol *ain. (Ocypus olens) (Devil's coach-horse).* Nuair a chíthá ~ bheadh sé ceart agat é a mharú fé dtóigfi' sé eireaball in airde. Deir siad go mbeadh seacht peacaí marú maite dhuit 'á mbeadh a eireaball caite in airde aige. CBÉ 978:25, M.F., 45.

84. Feic *Ibid.*, lch. 162, s.v. *duibhe-ré.*
85. Feic *Ibid.*, lch. 136, s.v. *dalladh.*
86. Feic *Ibid.*, lch. 143, s.v. *deallradh.*
87. Feic *Ibid.*, s.v. *déanadh.*

deargán *ain. (Pagellus bogaraveo) (Sea bream). Jacky-a-Dory* agus an chadóg agus an ~, sin iad na trí bric a bhí age'n suipéar déanach agus thá rian A mhéire agus A órdóige iontu. CBÉ 977:193, Meith., 45.

dearna *ain.* ~ **Mhuire.** *(Achemilla vulgaris) (Lady's-Mantle).* Ar airi' tú riamh trácht ar luig a dtugann siad ~ Mhuire uirthi? Níl sí a' fás anso ach thá sí a' fás in aice leis a' scoil. Í sin a bheiriú agus í a thabhairt le n-ól do dhuine naoi maideanacha agus ansan nuair a bheadh na naoi maideanacha caite, í a chaitheamh laistiar den tine. CBÉ 978:28, M.F., 45.

deoch ~ ~ ~ *(a déarfaí ag glaoch ar na muca).* CBÉ 977:177, Meith., 45.

dí /di:/ *ain. Díogha, an chuid is measa de aon rud.*[88] An té bhíonn sainntiúil chun na togha sé is minicí dhéan (dh'faigheann) a' ~. CBÉ 978:356, Samh., 45.

dian *aid.* **Tá sé ~ nó bhí,** *is é is dóichí ná go raibh.* Ach an diabhal a' bhfeadar mise a' raibh Tomás Ó Corráin ann. [S.ÓC. Mhuis is dócha go raibh] Thá sé ~ nó bhí. CBÉ[C.F.] 1655-6, 1955.

dicé[89] *ain. Eitinn.* An eiteann, tugann siad an ~ air leis. CBÉ 1100:138, Aib., 48. Is minic a dh'airi' mé, aon fhear a bhfuil ~ ann ná faighthá é a chuir ar meisce. Bheadh sé ag ól leis i gcónaí. CBÉ 1100:132, Aib., 48.

digileas /d´ig´ılıs/[90] *ain. Cigilt.* Í a dh'iompó ar a bolg agus fuireach ag cur ~ uirthi go bhfaigheadh sí bás a' gáire. CBÉ 978:42, D.F., 45.

diogánach *ain. Leanbh go dtí go raghadh sé ar scoil.* Tabharfaí ~ ar leanbh, leis, suas dtí mbeadh sé a' dul ar scoil agus é a' ceaifiléireacht le seanduine: "~ é siúd agus bioránach giorré óg." CBÉ 1100:44, Márta, 48.

diuch. ~ ~ ~ *(a déarfaí ag glaoch ar na cearca).* CBÉ 977:177, Meith., 45.

diúrachas *ain. Diúracas.* … seasamh uirthi (an tAnglá), chuirfeadh sí do spridí ag fiuchadh suas tríd chabhail; dh'imeodh ~ tríd spridí; chuirfeadh sí fairithis ort. CBÉ 977:176, Meith., 1945.

dnúis /dənu:ʃ/[91] *ain. Drúis.* "Sea anois," arsa sé, "einne agaibh nár chiontaigh i bpeaca na ~e /p´akə nə dənu:ʃı/ caitheadh sé an chloch." CBÉ[C.F.] M0015-18, 1948.

dónaing /ˈd´u:niŋ´/ *ain. Breacadh an lae.* Bíonn a' tara glao choileach ann – níl mé siúireáilte an uair a chloig nó uair ghuile as diaidh an chéad ghlao ach bheadh an ~ ann nuair a ghlaofadh sé an trígiú babhta. CBÉ 978:56, D.F.., 1945.

doras *ain.* **Dul go dtí doirse an bháis,** *dul gairid den bhás.* Duine a bheadh tinn agus a raghadh gairid do bhás … "Chuaigh sé go dtí doirse an bháis." CBÉ 977:441, M.F.., 45.

88. Feic *Ibid.*, lch. 147, s.v. *dí.*

89. ls., *decay.*

90. ls., *digilios.*

91. Feic Breatnach, *The Irish of Ring*, lch. 143.

doth /do, de/[92] *ain. Luath.* Mar sin dá mbeadh an obair tamall uaidh, chaitheadh sé éirí ~ ar maidin. SOND, Béal. 14 (1944): 64.

drachtín *ain. Píosa gairid véarsaíochta.* Dhein sí [Caitlín Shíomóin] ~ eile do láirín chapaill a bhí aige. CBÉ 978:203, Samh., 1945.

drae /dre:/ (*ain. iol.* draetí /dre:t´i:/) *ain.* **~ shleamhnáin,** *saghas cairte (slide) chun féar a thabhairt go dtí an iothla.* Tagann na feirmeoirí le ~ shleamhnáin fé dhéin ceann an duine dhíbh. CBÉ[C.F.] M0015-18, 1948. Chuireag amach as tí' an óst' iad agus chuadar síos ar ché, saghas éigin cé bhí ann, isteach fés na ~tí. CBÉ 977:524, M.F., 45.

dreochaint *ain. br. Dreo.* ... agus sa Mheitheamh chaithidís isteach trocáil a scriosaidís do chlathacha is ga' hao' rud, chaithfaí isteach ann é [san aoileach]. Ligfaí dho bheith a' ~ istigh ann chun a' t-uisce súchaint agus é a cheilt ar na daoine a bheadh a' góil a' bóthar; ná feiceofaí an barra buí a bheadh ar a' múir-leach. CBÉ 978:16, M.F., 45

dreoilín *ain. (Troglodytes troglodytes) (Wren).* Thá an ~ ó shoin agus ní bhfaigh-eadh sé dul nach ó chlaí go claí agus ó thor go tor, mar athá droinn ar a dhrom ón lá san dtí an lá so. B.B.C., CBÉ[C.F.]1090, 1951.

dró /dro:/[93] *ain.* (*Ain. Iol.* doirithe /dir´ɪh´ɪ/) *Dorú.* Bhíodh an ~ casta ar ríl againn.CBÉ 977:59, Meith., 45. Doirithe is spiléir a bhíodh acu lem linn-se. CBÉ 977:45, Meith., 45.

drochad /drohəd/ *ain.* **1. An ~,** *trácht na coise.* An t-ardú a bhíonn fén troigh, 'an ~' a thugaimis air. CBÉ 1100:21, Márta, 1948. **2. ~ na sluaiste,** *an t-ardú a bhíonn ar bhas na sluaiste – bun na háite go dtéann an chos isteach inti.* ~ na sluaiste. CBÉ 978:409, Nol., 45. *(léaráid).*

drom /drəum/ *ain. Pléata.* Caithfi' tú ~ a tharraint amach [sa treabhadh]. CBÉ 978:206, Samh., 45.

drón *ain. Beach fhireann.* Na ~anna agus beacha na hoibre. CBÉ 978:70, D.F., 45.

druíneach /dri:n´əx/[94] *ain. Draighneach. (Prunus spinosa) (Blackthorn).* Áit a mbeadh ~ agus sceach gheal agus saileach, thabharthá scrubarnach air. CBÉ 978:293, Samh., 1945.

dtí *br. neamhais.* **Go ~,** *lúide.* Bhí an lá agus bliain caite go ~ aon lá amháin. CBÉ 977:540, M.F., 45.

duán *ain.* **~ alla,** *Damhán alla. (den ord Araneae) (Spider).* Agus an ~ alla a' teacht anuas ó mhulla an tí ar a chorda, cúrtha eile fearthaine. CBÉ 977:190, Meith., 45.

92. Feic Breatnach, *Seana-Chaint II,* lch. 155, s.v. doich.
93. Feic *Ibid.*, lch. 158, s.v. *dró.*
94. Feic *Ibid.*, lch. 160, s.v. *druíneach.*

duarnán *ain.* Loca nó ~ a tugtar ar a' méid dín a bhíonn i ndorn an díonadóra le cur. CBÉ 978:391, Samh., 45.

dúchmhar /du:xvər/ *aid. Brónach.* Chuimhni' mé go ~ ar an saol a bhí romhamsa. *(caoineadh)* CBÉ[C.F.] 0490, 1948.

duileasc[95] *(Rhodymenia palmata) (Dulse).* Bhíodh sleamhacán agus báirnigh agus ~ agus cosáinín á mbaint fadó. N'fheaca mé beirithe riamh é (an sleamhacán) ach dh'ith mé ~ beirithe. CBÉ 978:14, M.F., 45

dúsméarach *ain. Duine de mhuintir Beresford, tiarnaí Phort Láirge a bhí sa Chorrach Mór in aice le Port Lách.* … agus ní bhfuair aon ~ bás ar a leaba ó shoin mara ndéanfadh sé é féin a bhá dhéanfadh sé é fhéin a lámhach. CBÉ 977:171, Meith., 45.

éadáil /iaˈdɑ:l´/[96] *ain.* **Is olc an ~ é,** *is drochrud é.* Is olc an toirneach í theacht anoir agus is olc an ~ an ghaoth anoir. CBÉ 977:135, Meith., 45.

eadrach /adərəx/[97] *ain. Eadra.* Níor dh'fhágas an tSeana-Choill dtí ~ an lae úd (amhrán). Cn.Ú.P.

éamais *ain.* **In ~,** *in éagmais, in ionad, seachas.* "Cuir do lámh síos ansan is beir ar a' tobar im choinne," arsa sé, "go dtabharfaimid a' tobar abhaile dtí d'mháthair in ~ a bheith a' tarraint uisce mar seo." CBÉ 978:222, Samh., 45.

éanlach /ianləx/ *ain. Éanlaithe.* Insa seanashaol fadó bhí ~ an aeir ana-thrína chéile. B.B.C., CBÉ[C.F.]1090, 1951.

earc *ain.* **~ Luachra.** *(Lacerta vivipara) (Common lizard).* Dá gcimileothá do theanga d'~ luachra deir siad ná dófadh ao' rud do theanga. CBÉ 1100:101, Aib., 48.

éartha[98] *ain. Uaigneas, scanradh.* Bhí sé thimpeall a naoi a chlog san oíche nó b'fhéidir ina dhiaidh, agus tháinig ~ orm, scanradh ceart. CBÉ 978:9, M.F.., 1945.

eas *ain. Easóg (Mustella erminea) (Stoat).* Agus sé rud a bhí goite aige, sé rud í an ~. Shin í an Ghaelainn cheart ar easóg – an ~ – bhí an easóg, bhí an easóg ina phóca goite aige. Cn.Ú.P.

eascú /asgu:/[99] *ain.* **1. ~,** *(Anguilla anguilla) (Eel).* CBÉ 977:174, Meith., 45. **2. ~ Channgair,** *Eascann Choncair nó Eascann Mhara. (Conger conger) (Conger eel).* Thá an ~ channgair ar dhath an lannga.

easóg *ain. (Mustella erminea) (Stoat).* Agus sé rud a bhí goite aige, sé rud í an eas. Shin í an Ghaelainn cheart ar ~ – an eas – bhí an ~, bhí an ~ ina phóca goite aige. Cn.Ú.P.

95. ls., *dliosc.*

96. Feic Breatnach, *Seana-Chaint II,* lch. 166, s.v. *éadáil.*

97. Feic *Ibid.*, lch. 166, s.v. *eadartha.*

98. ls., *éurtha* – feic Breatnach, *Seana-Chaint II,* lch. 168, s.v. *éartha.*

99. Feic *Ibid.*, lch. 168, s.v. *easgú.*

eathla /ˈahələ/[100] *ain.* (*ain. iol.*, **eathlaíontaí** /ahəli:nti:/[101]). *Iothla.* **...** chuaigh sé amach tríd an bhfuinneog insan ~. Agus bhíodh stálacha an uair sin déanta fé chocaí agus fé stácaí insa na heathlaíontaí a bhfaighthá dul isteach fúthu. CBÉ[C.F.] M0015-18, 1948.

éifeacht *ain. Maitheas.* Era, a mhic ó," arsa Páidín, "dén ~ é sin?" Cn.Ú.P.

éig *for. pear. É.* N'fheadaraíomair cé h~ é. CBÉ 977:18, Meith., 1945.

éigin /e:gˊinˊ/ *ain.* **Ar ~,** *imithe ó smacht.* Agus bhíodh sí ina suí ar na crosairí roimhis na capaill 'air a bhítí ag tarraint gainí ó Pholl a' Phúca agus ón Rinn agus chuireadh sí go leor capall ar ~. CD, ar chéirnín, 1948: Uimh. Thag. CBÉ[C.F.] M0493.

éileamh /ˈe:lˊəv/[102] *ain.* **Ar a ~,** *á lorg.* Thá na gárdaí fhéineach go mór ar a ~. *(amhrán).* Cn.Ú.P.

éirí *ain. br. Caitheamh (swarming).* Eíríd [an saithe bheach]. ~ na saithe ghlaothá air sin. CBÉ 978:70, D.F., 45.

éirithe /əirˊɪhˊɪ/[103] *aid. bhr. Caite, cruinnithe (swarmed).* "*Well*, a Rí Onóraigh," arsa sé, "ós ag trácht ar na beacha, bhí mé ag dul isteach i ngáirdín mo mháthar," arsa sé, "thá tamall ó shoin," arsa sé, "agus bhí saithe ~ sa ngáirdín." CBÉ[C.F.] M0015-18, 1948.

eite *ain. Ball den chéachta.* Thá dhá ~ goite ar an amhla a' greamú an chláir. CBÉ 978:206, Samh., 1945.

eitealadh /etˊələ/[104] *ain. br. Eitilt.* … dá mbeimís ag ~ in airde san aer inniu ní bheimís sásta mara bhfaighimís dul ag ~ thíos fén bhfarraige. SOND, Béal. 14 (1944):74.

eitir /etˊɪrˊ/[105] *ain. Banc gainmhe a nochtann ag lag trá.* Tiormaíonn an ~ níos túisce ná an tráigh, thá an ~ níos crochta. CBÉ 977:204, Meith., 45.

eitir /etˊɪrˊ/[106] *aid. Neamh-ghalánta.* Bhí an Ghaelainn ró-~ di. Is í an Ghaelainn a bhí ag na daoine bochta, agus ó ba dh'í ní raibh aon éileamh aici sin uirthi. SOND, Béal. 14 (1944):63.

fadhb /fəib/[107] *ain.* **Lán go ~,** *lán go barra.* Agus lán go ~ a bhíodh adharc [an tsnaoisín] age Siobhán Mhaol. CBÉ 978:295, Samh., 45.

fáigiúil *aid.* **Fear ~,** *fear grinn.* Fear ~, go mbeadh sé ábaltha ar gháire a bhaint asat ar ga' hao' rud a bheadh sé a' rá agus thá daoine mar sin ann. CBÉ 1100:32, Márta, 48.

100. Feic Breatnach, *The Irish of Ring,* lch. 98.
101. Feic *Ibid.*
102. Feic *Idem, Seana-Chaint II,* lch. 170, s.v. *éileamh,* n. 1.
103. Feic *Ibid.*, s.v. *éirí.*
104. tcs., *eitealla.*
105. Feic Breatnach, *Seana-Chaint II,* lch. 171, s.v. *eitir.*
106. tcs., *ro-oitir* – feic *Ibid.*, s.v. *eitir.*
107. Feic Breatnach, *Seana-Chaint II,* lch. 173, s.v. *fadhb.*

fáileog (áileog?) *ain. Fáinleog. (Hirundo rustica) (Swallow).* Agus dh'eitíodar go léir é nach an gealún agus an fháileog. B.B.C., CBÉ[C.F.]1090, 1951.
fáinne *ain.* **~ na speile,** *saghas stápla mór iarainn a ghreamaíonn sáil na speile den chrann.* CBÉ 978:442, Nol., 45. (léaráid).
fairithis /far´ɪh´ɪʃ/[108] *ain. Criothán a bheadh ar dhuine ag an bhfuacht.* ~, a dhéarhá leat féin go mbeithá i bpráinn a thuille éadaigh a chuir ort. CBÉ 977:176, Meith., 45.
fáithnín *ain. Faithne.* Agus *castor oil* an leigheas is fearr le hagha' ~í 'á mbeidís ar bhó nó ar chapaill. CBÉ 1100:148, Aib., 1948.
falcaire /falkɪr´ɪ/[109] *ain. Seana-phráta a gheobhfaí sa talamh nuair a bheadh na prátaí nua á mbaint.* "Ó, prátaí bána athá in mo mhálasa/Is nín aon fhios cá raghaidh siad."/"'Bhfuil siad inniúil chun díol, chun síol, chun bí agus chun marga'?"/"Thá siad gan criochán, gan sciollán, gan ~." [rann]. Cn.Ú.P.
fallsa /faulsə/ *aid.* **1. Árthach ~,** *bád sí.* Dh'airi' mé trácht ar na hárthaí ~. Chíodh na seaniascairí iad, b'fhéidir gairid do ghála nó stoirm a bheadh chun eirí. CBÉ 977:194, Meith., 45. **2. Solas ~,** *solas chun long a mhealladh isteach go dtí na faillteacha.* … agus baochais le Dia nach le goid bó, cuíora é ná capall/ Ná an solas ~ a lasadh/ An t-árthach a thabhairt go bun faille [rann]. CBÉ[C.F.] 0487-0496, 1948.
fallsaer /faul'se:r/[110] *aid.* **Pianta fallsaera,** *pianta ná beadh aon chúis leo go fisiciúil.* Ach ~, bíonn pianta fallsaora ort agus gan dada ar na cnánna ach na pianta a' rioth sa bhfuil. CBÉ 1100:144, Aib., 48.
faoilinn *ain. Bean bhreá.* Chonac mé an fhaoilinn ag góil an tslí amuigh/ Agus canna uisce aici. *(amhrán).* CBÉ [C.F.] 0489a, 1948.
faoisidín /fi:ʃɪd´i:n´/[111] *ain. Faoistin.* Bhí seanamhná na Rinne go léir ina suí age geata an tséipéil sa Rinn ag fuireach le ~ a dh'fháil ón sagart. Cn.ÚP.
faoitín *ain. (Merlangius merlangus) (Whiting).* A' ródaíocht a bhídís ar na colmóirí agus a' ródaíocht ar na deargáin agus a' ródaíocht ar na ~í. CBÉ 977:194, Meith., 45.
faothamh /fe:həv/[112] *ain. Faoiseamh.* Dúirt sí leis dul abhaile agus go mbeadh an leanbh a' fáil ~ anocht ar an dá bhuille dhéag. CBÉ 977:503, M.F., 45.
fásach /fɑ:səx/[113] *ain.* **1.** *Boirbe fáis.* ~ go dóirse – bíonn an féar fairsing ar a' talamh go Nollaig. CBÉ 978:378, Samh., 45. **2. Botháinín fásaigh,** *botháinín*

108. Feic *Ibid.*, lch. 177, s.v. *fairithis.*
109. Feic *Ibid.*, s.v. *falcaire.*
110. Feic *Ibid.*, lch. 177, s.v. *fallsaer.*
111. Feic *Ibid.*, lch. 178, s.v. *faoisidín.*
112. Feic *Ibid.*, lch. 174, s.v. *faethamh.*
113. Feic *Ibid.*, lch. 179, s.v. *fásach.*

tréigthe.[114] Mo chreach is mo chás an áit úd a leagag an corp/ I mbotháinín fásaigh lámh le Roilig na gCloch. *(amhrán).* CBÉ 977:28, Meith., 45.

fáth *ain.* **Ní chuirfinn i bhfáir [< i bhfáth air],** *ní dhiúltóinn, ní ghearánfainn air.* Troscadh naoi n-oíche sa tír seo ní chuirfinn i bhfáir /vɑ:r´/.[115] *(amhrán).* CBÉ[C.F.]1269-71, 1954.

fathaíoch /faˈh´ɪ:x/[116] *ain.* **1.** ~ – fear mór láidir. **2.** *Fathach.* "Ó, siúil leat. Siúil leat," arsaigh an ~. CBÉ 978:223, Samh., 45.

fé *réamh. Sara, sula, san am go.* Bhíodh baraille uisce ón tobar agam ~ 'mbíodh sé ina lá ar maidin. CBÉ[C.F.] M0015-18, 1948.

féachaint *ain. br.* **Ag ~ a athar,** *ag dul ar thuairisc a athar.* Agus chuaigh a mhac Séamus Dho Brún go dtí an phríosún ag ~ a athar go Port Láirge. CBÉ[C.F.] 0487-0496, 1948.

feadóg[117] *ain. (De na speicis Charadrius) (Plover).* An pilibín míog a' teacht isteach ar a' talamh agus na ~a agus an liathraisc nuair a thiocfaidís sin isteach bheadh an scéal ina shioc. CBÉ 977:189, Meith., 45.

feag /f´ag/[118] *ain. Méirscre.* "Tá ~ ina éadan," a déarthá le duine. *Wrinkles* in éadan, ~aí iad san. CBÉ 1100:132, Aib., 48.

féagaire *ain. Rud tanaí, caol.* An tuí anois, tátar a' cur fiche cloch inniu in áit dhá chloch déag fadó agus dá dheasga sin tá an tuí ina ~ – bíonn gach aon bhrobh caol. CBÉ 978:390, Samh., 45.

feann /f´aun/[119] *ain. Feam, an gas láidir a bhíonn ar fheamnach den fhine Laminaria.* Bíonn ~ téagara ar a' trioscar báite. CBÉ 977:2, Meith., 1945.

fear ain. **~ treithe,** *treabhadóir.* ~ treithe nó treabhadóir. CBÉ 978:252, Samh., 45.

féar *ain.* **1. ~ scadán.** Is minic a bhí mise ag bailiú ~ scadán. Tagann sé isteach ar an dtráigh. CBÉ 977:48, Meith., 45. **2. ~ dubh.** Bhí trioscar báite agus trioscar dubh ansan agus trioscar na gclog agus lofán agus liobán uaithne agus ~ dubh.[120] CBÉ 977:2, Meith., 1945.

feidhneán *ain. Eidhneán. (Hedera helix) (Ivy).* Is trí cinn do éin ag baint ~. *(amhrán).* Cn.Ú.P.

feidín /f´ed´ˈi:n´/ *ain.* Is é rud é ~ ná tuí gearrtha le maisín, agus suaite trí chré, agus falla déanta dhe. SOND, Béal. 14 (1944):72.

114. Feic *Ibid.*

115. Feic *Ibid.*, lch. 179, s.v. *fáth,* n. 5.

116. Feic *Ibid.*, lch. 180, s.v. *fath.*

117. ls., *fiodóg.*

118. Feic Breatnach, *Seana-Chaint II,* lch. 184, s.v. *feagaí.*

119. Feic *Ibid.*, lch. 185, s.v. *feam* – anseo, luann Breatnach an fuaimniú /f´aun/ don bhfocal seo le Maidhc Dháith féin, agus Seán Shíocháin, Seana-Chill, ar leithligh, ar a shon go bhfuair sé an fuaimniú /f´aum/ ó Richie Tobin, Heilbhic.

120. Is deacair a dhéanamh amach cad iad na speicis atá i gceist le *féar scadán* agus *féar dubh.* Seans maith gurb é an *miléarach (Zostera marina) (Eelgrass)* atá i gceist le ceann éigin acu mar gurb é seo an t-aon phlanda amháin i bhfoirm féir a fhásann sa bhfarraige.

féig *réamh. Faoi.* … agus dúirt Michéal Ó Muiríosa le Páidín gach aon rud a dh'fhágaint ~ fhéin anois. Cn.Ú.P.
feileastram /f´el´ɪsdrəm/[121] *ain. (Iris pseudocorus) (Yellow Iris).* An oíche roim Déardaoin na Luachara chuiridís luachair ar bhun na bhfuineóg, agus ~, agus i mbéal an doiris. CBÉ 977:183, Meith., 1945.
féineach /h´e:n´əx/[122] *ain. Féin.* Ó Nóra ná déin sin pós mé fhéineach le taitneamh. *(amhrán).* CBÉ1265, 1954.
fiabhras /f´iərəs/[123] *ain.* **~ bainne,** *(Hypocalcaemia) (Milk fever), aicíd a thagann ar bha.* Tagann ~ bainne ar bhó tréis breith. CBÉ 977:485, M.F., 45.
fiaradh *ain. br. Ag feochaint, ag dreo.*[124] Thá mo chroí bocht ag searradh is ag ~. *(amhrán).* CBÉ[C.F.] M0015-18, 1948.
filig *ain.* **1. ~ an Fíor-Uisce.** *Fliodh Uisce. (Montia fontana) (Blinks, Water Chickweed).* ~ fíor-uisce a bhíonn a' fás in tobar. Tá ~ an fíor-uisce go maith chun at a bhaint amach – é a thabhairt leat agus é leathadh ina bhrat ar a' teine go dtí go mbeadh sé te go maith agus é a chasadh ar an áit a mbeadh a' t-at ansan. CBÉ 1100:69, Márta, 48. **2. ~ Tirim.** *Fliodh. (Stellaria media) (Common Chickweed).* ~ tirim, sé'n scanradh é sin a bhaint as a' talamh. CBÉ 1100:69, Márta, 48.
filiúil /f´el´u:l´/ *aid. Fileata.* Bhí file /f´el´ɪ/ fadó i bParóiste Choilligeáin agus bhí an sagart a bhí ann ~ chomh maith leis. CBÉ[C.F.] 0487-0496, 1948.
fínic. ~ ~ ~ *(a déarfaí ag glaoch ar na lachain).* CBÉ 977:177, Meith., 45.
fínicín. ~ ~ ~ *(a déarfaí ag glaoch ar na lachain).* CBÉ 978:65, D.F.., 1945.
fioreog *ain. Eireog.* … ubh feireoige[125] an chéad ubh a bhéarfaidh sí [an chearc]. ~ is ea an chearc óg nuair a bhí sí san méad is go n-aithneothá ón gcoileach óg í. Bíonn sí ina ~ go dtí mbíonn sí a' breith. CBÉ 978:45, D.F., 45.
fleainí /f´l´an´i:/[126] *ain. Plainín.* Is minic a chuir duine léine ~ dearg air féin 'á mbeadh *pluerisy* aige. CBÉ 1100:74, Márta, 48.
flicheacht /f´l´ih´əxd/[127] *ain. Fliche.* Gach samhradh 'á dtiocfaidh dul i bh~ agus i ndéanaíocht. CBÉ 977:444, M.F., 45.
foilithe *aid. bhr. Folaithe.* Nuair a tháinig an chéad duine díobh go dtí an abhainn bhí an cabhas ~. CBÉ 87:139, c. 1934.
fóisc *ain. Cuíora bhaineann atá bliain d'aois.* … agus nuair a bhíonn an t-uan bliain bíonn sé n-a mhuiltheachán bliana nó ina fhóisc bliana. CBÉ 978:34, D.F., 45.

121. ls., *feiliostrum.*
122. Feic Breatnach, *Seana-Chaint II,* lch. 234, s.v. *héin.*
123. ls. *fiaras* – feic, leis, Breatnach, *The Irish of Ring,* lch. 19.
124. Feic *Idem, Seana-Chaint II,* lch. 189, s.v. *fiaradh.*
125. Feic *Ibid.*, lch. 186, s.v. *feireoga* – deir Breatnach nár chuala sé an focal seo ach amháin san uimhir iolra, ach amháin sa chás gur chuala sé *obh feireoige* /ov f´eˈro:´gə/ ó Mhaidhc Dháith.
126. Feic *Ibid.*, lch. 194, s.v. *fleainí.*
127. Feic *Ibid.*, lch. 195, s.v. *flicheacht.*

foithint /fih´ɪn´t´/ *ain.* **1.** *Fothain.* Cuardach an tseana-chlaí sin a d'iarra' ~ a dh'fháil ann.[Amhrán a chum sé féin]. Cn.Ú.P. **2. I bh~ a chéile,** *i dteannta a chéile.* Ach is gairid a réamair i bh~ a chéile/ Nuair a bhíomair coiripe. CBÉ[C.F.]0489a, 1948.

folachadh /f(ə)ˈlaxə/[128] *ain. Clúdach.* Sé sin "~ an chait ar a chac," a dhéarfadh fear nuair a thabharfadh a bhean a léine dho agus gan í leath-nite. "Dar Fia thá ~ an chait ar a chac uirthe."CBÉ 978:83, D.F., 45.

foláir *br. Tarraing.* ... leag sé an buidéal ar an mbord agus an gloine agus níor dh'fholáir sé braon dom /n´i:r ˈɣlɑ:r´ ʃe: bre:n dəm/[129] CBÉ[C.F.] M0015-18, 1948.

fornéal *ain. Ubh a bheirtear as saesúr.* Ubh is ea an ~ a bhéarfaidh cearc nuair nách ceart di breith. Bíonn an ~ ana-bheag. CBÉ 977:9, Meith., 1945.

fuaram *ain. Stól fada (Form).* Do chasadh bruinneal orm ina suí ar ~. *(amhrán).* CBÉ 977:565, M.F., 45.

fuarchosach *aid. Cosa fada a bheith fé/fuithi.* Bó thiubh, gairid don talamh, crúiteoir maith, gan í bheith gágach, ~. CBÉ 977:460, M.F. 45.

fuilteach /fil´ˈt´ax/[130] *ain. Cnapán ar bhonn na coise.* Níor airi' mé aon fhocal ar *corn* riamh ach tagann sé ar pháistí nuair ná bíonn bróga orthu sa samhradh, ~a /fil´ˈt´axə/.[131] Tagann cnopán mór thíos féna gcois. Thugadh seanamhná bualadh cloiche air. CBÉ 1100:22, Márta, 48.

fúinniméad /fu:ŋ´ɪm´e:d/[132] *ain. Réasún, ciall.* Dh'aireofá Gaelainn agus dh'aireofá amhráin a mbeadh ~ agus réasún leothu. CBÉ[C.F.]1655-6, 1955.

fuinseog[133] *ain. (Fraxinus excelsior) (Ash).* ... bata ceart faidhnseóige, sé sin ~ ná beadh ao' ghéag air, danng faidhnseóige, sé sin ná beadh an bata bainte as a' gcrann gairid do'n chroiceann. CBÉ 978:406, Nol., 45.

fuip *ain.* **1.** *Pony-tail.* Na cailíní, bhíodh cuid acu a mbíodh ~ déanta dhe agus cuid eile acu agus an ghruaig ar sileadh síos leo. CBÉ 1100:69, Márta, 48. **2.** *Rualach. (Chorda filum) (Sea-laces),* is dócha. Sa mBealthaine agus sa Meitheamh a bhainidís an fhuip agus san Abrán. Chuiridís fén trinseáil an ~ agus an trioscar báite fén athchré. CBÉ 978:12, M.F., 45

fuireach /f´r´ax/[134] *ain. br.* ~ **chuige,** *an capall agus an céachta a chimeád díreach, gan a bheith isteach is amach.* Aon fhear a stiúrfadh bád threabhfadh

128. Feic *Ibid.*, lch. 198, s.v. *folachadh.*
129. Feic *Ibid.*, lch. 198, s.v. *foláirt.*
130. Feic Breatnach, *Seana-Chaint II,* lch. 204, s.v. *fuilteach.*
131. Feic *Ibid.*
132. Feic *Ibid.*, lch. 205, s.v. *funniméad.*
133. ls., *faidhnseóg.*
134. Feic *Ibid.*, s.v. *fuireach.*

sé, mar is é rud athá ann cimeád ar siúl agus ~ chuige, fáscadh agus bogadh. CBÉ 978:253, Samh., 45.

fuiseog *ain. (Alaunda arvensis) (Skylark).* Dúirt sé [an dreoilín] leis an bh~ ansan go gcaithfeadh sí nead a dhéanadh in lár páirce fé chosa ba agus uain. B.B.C., CBÉ[C.F.]1090, 1951.

futhalach *ain. Leanbh a bheadh ag tosnú ag siúl.* ~ a thabharthá ar leanbh a bheadh ag tosnú ar shiúl. CBÉ 1100:41, Márta 1948.

gabhlánaí /gəuˈlɑ:ni:/[135] *ain.* Duine a mbeadh an dá ghlúin amach óna chéile aige, thabharfainn ~ air. CBÉ 1100:22, Márta 1948.

gabhraisc /gouriʃg´/[136] *ain. Snáthad mhór gan chró.* Deiridís fadó 'á gcuirfí ~ ionat go ngeothá ao' rud ba mhaith leat, má bhí aon bhrí leis. N'fheadair mé a' raibh nó ná raibh. Agus sé rud é ~ ná snáthad mhór gan cró, í a chuir i ganfhios ionat. CBÉ 978:7, M.F., 45.

gág *ain.* **1.** *Tibhre.* Tagann ~ i bpluc a' pháiste nuair a bhíonn sé ag gáire. CBÉ 1100:133, Aib., 48. **2.** *Clais.* ... chíthá ~ in adhmud nuair a bheadh siúinéir á phlánáil. CBÉ 1100:133, Aib., 48. **3.** *Scoilt sa chraiceann.* ... thiocfadh ~ in do lá': scoiltfidís le fuacht. Sé an rud a leigheasadh fadó iad ná blonag gé. CBÉ 1100:133, Aib., 48.

gaibh /gav´/ *br.* **Ghaibh sé/sí an lá**, *bhuaigh sé/sí.* ... agus nuair a dh'éirigh sé thar n-ais is é a ghoibh an lá – sé a sheasaigh an chath. CBÉ[C.F.] M0015-18, 1948. Bhí aithne agam ar a' bhfear a ghoibh a' chuíora [i gcluiche cártaí]. CBÉ 978:3, M.F., 45.

gaibhlín /gail´i:n´/ *ain. Góilín.* ... Gheibhtí sa ~í é [an lofán] is na cuaiseana cois na trá is na bóithríní. CBÉ 978:15, M.F., 45

gainéan *ain. Gainéad. (Sula bassana) (Gannet).* Na cánóga is na gainéin /gin´e:n´/,[137] an áit is mó a fheicidís iad is ea is mó a bheadh an baidhte. CBÉ 977:190, Meith., 45.

gairleog *ain. Creamh. (Allium ursinum) (Ramsons, Wild Garlic).* Bhíodh ~ agus im úr agus an artha [ortha] curtha iontu agus chuireadh sé isteach i gcluais a' chapaill í. CBÉ 977:570, M.F., 45.

gairthean /gar´ɪhən/[138] *ain. Gairfean.* ~ géar – Talamh a mbeadh mórán mion-chlocha ann, ~ géar é sin. CBÉ 978:292-93, Samh., 45. Dh'imigh sé leis chun bóthair agus nuair a bhí an oíche ag teacht air chonac sé solas uaidh isteach in ~ a bhí ann agus chuaigh sé ag triall ar an solas. CBÉ[C.F.] M0015-18, 1948.

135. Feic *Ibid.*, lch. 206, s.v. *gabhlánaí.*
136. Feic *Ibid.*, lch. 207, s.v. *gabhruisg.*
137. ls., *guinéin.*
138. ls., *gairithion.*

gála *ain.* **~ na marbh.** '~ na Marbh', thagadh sé um Shamhain. **~ na Féil Pádraig.** '~ na Féil Pádraig', thagadh sé. **~ na Féil Michíl. ...** agus ba ghnáthach leo bheith ag fanacht le '~ na Féil Michíl'. **~ na Cincíse.** Thagadh ~ eile, '~ na Cincíse'. Bhídís a' faire air sin chun trioscar chun é a chur fén trinseáil ar phrátaí. 977:59, Meith. 1945.

gamhain *ain.* Ó bhliain go dtí dhá bhliain, ~ nó bullán is ea é. CBÉ 977:479, M.F.., 45.

gaoth /ge:x/ *ain. Broim.* Sin ~ ó shléibhte an chaca! CBÉ 87:141, c. 1934.

garamain *ain.* **~ geata,** *an t-iarann a bhíonn ar dhá cheann an gheata.* ~ geata, balca cleithe. Sé rud an ~ an chuid de'n gheata a mbíonn ag dhá cheann an gheata ina seasamh. Bíonn an lúb iarainn ar cheann acu. CBÉ 978:291, Samh., 45.

garraí *ain.* ~ is ea píosa de pháirc a thabharfadh feirmóir duit le hagha' prátaí a chur ann. ~ reachtais – *conacre*. CBÉ 978:295, Samh., 45.

geaitín /g´at´i:n´/[139] *ain. Clár deiridh na cairte.* Agus tháinig Pádraig Ó Gríofa, go ndéana Dia trócaire air, agus rug sé ar gheaitín na cairte agus bhuail sé an fhuinneóg. CBÉ [C.F.] M0015-18, 1948.

gealán *ain. Gealacán.* Chuireadh sé uíbhe cearc, ~ an uibh agus bunach agus chuireadh sé an t-ubh (gealán) ar an mbunach agus leagadh sé é sin anuas ar an áit a mbeadh an cnámh briste. CBÉ 1100:140, Aib., 1948.

gealún /g´alu:n/ *ain. Gealbhan binne. (Passer domesticus) (House Sparrow). ...* dúirt sé [i. an dreoilín] leis an n~ go dtabharfadh sé seilbh ar chleitín a' tí anois do go deo agus choíche – tógaint a lín istigh ón síon. B.B.C., CBÉ[C.F.] 1090, 1951.

geancachán *ain. Duine geancach.* Tá caincín geancach air. ~ is ea duine a mbeadh caincín beag air. CBÉ 1100:97, Aib., 48.

geard *ain. Clós.* Chuaigh mé isteach in ~ seana-iarnaí. CBÉ[C.F.] M0015-18, 1948.

gearóid[140] *ain. Bod.* CBÉ 1100:229, Beal., 48.

géarthaigh /g´iarh´ig´/[141] *br. Gáraigh.* Nuair a dúirt sí an focal chuaigh Radal agus sheasai' sé sa marc agus ghéarthai' /jiarh´ɪ/ sé an táilliúir de dhá léim. CBÉ[C.F.] M0015-18, 1948.

geocach /g´o:kəx/[142] *ain. Téarma tarcaisneach chun cur síos ar dhuine.* An t-ochtú mac déag bacaigh is ea an ~, agus an t-ochtú mac déag geocaigh is ea an mhungairle. CBÉ 978:354, Samh. 1945.

139. Feic Breatnach, *Seana-Chaint II,* lgh. 210, 420 t. 5, s.v. *geaitín.*
140. ls., *greóid.*
141. Feic Breatnach, *Seana-Chaint II,* lch. 214, s.v. *géarú.*
142. Feic *Ibid.*, lch. 215, s.v. *geocach.*

gibín *ain. Corr ghainimh, spéirlint. Den fhine Ammodytidae (Sand Eels).* Iasc beag go mbíonn gob air, an ~. Bíonn siad sa ghainimh in imeall an uisce, iad a bhaint le rámhann nó le sluasad. CBÉ 977:175, Meith., 45.
giniúladh /g´ɪˈnu:lə/[143] *ain. Diúgaireacht, pusaíl.* "Dh'airi' sé an ghiniúladh agus bhí sé a' briolacadh." [D'én rud an ghiniúla?]. Éagaoine beag a dhéanfadh duine le na bhéal. CBÉ 1100:232, Beal., 48.
giofaire *ain. Fear beag cainteach.* Bíonn ~ ann – fear gan mórán toirt le mórán cainte. CBÉ 1100:31, Márta, 1948.
giolcach /g´ulˈkax/[144] *ain. (Cystisus scoparius) (Broom).* Agus tá sé [i. an chrobh dhearg] go maith do sheandaoine chun na duáin a ghlanadh ach is fearr a' ~ ná é do dhuáin a' duine. CBÉ 977:475, M.F., 45.
giorrach *ain. Scríob nó iomaire gearr.* "Is díreach an pháirc ná fuil giorrach inti." – Sé sin scríob nó iomaire gearr i dtaobh di. CBÉ 978:199, Samh., 1945.
glamaireacht /glamɪr´əxd/[145] *ain. br. An glór a dheineann gadhar fiaigh.* A' sceamhaíl a bhíonn an madra agus ag ~ a bhíonn an gadhar fiaigh. CBÉ 978:93, D.F., 45.
gleacaí *ain. Saghas duáin.* Bhíodh duán acu a mharaíodh lanngaí. Thugaidís an ~ air. N'fheaca mé aon ghleacaí le fada anois. Bhíodh sé níos mó ná duán poll-óige. CBÉ 977:45-6, Meith., 45.
gliomach *ain. (Homarus gammarus) (Lobster).* CBÉ 977:174, Meith., 45.
gloine[146] *ain. Teileascóp.* Is gairid a chuadar nuair a casag fear ortha agus ~ 'ge agus é faire thrid a' n~. CBÉ 978:230, Samh., 45.
gnáis /gəˈnɑ:ʃ/[147] *ain. Gnáthóg.* Gheofá an giorré ach é chur as a' n~ agus é chúrsáil le madraí. CBÉ 977:40, Meith., 45.
gníogarna /g´(ɪ)n´i:gərnə/ *ain. Saghas éigin crónáin a dheineann máthair áil na mbeach.* Agus chuir mé cluais orm fhéin," a Rí Onóraigh," arsa sé, "agus dh'airi' mé," arsa sé, "a cuid ~ aisti thall i ngáirdín Rí na Fraince. CBÉ[C.F.] M0015-18, 1948.
gnó /gnu:, gənu:/[148] *ain.* **1. Ag déanamh ~ an Rí,** *ag cac.* Cuireann siad cúram an tsalachair díobh, an salachar nó an cac. Téann duine a' suí leis féin nuair a bhíonn sé á dhéanadh san. "Bhí sé a' déanadh ~ an Rí," a dhéarfadh duine nuair a bheadh duine t'réis suí leis féin. CBÉ 1100:145 Aib., 48. **2. ~ a dhéanamh ar bhean,** *páiste a dhéanamh léi.* Is minic a dh'airi' mé go ndéanfadh fear ~ ar bhean – sé sin go ndéanfadh sé páiste léi – faid a gheódh sé criathar luacháin a thógaint den talamh. CBÉ 1100:149, Aib., 48.

143. Feic *Ibid.*, lch. 216, s.v. *ginúladh.*
144. Feic Breatnach, *The Irish of Ring,* lch. 15.
145. Feic *Idem*, *Seana-Chaint II,* lch. 219, s.v. *glamaireacht.*
146. ls., *gluine.*
147. Feic Breatnach, *Seana-Chaint II,* lch. 222, s.v. *gnáis.*
148. Feic *Ibid.*, lch. 222, s.v. *gnó.*

gochraobh *ain. Saghas ortha a deirtí chun saithe bheach a thógaint nuair a éiríodh sí.* Agus bhí ~ age'n seana-dhream nuair a dh'éiríodh a' saithe. CBÉ 978:71, D.F., 45.

góil /go:l´/[149] *ain.* **Cá bhfuil do ghóil,** *cá bhfuil tú ag dul.* Cad as a ghluaisis nó ca'il do ghóil?. (amhrán). CBÉ 977: 566, M.F. 1945

góilt /go:l´t´/[150] *ain. br.* **1.** *Ag gabháilt, ag buachtaint.* … Tá an nós fós againn-ne nuair a bheadh beirt comarádaithe ag imirt agus gan iad a' ~ dh'aistreoidís ó shuíochán go suíochán eile. CBÉ 978:7, M.F., 45. **2. Ag ~ air/uirthi,** *á b[h]ualadh.* Chaith sé chúchu ar an eathla é agus bhíodar a' ~ air go raibh an triúr acu cortha traochta ó bheith a' ~ air. CBÉ 977:151, Meith., 45.

goin /gin´/[151] *ain. Cur suas.* Bhí ~ iontu fadó, sé sin bhí cuir suas acu le céad rud ná faghach na daoine cur suas anois leis. Bhí cuir suas le obair acu agus suas le uireasa agus le ocras agus le fuacht acu. CBÉ 977:444, M.F., 45.

goite *aid. bhr. Buaite.* Nuair a bhí an rás ~ age Tom Tug cuireag ar bord árthaigh ar an niúmat san é. CBÉ 977:158, Meith., 45.

gort *ain. Páirc go mbeadh an fómhar bainte aisti.* Nuair athá an fómhar bainte thá an talamh ina ghort. Agus nuair athá na stácaí déanta: "Thá na stácaí ar an ngort," a déarthá. Gort an Chnocáin – sin í mu í. CBÉ 978:294, Samh., 45.

grá *ain.* **~ beag í** *(a déarfaí ag glaoch ar an mbó).* CBÉ 977:177, Meith., 45.

grábháltha /grɑ:vɑl:tha/ *aid. bhr.* **Bád ~,** *bád míndéanta.* Bíonn dhá shórt bád ann, bád clinseáltha agus bád ~, ach báid ghrábhálta ar fad a bhí anso. CBÉ 977:195, Meith., 45.

grafán /grəfɑ:n/ *ain.* **1. ~ réitigh,** *~ chun an craiceann a bhaint de na bánta.* Bhíodh a' ~ réitigh fé mar bheadh piocóid. Bhíodh sé acu a' raob chloch nó aitinn. Bhíodh dhá thaobh air. CBÉ 978:23, M.F., 45. ~ réitigh. Bíonn sé acu a' réiteach agus a' briseadh thalamh garbh. Bíonn deabhra aige le piocóid ach bíonn béal leathan ann. CBÉ 978:412, Nol., 45. **2. ~ socraithe.** Ní bhíodh ach taobh amháin ar a' n~ socraithe agus é leathan. CBÉ 978:23, M.F., 45. ~ socraithe. Bhíodh sé acu le hagha' iomairí prátaí a shocrú t'réis an chéachta san earrach. Chuirfeadh a' gabha píosa stíl n-a bhéal nuair a bheadh sé a' lomadh ortha. CBÉ 978:412, Nol., 45.

grágal /ˈgrɑ:gəl/ *ain. br. An glór a dheineann an traona.* Chuir sé fios ar an traidhn ansan agus dúirt sé leis an traidhn go gcuirfeadh sé an mí-ádh anois air. Dúirt sé leis go … "Cuirfidh mé an mí-ádh ort anois," arsa sé, "go brách agus choíche, mar a mbeidh tú ag ~ idir lá agus oíche." B.B.C., CBÉ[C.F.] 1090,1951.

gruamhán /gruəˈvɑ:n, gru:ˈvɑ:n/[152] *ain. (Cardium edule) (Cockle).* Bíonn gru-

149. Feic *Ibid.*, lch. 224, s.v. *góil(t).*
150. Feic *Ibid.*
151. Feic *Ibid.*, lch. 227, s.v. *goin.*
152. Feic *Ibid.*, lch. 232, s.v. *gruamhán.*

amháin sa tráigh, *cockles*. Bhídís á ndíol ar sráid Donn Garbhán fadó, le tiumpléir acu ar dhá phingin. CBÉ 977:206, Meith., 45.

grúmaeir *ain. Duine a chuireann cóir ar chapaill.* N'fheaca mé aon rath riamh ar aon duine thug agha' 'fiagaíocht nó ~ staile. CBÉ 977:44, Meith., 45.

guagach *aid. Amlach.* Chonaic mé ceann ar an mbaile is giorrra dhom anso – céachta ~ é sin [céachta arbh fhéidir leat an clár a chur ar aon taobh gur mhaith leat] CBÉ 978:253, Samh., 45.

guaile *ain.* **~ na rámhainne,** *an taobh thiar de chabhal na rámhainne.* ~ na rámhainne. CBÉ 978:406, Nol., 45. (léaráid).

guairneán *ain. br.* **Ag ~,** *ag déanamh dreasanna beaga oibre.* Dh'fhan an cailín sa chistin ag ~. CBÉ 87:162, c. 1934.

gúgán *ain. (Buccinum undatum) (Common Whelk).* Píothán mór is ea an ~ agus nuair a chuirthá led chluais é bíonn glór na farraige istigh ann. CBÉ 977:174, Meith., 45.

guí *ain.* **~ baintrí,** *guí go mbeadh droch-rath ag baint léi.* Bíonn gach einne a d'iarra' ~ baintrí a shéanadh. Níor mhaith dhuit a ghuí dh'fháil, fiú amháin fós bíonn gach einne a' séanadh ~ baintrí. CBÉ 1100:35, Márta, 48.

guídeoireacht /gi:ˈd´o:r´əxd/[153] *ain. br. Guí.* … agus bhí sé age'n tine i bpian agus i dtinneas age'n nioscóid agus é a' ~ agus a' malachtú. CBÉ 977:466, M.F. 1945.

haire /har´ɪ/ *ain. Aire.* **~ dhuit,** *tabhair aire.* … sé deir ceann acu leis an gceann eile, '~ dhuit,' ar eagla go dtitfeadh an tor orthu. CBÉ[C.F.]M0015-18, 1948.

halibird *ain. Haileabó, Alabard, Leathóg Mhuire. (Hippoglossus hippoglossus) (Halibut).* A' ródaíocht a maraítí an leathóg Muire. Tugann daoine anois an ~ ar a' mbreac san – Béarla é sin. CBÉ 977:45, Meith., 45.

iairlis *ain. Ball den chéachta.* Tá an ~ fé thalamh siar ón soc – an *soleplate* a thugann daoine air. CBÉ 978:206, Samh., 1945.

iarracht ain. **1. A dh~ ar,** *i dtreo.* Nuair a bhí an captaen ag déanadh a dh'iarracht /ə ɣiərəxd/[154] ar Pháidín sa bhfarraige. Cn.Ú.P. **2. Ag baint ~ as/aisti,** *á g[h]riogadh.* … agus bhídís ag baint ~aí as a chéile gach aon áit a gcasfaí ar a chéile iad. CBÉ[C.F.] 0487-0496, 1948.

íl /i:l´/[155] *ain. Adhall.* Thá an cat fé ~. CBÉ 978:81, D.F., 45. Bíonn an bits fé ~. CBÉ 978:195, Samh., 45.

imeacht *ain. Cuma.* Thug mé trí bliana ar an ~ san. CBÉ[C.F.] M0015-18, 1948.

imirí /im´ɪˈr´i:/[156] *ain. Aistriú tí.* ~ na hAoine ó thuaidh/ ~ an Luain ó dheas/ Agus mara mbeadh agat ach cuíora agus uan/ Ná dein ~ an Luain. CBÉ 977:14, Meith., 45.

153. Feic *Ibid.*, lch. 233, s.v. *guídeoireacht.*
154. Feic *Ibid.*, lch. 240, s.v. *iarracht.*
155. Feic *Ibid.*, lch. 241, s.v. *íl.*
156. Feic *Ibid.*, lch. 243, s.v. *imirí.*

imirt *ain. br. Seinnt.* … agus bhí saighdiúir aige bhíodh ag imirt trampéad. CBÉ 978:228, Samh., 45.

imleacán /im´ıl´kɑ:n/[157] *ain. Gearra beag ar leithligh a chuirtí san iasc chun é a mharcáil.* Nuair a thabharfadh fear eile a cholmóir isteach bhí marc aige – ~. CBÉ[C.F.] M0015-18, 1948.

inneall /iŋ´əl/[158] *ain. Súil ribe.* Bíonn an t-~ ceangailte de staic sa talamh. Bíonn an lúb dtaobh ismuigh dhen chruinnitheoir. Slat bheag is ea an cruinnitheoir go mbíonn gág ina barra. CBÉ 977:39, Meith. 1945.

inniúil /n´u:l´/ *aid. Oiriúnach.* Bhfuil siad [i. na prátaí] ~ chun díol, chun síol, chun bí agus chun maraga'? Cn.Ú.P.

inse[159] *ain. Páirc in aice le habhainn.* … thabharfainn ~ ar pháirc a bheadh íseal taobh le abhainn. CBÉ 978:294, Samh., 45.

inti *dobhr.* **Faid is a bheadh ~,** *faid is a bheadh sí ábalta air.* Bheadh an tseanabhean ag obair istigh an fhaid is bheadh ~. CBÉ 1100:41-42, Márta, 1948.

intinn /ain´t´iŋ´/[160] *ain.* **Níl ~ circe, ~ gealbhain aige/aici,** *níl mórán meabhrach aige/aici.* Duine ná beadh mórán meabhrach aige, "níl ~ circe aige," "níl ~ gealúin aige." CBÉ 1100:134, Aib., 48.

íocain *ain.* **~ na fuinneoige,** *leac na fuinneoige.* (léaráid). CBÉ 977:205, Meith., 45.

iomadh /umə/ *ain. Iomaíocht.* Ó, beag an mhaith dhom chuidse gabáiste dul in ~ leis sin. CBÉ[C.F.] M0015-18, 1948.

iomaire /umır´ı/[161] *ain.* **~ críthir,** *~ críche.* ~ críthir is ea ~ a bheadh déanta i bpáirc agus ligint di ansan agus bheadh a rian i bhfad ann. CBÉ 978:30, D.F., 45.

ionad /in´əd/[162] *ain.* **~ cnaipe,** *lúbóg chnaipe?* Chuir sé a láimh amach agus sháigh ina phóca fé dhéin an scian agus ghearraigh sé ~ cnaipe as an gcasóig mhór. CBÉ[C.F.] M0015-18, 1948.

ionga *ain.* **Tabhair an ~,** *goid é/í.* Ní raibh lacha ná gé ná turcaí méith a chastaí lem chlé/ Ná tiugainn an ~ dho. (amhrán). CBÉ[C.F.]0489a, 1948.

iorthlach *ain. Urtlach.* Bheadh ~ age ga' héinne a bheadh á gcur. Bheadh mála ar do dhrom agus a bhéal a' teacht aniar féd' oscail agus bheadh leath a' bhéil fúailte. Bheadh stoca greamaithe ar chúinne dhe'n tón agus a' teacht ar do

157. Is mó a bheifí ag súil le fuaimniú ar nós /im´ıl´əkɑ:n´/ nó /im´l´əkɑ:n´/ anseo – Feic Ó Sé, D., *Gaeilge Chorca Dhuibhne – Tuarascáil Taighde 26* (Baile Átha Cliath: Institiúid Teangeolaíochta Éireann, 2000), lch. 45.

158. Feic Breatnach, *Seana-Chaint II,* lch. 244, s.v. *inneal.*

159. ls., *eidhnse.*

160. ls., *inithin* – ní foláir nó gurb í Gaelainn an bhailitheora féin atá léirithe i litriú na lse. – feic Breatnach, *The Irish of Ring*, lgh. 22, 32, 46, 48..

161. Feic Breatnach, *Seana-Chaint II,* lch. 245, s.v. *iomaire.*

162. Feic *Ibid.*, lch. 246, s.v. *ionad.*

ghualainn anuas go dtí na bhéal. Ní bheadh agat ach do láimh dheas a chuir i mbéal a' mhála ansan nuair a bheithfaí a' cur. CBÉ 978:377, Samh., 45.

ismuigh /isˈmu/ *ain.* **Ar an dtaobh ~,** *ar an dtaobh amuigh.* Agus bhí deirfiúr d'Annagán pósta ar an dtaobh ~ dhen mbaile mór. CBÉ[C.F.] 0487-0496, 1948.

ithir /ihˊɪrˊ/[163] *ain.* **1. Prátaí ar an ~,** *prátaí ná beadh piocaithe.* "Thá na prátaí ar an ~," a déarthá nuair a bheadh na prátaí gan piocadh t'réis iad a bhaint. CBÉ 978:295, Samh., 1945. **2. Níl aon ~ ar an talamh,** *tá an talamh fliuch tar éis na fearthaine agus níl sí oiriúnach chun curadóireachta.* 'Á mbeiththá dul a' cur arúir agus é bheith fliuch an oíche ragha [roimhe] sin ní chuirthá ar ao'chor é, déarthá ná raibh aon ~ ar a' talamh. Nuair a bheadh an lá tirim ansan raghthá á chur tráthnóna. Déarthá, "thá ~ bhreá anois air," – sé sin cré mhín thirim. CBÉ 978:295, Samh., 45.

Jack-a-Dory. *Deoraí, Donncha na súl mór. (Zeus faber) (John Dory).* ~ agus an chadóg agus an dearagán, sin iad na trí bric a bhí age'n suipéar déanach agus thá rian A mhéire agus A órdóige iontu. CBÉ 977:193, Meith., 45.

labaiste /labəʃdˊɪ/[164] *ain. Duine neamh-anamúil.* ~ fir is ea fear trom nea-anamúil. CBÉ 1100:230, Beal., 48.

lagachar *ain. Laige.* 'Á dtiocfadh aon ~ ar dhuine anso agus go dtitfeadh sé, dul agus é a chuir ar chathaoir agus deoch uisce a thabhairt do agus é a chroitheadh suas. CBÉ 978:29, M.F., 1945.

láimh /lɑ:vˊ/[165] *ain. Téarma a d'usáidtí i gcomhaireamh an éisc i. trí cinn d'éisc.* Bíonn trí cinn i gach aon láimh. Ba dh'in haon. Bíonn dachad láimh i gcéad agus ceaist isteach. Bíonn láimh sa cheaist. CBÉ 977:177, Meith., 1945.

laiste *ain.* **~ gruaige,** *dual, roinnt ribí gruaige.* Nuair a fuair a bhean ina chodladh é do bhearrai' sí ~ dá ghruaig. CBÉ 1100:69, Márta, 48. Chumhadadh daoine ~ gruaige duine a bheadh t'réis bháis. CBÉ 1100:70, Márta, 1948.

lán *aid.* **~ a bheith,** *beagnach.* **...** tháinig sé isteach sa seamra nuair a bhíodar ~ a bheith réidh agam fhéin agus age Muiris Churraoin. CBÉ[C.F.] M0015-18, 1948.

langa /lauŋgə/[166] *ain. (Molva molva) (Ling).* Bhí ~ ar trí pingine guile agus trosc ar thistiún. CBÉ 977:46, Meith., 45.

langaide *ain. Laincis.* Chonaic mé langaidí bata orthu [gabhair]. Bata beag agus poll ina dhá cheann agus córda a' ceangal an bhata dá gcosa. CBÉ 978:32, D.F., 45. Curtaí ~ ar mhuc a bheadh bradach. CBÉ 978:38, D.F., 45.

163. Feic *Ibid.*, lch. 249, s.v. *ithir.*
164. Feic *Ibid.*, lch. 249, *s.v. labaisteálaí,* n. 5.
165. Feic *Ibid.*, lch. 252, s.v. *láimh.*
166. ls., *lannga* – feic Breatnach, *The Irish of Ring,* lch. 48.

langaire /laŋər´ɪ/[167] *ain. Buille.* "Á, ní mar sin a mhúin mise dhuit iad," arsaigh an sagart leis á thógaint dá bhoinn le ~ clabhtóige. CBÉ 86: 9, 8/2/32.
lantréil /launtəre:l´/ *ain. Lantaeir.* Agus nuair a leagfá uait an ~ sé an méid a bheadh gan sioc agus sneachta dhíot ach amháin an méid a bheadh ar barraí do mhéaracha a bheadh i dteas an lantaréala. Cn.R.B.B., 187.
lao /le:/ *ain.* (*ain. iol.,* laoi /li:/).[168] Bíonn an beithíoch ina ~ go dtí go mbíonn sé bliain. CBÉ 977:479, M.F.., 45.
laoigfheoil /li:g´o:l´/[169] *ain. Laofheoil.* ~ a thugaidís ar an bhfeoil. CBÉ 977:474, M.F.., 1945
laparachán /lapərəxɑ:n/[170] *ain. Lacha óg lag.* Lachain óga a thabharthá orthu [i. na rudaí óga] is dócha. 'Á mbeadh ceann lag ina measc thabharthá ~ uirthi. CBÉ 978:65, D.F., 45.
leaba *ain.* **~ an duáin,** *réigiún na bléine.* Deir siad ná fuil aon fháil ar é [i. an cat] a mharú mara mbuailfidh tú i ~ an duáin é. CBÉ 978:80, D.F., 1945.
leaca /l´akə/[171] *ain. Talamh ar thaobh cnoic.* Talamh ard ar thaobh cnoic thabharthá ~ air. Thá ~ an Ocrais sa Seana-Phobal. CBÉ 978:293, Samh., 45.
leaind /l´an´d´/[172] *ain.* **~eanna** /l´an´d´ənə/, *píosaí de pháirc threabhaite le clasa eatarthu chun an t-uisce a thógaint.* 'Á mbeadh sé fliuch, 'á mbeadh sé ina mhóinteán déanfaí seoraí ann chun é tiormú. Agus mara bhfaighthá na seoraí a dhéanadh, déanthá ~eanna dhe, hocht fóid is go h-aon ~ agus arúr a chur sa ~eanna ansan. CBÉ 978:198, Samh., 45.
leaindí *ain.* **Lá ~ Liú,** *lá ná tiocfaidh go deo.* "Ní thiocfai' sé go dtí Lá ~ Liú." CBÉ 978:2, M.F., 45.
lean *br.* **~ an nós díobh,** *choimeádadar suas an nós.* Agus bhíodh an nós, ~ an nós díobh i gcónaí an duine a chuir ar an gclár agus féachaint cé acu is fearr a dhéanfadh ceathrú chaointeacháin. CBÉ[C.F.] 0487-0496, 1948.
leandar *ain. Cadóg shaillte.* Tugaimid ~ anso ar chadóg saillte. CBÉ 977:56, Meith., 45.
learaí *ain.* **Tá ~ sa drom aige/aici,** tá sé/sí leisciúil. Tá ~ sa drom age'n bhfear san. CBÉ 1100:140, Aib., 1948.
leasaithe *aid. bhr.* **Cruiceog ~,** *cruiceog go mbeadh bia curtha innti chun saithe a thógaint.* Agus bheadh crucóg ~ aici le huachtar agus le siúicre. CBÉ 978:72, D.F., 45.

167. Feic *Idem, Seana-Chaint II,* lch. 254, s.v. *langaire.*
168. Feic *Ibid.*, lch. 250, s.v. *lae.*
169. Feic *Ibid.*, s.v. *laoigh-fheoil.*
170. Feic *Ibid.*, lch. 254, s.v. *laparachánaí,* n. 2.
171. Feic *Ibid.*, lgh. 262, 262, s.v. *leaca.*
172. Feic *Ibid.*, lch. 263, s.v. *leaind.*

leasú /l´aˈsu:/[173] *ain.* **~ fé chois,** *aoileach nó trioscar a bheith leata ar an dtalamh sara dtreabhfaí í.* Bíonn an feirmeóir a' treabhadh an uair sin agus a' góilt d'aoileach, coinleach a bhíonn á threabhadh aige agus bei' sé a' cur an aoiligh amach ar a' gcoinleach chun ~ fé chois. CBÉ 978:374, Samh., 45.

leathar *ain.* **1.** *Craiceann.* Tá t'agha' gan ní agus do cheann gan cíora/ Agus ~ do bhoilig á loscadh age'n ngríosaigh. CBÉ 977:52, Meith., 45. **2. Fuair sé píosa leathair,** *bhí sé ag cúirtéireacht.* Fear a raghadh tamall i bhfochair mná, dhéarfadh duine, "Fuair sé píosa croicinn," nó, "fuair sé píosa leathair. CBÉ 1100:141, Aib., 48.

leathóg *ain.* ~ ***Muire****. Haileabó, Alabard. (Hippoglossus hippoglossus) (Halibut).* Bhíodh ~a breaca agus ~a Muire sa trál – mála straíocála a thugaidís air. CBÉ 977:45, Meith., 45. 2. ~ **Bhreac,** *Leathóg na mball dearg, Plás (Pleuronectes flesus) (Plaice). Ibid.*

leidín /l´eˈd´i:n´/[174] *ain. Máchail.* Fágann na síobhraithe ainimh ar leanbh nó ~ nó máchail. CBÉ 977:16, Meith., 1945.

léig *ain. Conradh na Talún.* Willie Harrington an ceann a bhí ar an ~ anso. CBÉ 1100:129, Aib., 48.

leigheadh /l´əi/[175] *ain. br. Leá.* Bhí slachar cearc go fairsing ann/ Agus Neil ag ~ le náire. Cn.Ú.P.

léim *ain. Cosán an choinín.* Ar an gcosán a chuirimid an t-ingeal raghais [roimhis < roimh] a' gcoinín. Bíonn na ~eacha ann agus cuirfi' tú an t-ingeal i lár na ~e. CBÉ 977:39, Meith., 45.

léireach *aid.* **Go ~,** *go léir.* Anois athá mé ag teacht aosta/Is mo chomharsain go léireach im chrá. (amhrán). CBÉ[C.F.] M0015-18, 1948.

léirithe /l´e:r´ɪh´ɪ/[176] *aid. bhr. Réitithe.* Nuair a bhí na hárthaí ~ chun imeacht as tháiníodar chun dul ar bord. Cn.Ú.P.

leithli' /l´eh´ɪl´ɪ/[177] *ain.* **Ar ~,** *ar leithligh, speisialta.* Chuaigh scéala isteach dtí an mbaile mór, go dtí Radal go gcaithfeadh sé peidhre bróg a dhéanadh ar ~ dho iníon an mhéara. CBÉ[C.F.] M0015-18, 1948.

leosún *ain. Ceacht.* **...** dúirt sé leis an maighistir é a ligint abhaile nuair a bheadh an ~ déanach déanta CBÉ 977:180, Meith., 45.

liachaint *ain. br. Liathadh.* Bheadh a' ghruaig a' ~ agus a' croiceann a' seargadh. CBÉ 1100:45, Márta, 48.

liathraisc[178] *ain. Liatráisc. (Turdus viscivorus) (Mistle Thrush).* ... agus a' plibín

173. Feic *Ibid.*, lch. 265, s.v. *leasú.*
174. Feic *Ibid.*, lch. 269, s.v. *leidín.*
175. Feic *Ibid.*, lch. 269, s.v. *leigheadh.*
176. Feic *Ibid.*, s.v. *léiriú.*
177. Feic *Ibid.*, lch. 271, s.v. *leithile'.*
178. Tugann Breatnach an fuaimniú /l´iə´ˈtra:ʃg´/ – *Ibid.*, lch. 273, s.v. *liatráisg.*

míog a' teacht isteach ar a' talamh agus na feadóga agus an ~ nuair a thiocfaidís sin isteach bheadh a' scéal ina shioc. CBÉ 977:189, Meith., 45.

líc *ain. Poll a scaoilfeadh uisce isteach.* Dheinidís iad a ghlanadh babhta sa seosún, iad a lannseáil is iad a ghrábháil 'á mbeadh aon ~ unta. CBÉ 977:173, Meith., 45.

lídeáil /l´i:d´ɑ:l´/ *ain. br. Ag buachtaint.* Bhí cosa mórsheisir in airde/ Is an *Double* ag ~ na slí. (amhrán). CBÉ1269-71, 1954.

líne *ain. Ál.* Ní chineóthá ao' choileán ar a gcéad ~ bhíonn age *bitch*. CBÉ 978:196, Samh., 45.

liobán *ain.* ~ **uaithne,** *saghas éigin feamnaí – Líneáil Ghorm (den ghéineas Enteromorpha) b'fhéidir.* Bhí trioscar báite agus trioscar dubh ansan agus trioscar na gclog agus lofán agus ~ uaithne agus féur dubh. CBÉ 977:2, Meith., 45.

liobarna /l´ubərnə/[179] *ain. br.* **Ar ~,** *ar sileadh.* … bhí singirlíní seaca ar ~ as gach aon rud. CBÉ[C.F.] M0015-18, 1948.

liom *réamh.* **1.** *Chomh maith liom, i mo theannta.* B'fhearr liom ná rud maith go mbeadh fhios ages na daoine óga athá ag éirí suas inniu … go mbeadh fhios acu conas a chaitheas-sa mo shaol, agus go leor eile ~. RBB (ar théip) Cn.R.B.B., 261. **2.** *Dom.* Ó sea, 'athair," arsa sé, "ach thá siad ag fuireach socair go maith ~sa. CBÉ[C.F.]0495, 1948.

liúáil[180] *br. Lamháil.* Is ná ~faí méar a leagaint air go dtiocfadh na cróinéirí. (amhrán). Cn.Ú.P.

lóc *ain. Gortú.* Deir siad 'á mbeadh aon ~ ort agus blonag a chimilt de agus ligint don madra é a lí go lífeadh sé an nimh as a' gcneath. CBÉ 978:197, Samh., 45.

loca *ain.* ~ nó duarnán a tugtar ar a' méid dín a bhíonn i ndorn an díonadóra le cur. CBÉ 978:391, Samh., 45.

lóch /lo:x/[181] *ain.* **Fé ~,** *fé shéasúr (i muca).* Tagann an chráin fé ~. Tugtar go dtí an collach í agus bíonn sé seachtaine déag ann fé mbíonn banaí aici. CBÉ 978:39, D.F., 45.

lódáltha *aid. bhr. Ládálta.* Nuair a thángadar isteach go Baile Mhac Cairbre, bhí na mangairí ag dul isteach, agus iad ~ le colmóirí á ndíol. SOND, Béal. 14 (1944):71.

lofán /luˈfɑ:n/[182] *ain. Meascán de fheamnach, de fhéar feoite etc. a fhaightear thuas ag lán mara agus a usáidtear mar leasú sa gharraí.* Bhí trioscar báite agus trioscar dubh ansan agus trioscar na gclog agus ~ agus liobán uaithne agus féar dubh. CBÉ 977:2, Meith., 45.

179. Feic *Ibid.*, lch. 274, s.v. *liobarna.*
180. Feic *Ibid.*, lch. 281, s.v. *liúáil.*
181. Feic *Ibid.*, lch. 277, s.v. *lóch.*
182. Feic *Ibid.*, lch. 282, s.v. *lufán.*

lóg /lo:g/[183] *ain. Gol na mná sí.* Píosa maith ón tigh d'aireofaí an ~ [i. ag an mbadhb]. CBÉ 977:200, Meith., 45.

loga *ain.* **~ Dubh.** *(Arenicola defodiens) (Black lug) is dócha.* Bíonn ~aí leis insa tráigh. Tá an ~ dubh is an ~ dearg is an ~ liath ann. Iad a bhaint le rámhann le hagha' baidhte. CBÉ 977:175, Meith., 1945.

loigín /liˈg´i:n´/[184] *ain. Tobar na baithise.* Éadach fliuch a chuir in airde ar a ~ agus glaoch air as ainm agus as a shloinne agus a dheárna a bhualadh [leigheas ar lagachar]. CBÉ 978:29, M.F., 45.

lomartha /lomərhə/ *aid. bhr. Scamhaite.* … agus nuair a bheadh an práta ~ age ga' héinne cimileófaí an práta do'n scadán ansan. CBÉ 968:556, Meith., 45.

lón /lu:n/[185] *ain. Bia a thabharfá do na beithígh sa gheimhreadh.* Sé ~ a bhíodh acu dos na beithígh, tuí eorna agus tuí choirce agus punann choirce, teornuip is meaingil. CBÉ 978:378, Samh., 45.

losna /lusnə/[186] *ain. Snáth chaol a cheanglaíonn an dorú agus an duán.* ~ a thugaimid ar an ndró caol a bhíonn idir an dró agus an duán. CBÉ 977:46, Meith., 1945.

luachair *ain. (De na speicis Juncus) (Rush).* An oíche roimh Déardaoin na Luachara chuiridís ~ ar bhun na bhfuineog, agus feileastram, agus i mbéal a' doiris. CBÉ 977:183, Meith., 1945.

luathaigh /luəh´ig´/[187] *br. Brostaigh.* Is go mbuanaí Dia buan an té a ~ chun a thí mé! [rann]. Cn.R.B.B., 7.

luathintinniúil[188] *aid. Luathintinneach.* Deir siad go mó rud a dhéarfadh fear tí nár cheart do bhean tí suim a chuir ann, mar gan í 'chuir aon tsuim in céad rud a dhéarfadh sé ní dhéanfadh sé aon imreas eatarthu, agus ar suim a chuir ann is minic a dhéanfadh bean ~ imreas di féin. CBÉ 1100:30, Márta, 1948.

luathú /luəhu:/ *ain. br. Brostú.* "B'é go mb'fheárr duit dul 'na coinne," arsa sé, "agus í a ~ abhaile." CBÉ 977:152, Meith., 45.

lúbán /lu:ˈba:n/ *ain. Scolb speisialta a úsáidtear sa díonadóireacht.* An scolb is a' ~ ansan sa tara cúrsa. Scolb eile is ea an ~ ach bíonn sé fé thrí scolb agus a dhá cheann lúbtha. CBÉ 978:389-90, Samh., 45. Bíonn trí *row* scolb le fiscint agat ar gach taobh i mbuaic gach tí agus bíonn na lúbáin ina gcrosanna agus iad socair go deas. CBÉ 978:392, Samh., 45.

luig /lig´/[189] *ain.* (*ain. iol.* **luíonna** /li:nə/) *Luibh.* Deir siad go n-itheann an

183. Feic *Ibid.*, lch. 277, s.v. *lóg.*
184. ls., *luigín* – feic *Ibid.*, lch. 284, s.v. *luigín.*
185. ls. *lún.*
186. Feic Breatnach, *Seana-Chaint II,* lch. 284, s.v. *lusna.*
187. Feic *Ibid.*, lch. 282, s.v. *luathú.*
188. ls., *luath aidhntiniúil.*
189. Feic Breatnach, *Seana-Chaint II,* lch. 284, s.v. *luig.*

gabhar an ~ a chuireann an cheathrú dhubh ar na ba. CBÉ 977:457, M.F., 45. … na harthraíontaí agus na luíonna a bhíonn ár leigheas ó shinsear go sinsear anuas. Cn.Ú.P.

luigh *br. Luigh chun, tosnaigh ag bruíonn le.* Thóg Pilib peidhre acu agus luíodar chun a chéile age doras an halla agus chuir Diarmaid síos é i ndia' a chúil dtí Drochad Bhaile an Aicéada'. CBÉ 150:270, 25/8/34.

luiseag /liʃəg/[190] *ain.* **1.** *An chuid den duán iascaigh go dtéann an dorú isteach ann, agus an chuid de a bheireann ar an iasc.* Bíonn dhá ~ ar gach aon duán, ~ chun na snách a chimeád air agus ~ eile chun greim a chimeád ar a' mbreac. CBÉ 977:46, Meith., 45. **2.** *An chuid den spranng nó den phíce go dtéann an chos isteach ann.* **~ na sprainge,** ~ na spruinge. CBÉ 978:410, Nol., 45. (léaráid). **~ an phíce.** ~ a' phíce. CBÉ 978:410, Nol., 45. (léaráid). **3.** *An chuid den chorrán a théann isteach sa chos.* An ~ a théann isteach sa chois. CBÉ 978:413, Noll., 45.

lus *ain.* **1. An ~ Mór.** *(Digitalis purpurea) (Foxglove).* Agus deireadh daoine go raibh an ~ mór go maith, é sin go dtagann an pabhsa dearg air mar bheadh méaracán – é sin a thógaint as a'talamh agus na rútaí a ní agus é a bheiriú idir bhileog is eile agus an t-uisce a dh'ól. CBÉ 1100:139, Aib., 48. **2. ~ na Pinge,**[191] *~ na Pingine. (Hydrocotyle vulgaris) (Marsh Pennywort).* ~ na pinge an leigheas a bhí acu ar an sguirbhí – é a chimilt tirim agus an súlach a chuir isteach tríd. CBÉ 1100:141 , Aib., 48.

macréal *ain. (Scomber scombrus) (Mackerel).* Thagadh an mhacrael[192] sa Mhárta i gCiarraí … Bhídís ag iascach ~ isteach go dtí *Octover* – Deireadh Fómhair. CBÉ 977:59, Meith., 45.

maic /mak´/ *ain. Baic.* An muinéal a bhíonn idir an chabhail agus an ceann. ~ an mhuiníl a bhíonn thiar. CBÉ 1100:102, Aib., 48.

maig /mag´/ *ain.* Tá ~ ina c[h]eann, *tá an iomarca meas aige/aici air/uirthi féin.* Cailín a mbeadh iomarca meas aici uirthi féin bheadh a ceann in airde aici: "Thá ~ ina ceann," a dhéarthá. CBÉ 1100:102, Aib., 48.

maighdeansúlacht *ain. Maighdeanas.* "'Dí an mhaisiúlacht is mó in bhean?" a chuir sí amach. Agus dh'éirig Naomh Joseph ina sheasamh agus dh'fhreagair sé í agus dúirt sé go b'é an mhaidhdeansúlacht. CBÉ 978:236, Samh., 45.

maighistir /maiʃd´ɪr´/ *ain.* **1.** *An chuid is fearr. Reed* an maighistir [i. chun díonadóireachta]. CBÉ 978:390, Samh., 45. **2.** *Mún an duine.* Uisce an duine. Deineann duine a chuid uisce – mún nó fual a tugtar air. 'Á mbeadh fiaras in aon áit dheir siad nár bhaol 'uit go deo ach é a chimilt féd shróin ar maidin – an ~ a thugann siad air. CBÉ 1100:146, Aib., 48.

190. ls., *luisiog* – feic Breatnach, *Seana-Chaint II,* lch. 284, s.v. *luiseag.*

191. Tugann Breatnach an fuaimniú /lus nə p´iŋ´ənə/, atá bunoscionn le litriú na lse. thuas – *Ibid.*, s.v. *lus.*

192. ls *mhacraol* < /vakre:l/

mairteoil *ain.* ~ **na farraige,** *bairnigh.* Bíonn siad [i. na bairnigh] mar bheadh ~ úr-shailte ansan. Sé'n ainm a tugtar orthu ná ~ na farraige. CBÉ 978:27, M.F., 45.

mala *ain.* ~ **an iomaire,** *cliathán an iomaire (sa churadóireacht).* **...** an ~ a scriosadh ansan ar gach taobh leis a' rámhainn agus an chré a chur in airde ar an iomaire agus na scioltáin a chlúdach. CBÉ 978:291, Samh., 45.

mála *ain.* ~ **stríocála,** *líon iascaireachta i bhfoirm mála.* Bíonn béal mór ar a' mála straíocála. Bíonn téad na luaithe thíos agus téad na gcorc ar barra agus dhá chláirín ar gach taobh. Bíonn téad ó gach cláirín a' teacht insa mbád – an chois-téad. CBÉ 977:46, Meith., 45.

mangalam /maŋələm/[193] *ain.* **I ~,** *idir dhá cheann na meá, cothram.* "Bhí an breac i ~," a déarthá 'á mbeadh sé goite 'dir an dá líon: ní liomsa é is ní leatsa é ach nuair a dhíolfaí é dhéanfadh sé deoch. CBÉ 977:173, Meith., 45.

maolchlaí *ain. Claí beag íseal.* Maolchlaí nó claíochán a tugtar ar chlaí beag íseal. CBÉ 968:568, Meith., 45.

maranaigh /marnə/[194] *br. Smaoinigh.* Agus mharana' /varnə/ sé ina aigne agus dúirt sé … W.D., CBÉ [C.F.] T0667 (1928).

marc *ain. Comhartha.* Bhí ~ acu ar an osna dhéanach nuair a fhágfadh an t-anam an cholann. Chriothadh an cholann agus tharraingíodh an béal osna le linn an anam fhágaint. CBÉ 977:441, M.F.., 1945.

marcaeir[195] *ain.* **An ~,** *an chorrmhéar.* CBÉ 1100:19, Márta, 1948. (léaráid).

más *ain. Ball den chéachta.* Thá an soc istigh ar an ~ ach nín aon mhás insa céachtaí athá anois ann ach insa seana-chéachtaí Gaelach bhí an soc a' dul isteach ar a' ~. CBÉ 978:206, Samh., 1945.

máthair *ain. Dúchas.* Casfaidh a leithéid sin de thalamh ar a mháthair aríst muna leanfa' tú air i gcónaí agus é a leasú agus neart salainn agus aoil a chuir air. CBÉ 978:201, Samh., 45.

meá. ~ **beag** *(a déarfaí ag glaoch ar na caoire).* CBÉ 977:177, Meith., 45.

meabhaint *ain. Mant.* An áit a bhíonn fiacal tarraingte bíonn ~ ann – "Thá sé ~each." CBÉ 1100:99, Aib., 48.

meadrach /m´adərəx/.[196] *Um eadrach, um eadra.* Ghlaofaí ~ orthu chun blúire iasc goirt agus práta agus cárt bhainne, agus an cleas céanna chun do shuipéir. CBÉ 977:471, M.F.., 1945.

meais /m´aʃ/[197] *ain. Riasc.* ~ a thabharthá ar thalamh a bheadh fliuch agus a mbeadh miríneach a' fás ann. CBÉ 978:294, Samh., 45.

193. Feic Breatnach, *Seana-Chaint II,* lch. 289, s.v. *mangalam.*

194. Feic *Ibid.*, lch. 291, s.v. *marana.*

195. Bhí fear eile á cheistiú ag an mbailitheoir i dteannta Mhaidhc ar an ocáid seo. Ghlaoigh Maidhc an *Paighnteán* ar an méar seo ar ócaid eile nuair a bhíothas á cheistiú ina aonar (CBÉ 977:25, M.F.., 1945. (léaráid)).

196. ls., *meadorach.*

197. ls., *mash.*

meaits *ain. Cleamhnas.* … ní dhéanfadh a' t-athair ná an mháthair cleamhnas chuigint do mar is dócha go raibh fhios acu go raibh an iomad den amadán ann. Chuai' sé fhéin a' déanamh na ~e. CBÉ 977:140, Meith., 45.

meamhaireach[198] *ain. Meamhlachán.* Bíonn sé ag meamhaireacht – ~ an chuit. CBÉ 978:81, D.F., 45.

meamhaireacht[199] *ain. br. Meamhlachán.* Bíonn sé ag ~ – meabhaireach an chuit. CBÉ 978:81, D.F., 45.

méar *ain.* **1. An mhéar mheán**, *an mhéar fhada.* **2. ~ na cuisleann,** *méar an fháinne.* CBÉ 977:25, M.F.., 1945. (léaráid).

mearathal /m´arəhəl/ *ain. Dearmad.* Is baol liom a Sheáin," arsa sí, "gur dhein tú ~. [véarsa]. CBÉ[C.F.] 0487-0496, 1948.

méile /m´e:l´ɪ/[200] *ain.* **1.** *Béile.* Cárt ghoilithe [i. go leith] a thabhairt do [i. don lao] an chéad mhéile – é thabhairt do nuair a crúfaí an mháthair. CBÉ 977:473, M.F.., 1945. **2.** *Gach uair a chrúfaí bó.* Thabharfadh cuid acu dó nó trí mhéiltíocha agus bheadh rian fola ar a gcuid bainne. CBÉ 977:460, M.F., 45.

mes[201] *ain.* Dúirt sé le Méirnín ~ brain [i. bran] te a dh'fháilt don mbó. CBÉ 977:569, M.F., 45.

mí-ámharach *aid. Míshlachtmhar, tútach.* … pé cóiriú bhí riamh ragha [roimhe] sin ar mhac an fheirmeóra chóiri' sé é fhéin ~ ceart a' lá san agus dh'imi' sé leis go dtí an pósadh. CBÉ 978:226, Samh., 45.

mileog /m´iˡl´o:g/[202] *ain. Bileog (billhook).* Bíonn sí acu a' baint aitinn is a' sgriostachán clathacha. CBÉ 978:413, Nol., 45. Thug sé leis ~ agus í faoraithe agus sheasai' sé in lár an bhóithrín. CBÉ 978:219, Samh., 45.

milis *aid. Deas, áisiúil chun oibrithe.* B'éadtroma agus ba mhilse agus ba dheise rámhann a' ghabha. CBÉ 977:408, Nol., 1945.

milseacht /m´əil´ʃəxd/ *ain. Áisiúlacht.* Bheadh dhá órlach de *steel* ar a barra [i. an rámhann bainte] agus dréir mar a bheadh sí sin a' caitheamh a' géarú a bheadh sí agus nuair a thiocthá dtí an iarann ansan bheadh sí tur. Bheadh an mhilseacht imithe. CBÉ 978:407, Nol., 45.

míol *ain.* **~ críon,** *(den fhine Ceratopogonidae) (Biting midge).* **…** agus tá's agat dérd iad na ~a críonna, nuair a bheidís sin id' dh'ithe um tráthnóna cómhartha mór fearthaine iad. CBÉ 977:189, Meith., 45.

míoladóir *ain. Fear a bhíodh ag cimeád an calltar glan sa treabhadh.* Bhíodh dhá chapall á tharraint [i. an céachta adhmaid] agus fear is gabhlóg adhmaid aige agus é leagaithe anuas ar a' mbéim agus é á chimeád sa talamh. Bhíodh fear eile

198. ls., *meabhaireach.*
199. ls., *meabhaireacht.*
200. Feic Breatnach, *Seana-Chaint II,* lch. 298, s.v. *méile.*
201. ls. *mess.*
202. Feic Breatnach, *Seana-Chaint II,* lch. 300, s.v. *milleog.*

as cheann na gcapall agus fear eile agus píce aige a' cimeád a' calltar glan. ~ a thugaidís ar an bhfear san. CBÉ 978:204, Samh., 45.

míoladóireacht *ain. Obair an mhíoladóra.* Chonaic mé míoladóir ag obair go minic. Dhein mé féin ~. CBÉ 978:205, Samh., 45.

miríneach *ain. Planda éigin a bhíonn ag fás i dtalamh fliuch.* Mais a thabharthá ar thalamh a bheadh fliuch agus a mbeadh ~ ag fás ann. CBÉ 978:294, Samh., 45.

mistiúir *ain. Mistéir.* Tá cheithre cinn is chúig cinn is fiche sa nead aige [an dreoilín] agus nách mór an ~ é go n-aithneoidh sé um thráthnóna an chéad cheann a dh'fhritheáil sé ar maidin. CBÉ 977:21, Meith., 1945.

mogall *ain. Fearas adhmaid chun mogal an líon iascaireachta a dhéanamh air.* Cláirín chun ~ a cheapadh air. CBÉ 977:7, Meith., 7.

moiltheachán /mil´əxɑ:n/[203] *ain. Moltachán.* ~ gabhair a tugtar ar an ngabhar fireann a bhíonn gearrtha. CBÉ 978:33, D.F., 45.

móinteán /mu:n´ˈt´ɑ:n/ *ain. Talamh ana-fhliuch.* Ní bhíonn ao' rud sa mhóinteán ach luachair agus uisce. CBÉ 978:292, Samh., 45.

móraigh *br. Maígh.* Agus dúirt sé, aon fhear a bhí ábaltha ar é sin a dhéanadh gur chóir ná móródh /muəro:x/ aon fhear a rugag a iníon air. CBÉ[C.F.] M0015-18, 1948.

muc *ain.* ~ **mhara.** *(Phocoena phocoena) (Porpoise).* Deir siad ná fuil aon stropa rásúrach fén domhan chomh maith le croiceann muc mhara. CBÉ 977:176, Meith., 45.

muin *ain.* **Tá a chiall ar a mhuin aige/aici,** *níl mórán céille aige.* "Thá a chiall ar a mhuin aige," a déarthá le duine neamheabhrach. CBÉ 1100:134, Aib., 48.

múirleach *ain. Múnlach.* Bhíodh poill déanta acu chun a bheith ag cimeád ~. CBÉ 978:16, M.F., 45

múirling *ain. Fuil mhíosta.* Tagann seannseálacha ar chailíní uair sa mí: "Thá an mhúirling inniu léi," a dhéarfadh an seanduine. Dh'aithníodh na seandaoine ar fabhraíocha a súl é. CBÉ 1100:231, Beal., 48.

mulla *ain. An chuid leibhéalta de cheann an oird a bhuaileann an staic adhmaid etc.* Dhá mhulla an oird /u:r´d´/. CBÉ 978:413, Nol., 45. (léaráid).

mungairle *ain. Téarma tarcaisneach chun cur síos ar dhuine.* An t-ochtú mac déag bacaigh is ea an geócach, agus an t-ochtú mac déag geócaigh is ea an mhungairle. CBÉ 977:175, Meith., 45.

murar *ain. Muirear.* Agus bhíodh croí na máthar briste a' cuimhneamh ar a' mbás a bhí a ~ le fáil ón athair. CBÉ 977:538, M.F.., 1945.

nabhas *ain. Gruth núis.* Agus bhí sí lán d'áthas ag ól a chuid nabhais /nauʃ/. (amhrán). CBÉ152: 516, 17/1/36.

203. Tugann Breatnach an fuaimniú /mil´t´əxa:n/, atá bunoscionn le litriú na lse. thuas – *Ibid.*, lch. 303, s.v. *muilteachán.*

nach /nax/ *Cónasc. Ach.* Bhí baintreach fadó sa mBaile Íochtarach agus ní raibh aici ~ aon mhac amháin. CBÉ[C.F.] M0015-18, 1948.

nádúir /nɑ:du:r´/ *ain. Bua.* Agus bhí ~ filíochta inti chomh maith leis fhéin. Cn.R.B.B., 466.

naoscach *ain. (Gallinago gallinago) (Common Snipe).* Bhíodh foghlaeracht ar siúl anso, coiníní, giorraithe is naoscaigh. CBÉ 977:37, Meith., 45.

neaigiléir /ˈn´ag´ɪl´e:r´/ *ain. Duine gan éifeacht.* … an tráthnóna is campordúla a chaith mé dhem shaol riamh thá mé á chaitheamh anocht i bhfochair cuileachta bhreá agus amhráin bhreátha ón tseanaimsir anuas a bhfuil fuinneamh agus pléisiúr agus campord éisteacht leothu in éamais a bheith ag éisteacht le ~í ag liúirigh agus ag scréachaigh mar athá mé gach aon lá ar an radio. CBÉ[C.F.] 1655-6, 1955.

néal /n´ial/[204] *ain. Fonn láidir chun rud a dhéanmh.* Deir siad go dtagann trí ~ sa chat san oíche chun do chuid fola tharraint. CBÉ 978:79, D.F., 45.

neantóg *ain. (Urtica dioica) (Common Nettle).* Trí méile ~ san mBealtaine, chuirfeadh sé ó thinneas na bliana tú. CBÉ 977:199, Meith., 45.

nín /n´i:n´/ *br. (láith. diúl.). Níl.* … scuabadh iad agus ~ a dtuairisc ar an áit seo inniu. Cn.R.B.B., 261.

nóimint *ain.* **Ar an ~ dearg,** *ar an bpointe boise.* … leighiseag an fear ar an ~ dearg. Cn.Ú.P.

nuta *ain. Cnó.* Bíonn bolltaí agus ~í ann. Thabharfadh daoine eile con ar ~. CBÉ 978:206, Samh., 45.

nútas *ain.* **1.** *Fógra, rabhadh.* Agus ~ le freagairt in agha' an lae dhóibh/ Agus fanann sé fhéin dtí an bhfómhar. (amhrán) Cn.Ú.P. **2. Ag tógaint ~ de,** *ag tógaint ceann de.* … bhíodh ga' heinne a bhíodh ar a' margadh ag tógaint ~ den chailín. CBÉ 977:553, M.F.., 45.

ócamas *ain. Ócam.* Déil a bhíodh iontu agus dair sa heasnaíocha, ~, is pic is tara – grábháil a thugaidís ar sin ...... "Tá an saor á grábháil." CBÉ 977:195, Meith., 45.

oibriú /eb´ɪˈr´u:/[205] *ain. Bainneach.* Bainneach, thiocfadh sé ar lao. Chonaic mé leamhnacht bheirithe, é bheiriú amach, é dh'fhliuchadh, á thabhairt do lao a mbeadh ~ air. CBÉ 977:484, M.F., 45.

osna *ain. Tocht, brón.* Is go raibh ~ in mo chroí istigh le grá dhi. (amhrán). Cn.Ú.P.

ótais /o:təʃ/[206] *ain. Bean mhór amlach.* Agus bíonn ~ ann – bean mhór throm a bheadh sa tslí uirthi fhéineach. CBÉ 1100:32, Márta, 1948.

otharáil /ohəˈrɑ:l´/[207] *ain. Tairiscint an tsagairt.* Sin í ~ a' tsagairt, airgead a díoltar leis an sagart. CBÉ 977: 558, M.F., 1945.

204. Feic *Ibid.*, lch. 308, s.v. *néall.*
205. Feic *Ibid.*, lch. 314, s.v. *oibriú.*
206. Feic *Ibid.*, lch. 316, s.v. *ótais.*
207. Feic *Ibid.*, s.v. *otharáil.*

pabhsae /pause:/ *ain.* **1.** *Bláth.* Chuai' sé suas is ní raibh einne ina suí, is shuigh sé amuigh i ngáirdín na bpabhsaithe. CBÉ[C.F.]M0015-18, 1948. **2.** *Bean bhreá.* Is ná ró-bhreá an féirín an té a gheodh le bréagadh í/ An ~ néata so ó Bhaile a' Lín. Cn.Ú.P.
paghsún *ain. Piasún. (Phasianus colchicus).* Bhí cearca fraoi', agus piotruisce agus cleabhair agus paghsúin anso. CBÉ 977:38, Meith., 45.
paighnteán[208] *ain. An chorrmhéar.* CBÉ 977:25, M.F., 1945. (léaráid)
páiste *ain. Leanbh tabhartha.* Thabharfaí ~ leis ar leanbh a bheadh age cailín gan pósadh. "Bhí ~ aige leis a' gcailín," a dhéarfadh duine. CBÉ 1100:44, Márta, 48.
paistiúr *ain. Bia chun ainmhí a chothú.* Mar dheiridís go mbeadh a' t-uan ró-óg i M' Fhéil Bríd, ná beadh an ~ ceart aici. Sé sin 'á mbeadh sé lom ina óige is deocair feoil a chur air. Mara mbeadh ~ maith acu ansan chruafadh an t-uan. CBÉ 978:404, Nol., 45.
pampa /paumpə/ *ain. Caidéal.* ... agus an ~ a nigh sé a dhá láimh leis," arsa sé, "nuair a bhí a dhinnéar ite aige, ní cheannódh a mbain leat é." CBÉ[C.F.] M0015-18, 1948.
pampáil /paumpɑ:l´/ *ain. br.* ... agus nuair a bhí sé traochta ó bheith a' suíomhnú is a' cur síos tharraing .... a' corc agus is mór a' seo ná mhúchag a' seanduine istigh sa leaba le huisce ag ~ anuas sa mbéal air. Cn.R.B.B., 325.
pancás /paunkɑ:s/ *ain. Pioncás – fearas a bhíodh ag an díonadóir chun na scoilb a chimeád.* Bheadh na scoilb sáite in ~ aige – tón punainne a bheadh bearrtha agus é fáiscithe go maith. CBÉ 978:392, Samh., 45.
pasáiste /pəˈsɑ:ʃd´ɪ/[209] *ain. Costas an bháid chun dul go dtí Meirice.* Nach dúraíodar leothu fhéin nuair a bhíodar ag éirí suas chun a bheith in aos fiche bliain gur mhaith an rud dóibh 'á sparálfaidís a b~ agus dul go Sasana Nua. Cn.Ú.P.
péac /p´iak/[210] *ain. (ain. iol.* **péice**). *Beann.* Dhá phéac a bhíonn ar an bpíce. CBÉ 978:410, Nol., 45. Péice an phíce. CBÉ 978:410, Nol., 45. (léaráid).
péadóireacht /p´iado:r´əxd/[211] *ain. Ábhaillí.* Bhíodh an-onóir age'n óige ar a' té a bhíodh aosta – age roinnt – ach mar sin féin an domhan imirt agus ~ orthu. CBÉ 1100:43, Márta, 48.
peannsúir *ain. Pionsúr, teanchair.* ... agus bhíodh saghas ~ acu arís go nglaoidís *punch* air chun poll a chur ina gcluasa [i. cluasa na ngamhna]. CBÉ 977:473, M.F., 45.
peannta /p´əuntə/ *ain. Pionta.* Agus an chéad thigh ósta a chasag air bhí sé istigh ag ól ~ pórtair. CBÉ[C.F.] M0015-18, 1948.

208. Ghlaoigh Maidhc an *marcaeir* ar an méar seo ar ocáid eile ach bhí fear eile á cheistiú ina theannta ag an mbailitheoir ar an ócáid sin.(CBÉ 1100:19, Márta., 1948. (léaráid)).
209. Feic Breatnach, *Seana-Chaint II,* lch. 318, s.v. *pasáiste.*
210. ls., *péuc*
211. Feic Breatnach, *Seana-Chaint II,* lch. 318, s.v. *péadóireacht.*

péarla *ain.* **~ na súl,** *mac imreasan.* ~ na súl a thugaimid ar an áit a mbíonn an radharc sa tsúil. Sin a choinníonn an capall macánta. Thá ~ na súl aige in slí agus nuair a dh'fhéachfaidh an capall ar an bhfear bíonn sé trí huaire níos mó ná é féin. CBÉ 1100:71-2, Márta, 48.

pearsa *ain. Dreach.* Bhíodh ~ na n-iascairí dorcha, brónach a féachaint age'n bhfarraige. CBÉ 1100:46, Márta, 48.

péirseáil /p´e:r´ˈʃɑ:l´/[212] *ain. br. Lascáil.* Agus déanfaidh iad go léir a phéirseáil (amhrán). CBÉ[C.F.]M0015-18, 1948.

peodal *ain.* **~ gabhar,** *scata gabhar.* ~ gabhar is ea scata gabhar. CBÉ 978:31, D.F., 45. Cheangalótha cheithre gabhair dhá chéile, dhéanthá ~ díobh. CBÉ 978:32, D.F., 45.

píc *ain. Barr an tseoil mhóir ar húicéar na Rinne.* Bíonn téad ón chrann go dtí barra an tseoil mhóir go dtugann siad a' phíc air agus bíonn téad le bun a' tseoil go dtugann siad a' trót air. CBÉ 977:56, Meith., 45.

pileáil *ain. br. Rathaíocht fén uisce, is dócha.* Ní bhriseann an scadán chuige. Bíonn an scadán ag ~. CBÉ 977:191, Meith., 45.

pileáileacht *ain. br. Goid, bradaíocht.* Ach ag imeacht ag ~ ar ard-mhullaí crann [ag tagairt do ghabhair]. (amhrán). CBÉ152: 516, 17/1/36

pilib *ain.* **Lá Philib a' Chleite,** *lá ná tiocfaidh go deo.* Ní thiocfai' sé go dtí Lá Philib a' Chleite. CBÉ 978:25, M.F., 45.

pilibín /p´l´iˈb´i:n´/[213] *ain.* **1. ~ míog.** *(Vanellus vanellus) (Lapwing, Green Plover).* An ~ míog a' teacht isteach ar a' talamh agus na feadóga agus an liathraisc nuair a thiocfaidís sin isteach bheadh a' scéal ina shioc. CBÉ 977:189, Meith., 45. **2.** *Bod.* CBÉ 1100:229, Beal., 48.

pilín *ain. Cuisín.* Thugadh na mná na canaí uisge ós na tobaracha lán d'uisge ar a gcinn agus canaí bainne agus ~ (idir a gceann agus an cana). CBÉ 978:22, M.F., 45.

píopán *ain. Traicé.* Bíonn an ~ istigh sa scórnach chun an anáil a tharraingt. CBÉ 1100:102, Aib., 1948.

píosa *ain.* **~ eireabaill,** *ball den chéachta.* ~ eireabaill – Bíonn an clár siar ón soc. Bíonn píosa iarainn ar eireaball an chláir – píosa eireabaill é sin. Deineann sé libhéala ar a' bhfód. CBÉ 978:206, Samh., 45.

píothán /p´i:ˈhɑ:n/[214] *ain. (Den fhine Littorinidae) (Periwinkles).* Bhaileothá cúpla galún ~ 'á mbeadh tráigh rabharta ann. Bheithá a' bailiú ansan go ceann seachtaine agus chuirthá síos in mála iad. CBÉ 978:26, M.F., 45.

piotraisc *ain. Patraisc. (Perdix perdix) (Partridge).* Bhí cearca fraoi', agus ~e agus cleabhair agus paghsúin anso. CBÉ 977:38, Meith., 45.

212. Feic *Ibid.*, lch. 319, s.v. *péirseáil.*

213. ls., *plibín.*

214. Feic Breatnach, *Seana-Chaint II,* lch. 320, s.v. *píothán.*

pípeáil /p´i:ˈp´ɑ:l´/ *ain. br. Iomrascáil de shaghas éigin.* Chuamair araon ag ~ ar an inse – thá fhios agatsa dul ag pípeáil. … Ach thugamair leathuair a chloig ar an áit sin, an bheirt againn agus i ndeireadh thiar pén fogha coise a thug Jimmy chughamsa bhuaileag ar bhrabhra mo bhrád ar an inse mé agus dhein mé dhá leath de bhrabhra mo bhrád. CBÉ[C.F.] 1655-6, 1955.

pis *ain.* **1. ~ a' ribe.** Sa gaibhlíní sa tráigh bíonn shrims, breac a' dá shúil déag, cealacán, sleamhnóg, ceann cruaidh, ~ a' ribe. CBÉ 977:174, Meith., 45. **2.** *Pit.* CBÉ 1100:229, Beal., 48.

pláinéid *ain. Rud a bheadh ceapaithe do dhuine nó i ndán dó.* "Einne a thiocfaidh ar a' saol fé phláinéid a' tistiúin," a deireadh Síle Bheití a bhí anso, "ní bhfaighi' sé choíche dul isteach insa chúig phinge." Sé sin an rud a bheadh ceapaithe dho a' teacht ar a' saol ná faigheadh sé a mhalairt choíche. CBÉ 977:443, M.F., 45.

plapa *ain.* **~ na súl,** *mogall na súl.* (léaráid). CBÉ 1100:72, Márta, 48.

plástra *ain. Plástar.* Is minic a bheadh beithíoch goirtithe. Cuirtí ~ leis. CBÉ 977:483, M.F., 1945.

pléascairt *ain. br. Pléascadh.* Gob é mo chroí athá ag ~ is ní féidir liomsa codladh ciúin. (amhrán). CBÉ 152: 518, 17/1/36.

plintíseach /p´l´əin´t´i:ʃəx/ *ain. Printíseach.* Bhí Naomh Joseph – ~ siúnéara ba dh'ea é – agus bhí sé aosta, caite. Cn.R.B.B.

plubaire *ain. Duine trom, sámh.* ~, fear bog trom ná beadh brí ná tapa ann. CBÉ 1100:133, Aib., 48.

plubóg *ain. Bean íseal ramhar.* Bíonn ~ mhná ann. Is diail an phlubóg í siúd. Bean íseal ramhar. CBÉ 1100:32, Márta, 48.

pluc *ain.* **1. ~ na coise,** *an colpa.* **2. ~ na láimhe,** *rí na láimhe.* ~ mo lá' a thabharfainn ar an gcuid sin idir an uillinn agus caol mo lá' agus an chrobh as san amach. CBÉ 1100:136, Aib., 48.

plucaire *ain. Fear go mbeadh aghaidh ramhar aige.* ~ is ea fear a mbeadh aghai' ramhar aige. CBÉ 1100:133, Aib., 48.

pnéac /p´n´iak/[215] *ain. Préamh.* Agus bhí fear istigh sa choill agus slabhra iarainn aige agus é ag stracadh chrainn as a b~a. CBÉ[C.F.] M0015-18, 1948.

póilín *ain. Cloch chun an spiléir a chimeád síos.* Insa bháid a bhí sa Rinn bhíodh spiléir, duáin agus ~í – clocha iad san a bhíodh a' cimeád an spiléir ar a' talamh. CBÉ 977:171, Meith., 45.

pointe /paint´ɪ/[216] *ain.* **An ~ is fearr,** *an tslí is fearr chun déileáil le rud.* An ~ is fearr ar an iasc ná'n fhuil a bhaint as, gan aon fhuil a dh'fhágaint ina chnámh. CBÉ 977:47, Meith., 45.

215. Feic *Ibid.*, lch. 322, s.v. *pnéac.*
216. ls. *paighnte.*

pollóg *ain. (Pollachius pollachius) (Pollock).* Bhí mé á marú le duán is le baidhte macrael, is nuair a stad na ~a chuai' mé a' marú na *scads*. CBÉ 978:9, M.F., 1945.
portfhalla *ain. Barr an fhalla istigh sa tigh – bhíodh spás idir barr an fhalla agus an síleáil.* Bhíodh ~ ar na seana-thithe. Leagfá rud anuas air. Ní bhíodh sé lán isteach mar a bhíonn sé anois. CBÉ 977:9, Meith., 45.
praip /prap´/[217] *ain. Muine.* Dh'éirigh sé agus chuaigh sé agus tharraing sé leis é go dtí ~ sceach a bhí lena ais. Cn.Ú.P.
práta *ain.* **~í cuaiche,** *prátaí a bheadh curtha déanach.* 'Á mbeadh a' chuach tagaithe fé mbeadh an coirce nó na prátaí curtha acu bheidís ina bprátaí cuaiche, nó bheadh an coirce ina choirce cuaiche agus ní bheadh ao' mheas ar a leithéid. CBÉ 978:380, Samh., 45.
preabaí. ~ ~ ~ *(a déarfaí ag glaoch ar an gcapall)***.** CBÉ 977:177, Meith., 45.
préachán *ain.* **1. Préacháin bhána,** *éanlaithe farraige – faoileáin etc.* An áit a bheadh na préacháin go léir, sin é an biota. Bheidís ag faire ar na préacháin bhána, na seagaide, na cánóga agus na guinéin. CBÉ 977:191, Meith., 45. **2. ~ dubh,** *Rúcach. (Corvus frugilegus) (Rook).* Dúirt sé [i. an dreoilín] leis an bhfuiseog ansan go gcaithfeadh sí nead a dhéanadh in lár páirce fé chosa ba agus uain, agus go gcaithfeadh an ~ dubh a nead a dhéanadh i mbarra an chrainn in airde, fliuch agus fuar. B.B.C., CBÉ[C.F.]1090, 1951.
preiceall /p´r´ek´əl/[218] *ain. Aghaidh crosta, rolla mór feola fén smig.*[219] Thá ~ mór de phus air. CBÉ 1100:99, Aib., 48.
prios *ain. Fearas a bhíonn ar an raca féir chun an t-abhar a coimeád socair.* Curtar ~ air chun ná beadh an t-abhar a' luascadh. Tugann daoine culán air, ar a' prios. CBÉ 978:411, Nol., 45.
proimpeallán /p´r´aim´pəlɑ:n/[220] *ain. Priompallán. (De na speicis Geotrupes) (Dung beetle).* ~ a thugtar ar an gceann a bhfuil eitealadh aici. Dá aoirde a dh'éiríonn an ~ is é a dheireadh titim sa salachar. SOND, Béal. 14 (1944): 77.
pú. **~ beag** *(a déarfaí ag glaoch ar an mbó).* CBÉ 977:178, Meith., 45.
púicín *ain.* **~ Nid na mbeach,** *saghas seabhaic.* An '~ nid na mbeach' so a bhíonn amu' sa bhfiantas, bíonn cnuasnóg bheacha, nead mhór acu, agus tagann an ~ anuas agus ardaíonn sé leis nead is eile ina chrúcaí. CBÉ 978:73, D.F., 45.
púits *ain. Pit.* CBÉ 1100:229, Beal., 48.
pulpáltha *aid. bhr. Laíon déanta de/di.* … chaithá teornuip ~ agus min bhuí a thabhairt dóibh nó teornuip agus gráinne coirce. CBÉ 978:404, Samh., 1945.
pulpéir *ain. Laíontóir.* Thá ~ anois acu dos na *mangels* agus dos na teornuip agus chaithidís iad a ghearra le scian fadó. CBÉ 978:380, Samh., 45.

217. Feic Breatnach, *Seana-Chaint II,* lch. 323, s.v. *praip.*
218. Feic *Ibid.*, lch. 324, s.v. *preiceall.*
219. Feic *Ibid.*
220. Feic *Ibid.*, lch. 325, s.v. *primpallán.*

pusaí. ~ ~ ~ *(a déarfaí ag glaoch ar an gcat).* CBÉ 977:178, Meith., 45.
putalach *ain.* ~ a thabharthá ar leanbh a bheadh a' tosnú a' siúl. CBÉ 1100:44, Márta, 48.
rábaire *ain.* **1.** ~ **cait,** *cat mór groí.* Cliobarnaorach cait. Thabharfadh daoine eile ~ air. **2.** ~ , *fear mór ard …* ~ an ghrinn. CBÉ 1100:32, Márta, 48.
rabharta *ain.* ~ **na Féile Pádraig,** *rabharta a thagann timpeall Lá 'Le Pádraig.* ~ na Féil Pádraig, dh'áirídís é sin ar an ~ is mó a bhíodh le teacht. Bhídís ag baint an trioscair. ~ na Bealtaine, ~ Béal na hÉireann, is dóigh liom gob é sin é. CBÉ 977:182, Meith., 1945.
rabhnáltha /rauˈnɑ:lhə/[221] *aid. bhr. Comhchruinn.* Chonaic mé luig as cheann an doiris i dtigh – í ~. CBÉ 977:8, Meith., 45.
rabhrach *ain.* **Seana-~,** *bean nár phós riamh.* ~ mná ba dh'ea Mary Mhór a bhíodh ag imeacht ansan, seana-~. CBÉ 977:3, Meith., 45.
raca *ain. Uirlis díonadóireachta.* Bhíodh ~ ansan aige agus fiacla *wire* ann agus bhuaileadh sé an díon lena chúl agus chíoradh sé leis na fiacla é. CBÉ 978:392, Samh., 45.
rachtaíocht *ain. br.* **Ag ~,** *ag dul ar thóir na mban.* "Chuai' sé a' ~," a deir siad nuair a théann fear a' rioth ar mhná. CBÉ 1100:230, Beal., 48.
raghais /raiʃ/ *réamh. Roimh.* … agus dúirt sé leis a' gclann go léir dul sa scioból anocht chun ná beidís ~ na daoine nuair a thiocfaidís. CBÉ 977:538, M.F., 45.
ráid *ain. Earráid, sult, greann.*[222] Bhí meas agem' dhaoir is agem' ghaoil orm gur mheallais-se le ~ do bhéil mé. (amhrán). CBÉ151:9,. NB, 20/11/35.
ráig /rɑ:gˊ/[223] *ain.* **1.** *Scréachaigh na gcat san oíche nuair a bheadh cat baineann fé adhall.* Agus nuair a bheidís [i. na cait] ag béici' san oíche, '~ na gcat san earrach.' CBÉ 978:81, D.F., 45. **2.** *Scréachaigh a bheadh ar siúl ag cailíní óga.* 'Á n-aireóch seanabhean cailíní óga ag liúirigh is a' scréacha' dhéarfadh sí: "Sé ~ na gcat san earrach athá orthu." CBÉ 978:81, D.F., 45.
raimidí *ain.* **1.** *Gabháil amach (Míniú MT féin).* Is beag bia a tugtar chuigint dóibh [i. na lachain] nuair a bhíonn siad tóigithe in aon áit a mbeadh aon ~ acu. CBÉ 978:67, D.F., 45. **2.** *Scrios.* Má scaoiltear na cearca isteach i ngort eornan dhéanfaidís ~ air. CBÉ 87:141, c. 1934.
rainséir *ain. Feirmeoir mór.* Bheidís i bpáirc leo fhéin age ~í móra [na laoi]. CBÉ 978:382, Samh., 1945.
ráis *ain. Roinnt buillí.* "*Well*, tá an diabhal thiar orm," arsaigh Seáinín. "A' mbuailfeadh sibh ~ orm a bhogfadh dom é. CBÉ 977:151, Meith., 45.

221. Feic *Ibid.*, lch. 329, s.v. *rannálta.*
222. Feic *Ibid.,* lch. 168, s.v. *earráid.*
223. Feic *Ibid.*, lch. 328, s.v. *ráig.*

raitín /ra'tʹi:nʹ/[224] *ain. Saghas éigin éadaigh.* Caithfead ~ duit don dath dubh nó bán. (amhrán). CBÉ 150:393, 1934.

rámhann /rɑ:n/[225] *ain.* **~ earraigh,** *~ mhór a bhíodh á husáid i gcóir trinseála.* Bhíodh ~ gabha agus ~ earraigh acu. ~ mór ba dhea an ~ earraigh. Bhíodh sí acu le hagha' trinseála. CBÉ 978:254-55, Samh., 45. Bhí ~ gabha agus ~ earraigh ann. Sé an gabha a dheineadh an dá shaghas ach bhí an ~ earraigh i bhfad níos leabhaire ná an ~ bainte. CBÉ 978:292, Samh., 45.

ranna /ranə/[226] *ain. Bálta, lasca bróige.* Ar an ~ athá an bonn leagaithe nuair a bhíonn an gréasaí a' déanadh na bróige. CBÉ 1100:100, Aib., 1948.

rántas /'rɑ:ntəs/ *ain. Barrántas.* Á rá go raibh ~ scrite sa *telegram* rúinn ó inné. (amhrán). CBÉ 1100:39, Márta, 48.

réachaint /re:xənt/[227] *ain. br. Réiteach.* Chuaigh Mary na nGearaltach mar bhean mhic isteach go dtí í agus ní rabhadar a' ~. CBÉ 977:528, M.F., 45.

reachtas /'raxdəs/[228] *ain. Talamh agus ba a fháil ar chíos ar feadh an áirithe sin aimsire. (cf. talamh).* Bhíodh ~ ar siúl anso fadó. I ndeireadh an Abráin a thosnaíodh an ~. Bhí ~ thíos ansan age'n gceárta. Cheannaídís na ba ar oiread san. Thugaidís hocht nó naoi phúint ar na ba agus oiread san ar a' talamh. Thosnódh sé i dtosach an Abráin agus um Shamhain a chuiridís deireadh leis. Díolthaí síos leath an chéad lá agus díolthaí an leath eile nuair a bhíodh deireadh leis. Caithtaí na ba thabhairt thar n-ais slán folláin. CBÉ 968:563, Meith., 45.

régras /'re:gras/ *ain. Den ghéineas Lolium (Rye-grass).* Clóbhar dearg is ~ á chaitheamh ina dhé' súd ann. CBÉ[C.F.]1269-71, 1954.

réigh *br. Réitigh.* Agus bhí bean mhuinteartha dhi á tórramh an lá so agus ní ~ a' bhean a bhí á tórramh, ní ~ sí fhéin ná bean a mic a chuigin, agus ní ~ Eibhlín Ní Ghearailt agus an cliamhain a tháinig isteach chuichi a chuigint. CBÉ[C.F.] 0493, 1948.

réilthín /re:lʹhʹi:nʹ/ *ain. Réalta.* Agus shin é an uair a líon an spéir suas de ~í agus n'fheadar Herod cá raibh an ~ ceart. Cn.Ú.P.

réir *ain.* **De ~ an ghrian ag dul fé,** *nuair a bhí an ghrian ag dul fé.* ... agus dúirt sé liom go ghoibh a' fear a cuireag inné, suas ansan ar taobh eile chlaí tráthnóna '~ a' ghrian a' dul fé. CBÉ 978:4, M.F., 45.

reithneach /rehʹɪnʹəx/[229] *ain. Raithneach. (Den ghéineas Dryopteris) (Fern).* Curtar tuí is aiteann is ~ mar asair fútha [i. na muca]. CBÉ 978:38, D.F., 45.

224. Feic *Ibid.*, lch. 329, s.v. *raitín.*
225. ls., *rán* – feic *Ibid.*, lch. 329, s.v. *rán.*
226. Feic Breatnach, *Seana-Chaint II,* s.v. *ranna.*
227. Feic *Ibid.*, lch. 334, s.v. *réiteach.*
228. Feic Breatnach, *Seana-Chaint II,* lch. 332, s.v. *reachtas.*
229. Feic *Ibid.*, lch. 334, s.v. *reithineach.*

riabhóg *ain. (Den ghéineas Anthus) (Pipit).* Bhí crann caorthainn ag fás as coinne an dorais amach agus bhí ~ agus nead aici i mbarr a' chrainn agus í ar gor. CBÉ 87:120, c. 1934.

ribeáil *ain. br.* **1.** *Saghas treafa a dhéanfá le céachta síl.* Déanfaí an talamh a threabhadh ar dtúis agus gheofaí céachta beag ansan, céachta síl, agus déanfaí an treabhadh sin a ~ agus ansan é a dh'fhuirseadh. Ní bhíodh aon chlár ar an gcéachta beag a' ~ ach bhíodh clár air a' clúdach an tsíl. Aon chapall amháin a bhíodh á tharraint. CBÉ 978:252, Samh., 45. Ní raibh aon ~ ó choinleach ach é a chuir i gcóir leis a' gcliath agus é a chur leis a' gcéachta síl. CBÉ 978:252, Samh., 45. **2. Sábh ribeála,** *sracsábh.* ... agus sá ribeála, sá a scoiltfeadh clár ar fhaid. CBÉ 977:196, Meith., 145.

ridire *ain.* **~ stáin,** *tincéir.* Cé go bhfeacaíos-sa bacaigh go fairsing im shaol/ Thug na ridirí stáin úd an chraobh leo. (amhrán). Cn.R.B.B., 187.

rim *ain.* **~ a chuir ar an bhfód,** *roinnt cré a ardach ar an bhfód sa tslí go mbeadh cré éigin ag an gcliath chun breith air, seachas scraithín.* Dheinidís ó hocht n-órla agus trí cheathrúna go dtí naoi n-órla an fód leis an gcéachta Gaelach chun ~ a chuir ar an bhfód chun go mbeadh sé fuirist a dh'fhuirse. CBÉ 978:251-52, Samh., 45. Chuiridís naits[230] ar a' gcalltar an uair sin sa cheártain t'réis é bheith faoraithe ina cheart chun ~ a chur ar a' bhfód chun go mbeireadh fiacla na cléithe air. CBÉ 978:252, Samh., 45.

rioth /rux/[231] *br.* **1. ~ [rith] sé/sí bocht,** *d'éirigh sé/sí bocht.* Agus i gceann blianta bhí sé bocht agus dealbh: ~ sé bocht sa saol. CBÉ 977:553, M.F., 45.

rioth *ain. br.* **Ag ~ leat,** *ag taibhsiú duit.* "Ag rioth leat athá na rudaí sin," arsa mise. SOND, Béal. 14 (1944):86.

róláil[232] *ain.br. Rolladh.* I ndeireadh an Abráin bheidís a' críochnú an fhuirseadh agus bheidís a' ~. CBÉ 978:380, Samh., 45.

rotha *ain. Roc. (De na speicis Raja, Ray).* Insa mála straíocála gheothá leathóga breaca, leathóga Muire, sóil, ceidht, *halybird*, ~í, lanngaí, eascúin, colmóirí, gliomach b'fhéidir, cráifis, dabaí, cnúdáin donn, cnúdáin dearg, bráithre, *jack-a-dory*, cadóg, crosóg, blumaeirí. CBÉ 977:174, Meith., 45.

ruchar *ain. Urchar.* ... chaith sé ~ agus bhris sé ceann an chapaill. CBÉ[C.F.]M0015-18, 1948.

rud *ain. Blúire, smut.* ... is dócha gur tháinig ~ beag meas agam orm fhéin gur shíl mé go raibh mé ábalta ar m'agha' a thabhairt ar rud éigin níba fhearr. CBÉ[C.F.]M0015-18, 1948.

rúinn *ain. Ruaimneach.* Bhíodh buarach, stól agus cana ag gach bean a' crú, buarach ~ capaill. CBÉ 977:460, M.F., 45.

230. ls., *notch.*

231. Feic Breatnach, *Seana-Chaint II,* lch. 336, *rioth.*

232. ls., *roll-áil.*

runga *ain. Ball den chéachta.* Thá an dá amhala ansan goite ar a' gcabhaill. Tá ~í dir an dá amhala. CBÉ 978:206, Samh., 1945.
rútán *ain. Rúitín.* Tagann crúibíneach orthu [i. na caoire]. Bíonn na rútáin ag dreo acu. CBÉ 978:36, D.F., 45.
sá *ain. br. Cur.* An corp a chur, an bhfuil sé sin ceart? Sé rud a bhí againn-ne sa seanashaol, an corp a shá agus an bheatha a chur. CBÉ 1100:32, Márta, 48.
sábh /sɑː/[233] *ain.* **~ ribeála,** *sracshábh.* ~ ribeála, ~ a sgoiltfeadh clár ar fhaid. CBÉ 977:45, Meith., 45.
sáigh *br. Cuir.* Siad na mná a shádh na prátaí uaireanta. CBÉ 1100:32, Márta, 48.
saighin /sain´/ *ain. Líon iascaireachta, saighne (seine).* Bhí bád sa Rinn fadó agus chailleag í fhéin agus a raibh uirthi agus chuireag an ~ a bhí ag baint leothu, chuireag isteach i ngleann – sa ngleann é. Cn.Ú.P.
saighneálta /saiˈn´ɑːlhə/ *aid. bhr. Sínithe.* Hocht agus raol a bhí im chárta ~ age'n dlí agam (Amhrán a chum sé féin). CBÉ[C.F.]M0015-18, 1948.
sáil *ain.* **~ na speile,** *an t-iarann, a leanann ar aghaidh ó shlait na speile agus a lúbann sa tslí gur féidir é a ghreamú ar chrann na speile le fáinne na speile.* ~ na speile. CBÉ 978:442, Nol., 45. (léaráid).
sáil *ain. br. Modh iascaireachta le dorú (dró).* "Bhí sé a' ~," a déarthá nuair a bheadh fear ag iascach le dró, ag iascach phológ agus é a' tarraint chuige agus a' scaoileadh bhuaidh an dró chun an baidhte a chumhad beo. CBÉ 977:173-74, Meith., 45.
saileach *ain. (Den ghéineas Salix) (Willow).* Currach garbh a mbeadh ~ is gara-luachair agus seasc a' fás air, ga' haon ghairthean ann. CBÉ 978:292, Samh., 45.
sáin *br. Taispeáin.* Sé'n coileach máistir na gcearc. ~eann sé an t-údarás pé ar domhan é. CBÉ 978:55, D.F., 45.
saint /sain´t´/[234] *ain.* **~ chun,** *éileamh mór ar.* Ní bhíodh aon t~ ag einne chun bó bhán. CBÉ 977:456, M.F., 45.
sáint /sɑːn´t´/ *ain. br. Taispeáint.* … agus ón uair a bhí sé ina leanbh bhí sé ag ~ a bheith ina leath-amadán. CBÉ[C.F.] M0015-18, 1948.
sal *ain. Snas.* Tagann ~ ar a' teanga díreach mar a thiocfadh ~ liath ar bhia. Bheadh dath dearg nó dath liath nó dath buí air. Níl fhios agam gadé an cúrtha é ach bheadh sé ar a' teanga nuair a bheadh duine tinn. CBÉ 1100:101, Aib., 48.
salachar /slaxər/ *ain. Cac.* "Sea anois a Dhéagláinín," arsa sé, "ó dhein tú do mhún air déan do shalachar air – ar an bhféar." CBÉ[C.F.] M0015-18, 1948.
saltadh *ain.* **~ croí,** *loscadh doighe.* Tagann ~ croí ar dhuine, leis: sin uisce teacht ón chroí agus bíonn pian a' góil leis. CBÉ 1100:136, Aib., 48.
samhas *ain. Plúr beirithe ar uisce.* Bhíodh ceirt casta ar bharr na hórdóige acu

233. ls., *sá.*
234. Feic Breatnach, *Seana-Chaint II,* lch. 340, s.v. *saint.*

nuair a bhídís a' tumadh na bprátaí sa ~ chun go dtóigfeadh an cheirt an ~. CBÉ 1100:16, Márta, 48. Bhíodh ~ acu, braon bainne agus gráinne salainn air agus an práta a thumadh ann. CBÉ 968:557, Meith., 45.

sampla *ain.* **1.** *Pictiúr, grianghraf.* Agus bhí arán á dhéanadh ages na bráithre agus ~ Naomh S' Nioclás tarraingthe amach air. CBÉ[C.F.] 0493, 1948. **2.** *Seo bóthair.* Agus má bheireann, ina sampla go mbí siad/ Croiceann gabhar orthu agus eireaball cuíora/ Agus gob lachan a chartfaidh an t-aoileach. [rann]. Cn.Ú.P.

sannseáil /saunˈʃɑ:l´/[235] *br. Athraigh.* Agus an fear a dhein an t-amhrán ansan, nuair a chasag air é, shannseáil /haunˈʃɑ:l´/ sé an t-amhrán do. Cn.Ú.P.

scadán *ain. (Clupea harengus) (Herring).* Thagadh scadáin shamhra' agus scadáin gheimhre' anso. Bhíodh scadáin shamhra' ann as so amach go dtí tosach an fhómhair agus na scadáin gheidhre ó shamhain go Féil Bríde. CBÉ 977:59, Meith., 45.

scailpín *ain. (Den ghéineas Scliorhinus) (Dogfish).* Donn Garbhán na seana-bhád seolta/ Agus Dún na Mainistreach na mbitsíní dreoite. – ~ is ea bitsín – *dogfish.* CBÉ 968:570, Meith., 1945.

scainseáil[236] *ain. br. Dhá líon iascaireachta ceangailte.* Dhá líon [iascaigh] a cheangal dá chéile, ~ é sin. CBÉ 977:173, Meith., 45.

scair /sgar´/[237] *ain.* (*ain. iol.* **scaracha** /sg(ə)rˈaxə/**,** *gin. uath.* **scaire**) *Scar.* Ag iascach le líonta má tá seisear sa mbád thá naoi ~ déanta dhen iasc – ~ don mbád, ~ dos na líonta agus ~ don scipéir agus ~ ag gach duine sa mbád. CBÉ 977:196-7, Meith., 45. Ní bhfaghfása ná mise baint leis na scaracha san. CBÉ 977:2, Meith., 45. Ní bhíonn ag fear na scaire ach púnt. CBÉ 977:197, Meith., 45.

scair *br.* **~amar go maith,** *thugamar na cosa linn.* "Ó, dar fia," arsa Gadhra, "scaireamair go maith. Thá an conach air siúd. CBÉ 977:517, M.F.., 1945.

scamhard /sgəˈvɑ:rd/[238] *ain. Cothú, beathú.* **...** agus b'fheárr ualach de sin ná deich n-ualaí dhen charn aoíli' mar bhí ~ agus substaint ann, súlach na mbeith-íoch go léir imithe isteach ann. CBÉ 978:16, M.F., 45

scampla[239] *ain. Seana-bhaitsiléir.* ~ is ea seanduine ná pósfadh nó seana-bait-siléir. CBÉ 977:58, Meith., 45.

scaoilte /sgi:l´h´ı/[240] *aid. bhr.* **Bia ~,** *bia a chuireann bainneach ar ainmhí.* Bíonn tuí choirce agus *mangel* ana-~ – imíonn sé tríd (an capall) ach ní imeodh an tuí eorna. CBÉ 978:383, Samh., 1945.

235. Feic *Ibid.*, lch. 340, s.v. *sannseáil.*
236. ls., *sgaighnseáil.*
237. Feic Breatnach, *Seana-Chaint II,* lch. 345, s.v. *sgair.*
238. ls., *scubhárd* – Feic *Ibid.*, lch. 346, s.v. *sgamhárd.*
239. Luann Breatnach an focal *sglampa* /sglaumpə/ leis an míniú, *sglampa muar sean-duine, i.e. é bheith muar tanaí – Ibid.*, lch. 351, s.v. *sglampa.*
240. ls., *scaoílthe.*

scarúch /sgaˈru:x/[241] *ain. Scairbheach.* Bhí cuid acu agus níorbh é an ~ a bhí fé bhun a gcuid talún a bhí acu ar ao'chor. CBÉ 977:2, Meith., 1945.
sceach *ain. ~ Gheal (Crataegus monogyna) (Whitethorn).* **...** agus bhí trí crainn sceithe gile a' fás ar a' gclaí. CBÉ 1100:33, Márta, 48.
sceadall *ain. Líonrith.* Tagann ~ ar an gcroí le áthas nó le preab. CBÉ 1100:136, Aib., 48.
sceaid *ain. Bolmán. (Trachurus trachurus) (Scad).* Ní bhriseann an scadán chuige. Bíonn an macrael agus an ~ ag briseadh. CBÉ 977:191, Meith., 45.
sceolúch /ʃg´o:ˈlu:x/ *ain. Sceolbhach.* … ach bíonn an tsúil níos deirge agus an scionach níos gairí air agus bíonn an ~ níos lú aige [i. an speidhlséir]. CBÉ 977:56, Meith., 1945.
scian ain. 1. Sceana Murú. *(Den fhine Solenidae) (Razor shells). Sceana Marú atá sa ls., ach tá 'sgeana murú' ag Micheál Ó Síocháin (Seana-Chaint, lch. 101) agus, dar leis gurb í an mhuruach (mermaid) atá i gceist, mar dhea gur léi a bhaineann na 'sceanna' seo sa bhéaloideas.* Bíonn sceanna marú ann – sceanna dú agus sceanna bána. Bainfaí an ~ dhubh le gráinne salainn a chaitheamh ar an áit go mbeadh sí fén ngainnimh. CBÉ 977:174-5, Meith., 45. Tá an ~ bhán ann agus an scian dhubh. Bhídís sin acu le hagha' baidhte, an ~ dhubh. Bíonn poll le feiscint sa ghainimh mar a mbíonn an ~ dhubh. Na sceanna bána, dh'éireoidís in airde leis a' teas agus riothfá do dhá mhéir lena n-ais agus iad a dh'fháscadh uirthi agus í tharraint aníos, Ní bhfaighthá iad ar ao'chor sa gheimhre' – bíonn siad abhfad síos. CBÉ 977:204, Meith., 45. **2. ~ díonadóra.** ~ an díonadóra, bhíodh sí déanta de píosa de speil. Sé barr na speile a bheadh acu agus an lámh ar a gceann caol den bpíosa in slí is go ngeárrfadh sí an cleitín féig isteach. Sé an gabha shocaraíodh mar sin í. CBÉ 978:392, Samh., 45.
sciardáil /ʃg´i:rˈdɑ:l/[242] *ain. br. Cimilt.* Nuair a chrom an córda [i. sa treabhsar] ag ~ dá chéile, shíl sé go duine éigint a bhí ina dhiaidh a bhí a' caint. CBÉ 1100:25, Márta, 48.
sciath /ʃg´iəx/[243] *ain. Córas chun spiléir a chimeád.* Bíonn an spiléar baidhteáilte ar ~, ~ spiléir. Bíonn sí déanta le slata agus dhá chluais uirthi. CBÉ 977:60, Meith., 45.
scibhéir /ʃg´ɪv´e:r´/ *ain. Fearas chun an baidhte a ghreamú sa phota gliomach.* Bíonn téad as gach pota agus baoi ar gach téad agus bata in airde as an mbaoi. Bíonn an baidhte greamaithe sa phota le ~. CBÉ 977:60, Meith., 45.
scimín *ain. Ball den chéachta.* Tá píosa eile amu' chun cinn, cláirín beag agus soc air, 'dir an raca agus an calltar a baint an chroicinn den mbán ragha [roimh] an challtar – an ~ a thugann siad air. CBÉ 978:206, Samh., 45.

241. Feic Breatnach, *Seana-Chaint II,* lch. 347, s.v. *sgarúch.*
242. Feic *Ibid.,* lch. 350, s.v. *sgíordáil.*
243. ls., *sgiach.*

sciollachaoch *aid.* **Tá sé ~,** *tá radharc lag aige.* Tá radharc lag aige. Tá sé caoch. Tá sé ~. CBÉ 1100:232, Beal., 48.
scionach /ʃɡ´ɪˈnax/[244] *ain. Gainne.* Tá sé cosúil leis a' scadán ach bíonn an tsúil níos deirge aige agus an ~ níos gairí air agus bíonn sgeolúch níos lú aige. CBÉ 977:66, Meith., 45.
sciorta *ain.* **~ casóige,** *eirbeall casóige.* Chuir sé a láimh amach go deas agus rug sé ar ~ a chasóige agus ghearrai' sé ionad cnaipe amach as íochtar a chasóige. CBÉ[C.F.] M0015-18, 1948.
sciúgaíl /ʃɡ´u:ˈgi:l´/[245] *ain. br.* **~ gháire,** *gáire cneadach feadaíolach.*[246] Is bhídís ag ~ gháire age fuaim mo bhríste leathair. (amhrán). Cn.R.B.B.
sclim *ain.* **Tá ~ air,** *tá sé fiarshúileach.* Duine a mbeadh súil leis casta déarthá: "Tá ~ air." CBÉ 1100:72, Márta, 48.
sclimpín /ʃɡ´l´aimp´i:n´/[247] *ain. Spearbal.* Tá ~í ar mo shúile nuair a chím a' saol athá inniu agam, baochais le Dia. CBÉ 977:469, M.F., 45.
scoirbhí[248] *ain. An galar carrach.* Thagadh ~ ar lucht farraige fadó. CBÉ 1100:141, Aib., 48.
scoitheadh *ain.br. Ag baint driseog, neantóg etc.* Bíonn tú ag ~ le mileog. CBÉ 978:442, Nol., 1945.
scológ /sɡ(ə)ˈlo:ɡ/[249] *ain. Seanduine gan aon chlann.* ~ is ea seanduine ná beadh ao' chlann aige … "Bhí sé ina ~ cham gan chlann." CBÉ 977:57, Meith., 45.
scoltadh *ain. An áit go gcasann na capaill sa treabhadh.* Beidh tú ag treabhadh leat ansan go dtiocfai' tú dtí an ~. An áit a bheadh na capaill a' casadh, sin í an cinnéarainn. CBÉ 978:206-7, Samh., 1945.
scor /sɡor/[250] *ain. Gearradh beag.* Bheir mé air is chuir mé ~ den scian thiar ann. CBÉ M0015-18, 1948.
scoth /sɡox/[251] *ain. Toir ag fás ar bharr an chlaí.* Cuirfaí ~ ar chlaí le druíonach. CBÉ 968:568, Meith., 45.
screadramán[252] *ain. Aenna, putóga etc.* Bíonn na scamhóga inti [sa mhuc] agus na screadramáin agus na haenna – *lights and livers* a tugtar i mBéarla orthu. CBÉ 978:40, D.F., 45.

244. Feic Breatnach, *Seana-Chaint II,* lch. 350, s.v. *sgionach.*
245. Feic *Ibid.*, lch. 351, s.v. *sgiúgaíl.*
246. Feic Ó hAirt, D., *Díolaim Dhéiseach,* lch. 124, s.v. *sciúgaíl.*
247. ls. *sgleidhmpíní.*
248. ls., *sguirbhí.*
249. ls., *sg'lóg* – feic Breatnach, *Seana-Chaint na II*, lch. 352, s.v. *sgológ.*
250. Feic Breatnach, *Seana-Chaint II*, lch. 352, s.v. *sgor.*
251. Feic *Ibid.*, s.v. *sgoth.*
252. Luann Breatnach an focal *sgeadramán* /ʃɡ´adərəmɑ:n/ leis an míniú, *throat* – *Ibid.*, lch. 348, s.v. *sgeadaramán.*

screallam[253] *ain. Talamh chlochach.* An screig, talamh ná faighthá aon rámhann a chuir i dtalamh ann le clocha, nó ~ chloch. CBÉ 978:293, Samh., 45.
screig /ʃg´r´eg´/[254] *ain.* **1.** *Talamh chruaidh chlochach.* An ~, talamh ná faighthá aon rámhann a chuir i dtalamh ann le clocha, nó screallam chloch. CBÉ 978:293, Samh., 45. **2.** *Galar craicinn i gcaoirigh.* Maraíonn an t-uisce iad [i. na caoire] mar bíonn iomarca meáchain san olann. Cuireann aimsir fhliuch ~ ina gcroiceann. Bheadh an ~ ina scraith, bheadh an gága mar a scoiltfeadh do lá san earrach. CBÉ 978:36, D.F., 45. **3.** *Screamh.* Is minic a bhíonn ~ ar theanga duine. CBÉ 1100:48, Márta, 48.
scríogarnaíl *ain. br. Saghas éigin crónáin a dheineann máthair áil na mbeach.* Agus dh'éirigh na beacha go léir agus bhíodar ag imeacht ar fuaid a' gháirdín agus bhraith mé go raibh máthair ál imithe astu agus chuir mé púic orm féin, a Rí Onóraigh," arsa sé, "agus dh'airigh mé ag ~ í laistigh thall i ngáirdín Rí na Fraince. CBÉ 150:56.
scriostachán *ain. br. Ag glanadh fiailí, driseoga etc. de na clathacha ('scarting' i mBéarla na nDéise).* Lá fliuch bíonn siad a' ~ chlathacha ar mhaithe leis na clathacha a ghlanadh – ná beadh síolta an tsalachair á shéideadh tríd a' talamh. Bheadh speal is mileóg acu á scriosadh. CBÉ 978:375, Samh., 45.
scrubarnach *ain. Áit ina mbeadh toir agus crainn bheaga fiaine ag fás.* Áit a mbeadh druíneach agus sceach gheal agus saileach, thabharthá ~ air. CBÉ 978:293, Samh., 45.
scuab *ain.* **~ choille,** *coill bheag.* Dh'imíodar leo gur tháiníodar go dtí ~ choille. CBÉ 978:231, Samh., 45.
scuaine /sguən´ɪ/[255] *ain. Scata.* ~ géanna. CBÉ 978:62, D.F., 45.
scuaird *ain. Bainneach.* Thagadh an ~ ar lao, *scour.* CBÉ 977:474, M.F.., 45.
scuma *ain. Othras, brach.* Siúicre a dhéanadh roinnt mín agus do bhéal a líonadh de agus é a shéideadh amach as do bhéal agus é shéideadh isteach ina súile [i. an bhó go mbeadh dailleacht uirthi] agus d'réir mar a bheadh sé a leagha bheadh sé a' gearradh pé ~ a bheadh ar a radharc. CBÉ 977:482, M.F., 45.
sé *ain.* **~ nó seach,** *uaireanta.* ~ nó seach bhí triúr iníon sa tigh agus fiche bó, agus mé fhéin agus an triúr iníon a chrúdh na ba. CBÉ 150:249, 1934.
seafaid *ain. Beithíoch óg baineann.* ~ an ceann baineann ó dhá bhliain amach – ~ dhá bhliain agus ~ trí mbliana. CBÉ 977:479, M.F.., 45.
seaga /ʃagə/ *ain. (Phalacrocorax aristotelis) (Shag).* … chuimnigh mé ar an ~ a bhíodh ina sheasamh ar an gcloch á thirmiú fhéin is a dhá chleite in airde aige. CBÉ[C.F.] 1655-6, 1955.

253. Feic *Ibid.*, lch. 353, s.v. *sgreallam.*
254. Feic *Ibid.*, s.v. *sgreig.*
255. Feic *Ibid.*, lch. 355, s.v. *sguaine.*

seamra /ʃaumərə/[256] *ain. Seomra.* Chuai' sé suas i ~ is dhún sé an doras anuas air fhéin agus Cathal. CBÉ 977:518, M.F.., 1945.

seanamiúil *ain. Bean ná beadh pósta.* ~ – ní bhíonn ao' mheas orthu. CBÉ 1100:35, Márta, 48.

seanarabhrach *ain. Seanabhean ná beadh pósta.* ~, bean nár phós riamh. CBÉ 977:58, Meithl., 1945.

seancam /ʃauŋkəm/[257] *ain.* **~ a bhaint de,** *sásamh a bhaint de.* Dh'imíodar leo agus tháini' sé abhaile agus chuai' sé fé dhéin ~ a bhaint de Rí Sacsan. CBÉ 978:231, Samh., 45.

seanchas *ain. br. Insint.* Ó, age tórramh nó age cuileachta age tinteán sea bheadh sé a' ~ na scéalta. CBÉ 978:227, Samh., 45.

seanchasaí *ain. Seanchaí.* ~ deas ba dh'ea é, a raibh scéalta agus fiannaíocht go leor aige. CBÉ 977:542, M.F., 45.

seanseáil *ain. Fuil mhíosta.* Tagann seanseálacha /ʃaunʃɑ:ləxə/ ar chailíní uair sa mí. CBÉ 1100:231, Beal., 48. Ar airi' tú go bhfaighann cailín óg a ~ uair sa mí? CBÉ 1100:146, Aib., 48 (cf. sannseáil)

seasc *ain. Seisc. (den ghéineas Carex) (Sedge).* Currach garbh a mbeadh saileach is gara-luachair agus ~ a' fás air, ga' h-aon ghairthean ann. CBÉ 978:292, Samh., 45.

séigiú /ʃe:g´u:/ *ain. Séú.* Chuaigh an ~ fear isteach sa chúigiú leaba. CBÉ 977:55, Meith., 1945.

seitil[258] *ain. suíochán fada (Settle).* Bhíodh ~ sa chistin. CBÉ 977:10, Meith., 1945. Nuair a bhainfá an t-éadach díot a' dul a chodladh é a chaitheamh ar stól nó ar faor a' t~. CBÉ 977:11, Meith., 1945.

seoltóir /ʃo:lˈto:r´/[259] *ain. (Selache maxima) (Basking shark).* Iasc ana-mhór is ea an ~. Bíonn sé ar bharr na farraige uaireanta. Bíonn seol in airde as. CBÉ 977:176, Meith., 45.

seora *ain. Lintéar.* Insa seana-thithe nuair ná raibh ao' rud chun an tine a shéideadh bhíodh cheithre ~ a' teacht go dtí an tine – *gullet* is ea ~ – ó cheithre ardaibh a' tí, agus dá mbeadh an ghaoth aneas ann dh'osclófaí an ceann theas agus nuair a bheadh an ghaoth aduaidh ann dh'osclófaí an ceann thuaidh. CBÉ 968:557, Meith., 45.

seosún /ʃo:su:n/[260] *ain. Saesúr.* Tá ~ na bprátaí tosnaithe anois an mí seo agus as so go dtí an Márta. CBÉ 978:26, M.F., 45.

seosúnta /ʃo:su:ntə/ *aid. bhr. Forbartha.* Cuirfaí na laoi óga amach 'á mbeidís láidir ~ nuair a chuirfaí amach na ba. CBÉ 978:382, Samh., 45.

256. ls., *seabhamara.*
257. ls., *seanncum.*
258. ls., *settle.*
259. Feic Breatnach, *Seana-Chaint II,* lch. 344, s.v. *seoltóir.*
260. ls., *seósún.*

síle *ain.* **~ na gcearc,** *fear baineann.* Ao' rud amháin a castaí leis a' bhfear ach 'á mbeadh aon chúram leis na cearca aige thabharfadh a bhean '~ na gCearc' air. Na mná a mbíodh cúram leis na cearca acu. CBÉ 1100:27, Márta, 1948.

síneál *ain. Lintéar ar thaobh na sráide.* Díg a bhíonn i mbun an chlaí, agus díg ar a' mbóthar, agus ~ ar a' tsráid. CBÉ 968:568, Meith., 45.

siobháinín *ain. Saghas éigin éin.* Nó 'á dtiocfadh ~ agus an cré a leagaint de mhala an iomaire cuireadh Micil Coistín a bhí i mBail-Í-Chruín garsún á tiomáint agus is mó go mór a bheadh leagaithe age'n ngarsún ná ag céad ~. CBÉ 1100:76, Márta, 48.

síobhra /ʃi:vərə/[261] *ain.* **Bheadh ~ le do sháil,** *bheadh droch-rath ort.* A' feadaíl san oíche/ Agus a' fianaíocht sa lá/ Is dá mairthá choíche/ Bheadh ~ led sáil. 'Á mbeithá a' feadaíl san oíche ní bheadh aon rath ort ná a' fianaíocht sa lá. [rann]. CBÉ 1100:33, Márta, 48.

siongán /ʃəˈŋɑ:n/[262] *ain. (Den ghéineas Formicidae) (Ant). Well,* thá ~ a imeacht ar snámh ar a' gcnocán san aois. BÉ 978:230, Samh., 45.

síorach /ʃi:rəx/[263] *ain. Síolrach.* Bhí ort bróg, stoca agus léine agus clóca a daothain d'aon bhean/ Nó gur bhuail fút ~ bhithiúnach na gcaerach. [rann]. CBÉ[C.F.] 0493, 1948.

siorán /ʃɪˈrɑ:n/[264] *ain. (den ghéineas Elater) (Wireworm) is dócha.* Dhófadh san [leasú agus salann agus aol a chur ar an dtalamh] ragha [i. roimh] sioráin is piastaí agus luachair agus gach aon fhiaile. CBÉ 978:201, Samh., 1945.

siotalach /ʃitələx/[265] *ain. Leanbh a bheadh tamall tagtha ar an saol.* Bunóc is ea leanbh t'réis teacht ar a' saol, ~ ansan tréis tamaill, agus ó leath-bhliain amach ghlaothá leanbh air. CBÉ 1100:44, Márta, 48.

sípéir *ain. Madra caorach.* ~ is mó bhíonn age'n bhfeirmeór, bheadh gach aon dath ar chuid acu, dubh is liath is breac. CBÉ 978:92, D.F., 45.

siringeáil[266] *ain. br. Instealladh.* Deineann siad iad [i. na ba] a ~ anois. CBÉ 977:481, M.F., 45.

siugaí. ~ ~ ~ *(a déarfaí ag glaoch ar na gabhair).* CBÉ 977:177, Meith., 45.

siúl *ain. Luas.* Caithfidh an áirithe sin siúil a bheith fén mbád agus chaithfá bheith a scaoileadh leis an seol agus á tarraint chughat chun an ~ chimeád fúithi. CBÉ 977:46, Meith., 45.

siúnán /ʃu:ˈnɑ:n/[267] *ain. Síonán, seamhnán.* Dheinidís ~ chun síl a leathadh. Théadh cloch síl ann agus as a cheann. Bhíodh sé dhá throigh ar leabhaire agus

261. Feic Breatnach, *Seana-Chaint II*, lch. 357, s.v. *síobhra.*
262. ls. *siongán* – feic *Idem.*, *The Irish of Ring*, lgh. 48, 124, 141.
263. Feic Breatnach, *Seana-Chaint II,* lch. 358, s.v. *síolrach.*
264. Feic *Ibid.*, lch. 192, s.v. *fiorán,* n. 4.
265. Feic *Ibid.*, lch. 359, s.v. *siotalach.*
266. ls. *syrnge-áil.*
267. Feic *Ibid.*, lch. 360, s.v. *siúnán.*

troigh ar doimhneacht. Bhíodh súgán ann fuailte le sceach agus cuid acu le sceach agus cuid acu le tuí agus cuid acu le dró. CBÉ 977:203, Meith., 45.

slab *ain. Pluda.* Is maith leo [i. na lachain] i gcónaí a bheith sáite in ~. CBÉ 977:12, Meith., 45.

slais *ain.* Eascú a bhí agam a' marú na bpológ agus ~ mhacrael a bhí agam a' marú na *scads*. CBÉ 978:9-10, M.F.., 1945.

slaoiste /sli:ʃd´ɪ/[268] *ain. Brúscar, feamnach, cúr etc. ar an bhfarraige.* Bheadh an ~ as cheann an éisc – bró macréilí, bheadh an ~ ar an uisce. Bheadh sé fé mar a bheadh ola ar barra an uisce. CBÉ 977:190, Meith., 45.

slat *ain.* **1. ~ rialaithe an domhain,** *ceannas an domhain.* Nuair a bhí Naomh Peadar agus an Tiarna ag siúl na tíorach agus ~ rialaithe an domhain age'n Tiarna ní raibh Peadar sásta ar ao'chor leis an rialú a bhí an Tiarna a dhéanadh. CBÉ[C.F.] M0015-18, 1948. **2. ~ na speile,** *an t-iarann atá, mar thaca nó mar láidriú, ar an dtaobh thiar de lann na speile, trasna ón bhfaobhar.* ~ na speile. CBÉ 978:442, Nol., 45. (léaráid).

sleabhat *ain.* Thá tú chomh bodar le bodhrán, chomh righin le ~, agus chomh snagarach le madra. N'fheadar mé dén rud sleabhat, maran *leech* é. CBÉ1100:233, Beal., 1948.

sleabhcán /ʃl´əuˈkɑ:n/[269] *ain. (Porphora umbilicalis) (Purple laver, Sloke) nó (Ulva lactuca) (Sea Lettuce).* Bhíodh na mná teacht ón Sliabh ga' haon Déardaoin agus ga' hao' Mháirt go dtí an tráigh fé dhéin ~ agus báirnigh agus dliosc agus cusáinín. CBÉ 978:14, M.F., 45

sleamhnóg /ʃl´auˈnu:g/[270] *ain. Seans gurb é seo Pholis gunnellus (Butterfish) a fhaightear fé charraigreacha ar imeall lagtrá.*[271] Sa gaidhilíní sa tráigh bíonn shrims, breac an dá shúil déag, cealacán, ~, ceann cruaidh, pis a' ribe. CBÉ 977:174, Meith., 45.

slide. *Saghas seilpe a bhíodh istigh san iarta go bhféadfá í a tharraingt amach.* Bhíodh clár istigh sa hiarta agus nuair a bhíodh bean ag cnotáil san oíche gheódh sí an clár a tharraint amach agus an lampa a leagaint air. ~ a thugaidís air. CBÉ 977:13, Meith., 45.

slioga /ʃl´ugə/[272] *ain. Píosa iarainn nó slíogán chun aenna a théamh chun ola a dhéanamh do na seana-lampaí luachra.* Agus ba dh'é rud an ~ nách corcán a bheadh briste agus bheadh sé sin ar a chliathán ar a' tine, trí nó ceathair 'o chlocha fé agus é a' leagha na haenna, agus d'réir mar a bheadh na haenna ag leagha bheifaí a' tógaint na hola isteach in crócaí agus á cuir i gcúd. CBÉ 978:18-19, M.F., 45

268. Feic *Ibid.*, lch. 361, s.v. *slaoiste.*
269. Feic *Ibid.*, s.v. *sleabhcán.*
270. Feic *Ibid.*, lch. 362, s.v. *sleamhnóg.*
271. *Breac beag ar dhéanamh na heascún, thimpeall sé órlaigh, é ana-shleamhain – Ibid.*
272. Feic *Ibid.*, lch. 363, s.v. *sliuga.*

slis *ain.* Bhuaileadh sé [an gabha] amach as an t~ iad, dheineadh sé díreach as an iarann iad, é féin. Níl ao' ghabha in Éirinn anois a dhéanfadh rámhann ach Seán Paor anso thiar. Bhuaileadh sé amach as a' t~ iad, sé sin í dhéanadh amach as an iarann é fhéin. CBÉ 978:292, Samh., 45.
sliseán *ain. Céislín.* Na sliseáin a bhíonn ar crochadh thiar id' scórnach. Na *tonsils* is dócha is iad iad. Nuair a bhíodh na sliseáin ataithe ag daoine fadó le fuacht leagtí salann garbh rósta agus é in máilín anuas ar choróin a gcinn. Nuair a bhíonn scórnach tinn ag duine deir siad go b'iad na sliseáin a bhíonn ataithe. CBÉ 1100:101, 102, Aib., 48.
slithide /ʃl´ihɪd´ɪ/ *ain. Seilide. (Den aicme Gastropoda) (Snail).* ~ is muc aige ag dul go dtí an aonach. (amhrán). Cn.Ú.P.
slogadh *ain.* **1. ~ na lachan,** *slogadh gan chogaint.* An bia chogaint agus é shlogadh. ~ na lachan a thabhairt do. ~ na lachan é shlogadh gan brú. CBÉ 1100:144, Aib., 1948. **2.** *Leithead.* Seora a mbeadh aon fhaid ann níor mhór 'uit é a bheith deich n-órla ar leithead ina bhéal agus sé n-órla déag sa teacht amach. Chuirthá dhá chórda leis fé a ngearrthá an trinse. Mara bhfuil an ~ aige tachtfaidh rud éigin é. CBÉ 978:200, Samh., 45.
slogaire *ain. Paiste fliuch go raghadh beithíoch ar lár ann.* ~ é sin, áit a raghadh bó nó ao' bheithíoch síos ann agus báfaí ann í. CBÉ 978:292, Samh., 45.
sloiseáil[273] *ain.br. Sliseáil* … bhí an cailín óg ag ~ éadaigh insa sruth. CBÉ 977:463, M.F., 45.
slótar *ain. Saghas milseáin.* Bhíodh bean thíos ag an droichead a dtugaidís "Slótar" uirthi. bhíodh "*~ for Johnny, ~ for Máirín,*" aici. *Sugar-sticks* ba dha na ~s. CBÉ 978:440, Nol., 45.
sluaistreáil *ain. br. Sluaisteáil.* Bíonn tú a' ~ le sluasaid. CBÉ 978:442, Nol., 1945.
smólach *ain. Broim.* Sin ~ óm thóin agus nach breá an t-éan é! CBÉ 87:141, c. 1934.
smuit /smit´/[274] *ain. Gearra beag a dhéanfá i gcaincín an éisc chun é a mharcáil.* Agus nuair a thabharthása do cholmóir isteach bhí marc agat – ~. CBÉ[C.F.] M0015-18, 1948.
smulcaire[275] *ain. Smuilceachán.* ~ is ea fear ná déanfadh gáire. CBÉ 1100:133, Aib., 1948.
smután /smәˈtɑ:n/[276] *ain. Bloc nó stúmpa adhmaid.* **…** dh'imi' sé leis síos go dtí an tráigh agus fuair sé ~ agus bhuail sé buille thall is abhus air. CBÉ[C.F.] M0015-18, 1948.

273. ls., *sloiseáil* – ní fios cad is bun leis an litriú seo mar luann Breatnach an focal *sliseáil* /ʃl´iˈ:ʃɑl´/ ag ní éadaigh – *Ibid.*, lch. 363, s.v. *sliseáil.*
274. Feic *Ibid.*, lch. 365, s.v. *smuit.*
275. Feic *Ibid.*, s.v. *smuilcaire.*
276. Feic *Ibid.*, s.v. *smután.*

snab *ain.* **1. ~ coinnle,** *píosa beag gearr de choinneal.* Dhein mé féin iad [i. coiníní] a mharú le portán – ~ caidhnle a chuir ar a dhrom ... é ligint isteach sa pholl. CBÉ 977:43, M.F., 45. **2.** *Snapadh.* ... agus nuair a bhí sé a' góil thóirsti thug sé ~ ar a sparán agus thug sé leis a' ceosúir agus a' sprán bhuaithi. CBÉ 977:463, Meith., 45.
snagarach *aid.* Chomh ~ le madra. CBÉ1100:233, Beal., 1948.
snaidhm /snaim´/[277] *ain. Buille.* ... níor dhein sé ach é bhualadh le ~ den chlaidheamh. CBÉ 978:225, Samh., 45.
snáiteoir /snɑ|:t´o:r´/ *ain. Snámhaí.* Bhíodar ag teacht ina ndosaení is ina dtrí gceannaibh, anoir is aniar is aduaidh is aneas, go bhfeicidís an ~ a tháinig ón Chóbh go dtí Bastún. Cn.Ú.P.
snaoisín *ain. Snaois.* Píopaí is ~ is tobac agus scéaltha Fiannaíochta a bhíodh age gach aon tórramh. CBÉ 150:251-53, 1934.
snáth /snɑ:x/[278] *ain. Scrios, batráil.* Ní raibh Gadhra ná Coileánach ar phátrún ná ar aonach,/ Ná déanfadh Reidhrí Álainn ~[279] orthu lena chaol-dair (amhrán). Cn.Ú.P.
snáthad *ain.* **~ díonadóra.** Má ba dhói' leat go raibh an fhuáil tabhartha bhí ~ déanta ón ngabha, ~ díonadóra. Bhí sí thimpeall dhá throigh ar faid agus bhí lúb ar a barra agus poll sa cheann eile di. CBÉ 978:391, Samh., 45.
snúth /snu:/ *ain. Tnúth.* Thá ~ agam le hÍosa fé Oíche Nollag/ Go mbei' mé agus tú go sásta. (amhrán). CBÉ[C.F.]0489b-90t., 1948.
socrú *ain. br. Ag obair le grafán socraithe.* Bíonn tú a' grafadh le grafán agus ag ~ le grafán socraithe. CBÉ 978:442, Nol., 1945.
sóil *ain. Sól. (Solea solea) (Sole).* CBÉ 977:174, Meith., 45.
spág *ain.* **~ bhuí.** *Cearc na Buíóige. (Emberiza citrinella) (Yellowhammer), is dócha.* "Bod buí a' rinnce ar chlaí na teorann/ Agus bod buí eile agus a eireaball dóite." Éan beag is ea an bod buí. An ~ bhuí, sin í an chearc. Bíonn an nead i sceacha aici. Bíonn a brollach ana-bhuí agus cúl a cinn. Bíonn ubh liath-bhán aici agus paistí beaga breaca ann. CBÉ 977:23, Meith. 45.
spágaire *ain. Duine le cosa fada.* Cuirliún. "Is diail an cuirliún duine é," a dheiridís. Thugaidís ~ air. CBÉ 1100:21, Márta, 1948.
spalladh *ain. br. Ag treabhadh talamh phrátaí nó mheaingeal.* Bheadh branar samhra' acu agus é a threabhadh amach an tara bliain – é a ~. Nuair athá tú a' treabhadh talamh prátaí nó talamh *mangels* thá tú a' ~. CBÉ 978:198, Samh., 45.
spásach /sbɑ:səx/ *ain. Briseadh, am breiseadh.* Agus tabhair dom ~ go ceann trí mhí. (amhrán). CBÉ[C.F.] 0490, 1948.

277. Feic *Ibid.*, lch. 366, s.v. *snaidhm.*
278. Feic *Ibid.*, s.v. *snáth.*
279. Ls., *snách.*

speidhlséir *ain. Pilséar, Séirdín (Clupea pilchardus) (Pilchard).* Bíonn ~ anso. Tá sé cosúil leis an scadán ach bíonn an tsúil níos deirge aige agus an scionach. CBÉ 977:56, Meith., 45.

spiara *ain. An spíce iarainn atá ar cheann crainn na speile (grass nail).* An ~. CBÉ 978:442, Nol., 45. (léaráid).

spíceáil *br. Tairneáil.* … agus crú capaill, spíceáltaí ar na doirse í. CBÉ 977:455, M.F., 45.

spiorada *ain.* ~ **cloiche,** *gallán.* Agus nuair a tháinig an chloch isteach thúirlingigh sí anuas ar dhá ~ cloiche agus thá sí ansan ó shoin. Agus ba dhóigh leat go gcuirtheá as le buille dhorn í. CBÉ[C.F.] M0015-18, 1948.

spreagadh *ain. br. Stealladh.* … dhéanfaidís an púdar so do ~ orthu. SOND, Béal. 14 (1944):73.

sprid *ain. Néaróg.* … seasamh uirthi (an tAnglá), chuirfeadh sí do ~í ag fiuchadh suas tríd chabhail; dh'imeódh diúrachas tríd ~í; chuirfeadh sí fairithis ort. ~í, sin iad na *nerves*. CBÉ 977:176, Meith., 1945.

sram[280] *ain. Steall.* Nuair a théann duine ag crú bó a' chéad uair t'réis breith di, crúnn sé an chéad cúpla ~ ar a' talamh mar bheadh a' bainne treannaithe ina sine. CBÉ 977:458, M.F., 45.

srams *ain. Brach.* Is minic a thagann sé ar pháistí agus ar dhaoine aosta, leis, tagann ~ ar na súile acu ná faighaidís iad a dh'oscailt ar maidin gan iad a tharraint. CBÉ 1100:72-3, Márta, 48.

srantanadh *ain. br. Srantarnaigh.* … agus nuair a théadh sé a chodladh ga' haon oíche dh'aireothá amu' sa macha é a' ~. CBÉ 977:526-7, M.F.., 1945.

srónmhúchadh *ain. Srón líonta le smugaí.* Cuireann fuacht ~ ar dhuine. CBÉ 1100:98, Aib., 48.

stáil /sdɑ:l′/ *ain.* (*ain. iol.,* **stálacha** /sdɑ:ləxə/). **1.** *Láthair cloch chun cruach féir nó tuí a thógaint air.* ~ na heathala a tugtar ar an leaba chloch a bhíonn fé chruach féir nó tuí chun í chineáilt crochta ón uisce. CBÉ 968:567, Meith., 45. Agus bhíodh stálacha an uair sin déanta fé chocaí agus fé stácaí insa na heathlaíontaí. CBÉ[C.F.] M0015-18, 1948. **2.** Bheadh ~ 'dir dhá chapall i stábla. CBÉ 968:567-68, Meith., 45.

stail *ain.* ~ **earraigh,** *fear a bhíodh ag obair le gabha agus gurbh é a chúram an t-iarann a bhualadh.* Bhí rámhann gabha agus rámhann earraigh ann. Siad an gabha a dheineadh an dá shaghas ach bhí an rámhann earraigh i bhfad níos leabhaire ná an rámhann bainte agus an buailteoir a bhíodh age'n ngabha a' bualadh an iarrainn, chaitheadh fear a bheith aige fhéin. ~ earraigh a bhíodh air. CBÉ 978:292, Samh., 45.

280. *Níl an 'm' séimhithe* – fonóta ag S.ÓD.

stealladh /ʃd´alə/[281] *ain. br. Fiuchadh.* An ciotal ar ~ seacht n-uaire sa ló. (amhrán). CBÉ[C.F.]0498, 1948.

steargán /ʃd´arəˈgɑ:n/[282] *ain. Staic adhmaid.* Bhíodh mailléad fadó a' tiomáint ~ sa talamh age feirmeóirí. CBÉ 1100:47, Márta, 48.

stopadh *ain.* **An ~ béil,** *sreang a théann ón lann go dtí an chrann ar an speal.* CBÉ 978:442, Nol., 45. (léaráid)

stráice /sdrɑ:k´ɪ/[283] *ain. Sraith.* Bíonn an chéad ~ dín curtha le mairtéal cré anuas ar a' bpinniúir. CBÉ 978:388, Samh., 45. Nuair a raghair go barr leis a' ~ lúbfair anuas ar a' taobh eile é agus déanfai' tú é a fhuáil den súgán ramhar so. CBÉ 978:389, Samh., 1945. 'Á mbeadh deisiú le déanadh b'fhearr ~ ar fad a chur. CBÉ 978:390-91, Samh., 1945.

stranséar /sdraunʃiar/ *ain. Stróinséar.* Thá ~ sa tigh agus gheomid a mhilleán a chuir ar maidin air. CBÉ[C.F.]M0015-18, 1948.

stríoc[284] *br. Ísligh.* Gach aon árthach a' seoladh na farraige ~fai' sí a seolta Oíche Il Mártan mar níl ao' chúntas ag einne cad a dhéanfaidh Oíche Il Mártan. CBÉ 977:185, Meith., 1945.

stríocáil /sdri:kɑ:l´/[285] *ain. br. Ag iascach leis an mála stríocála.* A' ~ a bhídís fadó agus a' trálaeireacht a bhíonn siad inniu. Agus an obair chéanna is í í agus dé chúis í a bheith ina ~ fadó agus ina trálaeireacht inniu? Mar seolta a bhíodh acu fadó agus tá na hinnill inniu acu. CBÉ 977:46, Meith., 45.

stróireacht /sdro:r´əxd/[286] *ain. br. Ag siúl roimhe.* Bhogas-sa bóthar ag ~ chun siúil. (amhrán). Cn.Ú.P.

strolúsach /sdroˈlu:səx/[287] *aid. Cabanta, drochbhéasach.* Bhí tú droch-mhúinte, ~, ceanndána. Cn.R.B.B., 7.

studa /sdudə/[288] *ain. Stuca.* 'Á mbeadh aibiú san aimsir bheadh an t-arúr aibidh i dtosach an Fhómhair. Bheidís á bhaint is á cheangal is a' déanadh ~í is stácaí de. CBÉ 978:384, Samh., 45.

súchaint /su:xənt/[289] *ain. br. Sú.* … agus sa Mhitheamh chaithidís isteach trocáil a scriosaidís do chlathacha is ga' hao' rud, chaithfaí isteach ann é. Ligfaí dho bheith a' dreochaint istigh ann chun an t-uisce a shúchaint agus é a cheilt ar na daoine a bheadh a' góil a' bóthar; ná feiceofaí an barra buí a bheadh ar a' múirleach. CBÉ 978:16, M.F., 45.

281. Feic Breatnach, *Seana-Chaint II,* lch. 375, s.v. *stealladh.*
282. Feic *Ibid.*, lch. 376, s.v. *stearagán.*
283. Feic *Ibid.*, lch. 378, s.v. *stráice.*
284. Feic *Ibid.*, lch. 379, s.v. *stríocadh.*
285. ls., *struíocáil*
286. Feic *Ibid.*, lch. 379, s.v. *stróireacht,* n. 2.
287. Feic Breatnach, *Seana-Chaint II,* s.v. *strolúsach.*
288. Feic *Ibid.*, lch. 380, s.v. *studa.*
289. Feic *Ibid.*, lch. 381, s.v. *súchant.*

súgánach /suːˈgɑːnəx/[290] *aid.* **Saol ~,** *saol suaite, síos suas.* Saol ~ a bhí acu [i. na daoine bochta]. CBÉ 968:556, Meith., 45.

suí *ain. br.* **Ag ~ leis féin,** *ag cac.* Cuireann siad cúram an tsalachair díobh, an salachar nó an cac. Téann duine ag ~ leis féin nuair a bhíonn sé á dhéanadh san. CBÉ 1100:145, Aib., 48.

súil *ain.* **1. ~ ghlúine nó uillinne,** an pointe is leochaillí. ~ ghlúin nó uilinn, tá siad teidhndireálta. CBÉ 1100:136, Aib., 48. **2. An t~,** *an poll sa phiocóid go dtéann an chos isteach ann.* CBÉ 978:411-12, Nol., 45. [Léaráidí].

suímhniú /siːv´ˈn´uː/[291] *ain. br. Áiteamh.* **...** agus nuair a bhí sé traochta ó bheith a' ~ is a' cur síos tharraing … a' corc agus is mór a' seo ná mhúchag a' sean-duine istigh sa leaba le huisce a' pampáil anuas sa mbéal air. Cn.R.B.B., 325.

súist /suːʃt´/[292] *ain. Súiste.* Í a bhualadh le ~ agus an gráinne a bhailiú le hagha' síl nó le hagha' eallaigh nó capaill. CBÉ 978:375, Samh., 1945.

súiste *ain. Saghas éigin suíocháin.* Bhíodh súistí ann chun suí orthu agus stól. CBÉ 977:12, Meith., 1945.

súiteán /suːˈt´ɑːn/[293] *ain. Sú, súlach.* Ar ~ na farraige a mhaireann sé [i. an scadán]. CBÉ 977:48, Meith., 45.

sumansáil *br. Cuir an dlí ar.* … agus dá bhficeodh Peaid Ruacháin iad shuman-sálfadh sé iad. CBÉ 977:549, M.F., 45.

súpadh /suːpə/[294] *ain. br. Siolpadh.* Chuiridís pusachán déanta 'leathar nó *wire* orthu [i. na laoi] 'á mbeidís ag ~. CBÉ 977:473, M.F.., 45.

tabhair *br.* **1. Thugadar a n-éitheach,** *d'ínsíodar éitheach.* Ná deirimse leothu gur thugadar a n-éitheach. CBÉ[C.F.] 0487-0496, 1948. **2.** *Meath, teip.* Ghlaofaí meadarach orthu chún blúire iasc goirt agus práta agus cárt bhainne agus an cleas céanna chun do shuipéir agus nuair a thabharfadh na prátaí, mias leitean ar maidin agus mias leitean istoíche. CBÉ 977:471, M.F., 45.

tabhairt /təur´t´/[295] *ain. br.* **Ag ~ fola,** *ag cur fola.* Thosnai' sé a' ~ fola agus bhí sé a' ~ fola gur tháini' sé abhaile agus fuair sé bás. CBÉ 977:18, Meith., 45.

taca *ain. Treo ar an bhfarraige.* Chuaigh ceann acu chun farraige agus choin-nigh an ceann eile an ~ siar díreach. CBÉ[C.F.] M0015-18, 1948.

táir /tɑːr´/[296] *aid. Tarcaisneach.* Is ~ a fuaireas freagra gur scafaire é a bhí traochta/ Is ná liúfaí méar a leagaint air go dtiocfadh na cróinéirí. (amhrán). Cn.Ú.P.

290. Feic *Ibid.*, s.v. *súgánach.*
291. Feic *Ibid.*, lch. 383, s.v. *súimhniú.*
292. Feic *Ibid.*, s.v. *suist.*
293. Feic *Ibid.*, s.v. *súiteán.*
294. Feic *Ibid.*, s.v. *súpadh.*
295. Feic *Ibid.*, s.v. *tabhairt.*
296. Feic *Ibid.*, lch. 388, s.v. *táir.*

taistiúil /taʃt´u:l´/ *aid. Taistealach.* Thug mé seachtain dem shaol go ~ aerach gan ag ithe nach dhá bhéile/ Le neart corp dithnis. (amhrán). CBÉ[C.F.]0489a, 1948.
talamh *ain.* **1.** ~ dearg – Bíonn talamh dearg agat t'réis prátaí nó *turnips* nó *mangels* a bhaint as. CBÉ 978:294, Samh., 45. **2. ~ reachtais** /ˈr´axtəʃ/,[297] *talamh ar cíos ar feadh an tséasúir chun barra a bhaint aisti (cf. reachtas).* Bhíodh talamh reachtais ós na comharsain ag na daoine bocht le hagha' prátaí a chur. Leath-acra is mó a bhíodh acu. CBÉ 968:562, Meith., 45. **3.** *An doimhneas ceart chun iascaireachta.* "Thá'n ~ ceart age'n bhfear san," a déarthá nuair a bheadh sé sa doimhneacht cheart ag iascach le dró. CBÉ 977:173, Meith., 45.
tamall *ain. Iasacht.* Agus dúirt sé leis an mbuachaill dul fé dhéin ~ do mhála. CBÉ[C.F.] 0487-0496, 1948.
tanúchaint *ain. br. Tanú.* Um Bealthaine bheidís a' ~ teornuip agus *mangels* agus a' glanadh phrátaí. CBÉ 978:381, Samh., 45.
tárló /tɑ:rˈlo:/[298] *ain. br. Ag tarraingt an arbhair etc. isteach ón bpáirc.*[299] A' ceangal is a' ~ CBÉ 978:385, Samh., 45.
teaca /t´akə/ *ain.* **Gan ~,** *neachtar acu.* … mar ní bhfaighinn an baraille aníos go deo gan ligin leis an ola imeacht leis an bhfarraige nó gan ~ an baraille a ligin amach arís. CBÉ[C.F.] M0015-18, 1948.
téad /t´iəd/[300] *ain.* **1. ~ an tsleighn,** *téad ag bun an lín iascaigh chun é a tharraingt aníos.* Bíonn ~ an tsleighn le bonn a' lín leis chun é a tharraint. Curtar ~ an tsleighn ar an *winch* anois chun é a tharraint. CBÉ 977:60, Meith., 45. **2. ~ na luaithe,** *téad a bhíodh ar an dtaobh thíos den mhála straíocála go mbíodh luadhanna uirthi chun í a shuncáil.* Béal mór ar a' mála straíocála. Bíonn ~ na luaithe thíos agus téad na gcorc ar barra agus dhá chláirín ar gach taobh. CBÉ 977:46, Meith., 45. **3. ~ na gcorc,** *téad a bhíodh ar an dtaobh thuas den mhála straíocála go mbíodh coirc uirthi chun í a choimeád ar snámh.* Béal mór ar an mála straíocála. Bíonn téad na luaithe thíos agus ~ na gcorc ar barra agus dhá chláirín ar gach taobh. CBÉ 977:46, Meith., 45.
téagar /t´iagər/[301] *ain. Dlús, cuid mhaith.* Is beag a mbíodh aon ~ prátaí curtha acu dtí 'dtiocfadh Lá Fhéil Pádraig. CBÉ[C.F.] M0015-18, 1948.
teanga /t´aŋə/[302] *ain.* ~ **Naoscaí,** féar de shaghas éigin. A' bhfeaca tú riamh an féar a dtugann siad ~ naoscaí air? Fásann sé i ndroch-thalamh. Tá an diabhal de thíos i dtalamh a' Choláiste. Tá ana-dheabhra aige le féar scadán. CBÉ 977:48, Meith., 1945.

297. Feic *Ibid.*, lch. 332, s.v. *reachtas.*
298. Feic *Ibid.*, lch. 389, s.v. *tárló.*
299. *Ibid.*
300. Feic *Ibid.*, lch. 391, s.v. *téad.*
301. Feic *Ibid.*, s.v. *téagar.*
302. Feic *Ibid.*, lch. 392, s.v. *teanga.*

teannta *ain.* **I d~,** *tar éis.* Ní bheadh aon síol agat á chur go dtí i d~ na Féil' Pádraig. CBÉ 978:376, Samh., 45.
teasc *ain. Tasc.* Thógfadh sé [Tomás Cole] féar ar ~ – é a bhaint ar leath-choróin an t-acra, gan bia gan deoch. SOND, Béal. 14 (1944):67.
teideal /t´ed´əl/[303] *ain. Aitheantas.* … nách diail a' ~ athá age'n sprat go dtabharfai' sé a cheann ar a' mbord leis beirithe. CBÉ 977:48, Meith., 45.
teoraíocht /t´o:ri:xd/[304] *ain.* **Dén ~? Cén áit?** An bhfuilirse pósta nó dén ~ ar díobh thú? (amhrán)
teoraíonta[305] *ain. (ain. iol). Teorainneacha.* … ach tá siad sa Rinn agus caitheann siad na beithígh a cheangal toisc gan aon ~ bheith ann. D'fhágaidís fód bán sa teora. CBÉ 968:561, Meith., 45.
teornup *ain. Tornapa.* Daoine ná beadh a' coirce acu chuirfidís cárta min-órna ar na teornuip dóibh. CBÉ 978:379, Samh., 45.
tharat /horət/ *réamh.* **Cuir ~ é,** *bí deimhin de, tóg uaim é, bí siúiráilte dhe.* Ó cuir ~ é … nuair a dh'aireoidh tú anois é, cuir ~ é agus sáinfidh do réasún fhéin duit gob é … gob é sin, gob í sin an fhírinne. Ó, shin é mar a cheapadh an t-amhrán. Cn.Ú.P.
thóirsti /ho:rʃd´ɪ/[306] *réamh. Thairsti.* Dh'imi' sé leis agus bhí sé siar agus aniar an tráigh ~ gur tháinig a' t-ainmhíneach. CBÉ 978:225. Samh., 1945.
thorm /ˈhorəm/ *br., modh ord. Tabhair dom.* "'Chaitín, 'chaitín," arsa sí, "~ m'eireabaillín." Cn.Ú.P.
tindireálta[307] *aid. Leochaileach.* Súil ghlúin nó uilinn, tá siad ~. CBÉ 1100:136, Aib., 48.
tinneas *ain.* **~ na mbanaí,** *fonn beirthe i gcráinn mhuice.* Dh'airi' mé trácht ar chráin a bhí fadó ann agus d'imi' sí nuair a tháinig ~ na mbanaí uirthi. CBÉ 978:39, D.F., 45.
tiocóid /t´iˈko:id´/[308] *ain. Seama.* Chuir sé fear go dtí an mbaile mór fé dhéin cheithre fichid seithe leathair, cheithre fichid bannda iarainn agus a gcuid ~í. CBÉ[C.F.] M0015-18, 1948.
tíodas /t´i:dəs/[309] *ain. Tiús.* "Cé acu is giorra dhon ré, anocht thú," arsa sé, "ná aréir?" "Is giorra di anocht mé," arsa sí, "de thuíodas raolaí." CBÉ 977:147, Meith., 1945.

303. ls. *teidiol.*
304. Feic Breatnach, *Seana-Chaint II,* lch. 394, s.v. *teóraíocht.*
305. ls., *teóruíonta.*
306. Feic Breatnach, *Seana-Chaint II,* lch. 395, s.v. *thar.*
307. ls., *teidhndireálta.*
308. Breatnach, *Seana-Chaint II,* lch. 398, s.v. *tiocóid.*
309. Luann Breatnach an focal *tiúdas* /t´u:dəs/ leis an mbrí chéanna, ach deir sé go mb'fhearr le cainteoir amháin *tíocht* /t´i:xt/ chomh maith – *Ibid.*, lch. 399, s.v. *tiúdas,* n. 2.

tír *ain.* **Arán tíora** /t´i:rə/. *Arán comónta, garbh.* Tháinig an saol thimpeall ansan go bhfuair mé scilling sa tseachtain, dhá scilling sa tseachtain, agus arán tíora agus gruth – meidhg ó bhainne gach aon mhaidean. CBÉ[C.F.] M0015-18, 1948.

tirimeachán /t´er´ɪməxɑ:n/ *ain. Duine ró-dháiríre.* ~, duine ná beadh aon fhonn gáire air. CBÉ 1100:133, Aib., 48.

tírithe /t´i:r´ɪh´ɪ/ *aid. bhr.* Bhí trí léim gan stad, agus trí léim ard, agus léim thírithe á thabhairt ansan ann. CBÉ[C.F.] M0015-18, 1948.

tiumpléir *ain. Áras de shaghas éigin.* Bíonn gruamháin sa tráigh, *cockles.* Bhídís á ndíol ar sráid Donn Garbhán fadó, le ~ acu ar dhá phingin. CBÉ 977:206, Meith., 1945.

tobar /tobər/[310] *ain.* **~ na baistí,** *umar na baistí.* Ba dh'é Naomh Seán a dhein an chéad bhaiste agus pé rud a bhí sé a dhéanadh an ceáthrú lá fichead chuai' sé fé dhéin na croise, an chros na baistí, an chros a bhain le ~ na baistí. CBÉ 977:131, Meith., 45.

tógaint *ain. br.* **Ag ~ iontas de,** *ag tógaint ceann de, ag déanamh iontais de* (*cf.* nútas). … bhí cailín breá ag teacht ó Dhún na Mainistreach ar scoil go Donn Garbhán agus bhíodh gach einne ag ~ iontas don chailín. CBÉ[C.F.]M0488, 1948.

togha /təu/[311] *ain. Toghchán.* Bhí ~ anso fadó agus bhí ana-thuairisc ar John Dillon. Cn.R.B.B., 325.

toigh /tig´/[312] *br. Togh.* … agus má bhíonn tú a' dul fé dhéin deoch ~ do chuileachta. CBÉ 1100:43, Márta, 48.

toite /tet´ɪ/[313] *aid. bhr.* **1. Is ~,** *is fearr ar fad (is tofa). Well,* thá na fearaibh is ~ sa saol anois agam. CBÉ[C.F.]M0015-18, 1948. **2.** *Tofa.* Agus mise agus Jimmy Luke a bhí ~ san eathla chun píceála. CBÉ[C.F.] 1655-6, 1955.

tómas *ain.* **I d~,** *mar dhea.* Agus 'd~ /du:məs/[314] gur tháinig an fear bréagach ag éileamh a phá air. Cn.R.B.B., 7.

tormas /torəməs/[315] *ain. Seachrán.* Bheadh buachaill ar ~ ón scoil nuair a bheadh sé ar seachrán. CBÉ 87:141, c. 1934.

traeteáil *br. Ceannaigh deoch do.* Traeteálfai' siad a muintir fhéin agus leagfai' siad an buidéal agus an gloine ansan chun einne eile, pé rud is maith leis a bheith aige gheo' sé fhéin é bheith aige. CBÉ[C.F.]M0015-18, 1948.

traidhn /train/ *ain. Traonach. (Crex crex) (Corncrake).* Chuir sé fios ar an ~ ansan agus dúirt sé leis an ~ go gcuirfeadh sé an mí-ádh anois air. Dúirt sé leis

310. Feic *Ibid.*, L 399, s.v. *tobar.*
311. Feic *Ibid.*, lch. 401, s.v. *togha.*
312. ls., *toig.*
313. Feic Breatnach, *Seana-Chaint II,* lch. 402, s.v. *toite.*
314. Feic *Ibid.*, lch. 165, s.v. *dúmas.*
315. Feic *Ibid.*, lch. 403, s.v. *toramas.*

go … "Cuirfidh mé an mí-ádh ort anois," arsa sé, "go brách agus choíche, mar a mbeidh tú ag grágal idir lá agus oíche." B.B.C., CBÉ[C.F.]1090, 1951.

trampéad /traump´e:d/ *ain. Trumpa.* Nuair a shéidfidh an tArdaingeal a thrampéad (amhrán). Cn.Ú.P.

trannc *ain. Trúnca.* … agus abair léithe do cheosúir agus a' sparán athá fén chlár síleála as ceann mo leapan a thabhairt duitse agus an ~ a dh'oscailt. CBÉ 977:463, M.F., 45.

traochta *aid. bhr. Marbh.* Mar is deocair é a chuir i dtuiscint dom go bhfuil an scafaire sin ~. (amhrán). Cn.Ú.P.

trap *ain.* (*ain. iol.* **traip** /trip/). *Gaiste.* Bheadh innil is truip againn in áitibh uaigneacha. CBÉ 977:38, Meith., 45.

treabhadh *ain.* ~ **beag,** *iomaraí sé fóid a dhéanamh le rámhann.* Dheinidís branar a spalladh le rámhann. Agus iomairí – dheinidís iomairí sé fóid le rámhann – ~ beag a thugaidís air agus i ndeireadh ansan dheinidís an bán go léir a romhar amach leis a' rámhann, gach aon fhód agus a bhéal fé anuas ar a chéile. CBÉ 978:254, Samh., 45.

treannaithe /t´r´aunəhə/[316] *aid. bhr. Téachtaithe.*[317] Nuair a théann duine ag crú bó an chéad uair t'réis breith di, crúnn sé an chéad cúpla sram ar a' talamh mar bheadh a' bainne ~ ina sine. Bheadh sé ina ghruth. CBÉ 978:18, M.F., 45

treidhn /t´r´əin´/[318] *ain. Ola a baintear as aenna éisc.* ~ a bhíodh mar sholas anso fadó againn agus lampa gabha. CBÉ 978:18, M.F., 45.

tréineacht *ain. Tréine.* Minic a dh'airíos trácht ort ar t'fheabhas agus do thréineacht. CBÉ 150:70, 25/8/34.

treiseadh /t´r´eʃɪ/ *ain. br. Sroisint.* Bhuail Radal ó gach taobh í gan an talamh … gan a ligint di an talamh a threis /h´r´eʃ/ ar aon taobh ar feadh babhta agus fiche. CBÉ[C.F.] M0015-18, 1948.

treite /t´r´et´ɪ/[319] *aid. bhr. Treafa.* Threabhfadh na feirmeóirí an coinleach go léir an mhí sin ach anois thá go leor de ~ cheana. CBÉ 978:376, Samh., 1945.

trígiú /t´r´i:g´u:/[320] *ain. Tríú.* … agus nuair a bhí sé chun é a tharraint leis an mbata is ea a chuimhni' sé ar an ~ comhairle. CBÉ[C.F.] M0015-18, 1948.

trínachéile *ain. Easaontas.* "Tá do bhean a' ligint uirthi," dúirt sé, "go bhfuil sí a' bailiú déirce duitse," fhéachaint a' bhfaigheadh sé ~ a dhéanadh eatarthu. CBÉ 978:71, D.F., 45.

316. Feic *Ibid.*, lch. 405, s.v. *treannaithe.*
317. CBÉ 977:458, M.F.., 45 – fonóta, S.ÓD.
318. ls., *treighn* – feic Breatnach, *Seana-Chaint II*, lch. 405, s.v. *treidhn.*
319. Feic *Ibid.*, lch. 405, s.v. *treabhadh.*
320. Feic Breatnach, *Seana-Chaint II,* lch. 407, s.v. *trígiú.*

trinseáil /t´r´ainsɑ:l/[321] *ain. br.* ~ – an cré a romhar agus a chuir in airde as a' gclais ar an iomaire leis a' rámhann. Bheadh an ath-chré bog 'na diaidh ansan. CBÉ 978:255, Samh., 45.

trioscar /t´r´isgər/ *ain. Feamnach a úsáitear chun leasaithe.* **1. ~ Báite.** *(De na géinis Laminaria agus Saccorhiza) (Kelp): Leathach (Laminaria cloustoni) (Strap Wrack), Coirleach (Laminaria digitata) (Oarweed), Rufa (Laminaria saccharina) (Sugar Kelp/Sea Bent) nó Claíomh (Saccorhiza bulbosa) (Furbelows) a bhíodh caite in airde ar an dtráigh.* Thagaidís aníos go Baile Mhic Airt féna dhéin agus go Gleann Mhugún nuair a gheibhidís tirim caite isteach age'n ngála é, ~ báite.[322] CBÉ 978:12, M.F., 45. **2. ~ Dubh.** *Caisíneach (Pelvetia canaliculata) (Channel Wrack) b'fhéidir.* Bhí ~ báite agus trioscar dubh ansan agus trioscar na gclog agus lofán agus liobán uaithne agus féar dubh. CBÉ 978:12, M.F., 45. **3. ~ na gClog.** *Feamainn Bhoilgíneach (Fucus vesiculosus) (Bladder Wrack), Casfheamainn (Fucus spiralis) (Spiral Wrack) nó Feamainn Bhuí (Ascophyllum nodosum) (Egg/Knotted Wrack).*[323] … is amhla' a bhainidís ~ na gclog des na clocha. CBÉ 978:12, M.F., 45.

triúntaí /t´r´u:nti:/[324] *ain. Tionónta.* Agus bhí tigh ceann tuí ar thaobh an bhóthair, tigh ~, agus phreabadar in airde ar an tigh agus bhaineadar an ceann den tigh. CBÉ[C.F.]M0015-18, 1948.

triúrar /t´r´u:rər/[325] *ain. Triúr.* Bhí baintreach fadó ann agus Búrcach a bhí pósta aici agus bhí ~ leanbh aici leis nuair a fuair sé bás. CBÉ[C.F.]0494, 1948.

troc *ain. … Salachar na mbeithíoch a scríobfaí den mhacha. …* nuair a bheadh an carn aoili' amu', scríobfaí an macha le sluasad is bhaileofaí é go léir i dteannta a chéile: thugtaí ~ air sin. CBÉ 978:16-17, M.F., 1945.

trocáil *ain. Fiaile, driseoga etc. a scriobfaí de na clathacha.* Baineann siad an deiliúr des na *mangels* agus cuireann siad i 'bpoll' taobh a' chlaí iad, agus deineann siad iad a chlúdach le ~ – sé sin scriostachán na gclathacha. CBÉ 978:385, Samh., 45.

troid *ain. br.* **Ag ~ a fhoirtiúin,** *ag lorg a fhoirtiúin. …* aon fhear a mharódh dhá mhíle dh'aon saghas rud a cheap Dia ar an saol go raibh sé ábalta ar dhul ag ~ a fhoirtiúin in aon áit den domhan. CBÉ[C.F.] M0015-18, 1948.

321. ls., *treidhnseáil.*

322. Bíonn na speicis seo beagnach i gcónaí clúdaithe le huisce mar go bhfásann siad thíos ag an lag trá. Níl ann ach go nochtann rabhartaí móra iad agus b'fhéidir gurbh in í an chiall go nglaotaí 'trioscar báite' orthu, nó b'fhéidir toisc iad a bheith caite ina raic ('báite') ar an dtráigh tar éis na stoirme. Píosa eile fianaise is ea go ndeir Maidhc go bhfuil *feann (< feam) téagartha* ar an trioscar báite, rud atá fíor mar gheall ar an *Laminaria* agus an *Saccorhiza.*

323. Is iad seo na trí shaghas feamainne, go bhfuil cloig orthu, atá ar fáil ar chóstaí na hÉireann.

324. Feic Breatnach, *Seana-Chaint II,* s.v. *triúntaí.*

325. Feic *Ibid.*, s.v. *triúrar.*

troim /traim´/[326] *ain. Trom. (Sambucus nigra) (Elder).* Ba ghnáthach le crann troim /kraun traim´/[327] a bheith a' fás i ga' haon áit go raibh seana-thigh fadó. CBÉ 977:56, M.F., 45. Bhí sé crosta bó ná beithíoch a bhualadh le slat ~e /trim´ɪ/[328] CBÉ 977:460, Meith., 45.

trom *aid. Ag súil le leanbh.* "Agus thá eagla mo chroí orm go bhfuil mé ~."[véarsa]. CBÉ 977:202-3, Meith., 1945.

trosc *ain. (Gadus morhua) (Cod).* Bhí lannga ar trí pingine go leith agus ~ ar thistiún. CBÉ 977:46, Meith., 45.

trót *ain. Ceann de na téada ar húicéar na Rinne.* Bíonn téad ón chrann go dtí barra an tseoil mhóir go dtugann siad an phíc air agus bíonn téad le bun an tseoil go dtugann siad an ~ air. CBÉ 977:176, Meith., 45.

trua /truə/[329] *aid. Lom.* Tá sé sin tanaí ~. Nín ann ach na cnánna. CBÉ 1100:140, Aib., 48.

truchar /ˈtroxər/ *ain. Urchar.* … nuair a chuaigh an teas insa ngunna dh'imigh an ~ agus lámhaigh sé capall Chromail. B.B.C., CBÉ[C.F.]1090, 1951.

truis *ain.* ~ **-traisc** – *fear ainnis.* CBÉ 1100:32, Márta, 48.

trus /trəs/ *ain. Toisc.* "~ an mheáchain a bheith ar mo … ar mo choite beag," arsa sé, "bhuail sí amach … bhuail sí amuigh tamall beag amach sa bhfarraige." CBÉ[C.F.] M0015-18, 1948.

trús *ain. Ceann de na hadhmaidí a bhíonn i gceann an tí.* Bhíodh a' cleitín amu', bun an dín agus an ~ istigh as cheann a' phort-fhalla. CBÉ 977:9, Meith., 1945.

trúthán /tru:ˈhɑ:n/[330] *ain. br. Tnúth.* … go mbíodh a dhá láimh oscailte amach mar sin acu [i. na mairbh] agus a mbéal oscailthe acu mar a bheadh ag éan óg insa nead ag ~ le guí mhaith na ndaoine. CBÉ 977:442, M.F.., 45.

tuaille /tuəl´ɪ/ *ain. Tuáille.* Agus an ~ a thirimigh sé a dhá láimh leis ní bhfaighthá le ceannach in Éire ná in Sasana é. CBÉ[C.F.] M0015-18, 1948.

tuigí /tigi:/ *br., modh ord. Tugaigí.* "~ gaoth agus grian anois do," arsa sí, "nó liathfaidh an snáth. Cn.Ú.P.

tuille /til´ɪ/[331] *ain. Dinc adhmaid i théann isteach i gcabhail na rámhainne in aice leis an gcos (bata) ar a gcuireann an oibritheoir a throigh.* ~ na rámhainne. CBÉ 978:406, Nol., 45. (léaráid)

326. Feic *Ibid.*, lch. 408, s.v. *truim.*
327. Feic *Ibid*, mar a bhfuil an fuaimniú seo luaite le Maidhc Dháith ar leithligh.
328. Feic *Ibid.*
329. Feic *Ibid.*, lch. 408, s.v. *trua.*
330. Feic *Ibid.*, s.v. *trúthán.*
331. Feic *Ibid.*, lch. 410, s.v. *tuille.*

tuilleachtain /t´l´axdɪn´, tɪl´axdɪn´/[332] *ain. br. Tuilleamh.* "An rud a bhíodar a thuilleachtain inniu go mbeadh sé fós ina shuí ar an gclaí acu" – sin é an seanaphinsean. SOND, Béal. 14 (1944):86.
tuinín *ain. Seans gurb é atá i gceist anseo ná an mhuc mhara óg, go nglaotar 'tóithín' uirthi i mBéarra, Co. Chorcaí*[333] *agus in Uíbh Ráthach, Co. Chiarraí.*[334] Tagann na ~í isteach cois na gcloch le haimsir bhriste. Ní bhíonn siad comh mór leis an muc mhara ach ar aon déanamh amháin. CBÉ 977:176, Meith., 45.
túirseach /tu:r´ʃəx/ *aid. Diomách, brónach.* Bhínn go ~ nuair a gheibhinn an diúlta agus mé ag lorg/ A bheith istigh orthu. (amhrán). CBÉ[C.F.] 0489a, 1948.
tunadaer /tonəde:r´/[335] *ain. Tonnadóir.* … déanta de stáin. Bheadh gob caol thíos air, agus a bhéal in airde leathan. Nuair a bheadh an tunna thíos ansan san mbuidéal, agus an t-éadach anairte ar bhéal leathan an ~, dhéanfaí an ola a scagadh. SOND, Béal. 14 (1944):105.
tur *aid. Maol.* Rámhann bainte bheadh sí thimpeall dhá phúnt. Bheadh dhá órlach de *steel* ar a barra agus d'réir mar bheadh sí sin a' caitheamh a' géarú a bheadh sí agus nuair a thiocthá dtí an iarann ansan bheadh sí ~. Bheadh an mhilseacht imithe. CBÉ 978:407, Nol., 45.
uathairt *ain. Glam.* Ar airi' tú riamh an ~ a chuireann an gadhar fiaigh as? CBÉ 978:93, Samh., 1945.
uathartaíl *ain. br. Glamaíl.* Bíonn na gadhair fiaigh ag ~. CBÉ 978:93, D.F., 45.
ubh /ov/[336] *ain.* **~ Mharaigh,** *Cuán Mara. (Den fhine Echinoidea) (Sea Urchins).* Bíonn ~ mharaigh leis insa tráigh. Bíonn sé sin ina liathróid agus clipí air. CBÉ 977:175, Meith., 45.
uimig /im´ig´/ *réamh. Uime.* Brostaígí agus tuigí amach an chulaith éadaigh is fearr agus cuirigí ~ í. Cn.Ú.P.
uisce *ain.* **1. Tá ~ ar a inchinn,** *tá éad air.* 'Á mbeadh éid ar dhuine is rudaí mar sin, dhéarfaidís: "Thá ~ ar a inchinn." **2.** *Mún.* Deineann duine a chuid ~, mún nó fual a tugtar air. CBÉ 1100:146, Aib., 48.
úll *ain.* **~ na gualainne,** *barr an húmarais (an t-úll) a théann isteach sa chuas (socket).* "Thit sé is chuir sé amach ~ na gualainne."CBÉ 1100:134, Aib., 48. **~ an chromáin,** *ceann an fhéamair (an t-úll) a théann isteach sa chuas.* ~ do chromáin, chuireag amach ~ a chromáin.CBÉ 1100:140, Aib., 48.

332. Feic *Ibid.*, lch. 410, s.v. *tuilleachtain.*
333. Agallamh pearsanta ag Emma Verling le Pádraig Ó Síocháin, Oircheann, Béarra, Co. Chorcaí.
334. Nic Pháidín, C. *Cnuasach Focal ó Uíbh Ráthach.* Baile Átha Cliath: Acadamh Ríoga na hÉireann, 1987, lch. 114, s.v. *tóithín.*
335. Feic Breatnach, *Seana-Chaint II,* lch. 411, s.v. *tunadaer.*
336. Feic *Ibid.*, lch. 313, s.v. *obh.*

umar *ain.* ~ **an chroí,** *an bhroinn.* "Éist a shagairt," arsa sí, "agus seasaigh díreach/ Níor thug sé trí ráithe in ~ do chroí agat [bean ag caoineadh a mic]. CBÉ 977:476, M.F., 45.

umumpu /əmˈumpə/ *réamh. Umpu.* … is ea a bhíodar go léir istigh in seamra ansan againn agus sinn ag baint díbh agus ag cuir ~. CBÉ[C.F.] M0015-18, 1948.

úrú *ain. Taisiú.* Á mbeadh *reed* agat agus díonadóir maith agus aer maith age'n tigh, tigh gan sileadh crann nó ~ a bheith air sheasódh sé fiche bliain ar an taobh thuaidh agus an taobh theas. CBÉ 978:390, Samh. 1945.

vaightéir *ain. Garda cósta.* Chonnaic mé iomairí á dhéanadh ag na ~í. CBÉ 978:255, Samh., 45.

varrdoras *ain. Fardoras.* (léaráid). CBÉ 977:205, Meith., 45.

varrleac *ain. Lindéar fuinneoige.* (léaráid). CBÉ 977:205, Meith., 45.

veost *ain. Veist.* … agus tá abhar ~ agus treabhsar *pilot* istigh insa mbosca. CBÉ 977:463, M.F., 45.

wine *ain.* Cruib. Curtar na muca anois isteach i gcruib á mbreith ar a marga. ~ a thugann daoine eile ar an gcruib. CBÉ 978:38, D.F., 45.

LEABHARLIOSTA

Aarne, A. agus Thompson, S. *The Types of the Folktale,* 2 eag. Helsinki: Folk Fellows Communications 124, 1973.

Anon, Logainmneacha as Paróiste na Rinne Co. Phort Láirge. Baile Átha Cliath: An Cumann Logainmneacha, 1975.

Becker, H. *I mBéal na Farraige - Scéalta agus seanchas faoi chúrsaí feamainne ó bhéal na ndaoine.* Indreabhán, Co. na Gaillimhe: Cló Iar-Chonnachta, 1997

Bell, J. agus Watson, M. *Irish Farming, 1750-1900.* Dún Éidean: John Donald, 1986.

Breatnach, N. *Ar Bóthar Dom.* Rinn Ó gCuanach: Coláiste na Rinne, 1998.

Breatnach, R.B. *The Irish of Ring, Co. Waterford: A Phonetic Study.* Baile Átha Cliath: Institiúid Ardléinn Bhaile Átha Cliath, 1947.

Idem, Seana-Chaint na nDéise II: Studies in the Vocabulary and Idiom of Déise Irish based mainly on material collected by Archbishop Michael Sheehan (1870-1945). Baile Átha Cliath: Institiúid Ardléinn Bhaile Átha Cliath, 1984.

Brennan Harvey, C. *Contemporary Irish Traditional Narrative - The English Language Tradition.* Berkeley, Los Angeles agus Londain: University of California Press, 1992.

Christiansen, Reidar Th. *The Migratory Legends - A Proposed List of Types with a Systematic Catalogue of the Norwegian Variants.* Helsinki: Folk Fellows Communications 175, 1958.

Dègh, L. *Folktales and Society - Storytellers in a Hungarian Peasant Community.* Bloomington, Indiana: Indiana University Press, 1969.

de Noraidh, L agus Ó hÓgáin, D., eag., *Binneas thar Meon - Cnuasach d'amhráin agus de cheolta a dhein Liam de Noraidh in oirthear Mumhan.* Baile Átha Cliath: Comhairle Bhéaloideas Éireann, 1994.

Dundes, A. (eag.). *The Study of Folklore.* Englewood Cliffs, New Jersey: Prentice Hall, 1965

Glassie, H. *Passing the Time - Folklore and History of an Ulster Community.* Philadelphia: University of Pennsylvania Press, 1982.

Gillmer, T.C. *A History of Working Watercraft of the Western World.* Camden, Maine: McGraw Hill, 1994.

Henige, D. *Oral Historiography.* Londain: Longman, 1973.

Holbek, B. *Interpretation of Fairy Tales.* Helsinki: Folk Fellows Communications No. 239, 1987.

Kelly, F. *Early Irish Farming.* Baile Átha Cliath: Institiúid Ardléinn Bhaile Átha Cliath, 1997.

Lysaght, P. *The Banshee - The Irish Supernatural Death-Messenger.* Baile Átha Cliath: The Glendale Press, 1986.

Mac Craith, N. (eag.). *Scéalta Mhicíl Uí Mhuiríosa ón Rinn.* Rinn Ó gCuanach, 1997.

MacLennan, G.W. *Seanchas Annie Bhán - The Lore of Annie Bhán.* Baile Átha Cliath: The Seanchas Annie Bhán Publication Committee, 1997.

Nic Pháidín, C. *Cnuasach Focal ó Uíbh Ráthach.* Baile Átha Cliath: Acadamh Ríoga na hÉireann, 1987.

Ó Cionnfhaolaidh, M. *Beatha Mhichíl Turraoin.* Baile Átha Cliath: Oifig an tSoláthair, 1956.

Ó Cróinín, S. agus Ó Cróinín D. *Scéalta Amhlaoibh Í Luínse.* Baile Átha Cliath: An Cumann le Béaloideas Éireann, 1971.

Idem, Seanchas Amhlaoibh Í Luínse. Baile Átha Cliath: Comhairle Bhéaloideas Éireann, Scríbhinní Béaloidis - Folklore Studies 5, 1980.

Idem, Seanchas Ó Chairbre I. Baile Átha Cliath: Comhairle Bhéaloideas Éireann, Scríbhinní Béaloidis - Folklore Studies 13, 1985.

Ó Cuív, B. *The Irish of West Muskerry.* Baile Átha Cliath: Institiúid Ardléinn Bhaile Átha Cliath, 1947.

Ó Dálaigh, S. agus Tyers, P. *Abair Leat: Seosamh Ó Dálaigh 1909-1992.* An Daingean: An Sagart, 1999.

Ó Danachair, C. *A Bibliography of Irish Ethnology and Folk Tradition.* Corcaigh agus Baile Átha Cliath: Mercier Press, 1978.

Ó Domhnaill, M. *Iolscoil na Mumhan - Coláiste na Rinne, Gearr-Stair.* Rinn Ó gCuanach: Coláiste na Rinne, 1987.

O'Dowd, A. *Spalpeens and Tattie Hokers - History and Folklore of the Irish Migratory Agricultural Worker in Ireland and Britain.* Baile Átha Cliath: Irish Academic Press, 1991.

Ó Duilearga, S. *Leabhar Sheáin Í Chonaill: Scéalta agus Seanchas ó Íbh Ráthach, 3 eag.* Baile Átha Cliath: Comhairle Bhéaloideas Éireann, Scríbhinní Béaloidis - Folklore Studies 3, 1977.

Ó Gráda, C. *An Drochshaol - Béaloideas agus Amhráin.* Baile Átha Cliath: Coiscéim, 1994.

Ó hAirt, D. *Díolaim Dhéiseach.* Baile Átha Cliath: Acadamh Ríoga na hÉireann, 1988.

Ó hEochaidh, S., Ní Néill, M. agus Ó Catháin, S. *Síscéalta ó Thír Chonaill.* Baile Átha Cliath: Comhairle Bhéaloideas Éireann, Scríbhinní Béaloidis - Folklore Studies 4, 1977.

Ó hÓgáin, D. *Myth, Legend and Romance - An Encyclopaedia of Irish Folk Tradition.* Londain: Ryan Publishing Co. Ltd., 1990.

Ó Maoldhomhnaigh, M. *Luibh-Sheanchus, 1 Irish Ethno-Botany and the evolution of medicine in Ireland.* Baile Átha Cliath: M.H. Gill & Son, 1919.

Ó Murchú, P. agus Verling, M. *Gort Broc - Scéalta agus Seanchas Ó Bhéarra.* Baile Átha Cliath: Coiscéim, 1996.

Ó Súilleabháin, S. *Láimh-leabhar Béaloideasa.* Baile Átha Cliath: An Cumann le Béaloideas Éireann, 1937.

Ó Sé, D. *Gaeilge Chorca Dhuibhne.* Baile Átha Cliath: Institúid Teangeolaíochta Éireann, 2000.

Idem, A Handbook of Irish Folklore. Baile Átha Cliath: Folklore of Ireland Society, 1942. Hatsboro, Pennsylvania: Folklore Associates, 1963. Detroit: Singing Tree Press, 1970.

Ó Súilleabháin, S. agus Christiansen, Reidar Th. *The Types of the Irish Folktale.* Helsinki: Folk Fellows Communications 188, 1963.

O'Sullivan, S. *Legends From Ireland.* Londain: B.T. Batsford Ltd., 1977.

Partridge, A. *Caoineadh na dTrí Muire - Téama na Páise i bhFilíocht Bhéil na Gaeilge.* Baile Átha Cliath: An Clóchomhar Teo, 1983.

Pentikäinen, J. *Oral Repertoire and World View - An Anthropological Study of Marina Takalo's Life History.* Helsinki: Folk Fellows Communications No. 219, 1987.

Póirtéir, C. *Micí Sheáin Néill - Scéalaí agus Scéalta.* Baile Átha Cliath: Coiscéim, 1993.

Idem, Glórtha an Ghorta - Béaloideas na Gaeilge agus an Gorta Mór. Baile Átha Cliath: Coiscéim, 1996.

Power, Rev. P. *Log-Ainmneacha na nDéise - The Place-Names of Decies.* Corcaigh: Cork University Press, 1952.

Scott, R.J. *The Galway Hookers - Working Sailboats of Galway Bay.* Baile Átha Cliath: Ward River Press, 1985.

Sheehan, Rev. M., *Sean-Chaint na nDéise - The Idiom of Living Irish.* Baile Átha Cliath: Institiúid Ardléinn Bhaile Átha Cliath, 1944.

Siikala, Anna-Leena. *Interpreting Oral Narrative.* Helsinki: Folk Fellows Communications No.245, 1990.

Thompson, S. *The Folktale.* Berkeley, Los Angeles agus Londain: University of California Press, 1977.

Idem, Motif-Index of Folk-Literature, 6 Iml. Bloomington, Indiana: University of Indiana Press, 1955-58.

Uí Churraoin, E. Bean, Mac Craith, N (eag.) *Fir Mhóra an tSean-Phobail.* Rinn Ó gCuanach: Coláiste na Rinne, 2002.

Ussher, A. *Cainnt an tSean-Shaol.* Baile Átha Cliath: Oifig an tSoláthair, 1942.

Wagner, H. *Linguistic Atlas and Survey of Irish Dialects, Vol. I, Introduction.* Baile Átha Cliath: Institiúid Ardléinn Bhaile Átha Cliath, 1958.

Idem, Linguistic Atlas and Survey of Irish Dialects, Vol. II. The Dialects of Munster. Baile Átha Cliath: Institiúid Ardléinn Bhaile Átha Cliath, 1964.

Williams, N. *Díolam Luibheanna.* Baile Átha Cliath, Sáirséal agus Ó Marcaigh, 1993.

Yonge, J.Z. *The Sea Shore.* Londain: Collins New Naturalist Series, 1966.

Young, J. *A Maritime and General History of Dungarvan – 1690-1978.* Dún Garbhán, 1979.